KB158627

4판

교 수 전 략

Strategies for Effective Teaching

Allan C. Ornstein, Thomas J. Lasley II 지음

박인우 옮김

 McGraw Hill Education   아카데미프레스

교수전략

Strategies for Effective Teaching, 4/e

1 2 3 4 5 6 7 8 9 10 Academy Press 20 09 08 07 06

Original: Strategies for Effective Teaching, 4/e
　　　　　By Allan Ornstein, Thomas Lasley
　　　　　ISBN 0-07-256428-8

This book is exclusively distributed in Academy Press Publishing Co.

When ordering this title, please use ISBN 89-91517-15-3

Printed in Korea

서 문

교사가 되는 것은 무척이나 복잡한 모험이다. 성공적인 교사가 되기 위해 필요한 몇몇은 배움을 통해 얻기도 하고, 개인이 가지고 있는 것일 수도 있다. 이 책은 가르침의 기술과 과학에 대해 논한다. 교육적 실천의 과학은 계속 발전하고 있다. 이 책의 여러 장에서는 현재 알려진 것들에 대한 예시를 제시한다. 그러나 우리는 과학이 여전히 비효과적이고, 몇몇 교사들은 과학적 지식 없이도 상대적으로 성공적인 경우를 볼 수 있다. 그러한 교사들은 좋은 교사일 수는 있지만, 적어도 기술적인 면에서는 전문가라고 할 수는 없다. 전문가들은 의도적으로 세부적이고 이론적인 지식들(최근 생겨난 지식의 종류)을 습득하고, 그러한 지식들을 학생들의 학습을 돕는 데 사용한다.

이 책은 예비 교사들에게 무엇을 가르칠지(목표)를 계획하는 방법, 어떻게 가르칠 것인지(방법)를 결정하는 방법, 배운 것을 반추하는 방법(반추), 학생들이 필수 개념을 습득했는지를 평가하는 방법(평가)을 보여주기 위한 일반적 또는 세부적인 방법론을 담고 있다.

독자들은 전문적 지식을 습득하기 위한 항해를 시작하기 전에, 성공적인 교수가 다음의 기본적인 가정들을 기반으로 한다는 것을 알아둘 필요가 있다.

1. 교사는 철저한 학문적 지식을 가져야 한다.
2. 교사는 가르칠 것에 대한 학문적 내용 기준을 알아야만 한다.
3. 교사는 의미있는 교수설계를 하기 위해 학생들이 어떻게 배우는지에 대해 알아야 한다.
4. 교사는 맥락과 목적에 따라 내용을 전달하는 방법을 알아야 한다.

가정 1은 일반적으로 준수한 교육과정을 이수하였다면 달성할 수 있는 것이다. 가정 2는 전공분야(혹은 부전공)와 관련된 과목 이수를 하였다면 이미 갖추어진 조건이다. 가정 3은 Jean Piaget나 B. F. Skinner, Edward Thorndike, L. S. Vygotsky 등의 연구를 강조하는 교육심리를 통해 달성할 수 있다. 가정 4는 이 책에서 강조하는 부분이다. 특히, 이 책은 자신이 알고 있는 것을 학생들의 지식구성을 돕는 방법으로 전달하는 과정 즉, 가르치는 방법에 초점을 맞추고 있다.

이 책의 구성

이 책은 세 부분으로 구성되어 있다. 첫 번째 부분은 가르침의 기술과 과학에 대해 이야기한다. 두 번째 부분은 가르치는 활동을 세부적이고 개별적인 기술들로 나누어 살펴본다. 마지막으로 세 번째 부분에서는 계속되는 전문성 개발과 관련되는 문제들을 이끌어내고, 가르침의 기술이 교사들이 교실에서 행하는 기술과 과학 모두가 될 수 있는 방법을 제안한다.

이 책의 특성

이 책은 오늘날 학교에서 예비 교사들이 유용하게 사용할 수 있는 여섯 가지 기본적인 요소들을 기본으로 하고 있다. 여섯 가지 요소는 연구 기반, 규준 기반, 예시 기반, 반추 기반, 전문성 기반, 그리고 공학 기반이다.

연구 기반

이 책은 의도적으로 교사가 학생의 학업 성취에 영향을 미침을 보여주는 다량의 문헌들을 담고 있다. 1960년대에 교육자들은 가정의 사회 경제적 지위가 학생의 학업 성취에 매우 중요하기 때문에 교사는 부수적인 요소라는 말을 들었다. 1990년대와 2000년대에 새로운 '부가가치적' 연구들은 교사가 학생의 학업성취에 지대한 영향을 미친다고 보고한다. 학생들이 학교에 가지고 온 것 (가정의 사회 경제적 자본)도 물론 차이를 만든다. 그러나 일단 학생들이 학교에 있을 때 그들에게 일어나는 일들 또한 매우 중요하다. 이는 교사로서의 당신 자신이 학생들의 부모만큼, 아니 그보다 더 그들의 학업 성취에 잠재적으로 중요한 사람임을 뜻한다. 얼마나 큰 책무이자 기회인가!

성취수준 기반

많은 주들은 교사의 역량을 평가하기 위한 성취수준을 채택하고 있다. 일부 성취수준은 국가적인 차원에서 만들어진 것이고 (PRAXIS 시리즈와 INTASC), 나머지는 주정부 또는 지역적인 수준에서 만들어진 것이다(캘리포니아의 CFASST). 이 책에 소개된 것들은 국가적인 성취수준과 연관된 것들이다. 3장부터 12장에 걸쳐 각 장의 내용과 관련있는 Pathwise/PRAXIS III와 INTASC의 성취수준들에 대한 자세한 설명을 하고 있다 (물론 모두가 여기에서 제시하는 내용과 규준의 매치에 동의하지는 않을 것이다. 하지만 이러한 성취수준들이 가르침의 기술 또는 '투입' 과 어떻게 연관되는지 알게 될 것이다). 만약 여러분이 INTASC나 PRAXIS 시리즈를 적용하는 주의 교사라면, 이 책에 제공된 지표들이 매우 유용할 것이다. 만약 그렇지 않더라도, 내용에 대해 생각하고 틀을 정하는데 도움이 될 것이다.

예시 기반

많은 방법론 저서들이 가지고 있는 실질적인 문제들 중 하나는 그러한 저서들이 이론에만 치중해 있고 그 이론의 적용(예시)에 대한 비중이 작다는 점이다. 이 책은 적용 쪽에 비중을 두고 있다. 훌륭한 교사가 되려면 이론을 알아야 한다. 그러나 그 이론도 어떻게 적용해야 하는지를 알지 못한다면 의미 없는 것이 된다. 많은 예시들(표, 그림, 차트, 아날로그)은 이론적으로 설명된 것들이 실용적으로 적용될 수 있다는 사실을 확실히 해준다. 사례연구나 교사들을 위한 조언들 역시 이론과 실제를 연결시키는 데 도움이 된다. 어떤 예시에서는 심지어 사례 안에 교수 기준과 원리들의 관계를 자세하게 설명하기도 한다. 이렇게 함으로써 이론과 실제의 관계를 좀더 직접적으로 살펴볼 수 있다.

성찰 기반

1990년대에 '행동하면서 성찰하기'와 '행동에 대해 성찰하기'의 개념이 예비 교사들이 갖추어야 할 중요한 전문적인 성향으로 자리매김했다. 이 책은 교사들이 몇 가지 중요한 주제들에 대해 좀더 깊게 생각해 볼 수 있도록 '반추를 위한 질문'을 담고 있다. 일단 가르침을 시작하고 나면 당신이 가르치는 동안 무엇을 하는지 성찰하는 방법 그리고 수업을 끝낸 후 한 것에 대해 성찰하는 방법을 배울 필요가 있다.

전문성 기반

많은 사람들이 미국에서 교육을 받았다. 그들의 '목소리' 중 다수는 '전문가의 견해'라는 코너를 통해 이 책에 포함되어 있다. 그러한 견해 중 몇몇은 현재 실전 교사들이 쓴 것이다. 모든 저자들은 자신들의 교수를 글쓰기나 사고를 통해 형성하거나, 실제 가르침을 통해 만들어가고 있는 사람들이다. 두 가지 모두 매우 중요하며, 현재의 교육적 문제들이 전혀 새로운 것이 아니며 단지 새로운 사고를 요구하는 오래된 문제들임을 알게 도와줄 것이다.

공학 기반

공학의 사용은 미국의 젊은 사람들에게 점점 더 일반적인 것이 되어가고 있다. 이 책을 읽는 많은 예비 교사들은 아마도 관심 분야에 대한 정보 수집을 위해 웹사이트에 접속해 본 적이 있을 것이다. 이 책 전반에서, 특히 7장에서, 여러분은 효율성을 증진시키는 데 도움이 될 웹사이트 정보를 찾을 수 있을 것이다. 또한 각 장에 '공학적 관점'이라는 코너가 첨부되어 현재의 공학을 어떻게 사용할 수 있는지도 소개하고 있다.

맺는말

여러분이 교사가 되기 위한 긴 여정의 한 부분으로 이 책을 선택해준 것을 영광으로 생각한다. 여러분의 가르침의 여정이 길고 유익하길 바라며 아울러 우리의 책이 학급 교사가 된다는 것이 무엇을 의미하는지에 대해 더 많은 것을 가르쳐 줄 수 있었으면 하는 바램이다.

검토자들

이 책을 편찬하는 데는 수많은 유능한 검토자들의 결정적인 도움이 있었다. 특히 네 번째 개정판을 내는데 사려깊은 조언을 해주신 다음의 분들께 감사를 드린다.

Caroline Diemer,
Liberty University

Barbara Divins,
Franklin College

Caroline Knight
North Central University

Anne Mungai,
Adelphi University

Albert A. Stramiello,
Mercer University

교수에게

효과적인 교수 전략 네 번째 개정판은 어떻게 가르치는지를 배우고, 교수방법을 증진시키고, 학생들에게 학습하는 방법을 가르치는 데 관심이 있는 모든 분들을 위한 책이다. 이 책은 초보 교사들로 하여금 자신의 새로운 역할에 대해 준비할 수 있도록 도울 것이고, 노련한 교사들에게는 그들이 무엇을 왜 하는지에 대한 새로운 통찰을 제공할 것이다.

이 책은 교수의 이론과 실제에 초점을 맞추고 있다. 또, 중요한 연구들을 소개하고 분석한 뒤 실제적 절차와 교사들이 사용할 수 있는 적용적 전략을 제시함으로써 이론과 실제를 혼합하려는 시도를 하고 있다. 성공적인 교사는 수업을 어떻게 시작할까? 그들은 어떻게 학급 활동들을 관리할까? 집중하지 못하는 학생들을 어떻게 다룰까? 정답을 모르는 학생은 어떻게 처리할까? 이러한 것들이 교사가 매일 다루어야 할 문제들이다. 이 문제들에 대한 해결책은 우리가 수업 시간에 배운 이론을 학급 상황에 어떻게 적용하느냐에 달려 있다.

효과적인 교수 전략 역시 INTASC 기준과 Pathwise PRAXIS 성취기준에 근거를 두고 있다. 많은 주들에서는 교사교육의 질을 보장하고 좋은 교수방법에 대해 논의하는 공통의 언어를 만들기 위한 수단으로 이러한 성취기준을 사용하고 있다. 우리는 여러분들이 필요한 교수 기술을 이미 정의되고 수용된 교수 성취기준과 연관시키는 데 이 책을 사용할 수 있기를 바란다. 그리고 이 책에 제시된 생각들을 적용함으로써, 학생들의 학습 또한 증진되기를 바란다.

예비 교사들과 초보 교사들은 먼저 이론적인 개념과 원리를 숙지한 뒤 세부적인 방법과 전략을 개발함으로써 이러한 개념과 원리를 통합할 필요가 있다. 그러한 통합 과정, 또는 이론에서 실전으로의 도약은 쉬운 일이 아니다. 효과적인 교수 전략은 실제적인 전략과 방법들을 연구와 조화롭게 함으로써 이를 도울 것이다. 또 이 책은 많은 이론과 실제 예시를 독자들이 자신의 개성과 철학에 맞는 것을 선택할 수 있도록 제시하고 있다. 각 장에 있는 사례 연구와 교사들을 위한 조언을 참고해도 좋다. 이러한 교수 보조도구들은 독자들이 이론을 실제에 적용하는 것을 돕기 위해 마련된 것이다.

효과적 교수 전략은 인지 발달 연구를 정보 처리 이론과 혼합한 인지 과학적 접근을 채택하고 있다. 결국, 상당량의 내용이 교육 심리, 언어학, 그리고 방법론에 근거를 두고 있으며, 적은 부분 철학, 역사 또는 교수의 사회학을 다루고 있다.

인지 과학은 교사가 어떻게 가르치고 학생이 어떻게 배우는지에 초점을 맞추며, 또한 효과적인 교수 학습을 돕는 전략 개발에 사용된다. 이 책은 학생들이 정보처리를 하는 방법, 또는 우리가 학습 전략이라 부르는 것들 즉, 데이터 걸러내기, 정보 요약, 노트필기, 과제하기, 텍스트 읽기, 시험보기 등에 관한 연구를 소개하고 있다. 또한 학생들이 비판적이고 창의적으로 사고할 수 있도록 즉, 분류, 유추, 해석, 추론, 평가, 예측할 수 있도록 가르치는데 이러한 현존하는 연구를 사용할 수 있다.

효과적인 교수 전략을 밝혀내는데 역시 연구가 도움이 될 수 있다. 효과적인 교수 전략은 설명하기,

질문하기, 관리하기, 검토하기를 사용하여 어떻게 가르칠 것인가를 논의하기 위해 인지과학 연구를 사용한다. 즉, 어떻게 진단하고 평가하고, 교수를 위해 학생들을 집단으로 어떻게 배치할 것인지, 기본적인 기술, 개념 그리고 문제해결을 어떻게 가르칠 것인지, 학생들의 행동을 개인적 차원 그리고 집단의 차원에서 어떻게 관리할 것인지, 어떻게 교수를 계획하고 교수공학을 활용할 것인지, 그리고 교과서를 어떻게 사용하고 교수 자료를 어떻게 향상시킬 것인지를 논의하기 위해서이다.

인지 과학에 관한 새로운 강조점은 학생들의 대답 그 자체보다는(정답이 중요하다는 것이 분명함에도 불구하고), 학생들이 대답을 이끌어내는 방법 그리고 학생들이 필수 내용을 학습하는 것을 돕기 위해 교사가 사용하는 전략들에 더 관심을 가진다.

이 책은 교사들에게 학생들이 정보를 처리하는 방법과 교사들이 학생들의 학습을 좀더 효과적으로 돕기 위해 교수방법을 개선하는 방법에 관한 최근 연구들을 소개한다.

효과적인 교수 전략의 이번 개정판은 다음과 같은 특징을 가지고 있다.

- 교수 기술들에 기초를 둔 Pathwise (PRAXIS 시리즈) 규준과 INTASC 성취기준들 (3장부터 12장)
- 독자를 안내하고 따라야 할 단계를 정하고 주요 쟁점을 짚어주는 각 장 시작 부분의 포커스 질문
- 이해를 촉진하고 개념간의 관계를 설명해 주는 읽기 쉬운 대제목과 소제목
- 정보 분류와 개념화를 돕는 간결한 기술어와 범주
- 학습을 좀더 의미있게 해주는 개요로서 조직된 표와 차트
- 교실 교수 상황에 적용되는 최근 연구 결과
- 주요 개념 또는 원리를 부각시키고 초보 교사와 노련한 교사 모두에게 조언을 주기 위한 전문가들의 관점인 '전문가 견해'
- 학생의 학습과 교사의 전문성 개발을 향상시키기 위해 다양한 형태의 공학을 사용하는 매체 전문가들이 쓴 '공학적 관점'
- 중요한 교육적 문제들을 제시하고 독자들로 하여금 실세계에서의 문제의 속성(몇몇은 구체적으로 Pathwise의 규준에 맞닿아 있는 것들도 있다)을 파악할 수 있도록 돕는 '사례 연구'
- 독자들이 내용에 대해 비판적으로 반추할 수 있도록 돕는 1장부터 11장까지의 '성찰을 위한 질문'
- 가르침에 대한 통찰을 주는 실용적인 조언 목록
- 각 장의 서술 순서와 같이 주요 내용을 간략하게 제시한 요약

학생들에게

효과적인 교수 전략 네 번째 개정판은 다섯 가지 목적을 가지고 있다. 첫 번째는 교실에서 무엇이 이루어지는지 가르치는 직업이 무엇을 포함하는지에 대한 초보 교사들의 이해를 돕기 위한 것이다. 여러분은 아마도 학생의 관점에서 본 교육에 매우 친숙해 있음에도 불구하고 교사의 관점에서 가르침에 대한 경험은 적을 것이다. 그리고 노련한 교사라 할지라도 항상 전문성 향상과 개발을 위한 새로운 정보를 자기 자신의 교수 경험과 접목시켜볼 수 있다.

두 번째 목적은 교수방법에 대한 현실적이고 구체적인 제안과 학급 안에서 교수 학습 과정을 향상시키는 방법에 대한 제안을 제공하는 것이다. 많은 교사들은 자신의 행동 또는 자신이 학생에게 행하는 영향력에 대해 알지 못한다. 반면 다른 교사들은 서기 나른 학생들에게 맞는 방법과 전략 면에서 자신의 전문성을 발전시킬 수 있다.

또 다른 목적은 이론적이고 연구를 기반으로 하고 있는 데이터를 교수 실제에 적용하는 것이다. 사회과학자와 교육자들은 인간의 행동에 관한 많은 것들을 발견해 왔고, 학습을 향상시키기 위한 새로운 실천에 적용될 수 있는 많은 원리들을 만들어냈다. 이미 존재하는 교수 상황도 연구를 이해함으로써 명확화하고 개선할 수 있다. 이 책에 담고 있는 생각은 '교수의 이해'를 '교수방법의 이해'로 전환시키는 것이다.

네 번째 목적은 교사들이 어떻게 변화를 이끌어내고 학생들에게 긍정적인 영향을 줄 수 있는지를 보여주는 것이다. 이 책의 정보들은 교사들이 학생들에게 영향을 끼치고, 몇몇 교사들은 학생의 성공을 최대화함에 있어서 다른 교사들보다 나은 결과를 내고 있다는 것을 보여준다.

마지막으로, 효과적인 교수 전략은 교사들이 학생들에게 학습하는 방법을 어떻게 가르칠 수 있을지에 대해 이야기하고 있다. 즉, 학생들의 학업 성취 기회를 증가시키고, 현대 사회에 팽배해 있는 인적 자원의 손실을 감소시키는 학습 전략을 다루고 있다. 어떻게 학습하는지 그리고 어떻게 개인적인 결정의 기초를 다지는지 아는 것이 학습자의 목표이고, 학생이 학습하는 방법을 배우는 것을 돕는 것이 교사의 목표이다. 학생들이 학습 방법을 배우는 정도는 교사가 얼마나 잘 가르치느냐에 영향을 받는다.

Allan C. Ornstein
Thomas J. Lasley II

감사의 글

많은 분들이 효과적 교수 전략의 '전문가의 견해'에 글을 써 주셨다. 바쁘신 와중에도 친절하게 교사와 교수에 관한 소중한 조언 또는 개인적인 견해를 적어주셨다. 그 분들의 의견은 유용한 정보를 호소력 있게 제공하면서 이 책에 시기적절함과 비범함을 추가했다.

Allan C. Ornstein

많은 분들이 이 책을 개정하는데 도움을 주었다. 특별히 도움을 주신 모든 분들께 감사를 표하는 바이다. 사진에 도움을 주신 Jane Perri, Debbie Byrd, Matt Sableski, Josh Schrank와 자료 입력 작업을 보조해 주신 Tanya Marling, INTASC와 Pathwise 규준들이 내용과 올바르게 (최소한 논리적으로라도) 매치되었는지 확인해 주신 Carmen Giebelhaus와 Susan Ferguson, PRAXIS와 INTASC의 개념과 관련된 부분을 검토해 주신 Connie Bowman과 Patricia Hart, 저작권과 허가 문제를 담당해 주신 Melissa Bogan, 교정작업과 교수자 매뉴얼 작업을 맡아 주신 Brandy Flack, 페이지 교정쇄 검토를 도와 주신 Colleen Wildenhaus, 편집작업에 도움을 주신 Terri Wise, 대부분의 타이핑 작업과 내가 자유롭게 글을 쓸 수 있도록 모든 잡무를 맡아준 나의 동료 Mea Maio, 가족과 시간을 보내지 않고 토요일에도 일을 하도록 허락해 준 나의 부인 Janet, 그리고 물론 전폭적인 지지를 해준 Dayton 대학에도 감사한다.

Thomas J. Lasley II

역자 서문

이 책은 Allan C. Ornstein과 Thomas J. Lasley II가 2004년에 저술한 *Strategies for Effective Teaching*(4th ed.)을 번역한 것이다. 원제를 직역한다면 '효과적 교수를 위한 전략'이라고 할 수 있다. 그렇지만, 우리나라에서 교수(Teaching)를 잘 하기 위해 반드시 필요로 하는 '교수전략'을 가르치기 위한 교재를 찾기가 힘들어 이 책을 접하게 되었고, 제목도 그렇게 정하였다.

학교는 다양한 기능을 담당하고 있지만, 그 중에서 가장 핵심적인 기능은 교수와 학습이라고 볼 수 있다. 즉, 어떤 곳이 학교로 지칭되려면, 그곳에는 반드시 가르치는 활동(교수)과 배우는 활동(학습)이 이루어지고 있어야 한다. 이 두 가지 활동 중에서도 학습이 교수에 의해 계획 및 촉진되는 활동이라고 본다면, 학교에서 가장 중요하게 여겨야 할 것은 교수인 셈이다. 교수전략은 간단하게 말하면 이처럼 핵심적인 '교수 활동을 어떻게 효과적으로 수행할 수 있는가'에 대한 해답이다.

그런데 교육 또는 학교 현장에서 교수가 매우 중요하지만, '교수전략'이라는 제목으로 발간된 전문서적을 찾기는 쉽지가 않다. 뿐만 아니라 '교수전략'을 체계적으로 연구한 논문도 찾아보기 어렵다. 심지어, 교수전략을 제목 중에 포함시킨 논문을 살펴보아도 이것을 직접적으로 정의한 논문은 찾아보기 어렵다. 이처럼 교수전략에 대한 좋은 논문 또는 저서를 찾기가 어려운 이유를 역자는 이 책을 번역하면서 알게 되었다.

이 책은 교수에 대한 지금까지의 실증적인 연구결과와 현장의 경험을 종합하여 기술하고 있다. 이와 더불어 저자는 미국에서의 교수가 이루어지는 모든 환경을 고려하여 어떻게 하면 이러한 환경 속에서 가장 효과적으로 가르칠 수 있는지 그 전략을 기술하고 있다. 저자는 교수목표에 대한 설명에서 미국의 각 주마다 설정되어 있는 성취기준을 고려해야 함을 함께 설명한다. 매 장마다 효과적인 교수와 관련된 다양한 개념을 설명하면서 이와 관련된 현장의 목소리, 사례 등도 곁들이고 있다. 그리고 저자는 최근의 공학적 발전을 고려하면서 이러한 공학을 어떻게 활용할 수 있는지도 함께 기술하고 있다. 한편으로 이 책은 저자가 미국의 교육을 대상으로 하고 있기 때문에 결국은 미국 교사들이 교육현장에서 활용할 수 있는 교수전략을 소개하고 있다.

교육, 그 중에서 가르치는 활동인 교수는 철저하게 지역적인 속성을 갖게 된다. 이러한 점을 고려한다면 이 책의 제목도 '미국교육의 교수전략'이라고 번역하는 것이 더 적합할 수도 있을 것이다. 그리고 이것은 다시 '한국교육의 교수전략'을 제목으로 한 저서가 필요함을 의미한다. 사실, 이 책을 번역한 동기가 바로 여기에 있다. 우리나라 교육 실정에 맞는 교수전략을 찾고, 집대성하는 작업을 하기 위해서는 다른 나라의 교수전략부터 꼼꼼히 살펴보는 것이 순서일 것이다. 물론, 비록 다른 나라의 교육 환경을 기반으로 한 교수전략이기는 하지만 교육의 일반적인 속성을 고려한다면 우리나라에 그대로 적용할 수 있는 부분도 많이 발견된다.

이 책의 번역은 2005년 2학기 교수전략 수업의 일환으로 이루어졌다. 1차적으로 수강 학생들이 4-5쪽씩 번역해 오면, 그것을 역자가 수정하거나, 경우에 따라서는 재번역하는 방식으로 이루어졌다. 이러한 과정이 어떻게 이루어졌는지는 역자의 홈페이지 게시판(http://education.korea.ac.kr/innwoo)을 보면 잘 알 수 있을 것이다. 따라서 무엇보다도 이 수업을 들었던 학생(고은현, 정광훈, 정한호, 임승옥, 김태웅, 엄미리, 권현수, 이주연, 이영, 장선영, 박혜림, 조지선, 송영복, 손경옥, 한인숙, 노정민)들이 없었더라면 번역이 매우 힘들었음을 밝혀두고자 한다. 더불어 수업의 일환으로 번역되었기 때문에 추가로 많은 손질이 선뜻 출판을 결정해 준 아카데미프레스 홍진기 사장에게도 감사드린다.

2006년 여름
안암골에서 박인우 씀

차 례

제9장   학급경영과 훈육   354

제10장   학업 성취기준과 학습자 평가   394

효과적 교수 수행에 대한 시각

제1부에서는 교사의 행동과 이러한 행동이 가르치는 능력과 학생의 학습 욕구에 미치는 영향을 검토한다. 이미 짐작하다시피 가르치는 행위는 아주 역동적이다. 이것은 교사에게 육체적 및 정신적으로 많은 것을 요구한다. 그렇지만, 이것은 또한 실제 심리학적 보상을 제공한다.

다음 두 개의 장에서는 교수의 기예와 과학을 탐색한다. 제1장에서는 교수에는 엄청난 힘과 복잡성이 개입되어 있기 때문에 기예로 시작한다. 제2장에서는 교사와 교수에 관하여 점차적으로 증가하고 있는 과학적 문헌을 검토한다.

제 1 장
효과적 교수 기예

> ## 핵 심 문 제
>
> 1. 사람들이 가르치는 이유는 무엇일까? 이 이유와 당신이 생각한 이유는 어떻게 다른가?
> 2. 숙련된 교수는 무엇이며 교사는 왜 교수 기예와 과학을 알아야 하는가?
> 3. 교수 실제에서 지배적인 패러다임은 무엇인가?
> 4. 효과적인 교사는 학생들이 학습법을 학습하도록 어떻게 촉진하는가?
> 5. 효과적인 교사는 학생들의 창의력을 어떻게 육성하는가?
> 6. 구성주의는 교실의 학습 패러다임을 어떻게 조성하는가?
> 7. 교수 성취기준과 구성주의는 서로 모순되는가?

제1장에서는 왜 가르치고 싶어하는지 묻고, 이에 대하여 자신의 이유를 솔직하게 모색해 보기를 기대한다. 그리고 나서 본 장의 핵심인 교수 기예에 대해 설명한다 : 같은 기술을 가진 교사들이 왜 다른 수준의 성공을 경험하는가? 이러한 차이는 교수 행위의 기예적 특성때문이다. 그런 기예를 갖고 있는 사람도 있지만 그렇지 않은 사람도 있다. 결론적으로 이 장에서는 교수가 어떻게 학습자의 학습과 창의성에 영향을 미치는지 설명한다.

교수의 이유

교수에 관한 장을 시작하는 방법에는 여러 가지가 있다. 교수가 무엇인가에 대한 균형있는 그림을 그리기 위해서 교사들에 대한 일반적인 점들을 고려하는 것부터 시작한다. 다음으로 교사에 대하여 보다 명확하게 논의하게 될 것이다. 본 장의 목적은 교사들이 활용하는 교수전략뿐만 아니라 교사에 대해서도 기술하는 것이다. 가르치는 것을 직업으로 선택하는 동기도 살펴본다. 가르치는 전문직을 막 시작하려는 사람들과 이미 가르치고 있는 사람들이라도 왜 가르치기를 원하는지 스스로에게 질문해 보아야 한다.

많은 교사들의 강한 동기 중 하나는 아동기 동안의 성인 모형 특히 선생님과의 동일시이다. 연구에 의하면 여성들이 교사가 되기로 결심하는데 있어서 그들의 선생님보다 부모로부터 영향을 더 많이 받는다고 한다. 남성들은 부모보다는 선생님의 영향을 받는 경우가 2배나 많다.[1]

나아가 연구 자료에 의하면 부모는 아들보다 딸에게 교사가 되라고 격려하는 것으로 나타났다. 이는 과거에 남성에게 보다 광범위한 직업 선택의 가능성이 열려 있었고, 가르치는 일이 남성보다는 여성에게 존경받는 직업이라 여겨진 전통적 관점 때문이다.[2] 여성의 직업 선택의 기회가 최근에 증가했다 하더라도 2000년 여성은 아직도 공립학교 교사의 74%를 차지하고 있고, 초등 교사의 80% 이상이며, 중등교사의 45%를 차지하고 있다.[3] 이 비율은 1960년대 중반 이후로 큰 변화가 없다. 이러한 불균형은 인종에 의해서도 동일하다. 정부 자료에 의하면 교직은 인종이 덜 다양하고 (백인이 1972년 88%, 2000년 91%), 성비가 덜 균형 잡혀 있다(남성은 1961년 31%, 2000년 26%).[4] 이는 남성 교사가 돈을 벌어야 할 필요성을 더 많이 느끼는데 교사의 봉급은 물가상승에 비해 감소하였기 때문이다.

직업으로 교직을 선택하는 것은 어린 시절 심리적 요인에 근거한다고 설명하는 연구자들이 많이 있다. 예를 들어, Wright와 Tuska는 교직은 어린 시절 동경과 환상의 표현에 기초하고 있다고 주장한다. Dan Lortie는 아동기 동안 초기 교직 모형이 내재화되었고 성인기에 유발된다고 생각한다.[5] 이 두 연구는 다른 이론에 근거하고 있음에도 교직을 결정하는 것이 형식적

교사 훈련 이전의 아동기 경험에 근거한다고 본다.[6] 여러분은 각자 자신의 경우에서 이것이 얼마나 정확한지 자문해 볼 수 있을 것이다.

교직을 직업으로 선택하는데 이상주의적 및 실제적인 많은 동기가 있다. 교직에 입문하고자 하는 사람들과 이미 교직을 수행하는 사람들이라 할지라도 왜 이러한 선택을 했는지 자문해 보아야 한다. 이들의 동기에는 1) 아동에 대한 사랑, 2) 특정 내용 지식(즉, 수학이나 영어)을 알려주고자 하는 욕망, 3) 사회를 변화시키고자 하는 흥미와 열망, 혹은 4) 사회를 돕기 위해 가치 있는 임무를 수행하고자 하는 요구 등이 있다. 다른 이유로는 직업 안정성, 연금 혜택이나 다른 전문직에서 요구하는 훈련에 비해 교직 준비가 상대적으로 쉽다는 인식이 있을 수 있다.[7]

미래의 교사에게 교직 결정의 중요성을 이해하는

표 1.1 교직 결정의 이유 범주(종류)

유형	설명
개혁가	사회나 시스템 변화를 추구하는 사람
내용 전문가	특정 내용 영역을 가르치고 싶은 사람
전향자	다른 직업으로 시작하였으나 교직이 보다 좋다고 나중에 깨달은 사람
뜨내기	진짜 직업 선택 기회가 올 때까지 교직을 하는 사람
조기 결정자	교직의 옳은 방향이라고 어린 시절부터 알고 있던 사람

어떤 것이 당신을 가장 잘 설명하는가?

출처: Based on Carolyn Bogad's five categories of student teachers as described in Nathalie J. Gehrke, *On Being a Teacher*. West Lafayette, Ind.: Kappa Delta Pi, 1987.

🔳 성 찰 문 제

최근에 Teach for America와 같은 프로그램이 교직의 장기적 전문화에 기여하는가에 대하여 중대한 논쟁이 벌어지고 있다. 당신은 이것이 문제가 된다고 생각하는가? 단지 몇 년간만 당분간 교직생활을 하기로 한 교사는 교직에 도움이 되는가 아니면 해로운 사람인가? 왜? 당신은 자신의 입장을 뒷받침할 연구를 찾을 수 있겠는가? 왜 그림 1.1의 교사 이직 유형이 미국 학교에서 나타난다고 생각하는가?

것은 특히 필수적이다. 직업으로 교직을 선택한 이유는 이후 교사가 되었을 때 학생을 대하는 태도와 행동에 틀림없이 영향을 미치게 될 것이다. 가르치고자 하는 이유가 무엇이든, 자신의 생각과 감정, 급우와 같은 다른 사람의 생각과 감정을 숙고하는데 도움이 될 것이다. 〈표 1.1〉에 제시되어 있는 다섯 가지 범주를 살펴보면서 어느 것이 자신을 가장 잘 설명해 주는지 보는 것도 한 방법이다.

효과적 교수 기예

이 장은 교직을 선택한 이유에 관계없이 그 "가능성"을 볼 수 있도록 하기 위한 것이다. 이 책 전체에서 우리는 왜 이 가능성이 일부 재능 있는 교사들에게 전형적인 실제가 되는지 살펴볼 것이다. 이런 교사들의 행동에서 **교수 기예**를 보게 될 것이다. 그러나 내용을 읽다 보면 **교수 과학**에 대해서도 함께 알게 될 것이다. 지난 20년 동안 Nate Gage라는 유명한 연구자는 교수 기술을 위한 과학적 기초(원칙)를 보다 잘 이해해야 한다고 주장했다. 본질적으로 훌륭한 가르침이란 오로지 기예적인 것도 아니고 본질적으로 과학도 아니며, 기예와 과학의 결합이다. 좋은 교사는 잘 가르치고 왜 잘 가르치는 것인지 개념적으로 알고 있으며, 그들의 수행의 근거를 설명할 수 있다. 좋은 교사는 또한 성취하고자 하는 계획의 목적이 무엇인지 알고 있으며 어떻게 학생들에게 이 목적을 실현할 것인지 알고 있다. 좋은 교사는 학습, 즉 학생의 학습에 중심을 둔다. 이러한 점에 주목하게 되면 교사들은 교수 기예와 교수 과학에 대해 생각하게 된다.

학습자의 학습보다는 자신의 행동에 초점을 맞추어 이 책의 모든 아이디어를 배운다면 자신의 효과성은 줄어들 것이다. 오직 학생에게만 전적으로 초점을 맞추고, 교수력을 증진시키는데 사용해야 하는 교수법(전략)이나 내용은 소홀히 한다면 당신은 잘 교육받은 값비싼 보모에 지나지 않을 것이다.

영화에서 그려진 "스타" 교사들에 대한 묘사를 잘 살펴보면 교수가 아니라 학습을 강조한다는 것을 알 수 있을 것이다. 유명한 연구가 중에 일부는 학습 패러다임 중심의 교사로 이러한 교사(Jaime Escalante와 LouAnn Johnson)를 평한다. Roland Barth와 Vito Perrone은 "가슴"으로 가르치고 돌보는 교육자로서 교사를 설명한다.[8] 우리는 교수의 학습과 수업 패러다임 차이 탐구에서부터 연구를 시작할 것이다. 그리고

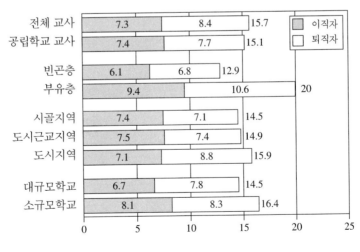

│그림 1.1│ 교사 이동 유형

출처: Adapted from Richard M. Ingersoll. "Teacher Turnover and Teacher Shortages: An Organizational Analysis." *American Educational Research Journal 38* (Fall 2001): 516: Reprinted with permission.

나서 이 이해를 바탕으로 교사의 효과성을 분석할 것이다.

영화에서의 교수 효과성

많은 교사 영화는 효과적인 교수의 힘에 주의를 돌린다. Stand and Deliver, Dangerous Minds, 그리고 Mr. Holland's Opus는 몇 안 되는 이런 영화이다. 이러한 영화에서는 역동적인 교사의 실제 삶을 포착하기도 하고(Stand and Deliver에서의 Jaime Escalante), 허구를 그리기도 한다(Dead Poet's Society에서의 John Keat 역의 Robin Williams).

교실이 매우 복잡한 곳이라는 사실은 문학작품에 잘 묘사되어 있다. 영화는 이 복잡함을 개인 감정을 움직이는 방식으로 묘사한다. Stand and Deliver의 Jaime Escalante는 무례한 학생들이 없었더라면 그들을 가르치고자 하는 어려움에 직면하지 않았을 것이다. 우리는 그의 성공을 보면서 자신의 열정으로 우리도 Garfield 고등학교나 우리 지역의 고등학교에서도 할 수 있다고 생각한다. 매우 소극적인 교사라 하더라도 영화를 보고 난 뒤 "나도 잘 할 수 있다"고 생각할 것이다.

그러나 영화는 교실 수업의 본질에 대한 강력한 교훈(본보기)도 제공한다. 유명한 교사 영화의 대부분에서 우리는 교사가 학생을 바라보는 시각이 어떻게 변화되는지 보게 된다. 실제로 영화의 감동적인 부분은 교수법적 변화가 우리 눈앞에서 벌어진다는 것이며 일단 그 변화가 일어나면 교사와 학생도 아니고(시청자도 아니며) 모두 똑같이 변화된다는 것이다. 각자가 변화하게 된다.

Robert Barr와 John Tagg는 그들의 생각을 K-12에 적용하기보다 교육에 초점을 맞추었다. 그들은 미국 교실 안에서 수업과 학습의 두 가지 패러다임이 지배적이라고 주장한다(표 1.2 참조).[9] 수업 패러다임은 교사가 교실에서 무엇을 할 것인지(즉, 어떻게 교사가 내용을 제시할 것인가)를 강조한다. 이런 교사는 교수 활동이 비교적 학습자로부터 거리가 있다고 생각한다: "나는 햄릿을 가르쳤지만 학생들은 햄릿을 배우지 않았다." **수업 패러다임** 교사들(그리고 행정가들)은 기법과 그 기법의 질을 토대로 말한다: "그는 훌륭한 강사이다" 혹은 " 그녀는 실제적인 활동을 잘 한다."

학습 패러다임 교사들은 학생이 어떻게 학습하는

학습에 대한 초점이 교사로 하여금 교수의 기술과 과학에 대해 고려하기를 요구한다.

가에 초점을 맞춘다. 그들에게 중요한 것은 학습자의 학습이지 교사의 행동이 아니다. Ted Sizer의 표현 기반 학습은 교사가 학생의 내용 이해를 나타내고 구성하는 능력에 주의를 기울이기 때문에 학습중심 패러다임이다.[10] (예컨대, 세계를 손으로 그리라고 요구 받은 학생은 많은 "주요" 국가를 그릴 것이다.)

많은 교사와 대다수의 행정가들은 수업 패러다임 안에서 일한다. 그들이 이 이론을 의식적으로 지지하는 것은 아니지만, 이론이 실제 활용되는 것에서 드러난다. 이들과 이들이 봉사하는 보다 광범위한 지역 사회(학부모와 다양한 중요 인물들)는 학생들이 바삐 움직이고 실제로 과제를 완수하는 것을 보고자 한다. 수년간 다수의 주 의회는 학습자에게 기대되는 학습 결과보다 수업에 할당되는 시간에 대해 더 고심하였다. 수업 패러다임 교사는 교수 과업에 초점을 맞추고 종종 연습문제지, 교재 페이지 혹은 "54 페이지에 있는 홀수번호 문제"에 학생들을 집중 하도록 하는 것이 기술 수준이 매우 높은 것이라고 제시한다.

이 학습 패러다임을 갖고 있는 교사는 아주 소수에 불과하다. 이러한 방향을 바탕으로 하는 교사들은 학습 촉진자로서 역할을 수행하는 데 있어서 다르게 행동한다. 그들은 학습자가 성장하는데 더 나은 환경을 만들고자 하는 결정에 앞서 끊임없이 학습자를 관찰한다. 학습 패러다임을 지닌 교사들은 자기 자신의 밖에 서서(개인적 수행) 학생들이 어떻게 학습하는가? 어떻게 지식을 구성하는가? 어떻게 세계를 이해하는지? 교사로서 어떻게 학생들 학습 과정에 참여할 수 있는지? 등과 같은 의문을 통해 학생들의 사고를 이해하려고 한다.

지난 10년간의 연구는 흥미롭게도 보다 많은 교사들이 학습 패러다임에 다가서도록 자극하기 시작한 것으로 보인다. William Sanders와 같은 연구자들은 부가적인 가치를 강조하는데, 한 명의 교사가 학습에서 진정한 차이를 만들고, 유능한 교사에게 3년간 연속적으로 노출하면 극적인 차이(그림 1.2 참조)를 만들게 된다는 것이다. 부가적인 가치를 강조하는 것은 이 아이디어(학문적 성장이 얼마나 많이 측정될 수 있는가?)의

표 1.2 미국 교실의 두 가지 패러다임

수업 패러다임	학습 패러다임
사명과 목적	
• 수업 제공/전달	• 학습 산출
• 교사에서 학생으로 지식 전달	• 학생 발견과 지식 구성 도출
• 코스와 프로그램 제공	• 강력한 학습 환경 창조
• 수업의 질 향상	• 학습의 질 향상
• 다양한 학생에게 성취 접근	• 다양한 학생에게 성공 접근
교수/학습 구조	
• 개별적; 전체보다는 부분을 중시	• 전체적; 부분보다는 전체 중시
• 일정한 시간 소요; 학습이 다양	• 끊임없는 학습; 시간이 다양
• 한 교사, 한 교실	• 학습 경험이 일어나는 무엇이나
• 수업 자료 커버	• 구체적 학습 결과
• 비밀 평가	• 공개 평가

출처: Adapted from: Robert Barr and John Tagg, "From Teaching to Learning." *Change* (June 1995): 16.

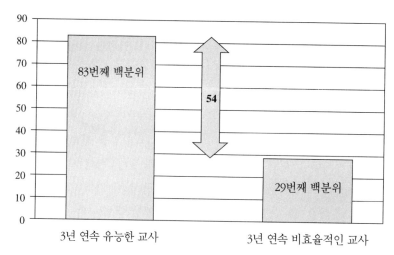

┃그림 1.2┃ Sander의 연구는 3년 연속 유능한 교사로 인정된 선생님과 수학을 공부한 5학년 학생들은 83번째 백분위를 기록한 반면, 3년 연속 비효율적인 교사로 지적된 선생님들과 공부한 학생들은 29번째 백분위를 기록했다고 결론짓고 있다.

출처: William L. Sanders and June C. Rivers. *Cumulative and Residual Effects of Teachers on Future Student Academic Achievement*. Knoxville, Tenn.: University of Tennessee Value-Added Research and Assessment Center, 1996.

장점과 문제점을 제기하는 책무성에 대한 보다 폭넓은 논의에서 중심이 된다.[11]

훌륭한 교사를 다루고 있는 대부분의 영화에서 그리고 있는 것은 교육적 패러다임이 학습자의 학습으로 전환하고 있다는 점이다. Holland(영화 Mr. Holland's Opus에서)는 마지못해 교직을 시작한 신임 교사였다. 그는 작곡가가 되기를 원했으나, 현실적인 이유로 교사가 되었다. 영화가 시작될 때 Holland는 "가르치고(teaching)", 학생들은 수동적으로 그의 "행위(performance)"를 견뎌낸다. Holland는 학생들의 지능적인 거부로 패배감을 느꼈다. 영화의 한 장면에서 그는 자신의 아내와 개인적인 교육적 패배감을 이야기한다.

Holland : Iris, 가르치는 게 싫어. 정말 싫어! 누구도 이 아이들을 가르칠 수는 없을 거야! 내가 뭘 해야 할지 모르겠어. 그들은 앉아서 나를 뚫어지게 바라봐. 거기엔 아무도 없어. 나는 그들을 가르치려고 했었어.

Iris : 당신은 거친 학생들을 듣지 않아도 많이 가르쳤어요. 그렇다고 단념하고 집으로 돌아온 적이 있었어요?

Holland : 잠깐. 잠깐만. 당신 나하고 같은 편이야?

Iris는 Holland의 평가를 받아들이는 대신에 그의 청중(학생)들을 존중해 보도록 남편에게 말했다. 그 존중은 패러다임의 전환이 요구된다. 이것은 미묘한 변화이기는 하지만 사실이다. 그는 자신의 가슴 속에 있는 음악(Johann Sebastian Bach)을 배우도록 하기 위한 방법으로 학생들의 머리에 있는 음악(Lover's Concerto)에서 시작했다. 학생들이 연결고리를 만들도록 하기 위해 교사는 자신의 바깥으로 나갔다. 그가 가르치려고 찾는 지식은 외부의 어디에 있는 것이 아니라 학생들의 생생한 경험의 한 부분이었다. 그는 단지 그 경험을 가볍게 두드리기만 하면 되었다.

이와 유사한 변화는 다른 교사 영화에도 나타난다. 위험한 마음(Dangerous Minds)이라는 영화에서 Lou Ann Johnson은 학생들이 문장의 구조에 대해 배우기를 원한다. 교수 패러다임을 갖고 있는 이 여교사는 자신이 가르치고 있지만 학생들은 학습하지 않는다고 보았다. 그녀는 열정적으로 도움을 구했다(예를 들어 그녀는 동료들의 조언을 구하기도 하고 Lee Canter의 '적극적 훈육(Assertive Discipline)'을 살펴보기도 하였다

(이에 대해서는 9장 참조)). 그러나 그녀가 적용한 간단한 해결 방법이나 보다 복잡한 훈육 방법은 여전히 교수 패러다임의 일부였기 때문에 도움이 되지 못했다. 그녀는 결국 학생들의 실제에서 시작할 수밖에 없게 되었으며, 학생들의 실제 안에서 아이디어들의 아름다움을 보도록 도와줄 수 있었을 뿐 아니라, 그들의 실제를 넘어서게 할 수도 있었다. 그녀는 학생들의 학습에 초점을 맞추는 쪽으로 변화하게 된다.

교사를 다루는 대부분의 할리우드 영화에서는 교사들이 교수 패러다임이 적합하지 않다는 것을 깨달은 뒤에 곧바로 패러다임의 변화가 나타난다. 실제 교실에서는 많은 교사들이 학습 패러다임으로의 변화를 거부하고, 또 많은 관리자들이 변화를 촉진하는 데 실패한다. 많은 교사들이 관행이 효과적이지 않다는 것을 알면서도 고집스럽게 지속하고 있다. 알코올 중독자 모임(Alcoholics Anonymous)의 표현에 의하면 "정신 이상(착란)은 다른 결과를 기대하면서 같은 일을 반복하는 것이다." 가르치는 데 있어서 이와 같은 상황이 존재하는 것에는 여러 가지 이유가 있겠지만 여기서는 다음의 세 가지를 제시하고자 한다.

학습 패러다임은 감성적, 지적으로 힘들다. 학습자 중심의 교육을 추구하는 교사에 대한 요구되는 것이 매우 많다. 교사는 수업을 계획하는 데 많은 시간을 필요로 하며, 어떻게 하면 학생들에게 다가설 수 있을지 결정하는 노력을 더 많이 해야 하며, 학생들이 교사의 의지에 따르도록 하는 통제를 줄여야 한다. 평균적으로 미국의 교사들이 하루에 7.6시간을 학교에서 보내고 7.6시간의 대부분을 가르치는 데 쓴다는 사실을 고려할 때 교수 패러다임이 미국 교육을 주도한다는 것은 놀랄 일이 아니다.[12] Harold Stevenson과 James Stigler는 수년 전에 이와 같은 현실을 보고하였으며, 그 이후로도 환경이 변화했다고 믿을 만한 근거는 없다. Stevenson과 Stigler는 일본의 성공 사례가 교사의 향상된 계획 시간에 기인하는 것으로 주장한다. 일본의 교사들은 학교에서 9시간 이상을 보내지만 수업시간은 4시간 이하에 불과하다.[13]

학습 패러다임의 교사는 개인적 위험을 더 많이 감수한다. 그리고 많은 행정적 문제를 야기한다. 영화 Dangerous Minds, Mr. Holland's Opus, 그리고 Stand and Deliver는 교사들이 명시적으로는 "줄서기(get in line)"를 암묵적으로는 교수 패러다임의 사용을 요구하는 (교장 또는 학교 위원회에 의해) 부여되는 지시들이 얼마나 많은가를 잘 보여준다. 우리가 아는 대부분의 유능한 교사들은 특별히 싹싹한 사람들은 아니다. 그들은 투사들이다. 그들은 학생들을 위해 싸우고 학생들의 학습에 대해서 열정적이다. 그들은 학생들의 학습을 위해 해야 하는 것이라면 심지어 관리자에게 대들거나 무례한 학생들을 교실 밖으로 내쫓는 것일지라도 무엇이든지 한다.

학습 패러다임의 학교는 "혼돈(messy)"의 장소이다. 학습은 일종의 개인적 노력이기 때문에 학습 패러다임을 실제로 포용하는 학교는 학생들을 그들의 환경과 연계시키는 방법을 찾기 위해 고심한다. Escalante는 특별한 교수법을 제안했다. 즉, Johnson은 아이디어와 학생들을 연결시키기 위해 가라데와 다수의 매우 강력한 교육적 메시지를 사용하였다. 학생들은 아무리 동기부여가 되어 있지 않고 반항적이라고 하더라도 아이디어를 위해 그들의 환경을 탐색하고, 평가하고, 검토한다. 학습 패러다임이 적용된 교실에서 학생들은 교사 통제 하에 있는 지적인 졸(卒)이 되기보다 능동적인 학습자가 된다.

학습 패러다임의 교사에게 교육과정은 명령이 아니라 안내이다. 따라서 학습의 경로는 종종 이미 정해진 학교의 규정과 충돌하곤 한다. 학습은 순차적으로 이루어지는 것이 아니며, 학습자의 경험에 내포되어 있다. Robert Fried는 다음과 같이 학습 패러다임 교사를 묘사하면서 그 이유를 설명한다.

대부분의 열정적인 교사들은 조용하고, 열성적이고, 사려가 깊은 사람들이다. 그들은 꾸준히 어학 실습 또는 기본과정에 대해서 고수준의 목표를 주장하였다. 그들은 집단으로 그들의 일 그리고 그들의 재능과 끈기가 학생들을 어디로 이끌어 갈 것인지에 대해서 이야기하였다. 그들은 그 안에 진리의 싹도 찾아보기 어려운 다른 학생의 비평에 더 이상 반응하지 않는다. 그들은 최근에 읽은 책이나 자신의 개인적인 경험에서 아이디어의 힘을 보여주는 무엇인가를 드러낸다.[14]

문헌에서의 교수 효과성

영화에서 교사에 대한 묘사는 Jaime Escalante와 같은 이름을 거의 가족의 이름으로 만들어 버린다. 그러나 가르치는 것을 경력으로서 추구하는 사람이라면 누구나 덜 매혹적인 교사의 삶과 경험에 관해서도 읽어야 한다. 지난 20년간 많은 저술가들이 좋은 교사에 대해서 주의깊게 연구하였다. 그리고 그들이 교실에서 학습 패러다임이 지배적으로 사용되도록 하기 위해 무엇을 하였는지를 기록하였다.

문학작품 기반의 예로는 Ken Macrorie의 Twenty Teachers(1984)와 Mike Rose의 Possible Lives : The Promise of Public Education in America(1995) 등 두 가지가 있다. 두 문헌 모두 교사가 학습 패러다임 역할을 수행하는 것에 대해서 강하게 묘사하였다. 예를 들어 여러분 자신의 경험을 돌이켜 보면 교수 패러다임의 교사들이 종종 학생들을 바쁘게 유지시키기 위해 영화를 보여준 것을 기억할 것이다. 이때 영화는 '셀룰로이드 베이비시터'가 된다. 다른 측면에서 Don Campbell이 학생들의 학습을 돕기 위해 영화를 어떻게 사용했는지에 대해 주목해 보자. Campbell은 Marcrorie가 기술한 학습 패러다임을 사용하는 12명의 교사들 중의 한사람이다.

나는 올해 물리학에서 5개 영역을 가르친다. 내가 첫날 교실에서 뭘 했는지 말해 주고자 한다. 나는 정확히 15분 동안 학생들을 바라보았다. 그리고 물리학이 무엇인지(5가지 양상을 체계화하여 자연 세계를 이해하는 방법)를 말해주었다. 우리는 길이, 질량, 시간, 전기장 그리고 자기장을 측정하려고 한다.

다음날 MIT의 Richard Little 박사가 만든 영화로 수업을 시작한다는 것을 알려주었다. 이 영화는 National Science Foundation의 지원을 받았던 이전의 Physical Science Committee Program을 편집한 것이었다. 영화에서는 실제 교실에서 수행하기 어려울 수 있는 간단한 실험을 한다. 학생들은 대부분의 내용을 이해하게 되며, 일부는 아이디어에 빠져들게 된다. 그리고 그는 카메라를 사용하여 굴절 현상을 시연한다. 영화의 관객들은 수영장 속의 물 속에서 수영장의 가장자리에 걸터앉아 있는 사람의 발을 올려다 본다. 발이 수영하는 사람으로부터 분리되었을 때 물위의 공기 속에 떠 있는 것처럼 보인다. 영화는 내부의 반사와 굴절을 설명한다. Little 박사는 그것이 무엇인지를 즉시 알려주지 않는다. 갑자기 학생들은 그들이 본 것이 무엇인지 확인하려고 그 부분을 다시 보려고 한다. 그리고 나서 설명에 대해 생각하기 시작하고, 나는 이 수업을 진행하는 과정에 이와 같은 현상을 많이 살펴볼 것이고, 이러한 현상들을 끌어 모아 설명하고자 한다는 것을 알려준다. Little 박사 역시 이 점을 알려주려고 한 것이다.

영화를 상영하다가 멈추고, 다시 상영하면서 요점에 관해 토론한다. 아이들은 즉시 질문할 수 있다는 것을 깨닫게 되고 일부는 실제로 질문을 한다. PSSC 코스의 일부로 만들어진 20분짜리 영화지만, 우리는 영화를 살펴보는 데 거의 1시간이 걸린다. 토론은 자유롭게 흘러간다. 때때로 내가 시작하고, 학생들이 따라한다. 학생들이 "왜 그 현상이 일어났나요?" 또는 "거기에 무슨 일이 있었죠?"와 같은 질문을 하게 되면, 그 질문을 기억하라고 하고, 그러한 것들을 나중에 살펴보게 될 것이라고 말해준다. 아마도 학생들은 스스로 답할 수 있게 될 것이다. 나는 학생들에게 반응할 기회를 주는 것으로 시작한다.[15]

Don Campbell이 한 것은 수동적인 학습자들을 만들 수도 있었던 영화를 사용하여 보다 능동적인 학습으로 유도했다는 것이다. 그것이 바로 효과적인 교사가 하는 일이다. 그들은 평범한 것을 취해서 특별한 것으로 만든다. 영화 Possible Lives에서 Mike Rose는 한 교사(Michelle Taigue)가 Oedipus 왕 이야기를 어떻게 학생들의 삶과 연관 짓는지를 기술하였다. Oedipus는 교사가 어떻게 접근하느냐에 따라 이해하기 쉬울 수도 불가사의할 수도 있다. Michelle은 그리스인들에 대한 의미와 현재의 미국 원주민 학생에게 던지는 의미간의 유사점을 고려하도록 함으로써 학생들이 그리스 비극을 실제로 여길 수 있도록 하였다. Michelle은 학생들을 그 지역 대학의 미술관인 Center for Creative Photography에 데리고 가서 수업을 시작하였다.

우리(학생들)는 사진과 함께 1시간을 보냈다. 그리고 나서 Michelle은 마루 중앙으로 걸어왔다. 우리는 그녀에게 공간을 내주기 위해 벽쪽으로 물러섰다. 그녀는 사원을 찍은 사진 위로 천천히 손을 가져갔다. 그리고 신화와 영적 존재에 관해서 말하기 시작했다. 그녀는 Oedipus 왕 시대의 그리스인들이 어떻게 사건들의 의미를 알아냈는지 질문하였고, 학생들은 "맹인으로부터", "그 장소, 신탁?", "새들로부터, 우리 할머니가 하는 것처럼" 등의 대답을 제시하였다. 그리고 그녀는 이것을 영적인 힘에 대한 토론으로 발전시켰으며, 그리스 신화, 자신의 출신인 토착 Yaqui족, 학생들이 속한 Navajo와 Hopi족의 전설간의 구체적인 비교점들을 끌어내었다. 그녀는 앞뒤로 천천히 걸으며, 밤색 드레스 자락을 발목 주위로 나풀거렸다. 그리고 이 전설을 얘기하면서 이야기꾼처럼 노인 목소리, 날카로운 목소리, 아이들 목소리, Yaqui와 스페인어가 섞인 목소리, 심지어는 동물소리까지 냈다.

그녀가 한 이야기 중의 하나는 그리스의 자랑하는 여인인 Athena가 거미로 만들어 버린 Arachne에 관한 것이었다. Navajo와 Hopi족은 Arachne의 경우와 매우 다르기는 하지만 모두 거미 여인 전설이 있다. 그리고 Michelle은 이 연결고리를 이야기의 시작점으로 삼았다. "Arachne는

꼭 너희들 나이 또래의 아름답고 젊은 여인이었어…." 그리고 그녀는 멈추고 돌아서서는 은근히 당황한 척했다. 그녀는 가까이 있는 소녀에게 다가가서 "Hana야 몇 살이지?" 하고 질문했다. "열여섯이에요" Hana가 대답했다. "아 열여섯" Michelle이 연달아 반복했다. "그녀의 나이와 정확히 같구나. 그래서 어쨌든 여기 사랑스러운 Arachne와 베틀이 있다…." 그리고 Hana를 또 Hana를 통해서 모든 여학생들을 이야기 속으로 몰입시킨 후 Arachne의 직조술에 대한 자부심과 신들 중에서 가장 베를 잘짜는 Athena에 대한 무모한 도전에 대해 이야기를 계속했다. "그래서, 물론 그들은 경연을 벌였지." 그녀는 소리쳤다. 그녀의 손가락은 그녀 자신이 베를 짜는 것처럼 허공을 잡았다. "그들은 실을 뽑고 또 뽑았지, 그리고 아름다운 신과 여신들의 모습이 천에 나타났어. 왜, Hana야 너는 신의 얼굴에 나타난 표정을 볼 수도 있을 정도였어! 그리고 그들은 실을 뽑고 또 뽑았어. 다 끝내고 났을 때 누구의 작품이 더 훌륭했을 거라고 생각하니?" 여기저기서 "Athena…아니 Arachne…"라고 웅성거린다. "누구지? 말하기 어렵네"라고 Michelle가 손을 떨어뜨리며 말했다. "그러나 Athena는 분개하여 Arachne의 작품을 갈기갈기 찢어버렸어(Michelle은 허공에 난도질을 하였다). 그리고 그녀를 거미로 만들어 버렸어. 그녀는 힘이 빠지고, 팔은 마르고 구부러졌어, 마치 이것처럼." 그녀는 오른쪽 팔을 구부러서 흔들어댔다. "그리고 오늘날 이 거미 여인은 거미줄 짜는 것을 계속하고 있어. 우리는 그녀를 우리 주위의 어디서나 볼 수 있어." 학생들은 미소를 지었고, 몇몇은 열광하였다. Michelle은 잠시 눈을 감고 극적으로 천천히 머리를 돌렸다. 그리고 손을 들고 이야기를 더하기 시작했다.

그녀는 Leslie Silko의 Ceremony에 나오는 거미 여인 그리고 자부심과 보복이 주요 주제인 Navajo의 신화에 관해서 이야기했다. 그녀는 고대 그리스의 신화와 토착 미국인의 신화 간을 번갈아

소개하면서 이들 간의 일치하는 것을 말끔하게 보여주는 것보다 대응하는 점을 제시하였다. 신화와 전설은 "권력의 성질을 띠기 때문에 위압적이고 아름답다." 그러나 강력하더라도 현실이며, 일상이다. 그들은 Michelle에게 있어서 인위적이거나 봉인된 것이 아니라 실제였다. 나는 Oedipus를 여러 번 읽었고 사실 가르치기도 했지만 결코 이해하지 못했다. 작은 방안에 앉아서 느꼈던 것처럼 영적인 차원을 느끼지 못했다. 나는 갑자기 내가 안다고 여겼던, 역사적 해석으로만 잘 감싸두었던 고전에 대해 다시 읽고 싶은 호기심이 생겼다. 그러나 Misrach의 사진을 보고 Michelle의 말을 들었을 때 그리스인의 세계는 실제적이면서도 정신 사나운 것이 되었다.[16]

Don Campbell이나 Michele Taigue는 학생들이 개념에 대해 보다 깊이 있게 이해할 수 있도록 수업을 이끌어 나갈 능력을 갖고 있다. 이와 같은 교사를 예외적인 경우로 여기는 사람도 있다. 그렇지만, 그러한 가능성을 현실로 만들기 위해서 교사(바로 당신!)는 교육적인 위험을 감수하거나 새로운 접근법을 시도해 보고 교과내용을 학생들과 나누기 위한 다양한 방법을 모색할 필요가 있다. Mike Rose는 훌륭한 교사는 변화나 앞으로 제2장에서 실증적으로 모색할 예정인 현상에 대해 이해하고자 노력하는 모습을 가지고 있다고 말한다. Rose가 소개하는 이와 관련된 일화는 다음과 같다.

학생들을 지도하는 최고의 방법은 없다 : 강의-토론식 수업, 소크라테스식 문답법, 실험수업, 학습중심 수업, 소집단협동학습, 학생들이 독자적인 연구 과제를 수행하는 곳에서 활용되는 예술가들이 하는 방법과 유사한 방법으로 진행되는 학습형태 등. 이러한 접근들은 동일한 교실에서 서로 혼합되어서 존재한다. 수많은 사례를 통해 현재와 같은 형태가 형성되었다. 교사들은 의미 있는 활동이 행해질 수 있었던 곳과 동일한 공간을 만드는 방법을 실험하였다. 사고하게 하는 실험, 새로운 방법의 시도, 여기저기 돌아다니거나 조절하고, 때때로 불규칙한 결과의 도출, 혹은 실패 등은 Possible Lives에 그려져 있는 여러 교실들의 역사에서 부분으로 가치가 있었다.[17]

이 책은 여러분에게 교수과학이 무엇인지에 대해서 알려줄 것이다. 세분화된 다양한 교수방법, 훌륭한 교사가 어떤 교사인지에 대한 실제 경험에 기초한 정보를 바탕으로 자세하게 기술해 나갈 것이다. 그러나 교수과학만 가지고서는 충분하지 않다. 여러분은 또한 교실에서 해야 하는 활동에 숙련될 필요가 있으며, 교실활동에서 뛰어나기 위해서는 많은 시간, 깊은 사고, 그리고 헌신적인 행동을 요구한다는 것을 인식할 필요가 있다. 수업방법에 대한 기법을 습득하기 위해서는 아래에 제시되는 3가지 기회에 대해서 인식을 하고, 그리고 3가지 위협을 다룰 수 있어야 한다.

기회 1 : 연습하고 연습하고 연습해라. 훌륭한 교사는 자신이 하는 활동에 열심을 다하며, 어떤 아이디어가 한번 실패했다고 해서 그 아이디어가 쓸모없는 것이라고 여기지는 않는다. 어떤 골퍼도 단 한번의 연습으로 좋은 기술을 개발하지 못하며, 어떤 미술가도 한 번의 수채화나 유화 그리기에 의해서 유명하게 되지는 않는다. 당신이 하고 있는 일을 능숙하게 하기 위해서는 시간이 필요하다. 시간을 투자해라!

기회 2 : 관찰하고 관찰하고 관찰해라. 교실상황에서 훌륭한 교사를 찾아서 관찰하고, 유명한 책에서 기술된 훌륭한 교사에 대한 내용을 읽어라. 본 장에서는 숙련된 교수방법에 대한 내용을 다루도록 하겠다. Holland의 Opus, Stand and Deliver, or Dangerous Minds를 주의 깊게 살펴봄으로써 그러한 기예가 가능하다는 것을 인식하게 될 것이다. 또한 Ken Marcrorie와 Mike Rose가 묘사한 선생님들의 삶 속에서 그것들을 살펴볼 수 있다. 훌륭한 골퍼는 다른 훌륭한 골퍼를 관찰하였고 위대한 예술가는 다른 위대한 예술가에 대해서 연구를 하였다. 마찬가지로, 여기서 우리는 당신이 훌륭한 교사를 찾고, 어떻게 활기찬 교실을 구성했는지를 볼 수 있도록 도와주도록 하겠다.

기회 3 : 숙고하고 숙고하고 숙고해라. 교수법에 대해 생각해라. 하려고 하는 것에 대해서 고려해 보고 과거에 했던 것을 숙고해 보라. 가르치는 것은 많은 정신적인 노력을 요구한다. 이치에 맞는 수업을 설계하는 것에 노력을 집중하고, 그리고 나서 의도한 내용 중에서 어떤 부분이 달성되었고 달성되지 못했는지를 숙고해 보아라. 그러나 몇몇 매우 현실적인 위협들로 인해 이러한 기회들을 접한다는 것은 어려운 일이 될 수도 있을 것이다. 영화 '죽은 시인의 사회' 에서 John Keating은 초보 교사로서, 교수법에 있어서 초심자로서, 학습패러다임 안에서 제 기능을 다하는 영어교사이다. 아마도 그러한 상황은 실제보다는 허구상황에서 보다 자주 존재하는 어느 정도 특이한 경우일 것이다. 대부분의 신규 교사는 어떤 확실한 열정을 가지고 교직을 시작한다. 그러나 그들은 일상생활에 열중을 하다 보니 무의식적으로 교수패러다임을 받아들이기 시작하고, 일부는 그 후에 학습패러다임으로 바뀌기도 하겠지만 대부분은 그렇지 못하다. 이런 주장을 입증할 실증적인 자료는 존재하지 않지만, 학습패러다임으로 전환하는 교사의 수는 비교적 적을 것이고 점점 줄어들 것으로 추측된다. 그 이유는 효과적인 교사가 되는 것을 방해하는 3가지 위협이 있기 때문일 수도 있다.

위협 1 : 학교는 바쁘고 복잡한 곳이다. 대부분의 미국 교사들은 학습계획을 수립하거나 수업 후에 비판적인 반성을 하기 위한 시간적 여유가 없다. 교사들에게는 사고하고 계획하기 위한 시간이 필요하다. 학생들의 요구를 충족할 수 있는 학습 환경을 만들기 위해서는 학생들의 학습 요구를 고려하기 위한 기회(시간)를 가질 필요가 있는데, 이것이 바로 학습패러다임의 특징이다. 그리고 학생들은 혼란스러운 실제 학습활동을 고려해서 시간을 조직할 필요가 있다. '학습목표를 어떻게 달성하는가' 가 사실 어려운 문제이다. 교육계와 대부분의 교육전문가들은 학습을 선형적인 과정으로 보고 있고 학교일과도 선형적인 가정에 맞춰 구조화되어 있다. 그렇지만, 명심할 것은 학교 구조가 아니라 바로 당신(교사)이 진정으로 핵심적인 원동력이라는 점이다. 일부 학교는 교사들의 수업 준비시간을 늘려주

기 위하여 단위 시간제(BLOCK scheduling)를 운영하려고 하고 있다. 그러나 이 제도가 전반적으로 학교의 학습 환경을 향상시킬 수 있을지는 모르나 학생들의 학업성취는 저하될 수도 있다는 증거가 일부 나오고 있다.[18] 앞서 언급하였듯이 학교는 복잡한 곳이지만, 교사가 학습의 효과성을 높이는데 있어서 열쇠이다.

위협 2 : 간편한 프로그램과 기법들이 넘쳐난다. 학생들을 지도하기 위해 제작되거나 상업화된 프로그램이 범람하고 있다는 것은 많은 교사 잡지에서 분명하게 볼 수 있다. 학습문제에 대한 가능성 있는 해결책으로 이러한 프로그램을 활용하는 교사들이 너무 많다. 적극적 훈육(assertive discipline)(9장 참조)과 같은 기법은 학생들을 관리하거나 학업에 집중하도록 유지시키는 수단이 되고는 있으나 그 결과로 행동적인 학급 조직은 학생들의 자기 수련에 부정적인 영향을 주고 있다. 기능을 지도하는데 활용되는 직접적 수업법(Direct instruction)과 같은 기법은 비판적 사고나 문제해결과 같은 고차원적인 학습 결과를 이끌어내는 데에는 적합하지 않다. 한 저명한 심리치료사는 미리 제작된 접근법이 문제해결에 미치는 영향을 다음과 같이 표현했다. "만약에 사용할 수 있는 도구가 망치밖에 없다면, 모든 문제를 못으로 여기게 될 것이다." 이 예는 교사들에게도 동일하게 적용된다. 많은 교사들이 너무나 적은 학습 도구를 가지고 수업에 임한다. 그들에게 적극적 훈육, 직접적 교수법, 총체적언어교수법(whole language) 등을 제시해 주면, 교실환경은 갑자기 하나의 형태로 학생들의 요구에 적합할 수도 있고 그렇지 않을 수도 있다. Jaime Escalante 가 언급한 "가장 중요한 것은 교과(혹은 바른 훈련법)를 아는 것이 아니라 지식을 전수하는 것이다" 라는 문구는 마음에 강하게 와 닿는다.[19] 그리고 지식을 전수하기 위해서는 학생들의 학습뿐만 아니라 교사 자신의 학습에 대해서도 열정적으로 임해야 할 필요가 있다. 이것은 단순히 표면적인 교수 기법을 넘어서 사고의 깊이로 이동해 나가야 함을 의미한다. Robert Fried는 다음과 같이 언급하였다.

제대로 이해하게 되면, 학생들이 내용에 빠져들도

록 하기 위해서는 우리의 교육학이 변해야 하는데, 우리가 가르치는 분량을 제한하여 학생들이 중요한 것들을 잘 배우고 깊이 있게 탐구하도록 하고; 흥미 있는 문제를 제시하여 탐구를 위한 틀을 세우도록 하고; 그리고 학생들이 과제를 수행하도록 하는 방향으로 나아가야 한다.[20]

위협 3: 법적인 규정이 교사의 선택을 제한한다. 주의회는 자신들의 전략에 따라 교육위기를 해결하려고 노력한다. 많은 경우, 해결책은 "검사"에 의존한다. 검사에 의해 학생들은 좀더 자주, 학교는 보다 많은 요구를, 의원들은 미국의 교육체제에 대한 목표가 달성될 수 있도록 제도를 만든다. 많은 학생들은 그들이 알고 있는 유일한 방법인 "회피"를 통해서 검사 규정에 응하고 있다. 회피는 어린시기에는 심리적으로, 16세 정도의 학생에게는 신체적으로 나타난다. 검사는 맹목적으로 교수패러다임의 발달을 촉진하도록 하기 때문에, 교사의 일정표나 교사의 교수방법에 의해서 소정의 목표에 도달할 수 없는 학생들은 포기(탈락)하게 된다. 많은 도시의 교육체계는 높은 중도 탈락률을 보이고 있고 50% 미만의 학생들만이 졸업을 한다. 학생들은 자신 스스로 경쟁력이 없다고 깨닫는 순간 탈락한다. Raymond McDermott는 다음과 같이 말한다.

> 학교는 학생들을 반으로 나눈다; 능력이 있는 학생과 능력이 없는 학생으로. 탈락자들은 문화가 절반의 실패자들에게 말하고자 하는 것, 즉 피하고 있다는 것을 실제로 행하고 있다. 경쟁에서 탈락자들이 사라짐으로써 수많은 학생들이 성공을 간단히 보장받고 있다. 탈락자가 없이 성공할 수 있는 곳은 어디에 있는가?[21]

비록 학교교육을 강조하는 것이 학생들의 학습에 긍정적인 효과를 줄 수 있을지는 모르겠지만 탈락자들의 수를 줄이고 졸업자 비율을 높이기 위한 비결은 학교에 더 많은 지시를 하는 방법을 찾는 것이 아니다. 오히려, 학생들에게 보다 더 반응적인 교육과정을 만드

는 것이다.[22] Escalante는 안일한 교사가 아니었다; 그는 학생들의 의견에 잘 반응하는 교사였다. Johnson은 학생들에게 상처를 입히지 않았다; 그녀는 학생들이 잘 받아들일 수 있도록 교육과정을 잘게 나누어서 수업을 실시했다.

'죽은 시인의 사회'에서 John Keating은 학생들에게 "오늘을 즐겨라(Carpe Diem!)"라고 하며 학생들 자신의 삶의 "시"를 쓰게 했다. 미국 교육이 세계 기준에 비춰 경쟁적이려면 미국 교사는 스스로 "오늘을 즐기는" 방법을 찾을 필요가 있을 것이다. 어떻게 즉, 교사 중심적인 교수패러다임을 버리고 학생중심의 학습패러다임을 받아들이면 된다. 이러한 변화는 쉽지 않다. 그러나 Michele Pfeiffer(LouAnn Johnson)나 Richard Dreyfuss(Mr. Holland)의 영화에서처럼 실제 교실에서 가능하게 될 수도 있다.

2장에서는 교수과학을 입증할 수 있는 보다 실제적이고 경험적인 자료를 살펴볼 것이다. 이러한 정보를 읽는 동안 과학이 Jaime Escalante와 LouAnn Johnson의 성공을 기술하는데 활용될 수 있는 방법을 숙고해 보라. 여러분은 유능한 교사가 학습하는 법을 학생들에게 어떻게 학습시키는지를 알게 될 것이다. 유능한 교사들은 그들이 가르치는 것을 학생들이 배우기를 원한다. 또한, 이 교사들은 학생들이 배운 것을 뛰어 넘어서기를 원한다. 이러한 학습은 교사가 학생들과 편견이 없고 사회적으로 상호작용할 때 나타난다. 구체적으로 살펴보면 다음과 같다. Stronge은 다음과 같이 말한다.

1. 유능한 교사는 교사·학생의 역할 구조를 적절하게 유지하면서 일관되게 친절하고 친근한 태도로 행동한다.
2. 유능한 교사는 교사 중심적으로 활동하는 것이 아니라 학생들과 함께 학습을 한다.
3. 활발한 상호작용은 학생들에게 책임감과 존중감을 주며, 또한 학생들을 어른으로 적절하게 대접을 해 주는 것이다.
4. 유능한 교사는 의사결정을 할 때에 학생들을 참가

시킨다.

5. 유능한 교사는 학생들이 말하고자 하는 것에 주의를 기울여 준다.

6. 학생들은 유능하지 못한 교사보다 유능한 교사가 자신들과 전적으로 상호작용을 하고 수업을 하는 데 더 많은 시간을 보낸다고 생각한다.

7. 학생들과 상호작용을 할 때, 유능한 교사는 즐겁게, 그리고 자발적으로 학생들과 함께 활동한다.

8. 유능한 교사는 유머감각이 우수하고 재미있는 말을 구사한다.[23]

학습법 학습의 개념

이 책에서 학습의 개념은 학습자들이 단순히 수동적으로 존재하고, 자극에 반응하고, 그리고 어떤 보상을 기다리는 것이 아니다. 여기에서 학습자는 활동적이며 인지적 행동에 주의를 기울이고 조절할 수 있는 것으로 여겨진다. 학습자는 이전 정보를 가지고 새로운 정보를 동화하고 통합을 통해 새로운 정보를 획득하게 된다. 이런 통합작용이 없으면 새로운 정보는 기억되지 못하고, 정보에 의존하는 과업 수행은 실패하게 된다.[24] 새로운 정보를 학습하는 것은 결과적으로 장기 기억의 조절이다. 통제, 방향설정, 집중 등과 같은 학습 참여에 대한 책임은 각 개인에게 속한다.

인지구조는 학생들이 새로운 정보를 확인, 분류, 그리고 처리할 때 탐색된다. 만약에 인지 구조가 비 조직화, 불명확, 또는 나이에 맞게 충분히 발달되지 못했다면, 새로운 정보를 명확하게 확인, 분류, 그리고 동화시킬 수 없다. 물론, 과거 학습에 기초한 새로운 학습은 성취도의 높고 낮음에 관계없이 학생들의 이전 지식이나 실제 생활 경험과 관련해서 매우 의미 있게 다가온다.

성취도가 높은 학생들은 낮은 학생들보다 심도 있는 지식에 의하여 이전 지식 기반을 확장하고 다양한 지식을 지니게 된다.[25] 이러한 성숙한 지식을 토대로 중요하고 복잡한 지식을 기존의 인지구조 속으로 통합

시킨다. E. D. Hirsch의 핵심 지식(Core Knowledge, www.coreknowledge.org 참조)과 같은 혁신 프로그램의 기반이 되는 전제 중의 하나는 내용이 풍부한 교육과정을 제공하여 학생들이 점점 더 복잡해지는 인지 과제들을 다룰 수 있는 필수적인 배경 지식을 습득하도록 하고, 그로 인해 자신의 학습을 보다 더 촉진시킬 수 있도록 해야 한다는 것이다.

스스로 학습할 수 있는 학생은 다음과 같은 사항들을 보다 더 잘 한다. 1) 정보를 요약, 식별, 또는 이미 존재하고 있는 범주에 포함시킨다. 2) 새로운 정보가 이전의 정보와 대립되거나 구별되는 점의 차이를 파악할 수 있으므로 혼란스럽거나 겹쳐지는 것을 피한다. 3) 애매하거나 불명확한 정보를 좌절하지 않고 관대하게 다룰 수 있다. 4) 문제 상황을 해결하기 위해 기존의 틀을 동화시킬 수 있다.[26]

이 책의 중심이 되는 개념은 학생들이 자신의 인지 틀과 구조를 구성(학생들 자신의 세계에 대한 감각을 구성)할 수 있으나, 학생들에게 기존의 학문적 틀을 활용하는 절차에 대한 안내를 반드시 해 주어야만 한다는 것이다. 교사는 학문적 지식이 구성되는 방법에 대해 (반드시) 알아야 한다. 또한 학생들이 내용을 탐구할 때 개인적인 개념을 지닐 수 있도록 개념에 대한 체계를 알려주어야 한다. 학습방법의 학습 과정에서는 개인적인 의미를 구성하기 위해 학생들이 개별적인 경험을 활용하는 것과 이 과정을 학생들에게 형성시키는 책임이 교사에게 있다는 점이 가정된다.

여러분이 몸담고자 하는 세계는 성취기준을 기반으로 하는 세계이다. 학생들이 배울 내용에 대한 명확한 기준은 어떻게 평가하고 무엇을 평가할 것인가에 대해 정확히 제시해 준다. 훌륭한 교사는 교육내용과 방법에 대해서 알고 있어야 하며, 학생들이 종종 매우 독특한 방법으로 학습내용을 이해한다는 사실을 알고 있어야 한다. 평가 과정은 학생들이 학습한 것에 대해서 보여준다. 그리고 교사의 역할은 평가가 학생의 지적 능력을 발달시켰는지(즉, 평가가 학생의 인지구조를 존중하는지), 아니면 특정 학문을 위해 마련된 표준에 맞춰진 것인지를 평가해야 한다. 즉, 학생은 개별적인 지적 구

공학적 관점

현장 교사의 공학적 관점

Jackie Marshall Arnold
K-12 Media Specialist

이 장이 교사들에게 학생을 능숙하게 지도할 수 있다는 가능성을 함양시키는 것처럼, 이 책의 각 장에서 이 부분은 공학적 향상이 교수에 가져다 줄 가능성을 볼 수 있도록 한다. 숙련된 교수법은 지속적으로 늘어나고 있는 새로운 공학적 도구들에 대한 지식과 기능을 계발하려고 하는 교사의 선택에 의해 향상될 수 있다. 이러한 도구들을 활용함으로써 교사는 학생들의 요구를 다양하게 수용할 수 있으며 창의적인 발표로 학생들을 동기화 시킬 수 있다. 또한 학습 자료를 통해서 질문하는 것을 촉진시키고 의미 있는 방법으로 학습을 시연하도록 한다. 그 외에도 더 좋은 점이 많이 있다. 다음은 공학을 유의미한 수업 속에 능숙하게 통합시킨 교사를 잘 묘사한 이야기이다.

Josie는 학습 무능력 학생 6명을 포함해서 25명의 4학년 학생을 지도하고 있다. Josie는 전달, 자료 수집, 흥미 있는 방법으로 정보를 전달할 수 있는 도표나 그래프의 실제적인 목적을 학생들이 이해할 수 있도록 돕기 위해 고군분투하고 있다. 학교 매체 전문가와 공동연구 후, 학생들에게 학교 도서관에 있는 전기(傳記) 문학 분야를 조사하고 집계하는 과제를 제시하였다. 학생들에게 조사할 범위(남/여, 흑인/백인/중남미인)를 분류해 주었다. 학생들은 각각 모둠으로 나뉘었고, 각 모둠별로 맡은 부분을 조사했다. 교사는 프리젠테이션과 스프레드시트를 활용해서 가져온 모든 자료를 분류하는 것을 쉽게 하도록 도와주었다. 그 다음 스프레드시트를 활용하는 방법을 학급전체에게 알려 주었고, 학급 구성원들은 자신들이 맡은 부분의 목록과 도표를 제작하였다. 이것을 통해 학생들은 여성과 소수 민족에 대한 전기 문학이 불충분하다는 것을 금방 알 수 있었다. 학생들은 도표에 문자를 넣는 방법을 배웠고 그리고 그들의 의견을 제시하는 글자를 도표나 그래프에 삽입하였다. 또한 학생들은 매체 전문가, 교장, 그리고 교육장과 자료를 공유하기 위해서 발표자료를 제작하였다.

매체전문가는 도서관의 전기 문학 영역을 개선하는데 학생들이 도움을 줄 수 있다는 도전감을 심어주었다. 학생들이 뛰어난 전기 문학의 중요한 속성에 대해 인터넷 조사를 한 후에 질문에 대한 대답 중심의 WebQuest를 제작하였다. 학생들은 기금모금 행사를 계획하고, 모금액을 추정해 볼 수 있도록 설계된 소프트웨어 프로그램을 활용하여 이윤을 추정해 보는 것으로서 전체 활동을 종료하였다. 매체 전문가의 도움을 받아 학생들은 광범위한 인터넷과 저널 조사를 통해서 새로운 전기 문학 도서를 선택하고 구입하였다. 마지막 과제로, 학생들은 도서 목록표를 제작해서 구입한 도서에 부착하고 지금까지 활동의 전 과정을 담은 디지털 사진으로 웹 페이지를 제작하였다.

본 사례연구를 통해서, Josie는 진정한 학습 상황, 그녀만의 교육과정의 모형을 만들고, 그리고 그것을 학생들에게 지도하는데 도움을 받기 위해서 공학적인 방법을 활용하였다. 탐구를 보조하기 위해 WebQuest와 같은 공학 도구가 사용되었으며, 창의성을 지원하기 위해 웹 페이지가 제작되었고, 멀티미디어 발표가 이루어졌으며, 실제 경험, 또는 실제 경험하기에는 위험한 상황을 가상으로 실험할 수 있는 모의 프로그램이 활용되었다.

기예를 갖춘 교사는 공학을 도구로써 받아들인다. 자신의 교수 기능을 계발하면서 자신이 의도하는 학습 결과에 공학이 의미 있게 기여하는 방식을 고려하도록 한다.

조를 구성할 수 있을 뿐만 아니라 학문영역에서 인정된 지적 구조도 알고 있어야만 한다.

이 관점은 연속적이다. 즉, 학습할 내용과 방법에 대한 개인적 자유를 허용하는 데 있어서 학생의 "life of the mind"가 지배하도록 허용하기를 원하는 사람이 있을 수도 있다. 그들은 표준(그리고 표준화된 검사)에서 학생들이 순수 교육과 스스로 의미를 구성하는 것으로부터 멀어지게 하는 고착을 아주 흔하게 발견한다.[27] 학문적으로 엄밀하게 묘사된 교육 세계-모든 사람들에게 동일한 기준과 그러한 기준들에 대한 엄밀한 평가에 대해 찬성하는 사람도 있을 것이다. 그러나 이 책에서는 아리스토텔레스의 '중용'에 따르고자 한다. 학습자는 탐구할 어떤 자유가 필요하지만 성공하기 위해서는 또한 모두가 알아야 할 것들이 분명히 있다. 이 나라가 다양하다고 하여 학문적인 개방성을 요구할 수는 없다. 오히려 다음과 같이 주장한 교육자도 있다. "인종과 경제 수준에 의해 계층화된 사회에서 '[국가] 표준이 부재하면 학생들의 교육 기회는 그들이 사는 곳과 배경에 따라 계층화될 수밖에 없다.'"[28] 민주 사회에서 그런 상황은 허용되지 않는다. 다양성은 평가에 있어서 일반적 수준점을 제공하고 학생들에게 동등한 기회를 제공하기 위해 공통의 학문 기준을 필요로 한다.

학습법에 대한 학습 기술은 모든 내용 영역에서 사용되는 기본적인 사고법이다. 학습 패러다임 교사들은 학습 과정의 역동적 특징을 이해하기 때문에 학습법에 대한 학습을 조장하는 것을 알고 있다. 비록 이 학습법들의 일부가 포괄적이고 내용물과 관계없이 일반적 전략으로 교수된다 해도, 특히 고학년(중등)에게 다수의 교과목을 가르치는 것을 피할 수는 없다.[29] 예를 들어 수학을 잘 하는 학생이 영어나 역사를 못한다고 해서 그것이 한 과목에서 다른 과목으로의 학습법 전의가 없다는 것을 의미하지는 않는다. 분명, 우리가 생각해 왔던 것보다 적을 수는 있다. 특정 학문 분야는 다른 분야와 구분되는 그것만의 원리, 개념, 방법을 가진다는 Jerome Bruner가 옳았을 수도 있다.[30] 또는 Lauren Resnick이 주장한 것처럼 한 분야에서 학습된 것은 그

것이 맥락을 토대로 하고 있기 때문에 다른 분야로 전이되기는 쉽지 않다.[31]

아직도 포괄적 학습법이 대부분의 학생들에게 교육될 수 있으며 모든 교과목들에 걸쳐 전이될 수 있다고 믿는 '학파'도 있다. 그런 학습법의 대부분은 일반 교실 활동에 편입될 수 있거나 여러 교과목에 걸쳐 있는 인식적 과정이 통합된 특별교과에서 배울 수도 있다. 사고를 가르치기 위해 고안된 개별적 프로그램은 Adler의 Paideia 프로그램, Feurestein의 Instrumental Enrichment, Lipham의 Philosophy for Children, Pogrow의 Higher-Order Thinking Skills(HOTS) 등이 있다.[32] 이것들과 다른 일부 사고 프로그램들은 학생들을 모든 과목에서 독립적 학습자로 만들기 위해 고안되었다. 훈련은 초등학교 3, 4학년 정도에서 시작된다. 이 훈련은 그 후 이러한 기술들에 대해 시간 할당을 더욱 증가하여 계속되며, 대개 교과목과 관련된 더 많은 정보를 모으고 정리해야 하는 6학년이나 중학교 1학년 때는 두 배 정도의 시간이 할당된다. 학습법에 대한 학습은 증가한 학문적 결핍으로 인해 더 어려워지는 고등학교 때까지 미뤄서는 안 된다(교사를 위한 조언 1.1 참조). 교육자가 차이를 줄이는데 도움이 되도록 교육적으로 간섭하지 않는다면 뒤늦게 시작한 학생은 계속 뒤쳐져 있을 것이다. 이 책의 후반부에서 이런 전략들에 대해 논의할 것이다.

비판적 사고

과목이나 학년을 고려하지 않고 교실에서 교사가 할 수 있는 가장 중요한 것 중의 하나는 학생들로 하여금 각자의 **초인지**(metacognition)과정, 즉 자신의 학습이 이루어지는 과정을 자각하게 하는 것이다. 학습자들은 무엇을 생각하는지 검토하고, 구별 및 대조하고, 사고의 오류를 확인하고, 스스로 수정하여야 한다. 이것은 사실 Twenty Teachers나 Possible Lives에서 좋은 (과학적으로 숙련된) 교사들이 선호하는 것이다. 그들은 생각의 힘을 보여주는 방법으로 구별과 대조를 활용한다.

교사들을 위한 조언

학생들을 동기화 하기 위한 전략과 방법

교사들은 학습자가 느끼고 성공할 수 있도록 도울 책임이 있다. 학생들은 학교 일에 지루하게 생각해서는 안 되며 흥미를 가져야 한다. 다음의 것들은 학교에서 학생들을 성공적으로 생산하기 위한 동기화 이론들의 기본적 적용들이다.

1. 학생들이 학교의 과제를 수행할 수 있도록 하라. 학교의 그리고 사회적 기대, 책임, 행위에 대해 논의할 시간을 제공하라.

2. 교실을 편안하고, 정리되어 있고, 상쾌하게 만들어라. 학생의 신체적, 심리적 편안감은 교실 온도, 조명, 가구 배치, 그림, 게시판, 청결함 등에 영향을 받는다.

3. 학생들이 학업을 가치 있는 것으로 이해하도록 도와라. 학습자들은 그들이 수행하는 과제가 그들의 개인적 요구, 흥미, 목표에 관계된다고 믿을 때 동기화 된다.

4. 과제가 학생들의 능력에 맞도록 하라. 과제가 너무 어려우면 학생들은 쉽게 좌절하며 자신감을 잃는다. 과제가 너무 쉬우면 결국 지루해하며 흥미를 잃는다.

5. 학생들이 다른 수준의 열망과 향상에 대한 필요를 느낀다는 것을 인식하라. 어떤 학생들은 동기화 되지 않은 것처럼 보이기 때문에 여분의 시간과, 지지, 도움이 필요하다. 이런 행동들의 대다수는 이전의 실패, 자극의 부족, 약한 자신감에서 온 방어 장치이다. 다른 학생들은 스트레스 받는 환경에서 그리고 남을 능가해야 하는 환경에서 자랐다.

6. 학생들이 성공과 실패에 대해 적절한 책임감을 가지도록 도와라. 모든 활동에서 남을 능가할 수 없다는 것과 한 분야에서 적절히 수행하지 못하면 노력을 통해 개선할 수 있고 다른 분야에서도 능가할 수 있다는 것을 가르쳐야

한다. 학생들을 강하게 만드는데 지원과 격려를 통해 그들의 약점을 피하여(무시하지 말고) 가르쳐라.

7. 합리적인 목표를 세우도록 도와라. 현실적이고 단기적 목표를 세우게 격려하라. 계획과 실천, 인내력의 필요성을 논의하라.

8. 학습 활동의 다양성을 제공하라. 교육 활동을 바꾸는 것은 주의를 기울이게 하며 흥미를 새롭게 한다. 어린 학생들과 성취율이 낮은 학생들의 지루함을 피하기 위해 더 많은 다양성이 필요하다.

9. 참신하고 상호작용적 교육 방법을 사용하라. 학생들에게 "왜? 어떻게? 내가 x, y, z 같은 행동을 하면 무슨 일이 일어나는가?" 같은 질문을 하라. 이것의 목표는 학생들이 흥미를 갖고 생각을 하게 하는 것이다. 너무 많은 "교사의 말"을 피하라. 그것은 지루하고 수동적인 청중을 만든다.

10. 협력적인 학습 방법을 사용하라. 학생들이 참여하고 함께 공부하도록 하라. 팀을 짜서 일하게 해서 한 학생의 성공이 다른 아이들의 성공을 도울 수 있게 하라. 협력적 학습은 특히 낮은 성취를 보이는 아이들에게 스트레스와 걱정을 줄여 준다.

11. 학생들의 일을 관찰해서 피드백을 제공하라. 결과의 인식, 숙제에 대한 주목, 그리고 칭찬은 노력을 증가시킨다. 학생들에게 성취에 대하여 보상하라.

12. 향상하기 위한 방법을 제공하라. 수행 기술과 어떻게 향상시킬 것인가에 대한 이유는 중요하다. 그것은 학생들이 수정을 하고, 나쁜 습관을 피하고, 요점을 더 잘 이해하도록 하기 때문이다.

교사들이 할 수 있는 가장 중요한 일 중 하나는 학생들로 하여금 자신의 메타인지 과정을 자각하게 하는 것이다.

어떤 이들은 비판적 사고가 가르칠 수 있는 지능의 형태라고 주장한다. 이 학파의 주요 지지자에는 Matthew Lipman, Robert Sternberg, Robert Ennis 등이 있다.[33] 여기에서는 이들 아이디어가 갖고 있는 영향력을 보이기 위해 각각에 대해 약간씩 다뤄진다.

Lipman의 프로그램은 기본적으로 초등학생을 위해 고안 되었지만 모든 학년에 대해 적용할 수 있다. 그는 1)개념, 2)일반화, 3)인과관계, 4)논리적 추론, 5)무모순과 모순, 6)유추, 7)부분-전체, 전체-부분 연결, 8)문제 체계화, 9)논리적 진술의 가역성, 10)실제 생활환경에의 원리 적용을 사용하는 능력을 개발하기 위해 노력했다.[34]

비판적 사고를 교육하기 위한 Lipman의 프로그램에서는 아이들의 사고에 대해 그리고 비효율적 사고와 다른 효율적 사고의 방식에 대해 생각하는데 대부분의 시간을 소비한다. 아이들은 일련의 이야기를 읽은 후에 교실 토론과 이야기에서 묘사된 사고 과정을 적용하도록 하는 훈련에 참여한다.[35] Lipman은 아이들이 선천적으로 진실, 공평, 정체성 같은 철학적 쟁점에 관심을 가지며, 또 증거들을 고려해 구분하고 결론을 짓

기 위해 그들의 관점에 대한 대안을 개발하도록 배울 수 있으며 배워야 한다는 것을 가정한다.

Lipman은 일반적 사고와 비판적 사고를 구분지었다. 일반적 사고는 간단하지만, 표준이 부족하다. **비판적 사고**는 좀더 복잡하며, 객관성, 유용성, 일관성이라는 표준을 기초로 한다. 교사들의 목표는 일반적 사고로부터 비판적 사고로 또는 1)추측에서 판단으로, 2)선택에서 평가로, 3)배합에서 분류로, 4)믿음에서 가정으로, 5)추론에서 논리적 추론으로, 6)개념의 결함에서 원리의 이해로, 7)관계의 깨달음에서 관계들 속의 관계를 깨달음으로, 8)가정에서 가설화로, 9)근거 없는 의견의 제시에서 근거 있는 의견의 제시로, 10)기준 없는 평가에서 기준 있는 평가로 나아가도록 학생들을 돕는 것이다.[36]

Sternberg는 동일한 비판적 사고 기술들을 조장하려고 노력했지만 방식은 달랐다. 그는 비판적 사고의 구성요소를 1)학생이 하고 있는 일을 계획하고, 감독하고, 평가하는 데 사용되는 고등 정신 과정에 해당되는 메타요소, 2)학생이 취하는 실제 단계인 수행 요소, 3)오래된 것을 새로운 것과 연관짓고 새 것을 적용하는 데 사용되는 과정인 지식-습득 요소 등 3가지 범주로 나타냈다.[37] Sternberg는 이러한 기술들을 어떻게 가르칠지 명기하지 않고 오히려 프로그램을 개발하거나 선택하는 것과 관련하여 일반적 지침을 제공한다. 그러나 그는 학생들이 더 효과적으로 정보를 처리할 수 있도록 하는 모든 기술들을 교사들이 언제 사용해야 하는지 제안했다. 즉 교사들은 교육적으로 "멋진" 사람이 되기 위해서가 아니라 학생들이 더 많이, 더 효과적으로 배울 수 있도록 하기 위해 비판적 사고 기술을 강조한다.

Robert Ennis는 비판적 사고자들의 13개 속성을 밝혔다. 이러한 속성이란 1)마음이 열려 있다, 2)증거에 따라 입장을 취한다, 3)전체적 상황을 고려한다, 4)정보를 추구한다, 5)정보의 정확성을 추구한다, 6)복잡한 전체의 부분들을 순차적으로 다룬다, 7)다른 가능성을 찾는다, 8)이유를 검색한다, 9)쟁점에 대한 명확한 진술을 추구한다, 10)마음 속에 원래의 문제를 유지한다,

전문적인 관점

일상 생활에서의 비판적 사고

Robert J. Sternberg
IBM Professor of Psychology and Education Yale
University

모든 교사는 자신이 아이들을 생각하게 가르친다고 믿는다. 그렇지 않았다면, 아마도 다른 직업을 찾으려 노력했을 것이다. 그러나 우리가 학교에서 아이들에게 생각하도록 가르친 것은 종종 일상 생활에 관련이 없다. 그리고 실제로 학교에서 효과가 있는 것도 밖에선 효과가 없을 수 있다. 예를 들어 일상 생활에서 문제에 직면했을 때 그것을 지각해야 하지만 학교에선 교사가 학생에게 문제를 준다. 일상에서 우리는 주어진 시간에 직면한 문제의 정확한 속성을 파악해야 하지만 학교에선 교사들이 우리를 위해 문제를 정의한다. 일상에서 문제들은 고도로 전후 관계가 설정되어 있어서 문제의 해결책과 결정에 맥락 정보가 개입된다. 예를 들어, 차를 사야 하는가, 그렇다면 어떤 종류를 사야 하는가를 결정하기 위해 정보가 필요하게 되는데 이 경우 두세 문장으로는 진술될 수 없다.

대조적으로 학교의 문제는 탈맥락화되어 학생들이 학교 밖에서보다 훨씬 짧게 진술할 수 있다고 생각한다. 학교의 문제는 또 잘 구조화 되어 있어 보통 해결책을 찾는 분명한 길이 있다. 반대로 일상의 문제는 구조화 되지 않아 대답을 찾을 길이 없다. 실제로 일상에서 보통 단일의 정답은 없으며 선택형이나 빈칸 채우기와 다르다. 실생활에 혼자 풀 수 있는 문제는 거의 없음에도 불구하고 학교에서는 단체로 일하는 것을 준비시켜 주지 않는다. 그래서 가능한 해결책에 대해 다른 사람들과 의논하지 않는다. 가장 중요한 것은 아이들이 생각하도록 가르치기 위해서, 교실의 삶만이 아닌 바깥 세상에 준비할 수 있도록 가르쳐야 한다는 것이다.

11)믿을 수 있는 자원을 사용한다, 12)요점과의 관련성을 유지한다, 13)다른 사람들의 느낌과 지식 수준에 민감하다 등의 경향이 있다.[38]

생각에 관한 이 모든 논쟁이 구시대의 분석과 문제 해결-훌륭한 교사가 수년에 걸쳐 교실 수업에 불어넣고자 했던 것보다 나을 것이 없다고 주장하는 사람도 있다. 게다가 사람을 생각하도록 가르치는 것은 누군가에게 골프채를 휘두르거나 스튜(stew)요리를 가르치는 것과 같다고 주장할 수도 있다. 이것은 Lipman, Sternberg, Ennis가 주장하는 구조화된 노력이 아니라 전체론적인 접근이 요구된다. Sadler와 Whimbey는 다음과 같이 주장했다. "사고 기술을 분리된 단위로 나누려는 노력은 진단적인 제안을 위해서는 도움이 될 것이다. 그러나 그러한 기술을 가르치는 데는 올바른 방법인 것 같지 않다." 비판적 사고는 너무나 복잡해서 작은 단계나 과정으로 나누어질 수 없고, 교육은 "협소하게 정의된 기술들의 집합이 아닌 학생의 종합적 지적 기능"을 포함해야만 한다.[39] 이와 유사하게 Fred Newmann은 사고를 가르치는 것은 너무 지나치게 환원주의적, 즉 전체보다는 부분에 지나치게 집중한다고 명시적으로 주장한다. 사고를 가르치는 가장 좋은 방법은 학생들에게 자신의 생각을 설명하게 하고 대답에 대한 근거를 요구하며, 생각을 유도하는(소크라테스식) 질문을 하는 것이다.[40] 교과목에 따라 사고 기술을 나누는 것은 다루기 어렵고 기계적인 반면에 생각을 분리된 기술, 특정 단위, 또는 과정으로 공식화하는 것도 인위적이다.

아마도 사고 기술 프로그램에 대한 가장 큰 비판은

Sternberg 자신에 의해 제기된 것이다. 그는 학교에서 강조된 비판적 사고 기술의 종류와 그것이 교수된 방법이 학생들로 하여금 일상 생활에서 매일 마주치게 되는 그런 종류의 문제에 부적절하게 [준비되도록] 할 수도 있다고 경고한다.[41]

사고 기술 프로그램들은 의도한 바는 아니지만 종종 실제 생활에 관해서 학생들이 무엇을 믿고, 행해야 하는지 결정하고 정당화하는 것을 돕기보다 "옳은" 대답을 강조한다.[42] 실생활에서 대부분의 문제와 결정은 사회적, 경제적, 심리학적 시사점을 가진다. 이러한 것들에는 대인 관계, 사람에 대한 판단, 개인적 스트레스와 위기, 책임감과 선택을 요구하는 딜레마 등이 포함된다. 사람이 질병, 노화, 죽음에 어떻게 대처하는가 또는 좀 덜 중요한 새로운 일의 시작, 새로운 사람과의 만남 같은 일을 어떻게 대처하는지 등은 교실에서 또는 비판적 사고 검사에서 생각하는 방식과는 별로 상관이 없다. 그러나 그러한 생활환경은 중요한 문제이다. 인식적 지각을 강조하면서 교육자들은 삶의 현실을 무시하는 경향이 있다. 학교에 다니는 것은 방과 후 실제 삶을 거의 보장하지 못한다. 삶의 산출물에는 다른 많은 요소들이 관련되어 있고 그것들의 다수는 비판적 사고와 심지어 지능과 관련이 없다. 따라서 우리는 "운" 뿐만 아니라 학습의 사회적, 심리학적, 도덕적 요소를 염두에 두어야 하며 또는 우리가 삶의 산출물에서 설명되지 않는 가치로 부를 수 있는 것들을 염두에 두어야 한다.[43]

창의적 사고

과거 10년 동안 창의성이란 용어는 상징적인 영역이 바뀌는 과정, 혁신적인 문제해결 능력, 그리고 예술들을 통한 개인의 표현[44] 등 세 종류의 상이한 인간 능력들을 기술하기 위해 사용되었다. Howard Gardner와 Mihaly Csikszentmihalyi 등은 매우 창조적인 사람들의 일생을 연구하면서 창의성을 자신의 생각들이나 일들을 통해 세계관을 형성하거나 변화시키는 능력으로 보았다.[45] Csikszentmihalyi와 Gardner는 문제해결부터 개인의 예술적인 표현들에까지의 능력범위에 걸쳐 현대사회에서의 창의적 및 창의성 용어를 적용하여 논의한다. 그들은 그러나 매우 창의적인 사람들에 관한 그들의 연구에서 이 능력들을 발견하지 못했다. Csikszentmihalyi는 또한 재능과 천재라는 용어가 창의적인 능력들에 대한 동의어로서 종종 사용된다는 것을 지적한다. 그러나 그는 이 명칭이 그가 면접한 창의적인 개인들(사람들)에 적용된다는 것을 발견하지 못했다.[46] Gardner와 Csikszentmihalyi가 지적한 것은 그 영역을 모양짓거나 변화시키기 위해 영역, 그 영역의 문지기들, 개인에 의해 확인된 새로운 아이디어나 형태 등이 상호작용하는 시스템 내에서 창의성이 작용한다는 것이다. 이와 같이, 매우 창의적인 개인들은 시기, 문화, 개인적인 창의성의 산물이다.

검사는 항상 창의성을 정확하게 측정한 것은 아니다; 사실, 연구자들은 창의성이 무엇인지 그리고 누가 창의적인지에 동의하는 데 있어서 어려움을 겪는다. 모든 어린이들은 잠재적으로 창의적이고, 아직도 많은 부모와 교사들은 아동의 자연스러운 행동에 대해 매우 많은 제약을 가하여 아동으로 하여금 창의성 때문에 문제가 되고, 승인받지 못하게 된다는 것을 배우도록 한다. 부모는 어린이의 호기심 많음과 "빈둥거림"에 종종 부정적으로 반응한다. 교사들과 부모님은 그들 자신(아이들이 아니라)에게 적합한 순서(지시, 질서, 명령), 부합과 "정상"의 규칙들을 강요한다.

예술적, 희곡적, 과학적, 운동경기, 수공 등과 같은 여러 종류의 창의성이 있다. 그렇지만, 대개 창의성은 이러한 것들을 망라한 용어로서 사용되고, 보통 인지적 또는 지적인 노력들에 제한하여 사용하는 경향이 있다. 교육자들은 지능의 한두 영역, 말하자면 언어 또는 수학에서의 수행을 기반으로 똑똑하거나 어리석음을 평가하는 경향이 있다. 사실, 교사로서 여러분은 얼마나 학생이 똑똑한지를 평가하는 데에 정말로 있지 않고 오히려 학생이 어떤 방법들로 영리하게 되느냐에 관해 탐구하고, 그리고 그때 학생들이 학습법을 배우도록 도와 주기 위해 이런 방법들을 사용하는 것이 목적이다. 인간능력에 대한 협소한 관점(협의로 정의된

전문적인 관점

위대한 교사가 되라

E. Paul Torrance
미국 조지아 대학의 심리학 명예 교수

위대한 교사들은 매우매우 적고 사회는 그들을 필사적으로 필요로 한다. 위대한 교사들은 위대한 예술가들이다. 그 매개체가 인간(사람)의 마음 정신이기 때문에 교수는 아마 예술들 중에서도 가장 위대한 것이다.

저자는 개인적인 경험과 연구를 통해 자신이 하려고 하는 것―꿈, 미래의 이미지를 사랑하는 것의 중요성을 깨달았다. 장래의 긍정적인 이미지들은 강력하고 매력적인 힘이다. 미래의 이 이미지들은 이끌어 주고, 힘을 북돋아 주고, 중요한 시작을 하게 하고, 새로운 해결책과 성취들에 나아가도록 한다. 꿈에 대해, 그리고 계획에 대해, 미래에 관해 알고 싶어 하고, 얼마나 많은 것이 우리 노력들에 의해 영향을 받게 될 것인지에 관해 궁금하도록 하는 것은 인간의 중요한 측면들이다.

우리들의 미래 이미지가 강력한 동기유발자이며, 우리들이 배우고 성취하는데 동기유발이 되도록 결정한다는 것에 대한 상당한 증거가 있다. 사실, 사람의 미래 이미지는 과거의 수행(실행, 성취)보다 미래 달성의 더 좋은 예언자일지도 모른다.

나는 위대한 교사로서 당신이 자신의 새롭고, 긍정적이고, 칭찬하지 않을 수 없고, 흥미로운 미래 이미지를 개발하도록 격려할 것이다. 그때, 당신의 독특한 미래 이미지인 이 이미지를 사랑하라. 당신은 위대한 교사가 될 수 있다. 그리고 그것은 위대한 것이다.

지능에 대한 집중)과 개인들이 어떻게 다르냐에 대해 무감각하기때문에, 학교는 종종 인지영역 이외의 것에 창의적인 재능들을 가지는 어린 아이들의 긍정적인 자아개념이 계발되는 것을 막는다. 특정의 제한된 종류의 지식에 고착되어 있기 때문에 많은 창의적인 아이들의 잠재적인 재능들이 소실된다.

창의적인 학생들은 교사를 자주 당황하게 한다. 그들은 특성을 부여하기 어렵고, 그들의 참신한 대답들은 위협적이며, 그리고 그들의 행동은 종종 평범 또는 적당한 것에서 벗어난다. 교과과정 전문가들은 계획할 때 이들을 무시하는 경향이 있다. 그리고 교사들은 보통 프로그램과 수업과제에서 그들을 무시한다. 그들에 대한 특별한 프로그램들과 직원을 지원하기 위해 예산이 거의 책정되지 않는다. 비록 그들이 창의성을 인정한다고 해도, 교육자들은 자주 지적인 재능과 창의적인 재능들, 또는 창의성의 다른 종류 간의 구별없이 "영재" 아동들을 하나로 똑같이 취급해 버린다.

Robert Sternberg는 예술, 과학, 그리고 사업 영역에서 일반인과 교수들에 의해 언급된 131의 목록으로부터 창조성과 관련되는 다음의 여섯 가지 속성을 식별하였다. 1) 관례의 결여, 2) 지력, 3) 심미적인 기호와 상상력, 4) 의사결정 기능과 융통성, 5) 통찰력(사회적인 규범들을 의문시하는 것에 있어서의), 그리고 6) 성취와 인정을 위한 추진력.[47] 그는 또한 창의성, 지능, 그리고 지혜 간의 중요한 차이를 구별하였다. 비록 이들이 상호간에 배타적인 범주들이지만, 상호관계가 있는 구인들이다. 지혜는 창의성보다 지능과 더 명확히 관련된다. 그러나 그것은 성숙한 판단, 그리고 어려운 상황에서의 경험 사용 등을 강조한다는 점에서 상이하다. 창의성은 지혜보다는 지능과 더 중복된다. 그러나 창의성에는 상상과 형식이 얽매이지 않는 방법을 강조한다. 지능은 논리적이고 분석적인 구인들로 구성된다.

Carl Rogers에 의하면, 창의성의 본질은 참신성이다. 그리고 이런 이유에서 우리는 그것을 판단하는 표준을 전혀 가지고 있지 않다. 사실, 성과가 더 독창적일수록, 동시대 사람들에 의해 우스꽝스럽거나 악한 것으로 더욱 더 판단되는 듯하다.[48] 인간이 창조하는 것은 그것이 자기만족적이며, 그 행동이나 결과가 자아를 실현하는 것이기 때문이다. (비록 창조의 과정과 관여되는 지력이 본래 인지적이기는 하지만, 이것은 창의성의 인간적인 측면이다.)

창의성의 정의에 대해서는 그것이 마음의 질을 나타내고 지능과 관련되어 있다는 것을 제외하고 거의 합의에 이르지 못하고 있다. 교사들에게 있어서 창의성의 정의는 새로운 아이디어들이 어떻게 그 출처를 가지게 되었는지로 귀착된다. 의식과 무의식, 관찰가능한 것과 인지되지 않는 과정들이 포함된다. 무의식과 인지할 수 없는 과정은 교실에서 다루기 어렵기 때문에, 교사들과 창의적인 학생 사이에 종종 오해가 생겨난다.

교사들은 대개 학생에게 반응적 사고를 요구한다. 즉, 그들은 질문, 연습, 또는 시험 항목에 반응하고, 선호하는 대답을 해줄 것을 기대한다. 그들은 창의적인 사고, 예컨대 참신한 질문과 대답을 제시하는 것을 억누르는 경향이 있다. 이것은 교사들이 교사중심 전략들을 과신하는 경향이 있고, 질문형 모형을 충분하게 활용하지 않기 때문이다. 대부분의 교사들은 이렇게 배웠다. 그리고 그들은 "옳은" 대답을 가지지 않으면 불안해 한다. 학생들에게 비판적인 사고를 계발시키려고 시도하는 교사도 있다. 그러나 그들은 학습자들 스스로 아이디어를 생성할 수 있도록 반응적 사고뿐만 아니라 심지어 비판적인 사고를 뛰어 넘어야 한다.

사회는 사회적, 기술적인 문제들을 계획하고, 결정하고, 다루기 위해 생성적으로 사고하는 사람을 필요로 한다. 교사는 학생들에게 절대적으로 옳은 답을 가지는 것이 항상 가능한 것이 아니며, 이해의 깊이가 중요하고, 활동이 상이하면 요구되는 능력도 상이하다는 것을 알려줄 필요가 있다. 교사는 거의 모든 학생이 창조적인 사고와 질문하는 잠재성을 가지고 있다는 것을 이해할 필요가 있다. 그러나 학생들이 그렇게 하기 위

해는 연습이 필요하다. 사례연구 I.I에서, 교사는 학생들이 질문하게 하고 내용에 대해 더 깊게 생각하도록 하기 위해 탐구식 접근을 사용하고 있다. 고등(탐구 지향) 사고 기술을 사용하여 학생들에게 직접 참여하면서 배우는 실제 사례를 제공하는 교사들이 단지 강의를 통해 지식을 전달하는 교사에 비해 더 효과적이고, 더 나은 성취를 보여 주는 경향이 있다는 것을 보고하는 연구들이 등장하고 있다. 이 사례 연구에는 그 탐구 수업에 대한 개요와 Chad Raisch가 교수 첫해에 겪었던 일화에 대한 성찰이 제시되어 있다. 탐구가 비판적, 창의적인 사고를 촉진하는 잠재성이 어떻게 발현되는지에 대해 특히 주의를 기울여 보라. 또한, 교사는 어떻게 수업을 학습자들이 직접 경험할 수 있도록 하였는가?

창조적인 생각을 자극하려면, 교사는 학생들이 추론을 하도록 하고, 직관적으로 생각해 보도록 격려하고, 탐구-발견 교수기법을 사용해야 한다. 세 가지 추론 유형은 다음과 같은 창의적인 가능성을 가지고 있다. 1)특징, 범주 또는 개념의 정교화(예를 들면, 학생에게 특정 범주에 일부 개체는 "맞습니다" 그리고 일부는 "틀립니다"라고 알려 준 다음 그 범주를 식별하도록 한다.) 2)인과관계의 정교화(제1차 세계대전의 원인들은 무엇인가? 혼합물은 왜 가스로 변했는가?) 3)배경 정보의 정교화(사건이 끼칠 영향, 또는 과거 사건으로부터 사실들, 또는 의사결정을 내리고 문제를 해결하기 위하여 사실들에 관하여 추론한다.)[49]

직관적 사고는 사실과 기계적인 암기에 의존하는 전통적인 교수에 의해 억압되는 인지적 과정이다. Jerome Bruner에 의하면, 훌륭한 사색가는 창의적이고, 교과에 대하여 직관적으로 파악한다. 직관은 발견과정의 일부이며, 직감을 살펴보고, 아이디어를 갖고 노는 것이 발견으로 이끌고, 지식의 창고를 늘어나게 한다. 직관적 사고의 단계들은 대개 구별하거나 정의하기 어렵다. 직관은 "문제 전체에 대한 암시적인 지각을 바탕으로" 인지적으로 조작하는 것이다. 사고하는 사람은 맞을 수도 틀릴 수도 있는 어떤 해답에 도달하는데, 그 해답을 얻게 되는 과정에 대해서는 거의 의식

사례 연구 1.1   탐구

Chad Raisch는 6학년에게 사회교과를 가르치고 있다. 그는 이 학생들에게 쌀을 재배하는 것이 어떻게 수요와 공급에 의해 결정되는지를 가르치는 것에 관심을 가지고 있다.

그는 수요와 공급의 개념들을 간단히 개관하는 것으로 수업을 시작한다. 학생들에게 Furby를 보여 준다. 이것은 1998년에 소개된 상호작용적 컴퓨터 애완동물로 30달러에 팔렸다. 그 때에 이것은 아이들의 휴일 선물목록에서 가장 인기 있는 품목이었다. 그리고 온라인 경매 입찰에서 네 자리 수를 기록하였다. 그는 수업에서 학생들에게 Furby를 보여준다. Furby는 소리, 음악, 말, 빛에 반응한다. 그리고 단순한 단어와 구를 약간 말한다. 학생들은 Furby를 관찰한다. Mr. Raisch는 "고객들은 왜 이렇게 간단한 것을 위해 그렇게 많이 지불할까요?"라고 질문한다.

그는 계속해서 "실제, 사람 중에는 Furby의 가치에 거의 100배를 지불했다. 여러분은 나에게 질문을 함으로써 이 문제에 대한 해답을 탐구하기를 바란다. 그러나 이 질문은 예나 아니오로 대답할 수 있어야 한다(그의 학생들은 매주 수수께끼들을 통하여 예/아니오 식으로 배웠다)"라고 말한다.

Jonathan은 "정말로 Furby를 원한 아이들이 많았습니까?"라고 묻는다.

Mr. Raisch는 "예. 정말로 수요가 아주 많았습니다."

"Furby가 비쌌지만, 그걸 보유하고 있는 장소를 발견하는 것은 쉬웠습니까?"라고 Elizabeth가 물었다.

"아니, 불행하게도 일부 가게만 재고로 갖고 있었어요."

다음 수 분 동안 학생들은 "그것은 원래 비쌌습니까?" "어린이들은 Furby가 근사하다고 생각했습니까?" "Furby는 원래 휴가 기간 동안에 팔릴 예정이었습니까?" 등과 같은 질문을 한다.

학생이 그 질문을 통해 자료를 약간 모으고 난 다음에, Mr. Raisch는 "Furby 현상을 설명하는 아이디어나 일반화가 무엇일까?"라고 묻는다.

학생들은 각양각색의 설명을 제시한다. Mr. Raisch는 각각을 살펴본다. 마침내 "수요가 높고 공급이 낮다면, 상품의 구매 가격은 급격히 증가할 것입니다"라는 형태로 가설을 생성하는 학생이 등장한다.

일단 학생의 이 생각이 확고하면, Mr. Raisch는 "여러분, Furby가 대성공인 걸 깨달은 생산자가 무엇을 했을 것이라고 생각하나요?"라고 묻는다. 학생들은 이제 적극적으로 개입하여, 다수의 대안 이론들을 제시한다.

그 수업을 종료하면서, Mr. Raisch는 학생들에게 공급/수요 현상에 대하여 자신의 예들을 생성하고, 가격이 어떻게 궁극적으로 영향을 받느냐에 관해 설명하도록 요구한다.

탐구수업에 대한 Mr. Raisch의 성찰

나는 공급, 수요, 가격 사이의 관계에 대하여 처음 소개받았던 것을 희미하게 기억한다. 나는 그 이유를 알 것 같다. 이 개념들은 나의 선행지식 또는 나의 과거의 경험을 바탕으로 구성되지 않았다. 그 대신에, 나는 가격이 소비자 요구와 판매자의 공급에 의해 어떻게 영향을 받는지를 그래프와 함께 자세히 기술한 교과서를 읽음으로써 이런 개념들을 "배웠다." 아마, 내가 우둔했을 수도 있겠지만, 그렇게 생각하지 않는다.

탐구법의 이점에는 내가 직접 관찰했던 것처럼 그것이 학습자들의 자연적인 호기심을 기본으로 더 나은 사색가가 되는 것을 돕는다는 점이 있다. 특히 Furby 수업과 같은 사례에서 학생들은 처음 보기에 이치에 부합하지 않는 것에서 의미를 끌어

내어야 한다. 학생들은 질문을 하면서 정보를 수집하고, 가설을 생성하고, 가설을 분석하는 과정을 통해서 다른 사람의 아이디어들을 참조하고 비평할 뿐만 아니라 여러 측면에서 볼 때 옳은 정답들을 아는 것만큼 중요하게 여겨지는 좋은 질문이 무엇인지를 알게 된다. 서로 모순되는 사건을 해결하려면 좋은 질문을 하지 않고서는 정답을 얻을 수가 없다.

　　탐구법은 교사와 학습자에게 활동적이고 "개인화된" 학습을 해 볼 수 있는 좋은 기회를 제공할 수

있다. 학생들은 Furby 또는 최신의 Beanie Baby, 또는 Mickey Mantle 야구 카드의 가치를 확인할 수 있기 때문에, 시장 경제에서 제한된 공급과 소비자 수요가 어떻게 가격 결정에 관여하는지에 관해 더 잘 이해할 수 있다.

출처 : Thomas J. Lasley, Thomas J. Matczynski, and James B. Rowley, Instructional Models: Strategies for Teaching in a Diverse Society, 2nd ed. Belmont, Calif.: Wadsworth, 2002, pp. 168-9.

하지 못한다.[50] 교사는 학생들이 교육받은 것을 바탕으로 추측하게 하고, 직감을 따르고, 그리고 생각에 있어서 도약하도록 격려해야 한다. 학생이 정답을 가지고 있지 않을 때에 틀리다는 것에 대한 공포를 주입하고, 독자적 그리고/또는 혁신적인 사고를 억누르는 것은 창의성을 억압하는 것이다.

창의성 촉진에 있어서 교사의 역할

교사는 학생이 교육받은 것을 바탕으로 추측하고, 직감을 따르고, 그리고 생각에 있어서 도약하도록 격려해야 한다. 해답을 어떻게 얻었는지에 대해 명확히 설명하지 못하는 것은 때때로 별로 중요하지 않다. 미묘한 차이들과 더 큰 개념들을 이해하는 것은 더 중요하다. 그리고 이와 같은 이해에는 대개 창의적인 표상이 사용되어야 한다. 기교가 뛰어난 교사들은 이러한 능력을 가지고 있다. 이러한 능력은 Jaime Escalante가 학생들에게 절대 영의 개념을 탐구하도록 하는 과정에서 잘 보여준다. 이 개념은 추상적이지만, 다음의 예시에는 학생들이 추상적이고 복잡한 생각들을 배우는 것을 돕기 위해 훌륭한 교사들이 구체적인 예를 어떻게 사용하느냐가 잘 나타나 있기 때문에 주의를 기울여 읽어 본다. 또한, 교사의 창의성 수준에 대해 주목한다.

"너희들 농구하지? 주고 달리는 것 알겠네?" 그는 자기 앞에 있는 상상의 공을 튀겼다. 그는 상상의 골대를 향하여 등을 구부렸다. 그의 오른쪽에서 가로질러 가고 있는 상상 속의 가드에게 공을 넘겨주었다. 그는 이 과정을 반복했다. 이번에는 왼쪽으로 건네줬다.

"절대적인 기능은 주고 달리는 것이다. 여기에는 두 가지 가능성이 있다. 이쪽에 이 사람이 열려 있으면, 왼쪽에서 공이 올 것이다." 그는 칠판에 x < 0라고 썼다. 그리고 "만일 오른쪽이라면, x > 0"라고 썼다.

"자 이 작은 공은 절대치가 될 것이다. 나는 어느 공을 사용할 생각인지 모른다. 이 사람은 왼쪽으로부터 오는 것, 또는 오른쪽으로부터 오는 것 등 두 가지 선택이 있다. 두 막대 사이에 하나의 숫자를 볼 때마다" ─그는 보드에 [x]라고 썼다─ "여러분은, 음, 음, 좋아, 왼쪽에서 오기도 하고 오른쪽에서 오기도 한다. 여러분은 이것을 두 부분으로 나눠야 한다. 이렇게 하면 되겠지."

그는

$|a| = a \text{ if } a > 0$

$|a| = a \text{ if } a < 0$

라고 썼다.

"그러나 여러분은 세 위치를 고려해야 하는데,

내가 3초위반이라고 판정한다. 자, 나는 3초위반이 무엇인지 잘 모른다. 누가 내게 설명할 수 있냐?"

"나는 내 방식대로 3초위반을 사용한다. 3초위반이란, 여기 첫 번째 공이다: $|x| < a$; 이것은 두 번째 공이다: $|x| = a$; 그리고 세 번째 공: $|x| > a$. 맞나요?"

"예, 맞습니다."

"몇 개지?"

"셋입니다."

"만일 여러분이 이 세 가지를 해결하는 방법을 알지 못한다면 좋지 않다." 그는 각 표현식의 옆에 칠판을 가리키며 "절대치가 a보다 더 클 때, 절대치가 그것과 같을 때, 절대치가 a보다 더 작을 때, 너는 이 3초 위반(방해)을 알아야 한다. 봐라."

그는 쓸어 내리는 몸짓으로 각 표현식의 의미를 차례로 썼다.

$$-a < x < a \qquad x = a \qquad x < - \text{ or } x > a$$
$$x = -a$$

"x의 절대치가 a보다 크다는 것을 알게 되면,

표 1.3 학생 탐구-발견 행동과 관련된 교수 행동

교사는

1. 학생의 아이디어들을 받아들인다.
2. 학생의 흥미와 창조적인 잠재력을 개발한다.
3. 학생들의 개인적 한계점들을 인정한다.
4. 격려하고 수용할 수 있는 환경을 제공한다.
5. 학생들에게 높은 기대를 가진다.
6. 학습을 교실 밖에까지 확장한다.
7. 효과적인 의사소통 기법들을 개발한다.
8. 학생들이 지식을 응용하도록 유도한다.
9. 결과보다 학습의 과정에 좀더 중점을 둔다.
10. 심도있는 학습주제로 자극한다.
11. 학생들에게 활동을 허용하고 그에 따라 학생들이 종결점을 결정하도록 허용한다.
12. 학생들에게 학습에서의 주인의식을 갖도록 한다.
13. 학생들에게 학습 활동과 관련된 선택과 결정을 허용한다.
14. 학생들의 생활 경험, 욕구 및 흥미와 관련한 학습 경험을 설계한다.
15. 모험적이며 탐구적 태도를 장려하라.
16. 교실 공포심을 줄인다.
17. 발산적 사고와 새로운 아이디어들을 장려한다.
18. 학생들의 빈번한 자기-평가를 장려한다.
19. 학생들에게 창조적 행동이 억눌러지지 않도록 하면서 목표, 규칙 및 관례를 이해하도록 구조를 충분히 제공한다.
20. 학생들에게 과학, 기술 및 사회 과학 간의 상호관련성을 인지하도록 한다.

출처: Adapted from Ronald J.Bonnstetter, "Teacher Behaviors That Facilitate New Goals." Education and Urban Society(November 1989):31?32. John E. Penick and Ronald J. Bonnstetter, "Classroom Climate and Instruction." Journal of Science Education and Technology(June 1993):394.

즉시, −a는 x보다 크거나 x는 a보다 크다는 것을 알 수가 있다."

그는 이 요점에 강조하는 과제를 부여한 절대치는 산수를 이해하는 데 매우 중요하다. 학생들은 지금 이것을 이해해야 한다. 그는 수학에서의 고상한 것들을 일부 겉만 살펴보았다. 그러나 그가 청중들을 극장의 좌석으로 안내하기 전에 먼저 극장을 발견하도록 돕는 것이 처음에 해야 하는 중요한 일이다.[51]

탐구-발견 교수 기법에서, 학생들은 교과내용을 최종적인 형태로 제공받지 않는다; 학생들은 질문, 대답, 해결책 및 정보를 연구하고 도출한다. 이 기법은 모든 연령의 학생들에게 적용될 수 있다. Ronald Bonnstetter는 전국의 1000개 이상의 과학 프로그램에서 5년 동안 관찰된 가장 바람직한 교사 행동을 요약한다.[52] 이러한 교사 행동은 과학 교과에서 학생들의 탐구-발견 기법을 조장하는데 가장 효과적인 것으로 고려되었다. 일반적으로 표1.3에 제시되어 있는 교사 행동들은 학생들이 놀면서, 탐구하고, 실험하고 새로운 기법을 중히 여기고, 서로 다른(또는 참신한) 아이디어을 존중하고, 실수하고 그로써 학습하도록 장려한다. 이러한 교수 행동을 보여주는 교사에게 배운 학생들은 전통적인 학습 기법을 사용하는 교사에게 배운 학생들보다 창의적이고, 더 혁신적이고 자신과 동료 및 선생님들에게 더 관대하다.

대부분의 사람들은 아동과 청년의 창의성을 식별 및 개발하는 것은 우리 사회에 매우 중요한 것이며 문명의 발전을 위해서도 중요하다는 데 동의한다. 교사들은 창의적인 아이들이 아주 다양한 방법으로 배운다는 점과 IQ가 높은 아이들이 항상 창의적이거나 또는 그 반대가 아니라는 점을 인지해야 한다. 교사는 학생들의 최초 대답을 받아들이고 어느 정도의 비순응적인 행동을 받아들이는 용기와 성숙함이 필요하다—쉬운 일은 아니다. 교사들이 학습 패러다임을 받아들이는 순간 더 자유로울 수 있고 학생들의 창의력 또한 개발할 수 있다.

마지막으로 학습 패러다임 교사는 탐구 및 확산적 마음—상식에 의문을 가지고 도전하며, 일상을 회피하고 특이하게 생각하려는 학생을 받아들이고 격려하는 것을 배운다. 정보화 시대는 이미 도래했으며, 문제를 직면했을 때 자료를 소화하고 우리 것으로 흡수하고 서로 다른 견해와 기회를 볼 수 있는 학생들은 미래를 더 잘 헤쳐 나갈 수 있을 것이다. 사업과 산업의 경영자 및 간부, 심지어 정부 및 군대 중역들은—앞으로 전진하기 위해서 복잡한 문제를 창의적으로 다룰 수 있는 창의적인 사람들을 다루는 방법을 배워야 할 것이다. 교사들이 그러한 좁은 교실의 주형은—순종, 적응 및 판에 박힌 학습의 양산지—구식이며 미래에는 맞지 않다는 것을 보다 빨리 깨달을수록 학생, 학교, 그리고 사회에는 더 바람직할 것이다.

학습 패러다임 및 구성주의

지금까지 교사들이 학생들에게 보다 비판적 탐구를 조장하는 다양한 방법에 대해 논의하였다. 이러한 성향에 대하여 과거 십여 년간 교육학적 전쟁이 있었다. 학생들에게 지식의 구조를 강요해야 한다고 주장하는 사람도 있다. 이들은 이데올로기적으로 전형적인 보수주의자로, 우리는 특정의 내용(사실 많은 것들)을 알고 있으며, 교사들은 알고 있는 것을 학생들에게 모두 전달해야 한다고 주장한다. 교사들은 지식을 가지고 있고 학생들은 그 지식을 흡수하고, 그 지식에 대하여 시험을 치러야 한다. 또 학문 안에서는 구조가 알려져 있지만 학생들이 스스로 그것을 발견하도록 인지하는 것이 중요하다고 주장하는 사람도 있다. 인지적 이론가들은 학생들이 받아들인 정보를 개인적 의미를 부여하는 방식으로 구성하고 인지해야 한다고 주장한다.[53]

이 책에 제시된 아이디어들은 대부분 구성주의에 입각하고 있다. 예를 들어 제4장에서 논의되고 있는 개념 형성의 교수 전략은 사실상 본질적으로 구성주의에 해당된다. 즉 교사들이 교수 내용을 제공하지만 학생들이 개인적으로 유의미한 방법으로 그 정보를 구성한

의미 구성을 위한 공간과 시간 제공

내가 중요하게 간직하고 있는 교수의 특성 중 하나는 강력한 학습 경험에 참여자였던 시간, 즉 통찰력의 빛을 보여주던 시간, "아하"라며 깨달음이 있던 순간, 영원히 변화를 남겨준 시간들을 회상하는 것이다. 나는 몇 년 전에 자신의 교실에 보다 더 학생 중심적, 구성주의적 방식을 실시하고자 했던 선생님들과 함께 했던 때를 기억한다. 우리는 선생님들이 의문시하는 것들에 대해 이야기 했었고, 단지 선생님의 머리 속에 있는 것을 알아맞히기를 요구하는 그런 질문을 학생들에게 얼마나 자주 물었는지에 대해 토론했었다. 우리 각각은 역할놀이를 통해 한 개념에 대해 깊이 생각하고, 대안적 설명과 맞서도록 학생들을 격려하는 질문을 주고 받았다. 그러한 과정 중에 갑자기 깨달았다. 나는 여전히 예비교사 교육에서 학생들이 선생님을 기쁘게 하는 올바른 답을 제공하도록 질문하고 있었던 것이다.

이를 깨달은 후, 나는 대학원생과 학부생 수업에서 교사에게 요구되는 거대한 지식 기반에 대한 자신의 의미와 이해를 스스로 구성하도록 격려하는 새로운 시각을 도입하였다. 교사 계발이라는 나의 목표는 학문 및 교육학에서 교사들 자신의 지식을 구성하도록 함으로써 자신의 교실에서 더욱 구성주의 지향이 되도록 하는 것이다. 우리는 배우려고 노력하는 것을 능동적으로 인지하려고 할 때 가장 잘 학습하게 된다는 것을 안다. 그것은 아이들 뿐 아니라 성인도 그러하다. 모든 교실에서 이것은 학생들이 사고해야 하는 시간을 의미하며, 서로서로 질문하는 것을 의미하며 가능성을 탐구하는 것을 의미한다. 교사가 학생들에게 의미 구성 기회를 제공하는 방법은 모든 교실에게 상이하게 전개될 것이다. 당신의 교실에서는 어떻게 전개될 것인가?

다는 것이다. 또한 이 책에서는 여러 부분에서 탐구 전략을 사용하는 것에 대해서도 논의한다. 이 또한 본질적으로 구성주의다. 왜냐하면 학생들은 일련의 아이디어 혹은 개념에 대해 관찰하는 것을 사용하여 개인의 인지적 구조를 구성하기 때문이다.

구성주의자들은 다시 여러 가지로 나뉜다. 일부는 **경험 중심적**이며 다른 사람은 **급진주의적**이다. 전자는 "지식이 외부 환경에서 정착되어 있고, 학습자의 인지적 활동과는 독립적으로 존재한다고 여기며, 따라서 학습자가 정확한 개념을 구성하도록 돕는 것에 대해 언급하는 경향이 있다." 후자는 "지식이 학습자의 구성 안에 존재한다고 주장한다."[54] 이 책은 보다 경험주의 지향적이다. 여러분이 교수를 하게 될 성취기준 기반 환경은 학생들이 특정의 이해를 습득하되 다양한

학문에서 알려져 있는 것들을 정확하게 반영하는 방식이어야 함을 요구한다.

일부에서는 경험주의자와 급진적 구성주의자 사이에 중도 계층-변증적 구성주의자 혹은 내부(혹은 인지적)와 외부(혹은 환경적) 요소 사이의 상호작용에 기인한다고 주장하는 학자들도 있다고 주장한다. 변증적 구성주의자들은 지식의 구성은 다양한 방식으로 이루어지지만 다른 방식들보다 더 나은 것이 있기도 하며, 모든 것들이 정당한 것으로 인정되는 것도 아니다.[55]

이것은 교사들의 구성주의자 지향성의 측면에서 보면 결코 하찮은 문제가 아니다. 경험주의자와 변증적 구성주의자들은 학생들이 당면하고 있는 현실에 대한 정확한 표현을 중요시 한다. 급진적 구성주의자들은 맥락이 알고 있는 것을 변화시키기 때문에 세상을 이

해할 수 없다고 믿는다. 보다시피 이 논쟁은 복잡하며, 현대 교육의 고부담 및 성취기준 기반 세계에서는 특히 격렬하다. 이 책에서는 이 논쟁을 무시하지 않고, 구성주의와 관련하여 더욱 균형잡힌 관점을 취하도록 노력할 것이다.

우리는 구성주의에 대한 핵심은 경험주의와 급진주의에 관계없이 훌륭한 교사란 지식의 전달을 넘어서서 가르치는 것이라고 본다. 때로는 연습법에 관해 논의할 때 볼 수 있듯이, 즉 곱하기를 가르칠 때나 아주 단순히 다시 발견할 수 없는 이론을 학생들이 이해하고 사용하기를 원할 때, 지식의 전달이 중요한 경우도 있다. 또 학생들이 아이디어에 대해 성찰하고, 탐구하고, 창조적으로 사고-지식을 구성하기를 원하는 경우도 있다. 우리는 훌륭한 교사—유능한 교사—가 어떻게 해야 하고 무엇을 해야 하는지 모두 알아야 한다고 주장한다. 즉, 언제 지식(기능 혹은 과정)을 전달해야 하는지, 그리고 능동적인 지식 구성에 학생들이 언제 스스로 관여하도록 해야 하는지를 알아야 한다. 이러한 교육학적 지식은 교수 과학과 기예가 수반된다. 누구를 가르치고 무엇을 가르치며 가르치는 목적이 무엇인지는 어떻게 가르쳐야 하는지에 크게 영향을 줄 것이다.

마무리

이 장에서는 교수의 기예적 속성과 학생들에게 학습법을 주의하여 가르치는 것이 중요하다는 것이 논의되었다. 일부 선생님들은 가르치고 배우는 일에만 심취하여 그들의 일상적인 행동이 학교의 숨은 메시지를 전달하는데 어떻게 기여하고 있는지를 의식하지 못하기도 한다. 이러한 메시지에는 기반으로 하는 패러다임이나 여기서 장려하는 비판적 사고기법보다 더 강력하기도 하다. 다음에 제시되어 있는 한 교사의 글을 주의를 기울여 읽고, 여러분이 (매일의 활동에서) 아이들과 함께 행하는 것이 의도적으로 계획한 어떤 것이든지 대신하게 되는지를 생각해 본다.

나는 항상 D 학생이었던 이 아이와 1년 내내 씨름하고 있었다. 나는 그를 의자에 앉혀 놓기가 힘들었다. 그는 단지 장난꾸러기 학생이었다. 그는 결코 선을 완전히 넘어서지는 않았지만, 그 해 내내 나에게 있어서 가시였다. 실험실에서 그는 항상 뭔가 자유스러운 것을 하려고 했다. 그런 그 아이는 그 해 말에 공부에 열중하고 있었다. 그 후 2~3년 동안 나는 그를 보지 못했다. 어느 날 말끔한 비즈니스 정장 차림의 한 젊은이가 복도를 따라 걸어오는 것이었다. 어, 바로 그 놈이다. 나는 "그래 그 동안 뭐했니?"라고 했고 그는 말했다. "해병대에 있었습니다. 인사드리려고 왔습니다."

나는 말했다. "내게 말이냐?" 나는 내가 그 소년에게 어떤 과학도 가르친 적이 없다고 생각했기 때문이다.

그는 말했다. "과학에 관한 것이 아닙니다. 선생님께서는 제게 정직을 가르치셨고 제가 관찰한 것을 말하도록 하셨습니다. 그건 제게 정말 중요한 것이었습니다."

난 이 일을 영원히 기억할 것이다.[56]

요약

1. 당신이 되고자 하는 교사의 유형은 가르침에 대한 이유에 부분적으로 토대를 두고 있다.

2. 교사들은 학생들이 서로 다른 일련의 욕구, 능력 및 자존감을 가진 개체임을 인정하는 것을 바탕으로 학생들에게 동기 부여 방법 및 학습 자료를 제공해야 한다.

3. 교사들의 학습 패러다임은 학생들이 그들 자신의 지식을 구성하기 위해 무엇을 하는가를 중요시 한다. 그러한 교사들은 학생들이 얼마나 바쁜가보다는 가르치는 행위 자체를 중요시 한다.

4. 학생들은 시각적, 청각적 및 촉각적 과정에만 한정되지는 않지만 이러한 과정에서 서로 다른 사고 및 학습 방법을 지니고 있다.

5. 학생들은 학습법의 학습 기법, 비평적 사고 기법, 및 창의적 사고 기법을 배울 수 있다. 이것은 교사들이 어떤 사실 및 올바른 대답을 가르치는 것으로부터 문제 해결 및 창의적 사고로 옮겨가는 것을 의미한다.

고려할 문제

1. 당신이 가르치는 이유를 이해하는 것이 왜 중요한가?

2. 교사들이 보다 더 Jaime Escalante 혹은 LouAnn Johnson처럼 되는 것을 막는 요인은 무엇인가?

3. 학생들의 사고 기법을 개선하기 위해 어떤 교수 방법 및 접근법을 사용해야 하는가?

4. 비판적 사고 및 창의적 사고의 속성은 무엇인가? 어떤 유형의 사고가 학생들이 학교에서 개발하는 데 있어서 더 중요한가?

5. 창의적 사고를 강화하는 3가지 방법은 무엇인가? 비판적 사고를 강화하는 3가지 방법은 무엇인가?

해야 할 일

1. 교실 현장에서 2~3명의 교사들을 관찰하고 학생들에게 어떻게 동기를 부여하는지를 설명한다. 그러한 동기 부여 행동이 얼마나 성공적인가?

2. 동일한 교사와 학생들을 다시 관찰하고 교사가 다루어야 하는 학생의 지배적인 행동 목록을 작성한다.

3. 관찰한 그 교사는 학습 또는 교육 패러다임 교사인가? 왜 그런지를 설명한다.

4. 교사와의 경험을 설명한다. 교사들 중 어떤 사람이 학습 패러다임 교사인가?

5. 학교 성공 여부는 부분적으로는 학생의 비판적 사고력에 기초한다. 학생들 사이에서 비판적 사고를 양성하기 위해 교사가 할 수 있는 것을 식별한다.

추천 문헌

Burkett, Elinor. *Another Planet: A Year in the Life of a Suburban High School*. New York: Harper Collins, 2001. This is a close examination of teacher and student lives in a suburban high school. Schools are busy, complex places and this text powerfully illustrates that reality.

Fried, Robert. *The Passionate Learner*. Boston: Beacon Press, 2001. This book offers a thoughtful description of how excellent teaching can be learned through practice and refection.

Maran, Meredith. *Class Dismissed*. New York: St. Martin's Press, 2000. In this poignant examination of life in one urban American high school, Maran focuses on the lives of three high school seniors, illustrating implications both for how teachers teach and for how students learn.

Ornstein, Allan C. *Teaching and Schooling in America: Pre-and Post-September 11*. Boston: Allyn and Bacon, 2003. The author describes life and death, good and evil, peace and war, morality and immorality, equality and inequality.

Rose, Mike. *Possible Lives: The Promise of Public Education in America*. New York: Houghton Mifflin, 1995. This compilation of teacher stories is taken from different social and economic contexts.

Sternberg, Robert J. *Understanding and Teaching the Intuitive Mind*. Mahwah, N.J.: Erlbaum, 2001. Sternberg discusses the methods and findings of problem solving and intuitive thinking.

핵심 용어

경험 중심 구성주의자 28

교수기예 5

수업 패러다임 6

초인지 17

비판적 사고 19

직관적 사고 23

창의적 사고 22

탐구 발견 교수 기법 27

포괄적 학습법 17

교수과학 5

사고기술 프로그램 20

급진적 구성주의자 28

반응적 사고 23

인지구조 15

참신성 22

창의성 21

탐구식 접근 23

학습 패러다임 6

후주

1. Susan M. Johnson. Teachers at Work. New York: Basic Books, 1990. Ann Liberman and Lynne Miller, *Teachers—Their World and Their Work*. New York: Teachers College Press, Columbia University, 1992.

2. Larry Cuban. *How Teacher Taught*, 2nd ed. New York: Teachers College Press, Columbia University, 1993.
   John I. Goodlad, *Teachers for Our Nation's Schools*. San Francisco: Jossey-Bass, 1990.

3. *The Condition of Education*, 2001. Washington, D.C.: Government Printing Office, 2001, Tables 70, 80.
   Digest of Education Statistics, 2000. Washington, D.C.: Government Printing Office, 2001, Tables 70, 79.

4. "Measures to Woo Men to Teaching Jobs: Low Pay, Hard Work Cited for Declining Numbers." Retrieved July 5, 2002, from *http://fyi.cnn.com/2002/fyi/teachers.ednews/07/05/male.teachers.ap/index.html*. Digest of Education Statistics, 2000, Tables 70, 79.

5. Benjamin D. Wright and Shirley A. Tuska. "From a Dream to Life in the Psychology of Becoming a Teacher." *School Review* (September 1968): 259-393.

6. Dan Lortie. "Observations on Teaching as Work." In R. M. Travers (ed.), *Second Handbook of Research on Teaching*. Chicago: Rand McNally, 1973, 474-497.

7. Allan C. Ornstein and Daniel U. Levine. *Foundations of Education*, 8th ed. Boston: Houghton Mifflin, 2003. Nathalie J. Gehrke, *On Being a Teacher*. West Lafayette, Ind.: Kappa Delta Pi, 1987.

8. Roland S. Barth. *Learning by Heart*. San Francisco: Josey-Bass, 2001; Vito Perrone. *Teaching with Heart*. New York: Teachers College Press, 1998.

9. Robert Barr and John Tagg. "From Teaching to Learning." *Change* (June 1995): 16.

10. Theodore R. Sizer. *Horace's School*. Boston: Houghton Mifflin, 1992.

11. Dale Ballou. "Sizing Up Test Scores." *Education Next* (Summer 2002): 10-15.

12. Harold Stevenson and James Stigler. *The Learning Gap*. New York: Summit, 1992.

13. Ibid.

14. Robert Fried. *The Passionate Teacher*. Boston: Beacon Press, 1995, p. 12.

15. Ken Macrorie. *Twenty Teachers*. New York: Oxford University Press, 1984, pp. 138-139.

16. Mike Rose. *Possible Lives: The Promise of Public Education in America*. New York: Houghton-Mifflin, 1995, pp. 374-375. Note: Copyright©1995 by Mike Rose. Reprinted by permission of Houghton Mifflin Company. All rights reserved.

17. Ibid., p. 421.

18. Clark Kauffman and Staci Hupp. "Scores Pip at 'Blocked' School." Retrieved July 3, 2002, from *http://www.dmregister.com/news/stories/c4780927/18611237.html*.

19. Jay Mathews. *Escalante: The Best Teacher in America*. New York: Henry Holt, 1988, p. 46.

20. Fried. *The Passionate Teacher*, p. 57.

21. Raymond McDermott. "Making Dropouts." In Henry Trueba, George Spindler, and Louise Spindler (eds.), *What Do Anthropologists Have to Say About Dropouts?* New York: Falmer Press, 1989, p. 20.

22. Allen C. Ornstein and Francis Hunkins. *Curriculum: Foundations, Principles, and Issues*, 4th ed. Boston: Allyn and Bacon, 2004.

23. James Stronge. *Qualities of Effective Teachers*. Washington, D.C.: Association for Supervisor and Curriculum Development, 2002, p. 17.

24. John Flavell. Cognitive Development, 2nd ed. Englewood Cliffs, N.J.: Prentice Hall, 1985. Robert Glaser, *Advances in Instructional Psychology*, vol. 4. Hillside, N.J.: Erlbaum, 1993.

25. Gaea Leinhardt. "What Research on Learning Tells Us About Teaching." *Educational Leadership* (April 1992): 20-25.

26. Charles Letteri. "Teaching Students How to Learn." *Theory Into Practice* (Spring 1985): 112-122. Richard E. Mayer. "Models for Understanding." *Review of Educational Research* (Spring 1988): 43-64. Richard S. Prawat. "The Value of Ideas." *Educational Researcher* (August-September 1993): 5-16.

27. Olaf Jorgenson and Rick Vanosdall. "The Death of Science?" *Phi Delta Kappan* (April 2002): 601-605.

28. Gary B. Nash, "Expert Opinion." In D. Meier, *Will Standards Save Public Education?* Boston: Beacon Press, 2000, p. 46.

29. Gerald G. Duffy. "Rethinking Strategy Instruction." *Elementary School Journal* (January 1993): 231-248. Alan H. Schoenfield. "Teaching Mathematical

Thinking and Problem Solving." In L.B. Resnick and L. E. Klopfer (eds.), *Toward the Thinking Curriculum.* Alexandria, Va.: ASCD, 1989, pp. 83-103.

30. Jerome Bruner. *The Process of Education. Cambridge, Mass.*: Harvard University Press, 1960.

31. Lauren Resnick. *Education and Learning to Think.* Washington, D.C.: National Academy Press, 1987.

32. Justin Brown and Ellen Langer. "Mindfulness of Intelligence: A Comparison." *Educational Psychologist* (Summer 1990): 305-36. David Perkins, Eileen Jay, and Shari Tishman. "New Conceptions of Thinking." *Educational Psychologist* (Winter 1993): 67-75.

33. Cathy C. Block and Michael Pressby. *Comprehension Instruction.* New York: Gilford, 2001.

34. Matthew Lipman. "The Culturation of Reasoning Through Philosophy." *Educational Leadership* (September 1984): 51-56.

35. Matthew Lipman et al. *Philosophy for Children*, 2nd ed. Philadelphia: Temple University Press, 1980. Matthew Lipman. Philosophy Goes to School. Philadelphia: Temple University Press, 1988.

36. Matthew Lipman. "Critical Thinking—What Can It Be?" *Educational Leadership* (September 1988): 38-43.

37. Robert J. Sternberg. "How Can We Teach Intelligence?" *Educational Leadership* (September 1984): 38-48. Robert J. Sternberg, "Practical Intelligence for Success in School." *Educational Leadership* (September 1990): 35-39.

38. Robert H. Ennis. "A Logical Basis for Measuring Critical Thinking Skills." *Educational Leadership* (October 1985): 44-48. Robert H. Ennis. "Critical Thinking and Subject Specificity." *Educational Researcher* (April 1989): 4-10.

39. William A. Sadler, Jr. and Arthur Whimbey. "A Holistic Approach to Improving Thinking Skills." *Phi Delta Kappan* (November 1985): 200.

40. Fred Newmann. "Beyond Common Sense in Educational Restructuring: The Issues of Content and Linkage." *Educational Researcher* (March 1993): 4-13.

41. Robert J. Sternberg. "Teaching Critical Thinking: Possible Solutions." *Phi Delta Kappan* (December 1985): 277. Also see Robert J. Sternberg and Peter A. French, *Complex Problem Solving.* Hillsdale, N.J.: Erlbaum, 1991.

42. Ennis. "A Logical Basis for Measuring Critical Thinking Skills."

43. Allan C. Ornstein. *Teaching and Schooling in America: Pre-and Post-September 11.* Boston: Allyn and Bacon, 2003.

44. Mihaly Csikszentmihalyi. *Creativity: Flow and the Psychology of Discovery and Invention.* New York: Harper Collins, 1996. p. 8.

45. Howard Gardner. *Creating Minds: An Anatomy of Creativity Seen Through the Lives of Freud, Einstein, Picasso, Stravinsky, Eliot, Graham, and Gandhi.* New York: Basic Books, 1994. Mihaly Csikszentmihalyi. *Creativity: Flow and the Psychology of Discovery and Invention.* New York: Harper Collins, 1996.

46. Mihaly Csikszentmihalyi. Creativity: *Flow and the Psychology of Discovery and Invention.*

47. Robert J. Sternberg. "Intelligence, Wisdom, and Creativity: Three Is Better Than One." *Educational Psychologist* (Summer 1986): 175-190.

48. Carl Rogers. "Toward a Theory of Creativity." In M. Barkan and R.L. Mooney (eds.), *Conference on Creativity: A Report to the Rockefeller Foundation.* Columbus, Ohio: Ohio State University Press, 1953, pp. 73-82.

49. Paul Bloom. *How Children Learn the Meanings of Words.* Cambridge, MA: MIT Press, 2000. Robert Marzano. *Dimensions of Learning.* Alexandria, Va.: Association for Supervison and Curriculum Development, 1991.

50. Jerome S. Bruner. *The Process of Education.* Cambridge, Mass.: Harvard University Press, 1960, p 57.

51. Pp. 118-120 from *Escalante: The Best Teacher in America* by Jay Mathews. Copyright©1988 by Jay Mathews. Reprinted by permission of Henry Holt and Company, LLC.

52. Ronald Bonnstetter Jr., J. E. Penick, & R. E. Yager. *Teachers in Exemplary Programs: How Do They Compare?* Washington, D.C.: National Science Teachers Association, 1983.

53. Jeanne Ellis Ormrod. *Human Learning.* Upper Saddle River, N.J.: Merrill, 1999. Virginia Richardson. Handbook of Research on Teaching, 4th ed. Washington, D.C.: American Educational Research Association, 2001.

54. Thomas L. Good and Jere Brophy. *Educational*

Psychology, 5th ed. New York: Longman, 1995, p. 180.

55. Wayne K. Hoy and Cecil E. Miskel. *Educational Administration: Theory Research and Practice* 6th ed. Boston: McGraw Hill, 2001.

56. Macrorie. *Twenty Teachers*. London: Oxford University Press, 1990, p. 147.

핵심문제에서 볼 수 있는 것처럼, 교사 역량을 이해하고, 한 교사를 유능하다고, 또는 유능하지 않다고 여기게 하는 것을 기술하는 일은 쉽지 않은 일이다. 비록 우리는 교실에서 많은 시간을 보내지만, 교사 효과성을 정의하는 질은 복잡하고 거의 대부분이 모순된다. 게다가, 사람들은 모두 다양한 주관적인 관점과 위치에서 교사 효과에 대하여 논의한다. 그 이유에는 교육학적으로 한 개인에게 효과적인 활동이 다른 학습자에게는 효과적이지 않다라는 사실도 한 부분을 차지하고 있다. 이 장의 목표는 교육자들이 연구로부터 도출된 일반적인 원리들을 이해하고, 실제 교실상황에서 적용할 수 있도록 하는 것이다. 이 장에서 제시된 연구 결과의 진가는 다음의 연습을 해 보면 인정하

게 될 것이다. 자신에게 좋은 기억을 주었던 교사들을 열거한다. 또한 자신이 즐겁지 않았던 수업의 교사를 열거한다. 이 두 가지 유형의 교사가 가졌던 태도와 보였던 행동 중에서 어떤 것을 기억하는가? 이 장, 교수에 대해 현재 알고 있는 많은 정보를 의도적으로 "채워놓은" 이 장을 읽어 가면서, 직접 작성한 두 유형의 교사의 태도와 행동 목록과 유능한 교사와 유능하지 않은 교사에 대한 연구결과 및 정보와 얼마나 일치하는지 생각해본다.

먼저 과학적인 기초에 근거한 효과적인 교수에 관한 연구에 대해 살펴보고, 교수에 대한 5가지 기본관점, 즉 교사 양식, 교사 상호작용, 교사특성, 교사 역량, 그리고 교사 효과 등에 대하여 설명한다. 교수의

이러한 측면들에서 교수 기예가 분명하게 나타난다. 즉, 지식만으로는 효과를 볼 수 없으며, 효과성은 지식이 사용된 방법에서 나타난다. 1970년대 중반까지의 초기연구단계에서, 이론가들은 교사 과정, 다시 말해서 교사행동 또는 교실에서 진행되는 교수에 관해 연구했다. 좋은 교수를 정의하고 설명하기 위한 시도는 교사 양식, 교사 상호작용, 교사특성에 초점을 두었다. 1970년대부터 1990년대까지, 연구자들은 교사 산출물, 즉 학생 결과를 연구하였다. 구체적으로 말하면, 학생들은 성취하고 있는가? 이 연구자들은 복잡한 교실환경을 더 충분히 평가하고 설명하는 질적-양적인 방법에 초점을 두어 교수환경의 맥락을 평가하기 위해 노력해왔다.

교수에 관한 연구의 개관: 지식(과학)

지금까지 성공적인 교사와 비성공적인 교사의 행동을 정의하는 것에 대한 연구는 무수히 이루어졌다. 그러나 교수는 복잡한 행위이다; 특정 학생들과 어떤 상황에서는 그것이 잘 수행되었다 하더라도 다른 과목, 학생들 목표와 함께 다른 학교 환경에서 똑같이 가르치려고 하면 잘 안 되는 경우도 있다. 절차와 방법의 규칙을 많이 어기면서도 의미심장한 성공을 거두는 교사들이 항상 있을 것이다. 또한 규칙을 충실히 따르면서도 성공적인 교사도 항상 있을 것이다.

1990년대 후반까지, 일부 교육 연구자들은 교사가 "좋다" 또는 "나쁘다" 그리고 "효과적이다" 또는 "비효과적이다"를 의미 있게 구별하는 것이 불가능하다고 주장했다. 그들은 유능한 교사에 대해 확실히 알 수 없고, 동의하지 않으며, "교사 역량을 정의하고, 준비하고, 또는 측정할 수 있는" 권위를 가진 사람이 거의 없다고 주장했다.[1] 이 연구자들 다수는 용어의 불일치, 측정 문제에 있어서 문제점들, 그리고 교수행위의 복잡성을 이유로 교사행위에 관한 연구로부터 얻은 결과가 대수롭지 않다고 보았다. 이 결과란 "많은 자료가 혼란스럽거나, 모순되었거나 또는 상식의 확인(즉, 기분 좋은 교사가 좋은 교사이다), 그리고 소위 수용할 만한 발견들은 대개 거부되어 왔다는 것이다."[2] 교수를 복잡하거나 예측할 수 없는 것으로 보면 볼수록, 성공적인 교수에 관하여 일반적인 합의에 도달하기가 어렵다고 결론짓도록 만들게 된다. 비록 학생 성공에 공헌하는 것에 대한 일부 주장-예를 들어, 성공적인 교사는 학생의 성취에 분명하게 초점을 두고, 학생들이 아는 것을 다양한 방식으로 보여줄 수 있도록 한다는 주장에 대해 동의할 수 있다 할지라도 말이다.[3]

교수의 적절한 행동이 정의될 수 있고(교사에 의해 습득될 수도 있고), 훌륭하고 효율적인 교사가 형편없고 비효율적인 교사와 구별될 수 있고, 학생들에게 미치는 효과의 크기 차이가 결정될 수 있다고 주장하는 연구자들과 교육 이론가도 있다.[4] 그들은 선생님들의 질문의 종류, 학생들에게 대답하는 방법, 학생들에 대한 그들의 기대와 태도, 교사 관리기술, 교육방법, 교실 분위기에 속하는 일반적인 교육 행위들과 같은 이 모든 것이 대개 차이를 만든다고 한다. 그러나 이 연구자들조차도 학생들의 수행에 교사들이 미치는 긍정적인 효과가 같은 학교의 다른 교사들이 미치는 부정적인 효과에 가려지거나, 쓸려나갈 수 있다고 한다.[5] 교사들의 부정적인 영향은 긍정적인 것보다 큰 영향력을 갖고 있다. 학생들은 비 학습자로 변할 수 있고 적대시하거나 협박하는 교사로 인해 수주 만에 자기개념이 손상되는 경험을 할 수도 있다.

교수-학습 방정식에서 교사는 유일한 변수이거나 주요 변인조차 아닐 수도 있지만, 그들은 긍정적이든 부정적이든 차이점을 만들 수 있다. 만약, 교사가 차이를 만들지 않으면 교수평가, 교수책임, 교수수행의 개념은 불가능하며, 건전한 교육 정책이 수립될 수 없고, 학생들에게는 희망이 거의 없으며, 그리고 가르치는 방법을 배우려고 노력도 가치가 거의 없다.

1960년대에 James Coleman은 교수효과의 중요성에 의문을 제기한 획기적인 연구를 수행했다. Coleman은 학생 성취에 있어서 변량은 대부분 그들을 가르친 교사나 학교가 아니라 부모의 사회경제적 특성에 기인한다고 주장했다.[6] Coleman의 연구는 1990년대 초기에 (Tennessee 출신의) William Sanders의 연구에 의해 직접적으로 비판되었다. Sanders는 **부가가치** 개념을 통해 교사의 힘을 기록하였다. Sanders는 부모들이 중요하다고 주장하면서, 교사들은 잠재적으로 더 중요하다고 주장하였다.

각 교사는 학생들의 학습에 가치를 추가한다. 학생들은 (성취의 관점에서) 1 지점인 9월에 학교에 들어가면, 교사는 학생들을 성취도에 따라 2지점, 3지점, 또는 4지점으로, 5월까지 이동시킨다. 효과적인 교사는 한 학년 동안 성취도에 있어서 한 학년 분의 성장을 조장한다. 게다가, 효과적인 교사는 어떤 교육구 및 학교에서도 발견된다. 학생들이 그 학년도에 가장 높은 성취도를 보이도록 하는 교사가 바로 그들이다.

그래서 만약 여자 수학교사에게 95%로 한 해를 시작한 아동들이 90%로 마쳤다면, 그녀의 학생들이 교육구(관할지역)에서 가장 높은 성취도를 보이더라도 모범적인 교사로 여겨지지 않을 것이다. 대조적으로 1년 과정을 통해 학생들의 수행을 45%에서 60%로 끌어 올린 교사는 그 반 아이들이 그 교육구에서 평균 이하의 성적을 보이더라도 매우 훌륭하다고 간주될 것이다. 부가가치 방법은 아이들에 대하여 종단적, 즉 같은 아이들을 매년 검증하고, 결과 데이터베이스에서 독특하게 식별되어야 한다.[7]

교사의 효과를 보는 방법은 많다. 교과 배경지식 또는 증명서와 같은 교사 특성에 초점을 맞출 수도 있고, 교사의 구체적인 행동에 맞출 수도 있다. 여기서는 이 두 가지를 분석한다.

이 장의 내용을 읽으면서, 교수란 종합 과학이 아님을 기억하라. 좋은 교사는 연구가 학생의 학습에 관해 무엇을 언급해야 하는지에 대해 암묵적으로라도 안다. 그러나 그들은 또한 아래의 가정에 암묵적으로 제한되어 있다.

가정 1 : 연구결과는 비판적 검토와 분석이 필요하다.

가정 2 : 연구결과가 보편적으로 적용되는 것은 아니다.

가정 3 : 연구 기반의 "가장 좋은" 교수법은 비판적인 성찰이 요구된다.

교실에서의 시사점에 관하여 신중히 고려하지 않은 연구결과는 실행되지 못한다. 교사들은 모든 학생들에게 잠재적으로 의미하는 것에 대한 비판적으로 검토하지 않고 그들이 배운 것을 적용하지 않는다. 그들은 또한 연구로부터 그들이 배운 것을 모든 상황, 모든 학생들에게 적용할 수 있는 것이 아니라는 것을 알고 있다.

과정-결과 접근(학생의 성취도에 영향을 주는 교사의 행동에 주목)은 교사의 교실에 대한 이해를 여러 가지 면에서 제한한다. 이 접근은 교사 행동의 특정 유형과 그 행동 빈도(즉, 교사가 학생들을 칭찬하는 빈도, 또는 예를 제시하는 빈도)에 너무 치중한 반면, 교실의 자연적인 환경에 대한 반응하는 교실 생태학-교사와 학생들 사이에 존재하는 다중 관계에 대한 관심이 부족했다. 교실에 대한 생태학적인 이해는 과정-결과 접근을 회피하는 것이 아니라 단지 교실 실제가 복잡하다는 것을 제시한다.

만일 우리가 교사 효과에 관하여 보다 강한 기대를 가지려면 더 많은 실험연구가 필요하다. 그 사이에 우리는 교사가 학생들, 모든 학생들에게 차이를 만들 수 있고, 만든다는 믿음 안에서 장점과 확신을 찾아야 한다. 실제로, William Sanders는 부가가치 교사가 단순히 일부 학생이 아니라 모든 학생들에게 있어서 적어도 어느 정도의 성과가 있음을 발견했다.[8] 여러분 대부분은 성공할 것이다―경험, 자기 성찰, 그리고 임상적 또는 현장에서의 집중적인 관찰을 통해 교사를 위한 조언 2.1을 참조한다.

또, 성공하려면 여러분이 입문하는 세상은 여러분 자신이 경험한 K-12교육의 세상과는 매우 다르다라는 것에 대해 명확히 이해하는 것이 필요하다. 과거에는 양식이 교사평가에 포함되어 있었다. 가르치는 내용은 지역적으로 개발된 교육과정 안내서 또는 교과서에 의해 강요되었다. 학생들이 수업에 참석했고, 좋은 점수를 받았다면, 그들은 그 내용을 학습했다고 인정 받았다. 요즘 교육에서는 양식이 그다지 중요하지 않고, 무엇을 가르치고, 얼마나 효과적으로 가르쳤느냐가 더 중요하다. 현재 학교에서 가르치는 모든 과목에는 학문적인 내용 성취기준이 있다. 결국 학생들에게 부여하는 대부분의 활동들은 이 기준들과 관련되어야 한나. 학생들은 결국 이러한 기준에 따라 평가될 것이고, 그 성공 또는 실패에 대한 책임은 교사에게 있다. 어떻게 가르치는가 하는 문제는 행정가와 정책 입안자들이 여전히 중요하게 생각하지만, 오직 그것이 실제 학생의 성취에 영향을 주는 범위 내에서만 그렇다.

다음 절에서는 교사 양식과 교사특성이 논의된다. 이에 대하여 이해하는 것은 자신의 교수와 그것이 학생들의 학습에 미치는 영향을 살펴보는데 도움을 주기 때문에 자기성찰에 도움이 될 것이다. 다음 절에서 이러한 것들을 읽으면서 교수방법 또는 과정에 대해 스스로 성찰하지만, 학생들이 무엇을 배우는가에 대한 책임감을 갖게 될 것임을 이해하는데 도움이 되는 방향으로 이 정보들을 활용한다.

한 가지 더 언급하자면: 1990년대 내내 교육자들은 다양성과 다양한 학생들에 대한 교수를 연구하였다. 21세기가 시작되면서 Harvard의 Ronald Ferguson과 같은 학자들은 상이한 집단의 학생들 간의 성취도에 있어서의 차이를 좁히는 것과 모든 학생들의 학문수준을 향상시키는 것을 중점적으로 연구하였다. 이를 위한 가장 좋은 방법으로는 명확한 기준을 정의하고, 학생들이 학습할 수 있는 기회와 그러한 기준에 근거하여 확실히 평가하는 것이 있다.

교사의 교수양식

교수양식에는 교사의 자세, 행동 패턴, 수행 방식, 자신과 다른 사람들을 향한 태도가 포함된다. Penelope Peterson은 교사가 교실에서 어떻게 공간을 이용할 것인가, 수업 활동들 및 자료들, 교사의 학생 그룹화 방법에 대한 교사의 선택에 대한 관점에서 교수양식을 정의한다.[9] 한편, 교수양식을 교수의 표현적 측면(학생과 교사 간의 온정적 혹은 사무적 등과 같은 감정적 유대관계로 특징짓는 것), 그리고 도구적 측면(교사가 수업이라는 과제를 수행하고, 학습을 조직화하며, 교실 성취 기준을 설정하는 방법)으로 기술하는 사람도 있다.[10]

선호하는 교수양식의 정의에 관계없이, 유형 개념이 교수양식의 핵심이다. 특정 행동과 방법들은 시간이 지나면서 심지어 학생이나 교실 상황이 달라져도 분명하게 드러난다. 다른 교실 상황에서도 어떤 목적 혹은 이유-예측 가능한 교사 유형이 있다. 신규 교사들은 자신의 인성에 의해 형성된 양식을 초기 경험과 지각을 통해, 그리고 적절한 연수를 통해 수정할 수 있다. 시간이 흐름에 따라 자신의 교수양식은 점점 확고해지며, 이것을 바꾸려면 더욱 강력한 자극과 피드백이 필요하게 될 것이다. 대학 교수들을 포함하여 현장에 있는 다른 교사들을 살펴보면, 각각이 수업을 하고, 교실을 구성하며, 교과 내용을 전달하는 자신 고유의 방식을 갖고 있음을 감지할 수 있다.

수업의 기술적 모형: 역사적 관점

많은 교육자들은 교수양식을 식별하는데 기술적 및 화려한 용어를 사용하였다. Herbert Thelen은 교수양식을 사회적 지위의 특성 혹은 다른 직업과 관련된 역할과 비교한다. Frank Riessman의 여덟 가지 교수 방법들은 개인 유형을 기술한 것으로, 원래 시내 학생들에게 유능한 교사들에 대한 관찰로부터 얻어졌으나, 모든 교사에게 사용될 수 있다. 보다 최근에 Louis Rubin은 교수양식을 여섯 가지 유형으로 정의했다. 이러한 교수양식들에 대한 설명은 표 2.1에 요약되어 있다. 여기 제시된 것은 일부 측면에서 특정 시대의 배경이 들어 있지만, 미국 교실 수업에 대한 시간을 초월하여 정확하게 기술한 것이다.

이 외에도 교사양식에는 여러 가지가 있다. 교사들은 자신의 신체적, 정신적 특징을 바탕으로 자신의 양식과 교수기법을 개발한다. 교사들은 교실에서 편안함

교사들을 위한 조언 2.1

다른 교사들이 수업 실제를 향상시키기는 것을 관찰하기

" 교사는 만들어지는 것이 아니라 타고 나는 것이다."라는 말은 좋은 수업과 어린이들의 학습법에 대해 갖고 있는 풍부한 지식을 고려하지 못한 것이다. 교사들은 다른 우수한 교사들을 관찰함으로써 교육적 지식과 실제를 보충할 수 있다. 학교에서 수업 관찰이 정책으로 되어 있거나 학교의 관리자가 숙련된 교사들과 협의가 될 수 있다면, 다른 교사들이 교실을 어떻게 조직하는지 볼 수 있을 것이다. 그들의 수업 실제 중에서 어느 부분이 여러분의 수업에 대한 접근법과 양립 가능하고, 사용할 수 있을 것 같은가? 여러분은 관찰하면서 다음과 같은 것들을 찾아본다.

학생-교사 상호작용

1. 교사가 학생들의 요구 사항을 진정으로 이해했다는 증거에는 어떤 것이 있었는가?
2. 다른 사람의 발언 기회를 존중하도록 하기 위해 어떤 기법을 활용했는가?
3. 교실에서 허용된 학생들의 행동은 무엇이었으며, 어떤 행동이 거부 되었는가?
4. 교사는 학생들을 어떻게 동기 유발하였는가?
5. 교사는 학생 토론을 어떻게 독려하였는가?
6. 교사는 어떻게 학생 사고를 독려하였는가?
7. 교사가 학생들의 개별적 차이를 받아들였다는 것을 보여주는 증거로는 어떤 것이 있었는가?
8. 교사가 학생들의 인지적 발달을 조성했다는 것을 보여주는 증거로는 무엇이 있었는가?

교수-학습 과정

1. 학생들이 몰두하는 것으로 보였던 수업 방법은 어느 것인가?
2. 교사는 수업 활동들 간의 전환을 어떻게 하였는가?
3. 교사는 학습된 개념을 통합하기 위해 어떤 실생활의 경험들(또는 활동들)을 사용했는가?
4. 교사는 학생들이 좌절감을 갖거나 학습한 기술과 개념들에 혼동을 겪는 것을 어떻게 최소화하였는가?
5. 교사는 학생들로부터 창의적이고 상상력 높은 수준의 과업을 어떻게 유도하였는가?
6. 교사는 학생들이 생각, 의견, 해답에 대해 생각하도록 하기 위해 어떤 수업 방법을 사용했는가?
7. 교사는 집단을 어떻게 배열하였는가? 집단 안에서는 어떤 사회적 요인들을 명확하게 볼 수 있었는가?
8. 교사는 학생의 독립적(혹은 개별적) 학습을 어떻게 독려했는가?
9. 교사는 한 교과를 다른 교과와 어떻게 통합했는가?

교실 환경

1. 교사는 교실 공간/시설을 어떻게 효과적으로 유용화 했는가?
2. 교실의 물리적 환경에서 좋았던 점과 싫었던 점은 무엇인가?

을 느껴야 한다. 만약 교사들이 진정으로 본연의 모습이 아니라면, 학생들은 교사들을 꿰뚫어보고 그들을 "가짜"라고 명명한다. 교실과 학교의 사회적, 심리적, 교육적 풍토는 교수양식이 결정되는 것과 관련되어 있

표 2.1 교수양식의 기술 : 역사적 시각

Thelen(1954)

1. 소크라테스식: 이러한 교사는 현명하고 기술적인 질문법을 통해 주된 문제에 관해 학생들과 적절한 논쟁을 하는 다소 무뚝뚝한 사람이다.

2. 마을회의: 이러한 유형을 받아들이는 교사는 토론을 많이 활용하고 학생들 스스로 문제에 대한 해답을 도출해 내도록 하는 중재자의 역할을 수행한다.

3. 도제: 이 사람은 학습, 직업적 전망, 심지어 일상 생활에서도 역할 모형이 된다.

4. 사장-종업원: 이러한 교사는 자신의 권위를 내세우고 과업이 행해지는지 여부에 따라 상벌을 제공한다.

5. 옛적의 팀원: 학생들은 코치의 말을 듣고, 한 팀으로서 작업하는 선수들로 구성된 집단과 같다.

Riessman(1967)

1. 강제형: 이러한 교사는 세밀하고 반복하여 가르치며, 기능적인 순서와 구조에 관심이 많다.

2. 뜨내기 노동자형: 이러한 교사는 "여러분은 학습하게 될 것이다"라고 크고 강한 목소리로 소리친다. 교실에서 넌센스는 전혀 없다.

3. 독자노선형: 아마도 교장을 제외한 모든 사람들이 이러한 교사를 좋아할 것이다. 어려운 질문들을 제기하고 심기 불편한 생각들을 표출한다.

4. 코치형: 이러한 교사는 편안하고 순박하며, 운동선수 같기도 하다. 수업을 이끌어가는데 신체적인 표현이 풍부하다.

5. 고요형: 성실하고, 차분하며, 명확한 이러한 교사는 존경과 주의를 모두 요구한다.

6. 연예인형: 이러한 교사는 학생들과 농담을 주고 받고 웃음을 자아낼 만큼 충분히 여유롭다.

7. 성직자형: 이러한 교사는 어린이에게 편안하다. 교사는 어린이들과 함께 점심을 먹거나 공놀이를 하기도 한다.

8. 학문형: 이러한 교사는 지식과 생각의 본질에 관심이 있다.

Rubin(1985)

1. 설명형: 이러한 교사는 교과를 잘 알고 있으며, 수업 내용의 특별한 측면들을 설명한다.

2. 영감형: 이러한 교사는 자극을 계속 주며 교수에서 감정적 이입을 보인다.

3. 정보형: 이러한 교사는 언어적 진술을 통해 정보를 제시한다. 학생이 교사의 수업을 듣고 따라 하기를 기대한다.

4. 교정형: 교사는 과업을 분석하고, 오류를 진단하며, 교정적인 조언을 제공하는 것과 같이 학생들에게 피드백을 제공한다.

5. 상호작용형: 대화와 질문을 통해, 교사는 학생들의 생각을 발전시키는 것을 촉진한다.

6. 프로그램형: 교사는 학생들의 활동을 안내하고 자율학습과 독립적 학습을 촉진한다

출처: Adapted from Frank Riessman. *"Teachers of the Poor: A Five Point Plan,"* *Journal of Teacher Education* (Fall 1967): 326-336. Louis Rubin. *Artistry in Teaching.* New York: Random House, 1985. Herbert A. Thelen. *Dynamics of Groups at Work.* Chicago: University of Chicago Press, 1954.

다. 그렇지만, 누구도 전통적 지혜, 동시대적 역사, 대중적 견해에 관계없이 "추천 양식"에 매여서는 안 된다. 교수양식은 선택과 편함의 문제이며, 한 교사에게 유효한 것이 다른 교사에게도 동일하게 유효하지 않을 수도 있다. 이와 유사하게, 좋은 교사와 좋은 교수양식의 조작적 정의는 지역 간, 지역 내 학교에 따라 다양하다. 이상적인 교사 유형은 존재하지 않으며, 교육기관에서 모든 교사들이 모든 학생들에게 사용할 양식을

부과해서는 안 된다.

교사 양식에 관한 연구

Lippitt과 White는 교사가 교실에서 수행하는 것을 좀 더 공식적으로 분류하기 위한 토대를 놓았다. 우선 그들은 어린이들 모임에서 "사회적 분위기"를 기술하고, 집단과 개인 행동의 영향을 계량화하기 위한 도구를 개발했다. 그 결과는 교수에 관한 수많은 연구와 교재에 일반화되었다. 이 역사적 연구는 권위적 민주적 방임적이라는 분류를 사용했다.[11]

권위적인 교사는 교실의 모든 활동들을 지시하고 통제한다. 이러한 방식은 작금의 직접교수법과 공통적인 특징이 몇 가지 있다. 민주적인 교사는 집단 참여를 독려하고 학생들이 의사 결정 과정을 공유하는 데에 우호적이다. 이것은 현재 소위 간접적 교사, 즉 협동적 집단 활동과 학생 참여를 조성하고 독려하는 교사로 불리는 전형적인 행동이다. 방임적 유형은 집단 혹은 개인 행동을 위한 어떠한 목표나 지시도 제공하지 않는다. 이러한 방임적 교사들은 아직 교실에 남아 있을지 모르지만 학문적 성취 기준과 책무성에 대한 관심이 증가함에 따라 심각한 위협을 받게 될 것이다.

교사 유형에 대한 가장 야심적인 조사 연구로 Ned Flanders와 그의 동료들에 의해 1954년에서 1970년 사이에 수행된 것이 있다. Flanders는 교실에서 언어적 의사소통을 계량화하기 위한 도구를 개발하는데 초점을 맞추었다. 그의 연구는 1970년대 후반에서 1980년대에 걸쳐 수업 행위의 분석 방식을 주도했다.[12] 관찰자들은 매 3초마다 교사의 언행을 네 가지 비지시적 행위 범주, 또는 세 가지 지시적 행위 범주 중 하나로 분류했다. 학생의 언행은 대답 혹은 시작으로 범주화 되었고, 그 외에 침묵 또는 누가 이야기하는지 관찰자가 판단할 수 없는 경우를 의미하는 범주가 하나 더 있었다. 표 2.2에서 10개의 범주가 제시되어 있다.

Flanders가 말하는 비지시적 교사는 Lippitt와 White의 민주적 교사와 겹치는 경향이 있었고, Flanders의 지시적 교사는 Lippitt와 White의 권위적 교사와 유사한 행동을 보이 경향이 있었다. Flanders는 지시적인 교실에서의 학생들보다 비지시적인 교실에서의 학생들이 좀더 많이 학습하고 좀더 건설적이고 독립적인 태도를 나타낸다는 것을 발견했다. 모든 과목의 수업 유형에서 모든 학생 유형들이 비지시적인 (좀더 융통적인) 교사들과 좀더 많이 학습했다. 한 재미있는 연구에 따르면 Flanders는 수업 시간의 거의 80퍼센트가 일반적으로 교사가 얘기하는데 소요된다는 사실을 발견했다.

다음의 질문들은 1970년대에 Amidon과 Flanders에 의해 개발된 것으로 관찰을 조직, 분석하는데 있어서의 가능한 방향들이다. 30년이 지난 지금, 우리가 교실에서 보는 것을 기술하는 데에 이러한 모형이 여전히 얼마나 유용할 것인가? 학생의 성취도를 이해하는데 도움이 되는가?

1. 교사의 말과 학생의 말에는 어떤 관계가 있는가? 이것은 1부터 7까지의 범주에서 관찰된 전체 빈도와 8과 9 범주에서 관찰된 전체 빈도를 비교해 보면 알 수 있다.
2. 교사가 보다 지시적인가, 비지시적인가? 이것은 1부터 4까지의 비지시적 범주와 5에서 7까지의 지시적 범주를 비교해 보면 알 수 있다.
3. 교사가 강의하는데 사용하는 수업 시간은 얼마나 되는가? 이것은 범주 5와 1에서 4까지의 범주, 6과 7 범주에서 관찰된 전체 빈도를 비교해 보면 알 수 있다.
4. 교사의 질문은 분산적인가, 집중적인가? 이것은 범주 4와 8부터 9까지의 범주를 비교해 보면 알 수 있다.[13]

이러한 체계로부터 획득되는 자료는 교사-학생간의 대화가 언제, 왜, 어떤 맥락에서 발생하는지 알려주지 못하며, 단지 특정 유형의 상호 작용이 얼마나 자주 발생하는지 만을 보여준다. 그렇지만, 이 체계는 교실에서 교사들의 상호적 행위를 인식하는데 유용하다.

기존의 연구를 검토해 보면 교사의 지시성, 또는 비

표 2.2 Flanders의 교실 상호작용 분석 척도

비지시적 행동

1. 감정의 수용: 비위협적인 태도로 학생들의 감정 상태를 수용, 명확화. 감정은 긍정적인 것일 수도, 부정적인 것일 수도 있다. 감정을 예측하고 회상하는 것도 포함된다.

2. 칭찬과 독려: 학생 활동과 행동을 칭찬, 독려. 긴장을 완화하기 위한 농담은 허용되지만 다른 사람에게 피해를 주지 않아야 한다. 고개를 끄덕이거나 "음, 흠?" 혹은 "계속해 보렴" 이라고 말하는 것은 학생들을 독려하는 증거들이다.

3. 학생들의 생각을 수용하고 활용: 학생들이 제안한 생각을 명확화하고 정리하는 것. 교사가 그들 자신의 생각을 실행에 옮기는 것이면 5번 범주에 해당된다.

4. 질문하기: 학생이 대답할 의도와 함께 내용과 절차에 관한 질문을 하는 것.

지시적 행동

5. 강의: 내용과 절차에 관한 사실과 의견을 제시하는 것. 수사학적인 질문을 섞어가면서 자신의 생각을 표현하는 것.

6. 지시하기: 학생들이 순응하기를 기대하면서 하는 방향 제시, 명령, 주문.

7. 권위 비판 또는 정당화: 학생 행동을 비수용적 유형에서 수용적 유형으로 변화시키고자 하는 진술들. 누군가를 호통치는 것, 자신이 하는 일에 대한 이유를 말해 주는 것, 자기 준거가 강함.

학습자의 말

8. 반응: 교사에 대한 반응으로 하는 학생의 말. 교사가 접촉을 시작하고, 학생의 진술문을 부추긴다.

9. 시작: 학생에 의해 시작된 말. 학생들에게 "요청하지만" 단지 다음에 얘기할 학생을 지시하는 것을 의미할 뿐이다. 관찰자는 얘기하고 싶어하는 학생을 결정해야 한다.

침묵

10. 침묵 또는 혼동: 일시 정지, 짧은 침묵, 그리고 관찰자가 이해할 수 없는 의사사통이 이루어지는 혼동기.

출처: Ned A Flanders. *Teacher Influence, Pupil Attitudes, and Achievement.* Washington, D.C.: Government Printing Office, 1965, p. 20. (Note: This version has been slightly adapted)

지시성이 학생의 성취도에 있어서 실제 차이가 나게 만드는지에 대하여 엇갈리는 결과를 보인다. Flanders 체계는 교사 유형을 드러내는데 도움이 될 수 있으나 그러한 유형이 학생들에게 성취도에서 가시적인 차이를 만들어 낼 것인지를 제시하는 것은 아니다.

Flanders 체계는 학년 수준이나 과목에 관계없이 한 교실에서 교사-학생 언어적 행동을 조사하는데 사용될 수 있다. 이 체계를 사용하여 예비, 초보, 또는 심지어 경험이 많은 교사의 언어적 행동을 관찰하고, 그 교사를 지시적, 비지시적으로 범주화할 수 있을 것이다.

교수 양식과 학생 학습

교수양식의 분석은 궁극적으로 다음 두 가지 의문을 갖게 한다. 학생 학습 교사가 사용하는 다양한 양식에 영향을 받는가? 교수전략이 학생에 따라 효과가 있는가? 이 두 가지 질문에 대한 해답을 제시하는 경험적인 증거는 아직 없다. 두 가지 경우에 대한 답을 "예"라고 가정해 보자. 만약 가정이 사실이라면, 최상의 교수-학습 상황을 달성하려면 교수양식 및 전략과 학생 집단을 적절하게 짝을 지으면 된다. 교수양식과 학생의 요구를 결합하는 방식은 어떤 철학을 바탕으로 하느냐에 따라 다양하다.

Herbert Thelen은 교사들이 학생을 네 가지 유형, 즉, 좋음, 나쁨, 평범, 부적응 등으로 인지한다고 주장했다. 각 교사들은 상이한 학생들을 이 네 가지 범주중의 하나로 분류한다. 그렇지만, 한 교사가 가르칠 수 있다고 여겨진 학생이 다른 교사의 관점에서는 반대일수도 있다. 교사와 학생이 적절히 결합되면 이른바 교수 가능한 집단으로 정의되는 최고 수준의 교실 혹은최고의 교수집단을 얻게 된다. Thelen은 동질의 학생들로 구성할 때보다 교수 가능한 집단이 된다고 주장하였다. 이런 집단의 교사는 능력이나 행동의 범위가넓은 집단을 가르치는 교사보다 학생의 성취도가 훨씬더 높다. 게다가 동질 집단 내에서는 교사와 학생들간의 조화가 훨씬 더 잘 이루어진다. 학생과 교사간의 조화를 고려하지 않은 집단은 "우연히 성공"[14]할 수 있을뿐이다.

교수 가능한 집단의 문제점을 지적하는 연구자 중에는 효과적인 교수는 학년수준과 과목뿐만 아니라 학생들의 학습특성과 사회경제학적인 배경에 따라 다르다는 것을 지적하는 사람도 있다. 예를 들면, Donald Medley는 교사 과정과 결과에 관한 289개의 연구를 폭넓게 개관하였다.[15] 그의 결론은 유능한 교사는 학생의유형에 따라 다르게 행동한다는 것이다. 구체적으로제시하자면 사회경제학적으로 열악한 환경의 초등학교에서 낮은 성취도를 보일 가능성이 있는 학생들에

대한 가장 유능한 교사들은 (1)수업내용과 관련 없는사항에 대해서는 논의하는 시간을 절약하고, (2)구조적이면서도 연계성있는 학습 활동을 제시하며, (3)독립적이고 소규모의 집단 활동에 대해서는 적은 시간을 부여하고, (4)쉽고 구체적인 문제들로부터 시작하지만, 학생의 답변에 대해 상세히 부연하거나 논의하는 것을자제하며, (5)학생이 제기하는 질문과 의견에 대해서적은 시간을 들이고 자제하도록 유도하며, (6)학생이제기한 질문에 대해서는 조언을 거의 해 주지 않고, (7)교사가 제기하는 비난의 수를 줄이려고 하며, (8)교과문제에 대해서는 적은 시간을 들인다. 중산층의 학생들에게 최상의 수업형태와 질문 형태, 그리고 관리 기술은 완전히 다른 경향을 보인다. 표 2.3은 성취도가 낮은 학생들에게 적합한 교사 행동에 대한 보다 최신의분석이 제시되어 있다. 이것을 Medley가 제시한 것과비교해 보라.

Medley의 비평 중에서 주목해야 할 중요 항목은 세가지이다. 첫째, Medley가 상이한 학생에게 맞게 교수전략을 수정한다는 개념은 Thelen의 교사와 학생간의"적합"과 유사하다. 어떤 교사에게 가르칠 수 있는 것으로 여겨지는 학생도 다른 교사에게는 그렇지 않을수 있는 것이다. 또한 정상적인 조건하에서 모든 학생들이 가르치기 용이하거나 혹은 가르칠 수 있는 가능성의 여지가 언제나 있는 것도 아니다. 어떤 교사들은"평범한" 학생들에게 사용하는 방식을 문제 학생들에

표 2.3 학습부진학생에 대한 교수방법

- 교사들은 수많은 교사주도의 학습을 통해 능동적인 수업을 실시한다. 시간은 항상 조직되어 있고 교사와 학생간의 고도의 상호작용을 촉진한다.
- 교사는 학생들이 감당할 수 있을 만큼 과제를 나누어 수업의 속도를 조절한 다음 학습수행 정도를 주의깊게 살펴보고 그 정도에 따라 수업 순서를 생성한다.
- 다음 수업적 관여로 진행하기 전에 학생이 학습자로서 어느 위치에 있는지를 이해하여 보충 수업을 실시한다.
- 학생이 학습자로서 성취감을 경험할 수 있는 방법을 찾아내어 긍정적인 태도를 형성토록 한다. 실제 성취와 훌륭한 과제에 대해 학생을 칭찬한다.

출처: Adapted from Carolyn Evertson, Edmund T. Emmer, and Murray E. Worsham. *Classroom Management for Elementary Teachers*, 5th ed. Boston: Allyn & Bacon, 2000, pp. 216-219.

교수과학과 교수기예

Madeline Hunter
University of California - Los Angeles

교수는 과학인 동시에 기예이다. 과학적인 측면은 교수와 학습간의 인과관계를 규명하는 심리학적인 연구에 토대를 두고 있다. 기예적인 측면은 그러한 인과관계가 성공적, 기예적 교수에 적용되는 방식이다.

훌륭한 교수는 모두 동일하게 보이지는 않지만 그 안에는 기본적이며 동일한 심리학적 요소를 포함하고 있다. 마찬가지로 타지마할과 링컨 기념관은 외양이 매우 다르지만 두 가지 모두 한 사람을 기념하고, 대리석으로 만들어졌으며, 미학과 공학의 동일한 원칙을 따르고 있다.

교수는 예를 들어 유치원 혹은 미적분학 과정에서든 아니면 문학 혹은 자동차 가게이든지 그 대상에 상관없이 수업 효과성의 요소 측면에서 동일하다. 교사는 교수법의 과학을 배울 필요가 있고 이를 통해 자신의 교실에서 자신만의 개성을 가지고 교수법을 기예적으로 적용할 수 있다.

탁월한 교수는 유전적으로 타고난 것이 아니라 세심한 연구와 마음을 다한 수행의 결과이다.

* Madeline Hunter는 1990년대 초반 사망하였으며 그녀의 정신은 여전히 많은 미국학교에서 전승되고 있다.

게 그대로 적용함으로써 그들을 성공적으로 가르치지 못하기도 한다. 각 학생은 저마다 자신에게 맞는 교수 전략이 필요하다.

둘째, Medley가 제시한 사회경제적 환경이 열악한 학생에 대한 효과적인 교수행위는 많은 교육학자들이 옹호하는 최근의 진보적 교수 모형(예를 들면, 탐구법과 스스로 발견 사용 등)과 유사하지 않다. 사회경제적 환경이 열악한 학생들을 가르칠 때 너무 높은 수준 또는 아주 낮은 수준의 질문을 하고, 학생이 제기한 발언에 대해 부연 설명하거나 논의하고, 학생들로 하여금 많은 질문을 하도록 하고, 조언도 많이 제공하는 교사는 가장 비효과적이다. 이와 달리 낮은 수준의 질문을 더 많이 활용하는 반면 높은 수준의 문제는 더 적게 활용하고, 학생이 말한 바에 대해 논의하지 않는 성향을 가진 교사들이 가장 유능하다. 아울러 이와 같은 교사들이 가르치는 학생들은 질문 제기의 횟수가 적다. 의심할 여지없이 Medley의 견해는 위협적이며 비판을 받을 수밖에 없다. 왜냐하면, 이것은 능력에 따라 학생을 구분하고 사회경제적 환경이 열악한 학생들을 제한적인 인지 경험에 한정시킬 수 있기 때문이다.[16]

결국 Medley의 견해는 최근의 연구자들이 초등 및 중/고등과정의 학습부진 학생들에게 매우 성공적인 것으로 밝혀낸 교수접근 방법, 즉 기초기능, 반복, 과제 시간, 피드백, 역량, 완전학습과 같은 선상에 있는 것으로 보인다. 이러한 교수방법들은 직접적, 명시적으로 명명되는 수업과 일치한다.

Martin Haberman은 그의 저서에서 "유명한 교사는 아이들을 학습으로 유도하는 것이 자신의 주요 과업이라고 생각한다"라는 것을 밝히고 있다.[17] 그에 따라 유명한 교사는 특별한 방법으로 학생을 대하기 시작한다. 그러나 이것만큼 중요한 것은 교사의 학생에 대한 태도이다. 예를 들면, 유명한 교사는 문제를 교수의 일부분이라 여긴다. "완벽한" 수업을 기대하기 때문에 좌절하는 교사도 있다. 하지만 완벽한 수업은 없다. 그리고 완벽한 수업을 "찾으려고" 끊임없이 노력하는 교사도 결국 실망하게 될 것이다. 유명한 교사는 모든 학생에게 문제를 가능성으로 변화시키기 위해 노력하기 때문에 유명하게 된다. 진부하지만, 또한 사실이다.

흥미롭게도 과거 수년간 학생을 가르치는 구체적이면서 거의 대본처럼 기술된 방식들이 들어 있는 체계

적 개혁 전략들을 실험하는 학교가 점점 증가하고 있다. 그와 같은 전략들은 교사들의 수업양식에 영향을 미칠 것이다. 어쩌면 여러분이 이와 같은 방법을 활용하는 학교에 배치될 수도 있을 것이다. 예를 들면

표 2.4 증명되지 않은 설계

총 24개의 인기 있는 학교 전체 개혁 모형 중에서 3개만이 학생 성취도를 증가시킨다는 확고한 증거에 의해 지지되고 있다.

학교 전체 개혁 모형	학생 성취도에 대한 긍정적 효과의 증거	도입 연도	모형 채택 학교 수
Accelerated Schools(K-8)	적음	1986	1,000
America's Choice(K-12)	연구결과 없음	1998	300
ATLAS Communities(PreK-12)	연구결과 없음	1992	63
Audrey Cohen College(K-12)	연구결과 없음	1970	16
Basic Schools Networks(K-12)	연구결과 없음	1992	150
Coalition of Essential Schools(K-12)	복잡, 부족함	1984	1,000
Community for Learning(K-12)	가능성 있음	1990	92
Co-NECT(K-12)	연구결과 없음	1992	75
Core Knowledge(K-8)	가능성 있음	1990	750
Different Ways of Konwing(K-7)	가능성 있음	1989	412
Direct Instruction(K-6)	확실함	1960년대 후반	150
Expeditionary Learning Outwar Bound(K-12)	가능성 있음	1992	65
The Foxfire Fund(K-12)	연구결과 없음	1966	없음
High Schools That Work(K-12)	확실함	1987	860
High/Scope(K-3)	적음	1967	27
League of Professional Schools (K-12)	적음	1989	158
Modern Red Schoolhouse(K-12)	연구결과 없음	1993	50
Onward to Excellence(K-12)	적음	1981	1,000
Paideia(K-12)	복잡, 부족함	1982	80
Roots and Wings(Prek)	적음	1993	200
School Development Program(K-12)	가능성 있음	1968	700
Success for All(PreK-6)	확실함	1987	1,130
Talent Development High School(9-12)	적음	1994	10
Urban Learning Centers(PreK-12)	연구결과 없음	1993	13

*1998년 10월 30일 기준

출처: American Institute for Rearch(under contract to AASA, AFT, NAESP, NASSP, NEA). *An Educator's Guide to Schoolwide Reform.* 2003. See www.aasa.org/issues_and_insights/district_organization/Reform/This site will provide current information on all of the reform initiatives.

Success for All(PreK-6), Direct Instruction(K-6), 그리고 Roots and Wings(Pre-K)과 같은 것들이 있는데, 실제 학교에서는 위 세 가지에만 국한되지 않고 더 다양한 전략들을 적용하고 있다. 이와 같은 전략들은 교사 양식과 학생 특성간의 조화를 고려하지 않고 있다. 오히려 각각의 전략은 이미 정의된 틀을 가지고 교사들로 하여금 "대본처럼 진술된" 접근을 유도하고 있다. 그와 같은 모형들은 그 효과성 때문에 상당한 주목을 끌고 있다(표 2.4참조).

교직 경력을 시작하는 여러분은 여러분의 행동에 대한 폭넓은 기대에 직면하게 될 것이다. 여러분은 PRAXIS와 INTASC 성취수준을 따르는 주에 있을 수도 있고, 특히 도시 또는 시골에 있다면 교수법이 미리 명시된 학교에 배치될 수도 있는 것이다. 그러한 맥락에 있는 학교는 대개 학교 전반의 개혁 전략을 활용하고 있다.

다음의 예는 초등과정 저학년 수업에서 자주 발견할 수 있는 상황으로 어휘를 가르치기 위해 직접교수법(DI)을 활용하여 수업을 이끌어가고 있는 상황을 그린 것이다. 이 사례를 살펴보면서 교사의 양식이 어느 정도까지 수업 방법에 영향을 미칠 수 있는지 생각해 보라. 만약 DI를 활용하는 학교에 고용되었을 때보다 학생 중심적이거나 자유방임의 교수양식을 채택할 수 있을 것인가? 그것이 과연 적절한 것인가? 교장은 과연 그 양식을 허락할 것인가?

한 교사가 한 줄에 5명씩, 다섯 줄인 2학년 학급 내에서 천천히 원 모양으로 움직이고 있다. 스프링 노트를 보며, "어떤 단어이지요?"라고 소리친다. 그러자 학생들은 자신들의 공책에 있는 어휘 목록을 보며 이구동성으로 대답한다. "맛이요!" 그 교사는 신속하게 자신의 머리 옆에 손가락을 가져가서 딱 소리를 낸다. "다음 단어로 넘어 갈게요. 어떤 단어이지요?"

"발목이요!"

다시 딱 소리. "자 또 다음 단어로. 어떤 단어이지요?"

"맛보다!"

다시 딱 소리. 이렇게 해서 그 열의 끝까지 마치게 된다. "잘했어요! 그럼 4번 열의 첫 번째 단어를 짚어 보세요. 아주 잘했어요! 어떤 단어이지요?"

위의 예처럼 교사의 요구에 학생이 큰소리로 대답하는 소리를 들을 수 있는 곳이 바로 Hamstead Hill이라는 학교이다. 이 학교는 주로 노동자층인 Baltimore의 Inner Harbor 가까이에 자리잡고 있다. 그러한 소리를 지르는 것이 필요한 것은 결코 아니다. 3학년 과정을 담당하는 Janet Mahoney는 그런 외침을 들으면 움츠려 든다고 한다. 하지만 DI문서 자체가 대부분 명령식으로 기술되어 있고, 학생들은 대개 한 목소리로 대답하고, 교사와 학생 양쪽의 의사소통이 빠르고, 짧기 때문에 교실은 시끄러운 소리로 엉망이 되기도 한다. 동시에 교사와 학생간의 교류상황은 혼돈 그 자체이다. 수업내용의 각 정보는 손가락에 의한 소리, 소리발생기구, 또는 박수와 같은 명확한 구분에 의해 다른 정보와 구분된다.[18]

이 시나리오에 대해 "직접 교수법이 어휘 외의 다른 내용의 교수에도 활용될 수 있을까?"라는 의문을 제기해 볼 수가 있다. 최근에 일부 연구자들은 기존의 연구를 바탕으로 지식 형태가 상이하면 학습 형태도 상이하고, 그에 따라 상이한 형태의 교수가 어떤 식으로 필요한가를 보였다. 이 연구자들은 학습자의 능력, (배경요소), 그리고 인지발달 수준이 학습을 위한 역량에 어떻게 영향을 주는지 보여주고 있다. 예를 들어 당신이 학생들에게 사실과 시간의 흐름, 인과관계와 같은 세부적인 사항들을 가르친다고 가정해 보자. Marzano와 Pickwing 그리고 Pollock은 수업을 안내하는 두 가지 일반화를 식별했다.

1. 학생은 세부내용에 대해 체계적이고 다중적으로 노출되어야 한다.
2. 세부내용은 "인상적인" 수업에 아주 적합해야 한다.[19]

여기서 제안하는 것은 가르치는 내용이 교수방법에 영향을 줄 수 있다는 것이다. 그리고 학습자가 상이하면(성별, 인종, 민족성, 능력, 나이, 성적 경향 등 어떤 것이든지) 동일한 내용에 대해서, 학생들이 그 내용에 대해 모두 학습할 수 있는 능력이 있다고 해도, 상이한 방식이 필요할 수 있다는 것을 이해하는 정도만큼 누구를 가르치는가가 중요하게 된다. (교수적 접근에 대해서는 5장에서 보다 자세히 논의된다.)

요점은 교수효과가 교사가 가르치는 대상 학년 수준뿐만 아니라 어디서 가르치느냐에 따라 다르게 나타난다는 점이다. 연구자들은 이제 인지과정의 복잡성에 대해 좀더 완전하게 이해하게 되었다. 진정한 전문 교사는 자신이 담당하는 학생의 요구를 충족시키기 위해 자신의 행위를 형성하는 사람이다. 이를 위해 한 가지 이상의 접근법에 대해 숙지해야 할 것이다. 가르치는 학생이 다양하기 때문에 학생들이 무엇을 학습해야 하는지 그리고 그 학습에 도움이 되는 방법을 다양하게 알아야 한다. 표 2.5에는 다양한 교수 접근법들의 효과가 제시되어 있다. 또한 인상적이면서, 학생들이 능동적으로 수업 내용에 대해 생각하도록 하는 수업이 성취도에 있어서 최고로 증가하는지를 보여주고 있다.

교사 기대

앞 절에서는 교사의 양식과 개인적인 양식을 가진 교사,

특히 직접적인 수업과 같은 방식을 사용하는 학교에 있을 경우 겪게 되는 곤란한 상황들에 대해 논의했다.

이 절에서는 교사기대와 같은 다소 논란이 적은 문제가 논의될 것이다. 대부분의 교육자(그리고 교육 비평가)는 교사 기대가 학생 성취에 영향을 준다는 것에 동의한다.

교사는 수많은 언어적, 비언어적 단서들을 통해 학생들에 대한 기대를 전달한다. 이러한 기대가 교사와 학생간의 상호작용에 영향을 끼치고, 결국 학생의 성적에 영향을 미친다는 것은 이미 잘 입증되어 있다. 많은 경우에 교사기대는 자기 충족예언이 된다. 즉, 교사가 학생들에게 더디거나 정상이 아닌 행동을 하기를 기대하면, 교사들은 그에 따라 학생들을 다루고, 이에 대한 반응으로 학생은 그러한 행동을 받아들이게 된다.

교사 기대에 대한 연구는 준비된 Kenneth와 Mamie Clark가 1940년대 말 학교에서 인종차별 대우를 폐지한 학교를 위해 싸우는 동안 마련된 법적인 소송사건과 변론에 기초하고 있다. 그들은 흑인학생들의 성취가 낮을 것이라는 예상은 교사들에게 학생들의 학업실패에 대한 변명거리를 제공할 뿐만 아니라 학생들에게 어쩔 수 없는 실패감을 전달한다는 점을 지적했다.

Clark의 명제는 수년 후 Rosenthal과 Jacobsen의 San Francisco학교에서의 학생에 대한 연구인 Pygmalion in the Classroom을 통해 경험적인 지지를 받았다.[20] 학생능력을 통제한 후에, 교사들에게 특정 학생들이 더 우수한 성취를 보일 것으로 기대하는 이

표 2.5 수업유형과 학습의 효과

수업	수업 후 즉각적인 효과 정도	12달 후의 효과 정도
언어 수업	.74	.64
시각 수업	.90	.74
극화 수업	1.12	.80

출처: Robert J. Marzano, Debra J. Pickering, and Jane E. Pollack. *Classroom Instrcution That Works.* Alexandria, Va.: Association for Supervision and Curriculum Development, 2001, p, 131.

독자 안내: 효과 크기는 통제집단에 비교하여 언어적 수업과 같은 "처치"를 받은 학생들이 경험한 증가량이다. Es 1.0이란 증가 수준이 1표준편차(상당히 큰)를 의미한다. 인상적인 수업은 학습에 가장 큰 단기 및 장기적인 효과를 가져온다는 점에 주목한다.

표 2.6 낮은 성취자와 높은 성취자에 대한 교사 행동

---

1. *낮은 성취자가 질문에 답하는 데에 기다리는 시간이 더 짧다* : 낮은 성취자에 비해서 높은 성취자에게 대답할 시간을 더 많이 준다.

2. *낮은 성취자를 더 자주 중단시킨다* : 교사는 낮은 성취자가 읽는데 실수하거나 내용이나 단원에 대한 토론을 지속할 수 없을 때 높은 성취자들보다 더 자주 중단시킨다.

3. *낮은 성취자에게 정답을 제시한다* : 교사들은 낮은 성취자에게 정답을 제시하거나 다른 학생이 그 질문에 대답하도록 지명함으로써 높은 성취자보다 낮은 성취자의 부정확한 대답에 좀더 자주 반응한다.

4. *부적절한 행동을 보상한다* : 교사들은 때때로 낮은 성취자가 부적절하게 대답해도 칭찬한다. 이것은 그러한 학생의 약점을 더욱 과장하게 된다.

5. *낮은 성취자를 자주 비판하고, 칭찬은 더 적게 한다* : 일부 교사들은 높은 성취자들보다 낮은 성취자를 더 자주 비판하는데, 이것은 개시하는 행동과 위험감수 행동을 감소시키는 관행이다. 게다가 낮은 성취자는 심지어 그들이 정확한 대답을 했을 때에도 칭찬을 덜 받는 것 같다.

6. *낮은 성취자의 반응을 인정하지 않는다* : 교사들은 때때로 낮은 성취자의 대답에 무관심하게 반응한다. 대답이 정확하더라도, 대답을 확인하지 않고 다른 학생들이 대답하도록 호명한다.

7. *낮은 성취자에게 관심을 더 적게 기울인다* : 교사들은 낮은 성취자에게 관심을 덜 가진다. 예컨대, 그들은 높은 성취자와 더 자주 눈을 마주치고, 낮은 성취자의 질문에 대해 더 간단히 그리고 정보제공의 피드백을 더 적게 준다. 그리고 시간이 걸리는 수업방법에서 낮은 성취자가 끝마치도록 하지 않는다.

8. *낮은 성취자를 더 적게 호명한다* : 교사들은 높은 성취자를 낮은 성취자보다 좀더 자주 호명하는 것 같다.

9. *상이한 상호작용 유형들을 사용한다* : 교사와 학생간의 접촉유형은 높은 성취자와 낮은 성취자간에 차이가 있다. 공식적인 대답 유형이 높은 성취자들과의 상호작용에서 지배적이다. 그러나 낮은 성취자는 교사와 개인적인 접촉을 더 많이 가진다. 낮은 성취자에게 개인면담은 비적절성의 표시일 수도 있다.

10. *낮은 성취자들은 교사로부터 더 멀리 앉는다* : 교사들은 종종 그들로부터 좀더 먼 위치에 낮은 성취자들을 둔다.

11. *낮은 성취자들로부터 더 적게 요구한다* : 교사들은 낮은 성취자에게 더 적게 요구하거나 포기하고, 그것을 그들이 알도록 할 가능성이 더 높다.

12. *시험과 점수를 다르게 한다* : 교사들은 종종 낮은 성취자에게 시험과 과제를 덜 부여한다. 그들은 높은 성취자에게 점수와 관련하여 경계선상에 있을 경우 의심의 이득을 더 줄 것 같다.

출처: Adapted from Thomas L. Good, "Two Decades of Research on Teacher Expectations: Findings and Future Directions." *Journal of Teacher Education*(July-August 1987) : 32-47. Thomas L. Good and Jere E. Brophy, *Educational Psychology : A Realistic Approach*, 5th ed. New York: Longman, 1994. pp. 490-492.

유를 들려 주었는데, 그 기대가 충족되었다. 그러나 아주 존경 받는 측정전문가인 Robert Thorndike가 방법론에서의 여러 가지 결함과 그 실험이 믿을 만하지 못했다는 점을 지적하였고, 이 Pygmalion에 대한 확신은 감소되었다.[21]

　교사기대와 **자기충족예언**에 대한 흥미는 1970년대와 1980년대에 다시 등장하다. Good과 Brophy 등은 교사들이 학생들에 대한 기대를 어떻게 전달하고, 그 다음에 학생들의 행동에 어떻게 영향을 미치는지를 개략적으로 그려냈다.

1. 교사들은 특정 학생들로부터 특정의 성취와 행동

을 기대한다.

2. 교사들은 학생들마다 기대가 다르기 때문에 그들에게 다르게 행동한다.

3. 이러한 상호작용을 통해 학생들은 교사가 그들로부터 기대하는 성취와 행동이 무엇인지를 알게 되고, 그들의 자아개념, 동기 그리고 수행에 영향을 받는다.

4. 교사의 상호작용이 오랜 기간에 걸쳐 일관적으로 유지되면, 학생들의 성취와 행동을 형성하게 된다. 학생들에 대한 높은 기대는 높은 수준의 성취에 영향을 주고, 낮은 기대는 더 낮은 성취를 만들게 된다.

5. 시간이 가면서, 학생성취와 행동은 점점 더 교사의 원래 기대에 부응할 것이다.[22]

Brophy와 Good의 모형은 교사가 특히 높은 성취자와 낮은 성취자와의 상호작용에 있어서 편차가 심하다는 것을 보여준다(표 2.6). 두 연구자들은 효과를 얻기 위해서 표에 제시된 모든 행동에 관여할 필요는 없다고 주장한다. 예를 들어, 교사들이 낮은 성취자들이 해낼 수 있는 것보다 상당히 적은 내용을 부여한다면, 그 요인만이 그들의 학습을 억제할 것이다.

가장 효과적인 교사는 높은 성취자와 낮은 성취자 간의 차이점에 대해 현실적이다. 학생들에 대해 경직되고 진부한 인식을 갖고 있는 교사는 그들에게 해를 끼칠 가능성이 높다. 차이점은 존재하고 따라서 현실적인 방법과 내용을 적절하게 활용하는 교사는 학생들에게 가장 긍정적인 효과를 줄 것이다.

학생 분류하기

Dona Kagan은 교사들(학생들)이 학생들의 행동과 성취를 가정함으로써 낮은 성취자들을 어떻게 멀리하는지, 그래서 그들을 교실과 학교에서 두 번째 학급으로 분류하게 되는지 대한 종합적인 모형을 개략적으로 제시했다.[23] Kagan에 따르면, 일단 한 학생에게 꼬리표가 붙으면 교사는 그 꼬리표("불충분한 성취자" "느린 학습자" "무능력한 학습자" 등)에 일치하는 수업방법으로 조정하는 경향이 있다. 이 꼬리표와 연계된 예언과 기대들은 교사가 학생들을 이해하고 반응하는 데 있어서 교사들의 "합리적인 반응"을 구성하게 된다. 학생들의 유형을 나누거나 분류하는 것은 종종 학교전문가, 상담가, 심리학자들에 의해 강화되는데, 그것은 다시 교사의 인식을 강화하고 학생들을 압도하게 된다.

오늘날, 분류는 대개 주에서 의무적으로 실시되는 검사의 부지중 결과이며, 이 검사에서 낮은 학습자는 표준검사에서 측정되는 것 외에 노력한 것과 배운 것에도 불구하고 낮은 수행을 보일 것으로 기대된다. 게다가 소수민 학생들은 해마다 그들의 백인 상대편보다 더 낮게 수행한다는 것을 들었을 때, 그들은 Clarence Page와 다른 사람들이 "진부한 위협"이라고 명한 것을 성취하게 되는데, 시험에서 그들의 능력보다 더 낮은 수행을 보인다는 것이다. 이 문제는 오늘날 미국사회에 아주 많은 사람들의 인식과 행동에 영향을 미치는 태도인 인종차별의 유산보다는 현시대의 인종차별에서 더 적게 나타난다.[24]

일부 이론가들이 흑인 학생들의 학업실패를 반문화적 참조 틀, 상반된 정체성, 그리고 백인 교육자들의 지속적인 불신 탓으로 여기는 것은 놀랄 일이 아니다. 일부 낮은 성취자들과 소수 학생들이 학교에서 탈락하는 것은 학교로부터의 해방의 과정, 자신의 개인적, 문화적 정체성을 보존하는 수단, 그리고 낮은 자아개념, 낮은 동기, 그리고 낮은 성취와 연합된 부정적인 효과들을 완화시키는 방식으로 여겨질 수 있으며, 그리고 학교 실패자와 연합된 기대들을 충족하는 것은 이차적인 것으로 여기는 것 같다. 사실, 탈락은 지배적인 문화가 패배한 절반에게 말하고자 하는 것, 즉 그들을 피하고 있음을 알려주는 것이다.[25]

교사가 낮은 성취자들과 문화적으로 다양한 학생들을 도우면서 딜레마가 서서히 생겨난다. 교사들에게 배경이 다른 학생들에게 적용될 수 있는 다양한 수업방법과 기법에 대해 알려주려면 일반화가 필요하다. 반면에, 다문화 교육의 보편적인 개념에 의하면 특정 집단에 소속되어 있다는 것을 기반으로 교사가 개인들을 미리 판단하는 것은 문제가 된다.[26] 낮은 성취자나 소수 집단들을 가르치는 것에 대한 여러분 자신의 교사 기대와 관점의 맥락안에서 고려되어야 하는 여러 가지 질문들이 있다. 낮은 성취자들 또는 다양한 문화적 집단에게 일반화하는 것에 따르는 위험을 어떻게 피할 수 있을까? 여러분 자신의 이전 경험을 바탕으로 낮은 성취자들 또는 문화적으로 다른 학생들에 대한 여러분 자신의 관점을 어떻게 객관적으로 점검하겠는가?

다행스럽게도, 교사가 학습을 학생들의 배경이나 문화와 연결할 때, 그 학생들은 그들의 교육적인 경험에 참여하게 되었다는 것을 알려주는 증거가 있다. 즉, 교사가 학생들에게 학습하는 것의 관련성을 보여줄 수 있을 때 학생들은 교재를 좀더 실제적으로 배우는 경향이 있다.

부모들은 그들이 학습을 할 수 있기 전에 관련성 문제가 규정될 필요가 있다는 것을 이해한다. 이러한 관련성이 필요 없는 사람도 있다. 그들은 어쨌든 학습하기 위해 학습할 것이다. Dodd와 Konzal은 이러한 현상을 다음과 같이 기술한다.

…부모들간의 차이점은 전체 학생, 또는 특정 집단이나 개별적인 학생을 위한 일상적인 행위에 관해 언급하는 정도에 있어서 명백히 드러난다. 일부 부모들은 고전이 오늘날과 관련이 있다고 생각하지 않았기 때문에, 그들은 오직 대학생들에게만 가르쳐야 한다고 생각했다. 또는 주유소에서 일할 학생들은 대수, 화학, 또는 셰익스피어를 가르칠 필요가 없다.

개별 아이들을 위한 특정 활동의 관련성에 대해 구체적으로 이야기하는 학부모도 있었다. 예를 들어, [다른 부모는] 교사가 무엇을 물어보든지 할 수 있는 우수한 학생인 딸에게는 관련성이 중요하지 않지만, 읽고 쓰는 것을 싫어하는 아들에게는 실제 세상과의 분명한 연결을 가진 교육과정과 방법을 통해 동기를 부여할 필요가 있다고 말하는 학부모도 있었다. 그 아이는 "일상생활에서 살아가려면 글쓰기가 반드시 필요하다. 그는 사업상 편지를 써야 한다는 것을 알 필요가 있을 것이다… 그 아이는 자기 사업을 하게 될 것이다."[27]

세 주, 15개 학교에서 140개의 매우 가난한 교실에 관한 최근 연구에서, 연구자들은 성취에 있어서 교수 양식의 영향을 검증하였는데, "의미를 통해 가르쳤던" 교사들이 기본적인 기능 발달에 초점을 둔 교사들보다 학습을 학생들의 배경과 문화에 연결함으로써 다양성에 더욱더 반응하였으며, 높은 수준의 학생참여와 학문적인 성공을 거두었다.[28]

교사 특성

교사행동에 대해 출판된 많은 연구들 중에서 교사특성과 관계된 것이 가장 많다. 교사특성이 성공적인 교수를 가능하게 하는지, 그 특성들을 어떻게 분류하는지, 그것들을 어떻게 정의하는지 등에 대해 연구자들이 동의하지 않는 것이 문제이다. 이 절에서는 1900년대 중반에 교사특성에 대해 제기된 연구와 논쟁이 검토된다. 21세기 초에도 유효한 자료가 많이 있다.

교사 특성, 또는 성격은 사람에 따라 의미가 다르다. 한 연구자가 온정적인 행동으로 고려하는 것이 다른 연구자는 그러한 행동의 효과에 대해서도 동의하지 않는 것처럼 동일하게 보지 않을 수도 있다. 게다가 그것은 온정적인 교사는 나이, 성별, 성취수준, 사회경제적 계층, 인종집단, 주제 그리고 교실 환경에 따라 학생들에게 상이한 효과를 가질 것으로 가정될 수 있다.[29]

이러한 차이점은 모든 교사 특성에 적용되며, 교사 행동에 관한 모든 연구에 영향을 미치는 경향이 있다. 어떤 교사특성의 목록이 특정 연구에 부합할지라도, (결과뿐만 아니라)그 특성들이 다른 연구에 항상 전이될 수 있는 것은 아니다.

그러나 Lee Shulman이 지적하는 것처럼, 교사행동을 연구하는 사람들은 시간, 학년도, 그리고 내용 같은 요인들을 종종 간과하고, 초기 관찰에서 얻은 자료를 다른 또는 이후 경우에서 얻은 자료와 결합한다. 기간의 초기에 얻어진 자료는 기간 후반에 얻은 자료와 결합될 것이다.[30] 즉 (상이한 교사 행동이나 기법이 요구되는) 내용의 한 단원으로부터 얻어진 자료는 내용의 다른 단원에서 얻어진 자료와 결합될 수도 있다. 이렇게 자료를 모으는 것은 어느 정도의 시간에 이루어지는 모든 교수들이 동등하다는 가정을 바탕으로 한다. 그러한 연구들이 어떤 교사의 특성이 가장 효과적인지에 대한 이론이나 관점을 형성하기 위해 서로 비교되고, 통합되고, 조합될 때 정확성 문제에는 구름이 끼게 된다.

그러한 잠재적인 문제점들에도 불구하고, 많은 연구자들은 특정 교사특성이 위원회를 통해서 정의되고, 타당화되고, 한 연구에서 다른 연구로 일반화 될 수 있다고 생각한다. 나아가, 많은 연구자들은 이러한 일반화로부터 교실에서의 일상적 업무와 행동을 위한 제언들을 만들어 낼 수 있다고 생각한다.

교사 특성에 대한 연구

연구자들은 수많은 **교사의 특질**에 대해 문자 그대로 명명하는 작업을 수년 동안 해 오고 있다. A.S. Barr는 1950년대에 이들 제안된 행동들을 다루기 쉬운 목록으로 구조화 했다.[31] 약 50년 동안의 연구를 돌이켜보면서, 그는 감정적 안정과 같은 12개의 성공적인 특질을 확인했다. 다른 권위있는 사람들도 교사의 특성 및 특질에 대해 정리해 놓았는데, Barr의 업적이 비록 약간 구식이긴 하지만 보다 종합적이다. Barr가 확인한 동일한 특질 중 상당 수가 21세기의 초반에 등장한 연구 논문에 여전히 분명하게 남아있다. Barr의 연구에서 찾아볼 수 없는 최근의 연구의 차이점으로는 교사 단독으로 혹은 교사 집단에 의해 추가된 가치를 기록하기 시작했다는 것이다. William Sanders와 다른 연구자들은 교사의 어떤 세부적인 특질이나 행동이 학생의 성취와 연관되어 있는지에 대한 증거를 찾지 못했다. 이런 이유에서 "교사 행동 연구의 대가"로 묘사되는 A. S. Barr

와 David Ryans와 같은 초기 연구자들의 업적을 살펴보는 것이 여전히 적절하다. 그들이 발견한 것의 대부분, 확실하게 말하자면 어느 정도는 아직도 여러분과 여러분 다음의 교사들에게도 적용될 것이다.

Barr가 교사 특질 연구에 대한 수많은 연구들, 즉 신뢰성, 협력성, 객관성, 감정적 안정과 지능 등과 같은 특질을 포함하는 연구에 대한 개요를 제시한 반면, 가장 단독의 종합적인 연구는 David Ryans의 연구였다.[32] 1,700개 학교에서 6,000명 이상의 교사가 이 연구에 6년 이상 참여했다. 이 연구의 목적은 관찰과 자기 점수화를 통해 가장 이상적인 교사 특질을 확인하는 것이었다. 응답자들에게 성공과 실패를 구분 짓는 것으로 느끼는 교수 활동을 확인하고 묘사하도록 했다. 이 주요 행동들은 25개의 효과적인 행동과 25개의 비효과적인 행동 목록(표 2.7)으로 요약되었다. 이 목록은 신임 및 경험 많은 교사에게도 좋은 지침이 된다. 교사는 이 목록을 사용하여 그들 자신의 성격과 좋은 교수 또는 좋은 교수로 정의하는 것에 대한 인식을 점검해야 한다.

Ryans는 18명의 상반된 교사 특질(예를 들어 독창적인 것 대 관례적인 것, 인내심 있는 것 대 인내심이 부족한 것, 적대심 대 온화함)을 목록으로 개발했다. 응답자들에게 각 특질의 쌍에 대해서 태도의 대략적인 위치를 표시하도록 했다. (이 연구의 대부분은 좋은 교수에 대한 사람들의 인식에 기반을 둔 것이지 학생 성취를 실질적으로 측정한 것은 아님을 알려둔다.)

18개의 교사 특질은 세부적으로 정의되었고, 나아가 성공적 교사 대 실패한 교사의 세 가지 "양식"으로 구분되었다.

1. **양식 X** : 이해하고, 우호적이고 이해가 **빠른** 것 대 무관심하고 이기주의적인 것
2. **양식 Y** : 책임감 있고, 능률적이고 체계적인 것 대 회피하고, 무계획적이고 아무렇게나 하는 것
3. **양식 Z** : 자극적이고, 상상력이 풍부하고, 창의적인 것 대 무디고 판에 박힌 것

표 2.7 Ryans의 주요 교사 행동

효과적인 행동	비효과적인 행동
1. 민감하고, 열정적인가?	1. 무감각하고, 무디고 지루해 보이는가?
2. 학생과 학급 활동에 관심을 보이는가?	2. 학생과 학급 활동에 무관심한가?
3. 활기차 있고, 긍정적인가?	3. 의기소침해 있고, 부정적이고 불행해 보이는가?
4. 자기 통제적이고, 쉽게 화내지 않는가?	4. 이성을 잃고 쉽게 화를 내는가?
5. 장난을 좋아하고, 유머감각이 있는가?	5. 과도하게 심각하고, 유머에 지나치게 집착하는가?
6. 자신의 실수를 인식하고 인정하는가?	6. 자신의 실수를 인식하지 못하고 인정하지 않는가?
7. 학생을 대할 때 공정하고 편견이 없고 객관적인가?	7. 학생을 대할 때 불공정하고 편견이 있는가?
8. 인내심이 있는가?	8. 인내심이 없는가?
9. 학생과 일할 때 이해와 공감을 보이는가?	9. 학생에게 냉소적인 표현을 사용하거나, 학생과의 공감 부족을 보여주는가?
10. 학생과의 관계에서 친근감 있고 정중한가?	10. 학생과의 관계에서 쌀쌀맞고, 거리감이 있는가?
11. 학생의 교육적 문제뿐만 아니라 개인적인 것도 도와주는가?	11. 학생의 개인적인 요구와 문제를 알지 못하는가?
12. 노력하도록 하고 잘한 것을 칭찬하는가?	12. 학생을 격려하지 않고 불만을 나타내고, 혹평하는가?
13. 학생의 노력을 진지하게 받아들이는가?	13. 학생의 동기를 의심하는가?
14. 사회적인 상황에서 다른 사람의 반응을 예상하는가?	14. 사회적인 상황에서 다른 사람의 반응을 예상하지 못하는가?
15. 학생이 최선을 다하여 노력하도록 격려하는가?	15. 학생이 최선을 다하여 노력하도록 격려하는 노력을 기울이지 않는가?
16. 수업 과정이 계획되고 잘 구성되었는가?	16. 수업 과정이 계획되지 않고, 잘 구성되지 못했는가?
17. 수업 과정이 전반적인 계획 내에서 유연성이 있는가?	17. 과정의 극단적인 경직성과 계획과 격리된 무력함을 보이는가?
18. 개인적인 요구를 반영하는가?	18. 개인적인 차이와 학생의 요구에 맞게 제공하지 못하는가?
19. 관심과 창의적인 도구와 기술을 통해 학생을 자극하는가?	19. 흥미 없는 도구와 교수 기술을 사용하는가?
20. 명확하고 실용적인 보기와 설명을 이끌고 있는가?	20. 보기와 설명이 명확하지 못하고 제대로 이끌지 못하고 있는가?
21. 방향 제시가 명확하고 철저한가?	21. 방향이 불완전하고 모호한가?
22. 학생이 그들 자신의 문제를 통해 일하는 것을 격려하고 그들의 성취를 평가하는가?	22. 학생이 그들 자신의 문제를 해결하려는 기회를 제시하지 못하고 그들의 업적을 평가하지 못하는가?
23. 조용하고, 기품 있고, 긍정적인 태도에서 훈육하는가?	23. 장황하게 꾸짖고, 비웃고, 잔혹하거나 무의미한 수정을 하곤 하는가?
24. 적극적으로 도와주는가?	24. 도와주지 않거나, 마지못해 도와주는가?
25. 잠재적인 어려움을 예견하고 해결하려고 시도하는가?	25. 잠재적인 어려움을 예견하지 못하고 해결하지 못하는가?

출처: David G. Ryans. *Characteristics of Teachers*. Washington D. C.: American Council on Education, 1960, p. 82. Reprinted with Permission.

Ryans는 이들 세 가지 주요 교사 양식을 각각 살펴보았다. 초등학교 교사는 중학교 교사보다 이해와 친근감 있게 수업에 임하는 행동 점수에서 높은 점수를 받았다(양식 X). 여성과 남성 간의 차이는 초등학교에서는 없었지만, 중학교에선 여성이 시종일관하여 양식 X에서 더 높은 점수를 받았고, 자극적이고 상상력이 풍부한 수업 행동(양식 Z)에선, 남성이 능률 있고 체계적인 행동(양식 Y)을 나타내는 경향이 있었다. 젊은 교사(45세 이하)는 나이 든 교사보다 양식 X와 Z에서 높은 점수를 받았다; 나이 든 교사는 양식 Y에서 높은 점수를 받았다.

Bruce Tuckman은 이와 유사하지만 보다 최근에 교사 특질 목록을 수집했는데, 그는 교사 행동에서 변화를 자극하게 하는 피드백 체계를 개발했다.[33] 그의 측정도구는 원래 교사가 7점 척도로 점수화할 수 있도록 만들어진 28개의 상반되는 항목으로 구성되었는데, 30개의 항목으로 확대되었다(예를 들어 창의적인 것 대 틀에 박힌 것, 조심스러운 것 대 거리낌없이 말하는 것, 단정적인 것 대 수동적인 것, 조용한 것 대 허풍 떠는 것).

Ryans의 3개의 양식과 비슷하게 30개의 특질들은 네 가지 교사 "차원"으로 구분되었다.

1. *창의적인* : 창의적인 교사는 상상력이 풍부하고, 경험이 있고 독창적이다. 반면 비창의적인 교사는 틀에 박혀 있고 엄격하고, 신중하다.
2. *활력적인* : 활력적인 교사는 외향적이고, 정력적이고, 사교적이다. 반면 비활력적인 교사는 수동적이고, 수줍어하고 복종한다.
3. *조직적인* : 조직적인 교사는 과단성이 있고, 수완이 좋고, 자기 관리를 한다. 반면 비조직적인 교사는 변덕스럽고, 산만하고, 경솔하다.
4. *온정적인* : 온정적인 교사는 사교적이고, 붙임성 있고, 인내심이 있다. 반면 매정한 교사는 친근감이 없고, 적의적이고, 인내심이 없다.[34]

교사 특질을 정의하는 데 완전히 동의하기가 어렵기 때문에, Wiggins와 일부 학자들은 보다 정확한 용어를 추천했는데, 그것을 **교사의 역량**이라고 불렀다.[35] 이들 역량은 광범위한 교사 특질에서 비롯된 것일 수도 있고 그렇지 않을 수도 있는데, 수업 설명서에 또는 교사 평가 체제에 포함되도록 신중하게 정의될 수 있는 "행동의 세부 항목"이다. 아래와 같은 것이 역량의 예에 포함된다.

1. 다양한 수업 전략을 사용한다.
2. 수렴적 및 확산적인 탐구 전략을 사용한다.
3. 수업 전환과 계열을 다양하게 한다.
4. 학습자 요구를 수용하기 위해 수업 활동을 수정한다.
5. 개인, 소집단, 대집단과 함께 작업하는 능력을 보인다.
6. 교과목 영역에 대한 지식을 시연한다.
7. 학생의 성취를 정확하게 평가한다.
8. 모든 학생을 위한 성취 목표를 명료하게 나타낸다.[36]

역량은 교사 평가 계획을 개발하고, 교사를 관찰하고 판단하고(특히 초등학교와 중학교 고학년에서), 교사의 수행을 감독관이 평가하는 데 늘 중요한 역할을 하기 때문에(보통 고등학교 수준에서), 학교장이 어떤 역량이 의미 있다고 믿는지를 살펴보는 것은 특히 중요하다. 학생을 교육하는 데 있어서의 효과성을 특별히 알아보기 위한 전국적인 연구에서 202개의 중학교가 선택되었는데(미국 교육부 후원으로 진행됨), 학교장에게 교사에게 강조되는 역량을 식별하고 순위를 정하도록 하였다.[37] 표 2.8에는 11개의 역량이 순서대로 제시되어 있다.

학교장에서 있어서 가장 중요한 5개의 역량-과업 지향, 열정과 관심, 직접적인 수업, 보조, 그리고 피드백-은 "활동적인" 교수 수준과 사업가적인 행동을 강조한다. 효과적인 학교의 교장은 교사가 관찰되고 측정될 수 있는 방법으로 가르치기를 기대한다. 점차적으로 학교장은 교사가 학생을 위해 부가 가치적인 차

표 2.8 교장의 효과적인 교사 역량의 순위

중요도	역량	정의
1	과업 지향	학급이 사업과 같이 학생이 학문적 교과에 시간을 사용하고, 교사는 학생들에게 분명한 목표를 제시하는 정도
2	열정과 관심	교사의 정력, 힘, 참여의 양
3	직접적인 수업	교사가 학습 목표를 정하여 명료하게 나타내고, 학생의 진행과정을 실제로 평가하고 과제 활동을 어떻게 해야 하는지 학생들에게 자주 설명해 주는 정도
4	속도	수업의 난이도와 속도가 학생의 역량과 관심에 적합한 정도
5	피드백	교사가 학생에게 긍정적/ 부정적인 피드백을 제공하는 정도
6	운영	교사가 수업중 중단 없이 수업을 이끌어가는 정도
7	질문	교사가 교실에서 다양한 수준에서 질문하고, 그 질문을 적절하게 조절하는 정도
8	수업 시간	교재를 배우는데 적합하면서도 예상치 못한 것에 대비할 정도로 충분히 융통적으로 수업 시간을 배분하는 정도
9	변이성	교수 방식의 유동성 또는 적합성 정도와 교실에서 과외 수업 교재의 정도
10	구조화	교사가 수업을 지시하는 정도
11	성취기준 교재를 학습할 기회	성취기준 교재가 수업중 사용되는 정도

출처: John W. Arnn and John N. Mangieri. "Effective Leadership for Effective Schools: A Survey of Principal Attitude." *NASSP Bulletin* (February 1988): 4. Copyright(1988) National Association of Secondary School Principals. www.principals.org. Reprinted with permission.

이를 만드는 교수 행동을 보여주기를 기대한다.

이 책에서 읽었듯이, 성취기준에서 새로 강조되는 것이 있다-학생이 충족해야 하는 학문적인 성취기준과 가르치는 방법을 구체화한 교수 성취기준이다. Sergiovanni 와 Starratt는 전국 학문 기반의 성취기준에서 볼 때 성공적으로 교수하고 있는 교사의 여섯 가지 특질을 기술한다.

1. 통합적인 단원의 사용 : 보다 큰 주제를 중심으로 교육과정을 구성하는 것
2. 소집단 활동 : 협력적으로 학생의 일을 도와주는 것
3. 학생이 학습을 위해 아이디어로 표현하도록 도와주는 역량 : Venn 다이어그램과 학생이 생각을 탐구할 수 있도록 도와주는 다른 표상을 사용하는 것
4. 교실 워크숍의 사용 : 학생이 교사와 1:1로 생각을 탐구할 수 있는 시간을 확실히 가지도록 시간을 구성하는 것
5. 실제적인 생각의 사용 : "실제 세상"의 상황에서 수업의 개념에 대해 학생이 생각할 기회를 제공하는 것
6. 성찰적인 평가 : 학생이 무엇을 학습했는지를 보여주고 그것의 질을 성찰하는 방법을 알아내는 것[38]

이 연구자들은 이 책의 1장에서 논의했던 현상, 즉 효과적인 교사는 내용을 알고 있으며, 그 내용을 어떻게 가르쳐야 하는지 아는 현상을 강조한다.

1980년대와 1990년대에는 교사의 역량을 측정하는 것은 대부분 최소 역량에 초점이 맞춰져 있었다. Arthur Wise에 따르면, 학교 교육구와 행정가는 교사의 역량을 평가할 때, "역량이 있는 교사를 평가하는 데는 시간을 거의 소비하지 않는다"고 한다. 그래서 역량 있는 교사는 종종 이러한 과정에서 위협을 받지도 않을 뿐만 아니라 그것이 유용하다고도 여기지도 않는다. 이것은 교사 역량 도구가 타당하지 못하거나 신뢰롭지 못한 도구라는 것을 의미하기보다는 그들이 무능한 교사를 식별하기 위해 존재한다는 것을 의미한다. 예를 들어, 역량 접근법에 의존하는 어떤 학교 교육구에서는 "최소 교수 역량의 부재, 특히 교실을 운영할 수 없는 역량으로 인해 개선과 심사 또는 중재가 유발되고 있다."[39]

많은 학교 교육구(Florida와 North Carolina와 같은 주 전체에서조차)에서는 평가 계획을 위한 기반으로서, 1980년대와 1990년대에 세부적인 교사 역량의 목록을 개발했다. 이런 명시적인 행동을 하지 않는 교사는 종종 불리하게 되고, "최저" 또는 "성취기준 이하"로 평가되고, 어떤 경우에는 그들의 직업을 잃어버리게 되는 위험에 처하게 된다. 5장에서 보게 되겠지만, 가르치는 방법은 가르치고자 계획된 내용에 의해 좌우될 것이며, 이들 역량에 따라 평가하게 되면 통제할 수 없는 학습 내용에 대해 책임을 지게 되는 것이다.

◤ 성찰문제

많은 주에서는 현재 NCATE와 INTASC에서 개략적으로 제시된 것과 유사한 교수 성취기준을 활용하고 있다. North Carolina는 이러한 움직임에서 실질적인 리더 중의 하나이다. 겉보기에는 핵심 성취기준이 명백한 것처럼 보이지만, 좀더 가까이 살펴본다면 어떠한가? 아래 목록에서 성취기준 중 하나를 선택하고 그것을 효과적으로 활용하고 있는 교사의 교실에서 무엇을 관찰할 수 있는지 상세히 설명한다. 또한, 도덕적인 교사는 어떤 행동을 하는가? 이런 행동이 전문성을 어떻게 뒷받침하는가? 이들 문제를 고려한 후에 North Carolina 웹사이트를 방문하고(www.ncptsc.org) 이것들이 교사에게 의미하는 바를 그들이 어떻게 설명하는지 살펴본다.

교사는 리더이다.
- 교사는 그들의 교실을 주도한다.
- 교사는 학교를 주도한다.
- 교사는 학교와 아이들 입장을 옹호하며 이끈다.
- 교사는 복잡하고 활발한 환경에서 효과적으로 활동한다.
- 교사는 높은 도덕적 실행 성취기준을 충족시킨다.
- 교사는 교수 전문직을 지원한다.

교사는 자신의 실행에 대해 성찰한다.
- 교사는 교수 결과를 분석한다.
- 교사는 자신의 동료와 협력한다.
- 교사는 교실에서 연구한다.
- 교사는 전문적인 면에서 지속적으로 성장한다.

교사는 학생을 존중하고 돌본다.
- 교사는 아이들과 청소년과 어울리며 시간 보내기를 좋아한다.
- 교사는 각 학생에 대해 될 수 있는 한 모든 것을 학습한다.
- 교사는 각 학생의 존엄성을 유지해 준다.
- 교사는 그들 학생의 성취에 대해 자부심을 표현한다.

Florida와 North Carolina 제도에 대한 비판에 의하면, 이 역량에는 "좋은" 교사에 대한 편협하고도 행동주의자적인 관점이 반영되어 있고, 좋은 교수에 또한 기여할 수 있는 인본주의적이거나 감정적인 행동이 무시되는 경향이 있다고 한다.[40]

이들 역량은 이제 세부적인 **교수 성취기준**으로 발전되어가고 있다. 이 책은 Pathwise Induction Programs-PRAXIS III와 INTASC 성취기준에 근거하지만, 일부 주에서는 North Carolina주처럼 고유한 핵심 교수 성취기준을 가지고 있다. 우리는 3장에서부터 11장의 도입부에서 PRAXIS와 INTASC에 대해 구체적으로 논의하게 될 것이다. 이들 성취기준에 대한 개념적인 기초는 교사 양식, 교사 특질, 교사 역량에 대한 연구에서 나왔다. 이 연구자들이 많은 교육자가 현재 실행하고 있고 또 여러분의 교수를 평가하는 데 사용할지도 모를 현재의 교사 성취기준의 기반을 놓았다.

예전의 교사 역량은 실질적인 교사 행동에 주로 초점을 두었다. 새로운 교수 성취기준은 훨씬 더 교육학과 수업 내용과 교실 환경의 복잡함에 중점을 두고 있다. 다음 두 개의 성취기준은 교사교육인가국립위원회(National Council for the Accreditation of Teacher Education(NCATE))와 주간 신임 교사 지원 연합(Interstate New Teacher and Support Consortium (INTASC))으로부터 나왔으며, 그 내용과 교육적 연계를 보여준다.

NCATE 성취기준 예 : 교사로서 학교에서 일하기를 준비하는 후보들 또는 다른 전문적인 교직원은 모든 학생이 학습하도록 도와주는 데 필요한 학습 내용과 교육적, 전문적 지식, 기술과 성향을 알고 설명한다. 평가는 후보자가 전문성, 의식, 교육적 성취기준을 충족하는지를 나타낸다.

INTASC 성취기준 예 : 교사는 교과 문제에 대해 전반적인 이해와 지식을 갖고 있고 학생이 효과적인 학습 경험을 생성할 수 있도록 이러한 지식을 사용한다.

교사 효과

이 절에서는 연구에 대한 특정 관점을 가진 연구자들에 의해 범주화된 응용 과학 문헌으로부터 얻어진 서로 다른 연구 결과들이 제시된다. 여러 주에서 지금 사용되고 있는 교수 성취기준에서 드러나는 많은 것이 이러한 연구자들의 작업의 간접적 또는 직접적 영향을 받아 형성되었다.

Rosenshine과 Furst 모형

교사 행동 연구는 구체적인 교수 원리와 방법뿐만 아니라 교사 행동이 학생 성취에 있어서 차이를 만드는 것을 보여준다. Rosenshine과 Furst는 자주 인용되는 과정-결과 연구에서 약 42개의 상관 연구들을 분석했다. 그들은 11개의 교사 과정들(행동 또는 변화)은 학생 결과들(성과 또는 학생 성취)과 대단히 그리고 일관적으로 관련이 있다고 결론을 내렸다. 5개의 교사 과정은 긍정적인 성과와 가장 높은 상관을 보여준다:

1. 교사 설명의 명료성과 수업 활동을 조직하는 능력
2. 교사에 의해서 사용되는 매체, 자료, 활동의 다양성
3. 교사의 동작, 목소리 억양 등으로 정의되는 열정
4. 과제 지향성 또는 사업가적인 교사 행동, 구조화된 일상, 그리고 학문적 초점
5. 학생이 학습할 수 있는 기회; 즉, 학생이 나중에 평가되는 수업의 자료와 내용을 다루는 정도[41]

나머지 여섯 개의 과정은 학생들의 아이디어 사용, 정당한 비평, 체계적 설명 사용, 낮고 높은 인지적 수준에 적절한 질문, 학생의 정교화를 검토하고 격려하는 것, 도전적 수업 자료 등으로 정의되었다.

Rosenshine은 이후에 그의 결론을 수정했다. 이후의 분석은 단지 과업 소개(직접적 수업으로 불려짐), 학습할 기회(학술적 시간, 학술적 관여 시간, 다뤄진 내용 등으로 이후에 불려짐)라는 두 개의 행동 또는 과정만이 일관적으로 학생 성취에 관련이 있다는 것을

보여준다. 그는 세 가지 행동에 대해서는 분명하지는 않지만 5학년 이상의 학생 성취와 관련이 있는 것 같다고 지적했다. 다른 여덟 개의 과정은 덜 중요한 것처럼 보이고, 또한 학년에 따라서 뿐만 아니라 과목, 수업 집단과 활동, 학생의 사회적 지위와 능력에 따라서도 중요성이 달라진다.[42] 그럼에도 불구하고, 초기의 연구는 교사의 어떤 행동이 어떻게 학생의 학습과 관련 있는지에 관한 가치 있는 연구이다.

최근에 Rosenshine은 최근 30년간 중요한 수업적인 발전을 가져온 연구를 요약하면서, 다음 네 가지 주요한 수업적인 절차를 규명했다.

1. 절차적인 촉진자극 제공하기
2. 작은 단계로 가르치기
3. 인지적 전략 사용을 시범으로 보여주기
4. 학생의 일상적인 행동을 지시하고 안내하기

Gage 모형

Nate Gage는 49개의 과정-결과 연구를 분석했다. 그는 학생의 성과와 확고한 관계를 보이는 행동을 다음의 네 가지로 분류했다. (1) 교사의 간접성, 학생의 생각과 느낌을 기꺼이 받아들이는 마음, 건전한 감정적 분위기를 제공할 수 있는 능력; (2) 교사의 상, 지원, 격려, 긴장을 풀어주는 유머의 사용(그러나 다른 사람을 희생시키지는 않는다), 학생의 요구에 주목; (3) 학생의 아이디어에 대한 교사의 수락, 명료화, 보강, 개발; (4) 교사의 비평, 학생의 징계, 권위의 정당화. 네 번째의 행동과 성과는 부정적인 관계가 나타난다—지적을 했을 때, 학생 성취는 낮아진다.[43] 사실, 네 가지 분류에는 (수십 년 동안 강조된 모형인) 민주적 또는 온화한 교사라는 전통적인 개념이 들어 있다.

Gage는 초등학교에서 읽기와 수학에서의 학생 성취에 대한 교사 효과의 증거를 바탕으로 다른 학교급에서도 활용할 만한 성공적인 교수 원리와 방법을 제시한다. 이 전략들은 상식적 전략임을 명심해라. 그들은 다양한 학년에 적용했는데, 경험 있는 교사들은 대부분 이것들을 잘 알고 있었다. 그렇지만, "단지 교수 방법을 가르쳐주세요"라고 말하는 사범대학생과 초임 교사에게는 지침으로 사용될 수가 있다. 이 전략을 요약하면 다음과 같다.

1. 교사는 학생이 교사에게 확인 받지 않고서도 개인적, 절차적인 요구에 주의를 기울이도록 하는 규칙 체계를 가지고 있어야 한다.
2. 교사는 교실을 돌아다니며, 학생이 자습하는 것을 감독하고, 또한 학생이 학문적인 요구에 주의를 기울이는 한편으로 학생의 행동을 의식하고 있다는 것을 알려주어야 한다.
3. 교사는 학생이 생산적 및 독립적으로 과제를 수행할 수 있도록 숙제가 흥미롭고, 가치 있도록 하고, 교사의 지시 없이 혼자서 완수할 만큼 쉽게 내주어야 한다.
4. 교사는 수업을 위한 지시와 학급을 조직하는 활동을 최소화하도록 해야 한다. 교사는 칠판에 일정표를 쓰고 일반적인 절차를 정하여 학생들이 가야 할 곳과 해야 할 일을 알 수 있도록 한다.
5. 교사는 질문에 대답하는 학생을 선택할 때, 모든 학생들에게 대답할 수 있는 기회를 주고, 자기가 선택될 것을 미리 알 수 있도록 하기 위해 질문 전에 지원자와 비지원자의 이름을 말하도록 해야 한다.
6. 교사는 항상 학문적으로 부족한 학생들이 질문에 어떤 식으로든지 답을 하도록 하여야 한다. "저는 몰라요"라고 말하는 조용한 학생 또는 틀린 답을 하는 학생에게서 정답을 이끌어낼 수 있는 유용한 기술로는 고쳐 말하기, 단서 주기, 또는 유도 질문이 있다.
7. 교사는 읽기 집단 수업을 하는 동안 간단한 피드백을 최대한 제공하고, "반복적인 연습" 형태의 속도 빠른 활동을 제공해야 한다.[44]

Good과 Brophy 모형

최근 20년간 Good과 Brophy는 효과적인 교수와 학생의 학습과 관련된 여러 가지 요인을 규명하였다. 그들은 교수의 기본적인 원리에 초점을 두었지만 교사 행동이나 개인적 특성에는 초점을 두지 않는데, 왜냐하면 두 연구자 모두 오늘날 교사들은 처방보다는 교수 원리를 찾고 있다고 보기 때문이다.

1. 수업 목적(목표)의 명료성
2. 가르치는 내용과 방법에 대한 지식
3. 교수 방법과 매체 사용의 다양성
4. 진행되고 있는 것에 대한 인식, 교실 활동을 살피는 경계심
5. 동시에 여러 가지 활동을 잘 하는 "중복성"
6. 적절한 수업 속도와 집단의 여세를 유지하고, 중요하지 않은 부분에 오래 머무르거나 개별 학생을 다루는 데 시간을 낭비하지 않고, 모든 학생에게 초점을 맞추는 "순조로움"
7. 생산적인 과제에 참여를 개시하고, 중요시하는 교실 수업과 운영
8. 학생이 학습에 책임지도록 하기, 학생 학습에 대한 책임감을 받아들이기
9. 학생 능력과 행동에 따라 현실적인 기대 설정
10. 칭찬을 위한 칭찬이 아니라 실제적인 칭찬하기
11. 수업 활동의 계획과 적용에서의 융통성
12. 과제 지향성과 교사의 효과적인 행동
13. 학생의 이해에 대한 지속적인 확인; 적절한 피드백 제공, 상 주기, 질문하기
14. 학생에게 평가될 것을 학습할 수 있는 기회 제공
15. 학생이 지식과 개념을 구조화하는데 도움이 되는 조언 제시, 학생이 학습하는 방법을 학습하도록 도와주기[45]

이 행동들의 다수가 수업 운영 기술이고, 구조화된 학습 전략임을 고려하면 논리적으로 훌륭한 교수를 위해서는 좋은 훈육이 반드시 필요하다는 것을 알 수 있다.

Evertson과 Emmer 모형

Evertson과 Emmer 모형은 Good과 Brophy 모형과 비슷하다(사실 Evertson은 Brophy와 함께 여러 권의 교재와 논문을 썼다). 이 모형은 다음의 세 가지 점에서 유사하다. (1) 교사 효과는 구체적인 교수 원리와 방법과 관련되어 있다. (2) 수업활동의 조직과 운영이 강조된다. 마지막으로 (3) 연구결과와 결론이 과정-결과 연구에 상당 부분 토대를 두고 있다.

다음에 제시되어 있는 기본적인 교수 원리 9개는 Emmer에게는 다소 덜하지만 Evertson의 연구에서 핵심이다. 효과성은 학생 성취 점수로서 규명된다. Evertson과 Emmer는 또한 수업 운영을 상당히 중요시하였다.

1. *규칙과 절차* : 규칙과 절차가 수립되고, 적용되며, 학생들이 이를 따르는지 살핀다.
2. *일관성* : 항상 모든 학생에게 활동과 행동에 있어서 비슷한 기대감을 갖는다. 비일관성은 학생이 무엇을 받아들여질 것인지에 대한 혼란을 야기한다.
3. *부적절한 행동의 즉각적인 관리* : 부적절한 행동은 즉시 중지시키고, 더 이상 확산되지 않도록 유의해야 한다.
4. *학생 과제 확인* : 교실에서의 과제, 숙제, 보고서 등과 같은 모든 학생 과제는 교정되어야 하고, 실수가 있는지 검토되어야 하고, 즉각적으로 피드백이 제공되어야 한다.
5. *상호적인 교수* : 이것은 여러 가지 형태가 있는데, 새로운 자료, 질문, 토론의 제시와 설명, 학생의 이해를 확인, 학생들 사이를 돌아다니며 과제를 올바로 하도록 하는 것, 피드백을 제공하는 것, 필요하다면 자료를 다시 가르치는 것 등이 있다.
6. *학문적인 수업, 때때로 학문적인 학습 시간 또는 학문에 관여한 시간으로서 간주된다* : 학생의 과업 관리에 주의를 기울인다.
7. *속도* : 정보는, 너무 빠르거나 너무 느리지 않게, 학생이 정보를 이해할 수 있는 능력에 알맞은 속도

전문적인 관점

지혜로운 교사

Neil Postman
Communication 교수, New York 대학교

여러 사람들이 "교사가 어리석을수록 학생이 우수하다"는 격언이 옳다고 생각한다. 이 말은 교사의 지식이 학습에는 방해물일 수 있다는 것을 의미한다. 교사는 많은 것을 알고, 자신이 아는 것을 말하는데 대부분의 시간을 사용하게 되면 학생들은 대개 겁먹게 되고, 수동적으로 행동하게 되며, 지식의 원천에 전적으로 의존하게 된다. 그러나 이는 가장 훌륭한 교사가 달성하고자 하는 것이 아니다. 교사에게는 요구되는 것은 자신의 지식을 교실에서 어떻게 더 적게 이용하고 절제할 수 있는

가 하는 것이다. 사실 교사들이 무지해야 한다고 주장하는 것은 아니다. 지식을 추구하는데 있어서 학생들이 능동적으로 참여하기 위한 수단으로 교사는 무지를 이용할 수 있다. 모든 것이 알려져 있다고 믿는 학생과 이 사실을 아는 교사에게 학생은 "위대한 대화"에서 외부인으로 남아 있어야 한다.

물론, 교사가 박식하다면 자신을 무지하다고 가장할 필요가 없을 것이다. 박식한 사람은 자신이 얼마나 모르는지 알고 있으며, 교수에 있어서 자신이 아는 것보다 모르는 것을 더 드러나게 하고 더 중요시 하게 된다. 게다가 정말 조예가 깊은 교사는 잘 모르는 것에 대해 수업하는 것을 결코 두려워하거나 주저하지 않는다.

로 제시되어야 한다.

8. *전이* : 한 활동으로부터 다른 활동으로의 전이는 다음에 일어나는 일에 대한 혼란을 최소화하면서 재빨리 이루어진다.

9. *명료성* : 수업을 논리적이고 계열적으로 제시해야 한다. 수업 목표와 적당한 삽화를 사용하고 학생들과의 관계를 유지하는 것에 의해 명료성을 높일 수 있다.[46]

교사 자질과 부가가치 교수

지금까지 교사 양식, 교사 특질, 교사 효과 등에 관해 논의했다. Whitehurst와 Haycock(Education Trust)는 최근 연구에서 학습자 성취에 영향을 미치는 교사의 자질을 탐구했다. 양질의 교수가 중요하고, 그리고 교사 양식, 교사 특질, 심지어 교사 효과에 대한 연구 결과들이 다양한데도, 교사 자질이 부가가치 교수와 관계 있다는 증거가 있는가? 이에 대한 대답은 관계가 있

다는 것이다. 아래에는 교사의 구체적 자질에 관한 문제와 그에 대한 연구 결과에 근거한 해답이 제시되어 있다. Whitehurst는 우리가 알고 있는 교수과학에 다른 차원을 추가한다.[47]

쟁점 1: 교사에게 내용 지식을 잘 아는 것이 중요한가?

중요하기도 하고 중요하지 않기도 하다. 초등보다 중등 수준에서 보다 많은 차이를 보인다. 같은 학생을 가르치더라도 자신이 가르치는 교과를 전공하지 않은 중등 교사보다 전공한 중등 교사가 학습자의 학습 향상을 보다 더 조장할 것이다. 초등 수준에서는 높은 내용 수준의 필요성이 떨어진다. 교사는 내용을 알 필요가 있지만 얼마나 알아야 하는가는 누구를 가르치느냐에 따라 결정된다.

쟁점 2: 자격증이나 인증서가 중요한가?

중요하기도 하고 중요하지 않기도 하다. 이 문제는 활

발히 논의되고 있다. 여러분의 대답은 이데올로기 성향에 따라 달라질 것이다. 보수적 교육 평론가들은 자격증이 중요하지 않다고 말한다. 교사 교육 옹호자들은 자격증이 중요하다고 주장한다. 이 문제의 답은 누구도 알지 못하지만 교사가 학습에 대해 이해해야 하며 학습자들이 보다 많이 배울 수 있도록 학습에 대한 이해를 다루는 방법을 깨달아야 한다는 것은 확실해 보인다.[48] 자격증이 중요한가에 대한 논의는 한창이다. 그러나 가난한 학생들이 무자격 교사에게 배울 가능성이 많아져 결과적으로 이 학생들이 교과 내용이나 교육적 준비가 부족한 교사들에게 배울 것이라는 데에는 누구나 동의한다.

쟁점 3: 교사의 일반 지식 기초가 중요한가?

중요하다. 이것은 합의가 이루어진 문제이다. 얼마나 잘 교육받았는가는 학생들이 얼마나 잘 학습하는지에 영향을 미친다. 이것이 일반 교육 과정과 개인의 지적 발전이 왜 중요한가 하는 것이다. 훌륭한 교사는 광범위한 지식을 보다 많이 가지고 있고 특히 언어 능력에 관하여 우수하다.

쟁점 4: 경험이 중요한가?

그렇다. 교사의 경험이 어느 정도인가는 학생들이 얼마나 학습할 수 있는가에 영향을 미친다. William Sanders는 Tennessee와 다른 지역에서 수집한 자료를 바탕으로 교사가 처음 7년 동안 해마다 학생의 성취가 지속적으로 증가했다고 주장한다. 학생 성취가 증가하다가 교사 경력이 약 22년 되는 시기에 학습자 수행의 증가는 정상에 도달하고, 그 이후에는 약간 감소된다. 교사 경험과 학생 성취의 관계는 곡선 형태를 보인다.

쟁점 5: 석사학위 소지여부에 따라 차이가 있는가?

그렇지 않다. 석사 이상의 학위는 학생 성취에 있어서 차이를 보이지 않는다. 석사 이상의 학위는 교사가 교수와 교수 결과에 대한 이해를 잘 하게 할 수 있을지 모르지만 학생 성취에는 영향을 미치지 않는다.

요컨대, Whitehurst, Haycock과 그 외 학자들의 연구에 따르면 교사의 효과성을 극대화하려면 교사가 잘 교육 받고, 교과내용에 대해 잘 알아야 하고, 학습자들과의 경험을 얻는 다양한 여러 방식을 찾아내야 한다고 하였다. 게다가 교사가 이런 자질을 갖추면, 개인의 전문적 교수 양식을 어떻게 개발해야 하는지 이해하게 되고, 수업과 가르치는 대상에 따라 행동을 어떻게 차별화 할 것인지 이해하게 되어 학생들은 더 많이 학습하게 될 것이다. 부가가치적 차이를 만드는 것이다.

수석 교사

교육 개혁과 교수 우수성에 대한 국가적 관심은 교사와 수석 교사의 개념에 상당히 집중되어 있다. Rosenshine, Good, Brophy와 Evertson 모형에서 제안된 직접적 교수 행동은 Walter Doyle의 과제 중심적이고 능률적인 수석 교사와 일치한다. 이런 교사는 "학습 목표에 초점을 맞추고, 꼼꼼하고 계열이 구조화된 학습 활동을 하며,…높은 수준의 학습 문제와 내용 범위로 진행하고, 피드백과 함께 통제된 연습 기회를 제공하고, 학생이 책임지는 과제를 주며,… 학생의 학습을 돕는데 성공할 수 있다는 기대감을 심어주고, 개념과 절차를 적극적으로 설명하고, 학습 과제에 대한 의미와 목적을 활성화시키고, 이해를 점검한다."[49]

641명의 초중등학교 교사에게 "수석 교사 인식 준거를 평정하도록" 요청한 결과, (1) 교과 내용에 대한 지식, (2) 정적 강화를 통한 학습 성취 촉진, (3) 모든 학습자의 요구에 알맞은 다양한 전략과 자료 활용, (4) 조직적이고 질서 있는 학급 운영, (5) 교실 활동에 있어서 학생의 능동적 참여 격려, (6) 학생 수업 시간의 극대화, (7) 학습자 수행에 대한 높은 기대, (8) 학생의 과정을 수시로 점검하고 수행에 따른 피드백을 수시 제공하는 것이라고 차례로 나열했다.[50]

표집 교사들의 대부분이 여성(71%)이었기 때문에 제안된 행동은 여성 규준을 반영한 것일 수 있다고 평할 수 있지만 앞서 언급한 교직에서 여성의 비율이 높다는 사실에 유념해야 한다. 조사 대상이 된 교사들은

홀륭한 교수는 전국적으로 여러 단체에 의해 인지되고, 보상도 받는다.

경력자였으며(77%가 최소 11년 이상의 교직 경력자이다), 이들이 밝힌 준거의 순서는 Doyle의 수석 교사에 대한 견해와 학교장의 순위 목록(표 2.8 참고)과 거의 일치한다는 것이 중요하다.

다인종, 다언어 학교에서 가르친 수백 명의 교사를 대상으로 한 연구에 따르면, "유명한" 교사는 많은 교육자들이 효과적 또는 수석 교사의 특징이라고 말하는 것과 반대되는 행동과 태도를 보였다.[51] 유명한 교사는 특정 이데올로기를 갖고 있다. 이런 교사들은 실제를 안내하는 처방적 이론을 사용하지 않고, 연구에 근거한 Piaget, Skinner 등의 원리나 원칙을 참고하지도 않는다. 유명한 교사는 교사 효과성, 학교 효과성, 또는 교사 양식이나 교사 특질에 대한 연구를 고려하지 않는다. 이들은 여러 주제에 대한 학자나 전문가들이 원리를 어떻게 체계화했는지 무관심하고 염두에 두지 않는 것 같다. 오히려 이들은 교수에 대한 고유한 관점, 교과 내용에 대한 나름의 조직화, 경험과 자기 발견을 통한 자신만의 방식을 내재화한다. 유명한 교사는 교실에서 무엇을 할 것인지, 왜 그렇게 하는지 그리고 학생의 성공을 촉진하는 가장 좋은 방법을 궁리한다. 이런 교사들도 도심지역의 가난한 아동들이 학습하고 생각하고 숙고할 수 있다는 기대에 따르고 있다.

유명한 교사나 수석 교사는 보통 교사와 다르다. 이들은 교수와 학생의 수행에 독특한 의미를 부여하는 것에 대한 어떤 이데올로기를 갖고 있다. 이들은 "독자 노선형"(표 2.1 참고)이라 여겨지고 학급 운영과 조직 방식에 있어서 독단적으로 보인다. 이들은 학생들에게 민감하게 반응하고 모든 학생들이 배울 수 있다고 믿고, 학자나 행정가와 동료들이 교수에 대해 이야기하는 것과 반드시 일치하지는 않지만 학생들이 이해할 수 있는 방식으로 가르친다. 이런 교사는 교사의 교육학이나 교사의 역할에 대한 타인의 해석에 의해서가 아니라 옳은 것에 대한 자신의 신념에 따라 행동하는 것으로 보인다. 수석 교사로 알려지기도 하지만 이들은 전문가적 발전보다는 개인의 경험에 근거하여 행동한다.

중요한 것은 수석 교사가 요구되고 있지만, 법적인 승인 과정에 있다는 점이다. 이에 대해 Gloria Ladson-

공학적 관점

아동이 학습에 집중하도록 공학의 활용

Jackie Marshall Arnold
K-12 Media Specialist

이 장에서는 "유명한 교사는 아동을 학습에 집중시키는 것이 교사의 최우선 일이라고 생각한다"는 Martin Haberman의 말이 인용되었다. 효과적인 교사들이 대부분 알고 있듯이, "아동을 학습에 몰두"하게 하는 결정적 방법에는 교수공학의 사용이 포함된다. 오늘날 학생은 21세기에 살고 있다. 대부분이 컴퓨터를 소유하고 있고 인터넷에 접속한다. 이들은 공학 경험을 가지고 있으며 자신의 학습에 공학적 도구를 사용할 것이라는 기대를 가지고 현대적 교실에 들어온다. 현대적 교실의 효과적 교사는 수업의 질을 높이고 동기를 유발할 자원으로써 공학을 사용할 준비가 되어 있을 것이다.

The North Central Regional Educational laboratory는 교실에서의 공학의 효과적 사용을 연구한다. 이들 연구에서 "학습을 지원하는 높은 수행 지표를 나타내는 공학 사용의 여섯 가지 범주"틀을 개발했다(http://www.ncrel.org/sdrs/edtalk/body.pdf). 그 지표는 다음과 같다.

• 전진적 사고, 비전 공유
• 효과적 교수와 학습의 실제
• 효과적 교수와 학습의 실제를 갖춘 능숙한 교육자
• 디지털 세대 형평성
• 언제 어디서나 접근 가능성
• 제도와 지도력

연구 결과에 의하면 공학은 사용 가능해야 하고, 학습에 효과적으로 통합되어야 할 필요가 있다. 효과적인 교사는 의미 있는 실제 과제에의 접근 기회를 제공하는 수단으로 공학을 수업에 많이 이용한다. 학생은 적극적으로 참여하며 학습 경험으로 안내된다. 유의미한 평가와 피드백이 이 과정에서 중요하다. 수석 교사는 이 책의 저자들이 중요한 도구로써 공학을 활용하는 것에 대해 기록한 최상의 교수 실제를 따른다.

어떤 공학이 높은 학습 수행에 활용되고 "아동을 학습에 몰두"하게 하는가? 1장에 삽입되어 있던 것들을 상기해보자. 유능한 수석 교사는 실제적이고 관련된 문제를 활용하고 공학이 학습을 지원하도록 한다. 학생들은 편지를 작성하기 위해 문서편집 프로그램을 이용하고, 표와 그래프를 작성하기 위해 소프트웨어를 사용하며, 이해 관계자들과 자신의 결론을 의사소통하기 위해 발표용 소프트웨어를 활용하였다.

효과적 교사는 화상회의 기술을 교수에 활용할 수도 있다. 원격 학습(비디오 회의)은 학생이 전세계의 전문가와 직접 상호작용할 수 있도록 한다. 남극대륙 서식지를 연구하는 학생은 현재 그 서식지의 생태를 연구하는 과학자와 생생한 대화를 나눌 수 있다. 가상 견학은 학생들이 생각조차 할 수 없던 곳을 여행할 수 있게 한다. 예컨대, Louvre 박물관의 그림을 보고자 한다면 이제는 인터넷(http://www.louvre.fr/)에 접속하기만 하면 된다.

결국, 효과적 교사는 실제 삶의 경험을 모의실험할 수 있도록 공학적인 도구를 통합하게 될 것이다. 오늘날 고용주들은 협동적 학습자와 협동하여 일할 수 있는 피고용자를 요구한다. 이런 특성을 촉진하도록 설계된 교실은 전형적인 "학생 1인당 컴퓨터 1대"가 아니라 소집단 수업과 협동을 요구한다.

이런 환경에서, 학생들은 "학습에 집중"하게 될 뿐만 아니라 살아가는 동안 학생을 지지하는 지식과 기술, 그리고 태도를 발전시킬 것이다.

표 2.9 자신과 타인의 관념

문화적으로 적절	동화주의자
교사 자신을 예술가로서 바라보며 교수가 기예라고 여긴다.	교사 자신을 기술자로 바라보며 교수를 기술적인 과업이라 여긴다.
교사 자신을 공동체의 일부라 여기고 교수를 공동체에 무엇인가를 주는 것이라 생각한다; 교사는 학생들에게도 자신과 똑같이 하도록 격려한다.	교사 자신을 공동체의 일부로 여기기 보다는 개인으로 바라본다; 교사는 공동체를 탈출하는 수단으로 성취를 장려한다.
교사는 모든 학생이 성공할 수 있다고 믿는다.	교사는 일부 학생의 실패는 어쩔 수 없다고 생각한다.
교사는 학생들에게 자신의 공동체, 민족과 세계인으로서의 정체성간의 관계를 알도록 돕는다.	교사는 "미국인"으로서 정체성을 갖도록 학생을 동질화한다.
교사는 교수를 채굴처럼 "지식을 밖으로 빼내는 것"이라고 생각한다.	교사는 교수를 제방 쌓기처럼 "지식을 얹는 것"으로 생각한다.

출처: Gloria Ladson-Billings. *Dreamkeepers*. San Francisco, Calif.: Jossey Bass, 1994, p.34.

Billings이 가장 신랄하게 언급했다. 그녀는 문화적으로 적절한 수업을 만드는 방법을 이해하는 수석 교사들이 교실에서의 수업을 형성하기 위해 자신과 다른 사람들이 대해 갖고 있는 구체적인 관념들을 식별했다. 표 2.9는 이 개념들을 자세히 보여준다. 이 개념들은 지금까지 관찰해 왔던 효과적 혹은 비효과적 교사의 특징에 대해 생각하는 구조를 제공한다는 점에서 중요하다. 교사가 어떻게 의사소통하기에 모든 학생들이 학습할 수 있는가? 교사가 언어적 혹은 비언어적으로 어떻게 의사소통하기에 일부 학생이 실패를 면할 수 없게 되는가? 예를 들어 교사가 수업시간에 학생에게 질문한다고 가정해 보자. 일부 학생에게 대답할 시간을 더 주었는가? 교사는 어떤 학생에는 신경을 쓰면서 다른 학생들에게는 신경을 쓰지 않는가? 그리고 교사가 학생이 성공할 수 있다는 믿음을 가지고 어떻게 의사소통하는가? 아니면 걱정스럽게도 교사가 실패할 것 같다는 믿음을 보이는 것은 아닌가?(표 2.6을 다시 참고)

연구에서는 교사가 학습자마다 어떻게 구별하여 다루어야 하는지 이해하고 있다고 하지만, 기예에서는 교사가 학생의 학습자로서의 잠재성에 관해서는 한 마디도 하지 않고 그렇게 할 것을 요구한다. 어떻게 이것이 가능할까? 사례 2.1을 읽어보라.: 한 교사가 작문을 가르치면서 어떻게 수업에서의 차별화를 달성하고 제안했는지 잘 나타나 있다.

유의점과 비판

교사 역량과 교사 효과성의 개념들이 좋은 교수를 기술하기 위한 연구에서 뭔가 새로운 것으로 여겨지기도 하지만, 이것들은 최근 불고 있는 연구 움직임 이전의 교수 원리와 훌륭한 교사가 여러 해 동안 사용해온 방법을 결합한 것에 지나지 않는다. 결과 중심의 연구자들이 달성한 것은 대개 오랫동안 알고 있던 것, 즉 "교사를 위한 조언"이나 한때 교수비법에 불과하다고 비판되었던 실제적 제언의 형태로 전해진 것들을 요약한 것이다. 이 연구자들은 경험이 많은 교사들이 갖고 있는 기본 원리와 방법을 확증한다. 이들은 교사의 행동(과정)을 학생의 성취(결과)와 관련시킴으로써 교수 실제에 신빙성을 제공한다. 결과 중심 연구자들은 교사가 학생 성취에 측정이 가능한 영향을 거의 또는 전혀 미치지 않았다는 생각도 없었다.

사례 연구 2.1   수업의 차별화

*Lori Turkey*는 작문 교사이다. 학습자의 모든 요구를 충족시키기 위해 차별화를 어떻게 이용하는지에 주목하라.

나는 개별 학생의 작문을 개선한다는 목표에 도달하는데 도움이 되는 전략을 생각해야 했다. 나는 기본으로 돌아가야 하고, 그리고 작은 단계로 나눠야 한다는 것을 기억해 냈다. 내 목표는 차별화로 학생 작문을 향상시키는 것이었기 때문에 우선 학생들이 자신의 작문에 무엇인 필요하다고 느끼는지 알아낼 필요가 있었다. 그래서 나는 학생 자신의 포트폴리오를 개발하는데 사용할 기초적 "기록 용지"를 개발했다. 학생들은 자신의 목표에 어떻게 도달할 것인지를 먼저 용지에 진술했다; 학생들은 작문의 어떤 영역을 발전시키기를 원하는지 결정했다. 이러한 목표에는 절차를 정확하게 쓰고 싶다는 것 등이 있었다. 나는 개별 학생과 향상하는데 사용할 수 있는 방법과 전략들에 대해 이야기하였다.

학생이 어떻게 작문했는지에 대한 논의나 학생들이 목표를 달성하기 위해 했음직한 다른 것들은 회의 기록지에 기록되었다. 학생들은 세 번째 기록지에 자신의 작문기록과 자신이 작업하고 있는 것을 기록하였다. 이 기록지에는 제목, 시작일, 완료일이 표시되어 있었다.

나는 이 기록지에 대해 학생들의 의견도 필요하다고 보았으며, 이 기록지를 학급에 소개하자 학급의 요구가 반영된 나름의 형식이 개발되었다. 나는 학생들의 생각에 감동받았다. 학생들의 제안은 솔직하고 사용하기 편리한 것이었다. 예컨대, 학생들은 회의 기록에 날짜와 서명이 중요하다고 제안하였다. 또한 우리는 작문을 수정할 수 있는 지침 같은 것이 필요하다고 생각하게 되었다. 나는 학생들에게 예시를 찾아보겠다고 말하고 학생들에게

자료를 줄 수 있다고 했다. 어느 워크숍에서 나는 자료를 수집하여 학생들에게 줄 수 있었다.

작문 포트폴리오에 대한 작업이 상당히 진행되었음에도 나는 여전히 개별 학생의 글을 읽고 작업할 시간이 부족하였다. 그래서 나는 학생들의 제안을 받기로 하였다. 학생들의 생각이 얼마나 창의적이고 성의있는지 놀라게 되었다. 학생들은 학급 내에서 다른 학생을 전문가로 만들자고 제안했다. 우리는 범위를 정하고 어떤 학생이 그 역할에 맞는지 결정했다. 그 범위를 철자, 구두점, 문체, 서론, 흐름으로 나누어 시작했다. 우리는 한 달에 한 번씩 전문가의 역할을 바꾸기로 했다. 이렇게 함으로써 나는 개별 학생을 한 달에 두 번씩 만나 이야기할 수 있는 충분한 시간을 갖게 되었다. 여전히 시간이 부족하다고 생각했지만 좋은 시도였다. 그리고 학생의 목표에 도달하기 위한 "작은 시작"이었다.

자신의 목표를 이루어 낸 우리 학생들의 환의에 찬 눈을 보게 된다면, 여러분은 차별화의 중요성을 알 수 있을 것이다. 학생이 내가 이끌어 가는 것에 의해 실제로 성장하는 것을 보게 될 때 학생들은 더욱 더 동기화된다. 글을 잘 못 쓰는 학생이라 하더라도 성공을 느꼈고 무엇인가 만들어낼 수 있다는 긍지를 갖게 되었다. 성공을 위한 가장 중요한 요소는 학생의 능력에 맞게 목표를 선택하는 것이다. 나는 함께 앉아서 학생이 선택한 목표에 대해 의논하는 것이 핵심 요소라는 것을 알았다. 포트폴리오를 사용하면서 목표에 대하여 학생들에게 의견을 내도록 하는 것은 학생들이 기대를 이해하는데 크게 도움이 되었다. 각 학생은 성공하기 위해 무엇을 해야 하는지 알게 된다.

성 찰 문 제

1. Turkey는 학생이 자신의 목표에 도달했을 때의 기쁨을 묘사한다. 많은 학생들이 그 "경험"을 왜

못하고 있는가? 학교 구조가 이런 유형의 경험을 완화시키는가? 그렇다면 어떻게 하는가?

2. 무엇이 많은 교사에게 수업의 차별화를 힘들게 하는가? 학교와 교실이 보다 동질하면 가능한가? 정말로 교실 학생들이 동질하다면 어떤 문제가 생길 수 있나?

3. 어떤 교사 양식이나 교사 특성이 수업 차별화를 원하는 교사에게 가장 중요하다고 생각하는가?

출처: Lori Turkey. "Differentiation." Phi Delta Kappan (September, 2002):62. Reprinted with permission.

그렇지만 결과 중심 연구에도 위험성이 있다. 연구 결론에서 효과적 교사를 과업 중심적이고, 조직적이며 체계적이라고 지나칠 정도로 묘사하고 있다. 그러나 교사 역량과 교사 효과성 모형에서는 정답고, 따뜻하며 민주적 교사, 고무적이고 재치있는 창의적 교사, 열정과 활기가 넘치는 생기있는 교사, 학습자가 생각과 개념을 다룰 수 있도록 격려하는 철학적 교사, 학생이 해답을 생각하도록 요구하는 문제해결 교사를 간과하는 경향이 있다. 결과 중심 연구자들이 측정가능하고 수량화할 수 있는 행동을 기술하고 규명하려고 하는 동안 이들은 교실에 대한 정서적, 질적이고 해석적 묘사와 교수의 즐거움을 간과한다. 이들 연구의 대부분은 사회적, 심리학적, 그리고 인본주의적 요인 효과성 요인으로써 관찰가능하고 기록할 수 있고, 권하는 것이 가능한 초등학교 수준에서 실행되었다. 이들 연구 중 다수가 낮은 수준의 성취학생과 위기에 처한 학생을 대상으로 하고 있으며, 이러한 이유에서 일반화나 원리의 대부분이 학급 경영과 구조화된 기교와 관련되어 있다.

교사 효과성 모형은 다수의 효과적 교수가 학생 성취와 직접적으로 관련되지 않을 수 있다는 것을 고려하는데 실패하기도 한다. Maxine Greene에 따르면 훌륭한 교수와 학습이란 쉽게 관찰되고 분류되지 않는 "특성"인 가치, 경험, 통찰, 창의력과 식별력과 관련되어 있다. Maxine Greene에게 교수와 학습은 쉽게 수량화할 수 없는 생각과 창의력 탐구와 관련된 철학적 과정으로 실존주의적 만남이다.[52]

Ornstein은 역사, 영문학, 예술에서의 훌륭한 교수란 "역사적 인물을 암기하는 것"이나 현실을 위로하는 것 이상의 것으로 학생을 감동시키는 것이다.

… 인간의 잔인함이나 적의 때문에 더 이상 존재하지 않는 잃어버린 영혼들. 우리가 알지 못하는 죽은 사람들의 얼굴과 목소리. 그렇기 때문에 그들의 죽음에 초연할 수 있고, 그들을 추상적인 통계치로 쉽게 다룰 수 있다…어떤 것으로 유명하거나 백과사전에 나와 있는 사람도 있지만 대다수는 잊혀지고 익명으로 사라진다.[53]

Ornstein은 시인, 화가, 음악가, 그리고 교사들은 "펜, 캔버스, 서정시" 또는 교실에서의 토론 등을 통하여 아동을 포함하여 살아 있는 자들이 이해하고, 과거로부터 배우고, 역사의 실수를 되풀이하지 않도록 하고, 살아있는 사람에게 영향을 미치는 불평등과 부정을 바로잡고, 견해에 대해 보다 심사숙고하도록 하는데 잊혀진 것들을 활용하고 있다고 주장한다.

교수의 많은 부분은 보호, 양육, 그리고 가치를 부여하는 행동들이며, 이러한 것들은 평가 도구로 쉽게 측정되지 않는다. Elliot Eisner는 결과 중심 교수 모형에서 주목하지 않는 측정 불가능한 것을 고려한다. 교수 행위를 중요성, 역량, 조작적 정의로 세분화하여 수량화 함으로써 교육자들은 교수의 개인적, 인본주의적이고 쾌활한 측면과 같은 측정하기 어려운 면을 간과한다. 교수에서의 우수성이 측정가능한 행동과 결과를 요구한다는 것은 일부 교육자들이 교수의 예술적 기예라고 간주하는 교수의 실제 부분을 놓친다는 것을 말

교사들을 위한 조언 2.2

학생에게 다가섬과 교수

교사의 역량과 효과성에 관한 대부분의 연구는 직접적이고 명백한 수업 기술을 강조하고, 학습 관련 태도와 동기 요인을 간과한다. 아래의 이야기들은 아이들과 청소년을 가르치는 인간적 측면을 다루는 방법에 관한 것이다. 이 방법들은 이미 성공적인 것으로 확인되었으며, 최근의 교수 관련 연구에서 빠진 것, 특히 위기의 학생들을 가르치는 데 있어서 특별한 의미가 있는 것들을 보충하는 것이다.

성취

1. 기술 관련 지식에 기반한 높은 수준의 인지 기능뿐 아니라 기초 기술의 교수도 강조
2. 학습에 대한 개별화, 차별화된 접근 방법의 개발
3. 성취에 대한 보상의 확대, 학부모 편지, 학교 관리자의 고지를 통해 절대적인 성취와 개인적 발전의 인식
4. 특히 고등학교 수준에서 자녀의 학습 과정에 학부모의 참여
5. 학급 동료 또는 상급 학생을 활용한 동료지도 프로그램의 개발

태도

1. 지원, 격려, 실제적인 칭찬의 제공
2. 좋은 일의 인식과 성공에 대한 확신을 제시
3. 모든 학생들이 가치있고 학습할 수 있다는 학습 철학의 개발
4. 학생들이 자존심, 책임감, 자긍심을 형성하도록 지원
5. 학생들이 가치의 명확화, 개인적 선택의 처리, 자기 자신과 학습에 대한 책임감 수용 지원
6. 자신감과 일체감을 형성하기 위한 학교 및 과외 활동에 참여
7. 멘토로서의 활동과 조언을 위해 성공한 인물을 초대
8. 교실 규칙의 시행; 학생들과 학급에 자부심을 서서히 주입
9. 학생들을 실생활 환경에 참여시키기; 개인적 쟁점을 처리하도록 격려
10. 학교 생활과 실생활이 연계되도록 도와주기 위해 학교와 현장을 오가는 커뮤니티 자원의 활용

출처: Adapted from John V. Hamby, "How to Get an 'A' on Your Dropout Prevention Report Card," *Educational Leadership* (February 1989): 21-28. Bettie B. Youngs, "The Phoenix Curriculum," *Educational Leadership* (February 1989): 24.

한다. 그리고 이 예술적 기예의 일부는 성인이 보다 개인적이고 덜 관료적인 교육 기회 창출하는 것을 필요로 한다.[54]

측정가능 한 결과와 관련된 교사 행동은 전체가 아닌 "조각의 학습", 단순 암기, 고차적 사고가 아닌 자동 반응과 같은 기계적 학습을 야기한다. 새로운 모형은 도덕적이고 윤리적 결과뿐만 아니라 사회적, 개인적, 그리고 자아 실현 요인들, 사실상 학습과 삶을 연결하는 학습의 정의적 영역과 인간의 심리를 놓치고 있다. 교사가 하는 일을 관찰 및 측정하고, 읽기나 수학 시험에서 학습자의 수행이 향상되었는지를 자세히 밝히려고 하는 과정에서 이들 모형은 학습자의 상상력, 환상,

직관적 사고, 꿈, 희망과 포부 그리고 정의하기 어렵지만 학생의 삶의 매우 중요한 측면에 교사가 어떻게 영향을 미치는지에 대해서 간과한다. 성격, 정신적 견지, 그리고 철학을 다루는 학습 경험도 빠져 있다.[55]

최신의 인기있는 교사 역량과 교사 효과성 모형은 교수의 많은 뉘앙스가 빠져 있는 다소 한정된 형태이다. 이런 처방(연구자들이 원리라고 부르는)은 대부분 원래된 생각을 함께함, 순조로움, 명쾌함과 같은 새로운 이름표를 달아 담은 것이다. 이것들은 유능한 교사가 여러 해 동안 수행해온 것을 확증하고 있으며, 이런 확증은 처음 부임한 교사에게 보다 좋은 판단 척도나 출발점을 갖도록 하기 위해 필요하기는 하지만, 충분하지는 않다는 것이다. 교사를 위한 조언 2.2에서는 교수의 정서적인 측면이 보다 더 고려된 의견이 제시되어 있다.

인적 요인

좋은 교사는 비록 증명하지는 못한다고 할지라도, 좋은 교수란 관심을 갖고 함께하는 것이라는 것을 알고 있다. 즉, 인정과 이해에 대한 수용력, 그리고 학생들의 언어와 그들의 세계에 대한 이해, 학생들 스스로 만족을 느낄 수 있도록 하는 일, 긍정적 태도와 성취할 목표를 정하는 일, 열정과 쾌활한 태도를 활성화하는 것 등이 좋은 교수에 해당된다.[56] 이것들은 교수에 대한 과학적 이론과 패러다임이 간과하고 있는 근본적으로 모호한 특성을 지니고 있다. 사실 인도주의적이고 정서적인 행위와 학생들의 개인적, 사회적 발달에 우선 순위를 두는 교사는 경험적, 행동적 문헌에 많은 시간을 보내거나 자신의 교수 행위가 측정되거나 연계될 수 있는 작은 단위의 정보를 가르치는 데 관심이 없다.

스스로 자신감이 있는 교사는 자신에 대한 평가 순위 또는 교사로서의 행위에 대해 기술한 연구 결과에 연연해하지 않는다. 많은 유능한 교사들이 교사 연구를 자신의 교수 행위와 "관계 없고, 직관적이지도 않다"고 여기는 사실이 이 직업에서는 어떻게 조정되고 있는가? 우리는 왜 "그것은 좋은 이론이기는 하지만 실천하기에는 적합하지 않다"는 불만의 소리를 듣는가?

교수는 사람에 대한 산업이다. 사람(특히 젊은 사람)들은 그들이 원하고 존중되고 있다고 느끼는 곳에서 가장 잘 수행한다. 사실 교사들이 학생들을 과소평가하고, 무시하고, 약화시키고, 다른 동료나 학생들과 비교하고, 심지어 "yessing"(올바른 해답에 대한 책임감을 갖는데 실패하도록) 하는 등의 방법을 통해서 학생들을 "해방"하거나 "초대를 취소"할 수 있으며, 기술자로서의 교사("제 시간에 수업에 들어오는 교사" "규칙적으로 숙제를 검사하는 교사" "수업의 목표가 분명한 교사" "성적을 매기기 위한 시험을 주기적으로 실시하는 교사" 등)와 연관된 다른 각각의 능력 또는 행동을 여전히 잘 수행할 수 있다. 이와 같은 능력 중심 모형, 점검표, 또는 행동주의적 접근은 무엇이 "훌륭한" 교사인지에 대한 연구 기반의 모형에서 쉽게 찾을 수 있다. 그러나 이것은 도움을 주거나 보살피는 직업의 일부라는 것을, 친절과 관대함을, 또는 학생들이 자신의 특성을 개발할 수 있도록 함께한다는 사실을 무시하고 있다.

교사 연구는 내용이 아닌 학습자에, 지식과 기술이 아닌 학생의 감정과 태도에 초점을 맞춰야 한다. (이는 감정과 태도가 지식과 기술이 추구하거나 얻고자 하는 것이 무엇인지를 궁극적으로 결정할 것이기 때문이다) 그리고 단기적 목표나 특정한 과제가 아닌 학생들의 장기적인 발달과 성장에 초점을 맞춰야 한다. 그러나 교사가 학습자에게, 학생들의 감정과 태도에, 사회적/개인적 성장과 발전에 더 많은 시간을 투자한다면 학생들의 성취(소량의 정보 습득)를 교수 효과와 연계할 때 난처해질 수 있다.

학생들은 특히 어릴 때(중학교와 고등학교까지는) 교사의 격려와 양육을 필요로 한다. 학생들은 중요한 위치의 어른(처음에는 부모, 그 후엔 교사)들의 승인에 의존한다. 부모와 교사는 아이들의 장점을 강조하고, 지원하고, 부정적 독백을 단념하게 하고, 삶을 조절하고 자신의 의지에 의해 살 수 있도록 도와줌으로써 아이들이 자부심을 가지도록 지원해야 한다.[57]

자존감이 높은 사람들(어린 아이를 포함해서)이 높

은 수준의 성취를 보인다. 그리고 성취하면 할수록 스스로를 더 좋게 느끼게 된다. 반대의 경우도 성립한다. 학습 내용을 완전히 익히는 데 실패한 학생들은 스스로 무너져서 끝내는 포기하게 된다. 자부심이 낮은 학생들은 빨리 포기한다. 간단히 말해서, 학생들의 존중감과 성취는 학생 존중과 자립처럼 서로 연관되어 있다.[58] 학생들이 자부심을 기를 수 있다면 성취 점수와 학과 점수를 포함해서 다른 모든 것이 제자리에 있게 될 것이다.

이점은 학생들이 스스로 좋은 감정을 느낄 수 있도록 도와주는 성공 경험을 창출하는 것에 대한 강한 논쟁으로 이어진다. 장기간으로 보면 이득이 분명히 있다. 학생들이 자기 자신이 좋아하는 것을 더 많이 배울수록 더 많이 성취하게 될 것이다. 그리고 더 많이 성취할수록 스스로를 더 많이 좋아하게 될 것이다. 그러나 내리막길도 있다. 즉, 미래의 이익을 위해 시간을 들이고 양육이 필요하다. 이것은 한 학기 또는 한 학년 동안의 교실 또는 표준화 검사를 통해서 드러나지 않는다.

이것은 학습 내용 또는 시험을 강조하는 학교 관리자가 교사를 평가하는 경우 도움이 되지 않는다. 이것은 교과 모임에 몇 번 참석했고, 교실의 차양막이 아름답게 되어 있는지에 따라 평가받는 교사들에게는 확실히 이익이 아니다.

교수에 대한 대부분의 연구는 현재, 즉 한 학기(또는 한 학년) 동안 그리고 인지적(감성이 아닌) 결과물에 의해 측정되는 절차와 결과와 관련되어 있다. 그래서 교사 효과성 연구는 중요한 것을 놓치고 있다고 결론짓는 사람도 있다. 학생들은 경험의 성장-증진을 필요로 한다. 우리는 가장 효과적인 교사란 학생들이 간접적이지만 궁극적으로는 직접적으로 인지적 성취와 연계된 "나는 할 수 있다"라는 태도와 자기 자신에 대한 좋은 감정을 가질 수 있도록 해야 한다는 사실을 알아야 한다. 모든 교사들이 높은 학문적 기준을 요구하고 학습내용을 가르치는 동안 학습 내용이 그 과정과 상호작용한다는 것을 이해해야 한다. 만약 그 과정이 인본주의적으로 만들어질 수 있다면 학습 내용의 결과

교수에 대한 연구는 교사와 학생이 무엇을 하고 있는지에 대한 주제를 넘어서서 그들이 무슨 생각을 하고 있는가에 대한 탐구로 이어진다.

는 향상될 것이다.[59] 이것은 실제 교실에서도 이루어질 수 있다. Jaime Escalante(Stand and Deliver)는 Garfield High School에서 미적분을 공부하는 학생들과 그렇게 했으며, LouAnne Johnson(Dangerous Minds)는 영어를 공부하는 고등학생들과 함께 그렇게 했다. 이와 관련하여 교사 효과성에 대한 최근의 연구는 다양한 교수양식에 맞춰 재구성할 필요가 있다. 교사들은 자신의 개성, 철학, 목적에 맞는 특정의 양식과 방법을 통합할 필요가 있다. 그들은 평가자들이 비효과적이라고 여기는 것에 관계없이, 넓은 범위의 연구와 이론에서 취사선택하고 자신의 양식과 맞지 않는 다른 교사의 행위를 버려야 한다.

어떤 행위는 훌륭한 교수와 학습을 증진시키는 데 기여할 수 있지만 정확히 어떤 행위 또는 방법이 가장 중요한지에 대한 합의는 충분하지 않다. "훌륭한" 교수에 관한 대부분의 규칙을 배웠지만 성공적이지 못하는 교사도 있을 것이다. "훌륭한" 교수에 관한 많은 규칙을 위반하면서도 주목할만한 성공을 거두는 교사도 있을 것이다. Jaime Escalante의 경우가 그러하다. 그는 일부 "규칙"을 깨뜨렸지만 학생들에게 이익을 안겨주었다. "해야할 무엇"에 대한 이론적 지식을 습득하지만 실천에 옮기지 못하는 교사도 있을 것이다. 아무 노력 없이 학교에서 시간을 보내거나, 교수를 허드렛일로 여기는 교사도 있을 것이다. 이러한 사실들은 모두 교수가 점검표 또는 엄격한 모형으로 환원될 수 없다는 것을 시사한다. 교수는 다양한 교실과 학교 환경에서 사람들을 작은 행위나 능력이 아니라 총체적으로 다루고, 교사와 학생을 발전시키고 행동하게 하는 방법에 관한 총체적 행위이다.

효과적 교수를 넘어서 : 새로운 연구, 새로운 패러다임

지난 50년 또는 그 이상 동안 교사 행위에 대한 연구는 선형적이고 범주에 기반, 즉 특정한 교사의 양식, 상호작용, 특성, 역량 또는 효과에 초점을 맞춘 것이었다.

이러한 연구는 교수의 과정(교사가 교실에서 어떻게 행동하는지) 또는 교수의 결과(학생의 성과)를 강조한다. 21세기가 시작됨에 따라 교수에 대한 연구는 교수와 학습간의 관계, 교사의 교과지식, 지식이 어떻게 가르쳐지는지, 교수와 교육학과의 관련성 등과 같은 교수의 광범위한 본질과 맥락을 살피기 시작했다.

이 새로운 강조점은 교사가 하는 일이 무엇인지를 넘어서서 교사 자신의 관점으로부터 교사의 사고를 탐색한다. 교사는 복잡한 환경에 대응해서 몇 가지 중요한 과제에 참여하거나 지속적으로 생성되는 다양한 정보를 종합해서 단순화하는 사람으로 묘사된다. 전문지식(교과와 교육적 지식, 또는 아는 것이 무엇인지와 어떻게 잘 아는지를 아는 것)의 영향은 교사와 학생이 그들 각자의 역할에 대한 의미를 어떻게 구성하고 이 역할과 관련된 임무를 수행하는지를 분명히 하는 것이 중요하게 여겨지고 있다.

교수의 본질을 이해하는 대안, 즉 교수와 학습 과정을 결합하고, 총체적 실천이 포함되고, 교사와 학생이 표면적으로 하고 있는 것을 넘어서 그들이 무엇을 생각하는지 탐구하는 모형이 등장하고 있다. 이 모형은 개념적 범주와 자료의 조직화를 위해 수학이나 통계적 상징보다는 언어와 담화에 의존한다. 이 연구방법은 은유, 이야기, 전기, 자서전, (전문가와의) 대화, 발언(또는 서술) 등 개혁론자, 재개념주의자, 후기자유주의 이론가들이 주장한 접근을 사용한다. 이와 같은 연구는 지난 5년에서 15년 사이에 표면화되었으며, 교수를 "안으로부터" 바라본다. 이 연구들은 교사의 개인적 및 실천적 지식, 교수 문화, 교사의 언어와 사고에 초점을 맞춘다.

은유

교사의 지식은, 교수에 대한 말하는 방식을 포함하여, 단지 명제적 형태로만 이루어진 것이 아니라 비유적인 언어 또는 은유가 포함되어 있다. 교사의 사고는 개인적 경험, 인상, 은어를 포함하기 때문에 비유적 언어는 교사의 교육적 지식을 표현하고 이해하는 데 중심이

된다.[60]

공간과 시간의 은유는 교사가 자신의 일에 대하여 묘사하는 것(즉 "단원의 진도" "학습 내용의 범위" "다음 단원으로 이동")에서 등장한다.[61] 앞에서 살펴본 교사 양식에 대한 연구는 "상사" "코치" "코미디언" 또는 "독불장군"과 같은 은유로 간주될 수 있는 교사에 대한 개념과 믿음을 제시하고 있다. "수석" 교사, "선도" 교사, "유명한" 교사, "전문가" 교사 역시 최근의 연구자들이 우수하고, 교과적인 교사를 묘사하는 데 사용한 은유 또는 기술어이다.

은유는 실재를 설명하거나 해석하는 데 사용한다. 전통 문학에서 설명과 해석의 과정은 연구자의 개인적 또는 문화적 기반의 영향 없이 경험과 연구를 통해서 발전했다. 그러나 은유의 사용은 사상, 가치 그리고 사회적/경제적 서열 내에서의 개인적 위치로부터 도출된 행위를 포함하는 사회문학에서 개념화될 수 있다. 예를 들어 개신교의 윤리 개념은 사업 또는 경제적 성공을 묘사하는 사람들에 의해 사용된다. 이와 유사하게 비판적 교육학자와 자유주의 이론가들은 성, 계급, 카스트제도와 같은 개인적, 문화적 요인들이 지식(특히 은유와 같은)을 형성하는 데 영향을 준다고 주장한다.[62] 사실, 1980-90년대에 일부 라틴아메리카에서는 권리를 박탈당한 사람들이 스스로 권력을 부여하고 억압에 맞서기 위해 종교를 사용할 수 있다고 그들의 마음을 "사로잡았기" 때문에 해방신학이 대중화되었다.

이야기

연구자들은 교사, 그들의 일, 그리고 어떻게 가르치는지에 대한 이야기를 점점 더 많이 이야기한다. 그리고 교사들은 자신의 교수 경험에 대하여 이야기한다. 어떤 연구자들은 특히 이 교사에게 의미하는 바를 더 깊이 드러내는 것으로 이야기가 서술되어 있을 때, 이야기를 서술한다.[63] 대부분의 이야기는 본질적으로 서술적이고 묘사적이며 언어적으로 풍부하다. 이 풍부함과 높은 수준의 묘사는 전통적 연구 방법으로는 전달하기 어려운 교수에 대해 알려줄 수 있다. 이와 같은 이야기를 모으는 것은 학생들이 높은 수준의 비판적 사고를 하도록 스스로 노력하는 경험에 대해 이야기하는 "참" 교사로부터 많은 것을 배울 수 있다는 믿음을 반영한다.[64]

이야기는 중요한 사회적, 심리학적 의미가 있다. 교사의 이야기는 교수의 실천과 교수의 인간적 측면과의 관계를 볼 수 있도록 해준다. 개인 교사의 이야기는 교실의 실제 업무에서 수행한 지식과 기술을 볼 수 있도록 하고, 그들이 가르치는 사람들과 감정적이고 심지어 도덕적 수준의 상호작용을 인식할 수 있도록 이끌어 준다.

Bel Kaufmam, Herbert Kohl, Jonathan Kozol의 개인적 이야기는 "풍부한" 묘사로 인해 베스트셀러가 되었다. 이 이야기들은 교사 효과성에 대한 처방적 기반의 과정-결과 연구에서 놓쳤을 수도 있는 교수와 학습의 심미적이고 감성적인 지평을 창출했다. 이와 같은 교사의 개인적 이야기는 학문적 신뢰성과 정확성(그들이 보기에 이기주의 또는 과장에 기반을 두고 있다는 결점)의 부족으로 비판받기도 하지만, 교수에 대한 이해를 가치있게 하는 것이 바로 이야기의 개인적 특성이다.

연구자들이 기술한 교사 이야기는 묘사나, 감성적인 면에서 떨어지고, 덜 알려져 있다. 그렇지만, 이 이야기들은 교사의 지식과 경험에 대한 통찰력을 제공한다. 그리고 지적인 수준뿐 아니라 감성적인 측면에서도 교사를 파악할 수 있는 흔치 않는 기회를 준다. 무엇보다도 이 이야기들은 연구자들이 교사의 교육철학을 살피고 교수를 이해하는 방식에 중요한 전환을 대변한다는 점에서 중요하다.

전기와 자서전

전기와 자서전을 통해 교사의 경험을 넓게 조망할 수 있다. 통일성, 전체성, 보다 깊은 이해는 과거의 경험이 현재의 의미있는 행동을 위해 탐색될 때 나타난다.[65] 전기가 이차적인 관계자에 의해서 걸러지는 반면에 자서전은 저자 자신의 방식과 용어로 모든 정보를 보여준다. 읽을 가치가 있는 교사 자서전의 한 예로 Sylvia Ashton-Warner의 '교사'가 있다.[66]

우리는 모두 사람으로서 말할 수 있는 이야기를 갖고 있다. 사람들은 실천과 세상을 보는 독특한 방식을 갖게 한 일련의 경험에 의해 형성된 특유의 이야기가 있다. '교사' 이야기에는 교수와 교육에 대한 특유한 양식뿐 아니라 일련의 특유한 교수 경험과 실천이 나타나 있다.

교사 전기와 자서전은 개인적, 전문적 경험의 종적인 측면을 다루고 있으며, 독자에게 보다 상세하고 직관적인 정보를 줄 수 있다. 또 전형적인 전문 교수 문학에서는 찾아볼 수 없는 교사와 학생 경험의 재구성을 도와준다.[67]

자서전과 대비할 때 Jay Mathews의 Escalante : The Best Teacher in America 또는 Sylbia Ashton-Warner의 전기인 Lynley Hood's Sylvia와 같은 전기는 작가가 기술된 삶에 관해서 "권위"적인 위치에 있음을 시사한다. 그러므로 작가의 사고와 경험은 다른 이야기에서와는 달리 중요한 의미를 갖게 된다.[68] 이와 같은 전기가 교사 경험에 대한 또 다른 관점을 제공하는 한편으로 그 관점이 얼마나 정확한지에 대해 의문을 가져야 한다.

Madeleine Grumet은 한 가지 해답을 제안한다. 연구자가 교사 지식과 교육학에 대한 한 가지가 아닌 다수의 설명을 제시하는 것이다. 이 해결 방안은 이야기가 교사의 통제권 밖에 있다는 문제점이 있다.[69]

전문가 교사

전문가 교사 개념에는 시뮬레이션, 비디오테이프, 그리고 사례 연구와 같은 새로운 연구 절차들과 교사들의 업무와 권위를 기술하는 새로운 언어가 포함되어 있다.[70] 이 연구는 대체로 적은 수의 표본들과 심층 연구들로 이루어지는데, 그 안에서 전문가(때때로 숙련이라 불리는) 교사들은 풋내기(때때로 초보) 교사들과 구별된다. 전문가 교사들은 대체로 행정가의 지명, 학생의 성취점수나 교사가 받는 상(이를테면, 올해의 교사)을 통해 식별된다. 풋내기 교사들은 공통적으로 수습 교사들이나 1년 경력의 교사 집단에서 선별된다.

Dreyfus와 Dreyfus는 여러 교과에 걸쳐 풋내기에서 유능한 교사에 이르는 다섯 단계를 묘사한다. 첫 번째 단계에서, **풋내기 교사**는 유연성이 없고 자신이 배웠던 방식대로 그 원칙들과 절차들을 따른다. 두 번째 단계에서, 진전된 초보자는 이론을 현장 경험들과 결합하기 시작한다. 세 번째 단계에 이르러, 역량 있는 실천가는 더욱 유연성 있게 되고, 현실에 적합하게 원칙들과 절차들을 수정한다. 다음 단계에서, 숙달된 실천가는 유형과 관계성을 인식하며, 연관된 과정들을 총체적으로 이해한다. 다섯 번째 단계에서, 전문가는 동일한 큰 그림을 계획하고 있긴 하지만 노력을 들이지 않거나와, 다양한 상황에 유창하게 응답한다.[71] Berliner와 다른 이들이 가르치는 것이 일종의 복잡한 행위이며, 교사들이 "많은 것을 동시에 많이 할 것을" 요구하지만, "전문가 교사들은 교실 경영과 수업을 쉬운 일로 보이도록 한다"[72]고 기술한 것이 이 다섯 번째 단계에 해당된다.

최근 연구들로부터 나온 자료는 유능한 교사와 풋내기 교사들이 가르치는 것에 대한 정보를 상이한 방식으로 지각하고 분석할 뿐만 아니라 상이하게 가르친다고 주장한다. 전문가 교사들은 교실에서의 사건을 설명하고 해석할 수 있는 반면에, 풋내기 교사들은 그들이 했거나 본 것에 대하여 상세하게 기술하긴 하지만 해석하려는 것은 꺼린다. 전문가 교사들은 복합적인 상호작용들을 상기하거나 바라보며, 상호작용을 이전 정보와 사건들의 맥락 안에 놓는다. 반면에 풋내기 교사들은 학생들에 대한 구체적인 사실들이나 교실에서 일어난 것을 기억해 내고, 발생한 것에 대해 문자 그대로 그리고 사실적으로 기술(記述)한다.

전문가 교사들(또는 숙련된 교사들)이 교수에 대하여 말하거나 행하는 것은 이제 교수과학을 정립하는 데 중요한 것으로 고려된다. 전문가 교사들과 풋내기 교사들에 대한 연구들은 교수와 수업의 많은 세부 영역들에서 그들이 다르다는 점을 보여준다.

1. *학생들에 대한 정보* : 전문가 교사들은 그들 학생들에 대해 성급한 판단을 내리지 않으며, 그들 자신의 경험과 직감에 의존하려는 경향이 있다. 반면에, 풋내기 교사들은 그들 자신의 판단들에 확신이 부족한 경향이 있거니와, 그들이 교수를 시작할 때 어디서부터 시작해야 할지 확신이 없다. 예를 들어, 전문가 교사들은 참고 자료와 같은 이전 교사들이 남겨둔 학생 생활기록부를 열람하지만 그것을 지나치게 신뢰하지는 않는다. 풋내기 교사들은 기대할 만한 타당한 지표들이라 해도, 학생 정보 카드에 적힌 이전 교사들의 평(評)들이 좋은 출발점이 될 것이라 고려한다.[73]

2. *학생에 대한 단서* : 전문가 교사들은 수업에 의하여 학생에 대한 단서들을 분석하려고 한다. 반면에 풋내기 교사들은 교실 경영을 통해 그것들을 분석하려고 한다. 전문가 교사들은 학생들의 학습을 지켜보고, 피드백이나 도움을 제공하며, 수업이 개선될 수 있는 방식을 규명하는 것에 의하여 학생 반응들을 평가한다. 풋내기 교사들은 교실에서 통제의 상실을 두려워한다. 비디오테이프로 그들이 가르치는 것을 다시 평가할 기회가 주어질 때, 그들은 자신들이 학생들의 부주의나 잘못된 행실을 다루는 데 있어서 포착하지 못했던 단서들에 집중한다. 학생의 부정적인 단서들이 전문가 교사들과 풋내기 교사들에게 똑같이 중요하다고 여겨지는 반면, 긍정적인 단서들은 전문가 교사들의 토론에서 더욱 빈번히 두드러진다.[74]

3. *출발점* : 전문가 교사들은 종종 수업의 초점과 이전 교사의 방법들을 변화시키면서, 그들 자신의 교실을 만든다. 풋내기 교사들은 이전 교사들의 예를 그대로 따르려는 경향이 있다. 전문가 교사들은 다시 시작하며, 오래된 틀에 박힌 일을 깨뜨리는 것에 대하여 이야기한다. 그들은 학생들이 어떻게 시작하고, 학생들이 내용을 이해하는 데 있어 어디에 위치해 있는지를 어떻게 결정하는지를 우리에게 이야기한다. 다른 한편, 풋내기 교사들은 이전의 교사가 출발했던 곳에서 시작하려는 경향이 있다.

그들은 학생들이 어디에 위치해 있는지, 그들의 능력들이 무엇인지, 그리고 그들이 어떤 방법으로 어디로 가고 있는지를 평가하는 데 어려움을 겪는다.[75]

4. *계획* : 전문가 교사들은 직관적이고 즉흥적인 교수에 많이 관여한다. 그들은 단순한 계획이나 밑그림으로 시작하며, 교수-학습의 과정이 전개됨에 따라 그들이 학생들에 응답하는 것을 통해 세부 항목들을 채운다. 풋내기 교사들은 계획을 세우는 데 훨씬 더 많은 시간을 보내고, 내용에 집착하며, 규칙에서 덜 벗어나려고 하거나 수업이 진행되는 동안 학생들의 요구나 관심들에 반응한다.[76]

5. *학생* : 전문가 교사들은 그들이 가르치고 있는 학생들의 유형들과 그들을 가르치는 방법에 대해 분명히 이해하고 있는 것처럼 여겨진다. 어떤 점에서, 그들은 그들이 학생들과 만나기 이전에 그들의 학생들을 "알고 있는 것"처럼 여겨진다. 풋내기 교사들은 그들이 가르치고 있는 학생들에 대해 잘 발달된 생각을 지니고 있지 않다. 풋내기 교사들이 새로운 학기를 시작하는 데 곤란함을 겪는 데 반해, 전문가 교사들은 일상적으로 학생들이 이미 알고 있는 것과 이에 따라 진보하는 것을 바로 찾아낸다.[77]

6. *자기 중심성* : 전문가 교사들은 자기중심성이 덜하며, 자신의 교수에 대해 더 많은 확신을 지니고 있다. 풋내기 교사들은 교사로서 자신의 효과성에 대해 그리고 잠재적 훈육의 문제들에 대해 걱정하면서, 그들 자신에게 더 많은 주의를 기울인다. 전문가 교사들은 자신이 하고 있는 것에 대해 기꺼이 성찰하고, 잘못 행했던 것을 인정하고, 그들이 만들고자 하는 변화들에 대해 논평한다. 풋내기 교사들은 교수에 있어서 자신의 잘못과 모순을 인정한다 하더라도, 그 잘못들에 대해 방어하며, 자기 이익에 관심을 두고, 어디서 어떻게 개선할 것인지에 대해 의심하는 것처럼 여겨진다.[78]

목소리

목소리라는 것은 교수활동을 실시할 때에 교사가 무엇을 하고, 어떻게 하고, 그리고 생각하는 것이 무엇인지를 기술하기 위한 새로운 언어 도구라고 요약될 수 있다. 목소리는 교사의 사고방식, 교사의 준거 기준, 그리고 교사의 머리 속으로 들어오는 것 등과 같은 용어와 일맥상통한다. 목소리에 대한 관심은 교권운동, 교사 행동양식에 관해 교사와 함께 연구하는 연구자들의 연구물 속으로 스며들고 있다. 예전의 교사들은 교사로서의 삶에 영향을 주는 논쟁이나 실천과제에 대한 결정에 있어서 침묵하거나 무기력한 모습을 보여 왔지만, 그 개념은 과거와는 달리 고려되어야만 한다. Freeman Elbaz가 언급한 것처럼, 연구자들이 교사의 지식, 교사의 실제, 그리고 교사의 경험에 믿음을 주고자 하는 것은 교사를 위해 거의 인식하지 않았던 과거의 불균형을 시정하는데 도움을 주기 위해서이다. 교사는 의사표명을 할 권리가 있고 교사들과 교수방법에 관해 의사표명할 임무가 있다.[79]

비록 토론을 할 때 교사의 목소리를 포함시키기 위한 진지한 시도가 있기는 했지만, 중요한 문제는 이러한 새로운 방법들이 교사행동연구나 교사준비프로그램 영역에 영향을 미치는 교사의 "진실한" 표현을 어떤 수준까지 허용하느냐 하는 것이다. 과거에는, 교사가 자신의 목소리를 내세우는 것은 어려운 일이었으며, 특히 전문적인 논문에서는 존경과 권위를 인정받기가 어려웠다. 그 이유는 단순하다: 연구자와 이론가들이 연구 분야를 지배하고 있었으며 출판되어야 할 것에 대해서는 결정을 해왔기 때문이다.

교사에 의해서 집필된 자서전이나 이야기를 제외하면, 교사의 목소리는 일반적으로 연구자의 글과 출판에 의해서 걸러지고 분류된다. 수십 년 동안, 교사 경험과 지혜(때로는 조언과 권고의 형태로 전달되는)에 관한 직접적인 표현은 교수 탐구 세계와는 관련이 없는 "요리 조리법"이나 "해야 할 일과 하지 말아야 할 일"의 목록처럼 고려되어져 왔다. 그러나 최근에는 교사 사고, 교사 과정, 교사 인식, 교사 실제, 그리고 실제적

지식과 같은 포괄적인 용어로서 교사가 말해야만 하는 것에 대해서 이야기하고, 적용하고, 그리고 그것이 전문적인 지식, 교육학 지식, 혹은 교사 지식으로 변환되는 것이 허용되고 있으며 심지어는 유행처럼 번지고 있다. 비록 연구자가 실천가와 공동으로 작업을 하고, 교사의 관점에 대해서 진지하게 의견을 나누고 있기는 하지만, 아직은 교사가 항상 적절한 신망을 받는 것은 아니다. 학술문헌에 있어서 연구자와 실천가가 공동저자로 명명되고 있는 반면에, 실천가는 "Nancy"나 혹은 "Thomas"와 같은 익명으로 알려지고 있다. 학교와 대학 간 그리고 교사와 대학교수 간의 문화는 가까운 미래에 서로의 차이를 연결하기에 충분할 만큼 양립되어야만 할 것이다.

교사의 목소리와 관련된 한 가지 실례를 통해서 이 장을 마치려고 한다. 아래의 문장을 읽으면서 이 장에서 획득한 많은 것들과 그 개념을 비교해 보아라. 또한 작가인 Herbert Kohl가 제시한 것처럼 중요한 것은 효과적인 교수에 대한 과학적인 기반의 한 부분이 아니라 정서적인 접근의 한 부분이라고 한 것에 주목하기를 바란다.

완벽한 도덕적 표본으로서의 교사에 대한 개념은 학생들에게도 부담이 되지만 교사 자신에게도 악마 같은 덫이다. 예전에 Narciso라는 학생이 있었는데, 그는 어른, 특히 교사는 완벽해야 한다는 것에 지나치게 큰 부담을 느끼고 있었다. 그의 아버지는 Narciso가 절대적인 권위에 대해서 믿고 동의하기를 요구함으로써 이 완벽함을 믿도록 했다. 이러한 그의 두려움과 복종으로 인해 그에게 접근하는 것은 불가능한 일이었다. 그는 노력하지도 불복종하지도 않았다. 그는 말없이 얼어 있는 존재였다. 어느 날 우연히 술집 옆을 지나가게 되었다. 나는 다른 교사들과 그곳에서 맥주를 마시고 있었다. 그는 너무 놀랐다; 선생님들이 저러면 안 되는데. 그의 아버지와 몇몇 교사들이 그에게 믿기를 강요했던 그의 세계는 무너지게 되었다. 그는 며칠 동안 학교를 나오지 않았고, 그런 일이 있

고 나서 며칠 후에 돌아왔다. 그는 미소를 짓고 있었으며 나도 미소를 지었다. 머지않아 그는 수업 시간에 편안하게 되었고, 스스로 쾌활하고 도전적이고, 때로는 재치 있고, 종종 게을러지기도 했으며, 교실에서 발생하는 일들에 대해 자신만의 독특한 방법으로 개인적인 반응을 보이게 되었다.

언제나 옳고 바른 사람이 존재하는 세계는 Dick & Jane, Tom & Sally 만이 사는 세계이다. 대부분의 교과서, 특히 예전에 6학년을 지도할 때 사용했던 교과서를 보면, 교사에게 하도록 되어 있는 "선"을 모든 사람들이 실천하도록 격려하는 이상적인 세계의 한 곳을 학생들에게 제시해 줌으로서 교사의 순수한 이미지를 보호해 주고 있다!........

물론 교사는 도덕적인 표상이다—승리와, 도덕적인 존재....... 뿐만이 아니라, 모든 혼란, 위선, 그리고 우유부단, 모든 실수의 표본. 따라서 모범적인 존재 그 이상, 즉, 교사—인생의 미로에서 학생들을 올바로 이끌도록 도움을 줄 수 있는 능력 있는 존재가 되기 위해서는 자신의 실수와 유약함에 대해서 학생들에게 솔직해져야 한다; 오류와 잘못을 말할 수 있어야만 하고, 그렇게 말한 결과에 대해서 걱정을 하지 말고 후회도 하지 말아야 하며, 또한 학생들이 의미하는 것을 이해하려고 하지 말아야 한다. 교사는 학생들을 자극하는 도덕에 맞서 싸워야한다; 학생들을 감동시키는 것은 정의가 아니라 솔직함 이다.[80]

이론의 실제 적용

교수에 대한 최신이론과 연구에 대해서 알고 있다고 해서 훌륭한 교사가 된다는 보장은 없다. 여러분들이 되고자 하는 교사는 자신의 장점과 단점에 대한 솔직함과 교수안에서 변화를 만들고자 하는 자신의 의도에 의해서 크게 영향을 받는다. 아래에 제시하는 문제들은 여러분들이 자신에 관해서 더욱 내적으로 성찰할

수 있게 해주며 개념적으로 더욱 유능하게 되는데 도움을 줄 것이다. 문제는 학생, 교과, 그리고 자기 자신 등 세 부분으로 나뉜다. 어떤 답도 여러분을 강하게 하기 위해서 제시하지 않을 것이다.

학생과 관련된 질문

1. 진실로 학생들의 교육과 행복에 관심이 있는가?
2. 학생들의 요구와 능력에 민감한가?
3. 학생들의 요구와 능력을 충족시키기 위해서 나의 교수법을 수정할 수 있는가?
4. 학생들의 신념과 느낌을 존중하는가? 학생들의 다양한 의견을 존중하고 장려하는가?
5. 학생들에게 친절하고 사려 깊은가? 자신의 일에 책임감을 지닐 수 있도록 학생들을 북돋아 주는가?

교과와 관련된 질문

1. 교과 내용에 대해 충분한 지식을 가지고 있는가?
2. 개념과 일상의 다양한 문제 사이의 관계 대해서 학생들이 명확하게 이해할 수 있도록 하기 위해 내용을 조직화 할 수 있는가?
3. 학생들이 교과를 더욱 관련성 있게 인식하고 흥미롭게 접하게 하기 위해서 다양한 방법, 자료, 그리고 매체를 사용하는가?
4. 교과의 기초 원리학습을 위해 부가적인 시간을 필요로 하는 학생들에게 도움을 제공해 주기 위해서 내 자신의 직업상 시간뿐만 아니라 수업 시간을 할애해 줄 수 있는가?
5. 수업을 위해 준비하고 이전의 수업을 갱신하고 발전시키기 위한 시간을 가질 의도가 있는가?

자신과 관련된 질문

1. 학교 내 교사 사정의 본질과 용도가 무엇인지를 이해할 수 있는가?
2. 교사 사정을 위해서 어떤 기준이 사용되는지 알고 있는가?
3. 교사 사정 프로그램을 뒷받침하는 철학적인 가정과 학습 이론이 무엇인지를 알고 있는가?

4. 타인의 피드백을 받아들일 수 있는가?

5. 변화될 필요가 있는 내 자신의 행동을 인식하고 받아들일 수 있는가?

요약

1. 교사 행동에 대한 연구는 교사 유형, 교사-학생 상호작용, 교사 특질, 교사 능력, 그리고 교사 효과에 대해서 조사하는 것이다.

2. 아직 성공적인 교수에 관해서는 알아볼 것이 많지만, 연구에 의하면 학생 수행에 효과적이고 영향을 줄 수 있는 몇 가지 교사 행동을 확인할 수 있다.

3. 효과적인 교수에 대한 최근의 연구 경향은 교수과정으로부터 교수 산출물 쪽으로 이동하고 있다.

4. 1970년대 이전의 교수에 관한 가장 중요한 연구는 A.S. Barr, Ned Flanders, 그리고 David Ryans의 업적이다. 이러한 연구자들은 교사 양식, 교사-학생 상호작용, 그리고 교사 특질에 대해 초점을 두고 있었다. 즉, 과정 또는 교실 안이나 교사 행동 안에서 어떤 일이 일어났는지에 관심이 있었다.

5. 1970년대, 80년대의 교수에 관한 연구는 Jere Brophy, Carolyn Evertson, N.L. Gage, Thomas Good, Donald Medley, 그리고 Barak Rosenshine의 업적에 기반을 두고 있었다. 그들의 연구는 교사의 효과와 교수의 산출물과 결과에 관심을 가지고 있었다. 1990년대와 2000년대 초에는, 학생 성취도 측면에서 교사에 의한 부가가치에 더 관심을 갖기 시작했다.

6. 1990년대가 시작되면서 두 개의 기본적인 경향이 교수에 대한 연구에 영향을 주었다. 하나는 교수 전문성의 본질과 전문가와 초보교사가 교실 문제에 대해서 접근, 인식, 분석하는 것이 어떻게 다른지에 초점을 두고 있다. 다른 경향은 은유, 이야기, 전기, 자서전, 전문가 의견, 그리고 목소리 같은 언어와 대화에 기초한 교수를 조사하기 위한 여러 가지 유형들을 촉진시켰다.

고려할 문제

1. 여러분은 자신의 교수 유형을 어떻게 기술할 수 있는가?

2. 어떤 내용이 학생들에게 제시되었을 때, 교사가 직접적으로 할지, 아니면 간접적으로 할지에 대해서 생각을 했는가? 설명해 보아라

3. 이장의 표 목록 중 어떤 교사의 특질과 역량이 당신에게 가장 중요한가? 왜 그렇게 생각하는가? 또한, 다음 장 서두에서 기술할 교수의 기준- INTASC 참조-과 위의 것들 사이의 관련성을 여러분은 어디에서 찾을 수 있겠는가?

4. Evertson과 Emmer 뿐만 아니라 Brophy와 Good에 의해서 목록화된 행동 중 어떤 행동이 여러분 자신의 교사 유형과 일치하는가? 어떤 행동이 여러분의 교사 유형과 대립되는가?

5. 무엇이 전문가 교사를 전문적으로 만드는가? 여러분은 어떻게 전문가 교사와 초보교사를 비교할 수 있는가?

해야 할 일

1. 저소득층 학생을 위해 Medley가 제시한 "효과적인" 행동을 평가해라. 다른 성, 나이, 그리고 다양한 성취수준을 가진 저소득층 학생에게 이러한 행동이 지니는 의미에 대해서 교실에서 토론해 보아라.

2. 여러분이 이해한 주제를 교실 수업시간에 자발적으로 가르쳐라. 수업을 녹화해라. 여러분의 교수를 분석하기 위해서 Flanders의 상호작용분석척도(직접 대 간접)의 가장 간단한 판을 활용하고 동료들에게 녹화 테이프를 분석하게 해라. 여러분의 교사 행동이 어떤지를 분류하는데 있어서 동료교사들 사이에서 동의 부분이 어떤 것인지 확인해라.

3. 여러분이 선호하는 교사를 3~4명 정도 기억해라. 여러분이 기억하는 교사특질과 Ryans에 의해 제시된 효과적인 교사특질을 비교해라(표 2.7 참조).

그들은 Ryan의 목록 중에서 어떤 특질을 가지고 있다고 생각하는가?

4. 추천된 교사 원리와 Rosenshine, Gage, Brophy, 그리고 Evertson의 방법과 관련이 있는 몇몇 경험 있는 교사와 면담을 해라. 그 교사들은 그 권고를 지지하는가 아니면 반대하는가? 교사들은 어떤 조건을 제기하는가? 권고 중에 그들이 좋아하는 것은 무엇인가?

5. 교수활동을 하는 2~3명의 교사를 관찰해라. 그리고 그들을 당신의 판단에 의해서 초보자, 진보된 초보자, 유능자, 숙련가, 혹은 전문가로 구분해라.

추천 문헌

Gage, Nathaniel L. *The Scientific Basis of the Art of Teaching.* New York: Teachers College Press, Columbia University, 1978. This is a classic discussion of teacher effectiveness studies, successful teaching strategies, and the notion of teaching as a "practical" art with a scientific basis.

Good, Thomas L., and Jere E. Brophy. *Looking in Classrooms*, 9th ed. Boston, Mass.: Allyn and Bacon, 2003. An important book that helped move the field from the study of teacher processes to teacher products; it offers a convincing argument that teachers do make a difference.

Jackson, Philip W. *Life in Classrooms*, 2d ed. New York: Teachers College Press, Columbia University, 1990. Focusing on elementary classrooms, the author discusses various aspects of classroom life and teaching.

Joyce, Bruce, Marsha Weil, and Emily Calhoun. *Models of Teaching*, 6th ed. Needham Heights, Mass.: Allyn and Bacon, 2000. This book combines theory with practice and examines various cognitive and behavioral teaching models.

Ladson-Billings, Gloria. *Crossing over to Canaan.* San Francisco: Jossey-Bass, 2001. This book weaves together the art and science of teaching as it addresses the question "Can anybody teach these children?" Ladson-Billings asserts that all children can be taught if teachers hold high expectations for all students and see their potential, not just their problems.

Sarason, Seymour. *Teaching as a Performing Art.* New York: Teachers College Press, 1999. The author describes the teacher as a performer, a person with a grasp of content, ideas and skills who can then shape an audience.

핵심 용어

가치부여교수 59	과정-결과 56
권위적인 교사 41	교사 과정 56
교사 기대 47	교사 역량 53
교사 우수성 60	교사 특성 50
교사 특질 51	교수 성취기준 56
교수양식 38	교수 효과 36
교사 효과성 모형 65	목소리 73
부가가치 37	비지식적 교사 41
수석 교사 60	"유명한" 교사 61
은유 69	이야기 70
자기충족 예언 48	자서전 70
전기 70	전문가 교사 71
초보 교사(풋내기 교사) 71	PRAXIS 56, 82
INTASC 56, 83	

후주

1. Bruce J. Biddle and William J. Ellena. "The Integration of Teacher Effectiveness." In B. J. Biddle and W. J. Ellena (eds.), *Contemporary Research on Teacher Effectiveness.* New York: Holt, Rinehart and Winston, 1964, p. 3.

2. Allan C. Ornstein. "Successful Teachers: Who They Are?" *American School Board Journal* (January 1993): 24-27. Also see Phillip W. Jackson. Life in Classrooms, 2d ed. New York: Teachers College Press, Columbia University, 1990.

3. Lee S. Shulman. "A Union of Insufficiencies: Strategies for Teacher Assessment." *Educational Leadership* (November 1988): 35-41. Gloria Ladson-Billings. *Crossing over to Canaan.* San Francisco: Jossey-Bass, 2001: 76.

4. Thomas L. Good and Jere E. Brophy. *Looking in Classrooms*, 9th ed. Boston, Mass.: Allyn and Bacon, 2003.

5. Thomas L. Good, Bruce J. Biddle, and Jere E. Brophy. *Teachers Make a Difference*. New York: Holt, Rinehart and Winston, 1975. Allan C. Ornstein. "Theoretical Issues Related to Teaching." *Education and Urban Society* (November 1989): 96-105. Allan C. Ornstein. "A Look at Teacher Effectiveness Research: Theory and Practice." *NASSP Bulletin* (October 1990): 78-88.

6. James S. Coleman, Ernest Q. Campbell, Carol J. Hobson, James McPartland, Alexander M. Mood, Frederic D. Winfield, and Robert L. York. *Equality of Educational Opportunity*. Washington, DC: U.S. Government Printing Office, 1966.

7. Grover J. Whitehurst. "Research on Teacher Preparation and Professional Development." Washington, DC: United States Department of Education, 2002. See http://www.ed.gov/inits/preparingteachersconference/whitehurst.html

8. William Sanders and J. Rivers. *Cumulative and Residual Effects of Teachers on Future Student Academic Achievement*. Knoxville, Tenn.: University of Tennessee Value-Added Research Assessment Center, 1996. William Sanders. *Using Student Assessment Data to Guide Professional Development: Value Added Work in Ohio and Other States*. Presentation to the Governor's Commission on Teaching Success, Columbus, Ohio, July 2002.

9. Penelope L. Peterson. "Direct Instruction Reconsidered." In P. L. Peterson and H. J. Walberg (eds.), *Research on Teaching: Concepts, Findings, and Implications*. Berkeley, Calif.: McCutchan, 1979, pp. 57-69.

10. Susan L. Lytle and Marilyn Cochran-Smith. "Teacher Research as a Way of Knowing." *Harvard Educational Review* (Winter 1992): 447-474. Karen Zumwalt. "Alternate Routes to Teaching." *Journal of Teacher Education* (March-April 1992): 83-93.

11. Ronald Lippitt and Ralph K. White. "The Social Climate of Children's Groups." In R. G. Barker, J. S. Kounin, and H. F. Wright (eds.), *Child Behavior and Development*. New York: McGraw-Hill, 1943, pp. 485-508. Also see Kurt Lewin, Ronald Lippitt, and Ralph K. White. "Patterns of Aggressive Behavior in Experimentally Created Social Climates." *Journal of Social Psychology* (May 1939): 271-299.

12. Ned A. Flanders. *Teacher Influence, Pupil Attitudes, and Achievement*. Washington, D.C.: Government Printing Office, 1965. Ned A. Flanders. *Analyzing Teaching Behavior. Reading*, Mass.: Addison-Wesley, 1970.

13. Edmund J. Amidon and Ned A. Flanders. *The Role of the Teacher in the Classroom*. St. Paul, Minn.: Amidon & Associates, 1971. Also see Allan Ornstein. "Analyzing and Improving Teachers," In Hersholt S. Waxman and Herbert J. Walberg (eds.), *New Directions for Teaching*. Berkeley, CA: McCutchan, 1999: 17-62.

14. Herbert A. Thelen. *Classroom Grouping for Teachability*. New York: Wiley, 1967.

15. Donald M. Medley. *Teacher Competence and Teacher Effectiveness: A Review of Process-Product Research*. Washington, D.C.: American Association of Colleges for Teacher Education, 1977. Donald M. Medley. "The Effectiveness of Teachers." In P. L. Peterson and H. J. Walberg (eds.), *Research on Teaching: Concepts, Findings, and Implications*. Berkeley, Calif.: McCutchan, 1979, pp. 11-27.

16. Allan C. Ornstein. "How Good Are Teachers in Affecting Student Outcomes?" *NASSP Bulletin* (December 1992): 61-70. Michael S. Knapp and Patrick M. Shields. "Reconceiving Academic Instruction for the Children of Poverty." *Phi Delta Kappan* (June 1990): 753-758.

17. Martin Haberman. *Star Teachers of Children in Poverty*.West Lafayette, Ind.: Kappa Delta Pi, 1995.

18. James Traub. *Better by Design? A Consumer's Guide to Schoolwide Reform*. Washington, D.C.: Thomas B. Fordham Foundation, 1999, pp. 39-40.

19. Robert J. Marzano, Debra J. Pickering, and Jane E. Pollack. *Classroom Instruction That Works*. Alexandria, VA: Association for Supervision and Curriculum Development, 2001, pp. 129-131.

20. Robert Rosenthal and Lenore Jacobsen. *Pygmalion in the Classroom*. New York: Holt, Rinehart and Winston, 1968.

21. Robert Thorndike. "Review of Pygmalion in the Classroom." *American Educational Research Journal* (November 1968): 708-711.

22. Jere E. Brophy and Thomas L. Good. *Teacher-Student Relationships*. New York: Holt, Rinehart and Winston, 1974. Harris M. Cooper. "Pygmalion Grows Up: A Model for Teacher Expectation Communication and Performance Influence." *Review of Educational Research* (Summer 1979), 389-410.

Harris M. Cooper and Thomas L. Good. Pygmalion Grows Up. New York: Longman, 1983.

23. Dona M. Kagan. "How Schools Alienate Students at Risk." *Education Psychologist* (Spring 1990): 105-125.

24. Jo Boaler. "When Learning no Longer Matters: Standardized Testing and the Creation of Inequality." *Phi Delta Kappan* (March 2003): 502-506.

25. John U. Ogbu. "Variability in Minority School Performance: A Problem in Search of an Explanation." *Anthropology and Education Quarterly* (December 1987): 312-334. John U. Ogbu. "Understanding Cultural Diversity and Learning." In A. C. Ornstein and L. Behar (eds.), *Curriculum Issues*. Needham Heights, Mass.: Allyn and Bacon, 1995, pp. 349-366. Henry Trueba, George Spindler, and Louise Spindler. *What Do Anthropologists Have to Say About Dropouts?* New York: Falmer Press, 1989. p. 20.

26. G. Williamson McDiarmid. "What to Do About Differences? A Study of Multicultural Education for Teacher Trainees." *Journal of Teacher Education* (March-April 1992): 83-93. Stephen J. Trachtenberg. "Multiculturalism Can Be Taught Only by Multicultural People." *Phi Delta Kappan* (April 1990): 610-611.

27. Anne Westcott Dodd and Jean L. Konzal. *Making Our High Schools Better*. New York: St. Martin's Griffin, 1999, p. 80.

28. Knapp and Shields. "Reconceiving Academic Instruction for the Children of Poverty," 753-758. Marilyn Cochran-Smith and Susan L. Lytle. "Interrogating Cultural Diversity: Inquiry and Action." *Journal of Teacher Education* (March-April 1992): 104-115. Gary C. Wehlage and Robert A. Rutter. "Dropping Out: How Much Do Schools Contribute to the Problem?" *Teachers College Record* (May 1986): 374-392.

29. Allan C. Ornstein. "Research on Teaching: Issues and Trends." *Journal of Teacher Education* (November-December, 1985, pp. 27-31. Ornstein, "A Look at Teacher Effectiveness Research."

30. Lee S. Shulman. "Paradigms and Research Programs in the Study of Teaching." In M. C. Wittrock (ed.), *Handbook of Research on Teaching*, 3d ed. New York: Macmillan, 1986, pp. 3-36. Lee S. Shulman. "Ways of Seeing, Ways of Knowing: Ways of Teaching, Ways of Learning About Teaching." *Journal of Curriculum Studies* (September-October 1991): 393-396.

31. A. S. Barr. "Characteristics of Successful Teachers." *Phi Delta Kappan* (March 1958): 282-284.

32. David G. Ryans. *Characteristics of Teachers*. Washington, D.C.: American Council of Education, 1960.

33. Bruce W. Tuckman. "Feedback and the Change Process." *Phi Delta Kappan* (January 1986): 341-344. Bruce W. Tuckman. "An Interpersonal Construct Model of Teaching." Paper presented at the annual meeting of the American Educational Research Association, Chicago, April 1991.

34. Bruce W. Tuckman. "The Interpersonal Teacher Model." *Educational Forum* (Winter 1995): 177-185.

35. Grant Wiggins. *Educative Assessment*. San Francisco: Jossey-Bass, 1998.

36. Thomas Gibney and William Wiersma. "Using Profile Analysis for Student Teacher Evaluation." *Journal of Teacher Evaluation* (May-June 1986): 43; Richard J. Stiggins, "Assessment Crisis," *Phi Delta Kappan* (June 2002): 758-767.

37. John W. Arnn and John N. Mangieri. "Effective Leadership for Effective Schools: A Survey of Principal Attitudes." *NASSP Bulletin* (February 1988): 1-7.

38. Thomas J. Sergiovanni and Robert J. Starrett. *Supervision: A Redefinition*, 7th ed. Boston: McGraw-Hill, 2002. 39. Arthur E. Wise et al. "Teacher Evaluation: A Study of Effective Practices." *Elementary School Journal* (September 1985): 94.

40. Joseph O. Milner. "Working Together for Better Teacher Evaluation." *Phi Delta Kappan* (June 1991): 788-789. Allan C. Ornstein. "Teaching and Teacher Accountability." In A. C. Ornstein et al. (ed.),. *Contemporary Issues in Education* 3rd ed. Boston, Mass: Allyn and Bacon, 2003. 248-261.

41. Barak V. Rosenshine and Norma F. Furst. "Research in Teacher Performance Criteria." In B. O. Smith (ed.), *Research on Teacher Education*. Englewood Cliffs, N.J.: Prentice-Hall, 1971, pp. 37-72. Barak V. Rosenshine and Norma F. Furst. "The Use of Direct Observation to Study Teaching." In R. M. Travers (ed.), *Second Handbook of Research on Teaching*. Chicago: Rand McNally, 1973, pp. 122-183. Note

that the first five processes also appear in Arnn and Mangieri's list of competencies (Table 2.8) but in different order of importance.

42. Barak V. Rosenshine. "Content, Time and Direct Instruction." In P. L. Peterson and H. J. Walberg (eds.), *Research on Teaching: Concepts, Findings, and Implications*. Berkeley, Calif.: McCutchan, 1979, pp. 28-56.

43. N. L. Gage. *The Scientific Basis of the Art of Teaching*. New York: Teachers College Press, Columbia University, 1978.

44. Ibid. The authors disagree with item 5; see Chapter 5, on questioning.

45. Thomas L. Good and Jere E. Brophy. "Teacher Behavior and Student Achievement." In M. C. Wittrock (ed.), *Handbook of Research on Teaching*, 3d ed. New York: Macmillan, 1986, pp. 328-375. Also see Andrew C. Porter and Jere Brophy. "Synthesis of Research on Good Teaching." Educational Leadership (May 1988): 74-85. Thomas L. Good and Jere E. Brophy. *Looking in Classrooms*, 8th ed. New York: Addison Wesley, 2000.

46. Carolyn Evertson and Edmund T. Emmer. "Effective Management at the Beginning of the School Year in Junior High Classes." *Journal of Educational Psychology* (August 1982): 485-498. C. Evertson et al. *Classroom Management for Elementary Teachers*, 5th ed. Boston, Mass.: Allyn and Bacon, 2000.

47. Grover J. Whitehurst. "Research on Teacher Preparation and Professional Development." Washington, DC: United States Department of Education, 2002.

48. Ibid.

49. Walter Doyle. "Effective Teaching and the Concept of Master Teacher." *Elementary School Journal* (September 1985): 30. Also see Walter Doyle. "Curriculum and Pedagogy." In P. W. Jackson (ed.), *Handbook of Research on Curriculum*. New York: Macmillan, 1992, pp. 486-516.

50. Jann E. Azumi and James L. Lerman. "Selecting and Rewarding Master Teachers." *Elementary School Journal* (November 1987): 197.

51. Martin Haberman. "The Pedagogy of Poverty Versus Good Teaching." *Phi Delta Kappan* (December 1991): 290-294. Martin Haberman. "The Ideology of Star Teachers of Children of Poverty." *Educati onal Horizons* (Spring 1992): 125-129.

52. Maxine Greene. "Philosophy and Teaching." In M. C. Wittrock (ed.), *Handbook of Research on Teaching*, 3rd ed. New York: Macmillan, 1986, pp. 479-500. Maxine Greene. The Dialectic of Teaching. New York: Teachers College, Columbia University Press, 1988; Maxine Greene. *Variations on a Blue Guitar*. New York: Teachers College Press, 2001.

53. Allan C. Ornstein. *Teaching and Schooling in America: Pre and Post September 11*. Boston, Mass: Allyn and Bacon, 2003: 37.

54. Elliot W. Eisner. *The Educational Imagination*, 3d ed. New York: Macmillan, 1993. Deborah Meier. *Will Standards Save Public Education?* Boston: Beacon Press, 2000.

55. Allan C. Ornstein. "Teacher Effectiveness Research: Theoretical Considerations." In H. C. Waxman and H. J. Walberg (eds.), *Effective Teaching*. Berkeley, Calif.: McCutchan, 1991, pp. 63-80. See also John I. Goodlad. "Kudzu, Rabbits and School Reform." *Phi Delta Kappan* (September 2002): 16-23.

56. Parker Palmer. *The Courage to Teach*. San Francisco: Jossey-Bass, 1998.

57. Nel Noddings. *Educating Moral People*. New York: Teachers College Press, 2002.

58. Carol Ames. "Motivation: What Teachers Need to Know." *Teachers College Record* (Spring 1990): 409-421. Paul R. Burden and David M. Byrd. *Methods for Effective Teaching*. 2d ed. Boston: Allyn and Bacon, 2003.

59. Ornstein. "Teacher Effectiveness Research."

60. Christopher Clark. "Real Lessons from Imaginary Teachers." *Journal of Curriculum Studies* (September-October 1991): 429-434. Donna M. Kagan. "Ways of Evaluating Teacher Cognition." *Review of Educational Research* (Fall 1990): 419-469.

61. Hugh Munby. "A Qualitative Approach to the Study of Teachers' Beliefs." *Journal of Curriculum Studies* (April-May 1986): 197-209.

62. Peter McLaren. *Life in Schools*. Boston, Mass: Allyn and Bacon, 2003. Henry A. Giroux. "Curriculum, Multiculturalism, and the Politics of Identity." *NASSP Bulletin* (December 1992): 1-11. Peter C. Murrell, Jr. *African-Centered Pedagogy*. Albany, N.Y.: State University of New York, 2002.

63. Sara Lawrence Lightfoot and Jessica Huffman Davis. *The Art and Science of Portraiture*. San Francisco:

Jossey-Bass, 1997.

64. Freeman Elbaz. "Research on Teachers' Knowledge: The Evolution of a Discourse." *Journal of Curriculum Studies* (January-February 1991): 1-19. Donna M. Marriott. "Ending the Silence." *Phi Delta Kappan* (March 2003): 496-501.

65. Raymond Butt and Daniele Raymond. "Arguments for Using Qualitative Approaches in Understanding Teacher Thinking: The Case for Biography." *Journal of Curriculum Theorizing* (Winter 1987): 62-93. Donna Kagan. "Research on Teacher Cognition." In A. C. Ornstein (ed.), *Teaching: Theory and Practice.* Needham Heights, Mass.: Allyn and Bacon, 1995, pp. 225-238.

66. Sylvia Asthon-Warner. *Teacher*, reissue ed. New York: Simon & Schuster Books, 1986.

67. Grace E. Grant. "Ways of Constructing Classroom Meaning: Two Stories About Knowing and Seeing." *Journal of Curriculum Studies* (September-October 1991): 397-408. Antoinette Errante. "But Sometimes You're Not Part of the Story." *Educational Researcher* (March 2000): 16-27.

68. Elbaz. "Research on Teachers' Knowledge." Diane R. Wood. "Teaching Narratives: A Source for Faculty Development and Evaluation." *Harvard Educational Review* (Winter 1992): 535-550.

69. Madeleine R. Grumet. "The Politics of Personal Knowledge." *Curriculum Inquiry* (Fall 1987): 319-329.

70. Donald C. Wesley. "Nurturing the Novices." *Phi Delta Kappan* (February 2003): 446-447.

71. Hubert L. Dreyfus and Stuart E. Dreyfus. *Mind over Machine*. New York: Free Press, 1986.

72. Katherine S. Cushing, Donna S. Sabers, and David C. Berliner. "Investigations of Expertise in Teaching." *Educational Horizons* (Spring 1992): 109.

73. Kathy Carter. "The Place of Story in Research on Teaching." *Educational Researcher* (January 1993): 5-12. Donna S. Sabers, Katherine S. Cushing, and David C. Berliner. "Differences Among Teachers in a Task Characterized by Simultaneity, Multidimen-sionality, and Immediacy." *American Educational Research Journal* (Spring 1991): 63-88.

74. Cecil M. Clark and Penelope L. Peterson. "Teachers' Thought Processes." In M. C. Wittrock (ed.) *Handbook of Research on Teaching*. 3rd ed. New York: Macmillan, 1986, pp. 255-296. Donna M. Kagan and Deborah J. Tippins. "Helping Student Teachers Attend to Student Cues." *Elementary School Journal* (March 1991): 343-356.

75. Cushing, Sabers, and Berliner, "Investigations of Expertise in Teaching." Carol Livingston and Hilda Borko. "Expert-Novice Differences in Teaching." *Journal of Teacher Education* (July-August 1989): 36-42.

76. Hilda Borko and Carol Livingston. "Cognition and Improvisation: Differences in Mathematics Instruction by Expert and Novice Teachers." *American Educational Research Journal* (Winter 1989): 473-498. Kathy Carter, Walter Doyle, and Mark Riney. "Expert-Novice Differences in Teaching." In Allan C. Ornstein (ed.), *Teaching: Theory and Practice*. Needham Heights, Mass.: Allyn and Bacon, 1995, pp. 257-272.

77. James Calderhead. "The Nature and Growth of Knowledge in Student Teaching." *Teaching and Teacher Education* (April 1992); 531-535. Kathy L. Carter. "Teachers' Knowledge and Learning to Teach." In W. R. Houston (ed.), *Handbook of Research on Teacher Education*. New York: Macmillan, 1990, pp. 291-310.

78. Kagan and Tippins. "Helping Student Teachers Attend to Student Cues." Terry M. Wildman et al. "Promoting Reflective Practice Among Beginning and Experienced Teachers." In R. T. Clift, W. R. Houston, and M. C. Pugach (eds.), *Encouraging Reflective Practice in Education*. New York: Teachers College Press, Columbia University, 1990, pp. 139-162.

79. Elbaz. "Research on Teachers' Knowledge."

80. Herbert Kohl. *36 Children*. New York: Plume, 1988, pp. 25-26.

교수의 기교

2부를 구성하는 9개의 장에서는 교수과학을 사용하기 위해 필요한 기교를 탐구하고 이를 능숙하게 사용하는 순서로 전개될 것이다. 지난 수년 동안 여러 기관들이 일정한 영역에서 교수기교나 실행원리를 체계화해 왔다. 우리는 이들 중 아주 인기가 있는 Pathwise/PRAXIS III(ETS)와 INTASC 두 가지를 선택하여 교수 기술을 소개하는데 사용하고자 한다. 도표 II.1과 II.2는 19가지의 Pathwise 평가 기준과(4가지 영역으로 구분되어 있는) 10가지의 INTASC 원리들이다.

교수기교가 소개될 때마다 각 기교와 관련된 Pathwise-PRAXIS 기준 또는 INTASC 표준을 밝혀놓았다. 이런 체계를 사용하고 있다면, 이것은 이 장의 각 내용을 더 큰 평가 도식에 연결시키는데 도움을 줄 것이다.

두 가지 중요한 요점. 첫째, 각 장에는 여러분과 관계되는 활동들이나 반영해야 할 질문들이 제시된다. 이것들은 효과적인 교수에 필요한 기질과 계속적으로 성과를 진전시키는데 도움을 주기 위함이다. 기준이나 성취기준은 목표를 설정한다. 그런 목표를 달성하기 위해서는 보다 철저히 개발하고 지식의 본체를 이해하는 것이 요구된다. 이 책은 필수 지식을 약간 제공하고 있으며, 아울러 교수의 효과성을 위해 필수적인 기질과 성취를 학습하는 기초를 제공한다. 둘째, Pathwise는 PRAXIS III을 위한 조언 체계이며, 이것은 더 중요한 평가이다. Pathwise는 예비교사와 신규 교사 조언자를 위한 것이다. PRAXIS III는 교직을 시작하는 교사들을 위한 것이다. 이 책은 예비교사들을 위한 것이기 때문에 Pathwise 지시를 사용할 것이다.

흥미롭게도 Joseph Cadray는 INTASC와 동일한 표준을 채택했고, 또한 이들이 문화적으로 민감한 일상 업무에서 어떻게 쓰이는지 도표로 보여주고 있다. 도표 II.3 은 Cadray가 개발한 것이다. 문화적으로 민감한 교사는 표준과 교실 수업 사이의 관계를 이해하고, 모든 학생을 위해 학생의 참여를 최대화하는 수업을 하려고 노력한다는 점이 핵심이다. 더 중요한 것은 잘 짜여진 수업 성취기준과 풋내기 교육자들이 요구에 보다 민감하도록 만드는 준비된 교사에 의한 노력이 문화적으로 민감한 교육자의 적절함과 양립하는 것이 어렵지 않다는 것이다.

표 II.1 Pathwise PRAXIS III

영역 A : 학생 학습을 위한 내용지식의 조직화

A1: 학생들의 배경 지식과 경험과 관련된 분야에 친숙해지기.

A2: 학생들에게 적합하고 분명한 학습목표 정하기.

A3: 이전에 배운 것과 현재 배우고 있는 것, 그리고 앞으로 배우게 될 내용의 관계에 관한 이해의 예시 보이기.

A4: 각 과의 목표와 일치하고 학생들에게 적합한 교수방법, 학습활동, 수업 자료나 자원 등을 선택하거나 만들기.

A5: 각 과의 목표에 부합하고 학생에게 적합한 평가 전략들을 선택하거나 만들기.

영역 B : 학생 학습을 위한 환경 만들기

B1: 정당함을 조장하는 분위기 조성.

B2: 학생들간의 친밀감 형성 및 유지.

B3: 개별 학생에게 도전적 학습 기대 제시.

B4: 학급 행동의 일관된 표준 제정 및 유지.

B5: 물리적 환경을 최대한 안전하게 그리고 학습을 고취할 수 있도록 만들기.

영역 C : 학생 학습을 위한 교수

C1: 학생들의 학습 목표와 수업과정을 명확하게 하기.

C2: 학생들이 내용을 이해하게 만들기.

C3: 학생들이 그들의 생각을 키울 수 있도록 고무시키기.

C4: 다양한 방법으로 학생들의 이해도를 측정하고, 학습을 도울 수 있는 피드백을 제공하고, 상황에 따라 학습 활동을 조정하기.

C5: 수업시간을 효과적으로 사용하기.

영역 D : 교사의 직업정신

D1: 학습 목표가 성취되었는지 성찰하기.

D2: 동료 교사들과 교수에 관한 통찰력을 공유하고 직업적인 관계를 형성하고, 학생을 위한 학습 활동들을 조정하기.

D3: 학생 학습에 관해 부모나 보호자들과 의견을 나누기.

표 II.2 INTASC 성취기준

원리 1 : 교사는 가르치는 중요 개념과 질문 도구 그리고 교수원리의 구조를 이해하고 학생들이 이 주제들의 관점들을 의미 있게 느낄 수 있는 학습 경험을 만들어야 한다.

원리 2 : 교사는 어린이들이 어떻게 학습하고 발달하는지를 이해하고, 학생들의 지적, 사회적, 개인적 발전을 돕는 학습 기회를 제공해야 한다.

원리 3 : 교사는 학생들의 학습 접근 방법의 차이를 이해하고 다양한 학생들에게 적합한 교수 기회를 만들어야 한다.

원리 4 : 교사는 학생들의 비판적 사고, 문제 해결 능력, 그리고 수행 기술의 발전을 고무시키는 다양한 수업전략을 이해하고 사용해야 한다.

원리 5 : 교사는 학습 환경을 만들기 위한 개인과 집단의 동기부여와 행동을 이해하여 활용하고, 적극적인 사회적 상호작용과 활동적 참여를 하도록 학습환경을 만들고 촉진해야 한다.

원리 6 : 교사는 교실에서 적극적 질문과 협동, 지지적인 상호작용을 촉진하기 위해 효과적으로 언어적, 비언어적, 그리고 매체를 통한 의사소통 기술에 관한 지식을 사용해야 한다.

원리 7 : 교사는 관련 주제, 학생, 공동체, 그리고 교과 목표의 지식에 기반한 수업을 계획해야 한다.

원리 8 : 교사는 학생들의 지속적인 지적, 사회적, 신체적 발달을 평가하고 확인하기 위한 공식적, 비공식적인 평가 전략을 이해하고 사용해야 한다.

원리 9 : 교사는 학습 공동체 내의 학생, 부모, 동료 교사들에 대해 자신의 선택과 행동의 효과에 관해 시속적으로 평가하고, 직업적으로 성장하기 위해 적극적으로 기회를 찾는 반성적 실천가여야 한다.

원리 10 : 교사는 학생들의 학습과 안녕을 지지하기 위해, 동료 교사와 학부모들, 그리고 더 큰 공동체의 기관들과의 관계를 돈독히 해야 한다.

출처: See www.ccsso.org

Credit: PRAXIS III: Classroom Performance Assessments materials selected from Development of the Knowledge Base for the PRAXIS III: Classroom Performance Assessments Assessment Criteria, 1994, by Carol Ann Dwyer. Reprinted by permission of Educational Testing Service, the copyright owner.

Disclaimer: Permission to reprint PRAXIS III: Classroom Performace Assessments materials does not constitute review or Endorsement by Educational Testing Service of this publication as a whole or of any other testing information it may contain.

표 II.3 INTASC 성취기준과 실천 행동

성취기준 1

교사는 가르치는 중요 개념과 질문 도구 그리고 교수원리의 구조를 이해하고 학생들이 이 주제들의 관점을 의미 있게 느낄 수 있는 학습 경험을 만들어야 한다.

교사는 학습 내용이 모든 학생들에게 의미 있는 학습 경험이 될 수 있도록 직업적, 내용적, 교육학적 지식을 통합해야 한다.

교사는 다양한 표현과 설명을 사용하여 학생들의 사전 지식에 연결해야 한다.

성취기준 2

교사는 어린이들이 어떻게 학습하고 발달하는지를 이해하고, 학생들의 지적, 사회적, 개인적 발전을 돕는 학습 기회를 제공해야 한다.

교사는 다양한 학습 형태를 포함하여 학문적 학습과 연관되는 인지과정을 이해하고 바르게 평가해야 한다.

성취기준 3

교사는 학생들의 학습 접근 방법의 차이를 이해하고 다양한 학생들에게 적합한 교수 기회를 만들어야 한다.

교사는 세계의 문화적 집단의 다양성에 민감해야 하며, 인종, 계급, 성, 그리고 다른 사회문화적 요소가 어떻게 학생들의 학습과 학급 분위기에 영향을 미치는가를 알아야 한다.

교사는 학생들의 가족, 문화, 그리고 공동체를 이해하고, 이런 정보를 학생의 경험에 연결하는 기초로 사용해야 한다.

성취기준 4

교사는 학생들의 비판적 사고, 문제 해결 능력, 그리고 수행 기술의 발전을 고무시키는 다양한 수업전략을 이해하고 사용해야 한다.

교사는 다양한 학습자들에게 적합한 수업과 평가 전략들을 다양하게 실행해야 한다.

성취기준 5

교사는 학습 환경을 만들기 위한 개인과 집단의 동기부여와 행동을 이해하여 활용하고, 적극적인 사회적 상호작용과 활동적 참여를 하도록 학습환경을 만들고 촉진해야 한다.

교사는 다양한 사회경제적, 인종학적 배경의 학생들의 개인적, 문화적, 역사적인 경험을 진단하고 확립해야 하며, 의미 있는 수업활동과 적극적이고 생산적인 학습환경을 발전시켜야 한다.

표 II.3 INTASC 성취기준과 실천 행동 (계속)

성취기준 6

교사는 교실에서 적극적 질문과 협동, 지지적인 상호작용을 촉진하기 위해 효과적으로 언어적, 비언어적, 그리고 매체를 통한 의사소통 기술에 관한 지식을 사용해야 한다.

교사는 문화적, 성적 차이에 민감함을 보여주는 방식으로 대화해야 한다.

교사는 학생이 내용을 습득할 수 있도록 돕는 방식으로 학생들이 의견을 표현할 수 있도록 고무시켜야 한다.

성취기준 7

교사는 관련 주제, 학생, 공동체, 그리고 교과 목표의 지식에 기반한 수업을 계획해야 한다.

교사는 다양한 학습자들의 발달상의 개인적 요구에 부합하는 학습기회를 계획해야 한다.

성취기준 8

교사는 학생들의 지속적인 지적, 사회적, 신체적 발달을 평가히고 확인하기 위한 공식적, 비공식적인 평가 전략을 이해하고 사용해야 한다.

교사는 교사가 만든 표준화된 시험뿐만 아니라, 관찰, 포트폴리오, 자가진단, 동료평가와 연구과제 등 다양한 평가 기술을 사용해야 한다.

성취기준 9

교사는 학습 공동체 내의 학생, 부모, 동료 교사들에 대해 자신의 선택과 행동의 효과에 관해 지속적으로 평가하고, 직업적으로 성장하기 위해 적극적으로 기회를 찾는 반성적 실천가여야 한다.

교사는 문화적으로 민감한 교과과정과 수업실행을 개발하기 위해 자신의 개인적 배경과 인생 경험을 반영해야 한다.

성취기준 10

교사는 학생들의 학습과 안녕을 지지하기 위해, 동료 교사와 학부모들, 그리고 더 큰 공동체의 기관들과의 관계를 돈독히 해야 한다.

교사는 학생의 학습에 가족 참여가 미치는 영향을 이해해야 하고, 학생들의 학습에 가족을 포함시켜야 한다. 교사는 교실에서 공동체의 자원을 확인하고 활용해야 하며, 학교와 공동체에서 수업이 차지하는 위치를 이해해야 한다.

출처: Adapted from and originally published in J. E. Cadray. *The Field Experiences Handbook*. Unpublished manuscript, Emory University, Atlanta, Georgia. 1999. * Note: A couple of new items have been added to the Cadray framework—see Standards 6 and 8.

제 *3* 장
수업 목표

이번 장에 관련된 Pathwise 성취기준 :

- 학생의 배경지식과 경험과 관련된 측면들에 친숙해지는 것(Al).
- 학생들에게 적합한 수업을 위해 학습최종목표를 명확하게 표현하는 것(A2).
- 학생이 내용을 이해할 수 있게 하는 것(C1).

이번 장에 관련된 INTASC 원리 :

- 교사는 교과, 학생, 지역사회, 교육과정의 최종목표에 관한 지식을 기반으로 수업을 계획한다(원리7).

핵 심 문 제

1. 학교가 가르쳐야 할 것은 무엇인가?
2. 목적, 최종목표, 목표는 어떻게 공식화되는가?
3. 주 및 국가 성취기준이 수업목표 공식화에 어떻게 영향을 주며, 어떻게 구체화되고 있는가?
4. 목적, 최종목표, 목표는 어떻게 다른가?
5. Tyler, Bloom, Gronlund, Mager의 목표 진술 접근에 대한 특성을 어떻게 기술할 수 있는가?
6. 각 접근들은 어떻게 다른가? 상이한 학습목표에 따라 교사가 가르치는 방법이 어떻게 구체화되는가?
7. 과정목표들이 얼마나 명확해야 하는가? 교실목표는 어떤가?

새로운 교사로서 시작하는 여러분의 세계는 여러분을 가르친 스승의 세계와 약간 다르다. 명시된 교과과정을 갖추고 있는 주라고 하더라도, 그 당시의 교사 세계는 교사의 학문적 자유 쪽으로 향하고 있었다. 여러분의 세계는 학생을 위해 명확히 정의된 학문적 성취기준과 그 성취수준에 비례하여 교사 및 학생에 대한 책무성으로 이루어진 세계이다. '2002 No Child Left Behind' 법은 시험과 무관한 학생은 없고 책임 조직과 무관한 교사도 없다는 사실을 남겨주었다. 이것은 또 가르칠 내용(3장의 내용), 가르치는 방법(4~7장의 내용), 그리고 그 내용을 학습자가 배웠는지를 평가하는 방법(9~10장의 내용)을 알아야 함을 의미한다.

용어의 정의

가르쳐야 할 내용을 알아내는 것은 목적, 최종목표, 목표에 의해 좌우된다. 이것들은 각각 가르치는 것에 집중하고, 단원과 수업을 계획하는데 도움이 된다. 각각의 목적과 어떻게 도움이 되는지를 이해할 필요가 있다.

교육의 의도에 대한 포괄적인 진술을 지칭하기 위해 표적이나 목적이란 용어를 사용한다. 목적이란 용어는 사회(또는 국가) 수준에서 심사원단, 위원회, 정책입안 집단들에 의해 씌여진 학교의 사회적 역할개념들, 청소년이 필요한 교육철학을 포괄적으로 표현하는 기술적이며 가치가 포함된 진술이다. 간단히 말하자면, 사회의 필요를 교육정책으로 해석하는데 있어서 폭넓은 지침이다. 목적은 도달방법이 다소 막연하지만 초점은 분명하다. 학생에게 민주적 시민의식을 준비시키는 것, 또는 시민권 준비 등은 목적에 해당된다. 그러나 "학생에게 민주적 시민의식을 준비시키는 것"이라는 말은 무엇을 의미하는가? 우리들이 "시민권 준비"를 강조할 때 우리 마음 속에는 어떤 것이 떠오르는가?

교육자는 목적을 (교육의 의도에 대한 진술보다 더 분명하게) 학교가 성취할 것으로 기대되는 것을 기술한 진술문으로 표현해야 한다. 이렇게 번역된 것이 바로 **최종목표**이다. 최종목표는 주, 학교 교육구, 학교 등이 조직 전체적으로 강조하는 학습경험을 조직하는 것을 가능하게 한다. 사실상, 최종목표는 교과와 학년수준에 걸쳐서 전체 학교 프로그램을 대표하는 진술문이다. 최종목표는 목적보다 명확하지만, 비행동적이어서 관찰할 수도, 측정할 수도 없다. 최종목표는 교육자에게 방향을 제공하지만, 성취 수준이나 숙달 수준을 명시하지는 않는다. 최종목표의 예들은 "독서 기술의 개발" "예술의 감상" "수학적/과학적인 개념들의 이해"

표 3.1 선정된 교육에 대한 국가수준 성취기준

예술

전국예술교육관련협회:
artsedge.kennedy_center.org/professional_resources/standards/nat_standards/index.html

사회과목

전국사회과목위원회: www.ncss.org/standards/stitle.html
전국학교역사센터, UCLA: www.sscnet.ucla.edu/nchs/standards/

과학

전국과학교사위원회: www.nap.edu/books/0309053269/html/index.html

수학

전국수학교사위원회: www.nctm.org/standards/

영어

전국영어교사위원회: www.ncte.org/standards/

음악

전국음악교육협회: www.menc.org/publication/books/standards.htm

외국어

미국외국어교육위원회: www.actfl.org/public/articles/details.cfm?id = 33

등이다.

최종목표는 보통 전문가 협회, 주립교육기관, 지역학교 교육구에 의해 작성되는데, 전 학년 동안에 모든 학생들이 도달해야 하는 학교와 교육과정의 지침으로 공표된다. 최종목표는 보통 지방이나 지역수준에서 개발되지만, 교육 최종목표들을 국립화하는 것이 기회균등화의 한 가지 방법이라고 제안하는 움직임이 새로 생겨나고 있다.[1] 과세와 책무성이 매우 강조되고 있기 때문에, 교사는 다뤄져야 하는 내용을 정하기 위해 지식사회 또는 주 정부에 의해 확립된 주 및 국가의 전문적인 최종목표를 사용하도록 더욱 더 요구된다(또는 개인적으로 선택하게 된다). 표 3.1에는 특정 학문 영역에 대한 국가 성취기준과 최종목표를 접할 수 있는 곳이 제시되어 있다. 여러분 자신이 속해 있는 교육구의 최종목표와 성취기준을 살펴보아야 한다. 이 책이 개정되고 있는 중에 저자들 중의 자녀 한 명이 교사로 처음 부임하게 되었다. 그녀는 자신의 수업목표를 정하기 위해 국가 및 주(Indiana) 음악교육 성취기준을 사용하여 가르칠 내용을 결정했다.

일부 교육자는 모든 주(Iowa를 제외)가 현재 갖고 있는 엄격한 성취기준에 대해 이의를 제기한다. Thomas B. Fordham Foundation은 1990년대 후반에 일부 교수영역을 선택하여 성취기준을 분석하였다. 사례연구 3.1에는 두 개의 주(과학성취기준 평가에서 하위를 기록한 주와 상위를 기록한 주)가 갖고 있는 성취기준에 대한 분석결과가 제시되어 있다. Fordham Foundation 연구에서는 주가 규정하는 질에 있어서 차이가 있을지도 모른다고 제안한다. 이런 차이는 학생이나 학교 교육구에 난감한 결과를 초래할 수 있다. 중요한 것은 학생의 학습이 주 규정에 관계없이 교사의 선택에 달려있다는 점이다.

목표는 교실수준에서 일어나는 일에 대한 최종적인 기술이다. 목표는 내용과 도달할 능력수준을 명시한다. 수업목표 사용의 이유와 방법을 알게 되면 교수와 시험을 더욱 효과적으로 할 수 있다. 수업목표를 사용하면 과(課) 계획 또는 단원계획(최종수업계획이나 특정 주제에 관련된 일련의 과들)에서 최종적으로 학생에게 기대하는 것이 무엇인지에 대해 교사가 집중하는데 도움이 된다. 마찬가지로 학생들에게도 무엇이 기대되는지를 아는데 도움이 된다. 수업목표는 교사가 교수를 계획하고, 수업을 조직하는데 도움이 된다. 즉, 무엇을 가르쳐야 하는지와 언제 가르쳐야 하는지를 알려주고, 교사와 학생들을 위한 지도나 안내자의 역할을 한다. 수업목표는 관찰 가능하고 측정 가능한 용어

⬛ 성 찰 문 제

국가 및 주 성취기준은 상대적으로 최근에 등장하였다. 단지 한 주(Iowa)만이 지역적인 최종목표와 목표에 크게 의존하고 있다. 주에서 최종목표와 목표를 규정하는 것의 이점에는 무엇이 있겠는가? 또 신임교사가 수업하는 것을 더 어렵게 할 것인가 더 쉽게 할 것인가? 다음의 실제 문제를 숙고해본다.

새로운 연방 No Child Left Behind 법은 성취가 낮은(실패한) 학교의 아이들에게 좀더 나은 학교에 다닐 수 있는 기회를 주도록 요구한다. 그러나 각 주는 실패를 나름대로 규정할 수가 있다. 이것은 어떤 주에서 성공한 것으로 분류된 학생이 학문적 성취기준이 높게 설정된 주에서는 실패한 학생으로 분류될 수도 있음을 의미한다. 표준화된 합격등급을 채택해야 할 것인가? 각 주마다 나름대로 정의하도록 허락하고, 일부 주에서는 성취기준을 낮게 설정하여 성공한 학생수를 증가시키면서도 비용을 상당히 절약하도록 해야 할 것인가? 주 성취기준에 대한 더 많은 통찰을 얻으려면 전문적 관점 3.1을 읽어본다.

주의 학문적 성취기준

Chester E. Finn, Jr.
John M. Olin Fellow, Hudson Institute
President, Thomas B. Fordham Foundation

주 성취기준은 학생을 위해 효과적인 교육과정과 교육학을 개발하려고 노력하는 교사에게 도움과 방해 양쪽이 다 될 수 있다.

주 성취기준은 교과 매개변수를 설정하는 것을 돕고, 주가 필수적이라고 생각하는 지식과 기능의 윤곽을 보여주는 것을 돕고, 또한 교육구, 학교, 교사가 학생이 실제로 공부할 것에 대해 그들 자신의 판을 구성할 수 있게 발판을 제공한다는 점에서 도움이 된다.

주 성취기준은 교육과정을 부적절할 정도까지 좁히거나 또는—역설적으로—불합리한 정도로 교육과정을 부풀리고, 학문간에 연계가 어렵도록 영역을 구분하고, 실제 교실에서 비현실적 또는 부적절할 수도 있는 자료를 "다룰 것"을 주장하고, 그리고 실무자들에게는 맞지도 않지만, 성취기준에 수반되는 시험 때문에 존중되어야 하는 순서를 만드는 것 등의 측면에서 방해가 된다. 그런데 주 성취기준은 대부분의 지역에서 현실이며, 교사는 자신(또는 학생)에게, 특히 평가와 책무성 기제가 중요한 경우에 닥치게 될 위험을 무릅쓰고 주 성취기준을 무시하고 있다. 이 기준들을 교육과정의 골격으로 보고, 그 다음에 살과 신경과 피를 공급하는 것을 교사가 담당한다고 보는 것이 가장 좋은 관점이 된다. 이것은 사실 교사가 전수될 지식과 기능을 결정하는 것에 대해 고민할 필요가 없도록 하고, 대신에 계열, 재료, 학생에게 가장 성공적이며 적절한 수업 방법에 집중할 수 있도록 한다는 점에서 일종의 축복이다.

만일 주가 학력성취기준들을 아무렇게나 설정한다면—그리고 어쨌든 그 기준을 따라야 한다면, 더욱더 어려운 상황이 된다. 이 꺼림칙한 상황은 이 나라의 여러 곳에 존재하며, Thomas B. Fordham Foundation이 영어, 수학, 과학, 역사, 지리학의 다섯 중요한 과목의 주립 성취기준 평가를 수행한 1997년에는 실제로 확인되었다.

우리 검토자들은 발견한 것들의 대다수가 무의미하고, 초라하여 대체적으로 당황하였다. 전형적인 주의 다섯 교과에 걸친 학력성취기준의 질에 대한 성적은 D+였다. 이것은 홍보였다. 적어도 모든 교과에 가능한 모범적인 성취기준-증거를 개발한 주가 소수 있었다는 점이 좋은 소식이었다. 또한 많은 주들이 적극적으로 우리들의 비판과 그들의 학력 성취기준을 개선하는 것이 최우선 사항임을 지적한 것을 받아들이는 것을 보고 용기를 얻게 되었다. 그것들이 실행되기를 바란다.

로 진술되며, 의도한 것이 성취되었는지, 성취된(또는 성취되지 않은) 범위가 어떤 것인지 명확히 한다.

Hilda Taba에 의하면 "목표의 주요한 기능은 다루어야 하는 것, 강조해야 하는 것, 내용의 선정, 강조해야 할 학습경험의 결정을 안내하는 것"이다.[2] 가장 중요한 내용은 무엇인가? 가장 적당한 학습활동은 무엇인가? 가장 효과적인 단원 계획은 무엇인가? 등 교사는 내용, 학습, 수업의 가능성이 끝이 없기 때문에 선택의 문제에 직면한다. 목표는 이러한 결정들에 대한 준거를 제공하여 "가르치고 배우는 것의 범위와 한계를 정하게 된다."[3]

대개 목표는 학교 조직의 최종목표, 주 성취기준,

사례 연구 3.1 **Thomas B. Fordham Foundation 의한 Arizona와 Florida 과학시험 성취기준**

Arizona 주의 과학 성취기준 (최고등급)

1997년에 상대적으로 간단하고 명백했던 Arizona 의 성취기준은 이전 검토에서 A를 받았다. 1999년 판은 광범위하지는 않지만 매우 중요한 변경이 이루어졌다. 1997년 판의 주요한 결점은 진화가 감춰져 있는 방식이었다. 비록 내용은 무난한 형태로 다루어졌지만, "진화"란 단어는 결코 언급되지 않았고, 전반적으로 진화가 생명과학의 중심부에서 핵심적 위치로부터 멀어지는 결과를 초래하였다. 이런 단점은 현재 다수의 성취기준들이 명시적으로 추가됨으로써 교정되었다. 다음의 두 가지가 전형적인 예다.

> 과학적인 증거를 사용하여 동일 조상의 후손들이 35억년 이상 동안의 진화를 통해 오늘날 유기체에서 볼 수 있는 다양성을 갖게 된 것을 증명한다.(성취기준 4SC-P9)
> 우주의 기원(Big Bang 이론), 태양계(먼지와 기체의 성운 구름으로부터 형성), 생명체(진화)에 있어서 두드러진 과학적 이론들을 설명한다. (성취기준의 6SC-P1)

인간의 진화는 아직까지도 전혀 언급되지 않고 있다.

명확히 하려는 의도에서 소소한 수정이 일부 발견된다. 에너지의 정의(Standard 5SC-E3 PO1)가 4-5학년에서 삭제된 것은 아주 잘못되었다. 6-8학년에 "에너지 보존의 법칙에 대한 정의"가 남아 있다. 이것을 학생들에게 수행하도록 요구하면 에너지가 무엇인지 알게 될 것이라고 기대하고 있다! 9-12학년에서 만유인력(5SC-P7)에 관한 자료와-열역학(5SC-P8) 법칙의 추가는 칭찬할 만하지만, 유용성 면에서 너무 부적당한 듯하다. 현대 천문학도

여전히 변경이 부족하다. 그러나 대체로 보면, 성취기준들이 향상되고 있다.

Florida 주립 과학 성취기준 (최저등급)

1998년의 평가는 1996년의 Florida Curriculum Framework-Science에 의거했다. 이 문서는 4개의 학년집단으로 나뉘진 수행기술 예시와 함께 기준점 목록이 포함되어 있다. 기준점은 변하지 않았지만, 지금은 여러 가지 형태로 제공되고 있다. 여기에서는 Sunshine 주 성취기준에서의 학년별 성취 기대 수준, 학년집단(2, 3-5, 6-8학년, 유아원-유치원)에서의 기준점 목록들이 고려되었다. 각 기준점에 이어서 학년별로 학년-수준에서의 기대 목록이 제시되어 있다. 이러한 명백한 학년별 기대가 해당 학년이 상대적으로 불분명한 수행 기술의 예시(9-12학년을 위한 유사한 목록이 준비되어 있음)를 보충하는 것처럼 보인다.

역시 기준점의 모든 단점이 나타난다. 학년수준에서의 기대는 이전의 것과 비교해 볼 때 명료성과 과학적인 정확성 측면에서 개선된 것이 없다. 이전 문서와 같이, 학년수준의 적절성 면에서 맞지 않는 것이 가끔 있다. 기대는 기술하고자 하는 기준점을 단지 말로 옮겨놓은 것 또는 재진술에 가까운 것에 지나지 않거나, 종종 2개 학년 이상에 걸쳐 있기도 하다. 더 심각한 점은 기대가 상응하는 기준점과 무관한 경우도 있다는 점이다.

운동이 여러 곳에서 지적으로 논의가 되지만, 그 용어의 정의에는 전혀 주의를 기울이지 않는다. 현대의 천문학, 지질학, 분자 생물학은 아직도 부적절하게 다루어지고 있다.

이전 문서와 같이, 진화는 가볍게 다루어지고 있고—생명과학의 중심조직원리라는 적절한 위치를 분명히 부여하지 않고 있으며, "진화와 관련된

단어(E-word)"는 꾸준히 회피된다. 유일한 관계가 있는 학년-수준의 기대도 막연하고 부정확하다는 것을 발견했다. 즉, "[8학년]은 화석의 기록이 환경에서 식물과 동물의 종류에 있어서 변화가 시간에 걸쳐서 일어나는 것에 대한 증거를 제공한다는 것"을 아는 것(기준점 SC.F.2.3.4)과 "[7학년]이 생물학적 적응이 특정 환경에 있어 재생산적인 성공을 강화하는 구조, 행동, 생리학의 변화를 포함한다"라는 것을 아는 것(기준점 SC.G.1.3.2)에는 학년-수준 기대가 문자적으로 되풀이되고 있다. 경쟁과 적응과 관련된 것들이 저학년 수준에는 조금 있으나, 직접적으로 진화와 관련되어 있지 않다. 화석의 기록 이외에는 진화 맥락에서 논의되는 정보가 전혀 없다.

그래프는 1학년에서 처음 다루어지지만, 그 다음 학년에서 이것과 다른 양적 방법으로 발전되지 못하고 있다.

◾ 성찰문제

1. Arizona주를 분석한 것은 진화용어의 사용에 대한 논쟁 때문에 재미있다. 만일 자신이 가르치는 교육구에서 다루는 범위가 숨겨진 교육과정을 사용한다면, 진화와 같은 주제를 어떻게 다룰 것인가?

2. 자신의 전공에서는 어떤 "e-word" 주제가 있는가─교사는 모든 "e-word" 주제에 대한 내용을 가르칠 수 있는 자유를 가지고 있어야 하는가?

3. 당신은 주 내용 성취기준을 정할 때 교사가 발언권을 가져야 한다고 생각하는가? 왜 가져야 하는지, 또는 가지지 말아야 하는지? 교사가 가르치는 것을 누가 결정해야 하는가?

4. Thomas B. Fordham Foundation 웹사이트 (www.edexcellence.net)에 가서 자신의 주에 대한 성취기준 분석을 검토한다. 자신의 주 성취기준을 아는 선생님들이 Fordham Foundation 분석에 동의하는지 얘기를 나눠본다. 당신의 주 성취기준은 Fordham Foundation 분석 이후 바뀌었는가? 만일 바뀌었다면, 어떻게 바뀌었는가?

출처: Retrieved on August 20, 2002, from http://edexcellence.net/library/soss2000/2000soss.html.

그리고 사회의 일반적인 교육목적과 일치해야 한다. 각각의 교사가 수업을 계획할 때 최종목표와 목적에 상이한 방식으로 기여하게 된다. 그래서 최종목표와 목표는 어떤 관련이 있는가? 만약에 독서 기능 개발이 최종목표라면, 저자의 주된 아이디어를 확인하는 것이 목표가 되고, 예술 감상이 최종목표라면, 주요 예술가의 그림을 알아보는 것이 목표가 되고, 과학적 개념의 이해가 최종목표라면, 수소와 산소가 어떻게 물로 변하는지를 알아보는 것이 목표가 된다.

목적, 최종목표, 목표의 관계는 그림 3.1에 제시되어 있으며, 가장 폭넓은 것이 목적이고 가장 세부적인 것이 목표이다. 목표는 프로그램, 교과, 단원, 소단원 계획목표로 더 세분화 될 수 있다. 세분된 목표를 모든 교육구가 요구하는 것은 아니지만, 만일의 경우를 대비하여 그리고 자기 자신의 계획을 알려주는 방법으로써 목표를 세분화하는 방법은 알고 있어야 한다.

교육의 목표

목표는 우리 학교와 교육자들에게 나아갈 방향을 제시해 주는 중요한 진술문이다. 교사들이 목표를 직접 쓰는 것이 아니기 때문에 여기서는 간단히 논의된다. 아마 20세기에 가장 널리 수용되었던 교육 목표는 1918

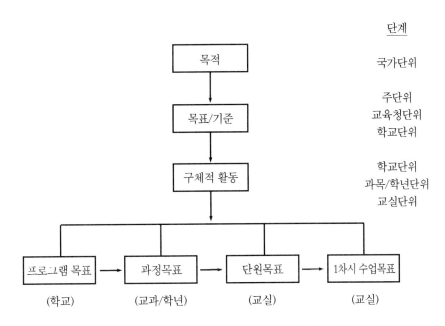

단계

국가단위

주단위
교육청단위
학교단위

학교단위
과목/학년단위
교실단위

목적

목표/기준

구체적 활동

프로그램 목표 → 과정목표 → 단원목표 → 1차시 수업목표

(학교)　　(교과/학년)　　(교실)　　(교실)

┃그림 3.1┃ 교육 목적, 목표, 구체적 수행목표들 간의 관계와 수준별 수행적정성

년 중등교육개편위원회(Commission on the Reorganization of Secondary Education)에 의해 종합적으로 제시된 것이다. 이 목표들을 제시한 공고문에는 중등교육의 기본 원리(Cardinal Principles of Secondary Education)라는 제목이 붙어 있다. 위원회가 지정한 7개의 원리, 즉 목표는 (1) 건강 (2) 기본 교육 (3) 가치 있는 가족 구성원 (4) 직업 교육 (5) 일반 시민 교육 (6) 가치 있는 여가 활용 (7) 윤리적 성격 등이다.[4]

위원회는 그 당시의 국가적 상황을 반영하여 이민 학생들을 동화시키고 산업 일꾼을 교육시킬 필요성을 인식하여 처음으로 교육 목표를 진술하였다. 이 공고문에서 가장 중요한 점은 대학 입학이나 인지능력 발달을 목표로 하는 학생들뿐만 아니라 모든 학생들이 "완벽한 삶"을 살도록 교육시킬 것을 강조한 것이다. 이 공고문은 미국의 이상을 가르치고 배양하며 모든 국민들이 민주 사회에서 제 기능을 하도록 만들기 위한 교육의 일반 배경을 제시하였고 여러 가지 다양한 요구 사항을 모두 충족시키는 전인적 인간(아이)의 개념을 강조하였다. 이러한 목표는 모든 교육 단계와 관련이 있고, 오늘날에도 여전히 교육 목표 진술이 여러 곳에서 발견되고 있다.

예를 들어, 그로부터 65년 후 1983년에 교육부가 임명한 한 위원회가 A Nation at Risk라고 하는 보고서에서 보통 인간들의 득세로 국민의 복지가 위협을 받고 있다고 지적하였다. 이러한 보통 인간의 개념은 우리 교육 기관의 기초와 연결되어 있고 직장이나 기타 다른 사회 영역에도 만연해 있었다.[5] 이 보고서는 어린 아동들의 기본 능력을 향상시키고 교과서도 개량하며 과제를 늘이고 고등학교 졸업 요건과 대학 입학 요건을 강화시키는 등 커리큘럼을 향상(즉 기본을 교육시키자)시키고자 한 것이었다. 또 아동의 초기 학습을 위해서 부모들을 훈련시키는 것(가치 있는 가족 구성원과 일치하는 부분이다)에도 초점을 두었다. 그리고 성인 문맹률도 줄이고 민주 사회, 기술 사회를 위한 지식 기반을 향상(일반 시민 교육, 직업 교육 목표와 일치)시키고자 한 것이었다.

우리는 낙오 아동 방지(No Child Left Behind, NCLB)법이 현 교육의 필수 목표 중의 하나라고 주장해 왔다. 사실 이 NCLB에 대한 정의는 다양하다. 하지만 이 NCLB를 어떻게 이뤄낼 것인가에 대해서는 막연하다. 문제는 평가체제가 공평하지 못하기 때문에 세부적인 NCLB 입법 요구 사항을 어떻게 하느냐이다.

교육 목표의 동향

목표에는 어린이와 청소년의 발달 욕구가 반영되는 경향이 있다. Peter Oliva에 의하면, 목표는 "목표를 언제까지 달성해야 하는지 구체적으로 언급할 수 없기 때문에 시간적으로 지속적"인 동시에 필요할 때마다 수정이 가해질 수 있기 때문에 "영원하지도 않다"고 한다. 대개 목표는 과목, 성적을 초월해서 정해지고 학교 전체에 적용되는 것이다. 구체적인 항목이나 내용, 그에 상응하는 활동을 기술하지 않는다. 목표는 "모든 교육 기관에서 수용될 수 있도록" 포괄적으로 기술되어야 하지만 바람직한 결과를 도출할 수 있도록 충분히 구체적으로 표현되어야 한다.[6]

이 사회는 다른 기관들이 더 이상 지탱할 수 없거나 떠맡기를 싫어하는 역할과 책임을 점점 더 학교에게 넘기고 있다.[7] 학교는 국가나 지역사회, 가정의 문제를 해결해 주는 이상적인 기관으로 여겨진다. 많은 사람들과 단체들은 아동들이 자신의 능력을 개발하고 사회에 적응하도록 도와주어야 하는 책임을 거부하고 있다. 학교에게 아동의 상태에 상관없이 모든 아동들을 교육하고 사회화시키길 요구하는 추세가 점점 더 늘어나고 있다. 그 결과 지금 학교는 너무 많은 것을 성취하려고 하고 있고, 그 중 많은 것들을 해내지 못하고 있는 실정이다.

John Goodlad는 고전적인 저서 *Study of Schooling*

을 준비하면서 전국에 걸쳐서 주 정부 교육위원회나 지역 교육위원회가 발표한 교육 목표들을 조사하였다. 목표를 기술한 것이 약 100건 정도가 있었는데 그것을 가지고 기술된 목표 전체의 정신을 대표할 수 있는 12가지를 만들어 내었다(표 3.2). 더 나아가 각각에 하위목표를 설정하였고 바탕이 되는 설명을 덧붙였다. 제시된 목표는 교육자가 무엇에 주의를 기울여야 하는지, 무엇을 해야 하는지를 요약해 놓았다.

미국 교육에 지침이 되는 또 다른 목표 진술서로 *President's Goals(2000)*가 있다. 미국의 전 대통령 클린턴이 제의했던 이 목표는 이상적이고 경쟁력 있는 미국 학교를 제시하였고 학생들이 무엇을 할 수 있어야 하는지를 설명해 놓았다.

- 미국의 모든 아동들은 배울 준비가 된 상태에서 학교에 입학해야 한다.
- 고등학교 졸업률은 최소한 90%가 되어야 한다.
- 미국 학생들은 4, 8, 12 학년을 마칠 때 영어, 수학, 과학, 역사, 지리 등을 포함한 여러 과목에서 일정한 능력을 갖추어야 한다. 그리고 미국의 모든 학교는 모든 학생들이 지적 능력을 잘 사용하는 방법을 배워서 책임 있는 시민이 될 준비를 갖추고 더 나은 학습을 하여서 현대 사회에서 생산적인 일을 할 준비를 갖추도록 만들어야 한다.
- 미국의 학생들은 이 세상에서 최고의 과학, 수학

표 3.2 미국 학교의 주요 목표

1. *기본 기술이나 기초 과정 숙달* : 우리의 기술 문명 사회에서 사회 활동에 참여할 수 있는 개인의 능력은 이러한 기초 과정의 숙달을 바탕으로 한다.

2. *직업 교육* : 개인들의 삶에 대한 만족도는 자신의 직업에 대한 만족도와 밀접한 관련이 있다. 직업 결정을 제대로 잘 하려면 개인 적성을 잘 알아야 하고 직업에 대한 흥미도 있어야 한다.

3. *지적 발달* : 문명이 발달하고 복잡해짐에 따라 사람들은 자신의 이성 능력에 더 의존하게 되었다. 사회 모든 구성원의 완전한 지적 발달이 필수적이다.

4. *문화적응* : 과거와의 관계를 조명해 주는 연구를 통해 우리 사회와 사회적 가치관을 알게 된다. 그리고 이것은 각 개인의 소속감, 정체성, 삶의 방향을 더 확고하게 해 준다.

5. *대인 관계* : 학교는 모든 아동들이 자신이 속한 사회적, 문화적, 윤리적 집단과 다른 집단에 속한 사람들을 이해하고 올바르게 평가하며 소중하게 여기도록 도와주어야 한다. 그리고 그들과 협력하고 그들에 대한 반감을 갖지 않도록 도와주어야 한다.

6. *자율성* : 학교가 스스로 방향을 잡을 수 있는 시민을 만들어 내지 못하면 사회와 개인 모두가 실패하게 된다. 사회가 점점 더 복잡해짐에 따라 개인들의 요구가 다양해진다. 학교는 아동들이 자신들의 욕구를 책임질 줄 아는 능력을 키워주어서 급속한 변화의 세상에 대한 준비를 하도록 도와주어야 한다.

7. *시민의식* : 인간성과 환경을 파괴하는 인간들의 현재 능력에 맞서기 위해서는 이 나라의 정치적, 사회적 생활에 시민으로 관여할 필요가 있다. 민주주의는 구성원들의 참여에 의해서만 존재하는 것이다.

8. *창조성과 미적 감각* : 새롭고 의미 있는 것을 창조해 내는 능력과 다른 인간의 창조물을 올바르게 감상할 줄 아는 능력은 개인적인 자아실현과 사회 이익을 위해 필수적인 것이다.

9. *자아 개념* : 개인의 자아 개념은 개인적인 목표와 염원에 대한 기준점과 피드백 기제 역할을 한다. 건전한 자아 개념을 이루는 요소는 학교환경에서 제공된다.

10. *정의적, 신체적 건강* : 정의적 안정과 신체적 건강은 다른 목표를 이루기 위한 필수 조건으로 여겨지는 것들이다. 그러나 그 자체가 소중한 목표이기도 하다.

11. *도덕적, 윤리적 성격* : 어떤 사건이나 현상을 옳고 그르게 평가하는 데에 필요한 판단력의 발달, 진리에 대한 헌신, 도덕적 온전함, 도덕적 행동, 그리고 사회의 도덕적 구조를 강화하고자 하는 열망 등이 이 목표에서 의도하는 가치들이다.

12. *자아 실현* : 더 나은 자아를 개발하려는 노력은 더 나은 사회를 만드는 데에 공헌한다.

출처: John I. Goodlad. *What Schools Are For*. Bloomington, Ind.:Phi Delta Kappa, 1994, pp. 46-52. Reprinted with permission.

성취도를 달성해야 한다.

- 미국의 모든 성인은 국제 경제 사회에서 경쟁을 하는 데에 필요한 지식과 기술을 갖추어야 하며 시민의 권리와 책임을 다 해야 한다.

- 미국의 모든 학교는 약물, 부적절한 무기, 알코올, 폭력이 없어야 하며 학습이 잘 이루어질 수 있는 환경을 조성해야 한다.

- 국가의 교육 담당인력은 전문적인 능력을 지속적으로 향상시키기 위한 프로그램에 접근할 수 있어야 하고 다음 세기를 준비하는 데에 필요한 지식과 교육 기술을 획득할 기회를 가져야 한다.

- 모든 학교는 아동의 사회적, 정의적, 학문적 발달을 증진시키는 데에 부모들의 참여를 늘일 수 있는 프로그램을 만들어야 한다.[8]

중등 교육과정에서 대부분의 학교는 인지적, 지적 목표에 더 많은 관심을 쏟고 있고 도덕적, 윤리적 문제에 대해서는 입에 발린 소리만 하고 있다. 초등교육과

전문적인 관점

목표 설정

Herbert J. Walberg
Research Professor of Education
University of Illinois at Chicago

나는 시카고 대학의 교수이면서 20세기에 교육계에서 가장 영향력이 있고 뛰어난 사상가인 Benjamin Bloom과 그의 스승 Ralph Tyler에게서 학문적 영향을 받은 면이 있다. 교육과정에 대해서 쓰면서 Tyler는 목표, 학습 활동, 평가를 교수에서 가장 필수적인 요소로 생각하였다. 그는 효율적인 학습을 위해서는 목표가 분명해야 하고 그 목표에 알맞은 학습 경험이 선택되어야 하며 평가는 그 목표를 얼마나 달성하였는지 확인하기 위한 작업이 되어야 한다고 주장하였다.

Bloom은 내가 그를 만나러 종종 가던 자신의 사무실에 Tyler의 초상화를 걸어 두었다. Bloom은 교육 심리학자로서 학습 목표를 설정하고 목표 달성을 위한 최상의 환경을 만들어 낼 방법을 연구하면서 수십 년을 보냈다. 'Bloom의 분류법'이라는 것에서 그는 6가지의 인지 학습 단계를 언급해 놓고 교육자들이 단순한 사실적 지식을 가르치는 것이 아니라 분석하고 통합을 하여 한 차원 높은 사고를 할 수 있도록 만들어 줄 것을 주장하였다. 장기간에 걸친 연구를 통해서 Bloom은 일반 교실에서는 물론이고 스포츠 경기나 지적 능력을 겨루는 대회 혹은 직업 환경 속에서도 목표 달성을 위한 최상의 환경을 만들어 내려고 노력하였다. 그는 Tyler의 생각을 확대시켜서 도전적인 목표, 노력, 시간, 고무적인 부모, 친절하기는 하지만 까다로운 교사, 발전 과정에 대한 정확한 피드백 등이 성공을 위해 필요한 공통 요소라고 확인시켜 주었다.

Bloom은 그러한 이상적인 조건이 주어지면 어떤 아동이라도 다른 아동들이 학습할 수 있는 모든 것을 학습할 수 있다고 주장하였다. 이러한 주장이 아주 지나친 것일 수도 있지만 좀더 높은 아동의 학습 기준에 도달하고자 하는 도전적인 교육자들에게는 유용하였다. Tyler와 Bloom의 뒤를 따른 연구에서 보면 특별히 성과가 좋은 성인들은 자신의 목표를 높이 설정한다고 한다. 그러나 어린 아동이라도 그들 자신의 목표를 설정해서 자신의 시간을 그 목표 달성을 위해서 투입하고 그에 따른 발전 상황을 확인하는 방법을 배울 수 있다고 한다.

정에서는 전인적인 아동을 강조하고 인지적, 개인적, 사회적 발달과 함께 균형을 강조하는 경향이 있다. 많은 학교들은 사회적, 다문화적, 국제적 이해력과 관련된 목표를 만들어 내는 데에 점점 더 관심을 두고 있다. 그러나 정의적인 목표를 가르칠 때, 특히 도덕적, 윤리적 문제와 관련이 있을 때에 학교가 효과적인 목표를 가르치는 데 어느 정도까지 해야 하는가라는 문제에 대해서 열띤 논쟁이 이루어지고 있다.[9]

우리가 목표를 만들 때, 다음과 같은 질문을 하게 된다: 학교는 사회의 요구와 개인의 욕구를 어느 정도까지 강조해야 하는가? 학교는 우월성을 강조할 것인가? 아니면 평등을 강조해야 하는가? 학문 교육, 직업 교육, 일반 교육을 똑같이 강조해야 하는가? 인지 학습을 강조해야 하는가 또는 인간적인 이해력을 더 강조해야 하는가? 국가적인 책임감과 개인적인 신념 중 어느 것이 더 중요한가? 학생들을 그들 자신의 능력 수준에 맞추어 교육을 해야 하는가 혹은 그들의 적성과 성취도 이상을 이루도록 교육해야 하는가? 재능이 있는

표 3.3 신 기본지식: Alameda 통일 교육구

A. *의사 소통과 언어* : 표준 영어를 기본적으로 사용할 수 있어야 하고 최소한 한 가지 이상의 외국어로 의사소통이 제대로 이루어져야 한다.

B. *읽기* : 문학, 산문, 서류에 글로 표현된 정보를 제대로 이해, 해석, 감상할 수 있으며 다양한 읽을거리를 읽고 그 의미를 파악할 수 있어야 한다.

C. *쓰기* : 생각, 아이디어, 정보, 메시지를 명확하게, 유창하게 문법적으로 정확하게 써서 다른 사람과 소통할 수 있어야 한다.

D. *산수/수학* : 기본 계산을 할 수 있어야 하고 실제 상황에서 문제를 해결할 때 여러 가지 수학적 기술을 동원할 수 있어야 한다. 수학적으로 자신 있게 생각하고 의사소통 할 수 있어야 한다.

E. *듣기* : 언어나 기타 다른 의사소통 형태로 전달되는 메시지를 제대로 이해하고 해석하며 대답할 수 있어야 한다.

F. *말하기* : 조리 있게 생각하고 아이디어, 지식, 정보 등을 유창하고 분명한 언어로 의사소통 할 수 있어야 한다.

G. *역사, 사회, 국제 감각 인식* : 미국의 사회, 정치적 체계, 경제가 국제 환경 속에서 어떻게 기능을 하는지 알고 미국과 세계 공동체의 다양성을 제대로 이해하고 세계 역사의 일반적 사항과 미국의 구체적인 역사를 알아야 한다.

H. *지리* : 지리적 위치 확인을 할 줄 알아야 하고 지리 지식을 실제 상황과 시사 문제와 관련시켜 파악할 줄 알아야 한다.

I. *정치* : 정치 기관과 정치 과정, 시민권, 자유 사회에서 정의의 개념을 이해하고 민주 사회에서 책임 있는 시민으로 활동할 수 있어야 한다.

J. *건강* : 영양, 위생, 신체에 관한 지식을 실제로 활용하여 건강을 유지하고 여러 물질 남용을 하지 않도록 한다.

K. *예술* : 예술과 기타 매체를 표현 수단으로 제대로 이해할 수 있어야 하고 이것으로 삶을 더욱 풍요롭게 만드는 수단으로 삼아야 한다.

L. *과학* : 사물의 작용 원리와 기본 과학 원리를 이해하며 일상생활에 과학적 방식을 응용한다.

출처: *Alameda Unified School Distric Graduate in the Year 2004 Profile*, Alameda, California, 1998. Retrieved on August 20, 2002, from www.alameda.k12.ca.us/gradpro.htm.

학생과 평범한 학생, 장애가 있는 학생들에게 경비 배당을 어떻게 해야 하는가? 상이한 학생 부류를 교육에 따른 사회에 돌아오는 이득과 사회의 의무는 어떻게 비교해야 하는가?(전문가의 관점 부분을 읽어 보아라)

이러한 질문들은 아주 복잡하고 대답하기 어려운 것들이다. 교육자들이 서로 다른 의견을 내놓는 것은 물론이요 이런 문제들 때문에 격렬한 전쟁까지도 일어났다. 우리가 어떤 사람이냐에 따라 이러한 질문에 대답하는 방식이 달라진다. 이 나라 사람 대부분은 그들이 민주주의를 믿고 있다고 쉽게 이야기를 하지만 그들이 이러한 질문에 대답하는 방식이 민주주의가 무엇을 의미하며 그것이 우리의 삶에 어떻게 영향을 미치고 통제하는지를 결정하게 된다. 최소한 이 나라에서 이러한 문제를 해결하려는 노력에는 우리의 도덕

적, 법적 제한 사항들이 우리의 정치적, 경제적 고려사항들을 가로막는지, 집단의 요구가 개인의 권리와 관련하여 받아들여질 수 있는지 등을 균형있게 결정하는 것이 포함되어 있다.

교육구들은 점점 더 학습자를 위한 세부 목표를 전략적으로 만들어가고 있다. 이러한 노력 중에서 Alameda 통일 교육구가 간략히 제시한 2004년 졸업생의 소개자료가 가장 앞서가는 것으로 꼽히고 있다. Alameda 졸업생 소개자료는 졸업생들에 대한 구체적인 성취 결과를 확인해 놓은 것인데 여기에는 구체적인 개인 자질, 학습 습관, 태도 등도 포함된다. 그리고 교육구는 학생들이 졸업할 때 무엇을 알고 있어야 하는지에 대한 "기본" 사항의 틀(표 3.3)을 잡아 놓았다. 이 기본 사항은 교사들이 무엇을 어떻게 가르쳐야 하

는지 학생들이 무엇을 어떻게 배워야 하는지 그 윤곽을 잡아준다.

지금 수많은 큰 교육구들에서는 그들의 목표와 부모들을 위한 성취기준을 지역에서 만든 웹사이트에 올려 놓았다. 거기에는 부모들이 자녀들의 잠재력을 개발시킬 수 있는 방법에 대한 제안서도 있다. 방문해 볼 만한 웹사이트로는 시카고 공립학교 웹사이트의 학업성취기준(http://www.cps.k12.il.us/instruction/cas), 캘리포니아 공립학교 웹사이트의 캘리포니아 기준표(http://www.cde.ca.gov/standards)가 있다. 이 사이트들은 전국적으로 교육구들이 무엇을 하고 있는지 보여주고 있다. 만일 여러분이 거주하는 주에서 어떤 성취기준을 세워 놓고 있는지 알고 싶다면 www.achieve.org를 방문하면 된다. 이것은 각 주에서 학업 성취 표준을 분석하고 개발하여 높은 성취도를 달성할 수 있도록 도와주기 위해서 만들어 놓은 것이다. 이 목표에 대해 한 가지 부연해 둘 것은 목표와 기준이 동일하게 여겨진다는 점이다. 이것들은 교육자가 학생들이 무엇을 알아야 하고 무엇을 보여줄 수 있어야 하는지를 규정하고자 할 때 간편하게 시도하는 방법들이다.

목표의 유형

수업의 목표는 교사가 학생이 각 단원, 과목 또는 과정의 끝에서 알아야 하는 것에 초점을 맞추는데 도움을 주고, 또 학생이 기대되는 것을 아는 데에 도움을 준다. 목표는 성취기준보다 가르쳐질 내용과 시기가 보다 더 구체적으로 기술되어 있기 때문에 교사가 수업을 계획하고 조직화하는데 도움을 준다. 수업목표는 관찰가능하고 측정 가능한 언어로 제시된다. 목표가 구체적으로 제시됨으로써 교사는 의도한 것이 성취되었는지, 또 얼마나 성취되었는지를 판단할 수가 있다.

최종목표와 기준으로부터 수업목표로 전환해 보면 교사의 역할과 책임은 분명해진다. 목표는 그 특성상 행동적이고, 최종목표보다는 더 명확하다. 목표는 구

체성이 증가하는 세 가지 수준으로 구성되어 있다: 프로그램, 교과, 그리고 교실. 교실수준에서의 목표는 단원 계획과 과목단위 목표로 나눌 수 있다.

프로그램 목표

프로그램 목표는 학교의 성취기준에서 도출되어, 과목과 학년수준에 맞게 작성된다. 비록 이 목표는 대체로 내용 또는 역량을 구체적으로 기술하고 있지는 않지만, 일반적인 내용과 행동에 초점을 맞추고 있다. 이것은 최종 목표처럼 개인학생보다는 전체 학생의 성취를 가리킨다.[10]

대부분의 주와 학교 교육구는 교사가 가르쳐야 하는 것을 촉진하기 위해 각 과목과 학년 수준별로 프로그램 목표와 개요를 갖고 있다. 대부분의 경우에 이러한 수업 목표는 행정가, 교사 그리고 지역사회 집단으로 구성된 교육과정위원회에 의해 공식화된다. 표 3.4는 Dayton과 Ohio주에서 수학을 위한 수업 목표를 자세히 차례로 제시하고, 독자를 위해 수직, 수평으로 프로그램 목표를 설명하였다. Dayton 교육과정은 학교 교육구 교육과정이 주의 지시와 국가의 정책에 맞춰 어떻게 구성되었는지를 보여준다.

좋은 교육과정의 개발은 끝이 없다. 표 3.4의 성취기준과 목표는 1992년과 1998년 사이에 개발된 것이다. 2004년에 주에서 새로운 학문적인 내용 기준이 보급되었기 때문에 이 교육구는 교육과정을 다시 그에 맞게 변경해야 할 것으로 보인다. 초임교사는 각 교육구의 교육과정이 세월에 따라 변하고, 또한 학생들의 학습경험을 구성하기 위해 자신의 분야에서 정해져 있는 최신의 성취기준을 접근하고 이용해야 하는 상황에 있다는 것을 알게 될 것이다.

교과 목표

교과목표는 프로그램 목표로부터 파생되며, 과목과 학과수준에서 공식화 된다. 과정목표는 내용과 때로는 개념, 문제 또는 행동을 분류하고 체계화하지만, 그것

표 3.4 Dayton 공립학교 수학교육과정/ 요소, 일반적인 목표, 세부 목표의 예/ 5학년

요소1—유형, 관계 그리고 기능	세부 목표
학생은 1. 같은 값의 분수에서 분모와 분자가 변화할 때 일어나는 유형을 조사하고 이러한 유형을 말로 설명할 수 있다.	1A. (지식/기술) 학생은 5개의 분수 또는 소수점 유형이 주어지면 각 유형을 70% 이상 정확하게 완성할 수 있다.

요소2—문제 해결 전략	세부 목표
학생은 2. 문제를 주의 깊게 읽고, 문제를 풀기 위해 도달해야 하는 하위목표를 식별할 수 있다.	2B. (개념) 학생은 단어 문제 4개를 해결하고 그 해답을 얻는 과정에서 취한 단계를 설명함으로써 문제해결의 개념에 대해 이해하고 있음을 보일 수 있다.

요소3—수, 수의 관계	세부 목표
학생은 3. 십진법의 수를 곱하고 나눌 수 있다. 4. 같은 값의 분수를 찾을 수 있다. 6. 기호($<, \leq, =, \geq, >$)를 사용하여 정수, 분수, 소수들의 크기를 식별할 수 있다.	3A. (지식/기술) 학생은 곱셈과 나눗셈 문제가 각각 다섯 개씩 주어지면 70% 이상 정확하게 계산할 수 있다. 4A. (지식/기술) 학생은 같은 값의 분수 문제가 주어지면, 70% 이상 정확하게 빠져 있는 분자를 바르게 식별하고, 그 값을 제시할 수 있다. 6A. (지식/기술) 학생은 4개의 도식화 문제가 주어지면, 정수, 분수, 소수가 섞여 있는 것을 크기에 따라 70% 이상 정확하게 배열할 수 있다.

요소4—도형	세부 목표
학생은 1. 각을 직각과 비교 및 대조할 수 있다. 4. 이전에 접했던 도형과 숫자의 모형을 만들고, 말로써 과정을 설명할 수 있다.	1A. (지식/기술) 학생은 각이 여섯 개 제시되면 직각과 비교하여 각각이 예각인지 둔각인지를 70% 이상 정확하게 판정할 수 있다. 4B. (개념) 학생은 유형 블록과 기하학 판을 사용하여 기하학적 숫자의 개념에 대한 이해를 표현할 수 있고, 어떻게 그들을 구성하였는지에 대해 언어로 설명할 수 있다.

출처: Adapted from the Dayton Public Schools Mathematics Curriculum, Grade 5. The Dayton Curriculum 은 NCTM 성취기준에 기초하고 있으며, 지역 교육과정의 목표가 국가 성취기준에 어떻게 따르는지를 보여준다. 1992년에 개발되었고, 1998년에 수정됨.

을 설명하는 정확한 내용과 사용되는 정확한 수업적인 방법과 교재를 명시하지 않았다. 과정목표에는 주제, 개념 또는 일반적인 행동의 형식이 언급되어 있다.

미국 역사에 대한 목표를 주제로 표현하면 아마도 "식민지기" "독립전쟁기" "헌법제정기" "영토확장기" "남북전쟁기" "재건기" "산업화와 식민지화" "이민과 애국심" "1차 세계대전" 등과 같을 것이다. 과학 과목의 목표를 개념으로 표현하면 "과학과 지식" "과학과 방법" "과학과 인간" "과학과 환경" "과학, 생산(결과) 그리고 기술" "과학과 우주" 등일 것이다. 일반적인 행동으로 표현된 목표의 예에는 "~에서 비판적 사고의 발달" "~의 이해의 증가" "~에 대한 표현" 등으로 표현된 것이 있다.

(프로그램 목표뿐만 아니라) 교과목표는 교사가 범위(주제, 개념, 다뤄질 행동), 연속성(중요한 내용을 가르치고, 특정 기능과 과제를 연습하는 기회가 반복되고 연속되는 것), 차례(선행된 것을 바탕으로 구성되는 주제, 개념 또는 행동의 누적적 개발과 연속적인 처치), 그리고 통합(하나의 과정 내용에서 또 다른 과정의 내용과의 관계) 등의 측면에서 내용을 구성하는데 도움을 준다.[11]

교실목표

교실목표는 보통 교사에 의해 공식화된다. 교실목표는 교과목표를 몇 개의 단원으로 나눈다. 단원계획목표는 보통 1~3주 수업에 해당하는 것이며, 특정의 개인 또는 집단을 위한 것이 아니라 교실구성원 전체에 대한 기대에 맞게 순서에 따라 계열화되어 있다. 단원계획목표는 과(課)계획목표들로 더욱 더 나누어지며, 이것은 대략적으로 특정 과목에 대한 하루 분의 수업으로 조직되어 있다.

단원계획목표는 보통 주제 또는 개념으로 분류된다. 역사과목 목표에서 "헌법제정기"를 생각해보자. 이 주제는 "미국정부의 조직 이해하기" "미국 시민의 권리 이해하기" "민주주의 사회 특징 정의하기" "교실과 학교 활동에 미국 정부의 원리 적용하기" 등과 같은 단원으로 나누어진다.

과학에서 "과학과 방법" 개념에 해당되는 목표는 "(a)생물계, (b)화학계, (c)물리계에 관한 질문의 응답을 귀납적, 연역적, 그리고 직관적인 방법으로 조직하기"; "(a)논리, (b)설명, (c)인과관계, (d)가설, (e)예상에 따라 과학 정보를 조직하기"; (a)연구, (b)실험, (c)문제해결의 방법 습득" 그리고 "과학적인 취미와 연구에 있어서 흥미 보이기" 등과 같은 단원계획목표로 세

분될 것이다.

단원계획목표는 때때로 **일반적 수업목표**로 불린다. 이것은 수업의 방향을 제시할 수 있을 만큼 구체적이어야 하는 한편으로 교사가 수업의 방법, 교재, 활동을 선택하는데 있어서 제한하지 않을 정도로 구체적이어야 한다. 단원 계획 목표 여러 가지 상이한 수업기법-강의, 논의, 논증, 실험연구, 교과서 숙제, 연구, 협동학습-을 통해 달성된다. 만일 INTASC 또는 PRAXIS가 사용된다면, 대개 부임 첫해에 이루어지는 PRAXIS III 수행평가 중에 특정의 계획 과제(예컨대, 다양한 학습자에게 적합한 목표가 담긴 수업계획을 작성한다)를 수행하도록 요구될 것이다.

종종 세부수업목표로 불리기도 하는 **과계획목표**는 교수와 시험에 대해 보다 명확한 방향을 제공함으로써 단원목표를 규정한다. 과계획 수준에서 수업목표는 (1) 특별한 기술, 과제 또는 태도에 대하여 기대되는 행동, (2) 내용으로 표현된다. 또한 이것들은 (3) 때때로 **성취기준**으로 불리기도 하는 결과, 최종목표를 성취, 진보 또는 역량의 수준, (4) 숙달 조건 등의 측면에서 기술된다.

소단원목표는 단원계획목표보다 더 구체적이다. 소단원 계획 목표에는 구체적인 수업 차례에 대한 결과와 조건이 포함된 반면, 단원계획목표에는 포함되어 있지 않다. 과계획목표에는 대개 특정의 방법, 교재, 또는 활동이 포함된 반면, 단원계획목표에는 포함되어 있기도 하고, 그렇지 않기도 한다. 그리고 포함되어 있더라도 일반적이다. 그러나 이 두 가지 목표 수준은 몇 가지 공통적인 특징을 갖고 있다. 표 3.5에는 Taba가 제시한 특징이 목록으로 제시되어 있다. Taba는 과계획 과정에 대한 역사적인 근거를 제시한다. 그녀의 시각은 좋은 계획—이해가능하고, 관련있는 명확한 목표를 설정한다—이 시간에 관계없이 유효함을 보이고 있다.

교실목표의 두 가지 수준에 결부된 특정성을 이해하기 위해서 개념으로 진술된 "그래프를 이해한다"라는 단원 계획 목표를 고려해 보자. 이 단원을 위한 소단원목표는 다음과 같을 것이다:

표 3.5 교실수준에서 수업목표의 특징

1. 목표진술은 기대되는 여러 행동들과 내용 또는 행동이 나타나는 맥락을 기술해야 한다.
2. 복잡한 목표는 분석적으로 명확하게 충분하게 진술되어야 한다. 따라서 기대되는 행동의 유형 또는 행동이 적용될 것에 대한 의문이 없도록 해야 한다.
3. 목표는 또한 공식화되어야 한다. 그래서 학습자들에게 명확히 식별되어 상이한 행동이 달성될 수 있도록 해야 한다.
4. 목표는 개발적이고, 종착점보다는 여행중의 길이 되도록 한다.
5. 목표는 실질적이어야 하고, 교실경험으로 전환될 수 있는 것을 포함하여야 한다.
6. 목표의 범위는 학교[또는 교사]가 책임이 있는 모든 유형의 결과를 포함할 만큼 광범위하여야 한다.

자료: Hilda Taba. 교육과정 개발: 이론과 실제. New York: Harcourt Brace Jovanovich. 1962, pp.200-205.

1. 다른 유형의 정보를 사용할 때 다른 유형의 그래프를 사용하라.
2. 그래프의 중요한 용어들을 알아보자.
3. 실제 적용되는 그래프의 예를 살펴보자.

어떤 교육자는 위의 예들이 결과와 숙달 수준이 결여되어 있기 때문에 이러한 과목표가 세밀하지 않다라고 느낄 수도 있다.[12] 그들은 다음과 같은 방법으로 다시 작성하게 될 것이다:

1. 모든 학생은 어떤 자료가 막대그래프, 선그래프, 원그래프를 이용하여 가장 잘 표현할 수 있는지 식별해야 한다. 학생의 75%가 75% 또는 그 이상을 달성할 것으로 기대된다.
2. 높은 성취를 보이는 학생들은 그래프와 관련된 5가지 용어에 대해 (a) 그것을 정의하고 (b) 각각에 대하여 적적한 예시를 제공함으로써, 이해하고 있음을 보여야 한다. 교재의 다음 순서로 넘어가려면 하나의 오류만 허용된다.
3. 모든 학생들은 법인의 연례 보고를 읽고서 회사의 (a) 수입 (b) 운영비용 (c) 재산과 채무 측면에서 회사의 재정적 상황에 대해 적어도 3가지 이상 그래프로 표현하여야 한다. 3명의 학생이 만장일치로 그래프가 정확하다는 것에 동의하여야 한다.

학습목표가 개발되고 평가될 수 있다고 하는 것과 관련하여 기술적 어려움이 또한 드러나고 있다. 교사들은 웹사이트로부터 최종목표를 받아서, 목표로 작성하고, 행정가들이 검토할 수 있도록 학교 웹사이트에 게시한다. 여러분도 이와 같은 상황에서 교수를 시작하게 될 것이다. 또한 수업을 구성할 때 인터넷 자료를 사용하도록 요구하는 기관에 다니게 될 수도 있다. 사례 연구 3.2 평가를 위한 기술을 통해 평가가 목표 설정과 어떻게 연계되어 있는지를 살펴본다.

최종목표와 목표의 공식화

지금까지의 논의에서 '목적, 최종목표, 성취기준, 목표' 등과 같은 여러 용어를 사용했는데, 이들은 상이한 교육 단계(국가에서 교실) 및 추상의 정도와 관련하여 의미에 있어서 미묘한 차이를 보인다. 연속선의 한쪽 끝에는 가치가 담긴 추상적인 사회의 목적이 있고, 반대쪽 끝에는 자세한 행동을 기술하는 구체적인 목표가 있다. 대부분의 교사는 연속선의 중간 부분을 선호하는 경향이 있는데, 이 부분에서는 최종목표와 목표가 측정 가능하지만 반드시 명확하게 측정 가능한 상태로 진술되지는 않고, 측정 가능하다고 하더라도 능숙한 수준에 대한 언급 없이 진술된다. 교사들은 수업 목표를 작성하는데 열거하다, 기술하다, 식별하다와 같은 용어를 사용할 것이다. 하지만 그들이 행동주의자 또는 산출물에 기반을 둔 교육의 옹호자가 아니라면, 항

사례 연구 3.2   평가를 위한 공학

Ohio주 Centerville, AP(Advanced Placement) 교사인 Chard Raisch가 정의된 학습목표가 성취되었는지를 평가하기 위해 사용한 방법들을 고려해보자.

학생들의 학습목표의 숙달 정도를 평가하기 위해 사용할 수 있었던 한 가지 방법은 학습자-생성 복습 행동을 사용하는 것이었다. 나는 고급 사회교과를 2개 과정을 가르치고 있으며, 두 과정 모두 대학위원회에서 매년 출제되는 다른 시험을 대비하고 있다. 나는 교재를 지속적으로 복습하는 것이 학생들의 이해에 도움이 되고, AP시험에서 더 높은 점수를 얻는데 도움이 된다는 것을 알았다. 이를 위해, 나는 학생들이 HOT POTATOES 소프트웨어를 활용하여 그들만의 대화식 복습활동을 만들도록 하였다. 그리고 나서 그 결과물을 학급 웹사이트에 올려 놓았다. 학생 과제물 평가에서, 나는 Rubistar(rubistar.4teachers.org)를 사용하였다. Rubistar는 교사들이 멀티미디어 설계를 포함하여 대부분 과제-기반 활동에 대한 평정표를 작성할 수 있도록 돕는 프로그램이다. 이 웹사이트에는 사이트에 대한 안내가 매우 잘 되어 있다. 게다가, 사이트에서 생성된 평정표 자료들은 일년 가까이 보관할 수 있을 뿐만 아니라, 기억장치에서 정보를 불러내어 수정 및 평가에 사용할 수도 있다.

아래의 보기는 매우 짧은 시간에 앞서 말한 학생 과제를 위해 생성한 평정표이다.

웹사이트 설계: 상호작용적 복습 활동— '성취기준' 퀴즈

교사 : Mr. Raisch

학생 : _____

범주	매우잘함(8)	잘함(6)	보통(4)	노력바람(2)
배경	배경은 매우 매력적이고, 여러 페이지에 걸쳐 일관적이며, 사이트의 주제 또는 목적에 도움이 되고, 가독성에 주의를 집중하는데 방해가 된다.	배경은 매력적이고, 여러 페이지에 걸쳐 일관적이며, 사이트의 주제 또는 목적에 도움이 되고, 가독성에 주의를 집중하는데 방해가 된다.	배경은 여러 페이지에 걸쳐 일관적이며, 읽기 쉽게 한다.	배경은 사이트의 내용을 읽기에 적합하지 않다.
색상 선택	배경, 글자, 방문하지 않은 연결과 방문한 연결의 색상이 아주 조화를 이루고 있으며, 내용에 집중하는 것을 방해하지 않고, 여러 페이지에 걸쳐 일관적이다.	배경, 글자, 방문하지 않은 연결과 방문한 연결의 색상이 조화를 이루고 있으며, 내용에 집중하는 것을 방해하지 않고, 여러 페이지에 걸쳐 일관적이다.	배경, 글자, 방문하지 않은 연결과 방문한 연결의 색상이 내용에 집중하는 것을 방해하지 않는다.	배경, 글자, 방문하지 않은 연결과 방문한 연결의 색상이 내용을 읽기 어렵게 만들거나 그렇지 않으면 방해가 된다.

범주	매우잘함(8)	잘함(6)	보통(4)	노력바람(2)
도표	도표는 사이트의 주제/목적과 관련이 있고, 적절하게 크기 조절이 되어 있고, 높은 품질이며, 읽는 이로 하여금 흥미롭고 이해할 수 있게 한다.	도표는 사이트의 주제/목적과 관련이 있으며 높은 품질이며, 읽는 이로 하여금 흥미롭고 이해할 수 있게 한다.	도표는 사이트의 주제/목적과 관련 있고 좋은 품질이다.	도표는 일정하게 선택된 것처럼 보이고, 낮은 품질이거나 독자를 방해한다.
연결	모든 연결은 질적으로 수준 높은 사이트와 연결되어 있으며, 최신 것이며, 신뢰할만한 사이트다.	대부분 모든 연결은 질적으로 수준 높은 사이트와 연결되어 있으며, 최신의 것이고, 신뢰할만한 사이트다.	대부분의 연결은 질적으로 수준 높은 사이트와 연결되어 있으며 최신의 것이고, 신뢰할만한 사이트다.	3/4이하의 연결만이 질적으로 수준 높은 사이트와 연결되어 있으며, 최신의 것이고 신뢰할만한 사이트다.
저작권	공정한 사용 정책을 명백하게 따르고 있고, 쉽게 찾을 수 있도록 제시되어 있으며, 모든 타 사이트의 내용에 대해서 출처를 정확히 밝히고 있다. 허가 받지 않은 내용이 웹사이트에 포함되어 있지 않다.	공정한 사용 정책을 명백하게 따르고 있고, 쉽게 찾을 수 있도록 제시되어 있으며, 거의 대부분의 타 사이트의 내용에 대해서 출처를 정확히 밝히고 있다. 허가 받지 않은 내용을 웹사이트에 포함되지 않는다.	공정한 사용 정책을 명백하게 따르고 있고, 쉽게 찾을 수 있도록 제시되어 있으며, 대부분의 타 사이트의 내용에 대해 출처를 밝히고 있다. 허가 받지 않은 내용을 웹사이트에 포함되지 않는다.	타 사이트의 내용들이 적절히 언급되지 않았거나, 사이트로부터 허가 없이 내용을 올린다.
철자와 문법	최종 웹사이트에 철자, 구두법 또는 문법에 에러가 없다.	최종 웹사이트에 철자, 구두법 또는 문법에 1-3개의 에러가 있다.	최종 웹사이트에 철자, 구두법 또는 문법에 4-5개의 에러가 있다.	최종 웹사이트에 철자, 구두법 또는 문법에 5개 이상의 에러가 있다.
내용	사이트는 담고 있는 목적과 주제를 분명하게 진술하고 있다.	사이트는 담고 있는 목적과 주제를 분명하게 진술하고 있으나, 관련 없는 내용이 1개 또는 2개가 있다.	사이트의 목적과 주제가 명확하지 않거나 애매하다.	사이트의 목적과 주제가 결여되어 있다.
배치	웹사이트의 배치는 매우 매력 있고 활용하기 편리하게 설계되었다. 모든 중요한 요소를 찾기 쉽게 배치하였다. 내용구성에서 여백, 도표 내용 그리고/또는 정렬이 효과적으로 사용되었다.	웹사이트의 배치는 매력 있고 활용하기 편리하게 설계되었다. 모든 중요한 내용을 찾기 쉽게 배치하였다.	웹사이트의 배치는 활용하기 편리하게 설계되었으나 복잡하거나 단조롭다. 대부분 중요한 내용들을 찾기 쉽게 배치하였다.	웹사이트의 배치는 난잡하게 보이거나 혼란스럽다. 중요한 내용을 찾기가 어렵다.

범주	매우잘함(8)	잘함(6)	보통(4)	노력바람(2)
내용 정확성	학생이 웹사이트에 제시한 모든 정보가 정확하다. 과제의 모든 요구사항을 충족한다.	학생이 웹사이트에 제시한 대부분의 정보가 정확하다. 과제의 모든 요구사항을 충족한다.	학생이 웹사이트에 제시한 대부분 모든 정보가 정확하다. 과제의 요구사항도 대부분 충족되었다.	학생이 웹사이트에 제시한 일부 정보가 부정확하거나 과제에 관한 요구사항이 많이 충족되지 못했다.
교재학습	학생은 웹사이트에 포함된 교재에 관하여 확실히 이해하였고, 추가적인 정보를 찾는다: 웹사이트를 만드는데 사용한 내용과 절차에 대한 질문에 쉽게 답할 수 있다.	학생은 웹사이트에 포함된 교재에 관하여 잘 이해하였고 웹사이트를 만드는데 사용한 내용과 절차에 대한 질문에 쉽게 답할 수 있다.	학생은 웹사이트에 포함된 교재에 관해 꽤 많이 이해하였고, 웹사이트를 만드는데 사용한 내용과 절차에 관한 대부분의 질문에 쉽게 답할 수 있다.	학생은 이 과제로부터 많은 것을 학습하지 않았고, 웹사이트를 만드는데 사용한 내용과 절차에 관한 대부분의 질문에 답하지 못한다.

▰ 효과에 관한 질문

1. Chad Raisch의 웹사이트를 방문해 보라. 그곳의 방법들을 당신이 가르치는 내용에 사용할 수 있겠는가?

2. Chad Raisch는 학력이 높은 학생에게 평정표를 사용하는 것에 대해 논하였다. 만일 그러하다면, 낮은 수행의 학생들에게 있어서 어떤 문제가 있겠는가?

3. 많은 주의 교육 웹사이트 영역에는 성취기준이 명확하게 제시되어 있다. 그들은 또한 과계획 예시를 세분화된 목표와 함께 올려놓았다. 교사들이 Chad Raisch가 자신의 수업에서 사용했던 방법과 유사하게 웹사이트를 통해서 이러한 정보를 정확히 평가할 수 있다고 생각하는가? 또는 교사들은 자신만의 방법을 개발할 수 있겠는가?

출처: Based on rubric retrieved on August 20, 2002, from rubistar.4teachers.org/view_rubric.php3?id =321451.

상 정확한 결과와 숙달의 조건을 구체적으로 명시하지 않을 것이다. 보편적인 옳은 방법은 없다. 무엇이 옳은 것인가는 행정가가 처방해 줄 것이다.

Tyler 모형

Ralph Tyler는 현재 학교의 최종목표로 지칭하고 있는 것에 대해 "목적"이라는 용어를 사용한다.[13] 그는 교육가들이 세 가지 자원, 즉 학습자, 사회, 교과 전문가로부터 자료를 수집하여 목적(또는 최종목표)을 확인할 필요가 있다고 설명한다. 교육가들은 그 후 확인된 목적(또는 최종목표)을 두 개의 망, 즉 철학과 심리학을 사용하여 걸러낸다. 망을 통해 나온 것은 보다 명확하고, 동의된 목표, 또는 그가 수업목표라고 부른 것이다 (그림 3.2 참조).

Tyler는 수업목표라는 용어를 사용하지만 엄밀한 행동적 목표를 옹호하지는 않는다. Tyler에 의하면, 목표는 자료의 작은 조각 또는 단지 객관적 자료로부터만 추론될 수 없다. 목표의 공식화에는 의사 결정에 관여하는 사람들의 지능, 통찰력, 가치, 태도가 포함된다.

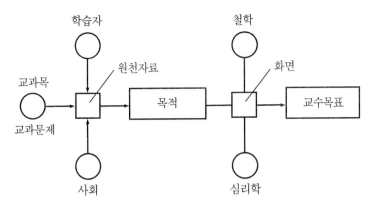

┃그림 3.2┃ Tyler의 목표형성 방법

아주 완벽한 자료가 없다면 현명한 선택은 불가능하지만, 판단은 여전히 우세해야 한다. 다음에서는 Tyler의 최종목표를 도출하는 세 가지 자원, 최종목표를 목표로 정제하는 두 가지 망을 살펴본다.

자원 1, 학습자에 대한 연구 : 학교의 책임은 학생들의 요구를 충족시키도록 돕고, 그들의 잠재력을 최대한으로 개발하는 것이다. 학생들의 교육적 요구에 초점을 맞춘 연구들, 이를테면 학교의 역할과 다른 사회교육 기관의 비교, 행해진 것과 행해져야 하는 것의 비교, 특정 학교(교육구)의 학생과 다른 학교 학생들 간의 같은 점과 다른 점 등은 학교 프로그램에 적합한 목표를 선택하는 기초가 된다. 한 학교에서 모든 학생들에게 또는 학교, 지역 학교 안에서 특정 학생 집단에 공통적인 요구뿐만 아니라, 국가, 주, 지역에 기초한 모든 학생들에게 공통적인 요구는 식별이 가능하다.

자원 2, 학교 밖의 당시 삶에 대한 연구 : 교육자는 현재와 미래의 삶에서 점차적으로 급속해지고 있는 변화율, 지식의 폭발, 기술의 복잡성 증가가 끼치는 거대한 영향을 알고 있어야 한다. 문제는 미래에 대한 준비에는 현재에도 충분히 이해하지 못하는 기술과 지식이 포함되어 있다는 점이다. 동시대의 삶을 분석할 때, 주, 국가, 국제적 수준에 연계되어 있는 보다 폭넓은 사회적 문제뿐만 아니라 요구, 자원, 동향 등의 견지에서 지역 사회 수준의 삶에 대하여 연구하는 것 또한 필요하다. 예를 들면, 직업의 세계를 대비하는 학생들에게 지역의 직업 조건과 기회를 살피는 것이 필수적이지만,

또한 다른 주, 지역으로 이주하는 학생도 있기 때문에 다른 곳의 조건과 기회를 고려하는 것도 필요하다. 게다가 우리는 모든 것이 강하게 상호 연관되어 있는 "지구촌" 시대에 살고 있으며, 주, 국가, 국제적인 조건은 결국 지역 사회 수준의 조건에도 영향을 미친다.

자원 3, 교과전문가의 제언 : 모든 교과영역에는 그 영역에서의 최종목표와 중요한 지식을 열거하는 전문적인 협회가 있다. 지난 수년 동안, 전국 수학교사협의회(National Council of Teachers of Mathematics)와 전국과학교사협회(National Science Teachers Association)와 같은 전문적인 협회는 학생들이 알아야 하는 것을 적극적으로 정의하였다(표 3.1 참조). 표 3.6에는 보다 더 자세한 예가 제시되어 있다. (BattelleforKids와 같은) 일부 단체는 교사들을 위해 특정 주의 구체적인 학문적 내용 성취기준, 성취기준에 대한 기준점과 지표, 그리고 학년별 기준점과 지표를 분명하게 보여주는 자료를 제작하고 있다(www.battelleforkids.org 참조).

망 1, 철학의 활용 : 일단 학습자, 사회, 교과 영역의 연구로부터 목적이 확인되면, 교육자는 그것을 검토하고, 철학과 심리학의 관점에서 정제, Tyler에 의하면 두 가지 망을 통해 걸러내야 한다. 학교가 교육 프로그램의 윤곽을 세우고자 할 때, "학교의 교육적 및 사회적 철학은 첫 번째 망의 역할을 수행할 수 있다."[14] 보존하려고 노력하는 삶의 가치와 방식, 그리고 개선하기를 원하는 사회의 영역이 무엇인지를 인식해야 한다. 최종목표는 삶의 모든 면에서 민주적 가치와 사회의 이

표 3.6 전국과학교사협회(National Science Teachers Association)

학습자를 위한 성취기준 학습 목표 예시
과학 내용 성취기준

내용 성취기준: K-12

개념과 과정의 통합

내용 성취기준: K-12 학년의 활동을 통해, 모든 학생들은 일련의 다음과 같은 개념 및 과정에 맞는 이해와 능력을 계발해야 한다.
- 체계, 순서, 조직화
- 증거, 모형, 설명
- 항상성, 변화, 측정
- 진화, 평형
- 형태, 기능

내용 성취기준: K-4

탐구로서의 과학

내용 성취기준 A: K-4 학년에서의 활동을 통해, 모든 학생들은 다음을 계발해야 한다.
- 과학적 탐구 수행에 필수적인 능력
- 과학적 탐구에 대한 이해

물리 과학

내용 성취기준 B: K-4학년에서의 활동을 통해, 모든 학생들은 다음 사항에 대하여 이해해야 한다.
- 물체와 재료의 특성
- 물체의 위치와 운동
- 빛, 열, 전기, 자기

생명 과학

내용 성취기준 C: K-4학년에서의 활동을 통해, 모든 학생들은 다음 사항에 대하여 이해해야 한다.
- 유기체의 특성
- 유기체의 생명 주기
- 유기체와 환경

지구 과학

내용 성취기준 D: K-4학년에서의 활동을 통해, 모든 학생들은 다음 사항에 대해 이해해야 한다.
- 지구 구성 물질의 특성
- 천체
- 지구와 대기의 변화

과학 기술

내용 성취기준 E: K-4학년에서의 활동을 통해, 모든 학생들은 다음 사항에 대해 이해해야 한다.
- 기술적 설계 능력
- 과학과 기술에 대한 이해
- 자연물과 인공물의 구별 능력

표 3.6(계속) 전국과학교사협회(National Science Teachers Association)

학습자를 위한 성취기준 학습 목표 예시
과학 내용 성취기준

개인적, 사회적 시각에서의 과학

　　내용 성취기준 F: K-4학년에서의 활동을 통해, 모든 학생들은 다음 사항에 대해 이해해야 한다.
- 개인 건강
- 인구의 특징과 변화
- 자원의 유형
- 지역의 과학과 기술

과학의 역사와 본질

　　내용 성취기준 G : K-4학년에서의 활동을 통해, 모든 학생들은 다음 사항에 대해 이해해야 한다.
- 인간 노력으로서의 과학

출처: Lawrence F. Lowery (ed.) *NSTA Pathways to the Science Standards: Elementary School Edition.* Arlington, Va.: National Science Teachers Association, 1997, p. 134. See also the current (2003) website for an elaboration of these standards: www.nap.edu/readingroom/books/nses/html/index.html. Note: These are selected standards for K-12 and not inclusive of all that is required.

상향에 일치해야 한다. 이러한 최우선의 철학이 학교 목표에 반영되어야 한다.

망 2, 심리학의 활용 : 최종목표는 이론, 개념, 그리고 인정되는 구체적인 발견들과 같은 학습 심리학에 부합해야 한다. "학습 심리학은 학습이 어떻게 발생하고, 무슨 조건 하에 있으며, 어떤 기제와 변수가 작용하는 지와 같은, 관련 과정의 통합된 공식화를 포함한다."[15] 최종목표를 공식화할 때 교사는 학습에 관해 알려진 것들 중에서 무엇이 얼마나 적절한지 이를테면, 달성될 필요의 여부, 달성 방법, 비용과 시간의 예측에 대해 고려해 볼 필요가 있다. 교사는 학습 심리학에 기인한 가치관과 충돌하거나 학생의 학습 잠재력을 손상시킬 것으로 보이는 최종목표는 거부해야 한다.

Tyler가 1950년대 초에 처음 연구를 했던 이래로 많은 일이 있었다. 현재, 성취기준의 활용 방법, 최종목표와 목표를 구체화하는 방법에 관하여 본질적인 논쟁이 있다. Tyler의 연구에 대한 비평에 의하면 너무 많은 최종목표와 목표가 있어서 교사들이 그것들 중에 선택하기를 강요당하며, 그로 인해 교사의 자유가 제한받게 된다고 한다. 결과적으로 교사들은 처방된 교육과정에

너무 집중하여 학습자의 실질적 요구를 들여다보는데 실패하게 된다. Wiggins와 McTighe는 목표를 설정하는 것을 주장하지만, 국가, 주, 지역 성취기준을 검토하고 학생들을 위해 교사가 바라는 결과가 무엇인지 주의 깊게 결정하는 것이 선행되어야 한다고 한다.

교사는 필수적으로 선택을 해야 한다. 최종목표에는 지속적으로 이해하고 있어야 하는 것(예컨대 학생들이 탐구하고, 정말 "훤히 알아야" 한다는 중요한 아이디어), 이해하고 실행하는 것이 중요한 것, 또한 익숙해질 가치가 있는 것 등이 있다.[16] 다음 네 가지 질문, 또는 "망"은 "무엇이 가치가 있으며, 이해할 필요가 있는가?"에 대한 질문에 답하는 데 활용된다.

1. 생각, 주제, 과정은 교실에서 영속적인 가치를 갖는 "큰 아이디어"를 어느 정도 대표하는가?

2. 생각, 주제, 과정은 학문의 핵심에 어느 정도 근접하는가?

3. 생각, 주제, 과정은 어느 정도 "노출"(즉, 학생들이 그와 관련하여 오해를 갖고 있고, 따라서 좀더 심층적 설명을 필요로 하는 아이디어)을 요구하는가?

4. 생각, 주제, 과정은 학생들이 관여하도록 하는데 있어서 어느 정도 잠재력이 있는가?[17]

Wiggins and McTighe는 이어서 교사가 무엇이 가치 있고, 이해할 필요가 있는지 그려내는데 성취기준을 활용하도록 한다. 표 3.7에는 무엇이 가치 있는지 결정하고, 내용을 가르치기 위해 학습 경험을 식별하기 위한 성취기준의 활용 과정이 묘사되어 있다. 여기서 주목할 점은 교사들이 성취기준/목표로 시작하여 학습 경험으로 나아갈 수 있다는 것, 혹은 그들이 바람직한 결과를 결정한 다음, 다시 원하는 (학습의) 증거가 무엇인지, 제공할 필요가 있는 학습경험이 무엇인지 등을 계획할 수도 있다는 것이다. 표 3.7에서 Wiggins와 McTighe는 성취기준(명확한 목표)에 먼저 초점을 맞춘 다음에 그러한 학습의 최종목표를 달성하기 위해 학생을 가르치는 방법의 과정─단계 3으로 나아간다는 점을 주목하기 바란다.

Wiggins와 McTighe에 의해 개략적으로 제시된 이러한 과정을 강조하는 이유는 현재 구성주의와 관련된 논쟁 때문이다. 1장에서 간략하게 구성주의와 몇 가지 변인에 대해 논의했다. 일반적으로 구성주의는 보다 더 학생 중심적이고, 학생들이 그들 자신의 이해와 지식을 창조하고 구조화하는 것을 돕는데 초점을 두고 있다. 구성주의에 대한 비판(예를 들어 Jeanne Chall)에서는 학습환경의 질을 떨어뜨린다고 믿기 때문에 학습자 중심의 접근을 비난한다. 그들의 주장은 교사가 규정한 내용의 희생을 바탕으로 학습자 중심성을 강조한다는 것이다.[18] 학생들이 진정으로 학습하는 방법을 학습하고자 한다면 구성주의의 형태와 학생 중심적 수업이 절대적으로 필요하다고 주장하는 사람도 있다.[19] 다음 장에서는 일상 업무를 수행하는 것에 대한 정보를 주면서, 또한 논쟁의 차원을 넘어 수행하는 방식에 대해 보다 충분히 살펴볼 것이다. 좋은 교수는 단순히 교사 중심 대 학생 중심과 같은 이것 아니면 저것의 문제가 아

표 3.7 수업 설계 접근 방법 개요

핵심 설계 질문	설계 고려 사항	망(설계 기준)	최종 설계 성취 요소
단계1: 이해할 가치가 있고, 이해할 필요가 있는 것은 무엇인가?	국가 성취기준 주 성취기준 지역 성취기준 지역적으로 부각되는 기회 교사 전문 의견과 흥미	영속적인 아이디어 실제적, 학문 중심의 과제 수행 기회 노출* 몰두	지속적인 이해와 필수적 질문에 따라 나누어진 단원
단계2: 이해의 증거는 무엇인가?	이해의 6가지 측면 평가 유형의 연속선	타당도 신뢰도 충분성 실제적 작업 실현가능성 학생친숙도	의도하는 이해에 대한 믿을 만하고 교육적으로 중요한 증거에 닻을 내리고 있는 단원
단계3: 이해, 흥미, 탁월성을 증진시키는 것은 어떤 학습 경험과 교수인가?	교수 학습 전략에 대한 연구 기반의 자료 필수적 및 힘이 되는 지식과 기술	어디로 가는가? 학생 끌어당기기 탐구와 갖추기 재고와 수정 발표와 평가	의도하는 이해를 유발, 발전시키고, 흥미를 증진시키며, 좀더 능숙한 수행이 더 자주 이루어지도록 하는 일관된 교수 경험과 학습

출처 : Grant Wiggins and Jay McTighe. *Understanding by Design*. Alexandria, Virginia: Association for Supervision and Curriculum Development, 1998, p. 18. * Areas of student misunderstanding that require more explanation.

니다. 대신에 무엇을, 어떻게 할 것인가? 어떤 목표를 갖고 학생을 어떻게 가르칠 것인가의 문제이다.

교육 목표의 분류

수업목표를 공식화하는 또 다른 방법은 바람직한 행동과 결과를 도서관에서의 책 분류, 화학 물질의 주기율표, 동물 세계의 분화와 유사한 체계로 범주화하는 것이다. **교육목표 분류학**으로 알려져 있는 이러한 분류 체계를 통해 목표를 분류하기 위한 성취기준이 확립되었으며, 교육자들은 보다 정교한 언어를 사용할 수 있게 되었다. 이 분류학은 과학적 체계 안에서 모든 언어가 측정 가능한 사건 형태로 정의되어야 하고, 교육목표는 수행 또는 결과 형태로 조작적으로 정의되어야 한다는 Tyler의 생각에 기반을 두고 있다. 이러한 목표 공식화 방법은 프로그램과 교과 수준에서 목표를 진술하는데 사용될 수 있다. 목표에 구체적 내용이 추가되면 소단원 수준을 포함하여 교실 수준에서 사용될 수 있다.

교육 분류학은 학습의 범주를 세 가지 영역, 즉 인지적, 정의적, 심체적 영역으로 구분한다. The *Taxonomy of Educational Objectives, Handbook I: Cognitive Domain*은 Benjamin Bloom이 의장을 맡고 각 대학들로부터 온 36명의 연구원들로 구성된 위원회에 의해 개발되었다.[20] **인지적 영역**은 지식의 회상과 인지, 그리고 고도의 지적 기술과 능력의 발달에 관련된 목표가 포함되어 있다. David Krathwohl과 동료들은 The *Taxonomy of Educational Objectives, Handbook II: Affective Domain*을 구상했다. **정의적 영역**은 흥미, 태도, 감정과 관련된 목표를 다루고 있다.[21] 이 연구자 집단은 조작적 및 운동적 기능을 다루는 **심동적 영역**에 대하여 기술하지 못했다. 그러나 Anita Harrow가 처음 집단의 의도를 거의 충족시키는 심동적 목표의 분류를 만들어 냈다.[22] 처음 두 가지 분류학을 출판했던 출판사가 심동적 영역에 대한 저서도 출판했다는 점이 이 저서의 타당성에 도움이 되고 있다.

2001년에 Bloom의 분류학은 눈에 띄게 수정되었다. 이 책을 읽는 대다수의 사람들이 본래의 구조에 따라 암묵적으로 또는 명시적으로 조직된 프로그램 안에 있을 것이므로, 이 교재에서도 의식적으로 전통적인 틀에 따라 그 영역들을 조직하기로 결정했다. 그렇지만, 새로운 요소들도 활용될 것이다. 새로운 분류학에는 지식 차원과 인지적 과정의 차원이 하나씩 있다. 지식 차원은 사실적, 개념적, 절차적, 초인지적 지식에 초점을 맞춘다. 초인지적 범주는 일반적으로 인지에 대한 학생들의 지식과 개인의 특정한 인지에 초점을 맞추고 있기 때문에 특히 더 중요하다. 인지적 차원에서의 범주는 표 3.8에 나타나 있다. 새로운 분류학에서 지식 차원은 개념적인 축과 인지적 과정 축으로 되어 있다. 따라서 사실적 지식에 대해 교사들은 기억(표 3.8의 1), 분석(표 3.8의 4)과 같은 인지적 과정에 따라 학습목표를 식별하거나, 절차적 지식에 대해서 이해(표 3.8의 2), 생성(표 3.8의 6)을 위한 학습 목표를 식별하게 된다. 이전 분류학은 한 범주에 지식과 인지 과정이 포함되어 있었다. 다음은 이전 모형으로 여전히 대부분의 학교 교육구에서 사용되고 있다.

인지적 영역

1. *지식* : 지식 수준에는 (a)용어와 사실과 같은 구체적인 지식 (b)관습, 경향과 흐름, 분류와 항목, 표준과 방법론과 같은 것을 다루는 방법과 수단 (c)원리, 발생, 이론 그리고 구조와 같은 일반적이고 추상적인 지식과 관련된 목표가 포함된다. 예)프랑스의 수도 식별하기

2. *이해* : 이 수준에서의 목표는 (a)번역, (b)해석 그리고 (c)자료의미 유추와 관련되어 있다. 예)세계 인구 밀집도에 관한 표 해석하기

3. *적용* : 이 수준에서의 목표는 특별한 상황에서 추상화를 활용하는 것과 관련이 있다. 예)화학물질의 온도 변화에 따른 예상되는 영향 예측하기

4. *분석* : 목표는 전체를 부분으로 나누고 (a)구성요소, (b)상호관계 그리고 (c)조직적인 원칙을 구분하는 것과 관련되어 있다. 예)가설에서 사실을 이끌

어내기

5. 종합 : 이 수준에서의 목표는 (a)독특한 의사소통, (b)조작 계획 (c)추상적 관계군(群) 등과 같이 부분들을 새로운 형태로 조합하는 것과 관련이 있다. 예) 원본 예술작품 한 점 생산하기

6. 평가 : 가장 복잡한 수준으로 (a)내적 증거와 논리적 일관성 (b)외적 증거와 다른 경우에서 전개된 사실과의 일관성을 바탕으로 판단하는 것과 관련되어 있다. 예)논의내용 속의 오류 인지하기

정의적 영역

1. 감수 : 이 목표는 학습자의 자극유무에 대한 민감성을 나타내며 (a)인지 (b)수용적극성 (c)선택적 주의가 포함된다. 예)소리에 따른 악기 구별하기

2. 반응 : 이 수준에서는 (a)동의, (b)반응 적극성 그리고 (c)만족감과 같은 자극에 대한 능동적인 주의가 포함된다. 예)집단 토의에서 질문하는 것으로 기여하기

3. 가치화 : 이 수준에는 (a)받아들임 (b)선호 그리고 (c)헌신과 같은 형태의 믿음과 평가에 관한 목표가 포함된다. 예)건강 보존에 관한 주제에 대하여 논의하기

4. 조직화 : 이 수준은 (a)가치의 개념화와 (b)가치 체계의 조직화와 관련이 있다. 예)이웃의 건축 통합 계획에 관한 모임을 구성하기

5. 인격화 : 가장 복잡한 수준으로서 (a)가치체계의 일반화와 삶의 특성화 혹은 삶의 철학과 관계된 행위를 포함한다. 예)목표와 이념을 위해 정부 건물 앞에서 시위하기

심체적 영역

1. 반사동작 : 이 수준에서의 목표는 (a) (한 가지 척수분절 동작에 의한) 부분적 반사동작, (b) (한 가지 이상의 척수분절 동작에 의한) 상호부분적 반사동작과 관련되어 있다. 예) 근육 수축하기

2. 기초동작 : 이 수준은 (a)걷기, (b)달리기, (c)뛰어오르기, (d)밀기, (e)당기기, (f) 손을 정밀하게 움직이기와 관련이 있다. 예) 약 91.4m 정도의 거리를 빠르게 달리기

3. 운동지각능력 : 이 수준은 (a)운동감각적, (b)시각적, (c)청각적, (d)촉각적 그리고 (e)협응능력과 관련이 있다. 예)멀리서 들리는 소리와 가까이서 들리는 소리 구분하기

4. 신체적 능력 : 이 수준은 (a)지구력, (b)힘, (c)유연성, (d)민첩성, (e)반응-대응시간 그리고 (f)기민성과 관련이 있다. 예) 윗몸일으키기 5개 하기

5. 숙련된 동작 : 이 수준에는 (a)놀이, (b)운동, (c)춤 그리고 (d)미술과 관련이 있다. 예)왈츠의 기본 발동작으로 춤추기

6. 동작적 의사소통 : 이 수준은 (a)자세, (b)몸짓, (c)얼굴 표정 그리고 (d)창조적 동작과 같이 표현적인 동작과 관련이 있다. 예)연극에서 배역 연기하기

인지적 영역에서 고려되어야 할 사항이 한 가지 있다. Bloom은 인지적 영역에 관한 논의에서 많은 교사들이 지식이 가르치고 배우기 쉽다는 이유로 남용하고 있다고 주장하였다.[23] 지식이라는 것이 가르치고 평가하기 쉽기 때문에 지식을 분류하지 않는 것을 흔히 보게 된다. 단지 학생들에게 "브라질의 세 가지 생산품이 뭐지?" 혹은 "물의 화학식이 뭐지?"와 같은 질문을 묻기만 하면 되는 것이다. 인지적 영역을 넘어서지 못하는 또 다른 이유는 지식을 지능과 같을 것으로 여기기 때문이다. 이것은 텔레비전 퀴즈 쇼에서 사소한 정보를 기억하는 사람들을 뛰어난 지능의 소유자로 여기는 경향에서 알 수 있다. 하지만 지능은 한 개인이 얼마나 많은 지식을 소유하고 있는 것에 의해서가 아니라 지능을 구성하는 지식으로 무엇을 할 수 있느냐에 달린 것이다.

분류학에 대하여 살펴보게 되면 학생의 입장에서 접해온 대부분의 교수 및 평가가 지식을 강조해왔음이 분명하게 보인다. 이를테면 사실에 관한 지식, 용어, 관습, 분류, 항목, 그리고 원칙과 같은 것들이다. 교사로서 같은 실수를 반복해서는 안 된다. 그 보다는 인지적 영역의 다른 차원으로 나아가야 한다. 바람직한 결과

표 3.8 여섯 가지 인지과정 범주 및 관련 인지과정

인지과정 범주	인지과정과 사례
1. **기억하다**—장기 기억공간에서 적절한 지식의 인출	
1.1 **인지**	미국 역사에서 주요 사건의 날짜 인지
1.2 **회상**	미국 역사에서 주요 사건의 날짜 회상
2. **이해하다**—음성, 문자, 시각적 의사소통에서의 수업 메시지로부터 의미 구성	
2.1 **해석**	주요한 연설이나 문서를 바꿔 쉽게 말함
2.2 **예시**	다양한 예술적 그림 양식의 예를 제공
2.3 **분류**	정신질환의 관찰 및 기술된 사례 분류하기
2.4 **요약**	비디오테이프에 묘사된 사건에 관해 짧은 요약 작성
2.5 **추리**	외국어 학습에서, 예문을 통해 문법 원칙을 추론
2.6 **비교**	역사적 사건을 현대적 상황과 비교
2.7 **설명**	프랑스에서 일어난 18세기 사건의 원인 설명
3. **적용하다**—주어진 상황에서 절차를 실행하거나 활용	
3.1 **실행**	정수를 정수로 나누기
3.2 **이행**	어떤 상황에 Newton의 두 번째 법직이 적설할지 결정
4. **분석하다**—자료를 구성 요소로 구분하고 다른 구성 요소와 전반적 구조 혹은 목적과의 관련체계 결정	
4.1 **구분**	수학적 단어 문제에서 적절한 것과 부적절한 숫자 구분
4.2 **조직**	특별한 역사적 견해에 대해서 부연하거나 아니면 그에 반하는 증거를 구조화
4.3 **귀인**	어떤 저자의 평론에 대한 요지를 저자의 정치적 시각의 관점에서 판단
5. **평가하다**—기준과 표준에 의거해 판단	
5.1 **점검**	과학자의 결론 관찰 자료에 근거한 것인지 판단
5.2 **비평**	주어진 문제해결에 대하여 두 가지 방법 중 최선책을 판단
6. **창조하다**—요소들을 통일성 있고 기능적인 전체로 통합하고, 새로운 모양과 구조로 재조직	
6.1 **생성**	관찰된 현상을 설명하기 위한 가설 생성
6.2 **계획**	주어진 역사적 주제에 대한 조사 보고서 계획
6.3 **제작**	특정 목적을 위해 특정 종을 위한 환경 조성

출처 : Lorin W. Anderson and David R. Krathwohl. *A Taxonomy for learing, Teaching and Assessing.* © 2001, p.31.Published by Allyn and Bacon, Boston, MA. Copyright © 2001 by Pearson Education. Reprinted by permission of the publisher.

를 성취하려면 교사는 학생들이 습득해야 하는 지식과 그것을 습득하는데 사용하는 인지적 과정이 무엇인지 알아야 한다.

명세적 목표 설정하기

세 가지 분류학은 단순한 것에서 상위의 순으로 복잡성의 수준을 기술하고 있다. 각 수준은 이전 수준에서의 기능에 근거하며, 그 기능 획득을 전제로 한다. 학생은 수업자료를 이해하기 전에 사실에 관한 지식을 가지고 있어야 한다. 전체적으로 분류학은 교육목표를 개발하거나 현존하는 목표들을 분류하고 묶는데 유용한 자료이다. 분류학을 사용하는데 가장 어려운 점은 인접해 있는 각 수준을 구분하여 결정하는 일이며, 특히 목표가 분명하게 기술되지 않았을 경우에 이것을

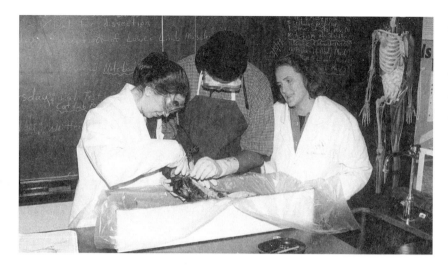

기대된 결과에 대한 성취란 선생님은 학생이 반드시 습득해야 할 지식이 무엇인지를 알고 어떤 인지과정이 그것을 습득하는 데 사용되어야 하는지를 아는 것이다.

구분 및 결정하는 것이다. 목표를 적절한 항목으로 분류하는데 어려움을 겪는 일을 피하려면 교실의 교사는 일정 인원으로 구성된 모임에 참여하고 의견을 공유하는 것이 좋다. 분류학을 연구하고 활용함에 따라 교사들은 결국 목표를 확인하고 평가항목을 구성하는 데 있어서 가치 있는 도구로써 인정하게 될 것이다.

분류학을 활용하는 것과 학생들이 배워야 할 것이 무엇인지를 결정한 후에 주요 분류 항목들을 체계적으로 개관함으로써 각 분류에 대해 익숙해지는 것이 좋다. 인지영역에서 목표를 설계할 때 다음의 질문들을 확인해 보면 좋을 것이다:

1. *지식* : 학생이 어떤 구체적인 사실을 학습하기를 원하는가? 학생들이 배워야 할 경향과 흐름은 무엇인가? 그들이 학습할 때 중요한 분류와 항목, 방법은 무엇인가? 학생이 배워야 할 일반적인 원칙과 이론은 무엇인가?

2. *이해* : 어떠한 형태의 번역을 수행하도록 할 것인가? 어떤 유형의 해석? 어떤 유형의 추정?

3. *활용* : 학생들이 실제적인 상황에서 정보를 사용할 수 있음을 보이기 위해 요구되는 것은 무엇인가?

4. *분석* : 학생이 분석할 수 있어야 하는 요소는 무엇인가? 어떤 관계를 알아야 하고 어떤 원칙을 알아야 하는가?

5. *종합* : 학생은 어떤 종류의 의사소통을 통합할 수

있어야 하는가? 어떠한 종류의 조작과 추상화를 통합할 수 있어야 하는가?

6. *평가* : 학생들은 어떠한 종류의 평가를 수행할 수 있어야 하는가? 내적 증거를 사용할 수 있을 것인가, 아니면 외적 증거를 사용할 수 있을 것인가?

위의 질문을 확인하고 분류학에 의거하여 수업목표를 설계할 때 각 분류요소들이 계층적임을 잊지 말아야 한다. 학생이 분석단계를 다룰 수 있기 전에 이전 세 단계 즉, 지식, 이해, 적용의 기능을 수행할 수 있어야 한다. 정의적 영역과 심체적 영역의 목표를 작성할 때도 같은 종류의 질문을 확인해야 한다. 영역 내의 각 수준을 보고 학생이 무엇을 달성하기를 기대하는지 확인한다.

교사를 위한 조언 3.1, 3.2 그리고 3.3에는 인지적, 정의적, 심체적 영역에 대한 핵심적인 동사와 직접적 대상에 대한 항목이 제시되어 있다. 이 모든 예는 전 교과에 적용 가능하도록 세부내용이 전혀 기술되어 있지 않다.

일반 목표와 구체적 학습 결과 : The Gronlund 방법

Norman Gronlund가 융통성 있는 수업목표 설계법을 개발함에 따라 교사는 일반적 목표에서 각 목표와 관

교사들을 위한 조언 3.1

교육목표 분류를 위한 핵심 단어 : 인지적 영역

분류 구분	동사의 예	직접적 대상의 예
1. 지식	정의하기, 구분하기, 획득하기, 확인하기, 회상하기, 인지하기	어휘용어, 전문용어, 의미, 정의, 지시대상물, 요소, 사실, (원천자료), (명칭), (날짜),(사건),(사람),(장소), (시간 간격),속성, 예, 현상의 형식, 관습, 활용, 법칙, 방법, 장치, 기호, 표현, 양식, 규격, 행위, 절차, 개발, 경향, 원인, 관계, 영향, 형태, 특성, 부류, 군(群), 정렬, 분류, 항목, 요인, 방법, 기술, 활용, 절차, 구조, 형식화
2. 이해	번역하기, 변형하기, 예시하기, 준비하기, 읽기, 표현하기, 변경하기, 바꾸어 말하기, 고쳐 말하기, 해석하기, 재정렬하기, 구별하기, 만들기, 설명하기, 증명하기, 측정하기, 추리하기, 결론짓기, 예측하기, 결정하기, 확장하기, 새어구 삽입하기	의미, 견본, 정의, 추상화, 표현, 단어, 구, 적절성, 관세, 본질, 측면, 자격요건, 결론, 방법, 이론, 추상, 결과, 함축, 요인, 부산물, 의미, 추론, 영향, 가능성
3. 활용	적용하기, 일반화하기, 관련짓기, 선택하기, 개발하기, 조직하기, 사용하기, 고용하기, 변형시키기, 재구성하기, 분류하기(원리, 법칙, 결론, 영향, 방법, 이론, 추상화, 상황, 일반화, 절차, 현상, 과정)	원리, 법칙, 효과, 방법, 이론, 추상화, 상황, 일반화, 절차, 현상, 과정
4. 분석	구분하기, 발견하기, 확인하기, 분류하기, 구별하기, 인지하기, 분류하기, 분석하기, 대조시키기, 비교하기, 구분하기, 추론하기	요소, 가설, 결론, 가정, 논의, 상세, 관계, 상호관계, 적절성, 주제, 증거, 오류,원인-결과, 일치, 부분, 생각, 가정, 형태, 본보기, 목적, 관점, 기술, 편견, 구조, 주제, 정렬, 조직
5. 종합	쓰기, 말하기, 관련시키기, 생산하기, 전하기, 창작하기, 수정하기, 기록하기, 제안하기, 계획하기, 설계하기, 구체화하기, 도출하기, 발전시키기, 결합시키기, 조직하기, 통합하기, 분류하기, 추론하기, 형식화하기	구조, 본보기, 생산품, 수행, 설계, 작업, 의사소통, 노력, 구성, 계획, 목표, 상술, 작용, 방법, 해결, 수단, 현상, 분류, 개념, 개요, 이론, 관계, 추상화, 일반화, 가설, 발견

분류 구분	동사의 예	직접적 대상의 예
6. 평가	판단하기, 논의하기, 확인하기, 주장하기, 결정하기, 고려하기, 비교하기, 대조시키기, 표준화하기, 평가하기	정확성, 일치성, 허위, 신용도, 결함, 오류, 정확성, 엄밀성, 종결, 수단, 효율성, 경제, 유용, 대안, 행위과정, 표준, 이론, 일반화

출처: Newton S. Metfessel, William B. Michael, and Donald A. Kirsner, "Instrumentation of Bloom's and Krathwohl's Taxonomies for the Writing of Educational Objectives." *Psychology in the schools* (July 1969): 227-231. Reprinted by permission of John Wiley & Sons, Inc.

교사들을 위한 조언 3.2

교육목표 분류를 위한 핵심 단어 : 정의적 영역

분류 구분	동사의 예	직접적 대상의 예
1. 감수	구분하기, 분리하기, 떼어두기, 공유하기, 축적하기, 선택하기, 결합시키기, 받아들이기, 듣기, 통제하기	광경, 소리, 사건, 설계, 정렬, 모형, 예, 형태, 크기, 박자, 운율, 대안, 답, 리듬, 미묘한 차이
2. 반응	동의하기, 따르기, 권하기, 인정하기, 자원하기, 논의하기, 연습하기, 놀기, 칭찬하기, 격찬하기, 증대시키기	방향, 지시, 법칙, 정책, 증명, 악기, 게임, 희곡 활동, 몸짓 게임, 이야기, 놀이, 표현, 쓰기
3. 가치화	측정된 숙련도 높이기, 포기하기, 구체화하기, 지원하기, 보조금주기, 돕기, 지원하기, 부인하기, 항의하기, 토론하기, 논의하기	모임 회원자격, 예술적 생산물, 음악적 과제, 개인적 우정, 연구계획, 관점, 논의, 속임, 부적절성, 포기, 불합리한 것,
4. 조직화	토의하기, 이론화하기, 추상화하기, 비교하기, 균형잡기, 조직하기, 정의하기, 형식화하기	변수, 부호, 표준, 목표, 체계, 접근, 요인, 한계
5. 인격화	개정하기, 변경하기, 완성하기, 요구하기, 동료에 의해 높게 평가되기, 상급자에 의해 높게 평가되기, 회피하기, 관리하기, 해결하기, 저항하기	계획, 행동, 방법, 노력, 인도주의, 윤리학, 성실, 성숙, 무절제, 과도, 충돌, 터무니없음/부당함

출처: Newton S. Metfessel, William B. Michael, and Donald A. Kirsner, "Instrumentation of Bloom's and Krathwohl's Taxonomies for the Writing of Educational Objectives." *Psychology in the schools* (July 1969): 227-231. Reprinted by permission of John Wiley & Sons, Inc.

교사들을 위한 조언 3.3

교육목표 분류학을 위한 핵심 단어 : 심동적 영역

분류 구분	동사의 예	직접적 대상의 예
1. 반사동작	구부리기, 내밀기, 곧게 펴기, 뻗기, 억제하기, 늘이기, 줄이기, 긴장하기, 강화하기, 힘 빼기	반사
2. 기초동작	기기, 기어가기, 미끄러지기, 걷기, 달리기, 뛰기, 목적지에 도달하기, 팽팽히 당기기, 지탱하기, 조정하기	위치 바꾸기, 한 공간에 머무르는 동안 공간에서 움직이기, 협동방식으로 끝으로 움직이기
3. 운동지각능력	잡기, 튀기, 먹기, 쓰기, 균형잡기, 구부리기, 기억으로부터 그리기, 만져서 변별하기, 탐험하기	시각적으로 변별하기, 청각적으로 변별하기, 감각적으로 변별하기, 촉각적으로 변별하기, 2개 또는 그 이상의 운동지각 능력을 조정하기
4. 신체적능력	참기, 개선하기, 증가하기, 멈추기, 시작하기, 정교하게 움직이기, 건드리기, 구부리기	긴장하기, 빠르게 움직이기, 즉시 멈추기, 피로 참기
5. 숙련된동작	춤추기, 타자치기, 피아노 치기, 활주하기, 보관하기, 스케이트 타기, 마술 부리기, 그림 그리기, 잠수하기, 방어하기, 골프치기, 바꾸기	기본적인 신체운동 유형을 바꾸거나 수정하기, 적응적이거나 숙련된 방식으로 도구나 연장을 사용하기
6. 동작적 의사소통	몸짓하기, 서있기, 앉기, 표정으로 표현하기, 능숙하게 춤추기, 능숙하게 공연하기, 능숙하게 그리기, 능숙하게 연극하기	표현하며 움직이기, 설명에 도움이 되게 움직이기, 감정으로 의사소통하기, 심미적으로 의사소통하기, 기쁨 표현하기

출처: Adapted from Anita J. Harrow. *A Taxonomy of the Psychomotor Domain*. New York: McKay, 1972.

련된 일련의 구체적 학습결과로 나아가게 되었다. Gronlund의 일반적 목표는 프로그램(교과목과 학년) 그리고 과정 수준의 목표와 일치하며, 그 구체적 학습 결과는 단원계획과 과계획 목표와 일치한다. 그는 학습이 너무 복잡하여 구체적 행위 또는 구체적 결과로 기술될 수 없으며 높은 수준의 사고는 하나의 구체적인 행위나 결과로 달성될 수 없기 때문에 교사는 일반

적 목표에서 시작할 것을 권유했다.

Gronlund는 거의 모든 학년, 과목, 과정에서 활용될 수 있는 일반적 목표 항목을 마련했다.

1. 기본 용어를 안다.
2. 개념과 원리를 이해한다.
3. 새로운 상황에 원리를 적용한다.

4. 도표와 그래프를 해석한다.
5. 비판적 사고 기능을 보인다.
6. 잘 조직된 글을 작성한다.
7. 시, 미술, 문학, 춤 등을 감상한다.
8. 과학적 태도를 보인다.
9. 실험의 타당성을 평가한다.[24]

각 문장의 행위가 세부적인 학습결과를 대표할 만큼 충분히 일반적임을 유의한다. 각각의 일반적 목표에는 그와 관련한 여섯 혹은 일곱 개의 세부적인 결과가 있으며, 이것들은 학생이 일반적인 목표를 달성했음을 보여주기 위해 수행해야 하는 것을 명확히 보여준다.

Gronlund의 목표 적용하기

다음의 두 가지 예는 학생들이 일반적인 목표에서 일련의 관련 및 의도된 학습결과로 옮아가는 법을 예시하고 있다.

I. 개념의 의미를 이해하기

1. 자신의 말로 개념 설명하기
2. 맥락 안에서 개념의 의미를 확인하기
3. 개념에 대한 적합한 사례와 적합치 않은 사례를 구별하기
4. 의미를 토대로 두 가지 유사한 개념을 구분하기
5. 개념을 사용하여 일상의 사태를 설명하기

II. 비판적 사고로 기능을 시연하기

1. 사실과 의견 구분하기
2. 관련있는 정보와 없는 정보 구분하기
3. 교재에 들어 있는 잘못된 추론 식별하기
4. 주어진 자료의 한계점 식별하기
5. 주어진 자료로부터 다양한 결론을 명확히 말하기
6. 결론에 들어 있는 가정을 식별하기[27]

나열된 학습결과는 여러 다른 학년수준, 교과 그리

고 과정에 맞출 수 있는 탈 내용 목표의 좋은 예이다. Gronlund가 중요하게 여긴 것은 구체적인 학습결과가 탈 내용적이야 한다는 것이기 때문에 이것들은 내용지향적이어야 하는 수업계획수준에 사실 적용할 수 있는 것은 아니다.

교사들은 목표에 내용을 추가할 수 있다. 1차 세계대전의 세 가지 원인을 규명하거나 삼각형과 사각형을 구별하는 목표를 예로 들어 본다. Gronlund는 교사가 내용을 규명한 다음에 일반적인 목표나 주제에 대해 너무 많은 목표들을 기술할 위험이 있다고 주장했다. 그러나 대부분의 교사들이 그러는 것처럼, 1차 세계대전의 원인을 규명하려는 목표를 세우는 대신에, Gronlund는 중요한 역사적인 원인과 사건들을 규명하는 것이 목표라고 말할 것이다. Gronlund에게는 삼각형과 사각형을 구별하는 것보다는 기하학적 도형들을 구별하는 것이 목표가 된다. Gronlund가 제시한 내용으로부터 자유로운 세부 결과들은 단원계획수준까지 사용될 수 있고, 내용을 포함함으로써 소단원수준에서도 사용될 수 있다.

표 3.9에는―일반적 및 구체적―수업목표를 설정하기 위한 Gronlund의 단계가 제시되어 있으며, 이 방법을 적용할 때 지침으로 사용할 수 있을 것이다.

구체적인 목표: Mager 방법

Robert Mager의 수업목표 작성 방식은 Gronlund보다 좀더 정밀하다.

1. 행동 또는 수행, 학생이 하도록 기대되는 것에 대한 기술. 예 : 알기, 사용하기, 확인하기
2. 조건, 어떤 환경이나 조건하에 그 수행이 일어날 것인지에 대한 진술. 예 : 형용사가 있는 다섯 문장이 주어지면…. 진술을 기초로…
3. 숙달수준, 수용할 만한 기준, 역량 또는 성취수준. 예 : 80퍼센트가, 10개 중 9개, 교사에 의해 정확히 판단된[28]

전문적인 관점

분류학의 사용

David R. Krathwohl
Hannah Hammond Professor of Education,
Emeritus Syracuse University

나는 많은 사람들이 분류학의 틀을 수정하는 것에 있어서 얼마나 멍청한가에 항상 놀라고 있다. 분류학의 저자들 중 한 사람으로서 격려의 몇 마디가 모든 사람들이 그것을 그들 자신의 방식으로 사용하는데 있어서 좀더 자유롭게 하지 않을까 생각했다. 여러분들이 그것들을 수정하는 것에 대해 화내지 않을 뿐만 아니라 여러분 자신의 구조를 만들고, 그것들을 좀더 발전시키는데 재능을 투자한다면 그 이상 기쁠 것이 없을 것이다.

하늘로부터 내려온 것으로 알려져 있는 십계명과는 달리, 분류학은 돌에 새겨져 있지 않다! 그것들은 단지 교육과정과 검사의 개발 같은 과제를 더 쉽게 만드는 틀이다. 수정하기 위한 발판으로 그것들을 사용하라. Christine McGuire가 인지적인 영역을 의학교육의 목표를 측정하는데 보다 적합하도록 어떻게 변화시켰는지를 보라. 그녀는 지식을 두 개의 하위 영역으로 축약했고, 응용 영역으로 확장했다. 그리고 평가와 종합 다음의 하위 영역은 버렸다.

1.1 낱개의 정보 회상을 주로 검사하는 항목들

1.2 의미나 함축의 인지를 검사하는 항목들

2.0 일반화: 학생들이 구체적인 현상들을 설명하기 위해 관련된 일반화를 선택하도록 요구하는 항목들

3.0 익숙한 유형의 문제해결

3.1 학생들에게 자료를 단순히 해석하도록 요구하는 항목들

3.2 학생들이 익숙한 유형의 문제를 해결하기 위해 단일 원리 또는 원리들의 표준적인 조합을 적용하도록 요구하는 항목들

4.0 익숙치 않은 유형의 문제해결

4.1 자료분석을 요구하는 항목들

4.2 학생들이 참신한 유형의 문제를 해결하기 위한 독특한 원리의 조합을 적용하도록 요구하는 항목들

5.0 평가: 전체 상황의 평가를 요구하는 항목들

6.0 종합: 다양한 지식의 요소들을 독창적이고 유의미한 전체로의 종합을 요구하는 항목들[25]

이 책에는 이처럼 다양한 분류학의 적용이 포함되어 있다. 예를 들어, Bloom, Hasting 그리고 Madaus에서의 각 장의 저자들 모두(예술교육, 산업예술, 언어예술, 수학, 유치원, 과학 그리고 사회과학 등에서의 전문가들)는 우리의 것에서 벗어나 그들 자신의 것을 구축하였다.[26] 그들이 적용을 어떻게 수정했는지 다음 보기를 잘 살펴본다.

• "기능적인 적용 대 표현이 풍부한 적용"

• "일상적인 문제를 해결하고, 비교하고, 자료를 분석하고 그리고 모양, 이질동형, 대칭을 인지한다."

이러한 적용은 원래의 틀과는 많이 떨어져 있다, 그렇지 않은가? 심지어 구조에 정의적이고 인지적인 목표를 섞는 저자들도 많이 있다.

우리의 경험에 의하면 자신의 틀을 자신의 상황에 맞출 때 가장 유용하다. 자기에게 맞는 수정판을 개발하거나 자신의 목적에 맞는 것을 찾도록 한다.

독자안내 : 2001년에 David Krathwohl과 Lorin Anderson은 Bloom의 목표 분류학을 수정했다. 이 부분은 수정 전에 쓰여졌다. 그러나 Krathwohl이 교사들이 그들 자신의 방식으로 분류학을 사용할 것과 그와 동료들이 지금 Bloom의 과업을 수정해 왔다고 언급하는 것에 주목한다. 본질적으로, 학생들이 배워야 하는 것과 여러분이 그들이 그것을 학습하게 하는 방법에 대해 생각하게 하는 분류학을 사용한다.

표 3.9 수업의 일반적인 목표와 구체적인 학습결과 진술 단계

일반적인 수업목표 진술

1. 일반적인 목표 각각을 의도된 학습결과로 진술한다(예, 학생의 최종수행).
2. 각각의 일반적인 목표를 동사로 시작한다(예, 알다, 적용하다, 해석하다).
3. 일반적인 목표가 하나의 일반적인 학습결과만을 포함하도록 진술한다(예, "알고, 이해한다"는 안됨).
4. 일반성의 수준이 적절하도록 각각의 일반적인 목표를 진술한다(예, 쉽게 정의할 수 있는 응답 영역을 망라해야 한다). 8개에서 12개의 일반적인 목표가 충분하다.
5. 일반적인 목표가 다양한 교과단원에서 사용될 수 있도록 과정 내용에서 자유롭도록 유지한다.
6. 일반적인 목표 각각이 다른 목표와의 중복이 최소화되도록 진술한다.

구체적인 학습결과 진술

1. 각각의 일반적인 수업목표 바로 밑에 학생들이 보여줄 것으로 기대되는 최종적인 수행을 기술한 구체적인 학습의 대표적인 보기를 나열한다.
2. 각각의 구체적인 학습결과는 관찰 가능한 수행을 구체화하는 행위동사로 시작한다(예, 확인하다, 묘사하다). 각각의 구체적인 학습결과는 그것이 기술하는 일반적인 목표와 관련이 있다는 것을 점검한다.
3. 목표를 달성한 학생들의 수행을 적절히 기술하기에 충분할 정도로 구체적인 학습결과를 포함한다.
4. 그 목록이 다양한 학습단원에서 사용될 수 있도록 구체적인 학습결과를 교과 내용에서 충분히 자유롭게 한다.
5. 정의하기 어렵고, 복잡한 산출물의 구체적인 요인들에 대해 참고문헌을 참조한다(예, 비판적 사고, 과학적인 태도, 창의성).
6. 필요하다면, 각각의 결과물에 대해 세 번째 단계를 추가한다.

출처 : Adapted from Norman E. Gronlund. *Measurement and Evaluation in Teaching*, 5th ed. NewYork: Macmillan, 1985, p.46.

Mager의 수업목표 작성에 대한 접근방식은 논란이 있다. 따라서, 그의 접근에 찬성하고 반대하는 일부의 논쟁을 살펴보는 것이 바람직할 것이다. (Tyler와 Gronlund를 포함한) 일부 교육자들은 Mager의 방법이 다룰 수 없을 정도로 많은 목표들을 생성하고, 소모적이며, 시간을 낭비하게 한다고 주장한다. 그들은 또한 그 접근이 낮은 수준의 인지적 목표와 심동적 목표에 초점을 두는 교수로 이끌고, 정보의 특정 조각들을 학습하게 하고, 이해와 총체적인 학습을 기르지 못한다고 주장한다.[29]

Mager 등의 교육자들은 그 접근이 교사가 의도한 것, 학생이 하도록 기대된 것, 그리고 학습의 증거를 보여주기 위해 검사한 것을 명백하게 설명한다고 주장한다.[30] 이것은 기능, 과제 또는 내용의 계열을 배열하기 위한 구조화된 방법을 제공하고, 수업 방법이나 교재를 결정하기 위한 지침을 제공한다. 그리고 시험을 정확하게 구성하도록 한다. 대부분의 교사들은 Gronlund의 방법에 좀더 부합되면서, 덜 구체적인 접근을 선호한다.

Mager의 목표 적용

교사들은 Mager의 접근을 사용해서, 각 단원, 물론 각 교과에 대해 수백 개의 목표들을 쓸 수 있다. 그의 접근을 선택했다면, 우선 학습자가 무엇을 할 것인지를 확인하고 기술해야 한다. 다음으로 행동이 발생할 조건을 확인하고 기술한다. 끝으로, 학생이 충족하기로 기대되는 수행 준거나 성취수준을 진술한다.

다음에는 예가 제시되어 있다. 행동, 조건, 숙달수준이 구분되어 있다.

1. 6개의 주요 색상을 주면, 학생들은 5개를 식별할

수 있다. 행동은 식별하는 것이고, 조건은 주어진 6개의 주요 색상 그리고 숙달수준은 6개 중 5개이다.

2. 7장의 읽기과제에 기초하여, 학생들은 Ernest Hemingway와 John Steinbeck의 작문유형을 비교할 것이다. 수행은 교사에 의해 합격-불합격으로 판단될 것이다. 행동은 작문유형을 비교하는 것이고, 조건은 7장의 읽기과제이다. 그리고 숙달수준은 합격하는 것이다(교사에 의한 주관적인 판단).

3. 필수 단어 10개가 담긴 목록으로부터, 학생들은 9개 단어의 철자를 정확히 쓸 것이다. 행동은 철자를 쓰는 것이고, 조건은 필수 단어 목록, 그리고 숙달수준은 90%(10개 중에 9개)이다.

4. 파울라인으로부터, 학생들은 10개 중에 6개의 공을 골의 그물에 넣는 것이다. 행동은 농구공을 던지는 것이고, 조건은 파울라인으로부터이다. 그리고 숙달수준은 60%(10개 중에 6개)이다.

5. 학생들은 60분 내에 오염 관련 선다형 시험 100문항 중 80문항을 정확히 대답할 수 있을 것이다. 행동은 시험을 완료하는 것이고, 조건은 60분 내에, 그리고 숙달수준은 80%(100개 중에 80개)이다.

　　Mager는 '불명확'하고, 목표를 작성하는데 피해야 하는 것으로는 안다, 감사한다, ~의 중요성을 이해한다, 즐긴다, 믿는다, 신뢰하다, 내면화 하다 등 8개를 열거했다. 해석이 분분하지 않고 사용하기에 좀더 적절한 용어로는 쓰기, 암송하기, 확인하기, 규명하기, 정렬하기, 풀기, 구성하기, 건설하기, 비교하기, 대조하기 등 9가지를 열거했다.

자신의 최종목표와 목표 기술하기

학교 교육구, 학교, 교육과정 또는 과정의 최종목표와 목표를 기술하는 일은 보통 학교 위원회의 몫이다. 교실 내의 개별 교사는 대개 단원 계획이나 소단원을 작성하는 책임을 진다. 예를 들어, Ohio주에서는 600개

의 학교 교육구가 있고, 각 교육구에는 각 교사가 개별적으로 수업 계획을 만드는 자체적인 학습의 과정이 있다. Ohio주는 지역 자치 주이지만, 주의 성취기준은 여전히 교사가 가르치는 것 안에 담겨 있고, 주의 평가도구는 현재 학생이 필수 내용을 학습해야 할지를 결정하는 데 사용되고 있다. 만약 여러분이 어떤 주의 교육구나 학교 위원회의 인원이라면, 여러분의 목록이 규정된 교육의 최종목표와 목표를 확실히 반영하도록 아래 자료를 고려해야 한다.

1. 주의 성취기준 (www.achieve.org 참조)
2. 전국수학교사협의회와 같은 학습 사회의 권장사항(표 3.1 참조)
3. 주와 지역 사업 조직과 압력 집단이 표현한 지역사회의 관심
4. 학부모 자문 위원회, 부모-교사 연합, 부모에게서 온 개별적인 편지에 드러난 학부모 관심
5. 학습과 아동발달이론과 관련된 전문 보고서
6. 학생의 요구, 평가, 경력 선택과 관련된 전문 보고서[31]

　　기존에 나와 있는 목표의 목록은 인지영역을 대부분 우선적으로 강조한다; 정의적, 심동적 영역에 대한 관심이 점점 더 줄어들고 있다. 발표된 목적과 목표 목록은 정부 기관(주 교육부서와 지역 교육 기관), 전문 기관(관리와 교육과정 개발 연합, Phi Delta Kappa), 출판회사 그리고 기업, 대학, 학교 교육구에서 얻을 수 있다. 앞서 얘기했듯이, 정부와 학교가 출간한 목표는 무료로 얻을 수 있으며, 학교 교육구나 주 교육 기관이 만든 웹사이트에 공시되어 있다. 전문 조직은 일정의 수수료를 부과할 것이다.

　　단원 또는 수업 계획에 대한 교실 수준 목표를 만들 때, 다음의 유의사항 내지는 일반적인 규칙을 유념한다(교사들을 위한 조언 3.4 참조).

1. 학습자 발달상의 요구, 과업과 연관되어야 하고 다음으로 학생의 나이, 경험과 관련되어야 한다.

교사들을 위한 조언 3.4

교실 목표 진술

여기에 제시된 것들은 목표의 내용, 형식과 관련된 이론적으로 견실하고, 실제적인 권장 사항들이다. 이들은 여러분이 단원 계획과 소단원 계획 수준에서 자신의 목표를 형성하는 데 도움이 될 것이다.

내용

1. 목표는 난이도와 학생의 선행 학습 경험 수준에 따라 정해야 한다.
2. 목표는 교실 상황에서 실제적으로 교사가 실행 가능한 행동을 기술해야 한다.
3. 유용한 목표는 학생의 적절한 반응에 요구되는 내용과 인지과정 두 가지 모두 기술한 것이다.
4. 목표의 내용은 개인적, 사회적 요구를 반영해야 한다.
5. 대부분의 교과에서는 실제적, 개념적, 절차적 지식을 개발하려고 하기 때문에, 다양한 지식 종류를 요구한다.

형식

1. 목표는 예상되는 학생의 변화 형식으로 기술해야 한다.
2. 목표는 행동 또는 수행과 관련되어 기술해야 한다.
3. 목표는 하나씩 기술해야 한다.
4. 목표는 아주 장황한 것을 간결하게 다듬어야 한다.
5. 목표는 논리적으로 묶어, 수업과 평가 단원을 결정하는 이치에 맞아야 한다.
6. 어떤 조건에서 예상되는 학생 행동이 관찰될 것인지 명기해야 한다.
7. 가능하다면, 목표는 수용할만한 수행 준거를 포함해야 한다. 준거는 시간 제한이나 옳게 반응한 최소 수치를 포함해야 한다.

Allan C. Ornstein and Francis P. Hunkins. *Curriculum: Foundations, Principles and Issues*, 4th ed. Boston, Mass.: Allyn and Bacon, 2004. Grant Wiggins. *Educative Assessments*. San Francisco: Jossey-Bass, 1998에서 수정됨.

2. 진단 자료(성취, 재능, 성격, 행동적인 시험)와 학생 기록의 결과여야 한다.
3. 전문적 및 교과 전문가의 의견과 일치해야 한다.
4. 교수 학습 이론과 절차와 일치해야 한다.
5. 어른의 관심이나 학생의 약점보다는 학생의 관심과 강점을 근거로 해서 수립해야 한다.
6. 단순히 학습의 한 가지 측면이나 인지적 영역과 관련짓는 것이 아니라 전체 아동과 학습의 여러 가지 영역과 관련지어야 한다.
7. Bloom이 분류한 수준의 범위를 포괄하도록 저 수준과 고 수준의 사고 기술을 강조해야 한다.
8. 과목과 학년 수준의 학문적 내용 성취기준에 근거해야 한다.
9. 교육적, 사회적 상황의 변화에 따라갈 수 있을 정도로 충분히 융통적이어야 한다.

여러분이 목표를 아무리 주의 깊게 계획한다 해도, 의도하지 않은 수업 결과가 나올 수 있다. 이들 결과는 바람직한 것일 수도 있고 그렇지 않을 수도 있는데, 학습에 대한 태도, 감정, 동기와 같은 정의적인 영역으로

공학적 관점

현장 교사의 공학적 관점

Jackie Marshall Arnold
K-12 Media Specialist

교실 목표를 만들고 정립하는 것은 교수에 있어서 중요하다. 이 장에서 설명된 많은 사항들을 상당히 주의하고 고려해서 수업 목표를 만들어야 한다. 공학은 이런 과정 전반에 걸쳐 교사를 위한 도구가 될 수 있다.

전국 조직은 개별적으로 모든 교사가 학년과 과목에 대한 성취기준에 정통해야 한다고 정의하고 있다. 각 조직은 웹사이트에 이들 목표를 상술하고 있다(이 장에 있는 조직표와 웹사이트 참조). 이 사이트를 "즐겨찾기"로 등록해 놓는 것은 목표를 진술할 때 국가 지침을 손쉽게 접할 수 있는 현명한 방법이다.

국가 성취기준에는 학생, 교사, 행정가에 대한 공학적 기능도 제시되어 있다. 국제교육공학협회(ISTE)는 모든 학생이 지니고 있어야 하는 공학 기반을 6개의 범주로 정의한 국가교육공학성취기준(NETS)을 개발했다. 게다가 ISTE는 각 학생이 특정 학년 수준에서 보여야 하는 수행 지표도 개발했다. 이들 수행 지표와 성취기준과 더불어 공학을 모범적으로 통합한 과와 단원이 ISTE의 웹사이트(www.iste.org)에 제시되어 있다.

수업 목표의 가장 중요한 요소는 평가이다. 잘 만들어진 평가는 목표를 달성했는지를 적합하게, 창의적으로 측정할 것이다. "학생 성취를 평가하는 것은 크게 변하고 있다. 왜냐하면 오늘날의 학생은 새 지식과 능력을 필요로 하는 세상에 직면해 있기 때문이다. 21세기의 세계 경제에서 학생은 기초를 알아야 할 필요도 있지만, 비판적으로 생각하고, 분석하고, 추론할 필요가 있을 것이다. 이런 기술을 개발하도록 학생을 돕기 위해서는 전체적으로 새로운 접근과 더불어 학교와 교실 수준에서의 변화가 필요할 것이다."(NCREL, 1995). 학급 교사는 평가 도구 공학에 다시 의지할 수 있다.

Chad Raisch(사례연구 3.2 참조)가 예에서 사용한 Rubistar 사이트는 교사를 위한 가공할만한 무료 자원이다. 이 사이트(http://rubistar.4teachers.org/)에 접속하면, 어떤 교사라도 어떤 과목을 위한 평정표를 만들 수 있고 다음 사용과 재검토를 위해 사이트에 그 평정표를 저장할 수 있다. 교사는 이미 만들어져 있는 많은 평정표를 사용할 수 있고 그들 자신의 요구에 맞출 수도 있다. Rubistar 사이트는 교사가 자신의 개별화된 평정표를 짧은 시간 안에 만들도록 단계적인 지침을 제공한다.

Family Education Network는 어떤 교사라도 가치 있게 사용할 수 있는 사이트를 제공한다. 이 사이트(www.teachervision.com)는 수업계획센터를 갖고 있다. 이 센터는 양질의 목표와 온라인 학생 활동을 제공한다. 또한 온라인 학년 교과서, 퀴즈 도서관, 평가 양식과 대안적인 평가를 포함한 많은 평가 자원이 들어 있다.

양질의 목표를 만들어 내는 유능한 교사는 업무에 도움이 되는 주변의 공학적 도구를 살펴보게 될 것이다. 이 공학적 관점은 교수의 기예와 과학을 지원할 수 있는 다수방법 중 일부일 뿐이다.

대부분 귀결되는 경향이 있다. 예를 들어 톨스토이 소설에 대한 문학 수업의 결과로, 어떤 학생은 그들 스스로 소설 읽기에 보다 관심을 갖게 되거나 더 많은 톨스토이의 작품을 읽도록 동기부여가 될 것이다. 다른 학

생은 문학 수업을 지루해 하거나 소설 읽기에 흥미를 잃게 될 수도 있다. 이런 것들이 수업 내용보다 방법에 기인하고, 학생의 태도보다는 교사의 행동에 기인하기 때문에, 더 심각하게는 교사가 알아채지 못하거나 그런 부수적인 효과를 무시할 수도 있다.

목표에 대한 부언

PRAXIS와 INTASC는 교사가 아주 명확한 학습 목표를 작성하고 정립할 수 있는 능력을 보여줄 것을 요구한다. PRAXIS와 INTASC에 따르지 않는 주에서도, 교사가 의미 있는 수업 개요나 지침을 수립할 수 있다는 것을 보여줄 것을 요구하고 있다. 결과적으로, 여러분은 교사로서 일반적 및 세부적인 목표를 분명하게 수립해야 할 것이다. 현재 대부분의 주에서는 교사가 세부적인 학습 목표를 수립하기 위해 학교 교육구의 교육과정 지침을 사용한다. 아마도 이것은 향후 변할 것이다. E. D. Hirsch, Jr. 등은 교육과정을 국가 차원에서 만들 것을 주장한다. Hirsch는 국가차원의 교육과정이 유동적인 학생 인구—미국 학생은 유동적이다—에 보다 잘 맞는 것으로 본다.[32] 비록 국립화 한다는 생각이 즉각적으로 수용될 것인지는 의심스럽지만, 성취기준을 위한 조치(국가 시험과 같은)가 여러분이 교사가 되었을 때 교사로서 실제 하는 일에 영향을 줄 것만은 분명하다.

이론의 실제 적용

교사들은 대부분 수업 계획과 실행에서 목표를 사용해야 할 것이다. 자신의 학교(그리고 상관)의 철학과 신념에 따라 목표는 일반적 또는 명확하게 작성될 것이다. 다음은 양쪽 가능성을 모두 포괄하는 질문들이다.

일반적인 목표

1. 자신이 강조하고 싶은 주요 목표를 결정했는가?
2. 학교 목적과 관련된 목표인가(학년 수준 또는 학과)?
3. 교수와 학습의 올바른 원칙과 관련되어 있는가?
4. 학생 능력, 시간 그리고 가용 시설 측면에서 목표가 현실적인가? 학생이 어려운 인지처리과정을 사용하는가?
5. 주요 학습 결과와 목표가 연관되어 있는가?
6. 목표를 중요도, 학습 영역 노는 고수순/저수준의 인지적, 사회적, 심리학적 범주 등의 순서에 따라 정렬했는가?
7. 목표에 부합하도록 과목 내용과 활동을 정리했는가?
8. 학부모와 지역공동체의 관점(가치)에 목표가 만족할 만큼 부합하는가? 수립된 학문적 성취기준과 만족할 만큼 부합하는가?

명확한 목표

1. 학습자가 성취하고자 하는 것을 분명히 결정했는가?(적합한 지식 형식과 인지처리과정을 확인했는가?)
2. 바람직한 행동을 수행하는 자가 누구인지를 결정했는가(예를 들어 반 전체, 보다 수준 높은 집단)?
3. 목표의 숙련을 나타내는 실질적인 행동을 행동 단어로 상술했는가?
4. 학습자가 요청된 것을 행하는 제한적 혹은 촉진적인 조건을 설정했는가(예를 들어 한 시간 내에, 교과서를 덮어 놓고)?
5. 목표가 이뤄졌는지 여부를 결정하기 위해 평가하는 결과물이나 수행을 기술했는가(예를 들어 보고서, 연설)?
6. 결과물이나 수행의 성공을 평가하기 위해 쓰일 성취기준 또는 달성 수준을 결정했는가(예를 들어 80% 정답)?

요약

1. 목적은 전체적인 교육 의도에 대한 광범위한 진술

이다. 최종목표 또는 성취기준은 학생이 학습할 것으로 예상되는 것에 대한 진술이다. 목표는 내용과 행동, 때로는 어떤 수업 수준에서 달성되는 숙달 수준을 상술한다.

2. 목표는 교과과정, 학년, 과목, 강좌, 교실, 단원계획, 수업계획을 포함한 몇 개의 수준에서 그리고 폭넓게 혹은 자세한 전문 수준에서 기술된다.

3. 목표를 나타내는 가장 대중적인 접근은 Tyler, Bloom, Gronlund와 Mager의 업적에 기초하고 있다. Tyler는 목적을 확인하고, 수업 목표를 도출하기 위해 목적을 철학적, 심리학적 관심 차원에서 해석한다는 것을 확인한다.

4. Bloom의 업적(교육 목표 분류)은 인지적, 정의적, 심동적 등 학습의 세 가지 영역에 관련되어 있다. 이 분류는 지식과 인지치리과정의 양식을 강조하기 위해 2001년에 개정되었다.

5. Gronlund는 일반적인 목표와 구체적인 학습 결과 사이의 차이를 구분했다.

6. Mager는 목표 기술에서 행동, 조건, 숙달수준 등 세 가지 주요 특성에 의존한다.

7. 목표 기술을 위한 다수의 권장사항은 교사의 계획을 촉진할 것이다.

고려할 문제

1. 목적과 최종목표의 관점에서 볼 때, "학교의 목적은 무엇인가"라는 질문은 왜 복잡한 것인가?

2. 사회의 변화에 따라 목적과 최종목표가 변한다는 것이 왜 중요한가?

3. Tyler는 그의 목표 수립 방식에서 어떤 정보 자료를 추천하는가?

4. Gronlund는 일반적인 목표와 구체적인 학습 결과물 사이의 차이를 어떻게 구분하는가?

5. Mager에게 있어서 목표의 세 가지 요인은 무엇인가? 교사는 이 세 가지 요인 모두를 포함하는 목표를 기술해야 하는가?

해야 할 일

1. 교육과정 지침에서 교과과정 또는 과정의 목록을 찾아서 여러분이 가르치고자 하는 특정 과목과 학년 수준에서의 목표 기술 지침에 들어맞도록 개정한다.

2. 인지영역의 여섯 개 범주를 단순한 것에서부터 복잡한 것까지 순서대로 정리한다. 각 범주에 해당하는 수업 목표의 예를 여러분이 가르치고자 하는 내용에서 든다.

3. 정의적 영역의 5개 범주를 단순한 것에서부터 복잡한 것까지 체계대로 정리한다. 각 범주에 해당하는 수업 목표의 예를 든다.

4. 여러분이 가르치고 싶은 과목의 목표 여섯 개를 수업 계획 수준에서 기술한다. 목표 기술을 위해 Bloom 또는 Mager의 방법을 사용한다.

5. 여러분의 교수 영역의 성취기준을 확인하고 지역 학교 교육구가 사용하고 있는 교과서와 관련하여 그것을 조사한다. 그 교육구에 있는 교사와 얘기하고 그가 교실 수업을 진행하는데 성취기준을 어떻게 사용하고 있는지 알아본다.

추천 문헌

Anderson, L. and Krathwohl, D. (eds). *Taxonomy for Learning, Teaching, and Assessing: A Revision of Bloom's Taxonomy of Educational Objectives*. New York: Longman, 2000. A revision of the taxonomical structure first put forth by Benjamin Bloom, this text illustrates the ways in which good instruction requires teachers to think broadly about the learning outcomes expected of students.

Bloom, Benjamin S., et al. *Taxonomy of Educational Objectives, Handbook I: Cognitive Domain*. New York: Longman, 1984. The *Taxonomy* describes six categories of the cognitive domain and identifies objectives and test items related to knowledge and problem-solving skills.

Krathwohl, David R., Benjamin S. Bloom, and Bertram

Maisa. *Taxonomy of Educational Objectives, Handbook II: Affective Domain*. New York: Longman, 1984. This second part describes five categories of the affective domain and identifies objectives and test items related to feelings, attitudes, and values.

Marzano, Robert. *What Works in Schools*. Alexandria, Virginia: Association for Supervision and Curriculum Development, 2003. A wonderful synthesis of the curriculum and instruction implementation process that documents the various types of research supporting current practices.

Wiggins, G., and Jay McTighe. *Understanding by Design*. Alexandria, Virginia: Association for Supervision and Curriculum Development, 1998. This is an excellent text that helps teachers discern the difference between understanding and knowing. Many teachers think of covering content; the authors argue for striving to facilitate understanding.

핵심 용어

과계획 목표 100	교과목표 98
교실목표 100	교육목표 분류학 109
낙오아동방지법 93	단원계획 목표 100
목적 88	목표 89
성취기준 89, 100	세부 수업목표 100
수업목표 98	심동적 영역 109
인지적 영역 109	일반적 수업 목표 100
정의적 영역 109	최종목표 88
프로그램 목표 98	

후주

1. E. D. Hirsch Jr. *The Schools We Need*. New York: Doubleday, 1996.

2. Hilda Taba. *Curriculum Development: Theory and Practice*. New York: Harcourt Brace Jovanovich, 1962, p. 197.

3. Ibid.

4. Commission on the Reorganization of Secondary Education. *Cardinal Principles of Secondary Education*. Washington, D.C.: Government Printing Office, 1918.

5. National Commission on Excellence in Education. *A Nation at Risk: The Imperative for Reform*. Washington, D.C.: Government Printing Office, 1983.

6. Peter F. Oliva. *Developing the Curriculum*, 3d ed. New York: Harper Collins, 1992, p. 265.

7. Shirley M. Hufstedler. "The Once and Future K-12." Phi Delta Kappan (May 2002): 684-689. Allan C. Ornstein. "The National Reform of Education." *NASSP Bulletin* (September 1992): 89-105.

8. Myra P. Sadker and David M. Sadker. *Teachers, Schools, and Society*. New York: McGraw Hill, 1997, pp. 154-155.

9. James A. Banks. *Teaching Strategies for Ethnic Studies*, 7th ed. Boston, Mass.: Allyn and Bacon, 1993. Allan C. Ornstein and Francis P. Hunkins. *Curriculum: Foundations, Principles and Issues*, 4th ed. Boston, Mass.: Allyn and Bacon, 2004.

10. George J. Posner. *Analyzing the Curriculum*. New York: McGraw-Hill, 1992. George J. Posner and Alan N. Rudnitsky. *Course Design: A Guide to Curriculum Development for Teachers*, 4th ed. New York: Longman, 1994. Kevin B. Zook. *Instructional Design for Classroom Teaching and Learning*. Boston, Mass.: Allyn and Bacon, 2001.

11. Ronald C. Doll. *Curriculum Improvement: Decision Making and Process*, 10th ed. Needham Heights, Mass.: Allyn and Bacon, 1997. Allan C. Ornstein and Francis P. Hunkins. *Curriculum: Foundations, Principles, and Issues*, 2d ed. Needham Heights, Mass.: Allyn and Bacon, 1993.

12. W. James Popham. *Modern Educational Measurement*, 2d ed. Needham Heights, Mass.: Allyn and Bacon, 1990. Robert E. Slavin, *Educational Psychology: Theory into Practice*, 3d ed. Needham Heights, Mass.: Allyn and Bacon, 1992.

13. Ralph Tyler. *Basic Principles of Curriculum and Instruction*. Chicago: University of Chicago Press, 1949.

14. Ibid., p. 34.

15. Ibid., p. 41.

16. Grant Wiggins and Jay McTighe. *Understanding by Design*. Alexandria, VA: Association for Supervision and Curriculum Development, 1998, pp. 10-11.

17. Grant Wiggins. *Assessing Student Performance*. San

Francisco: Jossey-Bass, 1999.

18. Jeanne Chall. *The Academic Achievement Challenge*. New York: Guilford Press, 2000.

19. John Bransford, Nancy Nye, and Helen Bateman. "Creating High Quality Learning Environments: Guidelines from Research on How People Learn." Presentation to the National Governor's Association, San Francisco, California, July 2002.

20. Benjamin S. Bloom, et al. *Taxonomy of Educational Objectives. Handbook I: Cognitive Domain*. New York: David McKay, 1956.

21. David R. Krathwohl, Benjamin S. Bloom, and Bertram Masia (eds.). *Taxonomy of Educational Objectives. Handbook II: Affective Domain*. New York: David McKay, 1964.

22. Anita J. Harrow. *Taxonomy of the Psychomotor Domain: A Guide for Developing Behavioral Objectives*. New York: McKay, 1972.

23. Benjamin S. Bloom, *Taxonomy of Educational Objectives, Handbook I, Cognitive Domain*. New York: David McKay, 1956, p. 34.

24. Norman E. Gronlund. *How to Write and Use Instructional Objectives*, 5th ed. New York: Macmillan, 1995, pp. 21 & 52-53. Norman E. Gronlund and Robert L. Linn. *Measurement and Evaluation in Teaching*, 7th ed. New York: Macmillan, 1995, pp. 41-42.

25. Christine McGuire. "A Process Approach to the Construction and Analysis of Medical Examinations." *The Journal of Medical Education*, vol. 38 (1963): 556-563.

26. Benjamin S. Bloom, J. Thomas Hastings, and George F. Madaus. *Handbook on Formative and Summative Evaluation of Student Learning*. New York: McGraw-Hill, 1971.

27. Norman E. Gronlund. *Assessment of Student Achievement*. Boston, Mass.: Allyn and Bacon, 2003

28. Robert F. Mager. *Preparing Instructional Objectives*, rev. ed. Belmont, Calif.: Fearon, 1984. The examples of each component are derived from the authors.

29. Ornstein and Hunkins, *Curriculum: Foundations, Principles, and Issues*; 4th ed. Boston, Mass.: Allyn and Bacon, 2004.

30. Lorin W. Anderson and David R. Krathwohl. *A Taxonomy for Learning, Teaching and Assessing*. Boston, Mass.: Allyn and Bacon , 2001. Popham, Modern Educational Measurement. Charles K. West, James A. Farmer, and Philip M. Wolff. *Instructional Design*. Needham Heights, Mass.: Allyn and Bacon, 1991.

31. Lynn L. Morris and Carol T. FitzGibbon, *How to Deal with Goals and Objectives*. Beverly Hills, Calif.: Sage, 1978. Michael Fullan. *The New Meaning of Change*. New York: Teachers College Press, 2001.

32. E. D. Hirsch, Jr. *The Schools We Need*. New York: Doubleday, 199

이번 장에 관련된 Pathwise 성취기준 :

- 학생에게 적합한 수업이 되도록 학습목표를 명료하게 하기(A2).
- 전에 학습한 내용, 현재의 학습내용, 그리고 앞으로 학습한 내용간의 연계성을 이해하도록 설명하기(A3).
- 학생에게 적합하고 소단원의 학습 최종목표에 맞는 교수방법, 학습활동, 수업자료나 다른 자원을 새로 만들어내거나 선택하기(A4).
- 학생들이 학습최종목표와 수업절차를 명백하게 알도록 하기(C1).
- 학생들이 학습내용을 이해할 수 있도록 하기(C2).

이번 장에 관련된 INTASC 원리 :

- 교사는 중심개념, 질문하는 수단, 자신이 가르치는 분야의 구조를 이해하고, 교과목의 이러한 측면들이 학생에게 유의미한 것이 되도록 학습경험을 창조할 수 있어야 한다.
- 교사는 아이들이 어떻게 배우고 성장하는지 이해하고, 그들의 지적, 사회적, 인격적 성장을 뒷받침할 학습기회를 제공할 수 있어야 한다.
- 교사는, 학생이 비판적 사고, 문제해결, 수행기능을 개발하도록 격려하는 다양한 수업 전략을 이해하고 사용할 수 있다.

핵 심 문 제

1. 교사는 수업을 어떻게 계획하는가? 어느 수준에 맞추어 계획하는가?
2. 교사는 학습과정을 어떻게 개략적으로 그려내는가?
3. 단원 계획의 주된 구성요소는 무엇인가?
4. 소단원 계획의 주된 구성요소는 무엇인가?
5. 완전학습 소단원 계획에서는 어떤 구성요소가 강조되나? 창의성 소단원 계획은?
6. 단원, 소단원 계획이 교수와 수업을 어떻게 촉진하는가?
7. 좋은 수업 계획은 학습법이나 인지발달에 대한 기존의 연구와 어떻게 관련되어 있는가?
8. 교사는 직접 전달식으로 가르칠 것인지, 학생이 지식을 구조화하도록 가르칠 것인지 어떻게 결정하는가?

효과적으로 수업을 계획하는 일은 1) 국가의 성취기준, 2) 학교 전반적인 최종목표, 3) 교과나 과목의 목표 그리고 수반되는 학문의 성취기준, 4) 학생의 능력, 태도, 요구, 흥미, 5) 포함될 내용과 과목이 적절하게 구분된 단원, 6) 단기간 수업이나 소단원에 대한 수업계획을 세우는 기법 등에 대한 지식에 기반을 두고 있다.

수업계획이 비록 행정가나 학교의 교장, 교감, 그리고 교사가 함께 책임을 공유하는 일이기는 하지만, 학교에 교사로 부임하게 되면 기존의 계획들을 수정하여 교실에서 자신만의 수업계획을 조직할 수 있어야 한다. 그렇게 수정된 수업계획은 교사가 교실에서 강조하는 (명시적 및 잠재적) 교육과정으로 표현된다. 표 4.1에서 제시된 바와 같이, 수업계획으로서의 교육과정은 다양하게 정의된다. 각각의 정의는 학습자와 학습과정에 대한 다양한 관점을 보여준다. 교육과정을 일종의 계획으로 보는 것은 행동주의적 해석이다. 이러한 행동주의식의 해석은 바람직한 최종목표나 목표를 성취하기 위해 교사가 정의한 전략을 포함하고 있다. (그리고 이 해석은 Ralph Tyler와 Hilda Taba와 같은 교육자들의 생각에 뿌리를 두고 있다.) 그러한 해석은 교육과정을 일련의 경험이나 활동(학생의 흥미가

수업을 이끈다는 진보적인 시각) 또는 교과목이나 학문적 내용(나중에 토의할 구성주의자들의 관점)을 지칭하는 용어로 보는 시각과는 매우 다르다.

교사는 어떻게 수업계획을 짤 것인가

교사의 계획은 일종의 의사결정이다. 한 교과, 단원, 소단원을 계획하는 일은 다음 두 가지 영역에 대하여 결정하는 것이다. 이 두 가지란 1) 교과내용의 구조와 제시에 관한 교과목(내용) 지식, 학생이 내용을 얼마나 이해하고 있는지에 대한 지식, 교과내용을 가르치는 방법에 대한 지식에 관한 것, 2) 학생들을 진단하고 조편성하고 관리하고 평가하는 것, 수업 활동과 학습경험을 이행하는 것과 같은 교수활동에 대한 행동체계(교육학적) 지식이다.[1] 이 두 종류의 지식 모두가 효과적인 수업계획에 필요하다.

일부 교사들은 교과목에 대한 지식은 가지고 있지만 행동 체계 지식의 다양한 측면에 관한 전문적 지식이 부족하다. 비전공 교사들(즉, 자신의 전공과목이 아닌 영역을 가르치는 교사들)에 관한 연구에서는 이러한 교사들이 교과목 지식은 부족하지만 학생들을 조

표 4.1 계획으로서의 교육과정: 정의

- 교육과정은 폭넓은 최종 교육목표와 관련 세부 목표를 성취하기 위해 학습기회를 프로그램으로 계획한 것이다. (William Alexander)
- 교육과정은 최종 교육목표를 달성하기 위해 학교가 계획하고 시행한 학생의 학습 모두를 포함한다. (Ralph Tyler)
- 교육과정은 학습자의 지속적이고 의도적인 성장을 위해 계획되고 안내된 일련의 학습경험이다. (Daniel and Laura Tanner)
- 교육과정은 학습을 위한 계획이다. (Hilda Taba)
- 교육과정은 가르칠 내용에 대한 계획이고, 가르칠 내용과 대상, 가르칠 시간, 방법으로 구성되어 있다. (John McNeil)
- 교육과정은 수업의 계획된 행동이다. (James Macdonald)
- 학교 교육과정은 한 명이나 그 이상의 학생을 위해 교육적 결과를 갖도록 의도된 일련의 계획으로 이해할 수 있다. (Elliot Eisner)

출처: Jon W. Wiles. *Curriculum Essentials: A Resource for Educators.* Needham Heights, Mass.: Allyn & Bacon, 1999, p. 5. Copyright © by Pearson Education. Reprinted by permission of the publisher.

편성하고 관리하는 과정을 이해하고 있다는 점이 발견되었다.[2]

John Zahorik는 200명의 교사를 표본 추출하여 조사한 뒤, 대부분의 교사들이 합리적인 계획을 세우지 않거나 목표를 사용하지 않는다고 주장한다. 교사들은 교과목 내용, 자료, 자원, 학습활동을 강조하는 경향을 보인다.[3] 또한, Zahorik의 연구 이후 수년이 지나서 Clark와 Peterson은 교사들이 매일매일의 수업을 계획할 때 교과목 지식이나 교과목 내용, 수업 활동을 강조한다는 점을 발견했다. 교사들은 목표를 계획하는 데 최소한의 시간을 보낸다.[4]

많은 교사들은 단순히 목표나 세부적 또는 정교화된 교안을 사용하는 것에 가치를 부여하지 않는다. 비록 연구자와 전문적인 교육자들이 수업을 계획하는 일이 논리적이라고 보는 경향이 있지만, Elliot Eisner는 교실에서 일어나는 일들의 대부분은 관찰되거나 측정되거나 미리 계획될 수 없고, 교수의 많은 부분은 충동적 행동과 상상력에 기반을 두고 있으므로 미리 설계할 수 없다고 지적한다.[5] 그러므로, 세부적인 계획을 세우는 것을 옹호하는 사람들과 교수라는 것이 그렇게 세부적으로 계획을 세우기에는 너무나 기예적이라고 주장하는 사람들 간에는 긴장감이 감돈다. 우리는 훌륭한 교사가 수시로 "매 순간 가르치고" 육감과 직관적 판단에 의존한다는 것을 인정하지만, 이 교재는 전자 쪽으로 방향을 잡고 있다.

학생이 실제로 얼마나 많이 배우는지 공식화하는 평가 척도가 등장하여 학생의 학습에 영향을 주고 있다. 평가는 지역, 주, 또는 국가 수준에서 규정되어 있는 성취기준에 기반을 두고 있다. 교사와 학교는 규정된 평가에서 학생의 수행에 대해 책임을 져야 하기 때문에 명시적 교육과정과 평가를 확실히 일치시키려는 교사(그리고 행정가)들이 증가하고 있다. 일리가 있는 일이다! 이것이 교사들에게 의미하는 것은 성취기준과 지역의 규정된 교육과정에 의거하여 소단원을 계획하고, 다양한 저부담 평가척도(즉, 유보나 진급의 판정에 사용되지 않는 평가)를 사용하여 학생의 성장을 평가하는 방법을 이해해야 한다는 것이다.

성취기준은 학문 전문가들이 특정 등급 수준에 있는 학생들은 모두 알아야만 한다고 믿는 사실, 개념, 원리, 숙련 단계로 구성되어 있다. 표 4.2에는 학습의 다양한 수준에 따라 분류된 그러한 사실, 개념, 원리, 숙련단계가 예시되어 있다. 성취기준은 학습자가 배우는 것의 한계를 규정하기보다 교수 내용에 대한 일관된 구조를 세운다. Tomlinson은 다음과 같이 기술한다.

성취기준은 학생이 좀더 일관되고, 심도 있고, 넓고, 영속적으로 배울 것을 보증하는 수단이 되어야 한다. 유감스럽게도, 교사가 성취기준을 따로 분리하여 다루도록 압력을 받거나, 그리고 성취기준이 단편적이고 무익한 항목들일 때, 진정한 학습은 저해될 것이며 풍부해지지 못할 것이다.[6]

수업 수준별 계획

교사는 계획을 짜는 데 있어서 네 가지 수준 즉, 연간 계획(어떤 경우에는 학기별로), 단원 계획, 주간 계획, 일일 계획을 고려해야 한다. 각 수준에서의 계획을 세우는 일에는 일련의 최종목표, 정보의 출처, 형식이나 개요, 계획의 효과를 판단하는 기준이 포함된다. 연간 계획이 대개 주(州)와 교육구의 성취기준이나 교육과정 지침으로 틀을 잡는 반면, 단원, 주간 그리고 일일 수업 계획은 교사가 스스로 계획할 수 있도록 자유가 더 넓게 허용된다. 물론, 교사들은 여전히 가르치는 내용을 각각의 학문 영역에 존재하는 확립된 최종목표와 성취기준에 관련지어야 한다. 초등학교 수준에서, 교장은 보통 수업의 지도자를 고려하고 교사의 계획을 검토하고 평가하는 책임이 있다. 중학교 수준에서, 여러 과목별 또는 계열별 부장이 보통 이러한 전문적인 역할을 수행하고 수업 계획을 향상시키기 위해 교사들과 함께 작업을 한다.

교사들은 수업을 계획할 때 여러 지식 자원의 영향을 받는다. 제3장에서 학습 최종목표를 어떻게 확인하고 정의할 것인지가 주로 강조되었지만, 이 장(章)에서는 이 자원에 대해 어느 정도 논의될 것이다. 그러한

표 4.2 학습 수준에 따른 예시

학습수준	과학	문학	역사
사실	물은 섭씨100도에서 끓는다. 인간은 포유 동물이다.	Katherine Paterson은 *Bridge to Terebithia*를 썼다. '줄거리'의 정의 '인물'의 정의	Boston Tea Party는 미국독립전쟁을 자극했다. 미 헌법의 최초 열 가지 수정조항은 Bill of Rights라 불린다.
개념	상호의존 분류	목소리 영웅과 반영웅	혁명 권력, 권위, 지배
원리	모든 생명체는 먹이 사슬의 일부이다. 과학자는 유형별로 동물을 분류한다.	작가는 자기 자신의 목소리를 공유하기 위해 인물의 목소리를 이용한다. 영웅은 위험이나 불확실성 속에서 탄생한다.	혁명은 무엇보다도 발전이다. 자유는 모든 사회에서 억눌린다.
태도	자연보호는 생태계에 이롭다. 나는 중요한 자연 망의 일부이다.	시를 읽는 것은 지루하다. 소설은 내가 스스로를 이해하도록 돕는다.	역사의 다음 장(章)을 현명하게 쓰려면 역사를 공부하는 것이 중요하다. 가끔 나는 타인의 복지를 위해 나의 자유를 기꺼이 포기한다.
기능	에너지 효율적 학교 계획하기 재활용 비용과 이득에 대한 자료 해석하기	개인적인 목소리를 내기 위해 은유적 언어 사용하기 문학속의 영웅/반영웅을 역사/ 현재의 삶 속의 영웅/반영웅과 연결	특정 주제에 대해 구조화 하고 근거로 뒷받침하기 건전한 학습자료 분석에 기반하여 결론을 이끌어내기

출처: Carol Ann Tomlinson. *The Differentiated Classroom*. Alexandria, VA: Association for Supervision and Curriculum Development, 1999, p. 41.

최종목표들은 다음의 위계로 예시된 맥락에서 나오게 된다.

> 국가 단위의 성취기준
> 주 단위의 교육과정 틀
> 지역 수준의 교육과정 지침
> 교사가 짜는 단원 계획
> 교사가 짜는 소단원 계획
> 교사의 평가

위에 있는 세 가지는 본질적으로 국가, 주, 지역 수준에서 통제된다는 것을 주의한다. 반면, 아래 세 가지는 교사의 직접적인 결정에 달려 있다. 교사는 국가의 성취기준, 주의 규정, 지역의 요구를 의식하여 일반적인 결정을 내린다. 그러면 교사들이 무엇을 포함시켜야 할지에 대하여 좀더 구체적인 결정을 어떻게 내릴까?

어떤 연구자에 의하면 중학교 교사들은 연간 계획을 세울 때 1) 이전의 성공과 실패, 2) 지역의 교육과정

음악	수학	미술	읽기
Strauss는 왈츠의 왕이었다.	분자, 분모의 정의	Monet는 인상주의자였다.	모음과 자음의 정의
음자리표의 정의	소수의 정의	원색의 정의	
빠르기	부분과 전체	관점	요지
재즈	숫자 체계	소극적 공간	문맥
음악의 빠르기는 분위기를 맞추는 데 도움이 된다.	전체는 부분으로 이루어진다.	사물은 다양한 관점에서 보여지고 제시될 수 있다.	잘 짜여진 단락은 대개 요지를 제시하고 또한 뒷받침한다.
재즈는 짜임새가 있는 동시에 즉흥적이다.	숫자체계의 부분들은 상호 의존적이다.	소극적 공간은 한 구도에서 근본적인 요소들이 눈에 띄도록 한다.	그림과 문장은 모르는 단어 이해를 돕는다.
음악은 감정을 표현하도록 돕는다.	수학은 너무 어렵다.	나는 인상주의보다 현실주의를 더 좋아한다.	나는 훌륭한 독자다.
나는 재즈를 좋아하지 않는다.	수학은 세상에 대한 많은 것을 말하는 방법이다.	미술은 내가 세상을 더 잘 볼 수 있도록 돕는다.	글의 숨은 의미를 아는 것은 힘들다.
특별한 감정을 전달하는 음악을 선택하기	분수와 십진법을 이용하여 음악과 증권시장에서 부분과 전체를 표현하기	정의적, 인지적 인식과 함께 그림에 반응하기	새 글에서 요지와 뒷받침되고 있는 세부사항 찾기
독창적인 재즈 작곡하기	요소들간의 관계를 보여주기	어떤 사물에 현실주의적이고 인상주의적인 관점을 제시하기	이야기 속의 주제를 해석하기

지침, 3) 교재의 내용, 4) 학생의 흥미, 5) 교실 관리 요인, 6) 학교의 연중 행사, 7) 이전 경험 등 7가지 사항에 크게 의존한다. 단원, 주간, 일일 수준의 계획을 세울 때 교사들은 대개 1) 자료의 유용성, 2) 학생의 흥미, 3) 계획의 중단, 4) 학교 연중 행사, 5) 지역 교육과정 지침, 6) 교재 내용, 7) 교실 관리, 8) 교실 활동의 흐름, 9) 이전 경험의 영향을 받는다.[7] Robert Yinger에 의하면, 계획을 세우는 일은 합리적, 논리적, 구조적인 것으로 인식되는 동시에 많은 수업과 관리의 일상업무에 의해 강화되는 것으로 인식된다. 학년의 중간쯤에는 수업 활동의 약 85%가 일상적인 업무가 된다. 계획을 세울 때 교사는, 교실 활동을 조정하는 일 뿐만 아니라, 질문, 점검, 학생관리 등을 위해 수업관련 일상 업무를 활용한다.[8]

그러나 교사는 학생의 다양한 발달 요구와 흥미를 고려하기 위해, 계획에 있어서 구조와 일상업무 뿐만 아니라 다양성과 유연성을 고려할 필요가 있다. 일부 학생들, 특히 높은 성취를 보이는 학생들과 발산적 사고를 하는 학생들, 독립적인 학습을 하는 학생들은 비구조적이고 독립적인 상황에서 더 잘 배우는 반면, 다수의 낮은 성취를 보이는 학생들과 수렴적 사고를 하는 학생들, 그리고 의존적인 학생들은 잘 구조화되어 있고 통제된 환경을 선호한다.

교사의 수업 개별화 정도는 학생의 능력 수준별 성취도와 밀접하게 관련되어 있다. 부가가치 개념(얼마나 많은 가치 또는 학습이 교사에 의해 부가되는가)으로 교육에서 확고한 자리를 잡았던 William Sanders는 연구를 통해 학생 집단간의 성취도 차이를 줄이면서 모든 학생들의 학습을 조장하는데 있어서 가장 탁월한 교사는 대부분 수업을 어떻게 개별화하는지 알고 있는 사람들이라고 제안한다.[9] 제2장에서는 개별화된 교수의 예를 제시했다. (사례 연구 2.1). 이 교재의 다른 부분에서도 교사의 수업과 학생의 학습 요구를 보다 더 일치시키는 것이 어떻게 가능한지 검토된다. 훌륭한 수업 교안을 짜는 일을 통해서도 이러한 일이 이루어지게 된다.

마음 속 계획 대 명목적 계획

Gail McCutcheon은 교실 수준에서 교사 계획의 가장 가치 있는 형태는 "많은 교사들이 단원이나 소단원 계획을 쓰기 전에 또는 어떤 소단원을 가르치는 도중에 (또는 심지어 어떤 소단원을 가르치고 난 후에 좀더 중요함) 관여하는 성찰적 사고"라고 주장한다.[10] 주간 또는 일일 소단원 계획은 대개 개략적으로 제시된다. 현재 이루어지는 것의 대부분은 교사가 비슷한 소단원을 가르쳤을 때 예전에 행했던 것이 반영된 것이다. 교수-학습 과정이 전개되고, 교사와 학생이 교실에서 상호작용할 때 구조가 형성된다. 30명 이상의 학생이 교사와 빠르게 상호작용하는 교실환경에서는 계획 관련 행동이 대부분 미리 정해질 수가 없다.

마음 속 계획은 교사가 교실에서 일어나는 일의 상황을 고려하여 직관적으로 대응하는 자연스러운 반응이다. (물론, 직관은 교과목과 행동 체계 지식에 충분히 근거를 두고 있어야만 한다.) 마음 속 계획은 효과성에 있어서 매우 중요한 교수의 일부분이지만, 쉽게 관찰되거나 기록되거나 세분화될 수 없다. 그래서 이것은 대개 계획을 세우는 과정의 일부분으로 언급되지 않고 간과된다.

명목적 계획은 대부분의 교육자와 연구자들이 합리적이고 필요한 수업 활동이라고 인정한 것이다. 아마도 이것은 쉽게 규정되고 범주화되고 분류화될 수 있기 때문에 지나치게 자주 검토되는 것으로 보인다. 명목적 계획은 구조화되어 있고 과업지향적이다. 교수와 수업이 교사 교육과 교원 계발의 일부분으로 가르쳐질 수 있다는 것이다. 또한, 계획이 제대로 수립되면, 문화가 잘 반영된 교실을 만들고, 규정된 학문 성취기준을 맞출 수가 있다.

특히, National Council of Teachers of Mathematics (NCTM)와 National Science Teachers Association(NS-

교과목 및 학년 수준에서의 계획을 잘 세우려면 동료와의 의사소통이 필요하다.

표 4.3 문화 적응 교육과정의 원리

수업의 예 (IE)
IE 1 = 교육과정에서 사용된 문화 관련 예시; 포괄
IE 2 = 대안적 관점
IE 3 = 다양성과 공통성
IE 4 = 문화적으로 관련 있고 학습자가 생성한 이미지/은유/예시

학생 관여 (SE)
SE 1 = 목적/호기심/기대
SE 2 = 다양한 학습 선택
SE 3 = 개인/조화/팀 의사소통
SE 4 = 협동적/경쟁적/개인적 최종목표
SE 5 = 학생 선택/의사결정

평가 (A)
A 1 = 지속적 평가, 폭넓은 학습 자료 사용
A 2 = 피드백과 수업 정보를 제공하는 평가 정보
A 3 = 특별한 학습자를 위한 특별한 적응

출처: Jacqueline Jordan Irvine and Beverly Jeanne Armento. *Culturally Responsive Teaching.* Boston: McGraw Hill, 2001, p. 26. Reproduced with permission of the McGraw Hill Companies.

TA)과 같은 조직이 만든 다양한 학문 성취기준은 문화적으로 민감한 몇 가지 원리에 맞게 소단원을 생성·조직하는데 사용될 수 있다. Beverly Armento는 수업, 학생 관여, 평가 등 각각의 항목과 관련된 세 가지 원리를 선택하고, 다양한 학생으로 구성된 집단에게 소단원 속에 이러한 원리들이 어떻게 내포될 수 있는지를 검토하였다.[11] 교사는 (기존 학문 성취기준과 직접적으로 관련된) 특정 소단원의 목표를 확인하고, 표4.3에 요약된 원리를 지향하는 특정수업전략을 식별한다. 예를 들면, 교사는 다양한 학생들이 자신의 목소리를 내는 것을 허용하고(IE4) 그들이 수업의 목적을 이해하는 것을(SE1) 도우려고 노력한다. 이러한 세부적인 원리들은 그 소단원이 포괄적이도록 하면서도 벌어지는 활동의 엄밀함을 줄이지는 않는다. 각 소단원에는 명백한 목표가 있고, 성취기준에 맞춰져 있고 문화적으로 적응된 수업의 세부 원리들이 포함되어 있으며, 학생들이 학습한 것을 학습자료와 기법의 범위, 그리고 특별한 학습자의 독특한 학습 요구를 다루는 방식 측면에서 평가한다.

본질적으로, **문화 적응 교실**은 교사가 포괄적인 방식으로 계획하고, 대안적인 관점을 제공하고, 다양성의 영역뿐만 아니라 공통성을 제시하고, 학생-구성적(개인적으로 관련성이 있도록) 학습 과업에 의존하는 교실을 말한다. 또한, 학생은 학습 목적을 이해하고 많은 범위의 유용한 학습 양식을 습득하며, 의사소통과 상호작용 유형을 폭넓게 사용하고, 학습법을 학습하는 동안 내려질 수 있고 내려져야만 다양한 선택들을 가치 있는 것으로 여기도록 하면 학습에 관여하게 된다. 마지막으로, 교사는 본질적으로 지속적이고 형성적인 방식(즉, 학생이 어떻게 향상되어가는지 피드백 제공)으로, 그리고 특별한 학습자에게 적용적인 방식으로 학생들이 학습한 것을 평가한다.[12] 문화적으로 적응적

■ 성 찰 문 제

문화적 적응 교수의 전체적인 개념은 논쟁의 여지가 있다. 일부 보수적인 비평가들은 아주 교사중심적인 교실에서 학생들이 가장 잘 배우고, 교과 내용은 교사에 의해 주도되어야 하고, 문화적으로 적응적 교수는(학생의 흥미와 배경에 기초한 교수) 그냥 부적절하다고 주장한다. 교육자들과 특히 교사를 훈련시키는 사람 중에는 좀더 학생중심적인 전략을 사용하는 것에 찬성하는 사람이 많이 있다. 이들은 학생의 흥미가 수업 진행 순서의 일부로 여겨지는 교실을 만들고 싶어한다. 이 모순된 이데올로기는 도시 아이들을 어떻게 교육할 것인가에 대한 논쟁에서 더 분명해진다. 어떤 접근법에 찬성하겠는가? 자신의 입장을 뒷받침해 줄 연구를 찾을 수 있는가? 이 장의 끝에 제시되어 있는 Jeanne Chall의 *The Academic Achievement Challenge*를 추천한다. 이 책은 문화적으로 적응적인 교수 및 이와 유사한 접근법이 갖는 문제점을 기술하고 있다. Chall은 상당히 교사중심적인 접근법을 주장한다. 문화적으로 적응적인, 학생 중심 접근법을 옹호하는 연구를 찾아서 Chall의 결론과 여러분이 발견한 것을 비교해 보라. 여러분이 가르치는 학생의 유형이 교수방법에 잠재적으로 어떻게 영향을 미치는가?

이러한 문제는 두 집단의 교육학 저술가들의 문헌을 조사하는 것을 통해 해결하면 된다. 첫 번째 집단에 문화적 적응 교수에 찬성하는 사람들을 포함시킨다. 예를 들면, Gloria Ladson-Billings는 자신의 저서 *The Dream-keepers*(이 장의 끝에 있는 추천 도서를 참고한다)에서 교실에 있는 다양한 학생들을 다루는 법을 아는 교사들의 명확한 특징을 식별하였다. 이러한 교사들은 자신들의 역할이 학생들에게 "지식을 주입시키기"보다 "지식을 이끌어내는 일"이라고 보고 있다. 두 번째 집단에 속한 많은 보수적인 교육 비평가들은 문화적 적응 교수를 학생 중심 수업의 새로운 형태라고 본다. 이러한 비평가들의 주장을 맛보기 위해서는 *Education Next*와 같은 학술지나 신문에 실린 기사를 읽는다. 이들은 가난한 도시 학생들이 숙련도에서 뒤떨어져 있기 때문에 교사중심 접근법이 요구된다고 단언한다. 또한, 이들은 학생 성취에 있어서의 증거들이 이 주장을 뒷받침한다고 지적한다.

인 교육과정은 교사가 학생들에게 "느슨하게 하라는" 것을 의미하지는 않는다. 이것은 교사가 정의된 학문 성취기준을 바탕으로 수업에 기초를 둔 후 그것을 연관 짓도록 노력하는 것을 의미한다.

교과과정

장기적인 교사 지침은 보통 **교과과정** 또는 교육과정 지침이라고 불린다. 이것은 큰 교육구에서 종종 전문가로 구성된 위원회가 마련한다. 작은 교육구에서는 교사들이 집단에 소속되어 또는 개인적으로 국가수준의 지침이나 학문 교과내용의 성취기준에 의해 정의된 범위 내에서 자체적으로 개발한다. 교사가 이 계획을 세울 때에는 1) 학교나 지역사회에 대한 요구조사 자료, 2) 학교 (또는 지역사회)의 최종목표, 3) 독해 시험, 적성 시험, 학생 스스로 만든 보고서 목록, 관찰 보고서와 같은 학생 진단평가 또는 배치 평가 자료, 4) 지역이나 국가의 지침과 학년 수준이나 학과 발간물에 따라 제시되어 있는 교과과정의 수업 목표 등을 고려해야 한다.[13]

사례 연구 4.1   계획하기

Bob Kimball은 대학 3학년 때 교사가 되기로 결심했다. 그는 경영학 전공을 무엇으로 바꿔야 할지 확신하지 못했지만 어린 학생들과 함께 하고픈 마음은 분명했다. 다행히도 대학 2년간 일반 교육학 과정을 이수했고, 진로 상담자와의 상담 후에 전공을 수학교육으로 바꿀 수 있었다.

Bob은 교수가 개인적으로 두 가지 보상을 줄 것이라고 결론지었다. 첫째, 그는 늘 훌륭한 수학도였다. 수학은 개인적인 도전이었으며, 다른 학생들보다 수학을 더 잘했다. 둘째로 교수를 택하는 것은 좋아하는 직업으로서 지속적으로 가르치는 것을 가능하게 해줄 것이다.

졸업에 앞서 Bob은 6개 교육구에 면접을 보았고, 세 교육구로부터 제안을 받았다. 그는 Burtonvill 중학교에 가기로 결정했으며, 거기서 5개 학급에 수학을 가르치고 8학년 축구팀을 지도하게 되었다.

Burtonvill은 지속적으로 성장하고 있는 외곽도시이다. 중학교는 6, 7, 8학년에 900명 미만의 학생들이 다니고 있으며, 대부분 중산층에 속한다.

Bob은 7학년 수학의 세 학급, 8학년 선택 과목인 대수학, 8학년 응용수학 보충 수업반을 배정받았다. 이 때문에 Bob은 서로 다른 세 과정을 준비해야 하고 축구팀을 지도해야 하므로 신임 교사에게는 다소 어려운 배정이었다.

두세 주가 지난 후에 Bob은 대수학 학급을 가르치는 것이 가장 쉽다는 것이 분명히 알게 되었다. 학생들은 모두 똑똑했고 동기유발도 잘 되어 있었다. 반면에 응용수학 과정은 난감했다. 그는 이 과정을 계획하는 데 점점 더 많은 시간을 보내게 되었다.

그에게 할당된 다섯 학급의 학생들을 관찰한 결과 응용수학반이 다른 학급보다 동기유발이 덜 되어 있다고 추론하였다. 7학년에도 동기유발이 되지 않은 학생들이 있었지만 전체 학급에서 차지하는 비율은 적었다.

10월이 되자 Bob은 응용수학반 학생들에게 전통적인 방법으로 접근하는 것은 비효과적이라고 생각했다. 그는 수업의 순서를 교과서에 의존했었다. 그리고 교수방법은 개념에 대한 강의가 대부분 차지하고 있었으며 학생들에게 교재의 내용을 연습하게 하거나 숙제를 하도록 하는 식이었다. 이 학급 22명의 학생들 중에서 대여섯 명만 언제나 주의를 집중하고 있는 것처럼 보였다. 숙제는 불완전하거나 부정확했다. 매주 퀴즈를 통해 Bob은 자신이 관찰한 것을 확인하였다. 단지 손에 꼽을 만큼 적은 수의 학생들만 교재의 내용을 모두 익히고 있는 것으로 보였다.

Bob은 교육 방법을 개선하기 위해 심사숙고하던 중 대학 시절의 두 가지 경험을 기억해 냈다. 하나는 교수방법 과목과 관련된 것이었다. 그 과목의 교수는 매일 이루어지는 소단원 계획의 중요성을 강조했다. 그는 또 교육심리 과목 중에 특별한 요구가 필요한 학생들에게 동기유발이 어떻게 핵심 요소가 되는지를 보여주기 위해 보았던 동영상 자료를 기억해 냈다. 이 영상물은 캘리포니아의 한 대안학교에서 학생들이 학습에 흥미를 갖도록 만든 것을 다루고 있었는데, 여기서 교사는 전통적 교수방법과 교재로부터 벗어나는 위험을 감수했다. 예를 들어 학생들은 (대부분의 학생들이 잘 알고 있는 주제인) 시 소유물의 낙서제거를 전문으로 하는 자신들의 회사를 시작할 수 있었다. 이렇게 함으로써 학생들은 매우 실제적인 방식으로 수학을 학습했다. 그리고 학습했을 뿐 아니라 학교에 가는 것에 흥미를 갖게 되었다.

Bob은 각 학급에서 그가 의도한 것이 무엇인지 개략적으로 그려보았음에도 불구하고 실제적으로 상세하게 소단원 계획을 세우는 것은 고려하지 않았다. 학기를 시작할 때 한 해 동안 가르칠 교재의 모든 내용을 다룰 수 있을 것이라고 생각했다(응용수학은 두 학기 과정이었다). 교재는 17장으로 구성되어 있었고 대략 두 주에 한 장 정도의 진도를 나갈 것으로 생각했다.

Bob은 (1)보다 상세한 계획을 세우고, (2)학생들과 관련 있는 학습 경험을 더 많이 만들어 주는 쪽으로 교수전략을 바꾸기로 결심했다. (2)를 위해서는 교과서에 훨씬 덜 의존해야 한다는 것을 알았다. 이것은 분수에서 소수의 곱셈 부분으로 뛰어넘을 수 있다는 것을 의미했다. 그는 또 학생들이 수학에 흥미를 갖도록 하는 것이 정해진 진도를 따라가는 것보다 더 중요하다고 생각했다.

Bob은 맨 처음 응용수학반에 잠재적으로 도움을 줄 수 있는 사람들과 활동 목록을 작성하는 것으로 시작하였다. 이 목록에는 다음과 같은 것들이 포함되어 있었다.

- 자동차 구입 융자를 어떻게 하는지 이야기해 주기 위해 자동차 판매상 초청
- 야구에서 타율을 어떻게 계산하는지 토론하기 위해 지역신문의 스포츠기자 초청
- 작은 사업을 운영하는 것과 관련된 재정 개념을 토론하기 위해 옷 가게 주인 초청
- 인부들이 수학을 어떻게 필요로 하는지 보기 위해 공장으로 현장 견학
- 자본을 관리할 수 있도록 학생 소유의 사탕회사 설립
- 연간 자동차 운영경비 계산(예컨대 보험, 연료비)

활동이 있기 전날 밤마다 Bob은 매 47분의 수업 시간을 어떻게 보낼지 자세하게 계획했다. 그는 그 시간이 현명하게 쓰여지기를 원했다. 예를 들어 자동차 판매상과의 활동을 위해서 세 시간 정도가 필요할 것이라고 생각하고 다음과 같은 계획을 세

웠다.

11월 2일 월요일
10:00-10:05 Burtonvill Buick의 Jack Davis를 소개하고 그가 어떤 이야기를 할 것인지 간략히 안내
10:05-10:35 Davis가 새 자동차와 중고차의 비용에 대해서 이야기
10:35-10:47 학생들 질문 시간

학생들에게 다음 과제 제시 : 1년에 35,000달러를 버는 여자가 6,300달러짜리 중고차를 구입한다면 그녀는 1년 수입의 몇 %를 자동차 구입에 사용하는 것인가?

11월 3일 화요일
10:00-10:05 전날 숙제에 대해 토론
10:05-10:35 Davis가 자동차 가격이 어떻게 결정되는지 이야기(예를 들면 선택품목, 감가상각의 개념)
10:35-10:47 학생들 질문 시간

과제 제시 : 어떤 사람이 기본 가격 9,200달러, 선택품목 3,100달러, 판매상 준비금 410달러, 세금 460달러의 조건으로 자동차를 구입한다면 전체 구입비용은 얼마인가? 전체 구입비에서 선택품목, 판매상 준비금, 세금이 차지하는 비율은 얼마인가?

Davis와 함께하는 특별시간에 긍정적으로 반응했음에도 불구하고, 이어지는 시험에는 진전을 보이지 않았다. 11월 중순이 되자 Bob은 걱정이 되었다. 걱정의 또 다른 이유는 교장선생님이 그의 수업을 단지 한번만 살펴보았다는 사실이었다. 교장선생님은 9월말 대수학반에 20분간 참관한 후에 "좋은 수업을 계속하세요"라고 말했었다.

학교에서 수학은 과학과 결합된 부서에 속해 있으며, 그 부서의 책임자인 과학교사는 Bob에게 수업에 대해서 묻지 않았다. 그는 자기 자신의 방

식이 훌륭하다고 느끼면서 동료 수학 교사인 Sarah Allen에게 자문을 구했다. Sarah는 단지 2년차 교사이기는 하지만 이미 우수교사로서의 명성을 얻고 있었다. 또 다른 수학교사로 Chambers가 있었지만, 자신에게만 파묻혀 있어서 Bob은 그를 잘 몰랐다.

Bob의 응용수학반에 대한 어려움을 들은 후에 Sarah는 같은 문제가 다른 네 학급에도 있는지 질문하였고, Bob은 그렇지 않다고 대답했다. 다른 학생들, 특히 대수학반의 학생들은 전통적인 교수방법에 잘 반응한다고 보고 있었다.

"학생들이 수학에 대해 더 흥미를 갖게 했다고 생각하지만 그들이 충분히 학습했다고 생각하지는 않아"라고 Bob이 설명하자,

"첫 번째 학기에 어떤 단원을 가르쳤지?"라고 Sarah가 물었다.

"교과서에 제시된 순서대로 시작했어. 그러나 학생들을 위해 활발해지기로 결심한 후에는 약간 건너뛰기 시작했어. 나는 매일매일의 소단원을 계획했지만, 활동과 관련 있는 수학 기능을 이용하려고 했어"라고 Bob이 설명했다.

Bob은 설명하면서 서류가방에서 자동차 판매상인 Davis와 관련된 세 시간짜리 소단원 계획서를 보여주었다. Sarah는 이것을 읽고 "여기서 구체적으로 가르치려고 한 게 뭐지?"라고 질문하였다.

"음, 나눗셈 관련 문제를 살펴볼 수 있고 학생들이 이율과 상환에 대해 알 수 있도록 하는 것이지."

Sarah가 다른 질문을 하였다. "그런데 이것이 이번 학기중의 전체적인 계획 중 어디와 관련이 있지?"

"지금 내 주요 목표는 학생들을 흥미롭게 하는 방법을 찾는 것이야. 일단 학생들이 수학을 삶에 필수적인 것으로 보았다고 확신해. 그들은 더 배우

길 원할거야." Bob은 잠시 멈춘 후에 Sarah에게 물었다. "너는 내 접근이 옳은 방법이라고 생각하니? 내가 해야 하는데 하지 않은 뭔가가 있을까? 이제 축구 시즌이 끝나가고 있어서 이 학습을 위해 더 많은 시간을 보낼 수 있을 거야. 그리고 내가 올바른 방향으로 가고 있다고 확신하고 싶어."

만약 당신이 Sarah의 입장이라면, 어떤 조언을 해줄 것인가?

■■ 성 찰 문 제

1. 학생들이 수학을 학습하는 데 흥미를 가지도록 동기유발 기능을 사용했다는 Bob의 판단에 대해서 동의하는가? 그렇게 생각하는 이유와 그렇게 생각하지 않는 이유는?

2. 당신의 의견으로는 Bob이 이 학급에서 성취하고자 하는 것에 대해 올바른 관점을 지니고 있다고 생각하는가? 그렇게 생각하는 근거는?

3. Bob의 행동을 "발견 학습"의 시도라고 분류할 수 있는가? 그렇게 생각하는 이유와 그렇게 생각하지 않는 이유는?

4. Bob이 Sarah에게 도움을 구한 것을 어떻게 평가하는가? 보다 경험이 많은 다른 사람(예를 들어 교장선생님)에게 조언을 구할 수도 있지 않았을까? 만약 당신이 어려움을 겪는다면 누구에게 도움을 청할 것인가?

5. 성취 수준이 낮은 학생들을 한 학급에 배정할 것인가? 이 학생들이 8학년의 다른 학생들 사이에 섞여 있었다면 더 좋은 결과를 보이지 않았을까?

교과과정은 전체 과정에서 교수될 내용, 개념, 기능, 그리고 가끔은 가치 등이 자세히 기술되어 있다. 교과과정이 교사가 단원과 소단원 계획을 세울 때 도움을 준다면 이상적이다. 이 문서는 과정의 최종목표와 목표를 안내하고 연결시키도록 돕는다. 이것은 교사들이 교과를 하나의 전체로 바라보고, 이미 있는 관계들을 볼 수 있도록 돕는다. 학기나 학년이 시작되기 전에, 교사는 그 교과의 중요한 영역과 개념, 숙련단계가 무엇인지 알아야만 한다. 일부 주에서는 교육구가 교과과정을 가질 것을 요구한다. 그래서 여러분은 자신이 가르치는 영역에 어떤 하나의 과정이 유용한지 아닌지 알아볼 필요가 있을 것이다.

일반적으로, 교과과정은 과업의 순서나 관계를 일일이 열거하지 않고 한 학기 전체 또는 한 학년 전체의 학업에 대한 총괄적인 관점을 제공한다. 학습자와 교육과정을 조화롭게 하려고 노력하는 교사로서 무엇을 할지 결정하는 데 도움을 받으려면, 사례연구 4.1을 읽어라. Bob Kimball 교사는 학생의 다양한 동기와 능력을 수용하기 위해 차별화하려고 노력한다.

단원 계획서

단원 계획서는 어떤 학습 경험을 통해서 무엇을 가르칠 것인지를 명백하게 하기 위한 청사진이다. 단원 계획서는 교육과정의 목적과 목표를 구체화한다. 단원 계획서를 작성하는 이유 중에는 전체로 배우는 것이 낱낱이 배우는 것보다 효과적이라는 이론이 포함되어 있다. 즉, 단원은 학습자가 개념적 연결을 파악하고 조직할 수 있도록 도와준다. 단원 계획서를 개발하는 또 다른 이유는 다른 종류의 학습목표를 제시하기에 앞서 경험을 계획하고자 하는 교사의 필요 때문이다. 교사는 단원 계획서 작성 단계에서의 사전 계획을 통해 수업 절차를 보다 효과적으로 설계하고 구조화할 수 있다. 단원 계획을 전체적으로 살펴보는 것은 필수 내용, 개념, 기능의 측면에서 나타날 수 있는 문제점을 미리 예측하는 데 도움이 된다.

단원 계획서의 구성 요소

단원 계획서는 목표, 내용, 기능, 활동, 자원과 교재, 사정과 평가의 여섯 가지 기본 요소로 구성되어 있다(표 4.4 참조). 단원을 계획할 때는 이 여섯 가지 요소를 모두 고려해야 하지만, 이 요소들을 모두 구체화할 필요가 없는 경우가 대부분이다.

목표

앞서 논의한 것과 같이 목표는 행동적(예를 들어, 각각의 유형을 70%까지 완성할 수 있는 5개의 분수 또는 소수 문제) 또는 비행동적(주제, 문제, 질문)일 수 있다. 오늘날 대부분의 교사는 행동목표를 강조하고 있는 최근의 전문서적에 일부 영향을 받아 행동목표에 의존한다. 계획 수립에 핵심적으로 사용하는 방법은 단원 계획서에 대한 개인적인 접근과 학교 차원의 접근에 좌우된다.

내용

내용의 범위는 윤곽이 잡혀야 한다. 내용은 종종 지식 인지과정의 두 가지 범주를 포함한다. 시험의 중요성 때문에 모든 수준의 여러 교육자들에 의해서 지식의 유형이 강조된다고 하더라도 사실적, 절차적 지식의 개발은 초등학교 수준과 완전학습을 강조하는 교사에게 보다 중요하다. 추상적 지식은 중학교 수준의 학교와 개념적 이해를 강조하는 교사에게 보다 중요하다. 교사는 어떤 지식과 인지과정을 가르쳐야 하는지, 그리고 학습 순서를 결정하기 위해 교육구의 교육과정과 국가 또는 주의 성취기준을 사용한다.

기능

인지적, 사회적 기능에 대한 선택적 목록을 작성하는 교사도 있다. 기능은 가르칠 내용을 기반으로 해야 하지만 때로는 내용과 별도로 나열된다. 개발해야 할 중요한 기능으로는 비판적 사고, 비판적 읽기, 훑어보기와 눈여겨보기, 문제해결, 그림자료(지도, 도표, 표), 도서관 활용 기능, 작문과 보고 기능, 필기 기능, 숙제

기능, 학습 기능, 사회 및 대인관계 기능, 토론 및 발표 기능, 협동 및 경쟁 기능, 리더십 기능 등이 포함된다.

학습 활동

학습 활동(학생 활동으로도 불리는)은 학생의 요구와 흥미를 기반으로 해야 한다. 초청연사, 현장 견학, 논쟁과 소집단 회의, 연구보고, 프로젝트, 실험, 총괄평가 등과 같은 특정한 활동이 제시되어야 한다. 반복적인 또는 공통적인 활동은 일일 소단원 계획의 일부로 나타낼 수도 있다.

자원과 교재

자원과 교재는 교사가 읽기 교재, 도서관과 연구 교재, 수업 진행에 필요한 시청각 기자재 등을 종합하도록

안내하기 위해서 포함된다. 단원 계획서 수준에서의 목록에는 단지 핵심적인 자원과 교재가 포함되어야 한다. 자원 목록은 종종 학습 활동 목록을 포함하므로 선택적 요소로 간주되곤 한다.

온라인상에는 활용할 만한 소단원 계획서, 단원, 웹사이트와 자원들이 풍부하게 있다. 예를 들어 New York City Board of Education의 웹사이트(www.nycenet.edu/oit/netplans.htm)는 소단원 계획의 일부로 인터넷을 사용하는 다양한 방법을 제공한다. 이 웹사이트는 동기유발과 숙제에 대한 아이디어가 포함되어 있다.

동기유발 : 교사는 수업을 시작할 때 토론을 이끌어 내기 위해 인터넷으로부터 흥미로운 사실을 활용할

표 4.4 단원 계획서의 구성 요소

1. 목표 일반적 목표와 세부 목표 행동목표 또는 비행동 목표(주제, 문제, 질문)	4. 학습 활동 강의 및 설명 연습과 훈련 집단 활동(소규모 집단활동, 위원회, 논쟁, 공개 토론) 역할놀이, 시뮬레이션, 극화(劇化) 연구, 작문 프로젝트(이야기, 전기, 기록) 실험, 질의, 발견 현장 견학 개관(槪觀)
2. 내용 지식(사실적, 개념적, 절차적) 인지과정(기억, 이해⋯⋯)	
3. 기능 작업 습관 토론 및 특정한 대화 기능 읽기 기능 쓰기 기능 필기 기능 사전 활용 기능 참조 기능(차례, 용어 해설, 색인, 카드 목록) 도서관 활용 기능 보고 및 연구 기능 컴퓨터 활용 기능 해석 기능(지도, 도표, 표, 그래프, 범례) 탐구 기능(문제해결, 실험, 가설 설정) 사회적 기능(규칙 준수, 비판 수용, 균형과 성숙, 동료 수용) 협동 및 경쟁 기능(통솔력, 자아개념, 집단에 참여)	5. 자원과 교재 읽기 교재(책, 전단지, 잡지, 신문) 시청각 교재(영화, 음반, 슬라이드, 텔레비전, 비디오테이프) 프로그램 또는 컴퓨터 교재 모형, 복제품, 도표, 그래프, 표본 6. 사정과 평가 시연, 전시, 논쟁 개관, 요약 간단한 시험, 시험 재교수 교정 전시

수도 있다.

숙제 : 교사는 집에서 인터넷을 사용할 수 있는 학생들을 위해 선택적인 숙제를 제시할 수 있다.

사정 및 평가 절차

주요 평가 절차와 누적적 활동, 즉 형성적 및 총괄적 평가가 반드시 포함되어야 한다. 계획에는 학생작품 전시와 실연, 즉석 토론과 토의, 간단한 질문과 정기시험, 다시 지도하기, 개선 노력, 그리고 특별한 지도 및 훈련 등이 나열되기도 한다. 평가는 학생, 교사 또는 교사와 학생 모두에 의해서 실시될 수 있다. 평가는 목표가 성취되었는지 알아보고, 단원 계획을 더 잘 하기 위한 정보를 획득하기 위한 활동이다. 사정과 평가 절차에 대한 좀더 심도 있는 논의는 10장과 11장에서 하고자 한다.

교사들을 위한 조언 4.1에는 단원 계획을 조직하고 실행하기 위한 제안들이 제시되어 있다.

단원 계획에 대한 접근

교사는 단원을 계획하기에 앞서 연구부장과 함께 관련 사항을 검토해야 한다. 학교 구에 따라서는 단원 개발에 있어서 선호하는 방식을 가지고 있는 곳도 있고, 교사에게 더 많은 재량권을 허용하는 곳도 있다. 예를 들어, 연구부장에 따라 최종 승인을 위한 단원계획을 제출할 것을 요구하기도 하고, 교사에게 보다 전문적인 재량권을 주기도 한다. 여기서는 여러분이 알고 싶어 하는 단원 계획에 대한 기본적인 접근방법에 대해서 알아보고자 한다. 여러분이 어떤 접근법을 사용하든지, 단원 계획을 세울 때에는 깊고 넓게 고려해야 한다. 훌륭한 교사는 교육 자료를 다룰 때, 구체적인 내용을 학습할 수 있도록 보다 많은 기회를 학생에게 제공해준다. 교육 분야에서 E. D. Hirsch, Jr.와 같은 개혁파는 상세함과 깊이에 초점을 둘 것을 주장한다:

교육과정을 결정하는 수단으로 대규모의 추상적인 목표("단순한" 내용과는 반대되는)에 너무 의

지하는 것은 본질적으로 결점을 지닐 수밖에 없다. 이러한 개괄적인 목표는 수업의 계열을 명확하거나 응집력 있게 만들지는 않는다. 왜냐하면, 큰 개념적 개요와 그것의 구체적인 표현(특정한 내용을 통한)이 매우 빈약하고 이들간의 관계가 모호하기 때문이다. 큰 개요는 너무 개괄적이기 때문에 특정 부분을 선택하는데 있어 교사를 올바로 안내할 수 없다. 예를 들어, 상위 교육 구의 여러 학년에 걸쳐 있는 과학교과 목표 중에 "물질과 에너지 상호작용의 이해"가 있다. 이 목표는 "물리학, 화학, 그리고 생물학의 이해"로 표현될 수 있다. 그러한 "목표들" 속에 포함되어야 할 것을 결정해야 하는 교사들은 이것을 통해 실제적인 도움을 전혀 받을 수가 없다.[14]

분류학적 접근

표 4.5는 교육 목표 분류를 기반으로 한 단원 계획을 나타내고 있다. 목표는 학습 영역에 따라 인지적 과정, 태도와 가치, 그리고 심체적 기능 등 세 부분으로 나누어진다. 단원 계획은 목표에 이르도록 하고 활동, 자료, 그리고 자원들이 서로 부합될 수 있도록 하는 일일 과제를 제공한다. 평가는 개별적으로 나열되는 것이 아니라 아홉 번째나 열 번째 일일 과제로 제시되는 활동의 일부분으로 혼합되어야 한다. 이 접근에서 학생은 필수적인 내용을 완전하게 학습하기 위해 상이한 인지적 과정을 활용해야 한다.

주제적 접근

표 4.6은 주제나 제목에 의한 접근에 대해 제시한 것이다. 단원 계획은 주제에 의해 조직된다. 목표는 소단원을 소개하고, 주제는 단원, 특히 소단원의 윤곽을 그리기 위한 주요한 기초적인 역할을 한다. 목표는 개념, 기능, 그리고 가치에 초점을 둔 내용을 소개하는 것이다. 목표들(지식, 기능, 그리고 가치와 관련된)은 서로 의존적인 관계가 아니라(서로 독립적), 전체적이고 구체적인 것으로 나누어진다. 주제는 다루어질 순서에 따라 배열되고, 교재 내용의 순서와 일치하도록 제시된

교사들을 위한 조언 4.1

단원 계획을 조직하고 실행하기

여러분은 단원이나 수업 계획을 준비할 때 일어날 수 있는 평범한 실수에 대해 알고 있어야 한다. 여러분의 동료나 연구부장과 함께 계획을 논의·실행하거나 실질적으로 도움이 되는 지침을 따르면 일어날 수 있는 실수를 최소화시킬 수 있다. 아래의 항목은 모든 수준의 단원 계획에 부합되고 여러분 학교의 요구, 여러분의 교수유형, 그리고 수업 접근 등에 조화롭게 적용될 수 있는 제안들을 열거해 놓은 것이다.

1. 여러분이 담당한 과목이나 학년 수준에 관한 성취 기준과 교육과정(또는 학습 과정)에 대해 교장이나 연구부장에게 조언을 구한다.
2. 교재나 학습장에 대한 교사 지침서를 점검한다. 만약에 여러분이 현재 이것을 사용하고 있다면, 단원 계획이나 이와 관련된 좋은 예를 많이 볼 수 있을 것이다.
3. 단원 계획을 체계적으로 조직화하는 데 있어서 수직적(다른 학년의 동일 교과)인 면과 수평적(같은 학년의 다른 교과)인 측면간의 관계를 고려한다. 새로운 정보와 이전 지식 간의 관계에 대해서 확실하게 이해한다.
4. 학생의 능력, 요구, 그리고 흥미를 고려한다.
5. 한 교과 내에 있는 여러 단원의 목표와 이와 관련될 내용을 결정한다.
6. 목표와 내용이 설정된 후에 단원을 나열한다.
7. 인지적 과정(상기, 적용)과 정서적 과정(태도, 느낌, 가치)을 고려하여 내용의 순서를 정한다.
8. 각 단원에 맞게 적절하게 시간을 배분한다. 대부분의 단원은 1주에서 3주 동안 진행된다.
9. 여러분의 교육구나 학교에서 사용 가능한 교육 자료나 매체를 조사한다; 교육 자료와 매체를 적절하게 통합한다.
10. 학생들에게 실습 및 복습할 수 있는 기회를 제공한다.
11. 평가 기회를 제공한다(저학년에서는 시험과 점수가 반드시 필요하지는 않음). 어떤 종류의 공개시험이 적절한지를 고려한다.
12. 단원 계획을 수립한 후에 여러분의 동료나 연구부장에게 조언을 구한다; 의문점, 문제점, 그리고 제안된 수정사항에 대해서 논의한다.
13. 추후에 동일한 과목이나 학년에서 동일한 내용을 가르치게 되면, 단원 계획을 다시 작성하거나 최소한 수정은 한다; 사회는 변화하고, 교실도 변화하고, 그리고 학생들도 예전의 학생이 아니다.
14. 인내심을 가진다. 즉각적인 결과는 기대하지 않는다. 연습을 통해 여러분은 완벽한 교사가 되지는 못하겠지만, 현재보다 나은 교사는 될 수 있다.

다. 정말로, 교재가 잘 구성되고, 실제 활동과 자료에 따라 교재를 재구성하거나 보충해야 한다는 사실을 인식하고 있다면 그 교재를 따라 배우는 활동은 적절한 활동이 될 수 있다.

주제는 또한 일일 소단원 계획을 대표한다. 목록에 나열된 활동은 반복되지 않는 특별한 활동이다; 되풀이되는 활동은 소단원 계획 수준에서 나열될 수 있다. 활동은 일어날 순서에 따라 나열되지만, 각 주제마다 하나의 활동을 실시한다는 것을 의미하지는 않는다(표 4.5). 평가 요소는 분리되어 있으며, 형성과 총괄검사,

표 4.5 단원 계획: 환경과학을 위한 분류학적 접근

문제	인지적 과정	태도 및 가치
1. 환경 확인	물리적, 생물학적 특징에 기초한 환경 파악	사회적, 과학적인 논쟁 탐색; 문제점 질문
2. 환경 비교	상이한 환경 이해	대안적인 관점 토론; 타인의 건강과 안녕을 위한 책임감 토의
3. 환경 비교를 위한 현장학습	물리적, 생물학적 특징에 기초한 환경 분석	자연 자원에 관한 새로운 개념 조직화
4. 환경을 비교하는 다른 방법 경험	물리적, 생물학적 특징에 기초한 환경 평가	문제점 질문; 대안적 관점 비교
5. 환경 간의 차이점 요약	상이한 환경 평가	균형에 대한 토의 및 개념 이론화
6. 환경 변화의 한계 탐색	환경변화에도 정체성이 보존되는 것과 변화가 수용능력을 초과할 때 생길 정체성이 상실되는 것을 추론	문제점 질문; 생물학적 및 환경적 체제의 한계 규정
7. 환경 변화의 중요성 인식	환경 변화 결과 평가	대안적 관점 모색; 개념수정
8. 학교 환경 개선 계획 수행	환경 변화와 개선을 위한 방법 인식	타인의 건강과 안녕을 위한 책임감 실증
9. 변화된 세계 환경 조사	세계 환경 변화와 새로운 정체성 습득 방법 감지	천연자원의 현명한 활용 필요성 실증; 천연자원을 보존할 수 있는 방안 조직화
10. 요약 및 평가	사실, 개념 및 원리 상기	과학적 척도에 의한 논쟁, 승인, 판단

출처: Rita Peterson 외, 과학과 사회: 초등학교와 중등학교 과학교사를 위한 자료집. Columbus, Ohio: Merrill, 1984: pp. 166-167.

논의, 그리고 피드백 등이 포함되어 있다. 대부분의 중등학교 교사는 주제나 내용 지향적인 단원을 계획할 때 주제적 접근방법을 사용한다.

어느 한 방법이 여러분이 바라는 대로 학생의 학업 결과를 보다 좋게 촉진할 수는 있지만, 가장 올바른 방법이라고 지칭할 수 있는 것은 없다. 만약 여러분이 분류학적 접근을 사용한다면, 교수영역에서 명백한 성취 기준을 보다 더 지향할 것이다. 무엇이 미리 정해져 있는가? 정해진 내용의 계열은 무엇인가? 주제적 접근은 구체적 지식 기능과 학습을 하는데 있어서 학생의 태도에 따라 다루어지는 영역에 어떤 것이 있는지 식별한다. 만약 여러분이 주제적 접근을 사용한다면, Howard Gardner의 다중 지능과 학습 "출발점"으로 기술한 그의 방식에 관한 연구물을 검토하는 것이 도움이 될 것이다. Gardner는 다음과 같은 5가지의 출발점에 대해 기술했다.

- 설명적 : 질문에 대한 주제나 개념에 관해 자신 있게 또는 설명적으로 표현
- 논리적-양적 : 주제나 질문에 대해 수나 연역적/과

심체적 기능	학습활동	자원 및 자료
	학급 토론	비디오, 인터넷
정교한 조절과 판별을 위한 도구 사용	논쟁	그림, 모사, 모형
상이한 환경 시각화; 적절한 정보를 제시하기 위한 현장학습 안내 경청	박물관으로 현장 학습	녹음기
실습 장비 조작	실험 (교재 참조)	식물, 암석, 토양
	학급 토론	전문가 참여
식물, 암석, 토양 조작	학급 토론	날씨, 화산, 산맥이 그려져 있는 도표 및 지도
정교한 조절을 요구하는 장비 활용	학생 면접	지역 사회의 "고참자" 이전 신문
도구와 장비의 사용법과 주의점	브레인스토밍 활동	관리자 참여
	학생 판단 구두 보고서	기술적 간행물, 도서관 자료
	단원평가	

학적인 접근을 사용

- *기반적* : 주제나 개념을 뒷받침하는 철학이나 어휘를 검토
- *심미적* : 주제나 개념에 대한 감각적인 특성에 집중
- *경험적* : 학생이 주제나 개념을 나타내는 자료를 직접 다룰 때 손쉽게 사용할 수 있는 접근[15]

단원을 계획할 때 Gardner의 "주제"나 제목 접근의 장점은 보다 직관적인 감각을 통해 학생과 학습내용 간에 관련을 맺을 수 있도록 한다는 것이다. 출발점은 교육과정 관련성을 조장하며, 어떻게 두뇌가 작동하고 개념을 처리하는지에 관해 우리가 알고 있는 것들을 서로 더 잘 연결할 수 있다. 두뇌 연구자는 지식을 의미 있게 활용할 것을 주장하는데, 이것이 바로 Gardner의 출발점 접근이 성취하고자 하는 것이다.

단원 계획 개발 지침

학교 교사들이 연간 교육과정을 대략 15개에서 30개의 단원으로 구성하고, 각 단원마다 약 5개에서 10개 정도

표 4.6 단원 계획: 미국 역사를 위한 주제 접근

목표

Ⅰ. 지식

   1. 영국 법을 기초로 한 미국 헌법 인식하기

   2. 미국 헌법을 형성하는데 기여한 원인과 사건 파악하기

   3. 미국 헌법의 강점과 한계점 논의하기

   4. 어떻게 헌법수정이 발표되는지 설명하기

Ⅱ. 기능

   1. 어휘 실력 향상하기

   2. 조사 기능 향상하기

   3. 구두 보고 기능 향상하기

   4. 역사적인 사건이나 인물을 포함하는 내용에 대한 독서 습관 향상하기

   5. 토론 기법 개발하기

Ⅲ. 가치

   1. 법에 기초한 자유에 대한 이해력 계발하기

   2. 자유에 따른 의무감 인지하기

   3. 권리가 보호되는 방법 인식하기

   4. 소수에 대한 보다 호의적인 태도 계발하기

   5. 급우에 대한 보다 호의적인 태도 계발하기

주제

Ⅰ. 헌법의 역사적인 배경

   1. 영국 관습법

   2. Magna Carta

   3. Mayflower 계약

   4. 식민지 해방

   5. 의회 없는 과세

   6. 보스턴 차 사건

   7. 제 1, 2차 제헌 국회

   8. 독립선언

   9. 계몽운동 시대와 미국

의 소단원을 배당하는 경향이 있기는 하지만, 할당된 단원, 시간 수, 그리고 각 단원의 강조점은 판단의 문제이다. 단원 계획을 할 때는 일반적으로 교재의 조직에 대해 고려하고, 주나 학교 구의 교육과정 지침, 그리고 학생의 특수한 능력, 요구, 그리고 흥미에 의해서 제시된 사항에 따른 강조점을 참고한다. 교사들은 점차 연방정부, 주, 그리고 학교 구 검사 프로그램에 맞춰 단원을 계획하려고 하고 있다.[16]

지금까지 단원 계획의 기본 구성요소에 대해서 알아보았다. 이제부터는 세부 항목들을 다루기 위한 제안점에 대해서 알아보고자 한다. 이러한 제안점은 전 교과 및 전 학년에 적용 가능하다.

1. 염두에 두고 있는 특정 학급이나 학생 집단에게 적합한 단원 계획을 개발한다.

2. 교과, 학년 수준, 그리고 단원 지도 시간을 표시

표 4.6 (계속)

II. 권리 법률과 헌법

  1. 헌법 제정 회의

  2. 헌법의 틀

  3. 권리 법률

    a. 이유

    b. 세부적인 자유

  4. 주에 이양된 권력

  5. 중요한 개정

    a. 제 13차, 14차, 15차(노예해방, 정당한 법의 절차, 선거권)

    b. 제 19차(여성 투표권)

    c. 제 20차(진보적인 세금)

    d. 제 22차(대통령직 2번 연임)

    e. 기타

평가

  1. I에 대한 퀴즈. 1-9

  2. 개별 학생의 구체적인 피드백이 적힌 채점된 보고서

  3. 자유 시민사회의 일원으로서 학생의 역할에 관한 토의; 미국 시민의 권리와 의무와 학생의 권리와 의무를 비교

  4. 단원 평가; 복습 I. 1-9; II.1-5

활동

  1. (선택한 비디오를 통해) I 부분을 소개

  2. I부분에서 토의되어야 할 주요한 점들의 목록

  3. 숙제-각 주제 또는 소단원 I의 목록 독서(1-9; II. 1-5)

  4. "미국인의 자유"에 대한 TV프로그램과 1.9 이후에 논의

  5. I 부분의 최종 활동으로 역사박물관 견학, 그리고 II부분 소개

  6. 교외 독서를 위한 주제와 보고서, II.3 이후에 이틀 간의 토론

  7. 이틀 간의 토론(4팀): II.5 이후에 "우리의 헌법 중 무엇이 잘못 되었는가?" "우리의 헌법에 따른 권리는 무엇인가?"

  8. 교사가 승인한 역사적 주제에 대하여 선택된 웹사이트 검색

한다.

3. 전체적인 제목이나 개념을 중심으로 단원의 윤곽(단원 명)을 잡는다.

4. 여러분의 단원에 기반이 될 적절한 성취기준을 명확히 한다.

5. 단원의 일반적인 목표, 문제, 또는 주제를 확인한다. 각 목표, 문제, 또는 주제는 특정한 소단원 계획에 부합해야 하며(다음에 논의됨), 그리고 교육 내용 성취기준에 직접적으로(혹은 간접적으로라도) 연결되어야 한다.

6. 다음 사항 중에 하나 이상을 포함시킨다: a) 내용과 활동, b) 인지적 과정과 기능, c) 심동적 기능, 그리고 d) 태도와 가치.

7. 단원의 결과를 사정하고 평가하기 위한 방법을 명확히 한다. 가능하면 학습을 통한 결과나 향상도를 측정하는 사전, 사후 검사를 포함시킨다.

8. 교재를 보충하는데 필요한 자원(자료와 매체)을 포함시킨다.

9. 가능하면 개괄적인 연습, 문제, 최근의 사건 등을 통해서 단원을 소개하는 효과적인 방법을 최대한으로 계획한다.

10. 다양한 학습자에 맞는 단원 요소를 설계한다(간단한 활동, 탐구 전략).

11. 학생들의 일상경험이나 현장학습과 같은 교외활동, 혹은 도서관이나 지역 사회 활동 등의 내용을 포함하는 단원을 개발한다.

소단원 계획

소단원 계획은 매일 매일의 교수활동 이전에 세운다; 간혹 일일 계획으로 불리기도 한다. 일반적으로, 소단원 계획은 전형적인 학교 시간표의 고정된 차시(보통 30~40분 정도)를 중심으로 계획되어야 하고, 학생이 차시가 종료되면 교실에 도착하고 떠날 수 있는 충분한 시간을 가질 수 있도록 허용해 주어야 한다. 학생이 어리거나 집중시간이 짧으면 시간 단위를 보다 짧게 해서 계획을 세울 수 있다. **단위** 시간제(예를 들어, 격일로 일상적인 차시보다 긴 시간을 운영)를 운영하고 있는 고등학교에서는 시간을 좀더 길게 할 수도 있다. 시간조절과 시간표조절을 잘하는 것은 수업과 교실 관리를 잘 하는데 도움이 된다.

특별한 학교 활동을 할 때는 보다 짧거나 긴 차시 시간을 운영할 수도 있지만, 대부분의 소단원은 차시 전체 활동을 위해 계획되어야만 한다. 때때로 학생들은 활동이나 과제를 해결하는데 당초 계획된 시간보다 많이 또는 적은 시간을 필요로 하고, 이에 따라 교사는 시간을 유연하게 조정하는 방법을 배울 필요가 있다. 교사는 계획하고 간격을 조절하는 방법을 개발함으로써 시간계획을 잘하게 되고 필요한 순간에 보충 활동과 자료 활용계획을 잘 세울 수 있을 것이다. 보충 활동에는 협의기능 수행, 탐구과제 완성, 연습과제 완료, 작문이나 보고서 설명, 연구활동 수행, 상장 및 추가적인

수료과제, 혹은 다른 학생지도활동이 포함될 수 있다. 보충자료에는 그림, 도표, 그리고 소단원의 요점을 보다 잘 나타내기 위한 모형 등이 포함될 수 있다; 실습과 훈련을 위한 연습, 그리고 소단원의 주요한 점을 검토하기 위한 요점 질문 목록을 다시 한 번 점검해 본다.

교사는 특정 주제에 대해 누락된 부분, 과도하게 강조하거나 그와는 반내로 소홀히 다룬 부분이 없도록, 교수유형과 학생의 능력 및 흥미를 고려해야 한다. 교사는 매일 매일의 소단원 과정을 검토하고, 상이한 교수법, 매체, 그리고 수업 활동 등에 따른 특별한 학생의 반응을 정기적으로 기록하여, 다른 반이나 다른 시간에 적용해야 한다. 미숙한 교사는 소단원 계획을 자세하게 세워야 하며, 계획대로 수업을 실시하고, 그리고 계획한 내용을 자주 참조해야 한다. 점차 숙련되고 자신감을 지니게 되면서, 계획을 덜 세밀하게 세울 수도 있고, 교수-학습 과정이 진행중인 교실 상황에 따라 즉흥적인 반응을 보일 수 있게 될 것이다(전문적인 관점 4.1 참조).

권위자들의 소단원계획

현재의 많은 전문가들은 소단원계획이 포함해야 하는 내용에 관해 기술할 때 직접적인 수업방식의 관점에서 기술하고 있는데, 즉 교수가 교사 주도로 이루어지고, 수업 방식과 자료들이 계열적으로 조직되고, 수업내용이 포괄적이면서 집중적이고, 교사가 학생들의 학업을 확인하고 점검하는 실습 기회가 주어지고, 교사가 학생들의 성과를 측정 평가하는 식으로 교실을 보는 관점이다. 목표는 소단원 시작부분에 명확하게 명시되고, 복습은 목표를 설명하기 전에 하거나 그 이후에 하게 된다. 학습은 학문적, 교사 중심적 환경에서 이루어진다. 학생들의 요구나 관심사에 대한 우려나 언급이 거의 없고, 학생의 성취가 강조된다.

표 4.7에 나온 저자들 모두 이렇게 직접적, 단계별로 학습에 접근하는 방식을 보여주고 있다. 이런 접근 방법들간의 유사점을 보여주기 위해 항목과 구성 요소들이 일렬로 배치되어 있다. 소단원 계획의 부분 요소

소단원 계획과 전문가

Albert Shanker
미국교사연합 회장(전)

교사는 틀에 박힌 소단원 계획을 세우도록 해야 하는가? 물론, 교사에게는 계획을 위한 활동이 필요하고, 대부분 그렇게 한다. 그러나 개개의 교사가 동일한 분량의 계획을 세우고 동일한 형식의 계획서를 사용해야만 하는가? 모든 계획을 아침에 면밀하게 살펴보는가? 어떤 교사는 종이보다는 머리 속으로 계획을 더 잘 세우지 않는가? 보다 중요한 질문, 그 계획은 무엇을 위한 것인가? 계획이란 수업의 질을 향상시키고 수업에 집중시킬 수 있도록 교사를 도와주는 것이다. 그러나 형식적으로 계획서를 제출하라는 요구에 응하는 것을 제외하면, 아무리 훌륭한 교사라고 할지라도 이것에 만족한 평가를 내리지는 않을 것이다. 이것은 분명히 무능력한 관리이다. 어느 누가 악보를 제대로 보지 못한다고 해서 Pavarotti를 형편없는 테너라고 평가할 수 있겠는가?

35년 전에 뉴욕 시 공립학교 교사가 되기 위해서 평가를 받던 일이 생각난다. 학교 구내식당에 모여 있는데, 어떤 사람이 나타나서는 호루라기를 불면서 우리에게 두 줄로 정렬하라고 소리를 질렀다. 이어서 우리는 복도를 향해 질서정연하게 행진하게 되었고 임용시험을 치르러 해당 교실로 이동하기 전에 한 줄로 정렬하라는 명령을 들었다. 행진하는 내내 즉, 출발부터 학교로 돌아올 때까지 "한 줄을 유지해" "서둘러" "잡담하지 마"라는 명령에 따랐다. 비록, 우리는 대학을 입학하여 학위를 취득했지만, 다시 어린 학생과 같은 취급을 받고 있었다.

소단원 계획에 대한 경직된 요건이 위의 경우와 유사하다. 그들 중에는 경력 있는 교사도 있었고, 이미 피교육자의 입장을 벗어난 어른도 있었지만, 호루라기를 불며 일어설 것을 요구하고 "한 줄을 유지해"처럼 명령을 하면서 어린 학생 다루듯이 하였다. 우리는 적절한 보수 규정에 관한 임용고사 문제는 풀었지만, 현재 학교 보상체계가 창의성이나 탁월성이 아니라 권위에 대한 맹목적인 복종에 달려 있는 한, 우리는 훌륭한 교사가 들어오거나 남아있지 않을 것이다.

교사의 전문성은 오로지 혹독한 노력에 의해서만 얻어질 것이다. 이것은 시대착오적인 관행에 대해 의문을 제기하는 것뿐만 아니라 관료적 편리성보다는 학생 성취에 대한 관심을 충족시켜 주는 다양한 대안을 제공한다는 것이다.

들과 교실 활동들은 모두 교사가 통제하고 있으며, 학생들이 직접 선택하거나 계획하는 것들은 거의 없는 것이 사실이라 실제 교실은 매우 형식적이고 사무적이다. 가장 중요한 것은 실습뿐만 아니라 지식, 기능과 과제들을 강조하고 있다. 극히 일부만 문제해결, 비판적 사고와 창의력에 중점을 두고 있고, 개인적, 사회적, 도덕적인 발달에 관해서는 다른 언급이 없다.

표에 열거된 권위자들은 아마도 이를 인정하거나 동의하지 않을 수도 있겠지만, 이들의 접근법은 주로 연습과 반복 훈련이 권장되는 읽기, 수학, 외국어 등과 같은 기본 교과목들 내의 기초적 기능이나 개별 과정들(예를 들면, 단계별 방식으로 접근할 수 있는 방법)에 적용된다. 일단 이런 접근법들이 탐구지도나 발견학습 혹은 창의적 사고에 이용된다 해도 사실 그리 효과적이지 않다. 하지만 이런 사실들에도 불구하고 이런 직접적인 접근방식이 전문적인 연구문헌상에서 많

표 4.7 권위자들이 제시하는 소단원 계획 구성요소들

완전학습(Hunter)	수업설계(Gagné)	수업행동 (Good과 Grouws, Good과 Brophy)
1. *복습*: 이전 수업 시간에 배운 내용에 초점을 맞춘 질문에 학생들이 말이나 글로써 복습하도록 한다. 그 다음 학생들에게 주요 요점을 정리해 준다.	1. *주의 집중*: 기대하는 바에 대해 학생들의 주의를 환기시킨다. 학생들이 차례나 준비단계의 연습을 시작하도록 한다.	1. *복습*: 숙제와 관련된 개념들과 기술을 복습한다. 복습 연습 문제를 제공한다.
2. *기대 단계*: 학생들의 관심을 그 시간에 제시될 소단원에 모은다. 학생들에게서 새로운 자료에 대한 흥미를 불러 일으킨다.	2. *학습자들에게 목표를 알려준다*: 성취해야 할 목표를 알려주어 학습자들의 학습 동기를 적극 활성화한다.	2. *개발*: 예시, 설명, 공개 시연 등을 통해 학생들의 새로운 자료에 대한 이해도를 증진시킨다.
3. *목표*: 무엇을 배우게 될 것인지 명확히 설명한다. 이론적 근거를 들어주든지 얼마나 유용한지를 설명한다.	3. *이전 지식을 상기시킨다*: 새로 배울 내용에 적절한 이전에 배운 지식이나 개념, 즉 관련 필수조건을 학생들에게 상기시킨다.	3. *학생들의 이해 정도를 평가한다*: 질문과 통제에 의한 연습 시간을 제공한다.
4. *입력*: 새로운 소단원을 배우는 데 필요한 지식과 기능을 확인한다. 논리적이고 일정한 순서로 자료를 제시한다.	4. *자극 자료를 제시한다*: 새로운 지식과 기능을 제시하여, 새로 배울 개념의 독특한 특성들을 설명해 준다.	4. *자습*: 방해가 없는 자습시간을 제공하여 모든 아동들이 다 참여하도록 하고 그 여세를 유지하도록 한다.
5. *본받기*: 소단원 내내 다양한 시연들을 계속 제공한다.	5. *학습을 안내한다*: 방향에 대해 상세히 부연 설명해 주고, 도움을 제공하여 새로운 정보를 이전의 정보(장기기억)와 통합하도록 한다.	5. *책무성*: 학생들의 성적을 점검한다.
6. *이해여부 확인*: 학생들이 소단원 활동에 참여하기 전에 학생들의 작업을 잘 살펴본다. 학생들이 수업 방향과 과제들을 이해하고 있는지 알아본다.	6. *성과를 끌어낸다*: 과제나 문제를 수행하는 방법을 제시만 하고, 일일이 열거하지 않는다. 즉, 단서나 방향들을 제공해 준다. 단 답을 내주는 것은 금물이다. (이것은 학생들의 몫이다.)	6. *숙제*: 규칙적으로 숙제를 내준다. 복습 문제를 내주어 풀게 한다.
7. *유도에 의한 연습* : 주기적으로 학생들에게 질문하고, 문제들을 제시하고 대답을 확인한다. 유도에 의한 연습에서는 이해도 확인에서와 같은 종류의 점검과 응답 형식들이 사용된다.	7. *피드백을 제공한다*: 특히 새로운 자료의 습득 단계에서 학생들의 성과물을 확인하고 규칙적인 피드백을 제공해줌으로써 학습을 강화시킨다. 학생 개개인이 지시설명에 적응하도록 피드백을 이용한다.	7. *특별 복습 시간*: 학습능력 향상과 유지를 위해 연습문제나 퀴즈 등과 같은 복습을 매주 한 번씩 월요일에 실시한다. 더욱더 학습을 향상하고 지속하기 위해 매달 한 번씩 네 번째 월요일에도 복습을 실시한다.
8. *개별 연습*: 학생들이 최소한의 노력으로 스스로 과제를 해결해 나갈 수 있겠다는 판단이 그런대로 서면, 개별적으로 학생들에게 과제나 연습 분량을 할당해준다.	8. *성과를 측정한다*: 결과물의 관점에서 학생들에게 자신들의 수행 성과를 알려준다. 이 과정에 "기대"치를 설정해 준다.	
	9. *배운 내용의 보유와 전이를 확실하게 한다*: 내용을 머릿속에 확실히 넣어두도록 다양한 교육적 기법(개요 제시, 정보 분류, 표나 차트, 다이어그램 이용 등)을 이용한다. 다양한 단서와 연습 상황, 그리고 개념들을 연결하는 방법을 제공하여 학습의 전이능력을 향상시킨다.	

출처: Allan C. Ornstein. *Secondary and Middle School Teaching Methods*. Published by Allyn and Bacon, Boston, Mass. Copyright ⓒ 1992 by Pearson Education. Reprinted by permission of the publisher. (p. 141, 3/E)

은 관심을 받고 있고, 한 가지 교수 영역 이상에서 적용이 가능하기 때문에 이를 고려해 보아야 하는 것이다. 나중에 좀 덜 직접적이고 구성적인 접근법을 소개할 예정이며 이런 접근법은 교수법에 있어 교사들에게 융통성을 많이 제공하게 될 것이다.

다른 종류의 소단원 계획에 대한 "권위자들"도 역시 있으며, 여기에는 현직 교사들도 포함되어 있다. 예컨대, 이들이 기울이는 노력과 아이디어들은 마르코 폴로(the Marco Polo) 웹 사이트(marcopolo.world-com.com)에 접속하여 접해볼 수 있다. 이런 사이트들에서는 수업을 진행할 때 필요한 많은 자료들과 함께 무료 학습을 제공해 주고 있다. 우리가 알고 있는 많은 현직 교사들이 실제로 많은 아이디어 공급원으로서 이 Marco Polo 사이트에 상당량을 의존하고 있다. 이번 제4장이 쓰여진 날 그 사이트에는 재즈의 역사, 음악 작품, 경제학 그리고 에베레스트산에 관한 소단원 계획 아이디어들이 올라와 있었다. Marco Polo와 같은 사이트를 통해 교사들은 학생의 이해를 증진시키는 것을 돕거나 국가나 주의 기준에 결부시키는 것에 활용할 수 있는 자원과 도구들을 어떻게 분류하는지 다른 교사들과 공유할 수가 있다.

소단원 계획의 구성 요소

소단원 계획을 위해 준수해야 하는 이상적인 형식이 유일하게 존재하는 것은 아니다. 교사들은 각자가 자신만의 개인적인 지도 방식과 학교나 지역의 제안사항들에 맞추기 위해서 전문가들과 학습 이론가들이 제안한 방식들을 수정해야 한다. PRAXIS나 INTASC 표준안 두 가지 모두 계획에 아주 세심한 주의를 요구한다. 그리고 이런 계획들은 단지 학생들을 어떻게 하면 계속 분주하게 만들 것인가를 보여주기 위함이 아니라 학생들이 무엇을 배울 것인가를 상세히 기록하기 위해 만들어진다. 여러분이 가르치고 있는 것이 어떻게 여러분의 계획들 속에 나오는 구체적인 이론적 기준과 참고사항들에 관계되는지를 소상히 기록할 필요가 있을지도 모른다.

다음은 초보 교사들이 소단원 계획에 포함시켜야 할 구성요소들에 대해 한 도시의 학교 구역에서 권장하고 있는 내용이다.

1. 소단원의 구체적인 목표(그리고 그 목표들을 적절하게 수업 내용의 기준과 연관시킨다.)
2. 학생들의 흥미를 끌고 소단원 내내 그 흥미를 유지시킬만한 적절한 동기 부여
3. 소단원 전개나 개요(때때로 이를 수업 내용과 활동으로 부르기도 함)
4. 소단원 수업이 정상 궤도에 오르도록 하기 위한 반복 훈련, 질문 그리고 실습과 같은 다양한 방법들
5. 수업의 내용을 보충하며 명확하게 설명해 줄 다양한 자료들과 매체
6. 연구과제나 숙제 제시[17]

각 요소에 대해 얼마나 시간을 배분할 것인지 또 각 요소에 세부항목들을 얼마나 많이 포함시킬 것인지는 교사가 재량껏 다양하게 할 수 있다. 이런 경험을 통해 교사는 포함시켜야 하는 아주 유용한 요소들과 전체 수업 계획에 필요한 상당량의 세부사항들을 발견하게 된다.

TaskStream처럼 실질적으로 교사들이 온라인상에서 수업을 구축하는 것이 가능한 사이트들도 있다. 이런 전자 사이트들을 통하여 수업 계획의 구성요소들을 사용자 필요에 근거하여 주문형으로 맞추어 제작이 가능하며 Chad Raisch 교사가 사례연구 3.2에서 설명한 예처럼 평정표작성 도구도 여기 포함된다. 국가와 주의 기준들이 이 사이트에 포함되어 있기 때문에 사용자는 기준 목록을 스크롤바를 이용하여 살펴보면서, 특별한 학생 단체를 위해 수업시간에 사용할 목표 안들과 특정 학교의 수업 목표에 부합할만한 목표들을 "선택하고 잘라내기"만 하면 된다.

목표

내용을 가려내거나 혹은 무엇을 가르칠지에 대한 계획을 세울 때 교사가 제일 먼저 하게 되는 질문들이 바로

"내가 뭘 가르치고자 하는 것인가?"와 "나는 과연 이 소단원을 통해 학생들이 어떤 가치가 있는 것을 배우기를 원하는가?"이다. 이런 질문들에 대한 답이 바로 소단원 목표이다. 이런 목표들은 그 수업의 중추적 역할을 담당하게 된다. 그리고 동기, 방법, 그리고 자료들은 이러한 목표들을 성취하기 위해 조직된다. 목표를 세움으로써 수업의 목표상실감을 없애 주고 가르치는 것과 배우는 것 둘 다에 초점을 맞출 수 있게 된다.

이런 목표들은 진술문이나 질문 형태로 표현된다. (대개 이런 내용은 오직 진술문으로만 표현될 수 있다고 생각한다.) 질문 형식은 학생들이 생각하도록 한다. 목표가 어떤 식으로 진술되든지, 목표는 반드시 칠판에 적어주거나, 학생들이 볼 수 있도록 유인물로 나눠주도록 한다. 그것도 아니라면 수업 시간 중 어느 시점에서 설명해 주어야 한다. 여기에서는 소단원 계획을 위한 일반적 목표의 예시문이 처음엔 진술, 그 다음은 질문 식으로 제시되었다.

- *진술*: 경제 공황 기간 동안의 농산품과 공산품의 가격을 비교하기
- *질문*: 왜 경제 공황 기간 동안 농산품의 가격이 공산품들의 가격보다 더 하락했을까요?
- *진술*: 중동 지역의 석유생산이 미국의 경제적인 상황에 끼치는 영향을 설명하기
- *질문*: 중동 지역의 석유생산이 미국의 경제 상황에 어떤 영향을 줄까요?
- *진술*: 인간의 피부가 질병으로부터 어떻게 인간을 보호하는지 알아내기
- *질문*: 인간의 피부는 어떻게 질병으로부터 우리를 보호하는 것일까요?

소단원의 주요 목표는 보조(2차) 목표들을 가지고 있을 수도 있다. 보조 목표들은 그 소단원 시간을 여러 부분으로 나누고, 중요한 아이디어들을 강조하거나 보충해 주는 역할을 한다. 다음에는 (진술 다음에 질문으로 표현된) 두 가지 보조 목표를 가진 한 소단원 목표의 예가 제시되어 있다.

1a. *소단원 목표*: 제1차 세계대전의 발발 요인을 설명하기. *보조목표*: 민족주의, 식민주의 그리고 군사주의를 비교하고 그에 따라 선전과 사실들을 구별해내기.

1b. *소단원 목표*: 제1차 세계대전의 발발 원인은 무엇이었는가? *보조목표*: 어떤 식으로 민족주의, 식민주의 그리고 군사주의가 관련이 되고 있는가? 우리는 선전과 사실들을 어떻게 구별해낼 수 있는가?

동기유발

동기유발 전략이나 활동은 가르칠 내용에 대한 흥미를 유발하고 유지시킨다. 동기유발 전략은 인센티브나 학습 강화요인을 필요로 하는 외적 동기유발된 학생보다 내적 필요나 흥미를 충족시키기 위해 학습에 대한 동기가 유발되는 내적 동기유발된 학생들에게 더 적게 요구된다. 수업계획과 수업은 전형적으로 동기 유발의 이 두 가지 형태 모두에 의존하고 있으며 사례연구 4.1에서 나타난 학습동기는 종종 일부 학생들의 그룹에서 나타나는 주요 문제이다.

1. **내재적 동기유발**: 내재적 동기유발은 학생들이 이미 주제나 과제에 대해 지니고 있는 흥미를 지속시켜 주고 증진시켜 주는 것을 포함한다. 내재적 동기유발은 학생들이 알고 싶어하는 것에서부터 출발하기 때문에 가장 좋은 형태의 동기유발이라고 할 수 있다. 교사가 소단원을 선택하고 조직화함으로써 a)소단원 시작에서부터 학생들의 구미를 자극하게 될 것이며, b)놀람, 의심, 당혹감, 익숙한 자료들뿐만 아니라 색다른 것들, 재미있고 다양한 방법을 사용하여 학생들의 호기심과 몰입을 유지시키고, c)활동 및 조작의 기회를 제공하게 되며, d)학생들이 자율적으로 시간과 노력을 구성하도록 허용하여, e)그 소단원의 요구사항에 부합되는 선택과 대안들을 제공하게 된다. 다음은 내재적인 동기유발을 강화시켜 주는 데 이용될 수 있는 몇 가지 활동이나 자료들을 모아놓은 것이다:
   a. *도전적인 진술*: "핵발전소는 불필요하며 잠재

전문적인 관점

현실의 삶 속의 경험들의 통합

Ralph W. Tyler
Advanced Study in The Behavioral Sciences 전임 소장
Stanford University

나는 60여 년을 가르쳐 왔다. 내 수업 시간에는 매번 학습에 어려움을 겪는 학생들이 일부 있었는데, 나는 전체 급우들이 그런 친구들이 배울 수 있도록 도와주기를 바랬었다. 맨 처음, 나는 이런 학생들이 학습 능력이 없으며 결코 학교 공부에서 성공하지 못할 것이라 생각했었다. 하지만 그 때 나는 그 학생들 중의 다수가 게임을 하고, 신문을 배달하고 현장학습을 계획하는 것과 같은 많은 다른 활동들을 위해 학습하고 있다는 것을 의식하게 되었다.

나는 여러 학생들에게 직접 물어보았다. "왜 너는 학교 밖 활동은 그리 잘 배우면서 학교 공부와 숙제를 하는 건 그렇게 어려워하니?" 일부 학생들은 이렇게 대답했다. "학교 밖에서 배우는 것들은 실질적인 것들이지만 학교 공부는 정말 재미없고 현실적이지 못해요." 다른 학생들은 또 이렇게 대답했다, "학교 밖에서는 우리 일을 우리가 하는 것이지만 학교 내에서는 선생님이 하실 일을 우리가 하는 거잖아요."

이 경험으로부터 나는 내가 직접 학생들에게 학교 내에서 운동장에서 그리고 동네에서나 아이들이 해야 할 일들에 대한 책임의식을 부여해 주어야 한다는 사실을 깨닫기 시작했다. 그리고 나서, 그 아이들이 이런 책임을 기꺼이 받아들였을 때 나는 아이들이 성공적으로 그 책임들을 완수하는 것을 배울 수 있도록 도와주었다. 이제 나는 내 학생들이 무엇을 하려고 노력하고 있는지를 보고 파악하고 나서 자신들이 중요하다고 생각하는 활동에서 좋은 성과를 거두게 하는 방법으로써 읽기, 수학, 과학, 미술 그리고 음악을 잘 이용하는 방법을 배우도록 도와준다. 학교가 학생들에게 가르치고자 하는 것을 배워야 한다는 사실을 학생들이 이해하게 되면서 나는 그들에게 혹독한 교사가 아니라 진정한 후원자로 거듭나게 된 것이다. 그렇게 되고부터는 가르치는 것도 참 재미있게 된다.

적 위험성을 지니고 있다."

b. *그림과 만화*: "이 그림은 일본산 자동차들에 대한 미국인들의 정서를 어떻게 나타내고 있나요?"

c. *개인적인 경험*: "아주 추운 날씨에는 어떤 종류의 옷을 입는 것이 가장 좋을까요?" 혹은 "이 내용이 여러분과 여러분의 삶과는 어떤 관련이 있나요?"

d. *문제*: "어떤 금속들이 열을 잘 전도하나요? 왜 그런가요?"

e. *탐구적 및 창조적 활동*: "나머지 사람들이 자리에 앉아서 문제들을 푸는 동안 앞으로 나와서 칠판에 적힌 퍼즐의 빈 칸을 채워 넣어 줄 지원자 세 사람이 필요합니다."

f. *도표, 표, 그래프, 지도*: "이 도표를 살펴보면, 이런 동물들 모두가 공통으로 가지고 있는 특징들은 무엇일까요?"

g. *일화와 이야기*: "제가 금방 읽은 이 부분이 작가가 남부에 대해 느끼고 있는 감정을 어떻게 전달하고 있나요?"

내적 동기유발에 관한 실제 사례를 보면 그것의 힘을 느끼는데 도움이 될 것이다. 수년 전

의 일로 한 작가가 어떤 고등학교 교사가 헌법의 수정조항에 대해 가르치는 수업 시간을 지켜보게 되었는데, 이 교사는 학생 개개인의 경험을 이용하여 수업 내용을 더 힘 있고 적절하게 만들었던 것이다. 그는 학생들을 전부 일어서게 하면서 수업을 시작하였고, 그 다음 그는 일련의 진술문을 읽어주었고 학생들에게 그 진술문에 대한 답변에 따라 자리에 다시 앉으라고 말했다: "여러분 중에 백인이 아닌 사람은 자리에 앉으세요. 여러분 중에 남자가 아닌 사람도 자리에 앉도록 해요. 또 여러분 중에 지금 주머니에 2달러가 없는 사람도 자리에 앉아요." 결국 끝에 가서는 오직 두 명의 학생만 선 채로 남아 있게 되었다. 그 교사는 그제서야 헌법의 수정조항이 없었다면 아마도 지금 서 있는 두 학생들만 투표를 할 수 있었을 것이라고 설명했다. 내재적 동기유발에 대해 더욱 통찰력을 얻으려면 위에 나온 전문가의 견해를 참조한다.

2. **외재적 동기유발**: 이 외재적 동기유발은 행동주의적 전략에 더 초점을 맞추고 있다. 성공을 높이고 실패를 줄이는 활동들은 동기를 더욱더 유발한다. 성취도가 높은 우수한 학생들은 설령 실패를 겪는다고 하여도 성취도가 낮은 학생들보다 더 오래 견뎌낼 것이며, 따라서 수준이 평균이거나 그보다 더 낮은 학생들에게는 학습을 위한 인센티브가 더 중요한 것이다. 이런 인센티브들은 사실 과목의 소재나 내용이 흥미가 떨어지거나 어려운 것일 경우에 모든 학생들에게 다 중요한 것이 된다.[18] 하지만 이런 인센티브들은 주의하여 사용해야 한다. 다음에 나오는 원칙들은 교사들이 내재적 및 외재적 접근 방식을 통해 동기유발을 강화할 수 있도록 이끌어 줄 것이다.

a. *뚜렷한 방향을 제시한다*: 학생들은 자신들이 무엇을 하기를 바라는지 어떻게 평가될 것인지에 대해 정확하게 알고 있어야 한다.

b. *인지적으로 확실하게 일치시킨다*: 학생들의 동기유발은 자신들의 성취수준에 맞는 과제나 문제들을 풀어나갈 때 최고에 달한다. 학생들이 혼란스럽거나 과제가 자신들의 능력 이상의 내용일 경우 이에 저항하거나 포기하게 된다. 또 자신들의 능력 이하의 경우에도 학생들은 다른 흥미거리를 찾거나, 그 수업 시간을 최대한 빨리빨리 끝내려고 한다.

c. *신속하게 피드백을 제공한다*: 학생들의 성과에 대한 피드백은 적극적이고 신속해야 한다. 행동(또는 성과)이나 결과물 사이에 지체 시간이 길어지면 그 둘 사이의 관계마저도 약화된다.

d. *과거에 배운 내용을 현재 학습 내용과 연관시킨다*: 이전에 학습했던 내용들을 강화시키려면 강화요인을 적절히 사용한다.

e. *보상을 자주 제공한다*: 보상이 대단한 것이라도 만일 너무 드물게 주면 별 효과가 없을지도 모른다. 작고 빈번한 보상이 크고 드물게 주는 보상들보다 더 효과적이다. 칭찬은 특히 강력한 보상의 하나이며, 학생들의 특별한 성취에 대해 자연스런 어조로 칭찬하는 것은 더욱 효과적이다.[19]

f. 높은 *기대감을 가진다*: 학습이 기대되는 학생들은 그렇지 않은 학생들보다 더 많이 배우려 하고, 배우기 위해 더욱 동기유발이 될 것이다.

g. *학생들이 학습한 것의 실용적 가치를 보여준다*: 학생들이 교실에서 배울 내용들을 어떻게 이용하고 적용하는가를 볼 수 있도록 도와준다.

한 가지 주의할 점: 보상 같은 명백한 외적 동기유발 사용을 제한한다. 보상은 동기유발의 쉬운 방법처럼 보이지만, 항상 최상의 방법은 아니다. 사실 외적 동기유발은 절대 사용하지 말 것을 주장하는 비판론자도 있다. 다음에 제시되어 있듯이 Paul Chance는 이 점에 있어서 보다 온건한 입장을 취하고 있다.

성과에 관계없이 보상이 주어지거나 성취 기준이

너무 높아서 학생들이 자주 실패하게 될 경우에는 보상이 동기를 경감시키게 된다. 학생들이 높은 성공률을 보이고 그런 성공들이 보상 받을 때 그 보상은 부정적인 영향을 끼치지 않는다. 사실 성공을 조건으로 하는 보상이 활동에서 흥미를 더 증가시키기도 한다.

외적인 보상을 어떤 식으로 이용하느냐에 따라 활동상의 흥미를 향상시킬 수도 있고 경감시킬 수도 있다는 것을 이런 증거가 보여주고 있다. 외적인 보상이 때때로 문제를 일으키고 있기 때문에 아직 논란이 되고 있고, 그들을 함께 사용하는 것을 피하는 것이 현명할지도 모른다. 외적인 보상을 사용하지 않겠다는 결정은 결국 다른 대안들에 의존하겠다는 것과 같다. 그렇다면 다른 대안들은 무엇인가? 그리고 정말 외적인 보상보다 그 대안들이 더 나은가?[20]

전개

때때로 개요로 불리는 전개는 주제와 부제, 넓거나 주축이 되는 일련의 질문, 또는 활동(방법과 자료)의 목록으로 표현될 수 있다. 중등학교 교사는 대부분 주제 또는 질문을 사용하고, 초등학교 교사는 대부분 내용에 학생 참여를 촉진하려고 활동을 사용한다.

주제, 개념 또는 기능을 강조한다는 것은 수업접근에 있어서 내용 지향적임을 의미한다. 활동을 강조하는 것은 사회심리학에 보다 더 의존한다는 것, 즉 학생의 요구와 흥미를 더욱 강조한다 것이다. 예를 들면, 칠판에다 오존층에 대한 문제의 윤곽을 그리는 것은 내용 지향적이다. 오존층에 대해 누군가와 면접하는 것은 넓은 범위의 사회적인 자극을 포함하는 활동이다.

전개 차시에 적절한 내용과 경험을 선택하고, 조직하는 것과 관련하여 기준이 다수 제안되었다. 다음은 Ornstein과 Hunkins에 의해 개발된 내용에 대한 기준이다.[21]

1. *타당도*: 선정된 내용은 증명 가능하고 성취기준을 기반으로 해야 한다.
2. *중요성*: 가치가 있는 내용(기본 아이디어, 정보, 교과의 원리)이 가르쳐질 수 있게, 내용은 끊임없이

재고될 필요가 있고, 수업은 "정보 폭발을 통해 지금 사용 가능한 무수히 많은 진부한 내용에 의해 혼란되지 않는다."
3. *균형*: 내용은 거시적이고 미시적인 지식을 촉진시켜야 한다. 즉, 학생은 내용의 폭넓은 발전을 경험해야 하며 깊게 파헤치는 기회를 가져야 한다.
4. *자기 충족*: 내용은 학생이 학습법을 배우도록 도와야 한다. 즉, 가장 경제적인 방법으로 최대 충족을 얻도록 도와야 한다.
5. *흥미*: 학생에게 흥미가 있는 내용이 가장 잘 학습된다. 진보적인 일부 교육자들은 학생이 교수와 학습 과정의 초점이어야 한다고 주장한다. 학생의 관심사는 무엇인가?
6. *실용성*: 그 다음의 학습에서 또는 일상적인 경험과 같은 수업 밖의 상황에서 내용은 유용하거나 실제적이어야 한다. 유용성이 어떻게 정의되는가는 교과의 중심이 교사인가 학생인가에 좌우된다. 그러나 대부분의 교사들은 유용한 내용이 학습자의 인간 잠재성을 높인다는 것에 동의할 것이다.
7. *학습가능성*: 내용을 학습하는 것이 그 학생의 능력 범위 안에 있어야 한다. 학생의 적성과 교과 (그리고 능력과 학문적 과제)가 인지적으로 일치해야 한다.
8. *가능성*: 교사는 필요한 시간, 자원과 이용할 수 있는 자료, 교과과정 지침, 주 및 국가의 시험, 기존의 법률과 지역 사회의 정치적인 기후를 고려할 필요가 있다. 무엇이 계획될 수 있고 가르쳐질 수 있는지에는 제한이 있다.

소단원을 어떻게 전개할 것인지를 고려할 때에 가르치는 것에 아주 부합되는 활동과 방식을 사용하는지도 살펴보아야 한다. 학생이 문제해결기능을 학습하길 원한다면, 문자 그대로 문제를 제공한다. 실제로, Murrell이 "African 중심 교육학"이라고 부르는 것의 첫 번째 전제 중 하나는 "인간의 인지와 지적인 개발은 사회적이며 문화적인 인간의 활동에 있다"는 것이다.[22] 그런 다음에 Murrell은 계속해서 "협동 행동이 이루어

지는 활동 속에 아동을 두지 않고서 협동 행동을 가르칠 수 없고, 체계적인 탐구를 하지 않고 체계적인 탐구를 가르칠 수는 없다"라고 말한다.[23]

방법-전이 관점

매일매일 같은 방법에 의존하는 것은 성인에게도 지루할 것이다. 상이한 절차들을 사용하면 수업 내내 학생 동기유발을 지속하고 강화하게 된다. 하나의 소단원에서 다수의 상이한 절차가 사용될 수 있다. 특정 개념과 개별적인 기능 또는 과정을 가르칠 때 네 가지 기본적인 전략으로는 1) 설명과 강의, 2) 증명과 실험, 3) 이해를 확인하기 위한 질문, 4) 반복연습 등이 있다. (다음 장에서는 질문이 어떻게 포함될 수 있는지가 검토된다.) 이 전략들의 사용 범위는 학생, 교과, 학년 수준뿐만 아니라 수업의 형태에 따라 달라진다. 제5장에서는 이런 전략과 다른 방법들을 살펴볼 것이고, 이번 장에서는 이것들이 사용되는 순서를 살펴보았다. Madeline Hunter가 입력(표 4.7 참조)이라고 기술한 강의(또는 교사중심 내용 강연)로 시작하고, 교사의 유도에 의한 연습에서 숙달한 것으로 보이면 혼자서 연습하는 것으로 끝맺고 있음을 주목한다.

1. **강의/설명**: 교사는 요점을 강조하고, 학습장 또는 교과서에서 빠져 있는 내용을 채우고, 특정 내용 영역을 정교화하는 간단한 강의와 설명을 해야 한다. 강의는 수업과 학생 학습을 강화하기 위해 수많은 다른 수업 방법들("시끄러운 집단" 통제된 토론, 브레인스토밍, 토론, 음성녹음테이프 등등)을 함께 사용할 수 있다. Donald Bligh에 의하면 "새로운 강사의 당면 과제는 그 목적에 맞는 조합을 정하거나 만들어 내는 것이다."[24] 또한, 교실의 교사는 이것을 유념해야 한다. 간단한 설명은 그 계획에는 드러나지 않지만 수업에 내포되어 있기도 한다. 강의할 때에는 10-2 원칙을 염두에 둔다. 강의의 매 10분마다 어떤 형태의 요약(5장의 "요약" 부분을 참조한다)이든지 사용하여 내용을 처리하는 시간을 학생들에게 제공한다.

설명이나 짧은 강의를 계획할 때, 다음의 특성을 반드시 고려해야 한다.

a. *강의(화법)의 계열*: 수업은 주의를 딴 곳을 끌거나, 주제에서 벗어나는 논의 없이 계획된 계열을 따라야 한다. 설명은 수업의 계열을 유지하도록 적당한 곳에 포함되어야 한다.

b. *유창함*: 교사는 명백하고, 간결하고, 완전하고, 문법에 맞는 문장으로 말해야 한다.

c. *시각교재*: 그림, 표, 도표, 모형, 컴퓨터 그래픽이나 비디오는 언어적 설명을 강화하기 위해 사용될 수 있다.

d. *어휘*: 교사는 효과적인 설명을 위해 학생의 표준적인 어휘를 사용해야 한다. 내용과 관련된 전문적 용어나 새로운 용어가 소개되어야 하고, 설명하는 동안에 분명하게 정의되어야 한다.

e. *요소의 포함*: 수업의 주요 아이디어는 명확한 설명이나 예로 정교화 되어야 한다.

f. *명백한 설명*: 인과관계는 논리적으로 명백해야 한다.[25]

2. **증명/실험**: 증명과 실험은 귀납적인 탐구에 있어서 중요한 역할을 한다. 이들은 창의적 및 발견적 학습방법에서 교사와 학생이 자료를 모으고, 관찰하고, 측정하고, 식별하고, 인과관계를 검토하는 것에 의해서 교과를 살펴보는데 이상적이다.

미숙한 학생과 성취가 낮은 학생은 교사로부터 더 많은 지시와 피드백을 필요로 할 것이다. 숙련된, 성취가 높은 학생은 더 독립적으로 공부하고 그들이 정보의 양을 다루고 새로운 형태의 정보를 재조직하고, 새로운 학습 상황에 전이할 수 있기 때문에 증명과 실험에 더욱 잘 참여할 것이다.[26] 다음의 권고는 증명과 실험의 효과를 공고히 할 것이다:

a. 증명(또는 실험)을 계획하고 준비한다. 시작할 때 필요한 모든 자료가 사용 가능한가를 확인한다. 어떤 문제가 나타날 수도 있는지 보려면, 수업 전에 증명(만일 당신이 처음으로 그것을 수

행하고 있다면)을 연습한다.

b. 학생이 이미 배운 것과 연관된 맥락이나 새로운 지식을 찾도록 하는 자극으로 증명을 제시한다.

c. 학생이 전적으로 참여하도록 준비한다.

d. 학생이 자기 스스로 공부할 수 없을 정도가 되지 않도록 자료나 장비를 통제한다.

e. 학생의 연역적 또는 귀납적인 응답 능력에 따라 폐쇄적 질문과 개방적 질문을 제시한다. "저 개체에 무슨 일이 일어나고 있는가?"는 폐쇄적 질문이고, ".......로부터 무엇을 일반화할 수 있는가?"는 개방적 질문이다.

f. 문제가 생기면 질문을 하라고 학생을 격려한다.

g. 먼저 관찰하고, 그런 다음 추론과 일반화하도록 학생을 조장한다. 그들이 새로운 정보와 통찰을 찾고 표현하도록 격려한다.

h. 충분한 시간을 할당하여 a) 학생이 증명을 완료하고, b) 관찰한 것을 토론하고, c) 결론에 도달하고 배운 원리를 적용하고, d) 노트를 기록하거나 증명에 대해 기록하고, e) 자료를 모으고 축척할 수 있도록 한다.

3. **질문**: 교사는 제시된 내용의 학생 이해를 점검하기 위해 질문을 포함해야 한다. 다음과 같이 질문한다.

a. 간단하고 직접적이게 한다.

b. 수업의 내용에 대응하는 순서로 질문한다.

c. 계열화한다.

d. 학생에게 대답을 요구하되 학년 수준 이상으로 하지 않는다.

e. 가능하면 학생의 필요와 관심을 충족시키는 질문을 한다.

f. 다른 학생의 참여를 조장하기 위해 난이도와 추상성을 바꾼다.

Jerome Bruner에 의하면 훌륭한 질문은 더 높은 학습 양식으로 이끈다. 이것에 대해선 구성주의에 관한 부분에서 더 충분히 논의될 것이다. 세부 내용에 대한 이해를 점검하는 질문을 하면 교사는 학생들이 탐구하는 내용을 제한하게 된다. 다른 한편으로, 생각을 자극하는(수준 높은) 질문에 대답할 때, 성취수준이 높은 학생은 내용을 탐구하고, 부분으로 분석하고, 재구성하고, 대답하기에 가장 좋은 방법을 결정한다.[27] 생각을 자극하는 질문은 자극적인 설명에 의해 제기되지 않으면 '언제, 어디서, 누가, 무엇을' 이 아니라 대개 어떻게, 왜를 묻는다. 긍정이나 부정의 답을 요구하는, 또는 특정 정답을 요구하는 질문은 토론을 촉진시키지도, 비판적인 사고나 문제해결전략을 자극하지도 않는다.

현재 질문과 다양한 접근들의 효용성을 다루는 연구들이 많이 있다. Stronge는 교사가 사용하는 훌륭한 질문 전략에 대해 우리가 아는 것을 다음과 같이 종합하여 제시한다.

- 질문은―정답이든 오답이든―응답받을 때 가장 가치가 있는데, 응답이 학생의 개입을 조장하고, 이해나 오해를 보여주고, 토론을 증진하기 때문이다.

- 난이도 수준과 질문의 인지 수준은 최적의 조화를 위해 맥락을 반영해야 한다. 즉, 질문 수준은 관심과 분위기를 유지하기 위해 소단원 내에서 그리고 여러 단원에 걸쳐서 질문유형에 충분히 변화를 주면서, 내용의 유형, 수업의 최종목표, 참여 학생을 반영해야 한다.

- 질문은 최종목표를 지원하고, 중요한 점을 강조하고, 난이도와 복잡성 수준을 적절하게 유지하기 위해 세심하게 고려되어야 하고 수업보다 먼저 준비되어야 한다.

- 계획, 실행, 평가에서 소단원 내의 질문은 고립된 단원이 아닌 계열로서 고려되어야 한다.

- 대기 시간은 질문에서 중요한 측면이다. 즉, 일부 연구에서 대기시간을 더 길게 하면 학생의 성취도도 높아지는 것으로 나타났다. 그러나 대기 시간의 양은 또한 학생 관여와 수업 동기를 유지하는 관점에서 고려되어야 한다.[28]

4. **연습/반복연습**: 학생의 장기기억에 새로운 정보를 전이하고 전 학습과 신 학습을 통합하기 위해서 연습이 필요하다는 점에는 일반적으로 동의한다. 연습문제는 학습장, 교과서, 교사가 제작한 자료 형태로 제시된다. 자습 형태의 연습은 제한된 시간(학급 차시당 10분 이내) 동안, 분명한 지시와 함께 소단원에 통합되어 제시된다면(시간을 채우거나 질서를 유지하기 위해 주어지지 않고) 학생들에게 유익할 것이다. 반복연습은 기본적인 기능(읽기, 수학, 언어 같은), 그리고 새로운 기술을 배우거나, 정보를 통합하기 위해 연습이 더 많이 필요한 저학년과 성취가 낮은 학생에게 도움이 될 수 있지만, 이런 유형의 학생에게도 수업접근에 있어서 어느 정도 균형이 필요하다.[29]

단기간의 연습과 반복연습은 수업에서 그 다음 단계나 수준까지 이동하기 전에 교사에게 수업의 효과를 확인할 수 있는 신속하고 효율적인 방법이다. 이들은 수업계획의 숙달과 직접적인 방법, 특히 성취가 낮은 학생에게 아주 적합하다.[30] 다음은 수업계획으로 사용할 수 있는 반복연습기술의 일부다:

a. 학생들에게 대답을 반복하도록 요구한다.
b. 사실 또는 개념을 기억하도록 열거한다.
c. 내용의 특징 또는 속성을 식별한다.
d. 질문에 대한 답을 다시 살펴본다.
e. 다른 방식으로 답을 진술한다.
f. 자원해서 질문에 답하도록 하고, 대답에 대해 논의한다.
g. 간단한 시험을 치르고, 학생에게 성적표를 갖게 한다.
h. 학습장 또는 교과서에서 연습문제를 할당한다.
i. 자습을 감독하고, 피드백을 즉시 제공한다.
j. 간단한 시험이나 자습 감독에 의해 드러난 공통의 문제를 토론하거나 재고한다.

방법-구성주의 관점

앞에서는 별개의 기능과 과정을 가르치는 방법에 대해 논의했다. 대부분의 수업은 이러한 기능과 과정(장제법—12이상의 수로 나누기—이나 근방정식 해법)을 수반한다. 전이의 관점에서 수업이란 교사가 알고 있는 것을 자신이 활용하는 것처럼 학생도 활용하도록 학생에게 전하는 것이다. 그러나 구성주의 관점에서 수업은 학생이 개념을 함께 구성하도록 조장하는 것이다. 표 4.8은 그 두 관점 사이의 차이를 명확하게 보여준다. 교사는 자신의 교수기능 중에 학생의 내용 탐구를 돕는 방법을 갖고 있어야 한다. 이것은 무엇을 의미하는가? 구성주의 접근은 전이관점처럼 쉽게 윤곽이 그려지지는 않는다. 다음은 입증이 필요한 일부 원리들이다:

- 학생은 개인적인 관점을 표현하고 개발하도록 격려되어야 한다.
- 학생은 교사로부터 질문을 받아야 하되, 아이디어를 비판적으로 성찰하고, 지원적인 대화에 참여하도록 돕는 것이어야 한다.
- 학생은 그들 자신의 신념에 모순될 수도 있는 아이디어에 노출되어야 한다.
- 학생은 아이디어를 다른 사람과 나누고, 그러한 과정에서 개인적인 관점을 더 분명히 이해하고 명료하게 표현할 수 있도록 기대되어야 한다.[31]

위에서 볼 수 있듯이, 구성주의 관점으로 통제는 교사에게서 학생으로 옮겨진다. 훌륭한 교사(유능한 교사)는 언제 전이 관점으로 또는 구성주의 관점으로 가르쳐야 하는지를 알고 있을 것이다. 다음 장에서는 상이한 접근이 사용될 수 있는 조건을 이해하기 위해 '만약 … 한다면' 진술을 검토할 것이다.

흥미롭게도, 전이 관점 지지자들이 교육 정책 입안에 있어서 지배적인 경향이 있지만, 학생의 학습 방법에 관한(예를 들면, 뇌 연구에 관계된 것) 이해에 관련된 연구원들은 거의 구성주의 관점을 따르고 있다. 그렇지만, 이들의 관점에도 또한 전이 관점의 장점들이 일부 보인다. 다음의 뇌 연구 기반-학습 원리들은 학생이 학습에 흥미를 갖도록 돕는 방법을 찾는 것이 중요

표 4.8 정보의 전이로서의 교수와 학습 대(對) 지식의 사회적 구성으로서의 교수와 학습

전이 관점	사회적 구성의 관점
지식은 교사나 교과서로부터 학생에게 전해지는 정보의 고정된 실체다.	지식은 토론을 통해 공동 구성되며, 계속 발전하고 있는 해석이다.
교과서와 교사는 학생이 경의를 표하는 전문 지식에 대한 권위있는 원천이다	구성된 지식에 대한 권위는 교과서나 교사뿐만이 아니라 학생들의 지지에서 언급되는 주장과 증거에 있다. 즉, 모든 사람이 기여할 수 있는 전문성을 갖고 있다.
교사는 정보를 제공하여 학생의 학습을 관리하고, 활동과 과제를 통해 학생의 학습을 이끌 책임이 있다.	교사와 학생은 학습 노력을 시작하고 안내하는 책임을 공유한다.
교사는 설명하고, 이해를 점검하고, 학생의 응답에 대한 정확성을 판단한다.	교사는 질문을 제시하고 설명을 찾고 대화를 진전시키고 집단의 합의와 지속적으로 불일치하는 영역을 인식하도록 하도록 돕는 토의 지도자 역할을 한다.
학생은 설명되거나, 시범을 보인 것을 기억하거나, 반복한다.	학생은 자신의 선수지식에 관련 짓고 공유된 이해를 공동구성하기 위해 다른 학생과 함께 대화에 공동으로 참여하여 새로운 정보를 이해하려고 노력한다.
담화에서 수렴적 질문에 대한 반응으로 반복연습과 암송이 강조된다. 즉, 정확한 대답을 도출하는 것에 초점이 맞춰져 있다.	담화에서 연결된 지식 망에 대한 성찰적 논의가 강조된다. 즉, 질문은 발산적이며, 이러한 망에 대한 닻의 역할을 하는 강력한 아이디어를 이해하도록 설계된다. 학생의 생각을 도출하는 것에 초점이 맞춰져 있다.
활동에서 단계적인 절차를 따르도록 되어 있는 시범 또는 적용을 모사하는 것이 강조된다.	활동에서 고등적 사고를 요구하는 실제적인 쟁점과 문제에 대한 응용이 강조된다.
학생은 주로 홀로 공부하고, 전수된 것을 연습하여, 요청에 따라 재현하면 보상이 주어지는 경쟁을 준비한다.	학생들은 지원적인 대화를 통해 공유된 이해를 구성하는 일종의 학습 공동체의 일원으로서 협동한다.

출처: Thomas L. Good and Jere E. Brophy. *Looking in Classrooms*. 8th ed. 421. Published by Allyn and Bacon, Boston, Mass. Copyright ⓒ 2000 by Pearson Education. Reprinted by permission of the publisher.

하다는 점을 여실히 보여주고 있다. 이렇게 하는 것에 있어서 핵심은 주 및 국가의 학문적 성취기준에 의해 요구되는 것을 보완하도록 해야 한다는 점이다. 그렇게 하려면 교사는 더 많이 생각해야 하고, 학생은 더 많이 학습하게 된다. 다음에 제시된 것 중에, 앞의 세 개는(1-3) 전이 관점에 관련되고 다음 세 개는(4-6) 구성주의 관점과 관련됨을 주목한다. 그러나 훌륭한 학습 환경은 상호간에 배타적이지 않다.

1. 선수지식과 그전에 배운 자료의 맥락 안에서 새 정보를 제시한다.
2. 기억 속에 이 지식을 접합하도록 학생에게 학습과제를 반복할 수 있도록 한다.
3. 내용에 대한 기억을 유의미하게 늘릴 수 있는 기억술(또는 기억장치)을 사용한다.
4. 현실 세계 적용을 사용해서 문제를 조사하고, 분석하고, 해결하는 것을 요구하는 활동적인 속성 과제를 학생에게 할당하라.
5. 학생들이 학습을 다양한 방식으로 시연할 수 있도록 한다.

6. 학생들이 초인지 학습에 관여하도록, 즉 사고하는 방법에 대하여 생각해보도록 방법을 제공한다.[32]

자료와 매체

때때로 자원과 교수 도구로 불리기도 하는 매체와 자료는 언어적 추상성을 명확히 하고, 수업에 대한 흥미를 불러일으켜 이해를 돕고 학습을 용이하게 한다. 자료와 매체는 많이 있다. 교사는 수업 계획의 목적과 내용, 학생들의 나이, 능력 그리고 관심도, 교사의 자원 활용 능력, 자료와 장비의 활용, 그리고 수업이 가능한 시간 등에 따라 다르게 선택해야 한다. 자료와 매체에는 1) 포스터, 슬라이드, 그래프, 영화, 컴퓨터 시뮬레이션 그리고 비디오 같은 시각적 자료, 2) 소책자, 잡지, 신문, 보고서, 웹 탐색에 의해 작성된 온라인 정보 그리고 책과 같은 읽기 자료, 3) 라디오, 녹음, 테이프, 텔레비전 같은 듣기 매체, 4) 연설, 논쟁, 버즈세션, 공청회, 역할 놀이, 인터뷰 같은 언어적 활동, 5) 게임, 모의시험, 실험, 운동 그리고 조작 자료 같은 심동적 활동, 그리고 6) 콜라주, 그리기, 막대, 지도, 그래프, 그리기 그리고 모델 같은 구조물 활동 등이 있다.

자료와 매체는 반드시 다음의 조건을 갖추어야 한다.

1. 정확하고 최신의 것.
2. 모든 학생들이 볼 수 있도록 충분히 클 것.
3. 사용이 쉬울 것(수업 전에 미리 점검할 것).
4. 흥미롭고 다채로울 것.
5. 수업의 목적을 개발하기에 적당할 것.
6. 적절하게 전시되고 수업중 계속 사용될 것.

필요한 자료와 매체가 충분치 않거나 활용할 수 없거나 혹은 학생들의 수준에 부적절하기 때문에 실패하는 수업이 많이 있다. 만약 학생들이 과제나 프로젝트를 위해 특별한 자료를 가지고 와야 할 필요성이 있다면 그것들을 구할 수 있도록 충분히 사전에 통지되어야 한다. 교사는 필요한 장비가 활용 가능하도록 하고, 사전 계획을 잡고, 정해진 날짜에 맞춰 준비하고 그리고 작동 순서에 따라 되어 있어야 한다.

요약

교사는 단지 잘 구조화된 설명과 시연들을 보여주었다고 해서 또 질문에 정확하게 답변한 학생이 있다고 해서 학급 전체(혹은 대다수)의 학생들에게 학습이 이루어졌다고 가정할 수는 없다. 어떤 학생들은 낮잠을 잤을 수도 있고 혹은 다른 학생들이 질문에 답변하는 동안 혹은 시범이 보여지는 동안 혼동된 채로 앉아 있기만 했을 수도 있다. 수업의 이해 정도를 확신하기 위해서는 그리고 수업의 하위목표들을 어떻게 달성할 수 있을지 결정하기 위해서는 교사는 다음의 요약의 형태 중 하나, 혹은 그 이상을 포함시켜야 한다.

1. **직후 요약**: 수업 전체 혹은 중요한 부분이나 혼동되는 부분을 요약한 각 소단원에 대한 간략한 복습이 있어야 한다. 간략한 복습은 다음과 같이 이루어질 수 있다.
   a. 앞에서 배운 것(혹은 전날의 숙제)을 요약하는 사고 유발질문 준비
   b. 이미 배운 것과 지금 배운 것의 비교
   c. 한 학생에게 수업의 주된 개념을 요약하게 하기; 다른 학생으로 하여금 수정이나 첨부하게 하기
   d. 복습 질문 부여(칠판이나 공책 혹은 교재에)
   e. 짧은 퀴즈
2. **중간 요약**: 수업 중 주요 개념이나 아이디어가 검토된 시점에 일련의 핵심적인 질문이나 토의된 정보를 결합해 줄 문제를 사용하여 중간요약을 해주는 것이 바람직하다. 중간 요약은 수업진행을 지연시키겠지만 새로운 정보를 이해하는데 시간이 필요하거나 선수지식과 더 많은 연결이 필요한 성취도가 낮거나 어린 학생들에게는 매우 중요하다.
3. **최종 요약**: 최종 요약은 기본 아이디어나 수업 개념들을 종합하기 위해 필요하다. 계획된 모든 것을 가르치기가 불가능하다면 적당한 시점에서 수업을 종료하고 배운 내용을 요약해 주어도 된다. 각각의 수업은 벨소리가 아니라 요약 활동을 통해 마무리되어야 한다. 요약 활동은 학생들로 하여금 교사가

공학적 관점

교사의 기술적 견해

Jackie Marshall Arnold
K-12 Media Specialist

교실에서의 가르침은 세심하게 생각하고 계획해야 하다. North Central Regional Educational Laboratory(NCREL)은 공학을 이용한 수업 진행에 대해 다음의 네 가지 단계를 추천한다. 1) 목표를 정의한다. 2) 그것을 가르치는 것을 상상해본다. 3) 공학이 도움이 될 수 있을지를 더 이상 고려하지 않는다. 4) 당신의 새로운 수업을 구성한다(NCREL's Learning Point, Fall 2002). 수업에 공학을 접목시키는데 관심이 있는 교사라면 위의 네 가지 단계를 통해서 수업을 진행하는 것이 많은 도움이 된다는 것을 알게 될 것이다.

공학은 교사들 마음속의 계획을 명목적 계획으로 바꿔주기 때문에 교사들에게 도움이 된다. Inspiration과 같은 개념지도 프로그램은 교사들로 하여금 형식적이고 어떤 시간 길이로든 수업의 단위들을 시각적으로 계획할 수 있게 해준다. 발표 프로그램은 수업 계획들의 개인적인 템플릿들을 창조해 내는 데 사용될 수 있다. 그래서 유동적이고 역동적인 가르침의 세계에서 정보가 쉽게 유입되고 변화될 수 있다. 템플릿들은 http://www.lessonplanspage.com/LessonTemplate.htm 같은 다양한 웹 사이트에서 활용이 가능하다.

공학은 교사들이 교수를 위해 소단원을 선택할 때 교사들에게 도움이 된다. 높은 품질의 수업 계획들은 다양한 웹 사이트를 통해 활용 가능하다. 교사들은 인터넷상의 기존의 수업계획이나 단원들을 비평적으로 받아들이고 검토해서 그들 자신만의 수업을 개발할 수 있다. Kathy Schrock (Discovery.com의 지원으로)은 교사들이 이용가능하고 그들 자신의 수업에 적용할 수 있는 공학으로 향상된 풍부한 수업계획들을 확보하고 있다 (http://school.discovery.com/schrockguide/).

Public Broadcasting System (www.pbs.org) 같은 교육 사이트들도 교사들을 위해 높은 품질의 수업 계획과 자원들을 공급해 준다. 마지막으로 North Central Regional Educational Laboratory는 교사들로 하여금 단계적으로 평가와 수업전략, 그리고 공학 활용 계획을 세울 수 있도록 광범위한 수업계획 템플릿을 제공한다.

자료와 매체는 수업계획을 크게 향상시킨다. 이들은 또한 교사들로 하여금 학생들의 다양한 배움의 형태를 알 수 있게 해준다. 학습자의 요구가 무엇이든지 그에 적합한 공학 자원이 제공되고 있다. 교사들은 학생들의 배우는 형태들을 알 필요가 있고 따라서 공학으로 향상된 수업계획을 설계할 필요가 있다. 프리젠테이션 소프트웨어는 시각적 수업이 필요한 학생들에게 도움이 된다. 어떤 문장이든지 스캔하여 학생에게 읽어 줄 수 있는 소프트웨어는 청각교육이 필요한 학생들에게 도움이 된다. 신체장애 학생들은 서류와 프로그램들을 조작하는데 관계된 현장작업을 통해 도움을 받을 수 있다. 더불어 장애인 학생들은 그들이 필요로 하는 분야에서 공학을 활용할 수 있다. Co-Writer와 Write Out Loud 같이 그들의 생각을 종이 위로 옮기기 위해 노력하는 학생들을 도와주기 위한 프로그램들이 현재 존재한다. Boardmaker나 IntelliKeys는 물리적으로 장애를 가지고 있는 학생들이 다른 방식으로 의사소통하고 상호작용할 수 있도록 해준다.

공학은 교사들이 학생들의 배움과 개개인의 필요성에 따라 반성적으로 계획을 세울 때, 교사에게 도움이 되는 활용 가능한 도구이다. 그것은 그 모든 과정을 지원해 준다. 소프트웨어는 교사들의 수업진행 계획을 도와줄 수 있고, 인터넷 자원들은 기존의 내용들을 향상시키는 풍부한 자료들을 제공한다. 전 세계를 통해 학생들과 논의할 수 있는 전문가들을 만날 수 있다. 그 가능성은 끝이 없다.

방금 가르친 것에 대해 이해한다는 확신을 가질 수 있게 한다.

    예비교사에서 초임교사가 되기까지 적절한 과목과 교육학적 지식을 습득하고 가르치는 것에 대한 자신의 믿음을 개발해야 한다. 비록 교사들을 교육하는 프로그램들이 어느 정도 일반화된 교육의 원리들과 수업계획을 전수해 줄 수 있지만 당신 자신의 경험과 능력 그리고 그것들을 잘 반영하고 조합하여 자신만의 수업 방법을 배우는 것이 필요하다. 또한 경험 있는 교사들을 지켜보고 대화를 나누면서 그리고 피드백을 받으면서 자신의 교수법을 향상시켜야 한다. 불행하게도 교사가 학생들과 어려움을 경험하고 있거나 처음 온 교사가 아니라면, 장학사나 교장이 교사들을 지켜봐 주고 피드백해 주기 위해 교실을 방문하는 일이 거의 없다. 교사는 직업적인 전문가로 성장하기 위해서 그들 자신의 수업을 해석해야 한다. 그들은 훌륭한 지도자가 필요하지만 그들 스스로 자기-반성을 할 수 있는 요령도 필요하다. 가장 좋은 측정도구는 바로 학생들이다. 교사는 학생들의 관점에서 자신의 지도를 이해할 수 있도록 배울 필요가 있다. 왜냐하면 그들 자신이 바로 가르침을 받았던 사람들이고 매일 교사를 지켜보았던 사람들이기 때문이다. 어느 학생이 수업에 잘 참여하고 있는가? 누가 참여하지 않고 있나? 왜?

    경험으로 볼 때, 좋은 교사들이 덜 자기중심적(자기 자신에게 관심이 있는)으로 성장하고 학생들의 관심에 더 민감하다. 그들은 더 생각 깊게 "왜"라는 질문에 접근하는 것을 배운다. 초점과 관심이 그렇게 이동함으로써 그들은 교실에서 무슨 일이 일어나고 있는지를 진행형의 관점에서 분석할 수 있도록 도와준다. 여러분은 학생들의 언어적, 또는 비언어적 행동을 이해하는 것을 배우면 지도 계획을 개선할 수 있다. 자신을 학생들과 같은 입장에 놓아둠으로써 특별한 필요성과 능력을 갖춘 개인으로서 또는 그들을 일반적인 문제나 관심을 가진 무정형의 집단으로 보는 것에 반대하는 입장으로서 그들과 좀더 조화롭게 될 것이다.[33]

수업계획 예시

수업의 여러 구성요소들이 어떻게 사용될 수 있는지 설명하기 위해 세 가지의 수업계획 예시가 표 4.9, 4.10 그리고 4.11에 나와 있다. 수업계획은 학년 수준과 과목에 따라 작성되어 있으며 수업의 구조와 전체적인 수업 목표들의 관계를 보여준다. 다음의 설명은 교사가 달성하려는 것이 무엇인지를 알려주기 위한 것이다. 이탤릭체의 글은 앞에서 논의된 수업계획의 구성요소들과 일치한다. 이들은 수업의 주요 요점들의 핵심이나 구심점 역할을 한다. 특히 숙제가 어떻게 학생들로 하여금 단어의 의미를 융화시키기 위해 다른 형식의 지식들을 사용하도록 하게 하는지에 대하여 유의한다.

집단구성이 유연할 때의 수업계획(표 4.9)

1. *수업의 주제*는 어휘 개발에 대한 단위 계획으로부터 유도된다.
2. *주 목적*은 10개의 새로운 단어의 의미를 가르치는 것이다. 이차적인 목적 두 가지는 주 목적을 달성하고 사전 사용과 쓰기 능력을 향상시키는 것이다.
3. 교사는 이전의 숙제에 대하여 복습하고 즉시 수업을 시작한다. 학급은 전체적으로 숙제에 대해 토의한다.
4. 수업계획에는 수업에 오직 꼭 필요한 *자료*만을 표시한다.
5. 수업활동이 주의를 기울여야 하는 것이기 때문에 교사는 개요와 개발을 묘사할 때 활동이라는 용어를 사용한다.
6. 학급은 활동을 위해 두 *집단*으로 나누어진다. 집단 I은 집단 II보다 성취력이 낮은 집단으로 구성한다.
7. 두 집단 모두 비슷한 *자습 과제*를 한다. 집단 I은 그 과정에서 알파벳 순으로 배열하는 과외의 단계가 주어진다. 집단 II는 사전을 찾는데 있어서 알파벳 순서가 필요하다는 것을 알게 되기 때문에 그래서 이 과정을 생략한다. 집단 II는 생략된 과제를 메우기 위해 단어들을 음절로 나누는 다른 좀더 어려운 일이 주어진다. 교사는 학생들의 *자습 과제*

수행을 주시하며 개별적으로 문제에 봉착한 학생들을 도와준다.

8. 자습 과제 다음에 두 집단은 다른 활동을 하게 된다. 교사는 한 집단이 독립적인 다른 활동을 하고 있는 동안은 다른 한 집단과 같이 활동한다. 집단 I 에게는 교사가 피드백과 복습, 그리고 평가를 위해

중간 요약을 제공한다.(조금 부진한 집단에는 즉각적이고 여러 가지의 피드백과 복습이 요구된다.) 집단 II는 즐거움을 위해 스스로 선택한 책들을 읽거나 하는 독립적인 활동을 진행한다. 그 다음 집단 I이 개별적으로 배정된 활동을 하는 동안 교사는 집단 II와 원래의 목적과 학생들의 개별 활동을

표 4.9 집단구성이 유연할 때의 교육 계획

수업 주제: 어휘

목적: 10개의 새로운 단어의 정의 내리기
   1. 사전을 사용하여 단어의 의미를 정의하기
   2. 문장 속의 새로운 단어의 의미를 쓰기

복습: 두 집단(10분)
   1. 숙제, 학습장 고쳐 줄 섯 pp. 36-39.
   2. 질문에 초점을 맞출 것 p. 39.

자료: 사전, 기록장, 보조 책

전개:

집단I 활동	집단II 활동

자습 활동(15분)
   1. 다음 10개의 단어들을 알파벳 순으로 배열하기; explicit, implicit, appropriate, inappropriate, potential, encounter, diminish, enhance, master, alligator.
   2. 사전에서 각각의 새로운 단어를 찾는다.
   3. 각각의 새로운 단어의 정의를 쓴다.
	자습 활동(15분)
	   1. 다음 10개의 단어들을 사전에서 찾기; explicit, implicit, appropriate, inappropriate, potential, encounter, diminish, enhance, master, alligator (두 집단 모두 같은 단어)
	   2. 각각의 새로운 단어의 정의를 쓴다.
	   3. 각각의 새로운 단어들을 음절로 나눈다.

중간 요약(15분)
   1. 새로운 단어를 가르친다; 학생들이 예를 들고 새로운 단어들의 의미들을 토론한다.
	독립적인 활동(15분)
	   1. 보조 책을 계속 읽는다.
	   2. 읽은 페이지에서 적어도 5개의 새로운 단어에 밑줄을 긋는다.
	   3. 사전에서 이 단어의 의미를 찾는다.

독립적인 활동(10분)
   1. 기록장을 갱신한다.
   2. 기록장에 10개의 새로운 단어들을 기록한다.
	마지막 요약(10분)
	   1. 10개의 할당된 단어와 학생들이 독립 활동의 읽기에서 선택한 5개의 단어들에 대해서 토론할 것.

숙제: 두 집단
   1. 각 단어의 의미를 그림으로 표현한다(미술적 정보).
   2. 10개의 단어가 모두 들어가는 노래를 만든다(음악적 정보).

연결 지으면서 요약 활동을 한다. 집단 I은 독립적인 활동을 위해 15분 더 적은 시간을 주고 교사가 지시하는 요약 활동에 15분을 더 배정한다. 왜냐하면 교사의 시간을 더 많이 필요로 하는 학생들은 교사 없이 독립적으로 활동할 수 있는 능력이 좀더 부족하고 직접적인 재조정이 필요한 문제들을 더 많이 가지고 있을 수 있기 때문이다.

9. 전체 학급은 숙제를 똑같이 할당받는다. 집단 I은 학급에서 숙제를 시작할 수 있도록 허용하여 집에서 숙제를 감당할 수 없게 되지 않도록 하고, 교사가 이해 정도를 점검할 수 있도록 한다. 학생들은 교사에 의한 정규 수업시간에 사용하지 않았던 두 가지 지능을 활용한다. 이것은 일종의 내재적 동기를 조장한다.

사고 기능을 위한 수업계획(표4.10)

1. 이 수업 주제는 비판적인 사고 기능에 관한 독립된 단원의 일부가 될 수 있다. 혹은 대부분의 모든 과목에서 도입부 수업의 한 단원으로 사용할 수 있다.

2. 하위목표는 단지 한 가지이다. 그것은 비판적인 사고 능력인 분류와 관련되어 있다.

3. 동기유발은 학생들에게 어느 정도의 요약적 사고가 있을 것으로 가정한다. 이것은 시각적 또는 청각적이라기보다 언어적이다. 첫 번째 질문은 발산적이고 개방적이다. 두 번째 질문은 수렴적이고 집중적이다. 간단한 연습은 학생들로 하여금 도전의식을 갖게 하고, 수업의 주요 부분을 소개하는 역할을 하고, 수업 전에 어떻게 정보들을 다루어야 할지를 보여준다. 어떤 단어들(코끼리, 당나귀, 링컨 등)은 여러 집단으로 분류될 수 있고 표는 어느 분류에도 속하지 않는다. (그것은 학생들이 어떻게 그것을 다루는지 보기 위한 것으로 관계성이 없는 정보로서의 역할을 한다.)

4. **전개**는 학생들이 어떻게 정보를 분류해야 하는지 가르치기 위한 절차나 작용의 과정이다. 핵심 질문은 수업의 다른 단계에서 소개되어야 한다. 그들은 토론을 자극하고, 요점을 명확히 하고, 이해를 점

검한다. 그것은 본래 발산적이며, 학생들에게 그들이 대답할 수 있는 방식에 있어서 범위를 제공해준다. 대답이 꼭 옳거나 잘못된 것일 필요는 없고 그러나 부분적으로는 관점이나 주관에 관계되기 때문에 교사는 반응을 주의 깊게 경청해야 한다.

5. 요약은 무엇이 교육되었는지에 대한 토론과 마무리를 유도하는 일련의 중요한 혹은 핵심 질문들이다. 요약 토론의 길이는 시간이 얼마나 허용되느냐에 달려 있다. 질문1이 모호하고 학생들이 반응하지 않거나 교사가 기대하지 않았던 방식으로 반응할 수도 있다. 질문2와 질문3은 좀더 집중적이다. 질문4는 좋은 요약과 학습의 보강을 유도한다. (교사는 그것을 사용할 시간이 있을 수도 있고 없을 수도 있다.)

6. 숙제는 수업에 근거하고 조금 더 진보된 형태의 생각을 유도하고 언어적이고 내면적인 지식 분야에서 내도록 한다.

완전학습을 위한 소단원 계획(표. 4.11)

1. 소단원 주제로서 뺄셈은 대부분 학교구역에서 2학년에서 소개되고 3학년에서도 계속된다.

2. 목표는 수행수준의 언어로 표현된다.

3. 숙달학습의 소단원에는 많은 실습과 복습이 포함되어 있다.

4. 동기유발은 실생활 경험 및 흥미와 관련된 두 가지 분리 문제 형태로 되어 있다.

5. 오직 특이한 자료만 열거된다. 아이스케이크 막대, 야구 카드, 또는 세기 쉬운 다른 항목들은 체커 말 대신에 사용될 수도 있다.

6. 전개는 문제와 관련 활동의 행태로 되어 있다. 한 자리 또는 두 자리 수가 포함된 문제들이 학생이 수행한 문제지와 일치한다. 교사는 각각의 문제들을 설명한 후 활동과 관계된 것을 소개한다. 학생이 활동을 하는 동안에 교사는 교실 상황을 둘러보고 학생의 활동을 주시한다. 문제는 단계적으로 점차 어려워진다. 학생들이 수행하지 못한 문항들은 학생 수가 적더라도 이전의 학습을 토대로 한 것이

표 4.10 사고기능 수업 계획

수업주제: 정보의 분류

목적: 비슷하거나 일반적인 속성에 기초하여 정보 분류하기

동기유발:

1. 다음의 정보들을 어느 집단에 분배할 것인가?: Kennedy, table, elephant, Lincoln, Roosevelt, Chicago, Nixon, Boston, Bush, donkey, and San Francisco.

2. 정보를 범주 또는 집단으로 분류하는 것을 왜 배워야 하는가?

절차	핵심 질문
1. **전개**: 정보를 분류하는 이유를 최소한 세 가지 이상 토론한다.	1a. 정보를 언제 분류하는가? 왜? 1b. 구조화되지 않은 정보들에는 무슨 일이 일어났는가? 왜?
2. 중요한 항목에 대한 아이디어나 분류될 수 있는 아이디어를 얻을 수 있도록 교재(pp. 48-55)를 훑어본다.	
3. 교재의 정보를 분류하는데 사용할 수 있는 범주(집단이나 분류표)에 대해 의견을 일치시킨다.	3a. 그 범주에는 어떤 유리한 점이 있는가? 3b. 그들의 단일한 속성은 무엇인가? 3c. 어떤 다른 범주들이 사용될 수 있는가? 설명하라.
4. 교재에 있는 세 가지 연습 항목을 주목하고, 이해를 확실히 하기 위해 관련 범주에 대하여 의견을 일치시킨다.	
5. 같은 페이지들을 주의 깊게 읽고 선택된 항목들을 적당한 범주에 배치한다.	
6. 비슷하거나 일반적인 속성들을 토의한다.	6a. 왜 그런 항목들이 그런 범주라고 확인하였는가? 6b. 왜 항목들을 범주로 분류하는데 그런 일반적인 속성들을 선택했는가? 6c. 어떤 다른 일반적인 속성들을 선택할 수 있었는가?
7. 필요하다면 범주를 수정(변화, 추출, 혹은 첨가)한다.	7a. 왜 그런 범주들을 변경하였는가? 7b. 하나의 범주 이상에 적합한 항목들은 어떻게 할 수 있는가? 어떤 항목들이 하나 이상의 범주에 적합한가?
8. 다른 중요한 항목들을 사용하여 절차들을 반복한다. pp. 56-63을 읽어본다.	8. 어떤 범주를 선택했는가? 왜?
9. 범주들을 결합하거나 더 작은 범주로 세분한다.	9a. 왜 그런 범주를 재분류(첨가 혹은 세분)했는가? 9b. 남아 있는 항목들은 어떻게 해야 하는가? 어떤 것들이 남아 있는가?

요약:

1. 정보를 분류하는 것과 관련하여 어떤 중요한 것들을 배웠는가?
2. 정보를 분류하는 다른 방법은 무엇인가?
3. 범주를 세분하는 것은 언제 적당한가?
4. 칠판(교재)을 본다. 누가 이 다섯 개의 새로운 항목들을 우리가 앞서 설정한 범주 중 하나로 분류해 보겠는가?

숙제:

1. 7장을 읽어본다(개인이해적 지능).
2. 68페이지에 나열되어 있는 찬/반 범주로 중요한 정보를 분류한다(언어적 지능).

표 4.11 완전학습 소단원 계획 (기초학년)

소단원 주제: 뺄셈

목표: 이 장을 마친 후 학생은 적어도 덧셈에 관한 문제를 80% 이상 정확하게 계산할 수 있다.

복습: 전날 숙제인 뺄셈을 복습한다.

동기(예제항목):

　　1. 우리 교실에는 25명의 학생이 있다. 우리는 금요일 오후에 영화를 보러 가기로 했다. 조엘, 제이슨, 스테시 등 세 명은 축구연습이 있어서 영화를 보러 갈 수가 없다. 그렇다면 우리는 몇 장의 티켓을 구입해야 하는가?

　　2. 우리는 할로윈 파티를 가려고 한다. 각자 우유와 어울리는 디저트를 한 가지 가지고 와야 한다. 우리는 대부분 초콜릿 칩 쿠키를 즐겨 먹는다. 그러나 바닐라 크림 쿠키를 더 좋아하는 사람도 있다. 몇 명이 바닐라 크림 쿠키를 좋아하는지 살펴보자. 손들어 보세요! 좋아! 너희들 중 열 명이 바닐라 크림 쿠키를 좋아하는구나. 우리가 파티를 하려면 준비해야 할 초콜릿 칩 쿠키의 수를 누가 한번 말해 볼까?

교구: 오버헤드 프로젝터, 체커 말 (학생들에게 순서대로)

전개:

문제	활동
1. 11-5, 11-7을 어떻게 풀어야 할지 오버헤드 프로젝터로 설명한다.	1a. 학생들은 그들 자리에서 체커 말을 사용하여 12-2, 12-5, 12-8을 푼다.
	1b. 학생들은 그들 노트에 적혀있는 문제풀이 방법을 떠올린다.
	1c. 학생의 10% 이상이 수행하지 못한 모든 문제를 논의한다.
2. 20-5, 20-10을 어떻게 풀어야 할지 오버헤드 프로젝터로 설명한다.	2a. 학생들은 그들 자리에서 체커 말을 사용하여 21-3, 21-5, 21-7을 푼다.
	2b. 1b를 반복
	2c. 1c를 반복
3. 22-6, 22-10, 22-15를 어떻게 풀어야 할지 오버헤드 프로젝터로 설명한다.	3a. 학생들은 그들 자리에서 체커 말를 사용하여 23-5, 23-8, 23-12, 23-20을 푼다.
	3b. 1b를 반복
	3c. 1c를 반복

연습:

　1. 뺄셈에 대한 문제지를 학생들에게 나눠준다.
　2. 문제지의 첫 번째 예시 항목에 대한 지원자를 받는다.
　3. 두 번째, 세 번째 지원자가 다음 예시 항목을 풀도록 제안한다. 지원자가 없을 때까지.
　4. 각자 속도에 맞추어 남아 있는 문제지를 완성시키도록 한다.

평가(요약)

　1. 모든 항목에 대해서 오버헤드 프로젝트로 정확한 해설을 제시하였나?
　2. 학생들이 각 항목을 바르게 풀도록 요구되었나?
　3. 모든 문제를 논의하였는가. 또한 20%, 그 이상 실수한 문제를 다시 가르쳐 주었는가?
　4. 학생 개별 점수를 확인하고 그들에게 알려 주었는가?

숙제

　1. 숙제를 나눠주거나 답을 적어올 새 학습지를 설명한다.
　2. 다음 날 과제를 검토한다.
　3. 문제(이전 소단원에서 20%, 그 이상 실수한 문제)를 다시 가르친다.

교사는 수업중 무슨 일이 벌어지는지 알 필요가 있으며 무엇이 가치있는지 결정하여 고쳐나가야 한다.

기 때문에 설명되어야 한다.

7. 교사는 학생들이 스스로 문제지를 완성하도록 요청하기 전에 연습을 추가로 제공한다. 이 활동은 새로운 것이기 때문에 자원자를 구한다. 세 가지 항목을 설명한다. 교사는 교실상황을 둘러보고 학생들의 활동을 주시하고, 필요할 때 도움을 추가로 제공한다.

8. 요약에서 항목 전체를 되짚는다. 학생이 수행하지 못한 모든 항목, 특히 20% 이상이 수행하지 못한 것들에 대해서는 더욱 자세히 논의한다. 다음 날 복습에서 필요로 하는 활동의 수는 활동계획서에서 개인별 점수를 바탕으로 결정한다.

9. 소단원과 관련하여 숙제를 부여하고, 설명한다. 다음 날 숙제는 재검토된다. 동료교수는 아주 간단하다. 두 명이 한 조가 되어 과제를 한 후 둘 중의 한 학생이 자신의 짝인 다른 학생에게 과정을 가르치는 것이다. 교사는 교실을 돌아다니면서 학생들이 자료를 올바르게 설명하도록 한다.

소단원 계획을 실행하기 위한 지침

교사는 계획에서 수행으로 이행하면서, 여러 가지 요소를 고려할 필요가 있을 것이다. 이후에 어느 정도 경험한 다음에도 아래의 지침들은 소단원 계획의 성공적인 수행을 보장하는 최고의 지침들이다.

1. *학생의 개인차* : 교사는 학생 개인과 그룹의 차이를 고려하여 소단원을 계획하고 가르쳐야 한다. 능력, 나이, 환경, 읽기 수준에 있어 학생들 차이에 대한 규준을 만든다. 배우는 방법에서의 학생 개인차는 학생들의 다양성이 증가했기 때문에 더욱 강조된다. 교사는 학생이 다르면 배우는 방식도 다르다라는 것을 이해함에 따라, 상이한 배경을 가진 학생들의 독특한 학습 성향을 잘 활용할 수 있다. 교실에서 학생들이 어떻게 배우는가에 대해 고정관념을 갖지 않도록 조심한다. 학습에 대한 접근에 있어서 백인 학생들이 분석적이지 않은 만큼 흑인 학생들도 반드시 언어적이지는 않다. 중요한 것은 교사가 상이한 유형의 학습자가 있다는 것을 이해하는 것이며, 그리고 이러한 사실은 교사가 다른 방법으로 수업을 조직해야 하고, 더불어 그러한 차별적인 구조화가 학생 학습과 성취에 어떻게 영향을 주는지에 대해 비판적으로 검토할 것을 요구하게 된다. 협동학습 구조에서 학생들은 무엇을 가장 잘 배울까? 개별학습 구조에서 얻게 되는 장점에는 무엇이 있을까? 인종적, 민족적 배경에 관계없이 학습에서 사용할 수 있고, 사용되는 일반적인 전략이 있다. 그러나 1970년대부터 1990년까지 많은 연구자들은 일부 접근이 학생들의 문화적인 강점을 '이용하는' 것을 보기 시작했다. 예를 들어 미국

토착민은 대인간의 협력을 강조하는 경향이 있다. 이러한 것을 알고 있는 교사는 미국 토착 학생이 그들의 전체적인 잠재력을 끌어올 수 있도록 더욱 도와줄 수 있다. 교사는 이러한 문화적인 성향을 그 집단의 학습법에 대한 열쇠로써 해석해서는 안 되고, 이 학생은 왜 다른 학생보다 특별한 학습상황에 대해 민감하게 반응하는가를 이해하기 위해 활용해야 한다.

2. *기간* : 시작하는 교사들은 할당된 시간(30분, 40분, 또는 50분, 단위시간제일 때에는 100분이 될 수도 있음)과 일치하는 소단원을 계획하는 것이 큰 문제이다. 신규교사는 자신의 속도를 조절하는 것을 배워야 한다. 그러나 너무 많이 계획하거나 너무 적게 계획해서는 안 된다. 적은 개념을 선택하되 그 개념을 가르치는 더 많은 방법을 찾아내야 한다는 점을 기억한다.

3. *융통성* : 교사는 융통성이 있어야 한다. 다시 말해 계획에 계획된 경로와는 다른 경로로 소단원을 진행하는 것을 미리 대비해야 한다. 학생의 반응에 따라 계획안에 포함된 것에 대한 정교화가 필수적 또는 바람직한 것이 되기도 하고, 소단원 수업이 진행되면서 기대하지 않았던 것을 추구할 수도 있다. 비록 유능한 교사가 과제 관련 행동을 부추기고, 과제를 벗어난 행동을 저지시키지만, 그들은 수정하는 것에 열려 있고, 예측하지 못한 일을 잘 활용할 것이다. 변화의 기초는 객관적이기보다는 직감적이며, 미리 준비된 것보다는 계획되지 않은 것이다.

4. *학생참여* : 교사는 각 단원 수업마다 다수의 학생 참여를 북돋아야 한다. 교사들은 일부 학생들 수업을 독점하지 않도록 하고, 비자원자들을 수업에 참여시켜야 한다. 너무 많은 이야기를 하지 말고, 교사 주도 활동으로 수업을 점철하지 않아야 한다. 학습자 참여, 학생 대 학생의 상호작용, 수줍은 학생들, 낮은 성취의 학생들, 그리고 (중앙 또는 앞쪽에 앉아서 대부분의 주목을 받는 학생과는 반대로) 곁도는 학생이나 뒷줄에 앉아 있는 학생들의 성취

도 향상을 촉진하는 것이 필요하다.

5. *학생 이해도* : 교사가 학생의 이해 정도를 파악하는 것과 학생이 이해한 정도에는 종종 차이가 있다. 이러한 차이가 생기게 된 이유 중에는 빠르게 진행되는 수업도 포함된다. 교사가 교실에서 전혀 알아채지 못하고 계속 진행하는 것은 흔한 일이다. 아래의 제안들은 교사가 수업할 때, 학생의 이해력을 증진시키기 위한 것이다.

   a. 학생들에게 질문하여 답을 들어본다. 답을 모르거나 이해가 부족한 학생들은 웅얼거리거나 너무 빨리 말을 하거나 주제를 바꾸려 한다거나, 원래의 질문에 답하는 대신에 다른 질문을 한다. 이러한 것은 학생들이 더 나은 꾀로 교사를 이기려고 하는 전략 같은 것이다.[34]

   b. 학생의 응답이 부족하였다면 또는 문제에 관한 중요한 관점을 학습하지 않았다면 또는 부분적이거나 전체적으로 옳지 않았다면, a) 원하는 답을 할 수 있도록 학생을 이끄는 질문이나 정보를 추가로 제공하는 식으로 질문을 재진술하거나 단순화하여 학생들을 확인한다. 마지막으로 다른 학생들에게 응답을 하지 못한 처음 학생을 도와주도록 요구한다.

   c. 여러 학생에게 요구했는데도 원하는 답을 듣지 못하였다면, 교사는 소단원의 그 부분을 다시 가르쳐야 한다. 비록 이것은 계획된 것은 아니지만, 교사는 일부 학생들이 소단원을 이해하는데 문제를 지니고 있는 것을 무시할 수 없다.

   d. 학생들을 위하여 시범 및 실험을 준비한다. 이러한 활동을 하는 동안에 질문하고 학생들이 관찰 또는 수행한 것을 분석하거나 종합하는 연습 문제로 마무리한다.

   e. 모든 소단원에는 연습과 복습, 적용을 포함시킨다. 교사가 이러한 활동의 소요 시간은 학생의 능력에 달려 있다. 낮은 성취 학생과 어린 학생들은 더욱 많은 실습, 복습, 일상생활의 적용이 필요하다.

   f. 중간요약과 최종요약을 확실하게 한다. 낮은 성

취 학생들과 어린 학생들은 높은 성취 학생보다 더욱더 중간 요약이 필요하다.

숙제는 학생의 이해를 촉진하는 과정의 중요한 부분이다. 표 4.12에는 숙제에 관하여 교사가 알아야 할 지침이 제공되어 있다.

6. *사정과 평가*: 소단원 끝에서 교사는 학생들이 어떻게 반응하는지, 소단원 학습에 참여한 학생들이 이해했는지 못했는지를 명확하게 판단하여야 한다.

자신의 소단원 계획을 아래의 질문에 따라 평가해 본다.

a. 목표는 지역 또는 주 내용 목표와 같은가?
b. 목표에 적합한 수업이었는가?
c. 학습 목표를 겨냥한 질문이 있었는가?
d. 소단원의 부분들을 복습하는데 더 많은 시간을 필요로 하는가?
e. 피드백을 보완적이고 장려하는 식으로 주는가?

교사들을 위한 조언 4.2

소단원 계획의 조직과 실행

교사는 항상 소단원 계획을 개선하기 위한 방법을 찾게 된다. 아래에는 학생 성취와 관련 있는 연구에 기초한 25개 조언이 제시되어 있다. 가능한 한 많이(한 단원에 전부를 집어넣을 필요는 없지만) 소단원 계획의 부분으로 짜 넣어야 한다. 비록 대부분의 문장이 숙달 접근에 기초한 것처럼 보이나, 이 점검표는 대부분 교수 유형에서 사용가능하다.

1. 언급된 목표 또는 단원 계획의 주제로 소단원을 계획한다.
2. 소단원의 목표를 명확하게 확실히 한다.
3. 목표와 활동을 높은 수준과 낮은 수준의 인지 기능을 다양하게 사용하도록 개발한다.
4. 이전에 학습한 소단원에 대한 복습 또는 새로운 소단원과 이전 소단원의 통합된 개관을 제공한다.
5. 소단원의 목표를 학생들에게 제시한다. 성취하게 될 것에 대하여 설명한다.
6. 열정적으로 소단원을 제시한다; 동기를 유발한다.
7. 소단원을 너무 빠르거나 너무 느리지 않게 적당한 속도로 소개한다.
8. 모든 것을 명확하게 설명한다. 무엇을 하고 어떻게 그것을 하는 것인지에 대해 학생들을 확신시킨다.
9. 학생들에게 진행되고 있는 수업에 대해서 생각할 수 있는 기회를 준다.
10. 학생들이 이해하지 못하는 때를 발견하려고 노력한다.
11. 실습에 충분한 시간을 제공한다.
12. 빈번히 질문한다: 도전적이고, 관련성이 있는 것으로 한다.
13. 설명, 논증 또는 실험을 제공한다.
14. 소단원의 어려운 부분을 자세하게 한다; 세부 사항을 제공한다, 예시를 제공한다.
15. 흥미롭고 성공을 조장하는 활동을 선택한다.
16. 보조 자료와 매체를 활용한다.
17. 소단원을 요약한다.
18. 학생 과제를 주시하고 평가할 자습시간을 계획한다.
19. 숙제를 제공하고, 숙제하는 방법을 제공하고, 숙제를 수거하고 확인한다.
20. 수업 후에 소단원 계획에 관하여 또는 반응에 대하여 평가한다.

표 4.12 숙제에 관하여 교사가 알아야 할 지침

1. 복잡한 기능을 가르치는 것에 대한 숙제는 내지 않는다.

2. 급하게 숙제를 생각하여 내지 않는다.

3. 숙제에 대한 궁금한 질문이 없다는 이유로 학생들이 숙제에 대한 질문이 없다고 생각하지 않는다.

4. 학생들이 항상 그들의 숙제를 100% 성공적으로 수행할 것이란 기대를 하지 않는다.

5. 모든 유형의 숙제가 모든 유형의 학생들에게 동등하게 유익하지 않다라는 것을 이해한다.

6. 숙제의 특별한 목적과 그것을 수행하는 방법을 설명한다.

7. 교사가 내어준 숙제를 수행하는 데 있어서 학생들이 말하는 경험담을 듣는다.

8. 학생이 숙제를 수행하기 위해 들인 노력에 대해 인정하고 감사한다.

출처: Based on Harris Cooper, "Synthesis of Research on Homework," *Educational Leadership* (November, 1989): 90.

f. 질문이 적합하였는가? 계획하지 않은 일이 발생하였는가? 그것을 차후에 어떻게 사용할 수 있겠는가? 높은 수준의 질문들을 통합시켰는가?

g. 무슨 문제가 발생하였는가? 그것을 어떻게 바로잡을 수 있겠는가?

h. 소단원을 마치기에 충분한 시간이었나?

i. 학생들은 학습 목표에서 가르치기 위해 설정된 기능, 개념, 원리들을 학습하였는가?

j. 소단원에서 달성하지 못한 것은 무엇인가?

k. 학생들의 개념을 더욱 잘 이해하도록 도와줄 수 있는 다른 지능 유형-음악적인, 예술적인, 운동감각적 유형-은 무엇인가?

좋은 교사는 경험이 얼마나 되든지 자신의 수업에 대해 비평자이며 교수-학습 상황을 향상하는 새로운 방법을 추구한다. 이러한 교사는 자기 성찰과 자기 분석을 위한 시간을 갖는다. 이러한 교사는 수업중에 무슨 일이 발생하고 있는지를 의식하고 가치있는 것이 무엇인지, 다음에는 현재 수업계획이 어떻게 수정되어야 하는지를 직감적으로 판단한다.

이론의 실제 적용

모든 교육구는 채택된 학습과정으로부터 학습목표와

성취기준을 교사들이 도출해 내기를 기대한다. 현재 활용되고 있는 일부 온라인 소단원/단원 설계 도구들은 교사들이 자신의 데이터베이스를 사용하여 수업을 설계할 때, 이러한 종류의 자료를 알려줄 수 있을 것이다. LiveText와 TaskStream은 대표적인 온라인 학습방법이다. 각 교육구는 연필과 공책을 사용하는 전통적인 방식이건 전자화된 방식이건 간에 나름대로 교육하는 방식을 갖추고 있다. 실제로, 단원계획과 수업계획은 지도하는 학교나 교육구에 따라 다양한 양상을 띠고 있다. 일부 학교는 감독관이나 교육여건에 따라 상부의 지시가 내려지기도 하며, 교사들은 지시된 방식을 따를 것을 권유받게 된다. 이러한 교사들의 수업계획은 일정한 원칙에 의해 수집되고 검토된다. 또, 어떤 지역에서는 학교나 감독관(교육감, 장학사)이 어떠한 방식도 제시해 주지 않고, 교사의 단원과 수업계획에 별 관심을 보이거나 조언을 해 주지도 않는다. 교사는 이러한 상황에서 수업을 계획할 때, 자신만의 방식에 상당히 의존하게 된다. 단원과 수업계획을 수립할 때 교사가 잘 안내받고 흔히 범하는 실수를 줄이기 위해서 다음과 같은 질문을 사용할 수 있다.

단원계획

1. 과정뿐만 아니라, 주나 교육구의 요구나 성취기준을 고려해 보았는가?

2. 수업 지도안을 위해 교사용 지도서를 읽어 보았는

가? 학생들의 요구나 능력에 맞게 조절된 예시자료는 있는가?

3. 수업 목표가 명확하게 진술되었는가? 수업 목표는 적절한가?

4. 수업 내용과 목표가 유기적으로 잘 연결되어 있는가? 수업 내용이 흥미로우며 적절한가?

5. 수업 기술이 내용과 유기적으로 잘 연결되어 있는가? 기술이 학생의 욕구나 능력에 따라 다르게 사용될 수 있는가?

6. 흥미롭고 적절한 학습활동을 포함시켰는가? 어떤 활동이 교실 밖에서도 적용될 수 있는가?

7. 다양한 자원과 자료가 포함되어 있는가? 다른 자원과 자료가 담긴 보충교재를 활용했는가?

8. 평가 절차가 적절한가? 평가가 수업목표를 달성하는데 도움이 되는가?

9. 수업계획이 다양한 학생의 요구, 능력, 학습 방식을 수용할 수 있을 만큼 융통성이 있는가?

10. 수업계획이 자세하고 구체적이어서 다른 교사가 쉽게 이해할 수 있으며, 무엇을 의도하고 있는지 쉽게 알 수 있는가?

소단원계획

1. 가르치려는 가치나 기능, 지식에 따라 수업목표가 명확한가? 단원계획에서 도출된 것인가?

2. 내용이 논리적 순서나 가르치고자 하는 방식에 따라 배열되어 있는가?

3. 교수 방식은 분명한가? 학생들이 지루해하지 않을 만큼 다양한 방식을 활용하고 있는가?

4. 자료나 교구를 수업에 사용할 수 있도록 준비했는가? 수업 전에 미리 주문했는가?

5. 이전 학습을 점검해 보았는가? 복습을 위해 질문을 하거나 어려운 문제를 공유해 보았는가? 이전 학습이나 과제를 점검하기 위해 간단한 퀴즈문제를 내보았는가? 필요에 따라 심화 연습을 제공하거나 다시 가르쳐 보았는가?

6. 최근의 학습을 점검해 보았는가? 핵심정리는 해주었는가? 도전적인 학습자나 도움이 필요한 새로운

학습자를 찾아 지도했는가?

7. 중요하고 중추적인 질문들이 포함되어 있는가?

8. 적절한 숙제가 포함되어 있는가? 숙제에 대한 설명이 명확한가? 어떻게 하면 어제 한 숙제를 잘 이해했는지 확인할 수 있겠는가?

9. 완성된 수업을 위해 충분한 시간이 제공되었는가? 수업을 마치기 전에 시간은 부족하지 않았는가?

10. 어떤 방법으로 수업을 평가하려고 하는가? 학생의 입장에서 수업이 즐겁고 유익했는가? 수업을 통해 무엇을 배웠는가?

요약

1. 교사는 다섯 가지 단계를 고려해서 수업을 계획한다; 학년, 학기, 단원, 주간, 일일.

2. 학년별 주제별로 지도화하여 배치한다; 가르치려는 가치, 기능, 내용을 명확하게 해준다.

3. 국가나 주 단위의 성취기준을 수업목표나 최종목표를 세우는 데 활용한다.

4. 한 단원의 기본 구성 요소는 목표, 내용, 수업기술, 활동, 자료와 평가로 이루어진다.

5. 단원을 계획하는 두 가지 유형은 분류화와 주제화이다.

6. 수업을 계획할 때 고려해야 할 기본 구성요소는 목표, 동기, 발달, 수업방법, 자료, 매체, 핵심정리, 숙제이다.

7. 융통적인 조 편성, 사고 기술, 완전학습 등 세 가지 수업계획이 논의되었다.

고려할 문제

1. 왜 교사는 학생들과 합력하여 수업계획을 세워야 하는가? 왜 대다수의 교사는 수업 설계에서 학생의 의견을 무시하게 되는가?

2. 좋은 단원 계획을 세우기 위한 판단 척도는 무엇인

가?

3. 지도하고 있는 과목과 학년에 가장 맞는 단원 계획을 세우기 위해 어떤 교수방법을 선택해야 할까? 그 이유는?

4. 수업을 계획할 때 가장 본질적으로 고려해야 할 요소는 무엇인가?

5. 전달식 수업이나 사회구성주의 학습 방식에 지나치게 얽매이게 되면 어떤 문제가 있는가? 한 가지 관점만을 적용하는 것이 가능하며 선호할 만한가?

해야 할 일

1. 현행 과목과 학년 수준에 맞게 한 단원에 대한 수업 계획 세우기.

2. 교수 경험이 풍부한 교사(노련한 교사)와 상담하기. 지도하려는 학년 단계와 과목에 맞는 일련의 단원계획을 세우는데 조언을 받을 수 있도록 부탁하기. 실제 수업에서 어떠한 요소가 중요하게 작용하는지 조사하기.

3. 한 단원을 선택해서 그 내용에 잘 부합되는 수업자료와 학습활동 목록 만들기.

4. 학년과 과목에 맞게 수업계획 세우기. 이 장에서 소개한 수업구성요소를 고려해서 가르치기. 수업에서 좋았던 점은? 만족스럽지 못한 점은?

5. 수업을 계획할 때 흔히 범하는 실수는 무엇인지 목록 작성하기. 실수를 범하지 않으려면 어떻게 해야 하는지 노련한 교사에게 묻기.

추천 문헌

Beyer, Barry K. *Teaching Thinking Skills: A Handbook for Elementary School Teachers*. Needham Heights, Mass.: Allyn and Bacon, 1991. This book explores how teaching skills can be planned and taught in most elementary classrooms. It includes sample exercises and lesson plans.

Block, James H., Helene E. Efthim, and Robert B. Burns. *Building Effective Mastery Learning Schools*. New York: Longman, 1989. This mastery approach to teaching and learning includes how to plan unit plans and lesson plans for mastery.

Chall, Jeanne S. *The Academic Achievement Challenge*. New York: Guilford Press, 2002. This book examines the research on teacher-centered versus student-centered instructional approaches.

Good, Thomas L., and Jere E. Brophy. *Looking in Classrooms*, 9th ed. Boston, Mass.: Allyn and Bacon. 2003. This research-oriented book covers several aspects of teaching including lesson planning.

Irvine, Jacqueline Jordan, and Beverly Jeanne Armento. *Culturally Responsive Teaching*. Boston: McGraw Hill, 2001. This is a thoughtful exploration of how culturally responsive lessons can be planned around established disciplinary standards.

Ladson-Billings, Gloria. *Dreamkeepers*. San Francisco, Calif.: Jossey-Bass, 1994. This book describes the practices and characteristics of successful teachers working with students of color.

McNeil, John D. *Curriculum: The Teacher's Initiative*, 3rd ed. Columbus, OH: Merrill, 2003. The author describes a constructivist view on curriculum and teaching.

핵심 용어

후주

1. Paul V. Bredeson. *Designs for Learning*. Thousand Oaks, CA: Corwin Press, 2003. Pamela G. Grossman. "Why Models Matter." Review of

Educational Research (Summer 1993): 171-80. John Solas. "Investigating Teacher and Student Thinking About the Process of Teaching and Learning." *Review of Educational Research* (Summer 1992): 205-225.

2. Craig D. Jerald and Richard M. Ingersoll. "All Talk, No Action: Putting an End to Out-of-Field Teaching." Washington, D.C.: Education Trust, 2002.

3. John A. Zahorik. "Teachers' Planning Models." *Educational Leadership* (November 1975): 134-139.

4. Christopher Clark. "Real Lessons from Imaginary Teachers." *Journal of Curriculum Studies* (September-October 1991): 429-434. Penelope L. Peterson, Christopher W. Marx, and Ronald M. Clark. "Teacher Planning, Teacher Behavior, and Student Achievement." *American Educational Research Journal* (Summer 1978): 417-432.

5. Elliot W. Eisner. *The Educational Imagination*, 3d ed. New York: Macmillan, 1993.

6. Carol Ann Tomlinson. *The Differentiated Classroom.* Alexandria, VA: Association for Supervision and Curriculum Development, 1999, p. 40.

7. Deborah S. Brown. "Twelve Middle School Teachers' Planning." *Elementary School Journal* (September 1988): 69-87. Deborah S. Brown, "Descriptions of Two Novice Secondary Teachers' Planning." *Curriculum Inquiry* (Spring 1993): 34-45.

8. Robert J. Yinger, "A Study of Teacher Planning." *Elementary School Journal* (January 1980): 107-127.

9. William Sanders. "Value-Added Teaching." Presentation to the Governor's Commission on Teaching Success, Columbus, Ohio, 2002.

10. Gail McCutcheon. "How Do Elementary School Teachers Plan?" *Elementary School Journal* (September 1980): 4-23.

11. Jacqueline Jordon Irvine and Bevery Jeanne Armento. *Culturally Responsive Teaching.* Boston: McGraw Hill, 2001.

12. Beverly Jeanne Armento. "Principles of a Culturally Responsive Classroom." In J. Irvine and B. J. Armento (eds.). *Culturally Responsive Teaching.* Boston: McGraw Hill, 2001, p. 19-32.

13. Allan C. Ornstein. "Effective Course Planning by Mapping." *Kappa Delta Pi Record* (Fall 1990): 24-26. Allan C. Ornstein. *Educational Administration: Concepts and Practices*, 4th ed. Belmont, CA:

Wadsworth, 2004.

14. E. D. Hirsch, Jr. *The Schools We Need and Why We Don't Have Them.* New York: Doubleday, 1996, p. 30.

15. Tomlinson. The Differentiated Classroom, pp. 81-82. See also Howard Gardner's video, *MI: Millenium.* Los Angeles, Calif: Into the Classroom Media, 2002.

16. W. James Popham. "Can High-Stakes Tests Be Developed at the Local Level?" *NASSP Bulletin* (February 1987): 77-84. Thomas R. Guskey. "Helping Standards Make the Grade." *Educational Leadership* (September 2001): 20-27.

17. *Getting Started in the Elementary School: A Manual for New Teachers*, rev. ed. New York: Board of Education of the City of New York, 1986.

18. Deborah J. Stipek. *Motivation to Learn*, 2d ed. Needham Heights, Mass.: Allyn and Bacon, 1993. Martin V. Covington. *Making the Grade: A Self-Worth Perspective on Motivation.* New York: Cambridge University Press, 1992.

19. Thomas L. Good and Jere E. Brophy, *Looking in Classrooms*, 8th ed. (New York: Longman, 2000): pp. 141-144.

20. Paul Chance. "The Rewards of Learning." *Phi Delta Kappan* (November 1992): 204.

21. Allan C. Ornstein and Francis P. Hunkins. *Curriculum: Foundations, Principles, and Issues*, 4th ed. Boston, Mass.: Allyn and Bacon, 2004.

22. Peter C. Murrell, Jr. *African-Centered Pedagogy.* (Albany, N.Y.: SUNY University Press of New York, 2002, p. 46.

23. Ibid.

24. Donald A. Bligh. *What's the Use of Lectures?* San Francisco, Calif.: Jossey-Bass Publishers, 2000, p. 282.

25. Kenneth A. Kiewra. "Aids to Lecture Learning." *Educational Psychologist* (Winter 1991): 37-53. Elizabeth Perrott. *Effective Teaching: A Practical Guide to Improving Your Teaching.* New York: Longman, 1982.

26 . Paul A. Schutz. "Goals in Self-Directed Behavior." *Educational Psychologist* (Winter 1991): 55-67. Kathryn R. Wentzel. "Social Competence at School: Relationship Between Social Responsibility and Academic Achievement." *Review of Educational Research* (Spring 1991): 1-24.

27. Jerome S. Bruner. *Toward a Theory of Instruction.*

Cambridge, Mass.: Harvard University Press, 1966.

28. James H. Stronge. *Qualities of Effective Teachers*. Alexandria, VA: Association for Supervision and Curriculum Development, 2002, p. 48.

29. Kurt W. Fischer and L. Todd Rose. "Webs of Skill: How Students Learn." *Educational Leadership* (Novermber 2001): 6-13. Steven Zemelman, Harvey Daniels and Arthur Hyde. *Best Practice: New Standards for Teaching and Learning in America's Schools*. Portsmouth, NH: Heinemann, 1998.

30. Vito Perrone. "How to Engage Students in Learning." *Educational Leadership* (February 1994): 11-13. Frank Smith. "Learning to Read: The Never-Ending Debate." *Phi Delta Kappan* (February 1992): 432-441.

31. Thomas L. Good and Jere E. Brophy. *Looking in Classrooms*, 8th ed. New York: Longman, 2000.

32. Mariale M. Hardiman. "Connecting Brain Research with Dimensions of Learning." *Educational Leadership* (November 2001): 52-55.

33. Paul R. Burden and David M. Byrd. *Methods for Effective Teaching*, 3d ed. Boston: Allyn and Bacon, 2003.

34. Ruth Garner. "When Children Do Not Use Learning Strategies." *Review of Educational Research* (Winter 1990): 517-530. Donna M. Kagan and Deborah J. Tippins. "Helping Student Teachers Attend to Student Cues." *Elementary School Journal* (March 1991): 343-356. Marge Scherer. "Do Students Care about Learning?" *Educational Leadership* (September 2002): 12-17.

제 5 장
수업 전략

이번 장에 관련된 Pathwise 성취기준 :

- 학습자에게 적합하고 수업 목표와 연관된 자원과 교수자료, 활동 학습 교수방법을 선택하고 생성하기(A4).
- 학습 목표와 지도 과정을 학생에게 명확하게 인식시키기(C1).
- 학생이 이해하기 쉽도록 내용 구성하기(C2).
- 학생이 가지고 있는 능력을 신장하도록 격려하기(C3).
- 다양한 방법으로 학생이 내용을 이해하고 있는지 살피기, 상황에 따라 학습 활동 숙달시키기. 그리고 학습 이해를 돕기 위해 피드백해 주기(C4).
- 수업 시간을 효율적으로 사용하기(C5).

이번 장에 관련된 INTASC 원리 :

- 교사는 학생의 기능 수행능력, 문제 해결능력, 비판적 사고력을 개발하도록 다양한 교수전략을 사용하고 이해한다(원리4).
- 교사는 교육환경을 창의적으로 개선하고 긍정적인 상호교류를 독려하기 위해 개인과 조직의 동기, 행동양식에 대한 이해를 활용한다(원리5).

핵 심 문 제

1. 연습과 반복훈련은 언제 유용한가?
2. 연습과 반복훈련이 어떻게 이루어져야 가장 효과적인 방법이 될까?
3. 좋은 교수를 위해 질문하는 방법이 왜 중요할까?
4. 잘 조직화된 질문의 특징은 무엇인가?
5. 위계적이며, 문제 해결적인 강의는 무엇인가?
6. 강의 시간이 왜 한정되어야 하나?
7. 학생의 요구와 문제해결 능력을 신장시키는 좋은 전략은 무엇인가?
8. 차별적 교수방법(적응적 교수법으로 불리기도 함)이 학생의 학업성취도를 어떻게 신장시켜 줄까?

강의를 평가하기 위해서 교수와 수업의 차이를 구분해 볼 필요가 있다. 교수는 수업 과정에서 나타나는 교사의 모든 행위이다(2장 참조). 수업은 교사가 학습에 영향을 미치게 하는 활동과 특정한 방법을 의미한다(3장-9. 참조).

수업과 교수가 적절하게 조합되면, 1장에서 설명한 학습 패러다임에 도달하게 되며 교수와 학습이 갖는 예술적 특성이 드러나게 된다. 이 장에서는 대부분의 교사가 가장 많이 사용하는 방식인 네 가지 교수방법, 즉 1) 연습과 반복훈련, 2) 질문, 3) 강의와 설명, 4) 문제해결과 경험 교수 등에 대해 탐구하게 될 것이다. 이들에 대해서는 앞 장에서 어느 정도 논의되었으나 이 장에서는 네 가지 교수방법을 교실에서 직면하게 될 교수 학습의 특정한 문제들을 통해서 제시할 것이다. 이 방법들은 수년 간의 연구와 실제에 의해 지지받고 있으며, 어떤 교수방법에서든지 그 기반이 되고 있다. 이 장을 보다 통합적으로 이해하려면 교실에서 가르치는 개념과 기능에 대해 생각해 보면 된다. 어떤 방법을 사용하게 될까? 왜? 그러한 방법을 사용하면 어떤 결과를 얻게 될까? 어떻게 이런 방법을 각자의 수업양식에 맞게 활용할 것인가? 여러분은 만약…이라면 문장을 사용하여 초점을 맞추는 방법을 배우게 될 것이다. 예를 들어, 만약 학생들이 구구단을 외우기를 원한다면 연습과 반복훈련이 효과적일 것이다. 만약 학생들이 곱셈의 원리를 생각하도록 만들려면 교사는 질문하기 전략을 활용하게 될 것이다.

좋은 학습이 실현되기 위한 새로운 아이디어나 학교 구조가 등장하게 되면, 그 토대에서 새로운 만약…이라면 문장을 발견하게 된다. 예를 들어, Alameda와 California에서 Arthur Anderson과 Alameda 연합 학군은 효과적인 학습을 위해 다양한 방법으로 교사와 학생이 동반자 관계로 학습할 수 있는 열린 공간 학교나 프로젝트식 수업을 구안해 냈다. 학생들은 우리 대부분이 경험해 왔던 방식대로 교실에서 활동하지 않는다. 그들은 프로젝트를 탐구하고 (그들의 정열을 쫓거나) 자신이 생각한 방향으로 독립적으로 학습을 한다. 이 학교에서 사용되는 만약…이라면 문장은 다음과 같다. "만약 지도하고 있는 학생이 독립적인 학습자가 되기를 바란다면 프로젝트식 학습과 탐구 학습법을 사용해라." 이와 유사한 열정에 기초한 학습 접근법(A similar passion-based learning approach)은 Rhode Island의 Dennis Littky에 의해 The Met School에서 생겨났다. 게다가 가상학교 수업을 경험한 학생들의 수가 증가하고 있는데, 그들은 우리가 전통적인 교실로 여기는 것의 일부가 전혀 아닐 수도 있다. 사실 Texas 주는 학문적 성취기준에 부합되는 광범위하고 다양한 가상학교 과정을 제공하고 있다. 더 자세한 내용은 http://www.texasvirtualschool.org를 참고한다. 선택적이고 가상적인 프로그램의 유형이 확장되기 시작하면서 점점 더 많은 만약…이라면 문장이 생겨나게 될 것이다.

Bransford와 그의 동료들보다 이 만약…이라면 문장의 관계를 더 잘 설명할 수 있는 사람은 없을 것이다.[1] 그들은 특정한 교수 기술의 적합성이 "1) 학습하는 자료의 특성, 2) 학습자가 상황에 따라 취하게 될 태도, 지식이나 기능의 특성, 그리고 3) 학습상의 최종목표, 그리고 목표와 연관된 학습을 측정하기 위해 사용되는 평가절차"에 달려있다고 주장한다.[2]

그리고 그들은 이어서 교사가 바람직한 만약…이라면 문장 관계에 따라 교수 기술을 어떻게 선택하는지를 보여주고 있다. 예를 들어, 만약 학생이 동맥의 특성을 배우기를 원한다면 학생은 기억술(기억 장치)을 사용할 것이다. "동맥은 허리가 두툼해서 탄력성 있는 고무줄 허리띠를 두른 바지를 입었다."[3] 이 기술은 학생에게 동맥은 두툼하고 탄력적이라는 것을 배우도록 해 준다. 그러나 학생이 왜 이것이 사실일까? (즉, 왜 동맥이 두툼하고 탄력적일까?)라는 의문을 품도록 하려면, 교사는 액체를 밀어 넣어 이동시키기 위해 (다소 딱딱하고 탄력성 있는) 다양한 종류의 관을 가지고 실험해 볼 수 있는 탐구학습의 전략을 더 많이 사용할 필요가 있다.

요점은 수업목표에 맞게 제시된 만약…이라면 문장이 교수전략을 결정한다는 것이다. 교사는 학생 각각의 학습 과제에 맞게 사용할 수 있는 최종목표와 기술에 대해서도 생각해 보아야 한다. "만약 동맥의 특성에 대해 학생이 이미 알고 있다면 그들은 이러한 특성이 갖는 원인을 생각할 준비가 되어 있는 것이다."

아래의 교수 방식은 교사가 다양한 교수전략을 사용할 수 있으며 학생의 성장과 발달을 촉진하기 위해 직접, 간접 교수 모형 모두를 어떻게 사용해야 하는지 알고 있어야 한다는 것을 보여주고 있다. 연습, 반복훈련과 같은 직접 접근방식은 학생이 알 필요가 있는 학문적 내용을 명확하게 설명해 주는 전달(2장 참조)수업 방식이다. 간접적 전략은 좀더 구성주의적인 방식이며, 중요한 개념을 개인적 구성으로 이해하도록 학생이 아이디어를 탐색할 것을 요구한다. 좋은 교사는 각기 다른 수업 모형을 언제 사용하는지를 알고 있으며 학생들의 각기 다른 수준에 맞게 어떻게 그것들을 사용하는지도 잘 이해하고 있다.

수업 접근법 I: 연습 및 반복연습

만약 특정 기능이나 절차를 가르치고자 한다면, 연습 및 반복훈련을 실시한다.

연습과 반복훈련을 언급할 때 떠오르는 이미지는 반복적인 과정을 통한 학습으로 학생들이 소단원을 기억하거나 교사의 감정적 흥분상태를 겪게 했던 구식의 교사들이다. 그러나 연습 및 반복훈련은 오늘날 교실에서 특정 목표를 지원하고 이득을 얻기 위해 사용되는 수업방법의 하나이다. 21세기를 시작하면서, 이 접근법의 한계와 장점을 모두 알고 있다. 연습 및 반복훈련은 명확한 목표가 있다. 즉 학생이 별도의 기능을 잘 익히고 과정을 잘 수행하기 위한 것이다.

연습 및 반복연습의 응용

연습 및 반복훈련은 특별히 어린 아이들에게 기초적인 사항을 가르치기 위해 초등교사들이 사용하는 일상적인 방법이다. 또한 기초기능이나 학문적 과목 문제에 있어 기초적 기능이 부족한 학생을 지도하는 중등교사

가 이러한 학생들이 다른 과제로 넘어가도록 요구하거나 새로운 상황에 학생들이 배운 학습내용을 적용하기 전에 사용되기도 한다. 어떤 교사들은 기초적인 기능이나 과제를 배우려면 많은 연습이 꼭 필요하다고 믿는다. 이에 따라 교사들은 몇 번이고 학생들에게 반복훈련을 실시하게 한다. 대부분의 교사가 반복훈련보다는 다른 수업 접근법을 선호하고 있지만 그런 다른 수업 접근법도 Thorndike의 **연습의 법칙**(law of exercise)에 많이 의존하고 있다. Thorndike의 연습의 법칙은 자극반응 관계가 더 자주 이루어질수록 그 관계가 더욱 강해진다는 것이다. 위 법칙과 Skinner의 반응의 강화가 발생의 개연성을 증가시킨다는 발견은 연습만이 완벽을 만든다는 오랜 격언에 토대를 일부 제공하고 있다.[4]

연습과 반복훈련은 컴퓨터 활용 수업과 같이 강화계획에 의거한 수업기술에 의해 제공될 수도 있다. 이 접근법에서는 수업자료가 논리적 순서로 정리되고 프레임이라는 단위로 분리되어 학생이 프로그램 전체에 걸쳐 가장 쉬운 것에서부터 가장 어려운 자료까지 접할 수 있도록 작은 단계로 나눠 이끌어 준다. 하나의 프로그램은 수백 혹은 수천 개의 프레임으로 구성될 수 있다. 올바른 답을 획득하면 지속적인 강화가 제공되고, 프로그램은 학생이 성공할 가능성이 높게 자료를 제공한다. 때때로, 프레임은 이전 자료를 개관하기도 하고 다른 상황에서 같은 자료를 제공하기도 한다. 실수한 경우에 학생은 다른 난이도로 나아가기 전에 반드시 연습을 더 해야 한다.[5]

연습과 반복훈련 또는 교육의 전달관점과 연관된 방법으로는 완전학습과 직접교수법 등 두 가지가 있다.

완전학습방법

수업에서 논리적이고 점진적인 순서에 따라 정리되어 있고, 개인의 필요와 능력에 따라 자료와 활동이 조정될 때, 학생의 성취가 가장 효과적으로 촉진된다. 완전학습의 기본은 특정 개념이나 기능의 적절한 학습과 숙달이 보다 더 복잡한 개념과 기능으로 진행되기 전

전문적인 관점 5.1

연습과 반복훈련의 존속

Herbert M. Klieband
Professor of Curriculum
University of Wisconsin-Madison

18 90년대는 교육영역에서 개혁의 기운이 진동하던 기간이었다. 한 젊은 소아과 의사인 Joseph Mayer Rice는 미국 교육을 개조하려는 열정에 사로잡혀 미국 학교에서 어떤 일이 일어나는지 관찰하기 위해 36개 도시를 순회하는 여행을 하였다. 뉴욕의 한 학교에서 Rice는 아이들이 사실을 기억하고 큰 소리로 빠르게 암송하는 방법으로 아주 작은 단위의 정보를 학습하고 있는 것으로 보았다. Rice는 당연히 분개하였고, 그와 같은 어리석은 교수형태를 가능한 한 제거하고자 헌신하였다.

한 세기가 지난 지금 그와 같은 극단적인 형태의 반복훈련은 사실상 알려지지 않고 있지만 최신의 증거에 의하면 암송이 교실 내의 유력한 형태인 것으로 나타나고 있다. 이것은 빈틈없고 민감한 많은 교육 개혁자들이 소위 비판적 사고와 발견 활동이 들어 있는 교수 절차에 대한 보다 폭넓은 측정

을 요구하고 있는 사실에 역행하는 것이다. 하지만 교사가 Rice의 시절만큼 완고하지 않더라도, 계속해서 이전의 인쇄물이나 기준서에 말도 안될 정도로 의존하고 있다.

왜 교실에서의 연습은 Rice의 시절부터 현재에 이르기까지 조금밖에 변하지 않았는가라고 물을 수도 있다. 본인의 생각에 가장 그럴듯한 이유는 교사가 수행해야 하는 두 가지 과제, 즉 통제와 교수가 표면상 조화롭게 보이지만 갈등관계에 있다는 점이다. 어느 누구도 교수의 과제를 진행해 가기 위해 교실 상황에서 일어나는 통제를 측정할 필요가 있다는 것에 반대하기는 어려울 것이다. 그러나 현장에서 통제가 아주 강조되면 교실만 잘 정돈되어 있는 한 좋은 교사로 고려될 수가 있다. 교사가 실제 가르치는지 여부는 중요하지 않다. Rice가 관찰했던 그런 연습과 반복이 존속하는 이유는 구체적인 교수법 측면에서의 인가(認可)를 받았기 때문이 아니라 통제수단으로 증명되었기 때문이다. 교사가 자신의 주요 역할이 불확실한 질서를 강요하는 것이 아니라 교수하는 것으로 바라볼 수 있을 때 연습과 반복훈련은 교실에서 적절한 보조 역할로 자리매김할 수 있을 것이다.

에 대개 연습과 반복훈련을 통해 분명히 이루어지도록 하는 것이다.[6] 완전학습은 특히 개별화되었을 때, 학생간의 상이한 학습률에 따라 조정된다.

한 학생이 특정한 수준의 수행과 숙달을 달성하기 어려움을 겪을 때, 필수적인 선수지식이나 기능에 대한 연습과 반복훈련으로 향상이 가능하다. 단순한 과제를 가르치거나 이전 학습과제를 강화하는 데 필요한 가장 중요한 기법들에는 연습과 반복훈련이 포함되어 있다.

직접교수법

집단기반의 연습과 반복훈련의 가장 유명한 형태중의 하나가 직접교수법이다. 이 모형은 수십 년 전 기초적인 학문 기능을 학생에게 가르치는 수단으로서 Siegfried Engelmann에 의해 최초로 대중화되었다. 이 방법은 최근에 많은 도시학교에서 체계적인 개선 노력의 결과로서 인지도가 증가하였다. 교사는 순서에 따라 빠르게 질문하고 학생은 일제히 혹은 개별적으로 응답한다. 어떤 교사들은 어휘나 세부 기능을 가르칠

워크북(workbook)은 반복연습을 위한 훌륭한 교재이나 과도한 사용은 학생들을 지루하게 만들 수 있다.

때 이 방법을 활용한다. Cleveland나 Ohio의 공립학교에서 직섭교수법이 채택되고 있다. 사례 연구 5.1에는 한 교사가 학생에게 기능을 가르칠 때 단 한 가지 접근법을 활용하면서 겪은 고충이 예시되어 있다. DI는 대본화되지 않은 형태로도 이뤄질 수 있는데 이 경우는 명시적인 교수단계들이 계열화되어 있다.[7] 이런 경우에 교사는 소단원수업을 진행할 때 표5.1의 지침을 따르게 된다.

연습과 반복훈련의 주요 목적은 학생이 그날 소단원수업에 대한 필수 기능을 이해하도록 돕는 데 있다. 연습항목에서 높은 성공률은 학생 학습에 있어 중요하다. 마찬가지로 한 번에 할 수 있는 짧은 연습 활동은 학생들이 지겨워하거나 지치게 되는 위험을 최소화한다. 총 연습시간은 연령에 따라 다르다.

초등과 중등학년에서 소단원수업을 시작할 때 직접교수법에서는 대개 전날의 과제를 점검하고 다시 확인하여 시작하는 방법이 일반적이다. 예를 들어 45분 수학수업에서 교육자들은 숙제와 계산 연습 중심으로 일일연습과 반복훈련을 5분에서 10분 정도 수업 시작할 때 사용할 것을 권장한다. 또한 학생이 새로운 개념과 기능을 학습할 때는 자습활동 형태의 연습을 권고했다.[8] 연습과 반복훈련은 과목과 학년에 따라 다르다. 교사는 학생이 숙달하는 데 충분한 내용 자료를 분명히 학습하도록 하는데 초점이 맞춰진 이런 방법이 요구되

는 개념과 기능이 무엇인지 결정할 필요가 있다.

중등수준에서, 대본이 없는 직접교수법은 조금 다른 형식을 취하지만, 그것은 여전히 일련의 분명한 단계로 구성된다. Marzano와 동료들은 새로운 용어나 어구를 가르칠 때 일어날 것 같은 것의 한 예를 제공한다.

* 단계 1 : 학생들에게 새로운 용어나 어구에 대하여 간단하게 설명하거나 묘사하기.
* 단계 2 : 학생들에게 새로운 용어나 어구에 대한 비언어적인 표현을 제시하기.
* 단계 3 : 학생들에게 새로운 용어나 어구에 대해 그들 자신의 설명이나 묘사를 만들어보도록 요구하기.
* 단계 4 : 학생들에게 새로운 용어나 어구에 대해 그들 자신의 비언어적인 표현을 생성해보도록 요구하기.
* 단계 5 : 학생들에게 정기적으로 그 설명이나 표현의 정확성을 점검하도록 요구하기.[9]

직접교수법이 초등학교 또는 중등학교 어디에 초점이 맞춰지든지 간에 배울 것에 대한 분명한 설명, 교사의 본보이기, 학생의 연습, 그리고 반복과 훈련 등과 같은 공통적인 요소가 있음을 주목한다.

표 5.1 명시적(직접) 교수(자유 형태)

1. 일일 개관 　이전 날의 수업 점검 　숙제 확인 　필요 시 재교육 **2. 새로운 내용/기능 제시** 　명확한 예제를 통한 소개 　작은 단계를 통한 진행 　필요 시 세부적인 지도와 설명 부여 　자료나 과제를 점진적이고 단계적으로 제시 **3. 절차설명이 있는 연습 제공** 　교사주도 연습 제공 　학생 연습을 위해 다양한 상황과 연습 제공 　적절한 시기에 조언, 단서, 시각자료 등을 활용 　학생 작업을 관찰 　학생반응이 일정할 때까지 연습 지속 　최소 80% 이상의 성공률을 목표	**4. 조언 제공** 　교사 주도의 조언 제공 　점검항목을 제공 　자료와 과제를 단순히 하고 단서를 제공하고 단계를 설명하거나 개관하여 수정 　필요 시 재교육 **5. 학생 의무를 증대** 　조언, 단서, 설명을 줄임 　자료나 과제의 복잡성을 증대 　좌석활동시기 동안 학생 관여 보장 　학생 활동 관찰 　최소 95% 이상의 성공률을 목표 **6. 독립적 연습 제공** 　학생이 스스로 활동할 수 있도록 독려 　확장한 연습 제공 　새로운 예시의 응용을 용이하게 함 **7. 주간과 월간 개관** 　불규칙적인 기초에 대한 이해 점검 　필요 시 재교육

출처 : Adapted from Barak V. Rosenshine. "Teaching Function in Instructional Program," *Elementary School Journal* (March 1983):338. Reprinted with permission.

연습과 반복훈련 실행

대부분의 기본적인 기능들, 특히 운동, 문법 그리고 외국어에서의 기능들을 습득하려면, 문법과 말의 규칙, 단어 인식, 수학 계산(더하기, 빼기, 곱하기)같이 자동적으로 반응이 이루어질 정도에 이르기까지 그것들을 배울 필요가 있다. 이러한 기능들은 좀더 상위의 학습을 위해 필요하고, 연습과 반복훈련을 통해서 가장 잘 학습된다.

연습과 반복훈련이 이론에서 수용될지라도, 실제적인 지침이 교실환경에 적용될 필요가 있다. 아래에 제시되는 것은 실제와 연구를 근거로 한 일련의 지침이다.

1. 연습은 이해한 다음에 해야 하고, 이해를 증진시킬 수 있다: 학생들은 그들이 이해한 것을 또는 사전에 그리고 의미있는 교실 경험을 통해서 배워 온 것을 연습한다면, 좀더 쉽게 학습하고, 오래 기억할 것이다. 동시에, 이해는 우리가 배운 것에 대해 연습과 반복훈련을 통해서 증가될 수 있다.

2. 연습은 학생들이 연습한 것을 배울 열망을 가진다면 좀더 효과적이다: 학생들은 그들이 믿는 것이 가치 또는 관련이 있다고 믿고, 동기가 부여된다면 연습을 할 것이다. 이러한 이유로, 교사가 다양한 상황을 제공하고(반복은 지루할 수 있다), 재미있는 연습 항목들뿐만 아니라 특정 기능의 흥미 있는 면을 제공하고, 학생들이 학습의 다른 단계에서 기

사례 연구 5.1 직접 수업

Simmon 선생의 학교에서는 직접교수법을 활용하도록 한다. 이 학교의 교장은 모든 교사가 DI 훈련을 마치고 내년 안에 각자의 수업에 DI를 활용할 것을 요구했다. 그는 학교가 DI 특성화 학교로 알려지길 원한다. Simmon 선생은 DI에 관한 문헌을 살펴보면서 교사가 어떤 특정 방법으로 가르치는 것을 요구하는 규정된 형식의 접근법과 내용을 제시하는 순서가 있으면서도 대본이 명시되지는 않으며 자유형식의 접근법이 있음을 알게 된다.

교장은 Simmon 선생에게 6학년 학생들에게 DI 접근법으로 어휘를 가르치는 교사의 모습을 담은 비디오테이프를 주었다. 그는 Simmon 선생이 DI가 어떤 형태인지 이해하고, 예정된 DI 전문성 개발을 준비하게 되기를 바랬다. 다음은 비디오테이프에서 볼 수 있었던 대본이 명시된 소단원 수업의 예이다.

교사 : "여러분, mnemonic의 철자를 말해봐요." 교사는 칠판 위에 단어를 적으며 한 글자씩 발음한다. "m-n-e-m-o-n-i-c. 선생님과 함께 말해봐요."
교사와 학생 모두 함께 말한다. "m-n-e-m-o-n-i-c. Mnemonic."
교사 : "잘했어요. Mnemonic은 m-n-e-m-o-n-i-c으로 쓰는 거예요. 자 이제 모두 여러분들 종이 위에 지금 단어를 써 보도록 해요." 학생은 자신의 종이 위에 단어를 적는다.
교사 : "좋아요. 이제 모두 선생님과 함께 단어를 말해봐요. Mnemonic. 그리고 이 단어는 m-n-e-m-o-n-i-c라고 쓰는 거예요. Susan이 단어의 철자를 말해볼까?"
Susan : "m-n-e-m-o-n-i-c."
교사 : "좋아요. 이번에는 Leon, mnemonic의 철자를 말해보렴."

Leon : "M-n-e-m-o-n-i-c."
교사 : "훌륭해요, 여러분 mnemonic의 철자를 말해봐요."
학생 : "M-n-e-m-o-n-i-c."
교사 : "정말 잘했어요. 이 단어는 여러분이 잊고 싶지 않은 것을 기억하는 방법을 나타내는 단어예요. 자 다음 단어는 platonic이에요."
교사는 칠판 위에 마찬가지로 단어를 쓰며 한 글자씩 발음을 들려준다. "p-l-a-t-o-n-i-c, 선생님과 같이 말해봐요."
교사와 학생 : "P-l-a-t-o-n-i-c."

이 소단원수업에서는 다수의 단어와 그 정의를 살펴보는 것으로 진행된다. 교사는 단어의 철자를 말하게 하는 것을 체계화하고 학생들이 한 단어에 대해 다섯 번씩 쓰고 말하도록 지도한다. 학생이 다 끝낼 때쯤이면 각 단어를 쓰고 철자를 말하고 교사에게서 조언을 받게 된다.

대본이 명시된 접근법을 본 후에 Simmon 선생은 소단원수업의 구조에 중점을 두고 위의 기술된 예처럼 교사의 언어와 학생의 반응을 명확하게 지시하는 식으로 내용 제시를 대본처럼 규정하지 않는 보다 자유형식의 수업에 관한 문헌을 살펴보았다.

Simmon 선생은 대본이 명시된 형식과 자유형식 모두의 DI 접근법에 대해 진정으로 이해하기 시작했다. 그녀는 몇몇 기능과 과정을 가르치는데 유용함을 알게 되었다. 그녀의 교장은 이 기법을 실습하고, 학생들에게 효과적으로 DI를 활용하는 방법에 관한 조언을 받을 기회가 아주 많을 것이라고 했다. 그러나 그녀는 약간 회의적이다.

그녀는 최근에 몇 개의 국제적 연구(제3회 국제 수학 및 과학 연구 or TIMSS)에서 외국의 학생이 미국학생보다 우수한 이유가 외국의 교사는 학생이 자신들이 배우는 사고와 기능의 개념적 기초가 되는 것의 이해를 돕기 때문이라는 것을 알게 되었다. 본질적으로 그 조사에서는 좋은 선생은 기능을 단지 독립적으로 가르치지 않고 기능과 더불어 그 기능의 개념적 기초를 함께 가르치는 것을 제안하고 있다. 그녀의 교장은 그녀가 규정된 형식의 DI에만 초점을 맞출 것을 원한 것으로 보인다.

Simmon 선생은 좋은 교사가 되는 것과 성공적인 학교 발전의 한 일원이 되는 것 사이에서 갈등하고 있다. 하지만 그녀는 단지 DI 방법만을 활용하여 진정으로 효과적인 교수가 가능할지 의문을 가지고 있다. 그녀의 교장은 DI 방식이 그녀의 주요 수업 목표를 달성하는데 있어 충분하다고는 말하지 않았지만 그녀는 여전이 염려가 된다.

▞ 성 찰 문 제

1. 교사가 활용하는 대본이 명시된 형식(그리고 자유형식)의 접근법인 DI는 계속 인기를 얻고 있다. 당신이라면 수업 접근방식을 DI 하나만을 규정한 학교에서 자발적으로 가르칠 수 있겠는가? DI접근법을 보충하기 위해 보다 더 탐구 지향적인 전략을 활용할 수 있겠는가? 어떻게 가능하겠는가?

2. Simmon 선생은 효과적인 교사는 기능/절차와 그 기능/절차의 개념적 기초를 함께 가르친다는 사실을 제시하는 국제적인 비교 조사에 대해 알고 있다. 당신의 교수 내용 영역 혹은 학년에서 가르치는 기능을 식별해 보라. 학생이 진정으로 그 기능을 충분히 이해하게끔 하는 것이 무엇인가?

3. 학교에서 DI 접근법을 활용할 때 발생 가능한 문제는 무엇이라고 생각하는가?

4. 당신이 한 학교 지구에 고용되어 본인이 느끼기에 학생에게 충분하고 적당한 학습기회를 제공하지 못하는 교수법으로 가르칠 것을 요구 받았을 때 무엇을 해야 할 것인지 분별해 보라. 학습자 보호차원에서 그 문제를 어떻게 다룰 것인가?

능 또는 지식을 사용할 수 있는 상황들을 제공하고, 그리고 학생들의 경험과 관심과 관련된 반복훈련 항목을 제공하고, 그리고 배운 기능 또는 지식과 좀더 수준 높은 학습과 관련된 연습항목들을 제공하는 것이 중요하다.

3. 연습은 개별화되어야 한다: 연습은 조직되어 각 학생들이 그들 자신의 능력수준과 학습속도로 독자적으로 공부할 수 있도록 해야 한다. 이렇게 하면, 성취가 낮은 학생들은 그들에게 어려운 항목들에 좀더 많은 시간을 보낼 수 있고, 성취가 높은 학생들은 다른 사람들을 기다리지 않고 앞서 나갈 수 있다.

4. 연습은 구체적이고, 체계적이어야 한다: 반복훈련은 구체적인 목적 또는 기능과 관련되어야 하고, 학생들은 연습해야 할 것을 미리 알아야 한다. 학생이 연습해야 할 구체적인 기능에 대한 반복훈련은 분별없는 반복훈련보다 그 결과가 더 나을 것이다. 주제에서 벗어나지 말아야 한다. 체계적이고, 단계적인 절차는 특히 성취가 낮은 학생들을 포함하여 모든 학생들에게 잘 맞는다.

5. 연습은 다른 교재들 및 소단원의 부분들과 함께 제시되어야 한다: 연습은 칠판 연습의 일부분, 복사판 교재, 연습장, 교과서 연습문제, 숙제, 검사를 위한 복습의 일부분이 될 수 있다.[10] 반복훈련은 또한 개별적인 자습, 소집단 학습, 즉 학생 팀 학습과 연계하여 사용될 수 있다.

사례 연구 5.2 고등학교에서의 직접교수법

단계 1—학생들에게 새로운 용어나 어구에 대하여 간단하게 설명하거나 기술하기 : Fahrenheit 451 소설을 읽는 수업을 시작한 지 며칠 후, Locke 선생은 한 학생에게 책상 위의 책을 읽지 말게 하고, 새로운 단어를 소개했다. 자연스럽게, 그 학생은 놀라게 되었다. 그녀는 이어서 그에게 자신이 승인한 책들만 읽어야 한다고 말했다. 그녀는 다른 학생 쪽으로 가서 그가 일기를 기록하고 있음 알고 있으며, 수업 마지막에 학생이 문제가 될 만한 것을 기록했는지 점검할 수 있도록 제출해야 한다고 말했다. 마지막으로, 그녀는 새로운 CD를 사기 전에 자신에게 검토를 받고, 그 선택을 승인받을 수 있도록 해야 한다고 학생들에게 말했다. 학생들은 무슨 일이 일어나는지를 의아해하면서 서로를 쳐다보았다. 긴 침묵 후에, Locke 선생은 학생들에게 그녀가 한 것을 설명하라고 요청했다. Ben은 "선생님은 우리의 생각에 대한 책임을 가져가 버렸어요"라고 말했다. Joanne은 그녀가 공평하지 않다고 생각했다. 한 학생은 선생님이 읽을 것, 쓸 것 또는 들을 것을 그들에게 말해줄 권리가 없다고 말했다. Locke 선생은 학생들에게 검열제도라는 단어를 희화한 것을 경험했다고 설명했다.

단계 2—새로운 용어나 어구에 대해 비언어적으로 표현하기 : Locke 선생은 그리고 나서 칠판에 그 단어에 대한 그녀의 극화를 묘사하는 그림을 대강 그렸다. 그녀는 그 그림이 책에 몰두하는 집념, 말하는 사람, 종교의 상징 그리고 신문을 나타낸다고 설명하였다.

단계 3—학생들에게 그 단어나 구에 대해 그들 자신의 설명 또는 묘사를 만들도록 요구하기 : Locke 선생은 학생들에게 짝을 지어서, 검열제도라는 용어에 대해 그들 자신의 설명이나 묘사를 만들어내는 작업을 하도록 했다. Renatta는 "검열제도는 틀리다. 그것은 사람들이 스스로 생각하는 자유를 빼앗아 버리는 것이다."라고 적었다.

단계 4—학생들에게 그 단어나 어구에 대한 그들 자신의 비언어적인 표현을 창조하도록 요청하기 : 학생들은 또한 그들 자신의 비언어적인 표현을 생성했다. 대부분의 학생들은 단어를 표현하기 위해 망 기법을 사용했으나 개요를 사용하는 학생도 일부 있었다. 한 학생은 스스로 검열이 그의 모든 감각에 재갈을 물리는 것이라는 것을 보여주기 위해 눈, 입, 귀 그리고 손목 주위에 대형손수건을 가지고 있는 그림을 그렸다.

단계 5—정기적으로 학생들에게 그들의 설명과 표현에 대한 정확성을 점검하도록 요구하기 : 다음 2주 동안, 학생들이 소설을 읽을 때, 그들은 그들의 검열이라는 단어에 대한 정의와 개요를 검토하고, 한편으로 새로운 통찰을 추가했다.

성 찰 문 제

1. 교사는 학생들이 개념을 이해하도록 돕기 위해 왜 사고의 비언어적인 표현을 사용하는가?

2. 교사는 왜 학생들에게 그들 자신의 비언어적인 표현을 창조해보라고 요청하는가? 교사가 개념을 제시하는 방식을 고려해볼 때 학생들이 이러한 종류의 작업을 하는 것이 정말로 필요한가?

3. 검열제도의 개념을 가르치기 위해 직접교수법을 사용하는 것이 적절한가? 즉, 그 개념이 직접교수법 소단원 수업을 사용하기에 너무 추상적이지는 않은가?

출처: Robert J. Marzano, Debra J. Pickering, and Jane E. Pollock. *Classroom Instruction That Works*. Alexandria, Va.: Association for Supervision and Curriculum Development, 2001, p. 129.

6. *연습은 많은 기능들보다는 오히려 몇 개의 기능들에 초점을 맞춘다:* 한 번에 한 가지 또는 두 가지 기능에 초점을 맞추고, 아주 적은 수의 기능들을 연습하는 것이 가장 좋다.

7. *연습은 학생들이 높은 성취율을 경험할 수 있도록 조직되어야 한다:* 효과적인 반복훈련의 특징은 높고, 정확한 반응률이다. 정확한 반응은 강화로 작용한다. 학생들이 그 응답이 정확하다는 것을 발견할 때, 그들은 다음 질문이나 항목으로 진행하도록 조장된다. 이것은 특히 천천히 학습하는 학생들에게 중요하다. 연구자들은 대부분의 학생들이 연습과 반복훈련활동을 하는 동안(또한 과제를 완성하기 위해서)에 정확한 반응이 적어도 90% 이상이어야 한다고 제안한다.[11] 이 성공률은 학생들이 너무 혼동하거나 좌절하지 않고, 교사가 그들의 작업을 즉시 수정할 수 있을 때에 한해서 낮게 잡을 수도 있다. 이들은 그들 스스로를 유능하게 여기는 학생들이다.[12] 그들은 종종 실패를 경험할지라도 기꺼이 해낸다. 스스로 유능하지 않다고 생각하는 학생들은 같은 방식으로 끈질기게 되풀이하지 않는다.

8. *연습은 학생들이 즉각적인 피드백을 받을 수 있도록 조직되어야 한다:* 반복훈련은 가능한 빨리 학생 또는 교사에 의해 채점되어 정확한 답을 제공해야 한다. 교사는 학생들이 다음 단계 또는 기능으로 이행할 수 있는지를 알기 위해서 채점 또는 결과를 알 필요가 있다. 특별히 성취가 낮은 학생들은 다음 주 또는 교사가 시험지를 채점할 시간이 있을 때가 아니라 즉각적으로 정확한 답을 알 필요가 있다.[13] 교실 연습은 매일 채점되어야 하고, 또한 오답에 대해 무엇을 해야 하는지에 관한 교사의 제안이 함께 주어져야 한다.

9. *연습교재는 진단적인 목적으로 사용되어야 한다:* 반복훈련 항목들은 개별적인 문제 영역을 밝히기 위해 구성되어야 한다. 많은 연습교재들은 교사가 각 학생이 어떤 기능을 진행하고 있고, 숙달했는지를 알고 있을 경우에만 진단적인 목적으로 사용될 수 있다. 학생들의 수행에 대해 연구하고 기록하게 되면, 교사는 습관이 되거나, 이후의 학습에 심각하게 영향을 끼치거나, 또는 학생들이 "보충학습자" 또는 "학습 무능력자"로 낙인 찍히기 전에 문제를 인식하고, 다룰 수 있게 된다.

10. *연습교재는 학습과 과제간에 점진적인 연속성을 제공해야 한다:* 기능을 가르치되 검사를 하지 않는 경우가 너무 많다. 연속적인 숙달과 체계적인 회상을 촉진하기 위해서, 구체적인 단원이나 과정을 위한 연습의 전체적인 계열이 바람직한 간격으로 배열된 반복훈련으로 구성되어 있어야 한다. 연습은 자주 일어나야 한다; 난이도 순으로 과제를 적용해야 하고, 항목들의 범위가 선수학습과제와 새로운 과제를 연결할 만큼 충분히 넓어야 한다.[14] 연습과 반복훈련을 효과적으로 사용하는 방법에 대한 더 많은 통찰을 얻기 위해서는 교사를 위한 조언 5.1을 본다.

보다시피 연습과 반복훈련은 매우 복잡한 전략이다. 그것들은 직접적으로 의도적으로 사용되어야 하고, 학생들의 학습을 강화해야 한다. 사례 연구 5.3 반복훈련과 연습을 주의하여 읽어본다. 그리고 Garland 선생이 지침이 제공된 주어진 전략을 정확하게 사용하고 있는지에 대해 성찰한다. 또한 여러분이 좀더 집중적인 방식으로 수업에 대해 생각하도록 돕기 위해서, 그 사례 연구는 Garland 선생의 수업과정에서 Pathwise 준거가 어떻게 일부분이 되는지를 보여주고 있다. 관련 준거는 괄호 안에 제시되어 있다.

수업 접근법 II : 질문

학생이 이해했는지 점검하려면, 다양한 형태의 질문을 사용한다.

좋은 질문을 하는 것은 특히 대규모의 학생 집단을 가르칠 때 좋은 교수 중 하나가 된다. 능숙한 질문은 학생

교사들을 위한 조언 5.1

연습과 반복훈련 개선

연습과 반복훈련과 학습 활동을 향상하기 위한 다른 집단 활동을 향상하기 위한 여러 가지 지침들이 연구를 통해 규명되었다:

1. 일반적인 행동에 대한 체계가 분명히 있는 규칙과 절차를 가진다: 이것은 학생들이 급우들을 방해하지 않고, 개인적인 요구(예를 들어, 화장실 이용권을 사용하기 위한 허가받기)와 절차적인 일상활동(연필깎기)을 다룰 수 있도록 한다.

2. 교실을 돌아다니며 학생들의 집단활동을 살핀다: 학생들은 교사가 그들의 행동을 의식하고 있고, 그들이 직면하게 될 어려움에 촉각을 기울이고 있음을 느껴야 한다. 주시의 정도는 학생들의 학업 능력 및 교사 관심의 필요와 상관관계가 있다.

3. 의견, 설명 그리고 피드백을 제공한다: 학생이 받는 인식이나 관심이 많을수록, 자습 활동을 더욱더 기꺼이 추구할 것이다. 학생들이 혼란스러워하는 징후를 지켜보고, 그것을 신속하게 처리한다; 이렇게 하면 학생들의 지속 의지가 증가하고, 학생들이 어떻게 하고 있는지 아는 데 도움이 되고, 다음 수업과제를 계획하는 데 도움이 된다. 문제가 심각하다면 연습활동을 중단하여 즉시 또는 학생들이 기다릴 수 있다면 연습 후에 일반적인 문제를 설명한다.

4. 기본적인 기능을 가르치고, 다시 가르치는 것에 보다 더 많은 시간을 사용한다: 초등 및 성취가 낮은 학생들은 연습과 반복훈련을 요구하는 학습에 초점을 둔 기능에 좀더 노출되어야 한다. 학생들이 어려움을 가질 때, 과도한 학습에 이르도록 작은 단계로 수업하는 것이 중요하다.

5. 학습하는 동안 그리고 학습 후에 연습을 사용한다: 연습과 반복훈련은 구체적인 기능이나 과정을 가르친 후에 사용되어야 한다. 그것은 학습이 진전되면서 학생들의 나이와 능력에 따른 시연, 설명, 질문과 같은 다른 활동과 혼합되는 것이 가장 효과적이다. 그러나 어린 아이들을 위한 게임과 모의실험 그리고 좀더 나이가 있는 학생들을 위한 현장 답사, 토론 시간은 연습과 반복훈련 그리고 다른 지필활동(검토나 재교수를 위한)만큼 효과적이지 않다. (시간 사용 면에서)

6. 연습과 반복훈련에서 다양성과 도전을 제공한다: 너무 쉽거나 너무 어렵거나 너무 단조롭다면, 연습은 쉽게 바쁜 작업이 되어버리고, 학생들을 좌절하거나 지루하게 만들 수 있다.

7. 학생들이 과제에 민감하게 하고, 초점을 두게 한다: 교사는 때때로 그것들에 대해 질문하고, 지원자와 비지원자 모두를 호명하고, 부정확한 대답에 상세히 설명함으로써 과제에 관심을 두게 할 필요가 있다.

8. 속도를 활기 있게 유지한다: 연습과 반복훈련을 하는 동안 무엇을 해야 할지에 대해 혼란이 없어야 하고, 활동은 사소한 것들에 의해 방해받지 않아야 한다. 손가락을 딱딱 소리 내거나 눈 맞춤 또는 다른 "신호" 절차는 수업을 멈추지 않고 관심이 분산되거나 산만한 학생들을 다루는 데에 도움이 된다.

사례 연구 5.3   반복훈련과 연습

이 사례연구는 한 교사가 직접교수법을 어떻게 사용하고 있는지를 예시하고 있다. 더불어 관련된 Pathwise(PRAXIS III) 준거를 참조한다.

　Sarah Garland는 유치원 시설에서 유아를 가르친다. 수업이 시작되기 몇 주 전에, Garland 선생은 그녀의 학생들의 시급한 읽기, 쓰기 그리고 수학 기능에 있어서 그들의 현재 지식기반과 친숙해지기 위해 그들 각자와 개별적으로 만난다.(A1)

　읽기 결과를 검토한 후에, Garland 선생은 대부분의 학생들이 그들 자신의 이름을 대문자로 시작해서 소문자로 되어 있다는 것을 인지하고 있다고 판단한다. 그러나 아이들이 26개의 대문자와 26개의 소문자를 모두 인식하고 있는지 사정해 본 결과 21명 중 단지 5명만이 모두를 인식하고, 6명은 그 철자들 절반을 인식하지 못하고, 다른 11명은 1/3 이하를 인식한다. 독서의 선행자로서 철자 인식의 중요성을 알고 있는 Garland 선생은 철자인식을 가르치기 위해서 Patricia Cunningham에 의한 "벽돌쌓기"에 기초한 한 달짜리 반복훈련과 기능을 설계한다. 그 프로그램은 아이들에게 자연스러운 방식으로 대문자와 소문자를 학습할 기회를 제공한다.(A2 ; A3)

　월요일 9시, 한 주 동안 그 프로그램이 완료된 후에, Garland 선생은 Ben을 그날의 학생으로 선택한다. 아이들에게 교실에서 그를 잘 볼 수 있는 위치에 앉도록 한다.(B5) Ben은 교실 앞에 나간다. Garland 선생은 오늘 Ben에 대해 뭔가 새로운 것을 모두 학습하게 될 것이라고 설명한다. 더불어 그들은 Ben의 이름에서 철자를 인식하는 방법을 배울 것이고, 그의 이름을 쓰는 것을 배울 것이다.(C1) 그녀는 학생들에게 오늘 여러분이 이 일을 마치게 되면, 6번째 책의 작가가 될 것이라고 말해준다! 그녀는 학생들에게 여러분이 아주 똑똑하기 때문에, 이것이 유치원 수업인지 중등 수업인지가

모르겠다고 장난투로 말한다. 그들은 방긋이 웃으며 그녀를 올려다 본다.(B3)

　이어서 Garland 선생은 Ben을 인터뷰하고, "몇 살이니?" "형제자매는 몇이니?" "방과후에 네가 가장 좋아하는 일은 무엇이니?" 같은 질문을 한다.(B2)

　학생들이 Ben에 대해 새로운 사실들을 몇 가지 학습한 후에, Garland 선생은 Ben에게 그의 이름의 철자가 있는 5X7Cm 크기의 카드를 세 장 준다. 그녀는 의도적으로 그것들을 섞고, Ben에게 그것들을 정확한 순서로 맞추게 한다. 그가 성공적으로 그 과제들을 완료한 후에, 그녀는 Ben에게 그 카드를 가리키면서 그의 이름의 각 철자를 말하게 한다.

　아이들은 일주일간 이 프로그램을 수행했기 때문에, 다음 단계들에 친숙하다.(C1) Garland 선생은 Ben에게 학급에게 이름 응원(name cheer)을 하도록 요청한다. 반 전체는 일어난다. Ben은 "B"를 가리키면서 시작하고, "나에게 'B'를 주세요"라고 말한다. 반 아이들은 "B"라고 외친다. 철자카드 "E"를 가리키면서, "나에게 'E'를 주세요"라고 Ben이 말한다. 반 아이들은 "E"라고 외친다. "나에게 'N'을 주세요." "N" Ben은 계속해서 "카드에 있는 철자는 무엇이니?"라고 말한다. "Ben"이라고 반 아이들은 환호한다. Ben은 "다시 말해보세요."라고 한다. "Ben" "좀더 크게!" "Ben"

　그 반 아이들은 여전히 이름 환호(name chant)를 위해 서있다. Ben은 다시 각 철자를 가리키고, 아이들은 철자카드를 본다. 그들은 철자를 말하면서 박자를 맞추기 위해 손뼉을 친다. 그들은 말로 환호를 계속하면서, Ben의 이름 철자를 마칠 때까지 손뼉을 친다. 그들은 환호를 여러 번 반복하면서, 발을 빠르고 격렬하게 움직이거나, 손가락으로 딱딱 소리를 내고, 다리를 찰싹치는 것 같은 다른

신체적 활동을 추가한다.(C2)

응원과 환호가 진행되는 동안, Garland 선생은 각 학생들이 언어적 및 신체적 반복훈련과 훈련 활동에 참여한 것을 기록한다.(B1) 그녀는 또한 각 아이들이 수업에 흥미를 가졌음을 기록한다. 그녀는 Ben의 이름에 들어 있는 철자를 학습하는 것이 그가 그들의 급우 중 한 명이라서 그들에게 관련되어 있었고, 그리고 각 아이들은 언어적이고, 신체적으로 수업에 참여할 기회가 주어지기 때문이라고 생각한다.

Garland 선생은 아이들에게 마루에 앉으라고 한다. 그녀는 이전에 다뤘던 오늘의 학생 5명의 이름이 적힌 괘도를 가리킨다. 그녀는 Ben의 이름과 이전에 배운 이름(Ahmad, Alex, Allen, Amy, 그리고 Becky)들을 비교해 보라고 한다. 그녀는 "여러분들은 이 모든 이름에서 무엇을 관찰할 수 있나요?"라고 묻는다.(C3) "Ben의 이름과 Becky의 이름이 둘 다 'B'로 시작해요." "Ben은 Amy의 이름과 같은 수의 철자를 가졌어요." "Allen은 'en'으로 끝나고, Ben도 그래요."라는 대답들이 나온다. Garland 선생은 그렇게 철자를 잘 찾아낸 것에 대해 그들에게 고맙다고 한다.(B2) 그녀는 그들의 사고를 확장시키기 위해서 그녀 자신의 질문을 몇 가지 묻는다: "Ben의 이름에는 모음이 몇 개나 있고, Ahmad에는 몇 개 있니?" "이름 중에 철자가 가장 많은 사람은 누구니?" "Ben 외에, 이름에 'e'가 들어있는 사람은 누구니?" "'n'이 있는 사람은 누구니?" 학생들은 정확하게 대답한다.

Garland 선생은 Ben의 아주 특별한 책을 만들 시간이라고 알린다. 그녀는 빈 종이와 Ben의 이름 철자가 각각 씌어져 있는 종이 3개가 든 샌드위치 가방을 꺼낸다. 그녀는 반 아이들에게 "Ben의 이름은 어떤 철자로 시작하나요?"라고 묻는다. 그들은 "B"라고 대답한다. 그녀는 가방에서 대문자 "B"를 꺼내고, 그것을 페이지에 붙인다. 그녀는 종이의 왼쪽에서 시작한다고 알려준다. "좋아요. 다음 철자는 무엇인가요?" 학생들은 "E"라고 대답한다. Garland 선생은 의도적으로 "E"를 거꾸로 둔다. 즉시 몇몇의 아이들이 그것은 정확하지 않다고 지적한다. 그녀는 그것을 어떻게 아냐고 물어본다. 한 아이가 그녀에게 그것은 "Ben"의 철자카드에서의 "E"와 맞지 않다고 말한다. Garland 선생은 카드를 자원으로서 사용하는 좋은 아이디어를 제시한 것에 대해 그 학생을 칭찬한다. 그녀는 E를 정확한 위치에 놓는다. 그녀는 "Ben"의 이름에서 세 번째 철자와 마지막 철자가 무엇인지를 묻고, 학생들은 "N"이라고 대답한다. 그녀는 이름 아래에 Ben의 이름을 크레용으로 쓰고, Ben의 초상화를 그린다. 그녀는 이것이 Ben의 아주 특별한 책에다 둘 그녀의 페이지라고 분명히 말한다. 다음으로 각 학생들이 Ben을 위한 특별한 페이시를 만들게 한다.

학생들은 자신의 책상을 뒤로 돌리고, 빈 종이, Ben의 이름 철자가 든 가방, 그리고 크레용을 받는다.(B1) 아이들이 Ben을 위해 그들의 개별 페이지를 만들 때, Garland 선생은 정확한 철자 순으로 Ben의 이름을 붙이고 있는지, 왼쪽에서 시작하는지 그리고 적절하게 철자를 쓰고 있는지, Ben의 이름에서 철자의 이름을 그녀에게 말할 수 있는지 등을 확인하면서 교실을 순회한다.(C4) 그녀가 종이를 모아서 각각의 정확성을 검토하고, 이렇게 훌륭한 초급 독자, 작가, 예술가가 된 것에 대해 경의를 표한다. (B2) 그녀는 모든 페이지를 다 모아서 책으로 만들어 활짝 웃고 있는 Ben에게 증정한다.

Garland 선생은 시계를 보고, 9시 26분임을 본다. 이 수업은 26분이 걸렸다. 그녀는 수업시간이 직전의 다섯 번의 수업에서보다 좀더 효과적으로 사용되었다고 기록한다. 지난 주 처음 두 번의 수업은 각각 35분이 소요되었고, 나머지 다른 세 번은 약 30분이 소요되었다. 이 소단원 수업을 진행하는 동안, 수업시간은 그녀가 환호를 다시 가르칠 필요가 없었고, 아이들이 이름을 비교할 때 더 많은 정보를 제공하여 도움을 줄 필요가 없었기 때문에, 그리고 그것들은 과제로 남겨두었기 때문에 절약되었다.(C1) 비공식적인 평가로서 그녀는 또한 대다수의 학생들이 쉽게 Ben의 이름을 순서대로 둔다는 점과 그의 이름에 각 철자들을 부를 수 있다는 점을 메모했다. 몇몇 아이들은 많은 노력이 필요했지만 그녀는 그 아이들에게 교실을 자원으로 사용하도록 하고, Ben의 이름이 적힌 큰 철자카드를 보도록 했으며 환호를 반복하라고 지도했다.(D1) 그녀는 일단 각 학생들이 오늘의 학생이 될 기회를 모두 가지는 그 달 말에 대문자와 소문자 인식에 대해 공식적으로 아이들을 평가할 계획을 짠다. 아이들이 매일 학습 시설과 문해 코너에서 매일 철자 인식을 연습하기 때문에, 그녀는 그 달 말에 많은 향상을 보게 되기를 바란다.(C4)

■■ 성 찰 문 제

1. Garland 선생의 접근방식에서 직접교수법 과정의 모든 단계를 알 수 있는가? 그러한 단계들은 무엇인가?
2. 만약 Garland 선생이 그녀의 학생들을 위해 더 높은 수준의 사고를 기르고자 했다면, 그 주어진 기능을 가르치기 위해 그녀는 어떻게 노력했을까? 학생들을 위해 기본적인 기능을 가르칠 때, 학생의 사고를 확장시키려고 애쓰는 것은 적절한가?
3. Garland 선생은 공식평가와 비공식평가를 사용하는 것으로 그려진다. 그러한 것들 각각은 무엇을 의미하는지를 식별한다.
4. Garland 선생은 그녀의 관찰 또는 사정을 어떻게 기록하였는가?

출처: This case study was written by Melissa Mikesell, a teacher at West Carrolton Schools.

의 호기심을 불러일으켜서, 그들의 상상력을 자극하고 새 지식을 탐구하도록 동기를 유발할 수 있다. 학생을 자극하고, 생각하게 만들고, 수업과 관련된 개념과 문제를 명확하게 하는 데 도움을 준다. 질문의 형태와 순서 그리고 이에 대한 학생의 반응이 교실 토론의 질과 수업의 효과에 영향을 끼친다. 좋은 교사는 보통 사실적인 질문과 생각하게 하는 질문, 그리고 요점을 강조하는 질문과 생생한 토론이 되도록 자극하는 질문 간의 균형을 유지하는 재주가 있다. 이해한 것을 보다 구체적으로 확인하기 위해서 질문이 어떻게 활용될 수 있는지는 4장에서 언급했다. 여기서는 학생이 개념 이해를 확고히 하고 새로운 생각을 개발 또는 수립해 나가도록 도와주는 방법을 고려하는 것으로 논의를 확장하고자 한다.

질문의 형태

질문은 다음과 같이 여러 가지 방법으로 범주화될 수 있다.

(1) 저수준에서 고수준 또는 (인지적 분류학에 따라) 지식에서 평가에 이르는 관련된 사고 과정에 따라
(2) 필요한 답의 형태에 따라 통합적 또는 발산적 여부
(3) 개인적인 조사 또는 가치평가의 정도에 따라

학문적인 일과 활동을 다루는 질문의 기술적인 범주를 개발한 권위 있는 연구가들도 있다.

저수준 질문은 기억을 강조하고 정보를 상기시킨다. 독립선언문이 승인된 것은 언제였는가? 남북전쟁에서 누가 승리했나? 자유의 여신상은 어디에 있나? 이들 질문은 사실에 초점을 두고 있으며, 이해력 또는 문제 해결력을 검사하지 않는다. 이것은 낮은 인지 처리

과정에 부합된다. 저수준의 질문은 무엇인가, 언제인가 또는 누구인가(특히 질문에서 유도한 사람보다 다른 사람을 가리키는 경우의 누구인가)로 끝난다. 저수준의 질문도 제자리가 있다. 복잡하고도 추상적인 사고에 대한 준비도를 사정하고, 분석과 통합, 문제 해결이 망라된 고수준의 질문을 학생이 다룰 수 있는지 살펴보는 데 사용된다.

저수준의 질문과 매우 명시적인 수업은, 특히 필수 지식이 부족한 학생과 지식의 기반을 갖추는 단계의 학생과, 학습에의 자신감을 갖는 데 필요한 기초 이해력이 부족한 학생의 학습을 강화시킨다. 연구자들에 의하면, 기초 독해와 산수를 포함하는 수업 활동에서 또는 기초 토대가 필요한 과목에서 그리고 선행 학습의 범위에 있는 현재 학습에서 저수준의 질문이 사용될 때 그런 학생들에게 효과적이다. 새로운 저수준의 정보는 학습자가 이미 갖고 있는 지식과 정보와 의미 있게 연관되어야 하고, 학습자가 사고와 생각을 개인적으로 토론하고 묘사할 수 있는 방법으로 이뤄져야만 한다.

고수준 질문은 기억과 사실적인 정보를 넘어서서 복잡하고 추상적인 사고를 요한다. 보통 어떻게 또는 왜로 시작한다. 이것은 전형적으로 교사가 학생으로 하여금 특정한 내용을 기본적으로 이해하게 한 후 사용된다. 저수준의 질문이 전형적으로 고수준의 질문에 선행하되 두 가지 유형의 질문 간에 균형을 유지하는 것이 이상적이다. 많은 교사가 지식 지향적인 질문을 뛰어 넘어 진행하지 않는 것이 문제이다. 연구에 의하면 사실 교사가 묻는 질문의 70~90%가 저수준이라는 것을 발견하는 것은 드문 일이 아니다.[15]

저수준의 질문 사용에 대한 비판은 최근 저수준과(직접교수법에서 종종 명백한) 협소하게 정의된 질문이 빈민가에 있는, 낮은 성취의 학습자를 위한 효과적인 수업 프로그램들의 특징이라는 것을 밝힌 최근 연구 결과에 의해 복잡하게 되었다.[16] 일부 비평가는 고수준의 질문을 하고, 학생 주도적인 조언과 질문(또는 지식의 발견)으로 고무시키는 교사는 이런 학생들에게 덜 효과적이라고 주장하는데,[17] 그 이유는 이런 학생이

지식 기초가 부족하여 보다 명시적인 수업이 필요하고, 저수준의 질문과 교사로부터의 반응이 있고 나서야 비로소 문제 해결력과 고수준의 질문으로 옮겨갈 수 있기 때문이다. 문제는 교사가 저수준의(그리고 낮은 기대를 수반하는) 질문을 사용하는 것에 안주하게 되어, 학생들이 지적으로 관여하도록 하지 못하는 인지적으로 이등의 수업 프로그램에 학생들을 영속적으로 묶어두게 된다는 것이며, 이것이 상당히 많은 도시 학교 환경에서 명백하게 드러나고 있는 다양한 학생 집단 사이의 성취 차이를 설명하는 이유 중 일부가 될 수도 있다는 것이다.

교사는 역사 단원에서 저수준의 질문인 "독립선언문이 승인된 것은 언제였는가?"를 질문할 수도 있다. 그러나 일단 학생이 약간의 기본적인 이해를 다루는 능력을 보이면, 교사는 "독립선언문을 승인하는 것이 미국혁명에 참여한 사람들에 왜 필요했는가? 혁명가들에게 다른 어떤 대안적인 행동 과정이 가능했을까? 이들 다른 행동이 역사에 어떻게 영향을 주었을까? 북군은 남군의 군사적 지도력보다 월등하지 못했음에도 불구하고 남북전쟁에서 승리한 이유는 무엇인가? 전쟁의 결과는 19세기의 나머지 기간에 흑백간의 관계에 어떤 영향을 주었는가? 혹은 현재에 끼치는 영향은? 자유여신상이 여러분에게 의미하는 것은 무엇인가? 1920년에 배로 미국에 도착한 이민자들에게 의미하는 것은? 오늘날 베트남 혹은 아이티의 정치 망명자에게 의미하는 것은? 일을 찾아서 Rio Grande를 횡단한 라틴 아메리카계의 노동자에게 의미하는 것은?"과 같은 고수준의 질문으로 넘어가야 한다.

이들 질문은 분명히 보다 발전된 것이고, 보다 자극적이고, 보다 도전적이다. 이들 모두는 선행 지식이 있어야 할 것이다. 이들 중 일부는 명백하게 옳거나 그른 답이 있는 것이 아니다. 교사는 학생이 생각하고 개인적인 인지 구조를 수립하기를 원한다. 질문이 점점 더 발전될수록 보다 더 추상적이고 관점의 핵심을 포함하고 있는 경우가 있다. 고수준의 질문을 하는 것은 교사 측면에서의 인내와 정확한 사고를 요구한다. 적당한 시간과 순서 그리고 말하기를 만들어내는 것은 경험

많은 교사라 해도 쉬운 일은 아니나, 그런 요소는 학생을 동기 유발시키는 데 중요하다.[19]

질문은 학생이 이미 알고 있는 것과 새로운 정보 사이의 연계를 만들도록 나열된다. 낮은 순위의 질문은 학생이 개념의 기초적인 이해를 하도록 발전시켜서, 교사가 보다 복잡한 질문을 할 수 있도록 한다.

Benjamin Bloom의 인지적 분류학은 방금 기술한 저수준과 고수준 질문의 범주와 관련될 수 있다. 저수준 질문과 지식은 Bloom이 학습의 "가장 단순한 형태"이고 "가장 일반적인 교육목표"라고 했던 분류의 지식 범주와 대응한다.[20] 고수준의 질문과 문제 해결력은 분류의 다음 다섯 가지 범주인 이해, 적용, 분석, 종합, 평가와 대응한다(표 5.2 참조). 3장에서 보았듯이 저수준에서의 기능 습득에 따른 6개의 인지 분류의 범주는 단순한 것에서부터 발전된 것까지 복잡한 정도에 따라 순서대로 형성되어 있다. 다음 표의 질문 사례는 분류학의 인지적 범주와 대응한다.

수렴적 질문은 하나의 정답 혹은 최선의 답을 갖는 경향이 있다. 이런 이유로 이들은 저수준적, 지식을 묻는 질문으로 잘못 확인되는 경우가 종종 있으나, 이들은 또한 연관된 개념을 선택하고 단계와 구조를 다루는 문제를 통해 작업하게 하는 형식으로 만들 수도 있다. 수렴적 질문은 논리와 복잡한 자료, 추상적인 생각, 유추, 복잡한 관계를 포함할 수 있다. 연구에 의하면, 수렴적 질문은 학생이 수학과 과학, 특히 방정식 분석과 단어 문제를 포함하는 어려운 연습문제를 풀기 위해 작업하거나 노력할 때 사용될 수 있다.[21]

발산적 질문은 종종 자유 해답식이고, 보통 적절하면서 다른 답이 많이 있다. "옳은" 답이라고 말하는 것이 항상 가장 중요한 것은 아니다. 대신 답에 이르는 방법을 선택하는 것이 중요하다. 학생이 그들의 추론을 설명하고 지지하는 사례와 증거를 제시하도록 고무시켜야 한다. 발산적 질문은 고수준의 사고 과정과 관련되어 있고, 창의적 사고와 발견 학습을 고무시킨다. 발산적 질문을 하기 전에 학생이 어떤 것을 알고 있는지 명확히 하기 위해 우선적으로 발산적 질문을 해야 한다. 그러나 이상적인 것은 몇 가지 수렴적 질문, 특히

저수준의 질문과 보다 발산적인 질문을 하는 것이다. 수렴적 및 발산적 질문을 복합적인 사용은 학생의 능력, 그런 질문에 응답하는 교사의 능력, 그리고 다양한 반응을 다루는 교사의 편안함에 따라 다를 것이다.

수렴적 질문은 보통 무엇인가, 누구인가, 언제인가 또는 어디인가로 끝나는 반면, 발산적 질문은 보통 어떻게, 왜로 시작한다. 왜라는 질문에 따라오는 무엇 또는 누구인가라는 질문은 진정 발산적 질문이다. 예컨대, "남북전쟁에서 누가 이겼는가?"라는 질문은 궁극적으로 "왜?"라는 질문을 유도한다. 표 5.3의 질문 사례를 보면 차이점이 강조되어 있다. 대부분의 교사는 어떻게, 왜라는 질문보다 무엇인가, 누구인가, 언제인가 또는 어디인가라는 질문을 훨씬 더 많이 한다.[22] 이것은 수렴적 질문이 말하기와 점수 매기기에 간단하기 때문이다. 교사는 학생이 구체적인 자료에 초점을 유지하도록 도와주고 많은 학생이 참여할 수 있는 기회를 준다. 그래서 수렴적 질문은 실행과 검토에 있어서 좋은 질문이 된다. 발산적 질문은 교사 입장에서 보다 유동적이기를 요구한다. 발산적 질문은 옳다고 하는 것에 대한 불확실성과 교사에게 허락받지 못할 가능성에 대항할 능력을 학생에게 요구한다. 질문의 속도가 점점 더 느려지는 것은 일반적이다. 학생이 생각, 다른 의견을 교환할 보다 많은 기회가 있다. 또한, 종종 낙담하거나 교사가 샛길로 빠지는 것처럼 보이게 되는데, 학생들 사이에서 그리고 학생과 교사 간에 동의하지 않을 때가 더 많이 있다.

정답 인정

미국 교실의 대부분에선 교사가 수렴적 질문을 하는데, "옳은" 답을 수반하고, 학생이 답을 하도록 기대되고, 대개 교사의 인정이라는 결과를 얻게 된다. 이들 질문과 답은 인정(특히 초등학년 수준에서)에 대한 학생의 요구와 연합하여 교사가 교실 상호작용을 지배하게 한다. Jules Henry에 따르면, 학생은 "순종이라고 불리는 신호 반응 체계를 학습해서 교사로부터 인정을 받아낸다."[23] 사실, 학교에서 일반적으로 주목하는 것은 정답이지, 대개 그 답에 어떻게 도달하게 되었는지가

표 5.2 인지적 분류학과 연관된 질문

범주	질문 사례
1.0 지식	
1.1 구체적 지식	미시시피강을 누가 발견했는가?
1.2 구체적인 것을 다루는 방법과 수단의 지식	형용사는 어떤 단어를 수식하는가?
1.3 한 분야의 보편적이고 추상적인 지식	원의 원주를 계산하는 가장 좋은 방법은?
2.0 이해	
2.1 번역	*hasta la vista*가 의미하는 것은?
2.2 해석	민주주의자와 공산주의자는 소비에 대한 그들의 관점이 어떻게 다른가?
2.3 추론	현재의 출생률이 주어졌을 때, 세계 인구가 2010년 정도에는 어떻게 될 것인가?
3.0 적용	Miranda 판결이 시민 자유에 어떤 영향을 주는가?
	부채꼴 모양의 120×110×100ft 공터가 있고, 모든 방향에서 15ft 벽단을 두어야 한다는 조건을 지켜야 한다면 이 공터에 지을 수 있는 가상 큰 단층집은?
4.0 분석	
4.1 구성요소 분석	읽고 있는 논문에서 사실과 의견 간의 구분을 어떻게 할 것인가?
4.2 관계 분석	피카소가 이미지를 만들어 내기 위해 색상과 형태, 크기를 어떻게 구조화했는가?
4.3 구조적 원칙의 분석	John Steinbeck은 *Of Mice and Men*에서 우정의 개념을 논하기 위해 등장 인물을 어떻게 사용하고 있는가?
5.0 통합	
5.1 독특한 대화의 작용	누가 단순하면서 아름다운 선율을 쓸 수 있지?
5.2 계획 또는 준비된 일련의 운영 작용	여러분은 알려지지 않은 물체의 화학적 무게를 어떻게 결정할 수 있는가?
5.3 일련의 추상적인 관계의 전개	돌연변이, 암, 노화의 경우에 세포 분열의 공통적인 요인은 무엇인가?
6.0 평가	
6.1 내적인 증거 측면에서의 판단	Hilter의 Mein Kampf의 오류를 보여줄 수 있는 사람은 누구인가?
6.2 외적인 증거 측면에서의 판단	배관과 전기의 건축 설계의 잘못을 누가 판단할 수 있겠는가?

인용: Allan C. Ornstein. "Questioning: The Essence of Good Teaching," *NASSP Bulletin* (1987, 5): 73-74.

아니다.

성취가 낮은 학생과 교사의 인정이 필요한 학생에게 교사의 마술적인 단어는 대개 그래 또는 맞다이다. 교사는 교실에서 무엇이 옳은 것인지 결정하고, 학생을 검사하는 가장 손쉬운 방법은 수렴적 질문을 하는 것이다. 반면에 발산적 질문은 교사가 항상 기대하지 않았던 반응과 수업 시간(또는 공식적인 교육과정에서 벗어난 시간)을 차지하는 새로운 반응을 유도한다. 이것은 정답 지향적이 되어가는 교육적 체계에서 지낸 학생과 정답을 제공하거나 찾도록 훈련 받았던 교사에게 다루기 어려울 수도 있다.

John Holt는 학생이 정답 지향적이 되어감에 따라

표 5.3 수렴적 및 발산적인 질문의 예

과목과 학년 수준	수렴적 질문	발산적 질문
사회 학습, 5-7학년	Boston Tea Party가 발생한 곳은 어디인가? 그것이 발생한 때는 언제인가?	왜 Boston Tea Party가 발생했는가? 왜 그것이 New York이나 Philadelphia가 아니라 Boston에서 발생했는가?
사회 학습, 7-8학년	아르헨티나의 세 가지 생산품은 무엇인가?	아르헨티나의 밀 생산이 우리나라의 밀 수출에 어떤 영향을 주는가?
영어, 5-7학년	"The girl told the boy what to do" 문장에서 동사는 무엇인가?	"The girl told the boy what to do" 문장에서 어떻게 동사의 현재와 미래 시제를 바꿔 쓰는가?
영어, 10-11학년	*Farewell to Arms*를 쓴 사람은 누구인가?	어떻게 헤밍웨이의 뉴스 기자로서의 경험이 그의 *Farewell to Arms*란 소설 창작에 영향을 끼쳤는가?
과학, 2-5학년	어떤 행성이 태양과 가장 가까운가? 우주를 여행한 최초의 미국 우주인은?	어떻게 수성과 지구에서의 생활환경을 비교할 수 있는가? 당신이 우주인이라면 지구 외에 어느 행성에 가보고 싶은가?
과학, 9-11학년	물의 두 가지 구성요소는 무엇인가?	왜 물은 순수한가?
수학, 4-5학년	삼각형의 정의는 무엇인가?	어떻게 삼각형이 건축에 영향을 끼쳤는가?
수학, 6-9학년	두 점 간의 가장 짧은 거리는 무엇인가?	뉴욕 시에서 모스크바까지의 가장 좋은 비행항로는 어느 것인가? 왜?

내용이 제안하는 것에 대해 개인적으로 이해하는 사고가 아니라, 교사가 원하는 것을 생산하는 생산자가 되고 있다는 것을 지적하고 있다. 교사가 대답이 옳다는 것을 확인해 주는 것에 신경쓰는 것이 아니라, 생각을 사용하려는 학생이 거의 없다. 평균적으로 아이들은 미국 학교에서 교사가 기대하는 것, 즉 "학생은 그르게 되는 것을 참을 수 없다, 학생이 틀렸을 때, 유일하게 할 수 있는 것은 가능한 빨리 그것을 잊는 것이다."라는 것이기 때문에 옳게 되려고 한다.[24] 몇몇 교사만이 틀린 답은 정답만큼이나 중요하다고 이해한다. 학생이 틀린 답을 할 때, 그들이 특정한 질문 또는 생각을 어떻게 사고하고 있는지, 어떻게 내용을 수립하는지를 교사에게 보여주는데, 이것은 교사가 무엇을 재교수할 필요가 있는지를 제안한다. 틀린 답을 줄이는 대신, 어떻게 그들이 그 답을 도출하게 되었는지 물어보고 나서 어떻게 재교수해야 할지를 결정해야 한다. 국제적인 비교에서 계속 우수한 성적을 보이는 일본인들은 흥미롭게도 학생이 정답을 얘기했는지 여부보다 어떻게 학생이 답을 도출하게 되었는지를 더 강조한다.

단 하나의 정답만이 있는 질문을 하는 것은 복잡한 문제에 단순한 해결책을 찾으려는, 이성적인 판단보다 권위에 의지하고 있는 자기제어식의 학습 관점을 강화시킨다. 이것은 또한 깨닫는 데 실패하거나 사실과 형상이 개인적이고 사회적인 경험과 해석이라는 여과적인 처리과정을 통해 투영되는 것을 인정하려고 하지 않는 굳어 있고 협소한 마음을 기른다.[25] 미국 교육에서 현재 학문적 표준을 강조하는 것은 미국에서 정답 지향성을 고무시킬 것으로 보인다. 여러분의 교실이 사례가 될 필요는 없다. 여러분은 내용을 가르치길 원하고 학생이 그 내용을 조사하는 것을 도와주길 원한다는 것을 기억하라. 이것을 성공적으로 수행하려면 다양성이 필요하다.

바르게 질문하기

좋은 질문은 방법론이면서 기예이다; 거의 모든 경우에 적용되는 것으로 알려져 있으며, 따라야 하는 어떤 규칙이 있는 반면, 바른 판단을 필요로 하기도 한다. 질문하는 공식과 질문하는 절차에 관한 교사들을 위한 조언 5.2와 5.3을 참조한다.

수업에서의 질문을 준비하는 것에 있어서 다수의 수업 전략이 수많은 다양한 교사와 학생들에게 효과적인 것으로 밝혀져 왔다. 대부분의 이러한 수업 전략은 교육심리학과 교사 효과를 연구한 연구자들에게서 나온 것이며, 사람들이 이 분야의 지식에 공헌했을 거라고 생각하는 교육과정, 수업, 교수방법에서 나온 것은 아니다.

기다리는 시간

질문과 학생 대답 사이의 시간은 **기다리는 시간**으로 불린다. Mary Budd Rowe의 연구는 교사가 기다리는 시간은 평균 1-2초라고 지적했다. 기다리는 시간을 3-4초로 증가하는 것은 학생 대답에 다음과 같은 좋은 효과를 끼친다. 1) 대답하는 길이가 증가한다. 2) 요구되는 대답은 아니지만 적절한 대답이 증가한다. 3) 대답 실패가 감소한다. 4) 자신감(긍정적이기보다는 오히려 질문하는 목소리 억양을 반영함으로써)이 증가한다. 5) 사색적인 대답이 증가한다. 6) 학생 대 학생 대답이 증가한다. 7) 증거-추론 진술이 증가한다. 8) 학생 질문이 증가한다. 9) 학생으로부터의 대답이 교사에 의한 대답보다 상대적으로 완만한 증가를 나타낸다.[26]

기다리는 시간을 증가하는 것에 관한 부정적인 측면은 관찰되지 않으며, 긍정적인 효과가 매우 많다. 그러나 많은 교사는 이러한 기다리는 시간 수업 전략을 쓰지 않는다. 1분에 1-4개의 질문이 적당하고, 초임교

사가 너무 많은 질문을 하고, 이들의 기다리는 시간이 평균 1-2초라고 하는 자료도 있다.[27] 또한, 모든 학생이 정보 처리를 위한 시간이 필요하고, 성취가 낮은 학생은 더 많은 시간이 필요하지만, 이 자료는 교사가 학문적으로 더디게 인식하는 학생의 대답을 기다리는 시간이 더 짧은 경향이 있다고 지적한다. 그렇다면 필요한 것은 수업을 천천히 하려고 하고, 주제를 적게 다루고, 가장 중요한 아이디어에 초점을 맞추고, 더 많은 질문을 하고, 설명을 발전시키는 것이다.

지목하기

학생에게 질문을 제시할 때 전략으로 추천할 만한 것은 질문을 하고 나서 학생의 이름을 부르는 것인데, 왜냐하면 이 방법이 보다 더 많은 학생으로 하여금 질문에 관해서 생각하도록 할 것이기 때문이다. 수업 운영에 대한 연구 또한 질문에 대답하는 학생을 지목할 때 예측할 수 없는 것이 더 낫고, 참여를 최대화하는 방법으로 그렇게 하는 것이 낫다고 확인한다. Evertson과 그녀의 동료들은 "점검표와 이름 카드를 섞어서 사용하면 된다"고 제안한다. 일부 교사는 각 학생 책상 한쪽에 구성 종이로 표시를 해 둔다. 학생이 기여하면… 표시는 제거된다.[28] 반면에, 학생을 지목하여 읽도록 할 때, 차례를 예측할 수 있도록 하는 것이 낮은 등급과 낮은 성취를 보이는 학생에게 더 효과적인 것처럼 보인다.[29] 그 이유는 아마 예측가능성이 불안을 감소시키며, 이것이 학생들 앞에서 읽고 있는 어린 학생들에게 중요하기 때문이다.

연구에 의하면 또한 비지원자를 지목하는 것은 대부분 지목된 학생이 질문에 답할 수 있는 경우에 효과적일 수도 있다. 학생이 옳게 대답할 수 있다는 것을 믿을 때 비지원자를 지목하는 것은 좋은 아이디어이지만, 질문에 대답할 능력이 없다는 것으로 무안을 주거나, 과제가 아닌 것을 하고 있는 것을 발견하여 학생들을 훈육시키는 것은 적절하지 않다. 이것은 아마도 모든 학년 수준, 모든 과목에서 사실일 것이다. 만일 비지원자를 지목하고 오답을 얻는다면, 다음의 두 가지를 하면 된다: (1) 오답으로 제시된 것에 맞는 진술문을 제

교사들을 위한 조언 5.2

질문할 때 하지 않아야 할 것들

좋은 질문 기술들은 해를 거듭하면서 천천히 발전되어야 한다. 그들은 제2의 천성, 습관이 되어야 한다. 차를 운전하고 골프클럽에서 스윙을 할 때 좋은 혹은 나쁜 습관이 형성될 수 있듯이, 여러분은 질문에 관한 좋은 혹은 나쁜 습관을 개발할 수 있다. 습관으로 깊이 배이기 이전에 질문하는 것으로부터 하지 않아야 할 것을 제거하도록 노력한다. 다음은 교사가 하지 않아야 할 것들의 목록이다:

1. *예/아니오 질문 또는 정답을 얻을 가능성이 50대 50인 질문:* "Animal Farm은 Orwell이 썼죠?" 그리고 "누가 Gettysburg 전쟁에서 이겼죠?"라는 것은 개념적 사고와 문제 해결이 아니라 추측과 충동적인 생각과 정답 지향을 격려하는 질문이다. 만약 교사가 우연히 이러한 종류의 질문을 하게 되면, 교사는 왜 또는 어떻게 질문했는지 추적해야 한다.

2. *명확하지 않고 모호한 질문:* "미국에서 가장 중요한 도시는 어디인가?" 그리고 "어떻게 다음 문장을 설명하겠는가?"는 혼란스러운 질문이고 반복되거나 정련되어야 한다. 질문은 명확한 언어로 해야 하고 교사의 의도와 일치해야 한다.

3. *추측하는 질문:* 추측하는 질문은 또한 예/아니오 질문, 명확하지 않고 모호한 질문일 수 있다. 학생들에게 생각을 설명하고 관계를 보이도록 하기보다는 오히려 자세하고 사소한 정보를 요구한다.

4. *중복 또는 복합적인 질문:* "소금의 화학식은 무엇인가? 소금의 화학식량은 얼마인가?"라고 질문하는 것은 학생을 혼란스럽게 한다. 교사

가 답을 얻고자 하는 질문은 어느 것인가?

5. *제안적, 선도하는 질문:* "왜 Andrew Jackson은 위대한 대통령인가?"는 의견을 위한 질문으로 보이지만, 의견은 의미 주어지거나 암시되어 있다.

6. *개요 설명식의 질문:* "New Frontier는 어느 대통령 임기 동안 일어났는가?"에서 질문은 내장되어 있다. "어떤 대통령이 New Frontier를 실행했는가?"라고 질문을 명확하게 표현하는 것이 더 좋다.

7. *부담이 지나친 질문:* "오염 요소와 태양 복사를 관련지어, 미래의 물에 대한 우리가 내릴 수 있는 결론은?" 그리고 "명백한 운명(Manifest Destiny, 미국이 서부 개척에 나서면서 내건 청교도적 복음주의)은 국가의 산업화를 강화하는 한편으로 제국주의와 식민주의로 어떻게 이끌었는가?" 등은 명확하지 않고, 복합적이고, 장황하다. 용어를 다듬고, 지나치게 공식적이고 불명확한 단어보다는 단순한 단어를 사용하고, 학생들을 혼란시키지 않도록 분명하고 간결하게 질문한다.

8. *억지로 이끌어내는 질문:* "다른 것은?" 그리고 "누구 다른 사람?"은 학생들을 억지로 이끌어내는 것이고 사고를 격려하지도 않는다.

9. *교차신문식 질문:* 정보를 이끌어내는 일련의 질문을 통해 학생을 도울 수도 있을 것이다. 그러나 이것은 동일한 학생에게 많은 또는 빨리 질문하는 것과 구별되는데, 이러한 질문은 대상이 되는 학생들을 당황하게 할 뿐만 아니라 나머지 학생들이 홀대당하고 있다고 느끼게 만들 수도 있다.

10. *질문하기 전에 학생의 이름을 지목*: 학생은 다른 사람이 답에 대한 책임이 있음을 알게 되자마자, 주의가 줄어든다. 첫 번째 질문을 하고, 그리고 나서 이해를 위해 잠시 멈추고, 그리고 나서 그것을 대답할 누군가를 지목한다.

11. *학생이 답을 알아야 하는 학생의 질문에 대해 교사가 대답한다*: 수업을 듣는 학생들에게 질문을 되돌려서, "질문에 누가 대답할 수 있나요?"라고 질문한다.

12. *질문을 반복하거나 학생에 의해 제시된 대답을 반복하기*: 반복은 나쁜 습관과 부주의함을 강화시킨다. "누가 이 질문 또는 이 답을 다시 얘기해 줄 수 있나요?"라고 말하는 것이 좋은 방법이다.

13. *똑똑한 학생과 지원자를 이용하기*: 나머지 학생은 부주의하게 되고 토론과 관련짓지 못하게 된다.

14. *일제히 대답하는 것과 손을 흔드는 것을 허락하기*: 양자 모두 바람직하지 않은 행동에 일조한다.

15. *부적절한 언어와 불완전한 답을 주의를 기울이지 못한다*: 어린 사람들은 나쁜 습관을 형성하기 쉽다. 끊임없이 교정해 준다.

출처: Adapted from Allan C. Ornstein. "Questioning The Essence of Good Teaching: Part II." NASSP Bulletin (February 1988): 77.

교사들을 위한 조언 5.3

질문할 때 해야 할 것들

이제 교사를 위한 조언 5.2를 읽고 난 후에 하지 않아야 할 것을 알게 되었고, 여기에는 질문할 때 해야 할 것들에 관한 목록이 있다. 이것들이 여러분의 수업 과정에서 제2의 천성이 될 수 있도록 연습한다.

1. *단순히 기억을 검사하고 무딘 것이 아니라 자극적인 질문하기*: 좋은 교사는 학생을 자극하고 학생들이 사고-자극적인 질문을 숙고하도록 한다. 정보를 회상하는 질문은 수업에 대한 주의를 지속시키지 않을 것이며, 훈육과 운영 문제가 발생하게 된다.

2. *학생의 능력에 알맞은 질문하기*: 학생 능력 이하 혹은 이상의 질문은 학생을 지루하고 혼란스럽게 한다. 대다수 학생의 능력수준 안에서, 심지어 어려운 과목에서도, 질문의 대상을 정한다.

3. *학생과 관련된 질문하기*: 학생들의 생활 경험을 참조한 질문은 관련적일 것이다.

4. *계열적인 질문하기*: 질문과 답은 다음 질문의 디딤돌로서 사용되어야 한다. 이것은 계속적인 학습에 공헌한다.

5. *질문의 길이와 난이도를 다양하게 하기*: 질문은 다각적이어야 하며, 이러한 질문은 높고 낮은 성취의 학생들을 참여하도록 자극하게 될 것이다. 개인적 차이를 관찰하여 질문으로 표현하면 모든 학생이 토론에 참여하게 된다.

6. *명확하고 간결한 질문하기*: 질문은 쉽게 이해되어야 하고 지나친 용어는 다듬어져야 한다.

7. *서로 질문하고 비평하도록 격려하기*: 이것은

학생이 활동적인 학습자가 되고 인지적 사회적 수준별로 협동하도록 하는 결과를 얻게 되며, 반성적 사고와 사회적 발전에 있어서 필수적이다. 좋은 질문은 더 좋은 질문, 심지어 학생에 의한 질문을 이끌어낸다. 학생의 비평과 상호작용을 격려하고, 심지어 교사에 의해 규제되었을 때, 다른 학생들에게 토론을 촉진하는 학생들의 질문과 비평을 참조한다.

8. *숙고를 위한 충분한 시간 허락하기*: 몇 사람이 손을 들 때까지 수 초를 기다리는 것은 모든 사람, 특히 더 많은 시간을 필요로 하는 학습자에게 질문을 생각할 수 있는 기회를 준다. 그 결과, 모든 학생은 토론으로부터 이익을 얻고, 모든 사람이 학습하게 된다.

9. *오답을 추적하기*: 오답이나 근접한 답을 이용한다. 학생들의 마음을 탐색한다. 학생들이 질문에 내해 생각하도록 격려한다. 아마도 학생들의 생각은 부분적으로 옳고 심지어 새롭다.

10. *정답을 추적하기*: 정답은 다른 질문을 선도하는 것으로써 사용한다. 정답은 때때로 노력이 필요하거나 학생 토론을 자극할 수도 있다.

11. *비지원자와 지원자를 지목하기*: 어떤 학생들은 부끄러워하고 교사의 부추김을 필요로 한다. 공상을 하는 경향이 있거나 주의를 지속하기 위해 교사의 도움이 필요로 하는 학생도 있다. 전체 학급에게 질문을 분배해야 모든 학생이 참여할 수 있다.

12. *분열시키는 학생 지목하기*: 이것은 수업에 방해되지 않는 범위에서 문제가 있는 학생을 관여하게 한다. 그러나 중요한 것은 훈육의 기술로서 그들을 지목해서는 안 된다. 그들이 관여하였을 때 지목한다. 바라는 행동을 강화한다.

13. *5개 혹은 6개의 중심적인 질문 준비하기*: 이러한 질문은 학생의 수업에 대한 이해를 검사할 뿐만 아니라 수업 통일성과 일관성을 강화한다.

14. *목표와 수업 요약을 질문 또는 문제 형태로 기술하기*: 질문은 학생들을 생각하도록 격려한다. 학생은 질문을 받았을 때 새로운 일을 고려하게 된다.

15. *위치를 바꾸고 교실을 순회하기*: 교사의 힘과 활기는 수업 활동, 친밀감, 사회화를 이끌어 낸다. 그들은 또한 활동적인 학생들은 강화하고, 공상과 훈육의 문제를 막는다.

출처: Adapted from Allan C. Ornstein. "Questioning: The Essence of Good Teaching: Part II." NASSP Bulletin (February 1988): 77.

시한다.(예, "New York의 주도(州都)는 어디인가?" 라는 질문에 학생이 "Harrisburg"라고 대답하면, "Harrisburg는 Pennsylvania의 주도이다. 나는 New York의 주도(州都)를 원한다"). 또는 (2) 학생에게 틀린 답을 설명하도록 요구한다. 솔직히, 일부 학생이 틀린 답을 설명하는 것은 이해할 만하고, 이러한 설명은 교사에게 탐구하고 질문할 더 많은 기회를 제공할 것이다. 중요한 것은 가능한 범위 내에서 교사는 원래 질문을 받은 학생에게 충실해야 한다는 것이다.

비록 일부 연구에 의하면 교사가 전체 시간의 15% 이내에서 비지원자를 지목한다고 하지만, 실제로는 이 수치가 더 낮을 것이다.[30] 지원자를 강조함으로써, 성취가 높은 학생을 성취가 낮은 학생보다 더 자주 지목하는 경향이 있다. 비지원자를 더 많이 지목하면 낮은 성취의 학생들을 토론에 포함시킬 가능성이 증가하게 된다. 일반적으로 보통 지원자가 아닌 낮은 성취자를 지목하는 것이 좋은 생각이고, 그들이 질문에 옳게 대답할 수 있을 것 같은 한 비지원자로서 정기적으로 지목되어야 한다. 만약 그들이 틀린 답을 제시한다면, 다음 중에서 선택하면 된다. 앞에서도 제시하였듯이, (a)

교사는 학생들의 자발적 참여를 유도해야 하나 그렇지 않은 학생들이 이해하고 있는가를 확인해야 한다.

학생들이 제시한 대답에 대한 바른 "선도"를 제공하고, (b) 질문과 탐구를 보상하고, (c) 옳은 답을 위해 다른 학생에게 요구하면 된다. 다음에서는 돌리기(redirect)와 조사를 검토할 것이다.

질문 돌리기와 재질문

학생이 질문에 대해 정확하지 않거나 부적절한 대답을 할 때, 바로 정답을 알려주는 것은 효과적인 전략이 아니며 다른 학생에게 질문을 돌리거나 처음에 질문한 그 학생이 보다 나은 답을 할 수 있도록 재질문하는 것이 효과적 전략이다. 일반적으로 교사는 다른 학생에게 질문을 돌리는 것을 과용한다. 질문을 다른 학생에게 돌리는 것은 고성취 학생에게 좋은 반면, 저성취 학생에게는 재질문이 효과적이다. 고성취 학생은 급우들 앞에서의 작은 학업 실패를 잘 처리할 수 있어 다른 학생에게 질문을 돌리는 것을 잘 받아들인다. 특히 틀린 답을 어떻게 "존중"하는지 아는 교사에게 더욱 그러하다. 즉, 학생의 답을 틀렸다고 보지 않고 논리적으로 다루는 것이다. 저성취 학생이나 위기에 처한 학생에게서 향상된 대답을 얻으려고 하는 교사의 끈기는 교사의 긍정적 기대의 반영이며, 이런 학생에게 다가가서 가르치고자 하는 노력에서 중요하다.

재질문에서 교사는 같은 학생에게 질문을 상세하게 바꾸어 하거나 질문을 반복하여 학생이 생각을 바꾸어 말하도록 한다. 재질문은 추궁이 되면 안 되므로 지나치게 하지 않는 것이 중요하다.[31] 한편, 학생이 집중하지 않는다고 교사가 느꼈다면 재질문하지 않고 학생에게 기회를 다시 주는 것이 좋다. 그렇지 않으면 교사는 부지불식간에 학생의 부주의를 용서하게(보상하는 것이기도 하며) 된다. 재질문 과정 중에 교사는 원래 질문에 대한 답을 하도록 유도하는 일련의 쉬운 질문을 할 수 있다. 학생이 정확히 대답한다면(처음 질문에 답했거나 바꾸어 한 질문에 대답하였건 간에), 교사는 다음 관련 질문에 답을 찾고 학생이 이해하기를 원한다.

재질문은 모든 학생에게 무난하다. 재질문은 고성취 학생에게 높은 수준의 대답과 토론을 촉진하는 경향이 있다. 저성취 학생에게는 재질문을 하게 되면 대답을 하지 않거나 부정확한 대답을 하는 빈도를 줄이는 경향이 있다. 두 가지 경우 모두에서 재질문은 학습자의 성취도 증가와 정적인 상관을 보이는데, 특히 학생들에게 인지적 문제에 대한 해답을 제공하기보다 스스로 풀어보도록 함으로써 학습자의 개인적인 문제 해결에 참여하는 능력을 신장시킬 때 그렇다.[32]

비평과 칭찬

칭찬 사용에 대한 연구 결과는 각기 다르지만 진실하고,

사려 깊은 칭찬이 성취와 동기를 높인다는 결과에는 대체로 일치한다. 긍정적 반응이란 단순히 미소, 끄덕임이나 동의한다거나 수락한다는 뜻의 "좋아" "옳지" "맞아"와 같은 간단한 말을 의미할 수도 있다. 거짓 칭찬이나 공개적 칭찬은 부정적 효과를 초래할 수 있다.

많은 교사들이 다른 정적 강화 전략을 사용하거나 교수법을 사용하면서도 칭찬을 충분히, 그리고 진실되게 하지 않는다. 그러나 칭찬을 비롯한 다른 정적 강화 전략이 학생 행동에 긍정적인 영향을 미친다는 것은 분명하다.[33] 일반적으로 학생 행동을 통제하려는 목적이나 암묵적으로 교사 기대를 표현하는 수단이 아닌 질문에 대한 좋은 대답이나 훌륭한 작업에 대한 자연스럽고 진실한 칭찬이 필요하다고 전문가는 말한다.[34]

부정적인 비평에 대한 연구 결과는 일관적이지 않다. 칭찬보다는 못하지만 비판이 학생 성취에 결정적인 영향을 미칠 수 있기 때문에 교사에게 비판과 비난을 자제하도록 권한다. 이와 유사하게 교사가 학생의 질문이나 말에 반응하면서 비판한다면 학생의 질문이나 교사의 질문에 대한 학생 반응을 감소시킬 수 있다.[35] 저성취 학생은 고성취 학생보다 더 많이 비난받는데 저성취는 교사가 비판을 많이 하도록 야기할 수 있다. 여학생보다 남학생이 교사의 비판을 많이 받는다(주의를 더 받기도 한다). 교사가 남학생에게는 신체 활동을 강조하고 여학생에게는 지적인 활동을 강조하는 경향이 있기 때문에 남학생이 여학생보다 종종 낮은 성취를 보인다는 것을 알고 있다.[36] 다시 말해, 비판(혹은 부정적 주의)과 저성취 간에는 상관관계가 있는 것처럼 보이지만 인과 관계는 확실하지 않다.

우리는 질문에 대한 여러 견해와 관찰을 탐구해왔다. 질문은 여러 가지 이유에서 상이한 최종목표들을 달성하기 위해 사용될 수 있다. 이상적이지만 질문은 어떤 학생이 얼마나 아는지 그리고 교사가 가르친 것을 학생들이 어떻게 이해하는지 평가하는데 항상 이용되어야 한다.

수업 접근법 III : 강의

복잡한 개념적 아이디어를 효과적으로 제시하고자 한다면, 강의를 활용한다.

강의나 교사 중심 수업이 태생적으로 좋거나 나쁜 것은 아니다. 강의의 가치는 내용이 단기 기억이나 장기 파지할 수 있도록 가르쳐졌는가에 의해 결정된다. 학생이 무엇을 오래 기억하기 원할수록 내용 전달 중심 강의를 더 적게 하고 상호작용 전략을 많이 사용하는 토론이나 협동학습을 보완하는 것으로 강의를 활용해야 한다. 학생은 학습내용에 능동적으로 참여할 때 내용을 오래 기억한다. 많은 사실적 내용은 장기간 기억할 필요가 없지만 일부 개념은 반드시 기억해야 한다. 그렇기 때문에 (지식의 전달 관점을 받아들인) 교사는 어떤 내용에 대하여 강의를 하지만, 학생이 내용을 보다 충분히 이해하도록 스스로 탐구(구성)하도록 지식을 사용할 기회를 학생에게 만들어 주는 방법을 선택하기도 한다(수업 접근법 IV에서 학습자 중심 구성주의에 대해 논할 것이다).

강의는 논의의 편의상 두 가지 형태로 구분된다:

1. 형식적 혹은 위계적 강의는 거의 수업 시간 전체 혹은 수업 내내 지속되면서 적당한 정도의 학생 질문과 의견제시가 이루어진다. 교사는 토론 시간까지 직접 통제한다. 형식적 강의는 학생이 장시간 앉아 있을 수 있고 스스로 노트를 작성할 수 있을 만큼 성장한 학생에게 사용되어야 한다. 위계적 강의에서는 정보의 상의한 관점을 일반 제목에 따라 분류한다(그림 5.1과 5.2 참조).

2. 비형식적, 보다 문제 중심 강의는 5분에서 10분 정도 지속된다. 교사는 문제 제시로 시작하고 학생에게 정보를 제공하여 주어진 문제에 관한 논증과 해결방법을 탐구하도록 한다. 학생들은 문제 탐구와 해결에 초점을 맞춘 질문과 답을 아주 많이 한다. 문제 해결 강의는 교사와 학생이 유동적이고 덜 교사 중심적이기 때문에 보다 비형식적이다.[37]

토론은 강의의 부산물이다. 토론은 교사와 학생 사이의 말을 주고 받거나, 학생들간의 상호작용을 뜻한다. 토론은 학생에게 교사의 말에 대답하고 질문하며 생각을 명확히 하도록 해준다. 교사가 말을 많이 할수록 학생의 생각은 산만해지기 때문에 학생이 토론에 활발히 참여할수록 보다 효과적인 의견 교환이 일어날 수 있다. 어린 저성취 학생은 나이 많은 고성취 학생보다 부주의하기 쉽다. 이것이 시사하는 바는 명확하다: 교사는 강의 시간을 제한하고 토론 시간을 늘려서 학생의 주의를 집중시키기 위해 노력한다. 토론은 학생에게 있어서 자신의 생각을 표현하는 기회이다; 토론은 일종의 암송과 같은 일련의 교사 질문에 대해 학생들이 대답하도록 구조화되어 있지 않다. 강의 동안 토론을 늘리는 방법 중에는 8장에서 논의할 비형식적 협동 학습 전략에 의존하는 것이 있다.

토론을 하다 보면 교수가 이루어지고 있는 사회적 맥락이 교사의 강의에 대한 학생의 반응에 영향을 미칠 수 있다는 점을 알게 된다. 중상위 계급의 학생은 격한 말이 오가는 경우에 말을 삼간다. 도시 학생은 격론을 즐긴다. Brookfield와 Preskill이 언급했듯이, "교실

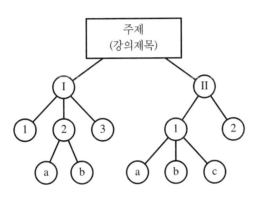

┃그림 5.1┃ "연결고리"를 보여주기 위한 위계적으로 분류된 형태의 사례

출처: Donald A. Bligh. *What's the Use of Lectures?* San Francisco: Jossey Bass, 2000: 70.

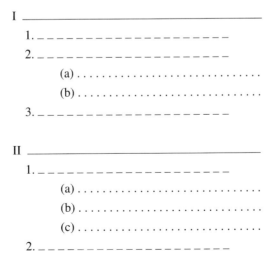

┃그림 5.2┃ 위계적 강의에서의 순서와 예상되는 칠판 판서 구조

출처: Donald A. Bligh. *What's the Use of Lectures?* San Francisco: Jossey Bass, 2000: 70.

담화의 적절한 구성 형태는 노동계급보다 중간계급의 언어 규범에 더욱 가깝다."[38]

강의의 문제점

교사에 의해 전달되는 강의 중에는 교사와 학생, 그리고 학생들 간의 상호직용이 거의 없다. 강의는 종종 "불필요하고" "어리석고" 그리고 "시간낭비"라고 묘사된다. 교사가 학생들의 반응을 허락하지 않거나 준비가 안 된 교사이거나 강의가 반복적이고 자극의 변화가 거의 없을 때 특히 형식적, 위계적 강의는 지루할 수 있다. 주의 집중 시간은 나이와 능력과 상관이 있는데 어린 저성취 학생의 주의 집중 시간은 제한적이다.[39] 이런 학생을 위해 교사가 어떤 형태(특히 강의와 설명)로 말하든지 짧은 주의 집중 시간에 맞게 한정되어야 하고, 다른 교수 활동(청각, 시각 그리고 신체적)과 혼합되는 것이 필수적이다. 언어적이고 추상적 설명보다 구체적인 활동이 요구된다.

강의에서 청중이 장시간 동안 수동적일 때 빨리 지루하게 된다. 고등학교 학생이 강의로부터 학습하도록 돕는 한 가지 방법도 교사가 다룰 내용에 대한 "주제는 무엇인가?" "어떤 감동을 주는가?" "왜 중요한가?" 같은 일련의 질문을 준비하여 학생들을 능동적으로 개입시키는 것이다.[40] 이런 유형의 질문은 강의 일부분을 기록하고 정보를 기억하고, 아니면 집중하지 못하거나 딴 생각까지 하는 것과는 대조적으로 학생들이 주제를 확인하고, 노트를 조직화하고, 비판적 사고를 하도록 돕는다. 학생에게 강의중에 생각을 집중하고 통합해야 한다. 즉, 수동적으로 앉아 있지 않고, 정보 처리에 적극적으로 개입해야 한다는 것이다. 학생의 주의 집중, 이해, 관여에 영향을 주는 다른 방법은 다음과 같다:

1. 어조를 (높거나 낮게) 변화시켜 자극하고, 시각 자극(제스처를 사용하거나 강의하는 동안 움직인다)이나 신기한 자극(예, 논의 되는 내용에 대한 그림)을 도입하기
2. 지식에 대해 열정을 보이고 실제 설명에 활력을 불

어 넣기
3. 학생의 삶과 지식과의 관련성 보여 주기[41]

강의와 설명의 장점

강의 방법에 대한 여러 연구를 고찰한 결과, Gage와 Berliner는 강의 기법이 1) 기본 목적이 정보 보급일 때, 2) 그 정보가 다른 곳에서는 가능하지 않을 때, 3) 그 정보가 특별한 방법으로 제시되어야 하거나 특정 집단에 적당할 때, 4) 주제에 대한 흥미가 유발되었을 때, 5) 단시간 동안 정보를 기억해야 할 때, 6) 다른 학습 과제를 소개하거나 설명할 목적일 때 알맞다고 보았다. 이들은 강의 기법이 1) 목표가 정보의 습득이 아니라 탐구일 때, 2) 장기 학습이 요구될 때, 3) 정보가 복잡하고 추상적이거나 상세할 때, 4) 목표 달성에 학습자 참여가 중요할 때, 5) 분석과 종합 같은 고차적 인지 학습이 추구될 때, 6) 학습자 능력이 평균 이하일 때 적합하지 않다고 했다.[42]

비형식적이고 간단한 강의와 설명을 사용하는 데에는 행정적이고 실제적인 이유가 있다. 이 방법은 대집단에 적합하며, 장비와 재료가 거의 요구되지 않으며, 경제적이다. 이 방법은 융통성이 있어 일반 교실과 소집단, 대집단에게도 사용할 수 있다. 교실을 이동하는 교사는 단지 수업 계획이나 노트만 가지고 이동하면 된다. 좋은 강사에게 상당한 준비가 요구되지만 강의와 설명에는 정교한 사전 계획, 미리 자료를 주문하거나, 장비 사용 일정을 미리 세우는 것 등이 필요치 않다. 교사가 강의, 설명 혹은 토론할 때 타인에게 의존하지 않는다는 사실은 교사들에게 있어서 편안한 것이다. 어떻게 강의를 향상시킬 수 있는지 교사들을 위한 조언 5.4를 참고한다.

강의와 설명 제시하기

비형식적, 또는 짧은 강의를 준비 및 제시하고, 설명을 제공할 때에는 다음의 절차와 제안을 고려해야 한다:

교사들을 위한 조언 5.4

강의 끌어올리기

교실에서의 강의와 설명을 향상시키는 방법에는 여러 가지가 있다. 다음의 지침에 따라 수업을 평가해 본다:

1. 학생들과 눈을 마주친다.
2. 유인물과 OHP를 사용하여 설명을 이해하도록 하고 중요 개념에 집중하도록 한다.
3. 그래프, 표나 삽화가 없을 때는 아주 자세한 세부 사항은 피한다.
4. 칠판에 중요한 정보를 적는다.
5. 새로운 용어나 개념을 정의한다.
6. 노트 필기의 개요를 제공한다.
7. 설명하는 핵심 개념에 관련된 예를 들어준다.
8. 새로운 정보에 사전 정보를 관련시킨다.
9. 중요 개념을 요약한다.

---

1. *학생들과 친밀감을 형성한다:* 강의를 시작할 때 학생과 친밀감을 형성하는지 측정해 봐야 한다. (정기적으로 이야기를 해 준다거나 유머를 사용하는 것은 과목에 대한 학생의 흥미를 지속시키도록 돕고 교사와의 친밀감 형성에도 도움이 된다.) 학생의 흥미를 유지할 필요가 있다는 것과 학생이 교사에게 개인적으로 접근한 후에 인지적으로 접근할 것이라는 사실을 늘 명시하도록 한다.

2. *강의를 준비한다:* 미리 주된 개념이나 아이디어를 요약해 둔다. 특히, 위계가 있는 강의에서는 더욱 그렇다. 특정 지점에서 소개될 활동과 그에 필요한 자료를? 말하자면 소단원 계획처럼- 표시해 둔다. 논점을 확실히 하기 위한 짧은 구절이나 인용구를 제외하고, 노트를 읽어서는 안 된다. 교사는 명확하고 기운차게 말할 수 있고 학생의 흥미와 그 순간에 필요하다는 것을 감지했을 때 즉흥적으로 말할 수 있도록 재료에 대해 충분히 잘 알아야 한다.

3. *강의와 설명의 길이를 조절한다:* 짧은 강의와 설명은 초등학생들에게 적합하다. 짧은 강의나 5~10분 정도의 설명은 중학생 수준에 적합하다. 고등학생들은 재미있는 긴 강의를 견딜 수 있다. 강의와 설명을 제한하고 질문, 토론, 다양한 학습자 활동, 수업의 보충 도구로써의 미디어를 사용하도록 늘 노력하라. 그럼에도 불구하고, 전체적으로는 10-2규칙을 기억하라. 즉, 약 10분의 강의는 학습을 평가하기 위한 20분 정도의 상호작용을 요구한다.

4. *학생들이 주의 집중하도록 동기를 부여한다:* 관련성은 학생들의 동기를 부여한다. 관련성을 갖도록 하려면, 학생의 나이, 능력, 교육적 경험, 환경, 흥미, 요구, 인지된 목표, 경력에 대한 포부를 고려해야 한다. 다른 교수법, 자료, 미디어를 강의와 결합시켜서 소단원수업을 좀더 이해할 수 있고 재미있게 만들어야 한다. 학생들이 관련성을 인지하고, 이해하고, 주제에 흥미를 가질 때, 성공 지향적이 되고, 내적으로 동기화된다. 즉, "성취자체를 위한 성취"를 목표로 추구하게 될 것이다.[43]

5. *구조와 순서를 수립한다:* 조직적이지 않은 강의는 청중을 혼란시키고 지루하게 한다. 예시와 학습자의 이해를 점검하는 질문과 함께, 주 개념과 어려운 아이디어를 일렬로 그리고 논리적 형태로 제시한다. 그림 5.1과 그림 5.2에 제시된 것과 같은 구조를 사용하는 것이 중요한 이유가 바로 이것이다. 이들은 명백하고 조직적으로 하도록 "강요한다." 한 진술에서 다른 진술을 넘어갈 때, 사실과 개념

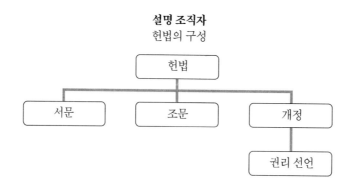

설명 조직자
헌법의 구성

헌법
서문 / 조문 / 개정
권리 선언

비교 조직자
제 4, 6, 8개정이 적법절차에 비교하여 볼 때 어떻게 관련되어 있는가?

	개정		
	4차	6차	8차
어떻게 진술되어 있는가?			
무슨 의미인가?			
형법절차상에서 언제 관련되어 있는가?			

절차 조직자
소수를 소수로 나누기

1단계: 제수와 피제수에 10의 배수를 곱하여 제수와 피제수를 자연수로 만든다.
2단계: 다른 자연수의 나눗셈처럼 계산한다.

▌**그림 5.3** ▌ 그래픽 조직자의 유형

을 체계적이고 순차적으로 발전시킨다. 전반적인 주제를 전 소단원 수업의 주제와 관련시킨다. 문장 구조와 어휘가 학습자의 발달 수준에 적절하도록 한다. 비록 이것이 분명한 요점처럼 보일지라도, 많은 신규 교사들은 학생들의 어휘 수준과 교과에 대한 이해를 넘어서는 강의를 한다. 위계적인 강의와 문제 해결식 강의 모두에서 교사는 교과 내용을 어떤 방법으로 제시할지를 잘 알고 있어야 한다.

연구자의 의하면 구조적인 강의를 위한 준거에는 1) 지속성, 또는 이해할 수 있고 문법적으로 올바른 문장 속에서 아이디어를 순차적으로 나열하는 것, 2) 간결성, 또는 복잡한 문장이 없고, 학습자의 어휘 범위 내에서 언어를 사용하는 것, 3) 명시성, 또는 주 개념과 관계에 대한 정의와 설명 등이 있다.[44]

설명식 강의를 효과적으로 하는 것은 보통 지도(coach)한다는 말의 뜻과 일치하는 경향이 있다. 더 유능한 교사는 매우 구조화된 설명을 하고, 1) 학생의 질문에 좀더 민감하고, 2) 교과 내용을 좀더 적절하게 제시하고, 3) 구체적인 정보를 제시함에 있어서 좀더 완전하고, 4) 학습자가 배우도록 돕는 피드백을 보다 더 잘 제공한다.[45]

6. *적절한 그래픽 조직자를 제공한다*: 교사는 학습자가 교과내용을 자기 것으로 흡수하도록 돕기 위해 "그래픽 조직자"를 제공해야 한다(그림 5.3 참조). 강의나 설명이 무엇에 초점을 둘 것이며 어떻게 조직될 것인지 미리 말함으로써 학생들이 강의에서 제시된 아이디어를 조직하는 방법을 제공해야 한다. 또한 연구에 의하면 그래픽 조직자를 사용하는 교사가 학습자 성취를 강화시킨다.[46] (그림 5.3은

그래픽 조직자의 세 가지 다른 유형인 설명적, 비교적, 순차적 유형을 설명한다.) 다른 기법으로는 학생들이 토론에서 생각을 표명(미리 표명한 것이 아님)할 때, 소단원의 주 개념이나 부분을 말이나 (칠판에) 글로 요약하는 것이 있다(그림 5.1과 5.2를 다시 참조한다). 이것은 학생들이 교사의 말을 듣고 선택하고, 처리하고, 그들이 작업하고 있는 정보를 자기 것으로 흡수해야 할 때, 특별히 도움이 된다.

7. *모호함을 피한다*: 강의와 설명에서 모호한 언어가 없을 때 따라가고 이해하는 것이 더 쉽다. 연구자들은 모호한 용어를 아홉 가지 종류로 분류했다: 1) 애매한 지시—어딘가, 어떻게 해서든지, 2) 대략적 표현—약, 대개, 거의, 일종의, 3) 허세부리는 표현—어쨌든, 당신도 일다시피, ~한 민큼, 긴 이야기를 짧게 하자면, 4) 오류 허용—나는 확신하지 않는다, 내가 추측하건대, 아마도, 5) 결정되지 않은 양—한 쌍, 약간, 다소, 많은, 6) 부정을 강화시키는 것—많지 않은, 매우 많지 않은, 7) 다양성—측면, 종류의, 유형, 8) 가능성—우연, 아마, ~처럼 보인다, ~일 수 있다, 9) 그럴듯함—자주, 일반적으로, 보통, 자주.[47]

모호성을 야기시키는 다른 요인으로는 비연속적이고 관련성 없는 교과내용이 있다. 교과내용은 언제라도 중요하지만, 부적절한 시기에 소개되면 주된 아이디어에서 벗어나게 할 수 있다. 명확한 강의에서는 문장 간의 아이디어의 순서가 명확하고, 언어가 잘못 정의된다거나 중복되는 단어를 사용하는 일이 없다. 짧고 간결한 문장을 사용하고 예시를 제공하고 단순하고 은어가 없는 언어를 사용하고 논점을 입증하기 위한 최소의 개념만을 포함시킴으로서, 강사는 명확하고 간결해질 필요가 있다. 제시자나 강사로서, 여러분은 결정적이고 여백을 채우는 역할과 길게 정지하는 것을 피하고, 일반적으로, 신뢰성을 유지하기 위해 자신감을 보여줄 필요가 있다.[48]

8. *수업 자료와 전략을 결합시키라*: 시청각 자료, 그리고 특별한 자료와 활동을 사용하면 강의가 생동감있게 되고, 강의의 내용이 강화된다. 또한 비형식적인 협동 학습 전략을 사용하면 강의의 질이 향상된다. 이 점에 대해서는 8장에서 토론할 것이다. 자극을 다양하게 하는 것이 모든 학습자에게 중요하지만, 특히 어린 학생들은 구두로 제시되는 것보다는 시각적으로 제시되거나 활동을 할 때 학습을 더 잘한다. 교사는 이러한 보조자료를 그에 관해 설명할 때에 보여주어야 한다; 청중에게 시각적으로 설명한다; OHP를 사용할 때 마커나 형광 컬러펜을 사용하여 핵심사항에 학생들이 집중하도록 한다; k-i-s-s(keep it short and simple, 짧고 간단하게 하라) 원리를 이용한다. 즉, 세부적인 사항은 최소화한다. 시각자료(OHP나 파워포인트)는 교실 뒤에서도 읽을 수 있어야 한다.

9. *학생들이 필기를 하도록 독려한다*: 필기를 하는 것은 기호화(이해)하는 기능으로 작용하여, 교과내용을 장기기억에 통합시키도록 돕는다. 고등학교와 대학교에서 필기를 하는 학생은 듣기만 하는 학생(필기를 하지 않는 학생)에 비해 약 4 : 1 정도 더 잘 수행한다. 효과적인 필기는 저장하는 기능과 시험 전에 복습하는 기능 모두가 있다.[49] 교사는 또한 학생들이 필기를 잘 하도록 돕기 위해 학생들에게 요약본을 제공하여 이용하도록 해야 한다.

10. *내용을 요약한다*: 교실에서의 토론은 언제나 일부 교육자들이 사후조직자라고 부르는, **최종 요약**이나 결론으로 마무리해야 한다. 또한 소단원수업에는 일부 교육자들이 중간 요약, 개념의 틀, 또는 덩어리 요약이라고 부르는 **내부 요약**이 있다.[50] 요약 활동과 이행을 동반하는 중간 요약에 의해 소단원수업은 부분들로 명확하게 구분된다. 중간 요약은 높은 성취를 보이는 학습자나 나이든 학습자보다는 낮은 성취를 보이거나 어린 학습자에게 실시하는 것이 더 중요하다.

요약(중간 또는 최종)의 가장 좋은 유형은 설명을 간략하게 복습하고 학생들이 아이디어를 설명하고, 예를 들고, 자료를 평가하고, 연습문제를 풀

🔳 성 찰 문 제

영화 Ferris Bueller's Day Off에는 교사(Ben Stein이 맡음)가 학생들에게 강의를 할 때 멋진 장면이 있다. 교사는 설명한 후에 질문을 하지만 학생들이 대답할 시간은 거의 주지 않는다. 그러나 학생들은 대답할 시간이 있어도, 잘 듣지 않기 때문에 대답을 할 수가 없다. 영화의 그 부분을 보고 같은 교과 내용이 효과적으로 전달되는 방법을 찾아낸다. Stein은 희극 효과를 위해 잘못된 모든 것을 하고 있지만, 우리는 모두 그것을 경험했기 때문에 재미있게 볼 수 있다. 그가 구체적으로 무엇을 잘못하고 있는지 확인한다. 그가 올바른 강의를 어떻게 할 수 있을까? 그렇게 되면 재미있지는 않겠지만, 교육적일 것이다.

어보도록 함으로써 학생들이 수업자료를 이해했는지 여부를 알아볼 기회를 제공하는 것이다. 이렇게 하면 학생들은 무엇을 배웠는지 아는 것과 소단원의 주된 아이디어를 확인하는데 도움이 된다.

최종 요약을 한 후에, 교사는 관련 숙제를 설명하고 학생들이 거기서 직면한 문제를 준비하도록 해야 한다. 또한, 교사는 이제 막 끝낸 소단원과 앞으로 배울 소단원을 연결시켜야 한다.

수업 접근법 IV: 학습자 중심 학습

만약 비판적이거나 창조적인 사고를 기르고자 한다면, 학습자 중심 학습을 강조하는 전략을 사용하라.

20세기 초반 이후 많은 문헌은 학습자 문제 해결과 이에 관련된 사고 기능에 초점을 두고 있다. Charles Judd(시카고 대학)와 Edward Thorndike(콜롬비아 대학)가 학습은 사고의 일반 원리라는 말과 다른 상황으로 전이된 문제를 적극적으로 해결하는 방법이라고 설명한 이후, 교육자와 심리학자들은 학생에게 문제를 어떻게 해결할지를 가르치는 방법을 알아내기 위해 노력해왔다.

John Dewey의 **반성적 사고**의 과정은 1910년부터 Piaget와 다른 사람들이 다양한 인지적 정보-처리 전략이라는 새 모형을 소개한 1950년대까지 문제해결의 고전적인 모형으로 여겨졌다. 비록 Dewey의 모형이 인지 이론에 의하면 지나치게 간소화한 것으로 보일지라도, 특히 과학과 수학교사에게는 여전히 실용적인 것으로 여겨진다.

Dewey에게 있어서 학교의 주된 기능 중의 하나는 추론 과정을 향상시키는 것이었기 때문에, 모든 과목과 학습 수준에서 반성적 사고 방법을 채택할 것을 권고했다. 반성적 사고는 다섯 가지 단계로 되어 있다. 1) 어려움을 인식하기, 2) 문제를 확인하기, 3) 자료를 모으고 분류하고 가설을 세우기, 4) 잠정적 가설을 받아들이거나 거부하기, 5) 결론을 내리고 평가하기.[51]

Dewey의 반성적 모형은 이론과 실제의 혼합에 기초를 두고 있고, 오늘날 많은 문제 해결 모형은 같은 요소에 기초를 두고 있다. 예를 들면, Bransford와 Stein은 문제 해결을 위해 IDEAL 형을 다음과 같이 요약한다. 1) 문제를 확인한다(I, Identify), 2) 그것의 정의를 내린다(D, Define), 3) 가능한 전략을 탐구한다(E, Explore), 4) 전략을 실행에 옮긴다(A, Act), 5) 노력의 효과를 살핀다(L, Look at).[52]

많은 교육자들은 성공적인 문제 해결을 **발견적 사고**로 묘사하는데, 이것은 오직 문제 해결을 이끈다는

표 5.4 인지작용과 질문의 수준

외적 활동	해당 질문
인지적 과업 1: 개념 형성	
1. 나열과 듣기	무엇을 봤니? 들었니? 필기는?
2. 함께 집단으로 묶기	무엇이 함께 속하니? 기준은 뭐니?
3. 이름 붙이기, 분류하기	넌 이 집단을 무엇이라고 부를래? 어느 것이 어느 것의 하위에 속하니?
인지적 과업 2: 일반화와 추론	
1. 요점을 확인하기	무엇을 필기했니? 찾았니?
2. 정보의 확인된 항목을 설명하기	왜 이러저러한 일이 일어났지? 왜 이러저러한 것이 진실일까?
3. 추론이나 일반화하기	이것은 무엇을 의미하니? 무슨 결론을 내렸니? 어떤 일반화를 했니?
인지적 과업 3: 원리의 적용	
1. 익숙하지 않은 현상, 가설을 설명하면서 결과를 예측하기	만약 ~라면, 무슨 일이 벌어질까?
2. 예측과 가설을 설명하고 뒷받침하기	왜 이 일이 벌어질 것이라고 생각하니?
3. 예측과 가설을 입증하기	이러저러한 일이 사실이려면 뭐가 필요하지? 모든 경우에 그것은 사실일까? 언제?

출처: Hida Taba. *Taching Strategies and Cognitive Function in Elementary School Children*, Cooperative Research Project No. 2404. San Francisco: San Francisco State College, 1966, pp. 39-40, 42.

점에서 가치가 부여되는 탐구 과정에 관여하는 것을 말한다. 가령, 내과의사들은 종종 문제에 대한 가능한 진단을 몇 가지로 좁히기 위해 문제가 되지 않는 것을 제거하는 검사를 하는 식으로 문제를 진단한다. 훌륭한 의사는 진단하고 적절한 처방을 내리는 방법을 안다. 훌륭한 교사는 교과 내용을 알고, 내용과 관련하여 학생을 어떻게 평가할 것인지 알고, 어떻게 적절한 개입을 할 것인지 안다.[53] Newell과 Simon이 제시한 문제를 다루는 방법에 의하면, 우선 문제 공간이라 불리는 곳에 문제의 표현을 작성하고, 문제 공간을 탐구하여 해결책을 만들어낸다. 문제를 해결하는 사람은 문제를 요소들로 쪼개거나, 기억 속에서 이전 정보를 활성화하거나 새로운 정보를 찾는다. 만약 잠정적인 해결책이 성공적인 것으로 입증되면, 이 과제는 종료된다.[54] 만약 실패한다면, 되돌아가거나, 옆길로 가거나, 문제

해결에 사용된 문제나 방법을 재정의한다.

이러한 교수가 실제로 이루어지는 시각에서 보면, 문제 해결 과정은 표 5.4에 제시된 세 가지 접근법, 즉 교사가 학생에게 자신의 개념을 스스로 생성하는 방법을 가르치는 개념 정보; 아이디어를 비판적으로 보게 하는 일반화; 예측하는 방법을 가르치는 원리의 적용 등과 비슷한 것처럼 보인다. 각 접근법의 독특한 관점을 알려면 표 5.4의 질문들을 유심히 관찰한다.

각각의 접근법은 학습자가 자신의 교과 내용 이해를 구성함으로써 아이디어를 탐구하도록 돕는다. 강의에서, 학생들은 교사가 제시한 구조를 배운다. 좀더 경험적, 문제 해결 모형에서 학생들은 자기 자신의 아이디어를 탐색하고 좀더 개인적으로 구성된 이해를 끌어낸다.

교사가 교과 내용을 위계적으로 제시(강의)하는 것

과 학생이 교과 내용을 구성하는 것에는 차이가 있는가? 대답은 '그렇다' 이다. 학생이 자기 자신의 개념을 귀납적으로 이끌어냈을 때, 그들은 정보를 더 오래 더 잘 상기하는 경향이 있다.[55] 그래서 수업이 다양하게 이루어지려면 그 열쇠는 학생이 교과 내용을 알고 그것을 상기할 수 있음을 교사가 명확히 하고자 한다는 것을 아는 것이다. 이것은 수업 다양성을 요구하고, 그 다양성은 좀더 성공적인 학생 학습을 유도할 것이다. 특히, 만약 교사가 교과 내용 제시 방법을 다양하게 해야 하는 이유를 알고 있다면 더욱 그렇다. 교사는 근사해 보이려고 수업 접근법을 다양하게 하는 것이 아니다; 학생들에게 학습을 위한 다양한 요점을 제공하기 위해 접근법을 다양하게 하는 것이다. Linda Darling Hammond가 언급하였듯이 "효과적인 교실에서 교사는 전체 학급을 대상으로 하는 강의와 탐구를 안내하는 질문식 수업, 소집단 활동, 토론, 독립적인 활동, 프로젝트, 실험에 걸쳐서 다양한 전략을 사용한다. 그리고 학생 개인, 소집단과 상호작용한다."[56] 그리고 모든 학습자가 교과 내용을 자기 것으로 흡수하는 방법이 다양하다는 것에 맞추기 위해 이러한 다양한 접근법을 사용한다.

문제 해결자로서 학생

개인이 문제를 직면한다는 것은 응답을 해야만 하는데, 어떻게 응답해야 할지 즉시 알지 못하는 상황에 처한 것을 말한다. 학생들은 무슨 수를 쓰든지 상황을 사정하고 응답에 이를 수 있는, 즉 문제를 해결하기 위해 적절한 정보가 필요하게 된다. 이를 위해 학생의 연령과 특정한 문제와 연계하여 전략을 사용한다. 성공적인 학생들도 대부분 똑같은 문제를 풀기 위해 동일한 전략을 사용하지 않으며 보통 하나 이상의 전략을 사용한다.

간단한 수학문제에서도, 학생들은 문제를 풀기 위해 서로 다른 전략을 구사하고 문제의 난이도에 따라 다른 공식을 활용한다. 예를 들어서, John은 6개의 구슬을 가지고 있고 Sally는 8개를 가지고 있다고 하면,

둘이 가지고 있는 구슬의 합은 몇 개인가? 대부분의 학생들은 일반적인 전략이라고 불리는 방식으로, 간단히 6과 8을 더한다. 연합 전략을 활용해서 요소를 더할 수 있다(6+6 = 12; 2 더 많은 것이 14). 분리 전략을 사용하여 요소를 뺄 수 있다(8+8 = 16, 2만큼 적은 것이 14). 부분-부분-전체 전략은 두 개나 그 이상의 요소를 수행한다("나는 6에다 1을 더하고 8에서 1을 빼는 것에 의해서 두 숫자를 같게 만든다; 즉 7+7, 그것은 14"). 학생의 모든 접근은 잠재적으로 옳은 전략이다.[57] 이전에 논의했던 것처럼, 미국 교사는 "옳은" 전략을 강조하는 경향이 있다; 일본 교사는 학생들이 정답을 도출하기 위해 사용했던 전략을 "정당화"할 수 있도록 강조하는 경향이 있다.

문제가 추상적으로 될수록, 학생들의 문제해결전략도 추상적으로 된다. 교사가 하나의 전략만을 강조하여, 다른 적절한 전략을 사용하는 학생을 벌하게 되면 학생의 문제해결능력은 떨어지게 된다. 미국 교사는 학생의 사고하는 방법에 따른 문제해결방법의 지도를 위해 어떻게 정보를 처리하고 문제를 해결하기 위해서 어떤 전략을 사용하는지에 대해서 알 필요가 있다. 교사는 질문을 하고, 응답에 귀 기울이고, 그리고 학생활동을 주의 깊게 관찰하는 것에 의해서도 알 수 있다. 또한 교사는 여러 학생들이 내용을 이해하는데 도움이 되는 여러 유형의 연역적(강의), 귀납적(질문 또는 문제해결)인 방법을 사용해서도 알 수 있다.

성공하거나 실패한 문제해결자의 행동을 탐색해 봄으로써 기초적인 문제해결전략을 알 수 있다. 보다 더 성공적인 학생들을 살펴보면 다음과 같다:

1. *문제를 이해한다*: 성공적인 문제 해결자는 선택된 단서에 반응하고 해결하기 위한 활동을 바로 실행한다. 실패하는 학생은 단서를 알아채지 못하고 문제를 자주 잘못 이해하게 된다.

2. *사전지식을 사용한다*: 성공적인 학생은 새로운 문제를 해결하기 위해 사전 지식을 활용한다. 실패한 학생은 부가적인 정보를 가지고 있기는 하지만 그것을 활용하지 못한다. 그들은 보통 어디서, 어떻

게 시작해야 하는지를 알지 못한다.

3. *활동적으로 문제해결 행동을 한다:* 성공적인 학생은 활동적이고 언어적 표현으로 자신이 하고자 하는 행동을 표현한다. 가능할 때는 언제나, 문제를 단순화시키거나 혹은, 문제를 세분화한다. 실패하는 학생은 자신이 하고 있는 활동을 명확하거나 간결하게 진술하지 못한다. 일반적으로 그들은 문제를 각 부분으로 나누어서 분석하려고 하지 않는다.

4. *문제해결에 대해 자신감을 보인다:* 성공적인 학생은 자신감을 지니고 도전적으로 문제를 바라본다. 실패하는 학생은 자신감이 없고, 좌절하게 되고, 결국에는 포기하게 된다.[58]

초인지기능(혹은 과정)은 학생이 상위 수준의 사고를 하는데 있어서 중요한 역할을 하는 전이능력이다. 초인지기능은 행동을 평가하고 수정하는 능력뿐만 아니라 일반적으로 계획, 일련의 단계, 또는 절차가 포함된 활동을 하는 방법에 대한 지식을 의미한다. 이에 대한 연구결과에 의하면, 어떤 초인지기능은 일반인과 성공적인 문제 해결자를 구별할 수 있고 교육방법으로 전이되기도 한다.

1. *이해력 주시:* 이해하거나 이해하지 못한 것을 인식; 수행을 평가

2. *결정 이해:* 하고 있는 행동과 그 이유를 이해

3. *계획:* 전략을 계발하기 위한 시간; 선택을 고려; 일시적인 충동 없이 진행

4. *과제 난이도 평가:* 난이도와 어려운 문제해결을 위해 배분된 충분한 시간을 평가

5. *과제 제시:* 과제에만 머물기; 내적, 외적 왜곡을 무시할 수 있는 능력; 사고의 방향유지

6. *대처전략:* 조용히 머물기; 과제가 쉽게 다루어지지 않을 때 겨룰 수 있는 능력; 포기하지 않고 떨지 않고 좌절하지 않음

7. *내적 단서:* 어렵거나 새로운 문제에 직면했을 때 맥락적인 단서를 찾음

8. *재 추적:* 정의를 조사; 사전 지식 재음미; 지나간

혼적을 다시 밟아야 할 시기 알기

9. *주의하고 정정하기:* 논리적인 접근 활용; 재확인; 수행에 있어서 불일치, 모순, 차이점 인지

10. *유연한 접근:* 기꺼이 대안적인 접근을 사용; 다른 전략을 탐색할 시기를 알기; 최초의 접근이 실패했을 때 현명하고 그럴듯한 임의적인 접근 시도[59]

성취도가 낮고 어린 학생은 성취도가 높고 나이가 많은 학생보다 초인지기능을 적게 가지고 있다는 사실에 유의해야만 한다.[60] 이것이 교수에 주는 시사점은 교과 내용에 대한 지식의 양을 증가시키는 것만으로 초인지기능의 변화를 일으킬 수 없다는 것이다. 일반적으로 이러한 기능은 하룻밤 동안이나 한 교과에 의해서 학습되거나 계발될 수 없는 상위 수준의 사고 과정을 의미한다. 성장 연령에 따라 학생들 사이의 잠재적 초인지기능의 한계는 결정된다. 8세 가량의 학생은 오직 나이에 맞는 능력을 지니며 자신의 인지단계를 넘어서서 나아갈 수 없다. Piaget에 의하면, 11세가 되어서야 이러한 초인지기능 중 많은 것을 사용할 수 있게 되며(형식적 조작기), 대략 15세가 되어야만 효과적인 방법으로 모든 초인지기능을 완벽하게 사용할 수 있는 능력을 가지게 된다.[61] 다양한 수업방법을 활용할 때의 이득 중의 하나는 학생들이 교과 내용을 탐색하는데 있어 서로 다른 방법을 이해하는데 충분한 도움을 준다는 것이다.

Robert Sternberg는 문제를 해결하는 법을 학습하기 위해 학생들이 삼투성에 의지하지 말 것을 지적한다. 교사는 학생의 일상생활이 일어나는 곳인 학교에서 "실천 지능"을 활용할 수 있도록 학생을 격려해 줄 수 있다. 본질적으로 학습되거나 말로 표현되지는 않지만, 성공적인 문제 해결자에 의해서 명확하게 활용되는 암묵적인 지식이 상당히 많이 있다. 교사로서, 여러분은 다음에 열거하는 사항들에 의해서 학생의 문제-해결 기법을 관리하고 개선할 수 있도록 학생에게 도움을 줄 필요가 있다.

1) 메모하기

2) 정리하기

3) 질문 이해

4) 질문하기, 특히 알지 못할 때

5) 지시를 따르기

6) 교재 안의 주요한 개념에 밑줄치기

7) 교재 정보와 교실 토론의 개요 잡기

8) 주제 문제에 대한 공통점과 차이점 파악

9) 시간 추적

10) 제 시간에 완료하기[62]

실제로, 이러한 기법의 대부분은 일반적인 감각에 기초한 기본적인 학습전략이다. 이들은 또한, 학교 성취와 관련되어 있다. 교사는 학습전략을 활용하는데 필요한 지식과 실제를 제공해 주는 간접적인 방법으로 학생의 자아개념과 처리능력을 지속적으로 신장시켜 줄 수 있다. 그것은 결국 문제 해결을 위한 수단을 제공해 주는 것이다. 그러한 자신감은 학생들이 작은 좌절감을 극복하고, 아이디어를 갖고 활동하고, 경험에서 우러난 추측을 하고, 문제의 일부분을 빼고, 더하고, 혹은 수정하고, 그리고 활동계획을 선택하고 실행하는데 있어 필수적인 요소이다. 학급 내의 지원 모임(동료 교사, 모임간의 공유, 협동학습)은 문제해결과 관련된 불안감과 압박을 완화시키는 데 도움을 줄 수 있다.

사례 연구 5.4 개념 형성을 읽으면서, Ms. Wilson이 편견에 관한 개념 문제를 학생에게 어떻게 제시하는지를 살펴본다. 교사는 학생 스스로 자신의 개념을 형성하고 보다 넓은 개념과의 관계에 있어서 그 개념이 의미하는 것을 스스로 탐색하기를 원하고 있다. 이러한 교수기법은 개념을 형성하고 아이디어를 논의하는 활동에 특히 도움이 많이 된다. 사실, 우리는 개념형성 소단원에 대한 수백 편의 비디오를 살펴보았다. 가장 좋은 비결은 학생이 새로운 방식으로 과거의 견해를 탐색하게 하여 스스로 더 심오하고 깊이 있게 생각할 수 있도록 도와주는 것이다. 여러분이 이러한 교수전략을 활용하게 되면, 학생이 사용해야 하는 활동에는 숙고하기, 조직화하기, 그리고 구조화하기와 같은 수많은 초인지기능이 있다는 것을 알게 될 것이다. 그러한 기

능은 지식과 학생 자신과의 관련성을 형성하는데 도움을 주기 때문에, 학습하고 중요한 내용을 기억하는 활동을 촉진시킨다.

탐구자로서 학생

대부분의 교사가 경험석인 학습방법이 중요하다고 인식은 하고 있지만, 그것을 자신의 소단원수업에 통합시키기 위해서는 많은 도움이 필요하다. Good과 Grouws는 수학을 위한 다섯 가지의 과정을 식별하였는데, 이것은 다른 모든 과목의 교수-학습 과정에도 적용될 수 있을 것이다.

1. *선수조건에 주의를 기울인다:* 새로운 문제에 대한 해결은 그 주제에 대하여 이전에 학습한 기능이나 개념을 이해하고 있는 정도에 크게 좌우된다. 교사는 (새로운) 문제 해결을 위한 기초로 학생이 이미 숙달한 기능이나 개념을 활용해야만 한다.

2. *관계에 주의를 기울인다:* 학생에게 개념들이 서로 어떻게 연관되는지에 대해 이해시킬 필요가 있다; 교사는 개념 간의 의미와 해석을 강조하여 학생의 이해력 향상에 도움을 주어야만 한다.

3. *표현에 주의를 기울인다:* 문제를 실제 일상적인 현상이나 구체적인 맥락 안에서 표현할 수 있게 될수록 문제를 더 잘 해결할 수 있다.

4. *개념의 일반화 능력:* 교사는 개념이 적용될 수 있는 일반적인 상황에 대해 설명해줄 필요가 있다. 학생은 수많은 상황에 적용되는 기술과 방법에 대해 연습해야만 한다.

5. *언어에 주의를 기울인다:* 교사는 교과에 대한 정확한 용어를 사용해야만 한다; 학생은 교과에 대한 기본적인 용어와 개념을 학습해야만 한다.[63]

문제 해결에 대한 검사는 낯설거나 다양한 상황에서 학습된 전략을 적용하거나 활용하는 능력을 알아보는 것이다. 학생이 적절한 사실과 절차를 "완벽하게 습득"했다고 교사가 잘못 판단하는 경우가 많다. 실제로,

사례 연구 5.4 개념 형성

Ms. Wilson은 편견에 대한 소단원을 가르치고 있다. 이라크 전쟁은 이제 막 시작 단계에 접어들고 있으며, 많은 학생들이 이라크와 미국 침공에 관해 완강한 견해를 가지고 있다. 그녀는 학생들이 어떻게 그러한 견해가 편견을 낳게 되는지에 대해서 이해하기를 원하지만, 단순히 형식적인 편견의 정의에서 수업을 출발하고 싶지 않다. 오히려, 그녀는 용어와 그것의 의미에 대해서 학생 스스로 이해를 도출해 낼 수 있게 되기를 원한다.

그녀는 사람이 다른 사람에 대해 적개심의 수준을 어떻게 진행시켜나가는지에 대해 대략적으로 나타낸 Gordon W. Allport의 선입견의 사다리를 학생들이 고려해 볼 수 있는 질문을 하기 시작한다.

Ⅰ. 집단에 관해 부정적으로 이야기하는 것에 대한 과정이나 **발언**
Ⅱ. "나쁜" 것으로 인식된 특질 또는 특성을 보이는 집단에 대한 무시나 **회피**
Ⅲ. "규정된" 집단에 대한 차별적, 권위를 떨어뜨리는 방식으로 푸대접 또는 **차별**
Ⅳ. 위협받는 집단 내에 있는 사람을 상대로 한 희생양 만들기 또는 **물리적 공격**
Ⅴ. 치명적일 수 있는 과도한 물리적 공격이나 **몰살**

학생들에게 일상생활 속에서 관찰했던, 또는 역사에 대한 공부를 하면서 집단에 대한 부당한 취급과 관련된 발언이나 회피가 평범한 일이 되고, 그것이 다른 집단에 대해 반응하는 "정당한" 방법으로 받아들여지게 된 횟수를 기입하도록 한다.

학생들은 차별대우를 받았던 집단에 대한 다양한 개인적인 실례를 가지고 난상토론을 한다. 학생들은 다음과 같은 역사적인 실제 사건을 나열한다.

- 흑인 차별법
- 인종 차별정책
- Nuremberg laws
- Ku Klux Klan

개인적인 사례도 포함시킨다:

- 이름 명명
- "탐탁하지 않은 사람"을 배제시키기 위한 특별한 회원 규칙이 있는 집단 설립

학생과 교사는 상당한 시간을 사용하여 모든 실제 사례들을 가지고 이야기한다. 그리고 나서 학생에게 종이를 나누어 주고 여기에 커다란 원을 그리도록 하고 그 안에 적당히 용어를 기입하도록 한 후, 그러한 용어에 대한 속성 표시를 하라고 한다. 한 집단은 아래에 제시된 예와 같이 단지 세 가지 용어만 생각해 냈다.

학생은 집단에 대한 제목을 '다른 이들보다 자신들을 우월하게 인식하는 모임'이라고 붙인다.

교사는 학급의 나머지 학생에게 두 가지 문제를 물어 본다: (1) 여러분은 이 범주에 딱 들어맞을 것 같은 다른 집단에 대해 생각할 수 있는가? 그리고 (2) 왜, 우월감이 Allport의 편견의 사다리에서 위로 "오르도록" 이끄는가?

수업시간에 다른 몇몇 예들을 확인하고, 남는 시간 동안은 교사에 의해 제시된 편견의 정의에 대해서 논의한다. 또한 학생은 각 집단에서 발전시킨 "개념"에 관해 논의한다.

교사는 모든 개념들을 모으고 다른 모둠이 다음 날 탐색할 예정인 두 가지 질문을 각 집단 아래에 적는다. 위에 제시된 집단에 대한 질문은 다음과 같다.

1. 왜 그런 집단(Ku Klux Klan, 나치)이 형성되게 되었는가? 어떤 사건으로 인해서 생겨났는가?
2. 누가 각 집단의 견해를 피력하기 위한 선임 대표인으로 활동했는가? 어떻게 그들의 주장을 외부로 전달하기 위해 노력했는가?

▪■▪ 성 찰 문 제

1. 학생들이 스스로 개념을 형성하는 활동을 통해 얻을 수 있는 이점은 무엇인가? 문제점은 무엇인가?
2. 편견과 그 결과에 관한 개념의 틀을 가르치기 위해 사용된 다른 접근방법은 무엇인가? 교사는 개념, 정의 그리고 실제 사례를 학생에게 제공해 주기에 충분한 자료를 지니고 있었는가? 왜 하는가? 왜 안 하는가?

Alan Schoenfeld에 의하면, 학생은 종종 맹목적으로 전략을 학습하는 경우가 있고, 전략을 단지 자신이 학습한 상황과 유사한 환경에서만 사용할 수 있게 되는 경우가 있다. 문제를 약간만 다르게 제시해 주거나, 혹은 추론적이고 비약적인 사고를 해야만 하는 경우에는 곤경에 처하게 된다.[64] 비슷한 의미에서, 교과서에 제시된 대부분의 문제나 숙제로 부과해 주는 문제는 실제로 문제해결 방식을 활용해서 해결할 수 있는 문제가 아니다. 대신에, 그것은 문제해결을 위해서 구체적, 대개 기계적인 절차를 강화하는 연습이나 과제이다. 예를 들면, 수학책에 나오는 대부분의 공식 문제는 공식을 도출하는 절차에 대한 전반적인 이해 없이도 핵심 단어만 알면 풀 수 있다. 학생들은 실제적인 문제에서 어려움을 겪게 된다. 기계적인 절차에 의해서는 답을 구할 수 없기 때문이다. 문제를 해결하기 위해서는 새로운 사고를 통해 이미 학습된 개념을 적절하게 구성하고 재배치할 수 있어야 한다. 그것은 간단한 일이 아니다. 절차에 대한 이해와 그 이해를 새로운 상황에 전이하는 것이 매우 중요하다. 전통적인 교수방법이 기계적인 절차를 강조하는 경향이 있기 때문에, 대부분의 학생은 이런 부분에 부족하다.

교사는 다양한 학생중심/교사중심 교수 접근방법을 통해서 학생이 보다 나은 문제 해결자 및 탐구자가 될 수 있도록 도와주어야 한다. 수업 시간은 실험적, 발견적, 그리고/또는 숙고적인 과정과 활동을 포함하고 있어야 한다. 지식을 배우는 것은 단지 이해에 대한 첫 단계이며, 지식을 실제로 활용하는 것만큼 중요하지 않은 교실에서만 기대나 규준이 형성된다.

수업적 논쟁

우리는 이 장에서 네 가지 수업 접근법을 살펴보았다. 그 중 두 가지는 교사중심(연습, 반복훈련, 강의) 전략이고 두 가지는 주로 학생중심(질문과 문제해결) 전략이다. 당신은 이 두 전략 사이에서 균형을 유지해야 하고 가르치는 방법과 학생들이 배우기를 원하는 것의 조화를 이루어야 한다.

보수적인 교육개혁론자들은 교사중심의 수업을 더욱 강조한다.[65] 무엇보다도 주정부는 현재 명확한 학문적 기준을 갖고 있고(www.achieve.org참고) 교사들은 그 내용을 명확하게 가르칠 것으로 기대되고 있다. 진보적인 개혁론자들은 그 반대를 주장한다. 그들은 직접수업(교사중심 접근법)은 학습을 저하시키고, 교사들은 학생들이 배워야 할 원리들을 직접 발견하도록 돕는 접근법을 사용할 필요가 있다고 주장한다. Alfie Kohn은 직접수업을 통한 학습과 발견과 원리에 기초한 수업을 통한 학습간의 차이에 관해 논문에서 서술하고 있다.

몇 년 전에, Cognitive Development라는 학술지에 발표된 한 연구는 4+6+9 = __ +9와 같은 동가의 개념에 대해 아이들에게 가르치는 다른 방법을 제시하였다. 그런 문제를 아무도 풀지 못했던 4학년과 5학년 아이들이 두 그룹으로 나뉘었다. 어떤 아이들은 (이러한 문제가 찾고자 하는…) 기초원리를 가르쳤고, 반면에 다른 아이들은 단계적수업 (왼쪽의 모든 수를 더하고 오른쪽에 있는 수를 뺀다)을 받았다.

두 접근법 모두 학생들이 처음의 것과 아주 똑같은 문제를 푸는데 효과적이었다. 그러나 다른 연구와 일관되게, 원리에 기초한 접근은 예를 들어, 곱셈과 나눗셈을 통해 등가에 이르도록 하는 약간 다른 종류의 문제에 대하여 (학생들이) 그 지식을 전이하도록 돕는데 훨씬 우수하였다. 학생들이 정답을 얻도록 돕는 직접교수법은 피상적인 학습을 초래했다.[66]

Kohn은 그의 견해를 주장하기 위해 인용한 연구에 대해 다음과 같이 견해를 달았다.

제시된 순서에 관계없이, 두 가지 수업방법을 모두 배운 학생들은 단지 절차만 배운 학생들보다 변형된 문제를 더 잘 풀지는 않았다. 이것은 그 학생들이 단지 원리만 배운 학생들보다 훨씬 못했음을 의미한다. 교수나 이해력은 그들에게 정답을 얻는 방법을 가르쳐서 발생하는 파괴적인 효과를 상쇄할 수 없었다. 그런 문제를 푸는 방법에 대한 단계적인 수업은 학생들에게 악영향을 미쳤고, 그들이 이해하려면 이런 수업이 없어야 한다.[67]

개념수준에서 보면 Kohn의 주장이 옳지만, 그는 실천수준에서 보면 핵심을 놓쳤다. 좋은 선생님들(부

교수방법

Benjamin S. Bloom
전 Charles H. Swift 우수 교수, 명예 교수
University of Chicago

세계 도처의 학교에는 기계적인 방법의 학습이 많다. 그러나 일본, 남한, 이스라엘, 태국 등 소수 국가에서는 문제해결, 원리의 적용, 분석기술, 창의성과 같은 보다 높은 지적 과정을 매우 강조한다. 이러한 나라의 중앙교육과정센터는 교과서와 다른 학습자료를 끊임없이 개선하고, 특히, 교육과정과 교수방법에 관련된 교사를 위한 현직교육을 계속적으로 제공할 의무가 있다.

이러한 나라에서 과목들은 과학, 수학, 인문과학, 사회학의 본질에 관한 고찰방법으로서 가르친다. 각 과목들은 전통적 내용에 관한 사고방식으로서 가르친다. 이러한 학습의 많은 부분은 주요 인쇄물뿐만 아니라 관찰, 관찰에 대한 의견, 현상에 대한 실험, 직접 얻은 자료와 일상경험을 활용한다.

이러한 교수방법과는 매우 대조적으로, 미국의 교사들은 진정한 문제는 거의 제기하지 않는 교과서를 사용한다. 내가 관찰한 교과서들은 특정 내용을 기억하도록 강조하고 학생들이 기초적인 개념이나 원리를 이해할 기회는 거의 주지 않으며 그들 주위에 있는 실제 문제를 생각할 기회는 더욱 주지 않는다. 내 추정에 의하면 미국 학생들이 푸는 문제의 90% 이상은 단지 기억하고 있는 정보에 대한 것이다. 우리의 수업자료, 교실의 교수방법, 시험방법이 지식 이상인 경우는 거의 없다.

공학적 관점

현직교사의 공학적 관점

Jackie Marshall Arnold
K-12 Media Specialist

 "어린이들의 첫 질문은 '왜?' 이다. 우리의 직무는 그 자연스러운 호기심을 포착해서 학습에 대한 평생의 열정으로 전환하는 것이다."

-Dr. Robert Ballard

공학은 오랫동안 연습과 반복훈련에서 응용됨으로써 학습을 지원하였다. 이러한 유형의 응용은 어떤 학년에도 많이 있다. 연습과 반복훈련은 제한적인 공학도구로써 학생들의 학습을 수정하거나 확장하는데 사용할 수 있다. 그러나 아이들이 "이유"를 묻고 답할 수 있고, 결과적으로 더욱 깊고 풍부한 방식으로 학습내용을 자기 것으로 만드는 문제해결 응용프로그램에서 보다 심도 있게 공학이 활용되고 있다.

모의실험 소프트웨어 응용프로그램은 교사가 문제해결에서 사용할 수 있는 공학적 도구이다. 모의실험 소프트웨어를 사용해서 학생들은 물리적, 사회적, 경제적, 수학적 관계를 포함한 실제세계의 현상을 경험할 수 있다. 예를 들면, 가상도시를 만드는 프로그램 중엔 도시 역학을 조정하여 시민에 대한 영향을 관찰하는 것도 있다. 학생들은 LEGO 센서(촉감, 빛, 온도, 자전)와 프로그래밍 소프트웨어를 사용해서 자신만의 모험공원, 로봇, 온실 등을 만들거나 프로그램을 작성할 수 있다. "진짜" 개구리를 사용하지 않고 상상의 개구리를 "해부"

할 수 있는 소프트웨어도 있다. 이러한 예는 다양한 모의실험 응용프로그램의 시작에 불과하다. 모의실험 소프트웨어로 인해 학생들은 실제 세상의 환경에 관련되어 있는 동시에 보다 높은 수준의 사고기술을 발전시킬 수 있다.

문제해결능력을 촉진하는 또 다른 공학적 도구에는 WebQuest가 있다. WebQuest는 샌디에고 주립대학의 Bernie Dodge 교수가 발전시켰다. WebQuest는 질문에 기초한 활동으로서, 학생들은 웹에서 주로 찾을 수 있는 자료를 사용해 구성된 문제를 통해 지도를 받는다. WebQuest가 설계된 목적은 "학습자가 시간을 잘 활용하고 정보를 찾기보다는 사용하는데 중점을 두며 학습자의 사고를 분석, 통합, 평가의 단계에서 돕는 것이다." 교사들은 자신만의 WebQuest를 만들 수도 있고 기존의 것을 사용할 수도 있다. WebQuest 홈페이지는 http://webquest.sdsu.edu/webquest.html이다. 이 사이트는 WebQuest의 개요, 실례, 교과과정에 적합한 WebQuest 이용을 돕는 검색엔진을 제공한다.

연구결과에 의하면 문제해결 교수전략의 이점은 다양하다. 문제해결 접근법을 사용한 교수법은 1) 의미 강조, 2) 자기주도성 증가, 3) 보다 높은 수준의 이해, 4) 협력적인 상호작용과 대인기술의 발달, 5) 학습내용을 위한 동기유발 증가 등을 유도한다. 유능한 교사는 학생들의 이러한 평생의 기능을 반드시 발달시킬 것이다. 이러한 관점에서 위에서 언급된 도구들은 그러한 기능을 키우는데 교사들에게 필수적인 자원을 제공하게 될 것이다.

가가치 선생님들)은 다양한 전략을 소유하며 학생들이 배우기를 원하는 것과 학생의 유형에 따라 어떻게 가

르쳐야 할지를 결정한다. 직접적인 접근은 효과적일 수도 있고, 학생들이 지식을 발견하고 정보를 장기 보

존하는 것을 저해할 수도 있다. 학생중심의 수업은 탐구를 촉진할 수도 있고, 만일 학생들이 충분한 학문적 지도를 받을 수 없다면 혼란과 낮은 성취를 초래할 수도 있다.

경험에 의한 교수는 곤란한 선택을 강요한다. 문제를 해결하는 수업에서 열린 질문은 필수적이지만, 그러한 접근은 시간이 걸리고 배우는 내용의 양이 한정된다. 예를 들면, 10학년의 학생에게 베트남전쟁의 원인, 바이러스의 특징, 또는 셰익스피어의 Romeo and Juliet의 사회적 함의를 쭉 적어주는 것과 그들에게 질문하고 이해하도록 돕는 것은 다르다.

직접 수업을 통해 4학년 학생들에게 종이비행기를 접어 날리는 방법을 직접 설명하는 것과, 혼자 또는 소그룹이 어떻게 비행기를 접어 날리는지 발견하도록 학생들 자신의 해결방법을 구상하도록 격려하는 것은 전적으로 다르고 훨씬 시간이 더 걸린다. 후자의 접근법에서 교사는 학생들에게 시작의 실마리를 제공하고, 기능적 모델을 가정하도록 요구하고, 수업의 마지막 단계에서는 가장 멀리 나는 비행기의 공통된 특성에 관해 합의에 도달하도록 요구한다.[68] 이러한 방법은 시간적으로 효과적이지 않지만, 학생들이 학구적 내용의 이해를 충실하게 확장할 수 있다. (전문적인 관점 5.2 참조)

학생들에게 해답을 주는 것과 그들이 해답을 찾도록 유도하는 접근의 차이는 강의 대 경험적인 교수, 직접수업 대 질문에 기초한 수업, 또는 내용에 기초한 학습 대 과정에 기초한 학습으로 요약될 수 있을 것이다. 교사가 지식을 제공하는가(강의) 아니면 학생이 지식을 구성하는가? 경험적인 학습일수록 학생에게 더욱 개인적인 의미를 부여하고, 학습을 장기기억으로 더 쉽게 통합하도록 해준다. 내용을 생성, 예측, 평가하는 주체는 학습자들이다. 교사가 더 많은 질문과 과정지향적인 접근을 사용할수록 학생들의 성취도는 높아지고 배운 내용을 더 오래 기억하도록 촉진한다.

인지에 관한 새로운 연구는 성공적인 문제해결이 특정한 사고방식과 상관관계가 있음을 보여준다. Robert Marzano에 의하면, 학교와 학습에 대한 학생들의 태도, 그들 자신의 사회적 관심사와 자아상은 학습의 중요한 요소이다. 학생들은 다소 효율적인 문제해결자로 만드는 "지적 습관"을 발달시킨다. 예를 들면 그들은 정확함을 추구하고, 생각을 점검해 보고, 충동성은 피하고, 답이 분명하지 않을 때는 끈기있게 되풀이하는데, 이러한 것에는 학습환경에서 그들 자신을 어떻게 인식하는지가 어느 정도 기반이 된다.[69]

이러한 생각을 실제 활용에 옮기는 것은 다른 문제이다. 교사들은 학습의 사회적 심리학적 요소를 폭넓게 고려할 것을 제안한다. 인지 단계 측면에서 보면 교수-학습 과정을 늦추고, 내용을 깊이 있게 연구하라는 의미이다. 또한 교수와 학습을 느리게 하는 학습 방법인 토론, 비교, 조사, 논쟁뿐만 아니라 학생들이 그들의 생각을 명확히 하고 재정의하도록 학생들을 유도하는 소크라테스식 질문을 사용하는 것을 의미한다. 교사인 여러분에게는 자신의 사고과정—생각하는 것과 문제와 맞붙는 방법—을 적극적으로 드러내거나 본보이는 동시에 문제해결 과제를 수행하는 동안 학생들에게 자신의 생각을 드러내도록 해야 한다는 의미이다. 이것은 가끔은 하나의 개념에 초점을 맞추면서 학습계획을 포기하고 학생들의 의견을 듣기만 하거나, 그 중 한 의견에 대해 상술하기도 하고, 한 주제나 문제를 명확히 하도록 돕기도 하는 것을 의미한다.

이는 또한 당신이 여러 학습이론과 익숙해져야 함을 의미한다. 교사들은 학생의 발달단계(Piaget), 학생들의 언어사용법(Vygotsky), 정보처리법(Ausubel, Sternberg), 의미구성방법(Bruner, Vygotsky)을 고려해야 한다. 이러한 이론은 모든 연령의 학습자에게 적용 가능하고 교실에서의 문제해결의 기초가 된다. 학생들의 사고방식을 이해하지 못한다면, 경험적인 학습의 관점에서 수업계획을 세울 수 없다.

이것은 또한 수업계획을 세울 때 다양한 요인을 고려해야 함을 의미한다. Bransford와 그의 동료들에 의하면 교수전략의 적합성은 세 가지 요인으로 결정되는데, 이는 교사가 사용하는 평가뿐만 아니라 학습되어야 하는 자료, 학습자가 학습과제에 가져오는 "자원"(또는 기술, 지식, 태도), 학습상황의 목표 등이다.[70]

당신은 수업자료를 준비할 때 학생들이 무엇을 학습해야 하는지를 결정해야 한다. 양자이론과 같은 복잡한 것을 가르친다고 가정해 보자. 당신은 모든 기호의 의미를 학생들이 알았음을 분명히 하기 위해 다양한 방식으로 연습과 훈련을 활용할 수 있다. 당신은 전통적인 이론과 양자이론의 차이에 대해 질문할 수 있다. 당신은 양자이론의 역사(누가 형성했지? 누가 의문을 제기했지?)에 관한 강의를 할 수도 있고, 고양이는 어떻게 죽는 동시에 살아 있을 수 있는가? 하는 슈뢰딩거의 고양이 측정에 관해 학생들에게 강의할 수도 있다. 마지막 접근법은 문제해결과 질문 그리고 양자이론에 대한 교사의 상당한 이해를 필요로 한다.

양자이론은 복잡하기 때문에 좋은 예이다. 복잡한 사상에 대해서도 가르치는 내용과 방법에 대한 수업 결정을 내릴 수 있다는 것에 유의하기 바란다. 당신이 세운 학습목표는 사용해야 하는 교수방법을 결정하지만, 교수방법은 언제나 학생들(모든 학생들)을 학습과정에 끌어들이기 위해 사용된다.

이론의 실제 적용

교사와 학생들은 교실수업의 대부분을 공부, 연습, 반복훈련, 질문, 설명, 문제해결, 탐구와 발견에 사용한다. 나머지 시간은 역할연기, 모의실험, 게임, 소규모 그룹 토의, 독자적인 연구과제, 수업보고, 관찰과 같은 다른 수업방법과 활동에 할애한다.[71]

질문 형태로 제시된 다음의 몇 가지 기본적인 권장사항을 따르면 교실에서 이와 같은 다양한 방법을 실행할 수 있을 것이다.

1. 수업계획을 미리 세우는가? 수업계획은 명확한 학문적 성취기준에 기초하고 있는가? 학생들은 무엇이 기대되고, 활동이 언제 바뀌는지 아는가? 수업의 진행이 활기찬가? 세부적인 내용과 설명이 더 필요하면 속도를 늦추는가?

2. 자료와 방법을 미리 준비하고 수업의 분위기를 방해하지 않게 잘 섞는가?

3. 수업방법, 학습내용에 설명, 그림, 실제 사례가 함께 들어 있는가?

4. 수업은 연속적인 단계에 맞춰 진행되는가? 학문적인 과제나 기능은 이전의 것에 기초해서 설정되는가? 학생들이 이전의 학습과 현재 배우는 것 사이의 관계를 보도록 도움을 주는가?

5. 새로운 학습 전후에 학생들이 필수적으로 요구되는 학문적 과제에 대한 숙달을 분명히 하기 위해 연습과 반복훈련을 사용하는가? 처음 개관과 마지막 요약을 포함하여 연습문제를 여러 부분으로 나누었는가?

6. 나이가 많고 성취도가 높은 학생보다 어리고 성취도가 낮은 학생에게 더 많은 연습과 반복훈련을 시키는가? 연습문제는 즉시 확인하고 수정하는가?

7. 다양한 형태의 질문(낮은 수준, 높은 수준, 수렴적인, 발산적인, 가치를 더하는 등)을 사용해서 모든 학생이 응답할 기회를 갖도록 하는가? 질문하고 충분히 기다리는가? 자원자 못지않게 비자발적인 학생들에게도 참여하도록 요구하는가? 성취도 높은 학생 못지 않게 성취도 낮은 학생에게도 참여하도록 요구하는가?

8. 질문에 대한 학생들의 응답 성공률을 높게 잡고 있는가? 성취도가 낮은 학생들의 성공확률을 높이기 위해 더 쉽고 구체적으로 질문하는가?

9. 더 어려운 질문으로 진행하기 전에 이해한 것을 확인하고 지식의 기초를 수립하기 위해 단계적으로 질문하는가? 명확하고 간결하게 질문하는가? 아니면 질문을 고쳐서 하거나 반복할 때가 많은가?

10. 강의나 설명할 때 학생의 집중유지와 이해 증진을 위해 자주 질문하는가? 학생들을 자주 시험보고 평가하는가?

11. 교실에서 문제해결할 때 불안을 극복하기 위한 지원 집단(예: 공유짝, 협력적 학습집단, 숙제 도우미)을 임명하는가? 자신감을 북돋기 위해 학생들의 강점과 자원을 동일시하는가?

12. 학생들이 어떻게 비교, 분석, 조정, 추측, 가정, 예

측하는지를 포함하여 다양한 문제해결방법을 발견하도록 충분한 시간을 주는가? (열등한 교사들은 문제되는 개념을 큰 목소리도 두 번 설명한다. 유능한 교사들은 다양한 설명과 비유, 유사어를 사용한다.)

13. 교실의 구조(능력별 학급 편성과 같은)로 인해 일부 학생의 수업기회가 제한되지 않게 수업 접근방법을 수정하는가?

14. 한 단원을 가르치는 동안 다양한 수업적 접근방법을 사용하는가?

요약

1. 대부분의 수업활동은 연습과 반복훈련, 질문, 강의와 문제해결 또는 경험의 네 가지 수업 방법 중 하나로 분류될 수 있다. 교사 중심이든 학생 중심이든 어떤 하나의 접근방법이 본질적으로 좋거나 나쁜 것은 아니다. 교수방법은 누구를 그리고 무엇을 가르치느냐에 따라 결정된다.

2. 연습과 반복훈련 방법은 기능과 과정을 가르치는 데 응용된다.

3. 질문은 다양한 유형의 수업에서 한 부분으로 사용된다. 질문의 유형은 높은 수준과 낮은 수준, 수렴적인 것과 발산적인 것, 가치적인 것 등이 포함된다.

4. 강의는 가장 오래된 수업방법 중의 하나이다. 다양한 형태의 교사 언행은 서로 다른 학생들에게 효과적일 수 있지만 일반적으로 교사의 말의 길이, 복잡함, 빈도는 더 어리고 더 느린 학생을 위해 줄여야 한다.

5. 경험적이고 문제해결적인 접근방법은 학생들이 능동적으로 그들 자신의 학습에 대해 책임지도록 돕는다. 이렇게 본질적으로 유도적인 접근법은 학생들이 지식을 발견하도록 돕고, 교사가 확인한 내용을 단지 흡수하는 것이 아니라 지식을 발견하고 정보를 더 오랫동안 잘 보유하도록 돕는다.

고려할 문제

1. 연습과 반복훈련은 왜 중등교육보다 초등교육에서 더 자주 사용되는가? 반드시 그래야 하는가?

2. 수렴적인 질문과 발산적인 질문의 차이점은 무엇인가? 왜 대부분의 교사들은 수렴적인 질문에 의존하는가?

3. 강의는 언제 사용되어야 하는가?

4. 수업방법으로서 학생 중심 접근법의 장점과 단점은 무엇인가?

5. 학구적인 기준에 대한 국가의 강조는 교사들이 한 형태의 수업방법을 다른 방법보다 선호해야 한다는 것을 의미하는가?

해야 할 일

1. 연습과 반복훈련을 위한 5개의 추천 사항을 제시한다. 당신이 교사로서 특히 편하거나 불편하게 느끼는 것을 제시한다. 이러한 선호에 기초하여, 당신이 사용할 연습과 반복훈련 방법에 대해 어떤 결론을 내릴 수 있는가?

2. 질문할 때 해야 할 것과 하지 말아야 할 10가지를 약술한다. 하지 말아야 할 것 중 당신이 가장 많이 경험한 것은 무엇인가? 현장 경험 동안에 교실의 교사를 관찰하고 실제 당신이 본 해야 할 것과 하지 말아야 할 것을 확인한다.

3. 당신의 학급에 질문을 사용해서 짧은 수업을 해 본다. 당신의 수업을 평가하기 위해 관찰자는 교사들을 위한 조언 5.2와 5.3을 사용하는가?

4. 강의방법을 향상하기 위한 점검표를 만들어 본다. 그렇게 함으로써 강의준비의 과정과 강의에 관한 권고사항을 재검토한다. 그리고 위계적인 강의를 준비한다.

5. 가르칠 개념이나 주제를 선정한다. 학생들을 다른 학습 과제에 관여하도록 하면서, 여러 다른 전략의 사용방법을 각각 확인해본다. 직접 교수에서는 어

떻게 가르치겠는가? 문제해결 또는 경험을 통해서
는?

추천 문헌

Bligh, Donald A. *What's the Use of Lectures?* San Francisco: Jossey Bass, 2000. Bligh offers a thorough discussion of how and when to lecture.

Cathy Collins Block and Michael Pressley. *Comprehension Instruction.* New York: Guilford: 2001. Research-based cognitive practices and schema theory for teachers K-12.

Gage, N. L., and David C. Berliner. *Educational Psychology*, 6th ed. Boston: Houghton Mifflin, 1998. This is an examination of the research pertaining to practice and drill, lecturing, and problem solving—among other subjects.

Hargreaves, Andy, Lorna Earl, Shawn Moore, and Susan Manning. *Learning to Change.* San Francisco: Jossey-Bass, 2000. The authors focus on how reform proposals have brought new complexities to teaching practices.

Kohn, Alfie. *What To Look for in a Classroom.* San Francisco: Jossey-Bass, 2000. The author raises several provocative issues that challenge traditional views on teaching and instruction.

Lasley, Thomas J., Thomas Matczynski, and James Rowley. *Instructional Models: Teaching Strategies for a Diverse Society.* Belmont Calif.: Wadsworth, 2002. The book that focuses on eight different specific teaching models can be used to teach students content and skills.

Tomlinson, Carole. *The Differentiated Classroom.* Alexandria, VA: Association for Supervision and Curriculum Development, 1999. This wonderful text describes how teachers can differentiate teaching to meet the diverse learning needs for students.

핵심 용어

후주

1. John Bransford, Nancy Vye, and Helen Bateman. "Creating High Quality Learning Environments: Guidelines from Research on How People Learn." Paper presented at the National Governor's Association, San Francisco, California, July 2002.

2. Ibid, p.2.

3. Ibid.

4. Wilbert J. McKeachie. "Learning, Thinking, and Thorndike." *Educational Psychologist* (Spring 1990): 127-141. Richard M. Wolf. "In Memoriam—Robert Thorndike." Educational Researcher (April 1991): 22-23.

5. Carl Bereiter. "Implications of Connectionism and Thinking About Rules." *Educational Researcher* (April 1991): 10-16. Nicola Findley. "In Their Own Ways." Educational Leadership (September 2003): 60-63.

6. Robert Glazer. *Adaptive Education: Individual Diversity and Learning.* New York: Holt, Rinehart and Winston, 1977, p. 77.

7. Paul R. Burden and David M. Byrd. *Methods for Effective Teaching*, 3d ed. New York: Allyn & Bacon, 2003.

8. Thomas L. Good, Douglas A. Grouws, and Howard Ebermeier. *Active Mathematics Teaching.* New York: Longman, 1983. Leslie Steffe and Terry Woods. *Transforming Children's Mathematics*

Education. Hillsdale, N.J.: Erlbaum, 1990.

9. Robert J. Marzano, Debra J. Pickering, and Jane E. Pollock. *Classroom Instruction That Works*. Alexandria, VA: Association for Supervision and Curriculum Development, 2001, pp. 128-129.

10. James H. Block, Helen E. Efthim, and Robert B. Burns. *Building Effective Mastery Learning Schools*. New York: Longman, 1989.

11. Benjamin Bloom, *Human Characteristics and School Learning*. New York: McGraw Hill, 1976:35. Arthur Costa, ed. *Developing Minds*. Alexandria, Va.: Association for Supervision and Curriculum Development, 1991.

12. Thomas L. Good and Jere E. Brophy. *Looking in Classrooms*, 8th ed. Reading, Mass.: Addison Wesley, 2000. Richard S. Marliave and Nikola N. Filby. "Success Rate: A Measure of Task Appropriateness." In C. W. Fisher and D. C. Berliner, eds., *Perspectives on Instructional Time*. New York: Longman, 1985, pp. 217-236.

13. James A. Kulik and Chen-Lin C. Kulik. "Timing and Feedback and Verbal Learning." *Review of Educational Research* (Spring 1988): 79-97. J. Kulik, C. Kulik, and Robert L. Bangert-Drowns. "Effectiveness of Mastery Learning Programs: Meta-Analysis." *Review of Educational Research* (Summer 1990): 265-299.

14. The ten recommendations for practice and drill are based on Allan C. Ornstein. "Practice and Drill: Implications for Instruction." *NASSP Bulletin* (April 1990): 112-116. See also Jeanne Ellis Ormrod. *Human Learning*, 3d ed. Upper Saddle River, N.J.: Merrill Prentice Hall, 1999.

15. Francis P. Hunkins. *Effective Questions, Effective Thinking*, 2d ed. Needham Heights, Mass.: Gordon Publishers, 1994. Walter Dick, Lou Carey, and James Carey. *The Systematic Design of Instruction*, 5th ed. Boston: Allyn and Bacon, 2001. Neal A. Glasgow and Cathy Hicks. *What Successful Teachers Do*. Thousand Oaks, CA: Corwin Press, 2003.

16. Carl Bereiter and Siegfried Englemann. *Teaching Disadvantaged Children in the Preschool*. Englewood Cliffs, N.J.: Prentice-Hall, 1966. George H. Wood. *Schools That Work*. New York: Dutton, 1992. Patricia Davenport and Gerald Anderson. *Closing the Achievement Gap*. Houston, Texas: American Productivity and Quality Center, 2002.

17. Jeanne Chall. *The Academic Achievement Challenge*. New York: Guilford Press, 2000.

18. Walter Doyle. "Effective Teaching and the Concept of the Master Teacher." *Elementary School Journal* (September 1985): 27-34. Ronald F. Ferguson. "Closing the Achievement Gap." Presentation at Ohio's Invitational Conference: Narrowing the Achievement Gap, Columbus, Ohio, September 2002. Katherine G. Simon. "The Blue Blood is Bad, Right?" *Educational Leadership* (September 2002): 24-29.

19. James H. Stronge. *Qualities of Effective Teaching*. Alexandria, VA: Association for Supervision and Curriculum Development, 2002, p. 75.

20. Benjamin Bloom, ed. *Taxonomy of Educational Objectives*, Handbook I: Cognitive Domain. New York: Longman-McKay, 1956, p. 28.

21. Barry K. Beyer. *Teaching Thinking Skills*. Needham Heights, Mass.: Allyn and Bacon, 1991. Lauren B. Resnick and Leopold E. Klopfer, eds. *Toward the Thinking Curriculum: Current Cognitive Research, 1989 ASCD Yearbook*. Alexandria, Va.: Association for Supervision and Curriculum Development, 1989.

22. J. T. Dillon. "Research on Questioning and Discussion." *Educational Leadership* (November 1984): 50-56. George D. Nelson. "Choosing Content That is Worth Teaching." *Educational Leadership* (October 2001): 12-16.

23. Jules Henry. "Docility, or Giving Teacher What She Wants." In J. H. Chilecott, N. C. Greenberg, and H. B. Wilson, eds., *Readings in the Socio-Cultural Foundations of Education*. Belmont, Calif.: Wadsworth, 1969, p. 249.

24. John Holt. *How Children Fail*. New York: Pitman, 1964, p. 12.

25. Allan C. Ornstein. "Questioning: The Essence of Good Teaching: Part I." *NASSP Bulletin* (May 1987): 71-79. Stephen T. Peverly. "Problems with Knowledge-Based Explanation of Memory and Development." *Review of Educational Research* (Spring 1991): 71-93.

26. Mary B. Rowe. "Wait-Time and Reward as Instructional Variables." *Journal of Research in Science Teaching* (February 1974): 81-97.

27. Paulette P. Harris and Kevin J. Swick. "Improving Teacher Communications: Focus on Clarity and Questioning Skills." *Clearing House* (September

1985): 13-15. James Hiebert and Diana Wearne. "Instructional Tasks, Classroom Discourse, and Students' Learning." *American Educational Research Journal* (Summer 1993): 393-425. Kenneth Tobin. "Effects of Teacher Wait-Time on Discourse Characteristics in Mathematics and Language Arts Classes." *American Educational Research Journal* (Summer 1986): 191-200.

28. Carolyn Evertson, Edmund T. Emmer and Murray E. Worsham. *Classroom Management for Elementary Teachers*, 5th ed. Boston: Allyn and Bacon, 2000, p. 91.

29. Clark A. Chinn. "Situated Actions During Reading Lessons: A Microanalysis of Oral Reading Error Episodes." *American Educational Research Journal* (Summer 1993): 361-392. Linda M. Anderson, Carolyn Evertson, and Jere E. Brophy. "An Experimental Study of Effective Teaching in First Grade Reading Groups." *Elementary School Journal* (March 1979): 193-223. Vickie Gill. *The Eleven Commandments of Good Teaching*, 2nd ed. Thousand Oaks, CA: Corwin Press, 2001.

30. Donna M. Kagan. "How Schools Alienate Students at Risk." *Educational Psychologist* (Spring 1990): 105-125. Alexis L. Mitman and Andrea Lash. "Students' Perceptions of the Academic Learning and Classroom Behavior." *Elementary School Journal* (September 1988): 55-68.

31. Jere E. Brophy and Carolyn Evertson. *Learning from Teaching: A Developmental Perspective.* Boston: Allyn and Bacon, 1976. N. L. Gage. The Scientific Basis of the Art of Teaching. New York: Teachers College Press, Columbia University, 1978. Vincent R. Ruggiero. *Teaching Thinking Across the Curriculum.* New York: HarperCollins, 1992.

32. Robert Marzano. *A Different Kind of Classroom: Teaching with Dimensions of Learning.* Alexandria, Va.: Association for Supervision and Curriculum Development, 1992. Kathy Comfort, Tamara Kushner, Jane Delgado, and Derek Briggs. "The Achievement Gap: How We Know if Reform Efforts Are Leading to High Achievement by All Students in Science." San Francisco, Calif.: West Ed, 2000.

33. Dunkin and Biddle, *The Study of Teaching.* Lance T. Isumi. *They Have Overcome: High Poverty, High-Performing Schools in California.* San Francisco, Calif.: Pacific Research Institute, 2002.

34. Jere E. Brophy. "Teacher Praise: A Functional Analysis." *Review of Educational Research* (Spring 1981): 5-32. Jere E. Brophy. "On Praising Effectively." Elementary School Journal (May 1981): 269-280. Thomas L. Good and Jere E. Brophy. *Looking in Classrooms*, 8th ed. Reading, Mass: Addison Wesley, 2000, pp. 141-144.

35. J. T. Dillon. "A Norm Against Student Questioning." *Clearing House* (November 1981): 136-139. Kieran Egan. "Start with What the Student Knows." *Phi Delta Kappan* (February 2003): 443-445.

36. Myra Pollack Sadker and David Miller Sadker. *Teachers, Schools and Society*, 5th ed. Boston: McGraw Hill, 2000. Thomas L. Good, Bruce J. Biddle, and Jere E. Brophy. *Teachers Make a Difference.* New York: Holt, Rinehart and Winston, 1975.

37. Donald A. Bligh. *What's the Use of Lectures?* San Francisco, Jossey-Bass, 2000.

38. Stephen D. Brookfield and Stephen Preskill. *Discussion as a Way of Teaching.* San Francisco: Jossey-Bass, 1999, p. 145.

39. Robert E. Slavin. *Educational Psychology* 7th ed. Boston: Allyn and Bacon, 2003. Cheryl Spaulding. *Motivation in the Classroom*, 3rd ed. New York: McGraw Hill, 1992.

40. Alison King, "Reciprocal Peer Questioning: A Strategy for Teaching Students How to Learn from Lectures." *Clearing House* (November-December, 1990): 131-135.

41. Bligh, *What's the Use of Lectures?*

42. N. L. Gage and David C. Berliner. *Educational Psychology*, 6th ed. Boston: Houghton Mifflin, 1998.

43. Robert M. W. Travers. *Essentials of Learning*, 5th ed. New York: Macmillan, 1982, p. 436.

44. Elizabeth Perrott. *Effective Teaching: A Practical Guide to Improving Your Teaching.* New York: Longman, 1981. Alane J. Starko, Georgea M. Sparks-Langer, Marvin Pasch, Lisa Franks, Trevor G. Gardner, and Cristella D. Moody. *Teaching as Decision Making: Successful Practices for the Elementary Teacher.* Upper Saddle River, NJ: Prentice Hall, 2002.

45. Gerald G. Duffy. "Conceptualizing Instructional Explanation." *Teaching and Teacher Education*, no. 2 (1986): 197-214.

46. David P. Ausubel. "In Defense of Advanced

Organizers: A Reply to the Critics." *Review of Educational Research* (Spring 1978): 251-259. Gage and Berliner. Educational Psychology.

47. Jack Hiller, Gerald A. Fischer, and Walter Kaess. "A Computer Investigation of Verbal Characteristics of Effective Classroom Lecturing." *American Educational Research Journal* (November 1969): 661-675.

48. Robert Garmston and Bruce Wellman. "How to Make Presentations." *Educational Leadership* (February 1994): 88-89.

49. Kenneth A. Kiewa, "Aids to Lecture Learning." *Educational Psychologist* (Winter 1991): 37-53.

50. Ruth Garner. "Interest and Learning from a Text." *American Educational Research Journal* (Fall 1991): 495-520. Michael Pressley and Elizabeth S. Ghatla. "Self-Regulated Learning: Monitoring Learning from Text." *Educational Psychologist* (Winter 1990): 19-33. Michael Pressley. *Reading Instruction that Works*. 2d ed. New York: Guilford, 2002.

51. John Dewey. *How We Think*. Lexington, Mass.: Heath, 1910.

52. John Bransford and Barry Stein. *The IDEAL Problem Solver*. San Francisco: Freeman, 1985.

53. Morris L. Bigge. *Learning Theories for Teachers*, 5th ed. New York: HarperCollins, 1992. Richard E. Mayer. *Thinking, Problem Solving and Cognition*. San Francisco: Freeman, 1983. Kati Haycock. "Closing the Achievement Gap." *Educational Leadership* (March 2001): 6-11.

54. Cecilia Heyes and Ludwig Huber. *The Evolution of Cognition*. Cambridge, Mass.: MIT Press, 2000. Allen Newell and Herbert Simon. *Human Problem Solving*. Englewood Cliffs, N.J.: Prentice-Hall, 1972.

55. Bruce Joyce and Beverly Showers. *Student Achievement Through Staff Development*, 3d ed. Alexandria, Va.: Association for Supervision and Curriculum Development, 2003.

56. Linda Darling Hammond. *Redesigning Schools: What Matters and What Works*. Stanford, Calif.: School Redesign Network, 2002. See http://www.schoolredesign.net.

57. Paul Cobb et al. "Characteristics of Classroom Mathematics Traditions." *American Educational Research Journal* (Fall 1992): 573-604. Penelope Peterson, Elizabeth Fennema, and Thomas Carpenter. "Using Knowledge of How Students Think About Mathematics." *Educational Leadership* (December 1988-January 1989): 42-46.

58. Benjamin Bloom and Lois J. Broder. "Problem Solving Process of College Students." *Supplementary Education and Monograph*, no. 73. Chicago: University of Chicago Press, 1950.

59. Jere E. Brophy. "Research Linking Teacher Behavior to Student Achievement." *Educational Psychologist* (Summer 1988): 235-286. Joe Becker and Maria Varelas. "Piaget's Early Theory of the Role of Language in Intellectual Development: A Comment on Devrie's Account of Piagett's Social Theory." *Educational Researcher* (August/September 2001): 22-23. John Woodward. "Effects of Curriculum Discourse Style on Eighth Graders' Recall and Problem Solving in Earth Science." *Elementary School Journal* (January 1994): 299-314.

60. Ruth Garner. "When Children and Adults Do Not Use Learning Strategies." *Review of Educational Research* (Winter 1990): 517-529. Michael S. Knapp and Patrick M. Shields. "Reconceiving Academic Instruction for Children of Poverty." *Phi Delta Kappan* (June 1990): 752-758. Kenneth E. Vogler and Robert J. Kennedy. "A View from the Bo Hum." *Phi Delta Kappan* (February 2003): 444-448.

61. Jean Piaget. *The Origins of Intelligence in Children*. New York: International Universities Press, 1952. Jean Piaget and Barbel Inhelder. *The Early Growth of Logic in the Child*. London: Routledge & Kegan Paul, 1963.

62. Robert J. Sternberg et al. "Practical Intelligence for Success in School." *Educational Leadership* (September 1990): 35-39.

63. Thomas L. Good and Douglas A. Grouws. "Increasing Teachers' Understanding of Mathematical Ideas Through In Service Training." *Phi Delta Kappan* (June 1987): 778-783.

64. Alan H. Schoenfeld. "Teaching Mathematical Thinking and Problem Solving." In Lauren B. Resnick and Leopold E. Klopfer, eds., *Toward the Thinking Curriculum*. Alexandria, Va.: Association for Supervision and Curriculum Development, 1989, pp. 83-103.

65. See, Chall. The Academic Achievement Challenge.

66. Alfie Kohn. "Education's Rotten Apples." *Education Week* (September 18, 2002): 48.

67. Ibid.

68. M. Beth Casey and Patricia Howson. "Educating Preservice Students Based on a Problem-Centered Approach to Teaching." *Journal of Teacher Education* (November-December 1993): 361-370.

69. Robert Marzano, "Dimensions of Learning." ASCD Update (August 1992): 1-3. Also see Robert Marzano. *Designing a New Taxonomy of Educational Objectives*. Thousand Oaks, CA: Corwin Press, 2001.

70. Bransford et al. "Creating High Quality Learning Environments."

71. John Goodlad. *A Place Called School*. New York: McGraw-Hill, 1984.

72. Bernie Dodge. "Site Overview." *The WebQuest Page*. Retrieved October 10, 2002 from http://webquest.sdsu. edu.edu/overview.htm.

이번 장에 관련된 Pathwise 성취기준 :

- 학생에게 적합하고 소단원의 학습 최종목표에 맞는 교수방법, 학습활동, 수업자료나 다른 자원을 새로 만들어 내거나 선택하기(A4).
- 학생에게 적합하고 소단원의 학습 최종목표에 맞는 평가 전략을 새로 만들어 내거나 선택하기(A5).
- 학생이 이해하기 쉽도록 내용 구성하기(C2).
- 사고가 확장되도록 학생을 격려하기(C3).
- 다양한 방법으로 학생이 내용을 이해하고 있는지 살피기, 상황에 따라 학습 활동을 조절하고 학습을 돕기 위해 피드백해 주기(C4).

이번 장에 관련된 INTASC 원리 :

- 교사는 아이들이 어떻게 배우고 성장하는지 이해하고, 그들의 지적, 사회적, 인격적 성장을 뒷받침할 학습 기회를 제공할 수 있어야 한다(원리2).
- 교사는 학생들이 어떻게 학습에 다르게 접근하는지 이해하고, 다양한 학습자에게 적합한 수업기회를 새로 만들어 낸다(원리3).
- 교사는 학생이 비판적 사고, 문제해결, 수행기능을 개발하도록 격려하는 다양한 수업 전략을 이해하고 사용할 수 있다(원리4).
- 교사는 학습자의 지적, 사회적, 신체적인 끊임없는 성장을 평가하고, 보증하기 위해 공식적 및 비공식적인 사정 전략을 이해하고 사용한다(원리8).
- 교사는 학습과 자기 동기에 능동적으로 참여하고 긍정적인 사회적 상호작용을 조장하는 학습 환경을 생성하기 위해 개인과 집단의 동기와 행동에 대한 이해를 활용한다(원리5).

핵 심 문 제

1. 수업자료를 선택할 때 고려하는 요인은 무엇인가?
2. 주에서 강조되는 학문 성취기준을 여러분이 사용하는 수업자료와 어떻게 관련지을 수 있는가?
3. 교과서 사용의 장점과 단점은 무엇인가?
4. 교과서의 읽기 난이도를 어떻게 평가하는가?

5. 학생의 학습을 강화하기 위해 일반 교과서의 보조자료를 어떻게 사용할 수 있는가?

6. 익힘책은 왜 비난받는가? 익힘책은 어떻게 개선될 수 있는가?

7. 학급에서 잡지나 신문을 활용할 때 직면할 수 있는 문제는 어떤 것인가?

8. 모의실험과 게임은 학습의 강화를 위해 학생에게 어떻게 사용될 수 있는가?

실제 경험은 가장 직접적인 학습 유형을 제공하지만, 전통적인 교실에서 제공되기는 어렵다. 교실에서 일어나는 경험의 대부분은 언어의 상징주의―말이나 글로 된 단어들을 통해서 이루어지게 된다.―교실에서의 경험은 교사가 제공하기 쉬울지도 모르지만, 많은 학생들이 이해하기는 어렵다. 언어의 상징주의는 개념화와 추상적 사고 능력에 의존하는 반면에 직접적인 경험의 영향은 즉각적이고 구체적이다. 여러 가지 다감각의 수업 보조자료 즉, 교과서, 그림, 게임, 모의실험은 직접적인 경험을 대신하며 이해를 강화하여 완전한 학습활동이 되게 한다. 이 장은 교과서와 학습장의 강조와 함께 수업자료의 사용에 집중되고, 다음 장에서는 공학적인 도구와 매체 장비가 검토된다.

수업자료의 선정

적절한 상용자료를 선정하는 것은, 특히 교과서의 경우, 교사와 행정가의 책임인데 이러한 결정은 대개 소규모의 전문가 집단(지역, 학교, 교과부서, 학년수준), 부모와 사회구성원으로 이루어진 전문가-일반인 집단, 또는 개별적으로 이루어진다. Elliot Eisner에 의하면, 전문가-일반인 집단은 일반인들이 학생에게 노출되어야 하는 것에 대해 특정의 견해를 갖고 있거나, 교사가 가르치는 것에 대해 반대하기 시작하면 논쟁에 휩쓸리기 쉽다고 한다.[1] 이것은 요즘, 진화와 지적 설계(Intelligent Design)에 관해 상이한 견해가 표면에 떠오른 일부 주에서 특히 시선을 끌고 있다.

교육과정위원회가 학교단위 또는 지역단위로 자료의 구입 또는 활용을 결정할지라도, 학생에게 가장 가깝고 학생의 요구와 흥미, 능력을 아는 교사는 자료의 가치와 적절성에 대해 전문가적 판단을 내릴 필요가 여전히 있다. 평가자(위원회나 개인)는 가능한 사용 가능한 자료를 많이 조사해야 한다. 다음의 일반적인 질문을 고려하면 된다:

1. *자료는 목표에 맞는가?* 자료는 단원계획과 소단원계획뿐만 아니라 과정목표에 맞아야 한다. 출판자료는 대개 속성상 일반적이기 때문에, 대개 단지 부분적으로 맞거나, 모든 목표를 모두 다루고 있는 자료를 찾는 것이 불가능하다. 그런 경우에 교사는 스스로 자료의 전부나 일부를 새로 만들어야 한다. 교사가 우수한 수업자료를 포함하기 위해 목표나 활동을 확장하는 경우도 있을 것이다.

2. *자료는 잘 조직되어 있는가?* 좋은 수업자료는 사실들을 기본적인 아이디어나 개념에 논리적인 방식으로 관련짓는다.

3. *자료는 학생의 발표 준비에 도움이 되는가?* 자료는 수업목표나 선행조직자를 포함해야 한다.

4. *자료는 내용의 이해를 강화하기 위해 예, 삽화, 질문과 요약을 통하여 충분이 반복이 이루어지고 있는가?* 어린 학생과 성취가 낮은 학생은 반복, 개관, 그리고 내장된 요약을 더 많이 필요로 하지만, 대부분의 학생을 위해 자료는 적절하게 보조를 맞추어야 하고 요약하고 성찰하기 위한 충분한 시간을 갖도록 해야 한다.

5. *자료는 학생의 읽기수준에 적당한가?* 많은 교사들은 자료를 읽어 보면서 직관적으로 이러한 판단을 할 수 있고, 학생들이 자료를 경험한 후에 판단을 할 수 있는 교사들도 있을 것이다. 즉, 학생이

자료를 읽은 것을 들음으로써 교사는 학생이 범하고 있는 잘못을 평가할 수 있고, 자료가 학습을 생성하는지, 아니면 좌절을 불러일으키는지 결정할 수도 있다. 일반적으로, 일기에서의 정확성이 90% 미만이면 좌절을 불러일으키고, 학습에 대한 동기유발을 줄인다.[2]

6. *자료의 난이도는 학생의 능력에 적합한가?* 연구에 의하면 동기유발이 매우 강한 학생은 읽기 자료나 관련된 과제를 공부할 때 동기유발과 흥미를 유지하는데 있어서 성공률이 최소로 요구된다. 교사가 옆에서 교정적인 피드백을 제공할 때는 성취가 낮은 학생을 위한 자료, 특히 자습과 반복연습 자료는 최소한 70%에서 80%의 성공률이 요구되고, 학생이 독립적으로 공부할 때는 최소한 90% 이상(개개의 신뢰수준에 의존하는)의 성공률이 요구된다.[3]

7. *자료는 주 성취기준에 적합한가?* 교사가 사용하는 자료는 국가나 주의 학문적 기준을 반영해야 한다. Iowa를 제외한 모든 주는 웹에 학문적 성취기준을 제공하고 있다. 모든 경우는 아니더라도 대부분 웹사이트(www.achieve.org)를 통해 접근할 수 있다. 주의 학문적 성취기준을 알고, 교실에서 사용 가능한 자료와 일치하는지 확인한다.

표 6.1은 일반적인 고려사항보다 특히 내용에 관련되는 일부 질문을 열거한 것이다. 위원회와 교사는 자신의 최종목표에 적합하도록 물어볼 질문을 바꿔야 한다. 교사는 몇 주 동안 학생이 자료를 사용하는 것을 관찰할 수 있고, 최종적으로 판단할 때 자료에 대한 그들의 반응을 활용할 수 있다. 학생들이 자료의 최종 소비자이므로 교과서와 다른 웹에 기반을 둔 자원의 가치에 대해서 학생과 논의해 보는 것이 좋다. 학생들은 새롭고 다른 전망을 표현한다. 교사가 적절히 안내하게 되면 학생은 그들이 선호하고(그리고 이유), 이해하고, 가장 흥미 있다고 여기는 교과서에 대한 귀중한 통찰을 제공하는 질문과 평을 할 수 있다. 자료의 선정에 대한 더 많은 통찰은 교사들을 위한 조언 6.1을 참조한다.

복제 자료

교사가 가장 많이 사용하는 교육 자료 유형은 문서 형태의 교과서(교과서, 익힘책, 소책자, 잡지, 신문)와 그림, 모형, 그리고 교실활동을 위한 준비물 등이다. 이들은 (상업적으로 준비 및 발간된) 인쇄 자료이거나, (교사나 학교에 의해 준비된) 복제 자료이다. 복제 자료에는 교사 스스로 만든 것과 이미 인쇄되어 있지만 학생이 쉽게 이용할 수 없는 자료 등이 포함된다. 영화, 슬라이드, 컴퓨터, 비디오테이프, 웹 기반 자원들 같은 특별한 자료와 장치를 포함하는 수업 보조물은 다음 장에서 논의된다.

표 6.1 수업자료를 선정할 때 고려해야 하는 질문

1. 자료는 소단원의 최종목표를 촉진하는가?
2. 자료는 단원이나 소단원계획에 의미 있는 내용을 제공하는가?
3. 자료는 이전의 학습을 바탕으로 하고 있는가?
4. 자료는 학생의 읽기수준에 적당한가?
5. 자료는 편견, 고정관념, 성차별로부터 자유로운가?
6. 자료의 물리적인 모습은 받아들일 만한가? 가장자리, 표제어, 요약, 개관연습, 질문은 적당한가?
7. 자료는 초기비용 투자가 가치가 있을 정도로 오래 지속되는가?

출처: Adapted from Allan C. Ornstein. "The Development and Evaluation of Curriculum Materials," *NASSP Bulletin* (November 1995): 28.

교사들을 위한 조언 6.1

수업자료의 선정과 사용

어떻게 하면 수업자료가 학생에게 최상이 될까? 다음은 읽기와 교과 관련 과제에 강조점을 두고, 수업자료를 선정, 사용, 개발하는 것에 대한 지침이다.

1. 자료는 단원이나 소단원의 부분인 수업에 관련되어야 한다.
2. 자료는 이미 가르친 것에 대한 조직적이고 누가적인 복습을 제공해야 한다.
3. 자료는 과정이나 교과로 가르치는 것의 가장 중요한 관점을 반영해야 한다.
4. 자료는 여분의 연습을 필요로 하는 학생을 위해 여분의 과제를 포함해야 한다.
5. 자료의 어휘와 개념 수준은 교과의 나머지의 것과 관계되어야 한다.
6. 자료에 사용된 언어는 소단원의 다른 부분, 교과서나 익힘책에 사용된 것과 일관성이 있어야 한다.
7. 학생에 대한 지시문은 명확해야 하고, 모호하지 않아야 하고, 따라 하기 쉬워야 한다.
8. 페이지의 배치는 유용성에 매력이 결부되어야 한다.

9. 학생들이 단순히 어떤 것에 노출되도록 하지 않고, 무엇인가를 학습할 수 있도록 자료는 충분한 내용을 포함해야 한다.
10. 학생에게 식별을 요구하는 과제에 앞서 개개의 구성요소에 대한 연습을 충분히 제공해야 한다.
11. 자료의 내용은 정확하고 명확해야 한다. 자료는 틀린 정보를 제공하거나 문법적인 실수나 잘못 사용된 단어가 포함된 언어를 사용해서는 안 된다.
12. 개개의 과제와 과제 계열에 대한 수업설계는 세심하게 계획되어야 한다.
13. 상이한 자료들은 학생들에게 부담을 주거나 혼란시키지 않기 위해 제한되어야 한다.
14. 예쁘지만 작동하지 않고, 공간과 시간을 소비하는 자료는 피해야 한다.
15. 적절하다면, 자료에는 교사와 학생을 위해 목적에 대한 간단한 설명이 수반되어야 한다.

출처: Adapted from Jean Osborn. "The Purposes, Uses, and Contents of Workbooks and Some Guidelines for Publishers." *Learning to Read in American Schools.* R.C. Anderson, J. Osborn, and R.J.Tierney, eds. (Hillsdale, N.J.: Erlbaum, 1984), 110-111.

자료 개발

출판된 자료는 약간 변경하거나 보충을 통해 사용하기 알맞게 만들기도 한다. 완전히 다른 자료가 필요한 경우도 있다. 인쇄된 자료 중에서 사용할 만한 것이 전혀 없다면, 교사는 스스로 자료를 개발하는 것을 고려해야 한다.

새로운 자료를 개발하기 전에, 지역에서 규정된 자료를 조심스럽게 검토해야 한다. 교사 스스로의 자원 제작을 보증하고, 자료개발의 시간, 노력, 비용을 정당화하려면, 표 6.1의 평가 질문에 대해 부정적인 응답이 많아야 한다.

교사가 스스로 제작하기로 결정하면, 시간과 비용의 요인을 고려한다. 40분이나 45분 수업을 위한 자료

전문적인 관점

다수의 자료 사용에 대해서

Barak Rosenshine
University of Illinois-Urbana
교육심리학 명예교수

Judith는 내가 MA 인턴 프로그램에서 지도했던 교육실습생이었다. 그녀는 토론을 이끄는 필수적인 언어의 재치를 가지고 있지 않았기 때문에 여름 수업행동관찰 프로그램에서 단지 평균 정도의 평점을 받은 힘없고, 조용하고, 내성적인 사람이었다. 나는 뜨겁고 건조한 여름 내내 그녀를 걱정했다.

새 학년도가 시작되었고, Judith는 인턴기간의 일부로서, 지방의 고등학교에서 3개의 사회학 수업을 가르치도록 배정되었다. 그 때, 뭔가 새로운 것이 벌어졌다. Judith는 잘 개발된 통합적인 질문과 사고 질문이 포함된 매우 훌륭한 연습문제지를 쓰기 시작했다. 학생은 수업 전에 이것을 준비했고, 많은 수업시간이 학생간의 답을 서로 비교하고 Judith가 그 답을 정교화 하는 것에 집중되었다.

Judith는 또한 다양한 원천으로부터 도표와 표를 이용하고 이런 자료를 기반으로 개발된 극히 훌륭한 사실적, 분석적 기능 질문을 이용했다. 학생들은 흥분하였고, 새로운 기능을 학습하고 자료의 통합지도를 개발하였는데, 보통 교사-학생간의 토론에서 하지 않았던 것이었다. Judith의 방법은 달랐지만 효과적이었다.

Judith는 나에게 유능한 교사는 다양하다는 것을 가르쳐줬다. 심지어, 조용한 사람도 유능할 수 있다는 것이다. 교수의 최종목표가 학생의 머리에서 이루어지는 학습, 처리과정, 기능개발이란 걸 기억해야 하며, 이것을 달성하는 데는 다양한 수업방법이 있다는 것을 기억해야 한다. 이것은 토론을 이끌고, 특별한 자료를 개발하고, 다른 사람들에 의해 개발된 적절한 자료를 찾고, 깊게 사고할 수 있는 숙제를 개발하고, 필기를 안내하면서 설명하고, 학생에게 개념과 자료를 서로 설명하게 하는 것 등에 의해 이루어질 수 있다. Judith는 나에게 학생의 머리에서 벌어지고 있는 것에 집중하되, 현재 처방된 방법이 사용되고 있는지에 관해서는 덜 집중하라고 가르쳐 주었다.

개발에는 약 1-2시간 정도의 시간을 투자하면 된다고 제안된다. 즉, 그 이상 시간과 노력을 투자할 가치는 없다는 것이다. 교사는 자신과 학교를 위해 수업자료를 제작하는데 개인비용을 너무 많이 쓴다. 교사의 시간과 학교의 돈을 더 좋은 용도에 쓸 수도 있다.[4] 중요한 것은 교사가 지역 교과 과정과 관계 있고, 교과서나 다른 수업자료를 연계시키는 자료 중에서 현재 사용 가능한 것을 식별해야 한다는 것이다.

자료의 복사

교사들은 대부분 도서관 문헌, 잡지, 저널, 정부보고서, 신문 등과 같은 다양한 원천에서 찾은 수업자료를 가지고 필수 교과서나 실습장을 보충한다. 교사는 이러한 자료의 사용을 통제하는 저작권 법률이 있다는 것을 알지 못하고 자료를 복사한다. 1976년에 제정된 **저작권 법률**은 교육자가 학술적, 또는 수업목적을 위해 다음의 자료에 대해 한 개의 복사만 허용한다. 예를 들면 1) 책의 장 2) 잡지, 학술지, 신문의 기사 3) 단편소설, 수필, 시 4) 책, 정기 간행물, 또는 신문의 도표, 그

자신만의 교수자료 개발은 좋은 교수를 위한 중요한 부분이 된다.

래프, 그림, 표 등을 말한다.[5]

학생들을 위해 여러 부를 복사하는 것은 특정 교과목에서 학생당 한 개 이상을 넘지 않는 범위 내에서 다음에 제시된 요구조건을 충족하는 한 별도의 허가 없이 가능하다:

1. *간결성*: 자료는 시일 경우 250 단어 이하, 산문작품일 경우 1,000 단어 또는 10% 이하 중 적은 쪽, 장편소설, 기사, 수필일 경우 2,500 단어 이하, 책 또는 정기간행물당 도표, 그래프, 그림, 표 한 개 이하가 가능하다.
2. *자발성*: 자료는 학문적인 또는 교수 효과에 필수적인 것으로 여겨지고, 허가를 얻는 데 소요되는 시간이 학문연구나 교수에 방해가 된다.
3. *누적적*: 동일 저자에 대해 전체 자료(이야기, 논문, 수필, 시)는 한 가지 정도, 발췌는 두 개 이내로 복사가 허용된다. 한 시간의 수업에서 동일한 전집에 들어있는 작품, 잡지, 그리고 학술지에서 3개 이하의 원천자료가 복사 가능하다.
4. *금지*: 복사된 자료는 교과서의 대용물이나 과제물의 편집물로 생성되어서는 안 되며, 또한 출판된 책의 소비나 구입을 한정해서는 안 된다. 실제 복

사비용 이상으로 학생에게 부과하면 안 된다.[6]

교사는 저작권 법률을 위반하였을 때 예상되는 결과를 알아야 한다; 무지는 방어가 될 수 없다. 의심스러우면 학교구의 정책(만일 있다면)을 따르거나, 그 작품의 출판사 또는 저작권 보유자에게 서면허가를 요구하는 것이 가장 좋다.

교수자료 제시

교사는 단원 및 소단원의 계획을 짤 때 교수자료를 삽입해야 하고 학생의 발달단계나 나이, 필요성과 흥미, 적성, 읽기 수준, 선행 지식, 공부 습관, 학습 스타일, 동기를 고려하여 그것을 적절히 변형시켜야 한다. 다음은 교수자료(출간되었거나 교사 자신이 만든)를 제시할 때 고려해야 할 요소들이다.

- *이해하기*: 이해를 잘 시키려면 교사는 교수자료를 학습자의 능력과 선행 지식에 맞출 필요가 있다. 학습자가 그 교수자료를 이해하지 못한다면 좌절할 것이고 학습이 훨씬 더 어려워질 수 있다. 교사

는 교수자료가 학생들이 시작하기에 적절한지 그리고 제시된 교수자료를 잘 이해하고 있는지 알아야 한다. 교사는 학생의 이해도를 점검해야 한다-특히 어리고 학습 속도가 느린 학생들에게 새로운 정보를 가르칠 때 중요하다.

교사는 학생들이 잘 이해했는지, 즉 학생들은 자신이 배운 것을 아는지; 학생들이 알아야 할 것을 알고 있는지; 학생들이 실수를 인지하고 개선시키는 방법을 아는지 등을 알아보는 질문을 하거나 관찰하는 방법을 사용할 수도 있다.[7]

- *구성하기*: 구성은 학생들이 명확히 이해할 수 있도록 교수자료를 조직화하는 것을 말한다. 이것은 지시, 목표, 중심이 되는 아이디어를 분명하게 설명하는 것을 뜻한다. 중간 및 최종 요약은 내용 전체를 다룬다. 주요 개념간의 변환이 매끄럽고 잘 통합되어 있다. 쓰기가 모호하지 않다. 충분한 예가 제시된다. 새로운 용어와 개념이 잘 정의되어 있다. 적절한 연습과 복습 과제가 새로운 학습을 보충한다.[8] 교과목이 새로운 것이거나 주제가 이전학습과 통합되는 것일 때 명료성이 특히 중요해진다.

- *배열하기*: 교사는 교수자료를 지속적이고 축적되는 학습을 제공하고 필수 기능과 개념에 주의를 기울이도록 잘 배열할 필요가 있다. 교수자료를 배열하는 데는 다음의 네 가지 기본적인 방법이 있다: 1) 간단함에서 복잡함으로-교수자료는 단계적으로 복잡성을 더해가고 의미가 좀더 넓어지고 깊어진다. 2) 부분에서 전체로-학생들이 전체의 내용을 대강 알 수 있도록 정보의 일부를 제공한다. 3) 전체에서 부분으로-새로운, 독립적인 항목들을 조직하고 통합하기 쉽도록 먼저 전체의 개념이나 일반화를 제시한다. 4) 연대순의(많은 교사들에게 가장 선호되는 분류 방식인)-주제, 생각, 사건을 그것들이 일어난 순서대로 공부한다.[9]

- *균형 맞추기*: 교수자료는 수직적으로 또는 수평적으로 관련시키거나 균형을 맞출 필요가 있다. 수직적 관계는 소단원, 단원, 과정 단계로 내용과 경험을 구축해 가는 것을 의미한다. 예컨대, 9학년 수학

개념은 8학년 개념을 기초로 하여 세워지고, 제2단원은 1단원을 기초로 세워진다. 수평적 관계는 다른 과목들과 다차원적이면서 통합된 관계를 형성하는 것을 말한다. 예컨대, 사회 과목 교육 내용은 영어와 사회와 관련되어 있다.

- *설명하기*: 이것은 제목, 용어, 예증, 요약 연습이 잘 통합되어 있고 내용을 명료하게 설명하는 것을 가리킨다. 예시가 주개념을 잘 설명하고 있는가? 장에서 설명된 중심 사고들이 객관적이고 개괄적인가? 교수자료가 주요 개념을 깊이 있는 관점으로 주제, 사건, 사실 간의 관계를 보여주고 있는가? 학생은 교수자료를 통해 중요한 개념과 정보를 발견하여 자신의 선행 지식에 새로운 지식을 연관시킬 수 있어야 한다. 요약하자면, 교수자료의 내용은 명쾌해야 하고 서로 관련되어 있으며 점층적인 성격을 가져야 한다.

- *보조 맞추기*: 이것은 교수자료가 얼마나 많이 그리고 얼마나 빠르게 제시되는가를 가리킨다. 교수자료의 부피나 길이가 학생들을 압도해선 안 되지만 충분히 영향력을 가질 만큼은 되어야 한다. 학생들의 연령이 높아질수록 교수자료의 양은 증가되고 제시되는 시간이나 복잡성, 넓이와 깊이가 확장된다.

- *정교화하기*: 학생들은 다양한 방식으로 배울 때 보다 잘 배울 수 있다. 이 말은 학생들에게 한 가지 형태에서 다른 형태로-비교, 대조, 유추 기법, 추론, 부연, 요약, 예상 등과 같은 다양한 기교를 사용하여- 정보를 변형시켜 선행 지식에 새로운 지식을 적용시키도록 가르치는 것을 말한다. 학생들에게 교수자료를 읽는 동안 사용할 수 있는 방대한 종류의 질문 "생성하기"(예: 예습, 스스로 질문하기, 머리 속에 그리기)를 가르칠 수도 있다. "제목에서 느낄 수 있는 이 이야기의 핵심은 무엇일까?"는 서술적(이야기식의) 교과서에 대한 "예습"을 위해 생성된 질문의 좋은 예이다. 미국 시민전쟁에 대한 설명적 교수자료를 읽으려는 학생은 "전쟁 중에 일어난 사건에 대해 내가 이미 알고 있는 것

에 어떤 것들이 있을까?'라는 자문을 할 수도 있다. 교사 또한 수업중에 교수자료에 대해 토론할 때 질문 "생성하기"를 유도할 수 있다: "이야기의 핵심 생각은 무엇일까?" "내가 만약 그 시대에 살았다면 나는 어떤 기분이 들까?" "이것은 나에게 무엇을 떠올리게 하는가?" "나는 내가 하고 있는 프로젝트에서 이 정보를 어떻게 사용할 수 있을까?" "작가의 의견에 대해 나는 어떻게 느끼는가?" 나는 이 주제를 내 자신의 언어로 어떻게 표현할 수 있을까?'[10]

• 동기유발하기: Posner와 Strike에 따르면 교수자료는 1) 그 주제의 개념, 원리, 이론, 지식 구조에서 도출된 관련 개념, 2) 그 분야의 교육 이론가들과 학자들에게서 나온 비판적 사고 기능과 절차에서 파생된 관련 질문, 3) 관련된 학습자, 또는 필요, 흥미, 또는 학생의 경험과 관련된 것, 4) 사람들이 실제 삶에서 그것들을 어떻게 이용하고 진행시키는지 보여주는 것과 관련된 공리성 등으로 분류될 수 있다.[11] 처음 두 가지는 내재적인 자극을 받는(스스로 동기 부여된) 학생들에게 가장 큰 효과를 볼 수 있는 것으로 보이는 반면, 네 가지 모두 학생의 내재적 흥미를 이끌어 낼 것으로 보인다.

이 모든 고려사항들에는 미국 교실 내의 다양한 학습자들에 대한 교사의 인지가 내재되어 있다. 미국 교실의 학생들은 매우 다양하다고 알려져 있다. 좋은 교사는 학생의 종교적 배경이나 인종 집단 소속 여부에 상관없이 모든 학생들의 가능성을 찾는다. 그들은 또한 어린 학생들이 공부 내용과 경험을 성공적으로 마칠 수 있는 방법을 찾기 위해 이러한 배경을 활용하는 방법도 알고 있다. 학생들을 특정 종교나 인종 집단의 일원이 아니라 학습자로 분류하고 생각할 많은 다양한 방법들이 있다. 교사들은 장 독립성과 장 의존성이라는 두 가지 중요한 것들을 고려해야 한다. 간단히 말해서 다양한 학생들은 다른 인지양식을 가지고 있고 다양한 수준의 심리적 차이를 보인다. **장 의존적인** 학습자는 유의미한 관련적 요소를 가지는 구두 과제에 최

선을 다하는 경향을 보이는 이들이다. **장 독립적인** 학습자는 보다 더 분석적으로 사고하며, 객관적이며 때로 추상적인 사고를 보다 더 효율적인 방식으로 하는 사람들을 말한다.[12]

학생들은 여러 개의 다양한 인지양식을 가지고 있다. 학생들의 차이에 주의를 기울여서 인지하고 교육하는 것이 얼마나 중요한지 보여주기 위해 심리적 차이(장 의존성과 장 독립성)가 사용되었다. 만약 모든 학생들을 동일하게 대우하고 그들이 모두 장-독립적인 학습자라고 가정한다면 장-의존적인 학생들은 좌절을 느끼기 시작할 것이다. 마찬가지로 학생들이 장 의존적이라면 보다 분석적으로 배우는 학생들은 좌절을 경험하게 될 것이다. Good과 Brophy는 교사가 다양한 학습자들을 융통성 있게 다루는 것이 중요함을 입증하는 연구에 흥미를 가졌다.

> … 장 독립적이거나 의존적인 학생들 … 네 가지 조건에서 녹화된 수업내용을 [학습하였다]: 1) 필기하지 않는다, 2) 학생들만 필기할 수 있다, 3) 학생들의 필기와 함께 개요의 틀만을 허용한다, 4) 학생의 필기를 허용하고 완전한 개요를 제공한다. [연구자] … 장 독립적인 학생은 필기를 효율적으로 하고 개요 틀 안에서 그것들을 잘 조직하는 경향이 있어 학생의 필기만을 허락하는 조건에서 잘 수행하는 것을 발견했다. 그러나 장 의존적인 학생들은 선생님이 제공하는 개요를 필요로 하는 것처럼 보였다. [연구자] … 교사가 수업하고 학생은 필기를 하는 전형적인 교실 절차가 장 독립적인 학생들에게 이로울 수 있다는 것에 동의했다. 이런 영향을 줄이기 위해서 그는 교사가 독립적인 학생들에게 피해를 끼치지 않고 장 의존적인 학생들을 도와 줄 수 있는 외부적 도구들 [또는 교수자료들](예: 칠판에 개요를 쓴다거나 수업발표를 잘 조직화한 유인물)을 제공할 것을 제안했다.[13]

알다시피 "멋있게 보이기 위해" 또는 장학사를 만족시키기 위해 자의적으로 교수자료에 변화를 주지 않

는다. 교실에는 다양한 배경을 가진 학습자들이 있기 때문에 그러한 교수자료들을 사용하고, 목표는 내용을 모두 살펴보는 것이 아니라 학생들의 학습이다. 적응적인 교수법을 실행하는 교사는 그들의 교수방법과 사용하는 교수자료에 변화를 준다. 그들은 학생이 가난하거나 출신이 시골 혹은 도시 어디든 간에, 또는 민족성이 강한 지역 출신인 것에 상관없이 제공되는 교수자료를 가지고 성취목표에 연결시킬 수 있는 다양한 경험을 필요로 한다는 것을 알고 있다.

교과서

전통적으로 교과서는 저학년 이상의 모든 수준의 학생들을 위해 가장 자주 사용되는 교수자료였으며, 교사가 사용한 유일한 교수자료인 경우도 있었다. Eisner는 "교과서와 그 단짝인 익힘책"이 "배운 것 중 대부분이 전개되는 교육과정의 중추 부분을 담당했다"라고 단언한다.[14] 교과서는 구매 결정 과정에서 컴퓨터와 복사기 같은 비싼 하드웨어를 별도로 친다면 가장 높은 우선권을 가졌다. 교과서는 강력한 영향력을 가지고 있었거나, 심지어 한 과정의 특성과 계열을 지배하였고, 그렇게 하여 대부분의 학생들의 학습 경험에 큰 영향을 끼쳤다.

교과서에 대한 의존은—많은 교사들이 자신이 교육을 받았던 방식과 마찬가지로—교육의 핵심매체로 문자 언어에 중점을 두는 것과 맥을 같이 한다. 교육자들은 70%~95%의 교육 시간이 교과서(또는 보다 어린 학생들을 위한 실습장)들에 집중된다고 주장했다.[15] 이 숫자는 특히 교과서에 과도하게 의존하는 읽기와 숫자 수업에 대한 연구에 의해 지지되었다.[16]

다수의 교사가 인터넷을 통해 쉽게 접근할 수 있는 정보들을 가지고 교과서를 보충하고 있다. 20세기의 교실은 교과서에 의해서 지배 받았지만 21세기의 교실은 인터넷을 통한 정보 이용에 의한 지배를 받는다. 사례 연구 6.1 웹 활용에는 한 교사가 인터넷을 사용하여 학생들의 교과서 이해와 연습을 보완하고 있는지 예시되어 있다.

단점

교과서는 폭넓게 활용되고, 잠재적 판매를 증가시키기 위해 일반적이고, 논쟁의 여지가 없으며, 평범한 경향이 있다. 이들은 대개 전국적 규모의 독자들을 위해 쓰이기 때문에 지역적 이슈나 특정 지역 문제를 고려하지 않는다. 교과서는 가장 다수의 "보통" 학생들에 맞춰 만들어지기 때문에 특정 집단 학생들의 필요나 흥미에 부합되지 못할 수 있다. 게다가 잠재적 독자들이나 이익 집단을 당황시킬 수 있는 논쟁거리나 주제, 자료들은 생략된다. 검열은 현재 이념적 논쟁을 가열시킬 수 있는 민감한 사항이다.[17] 이것에 대한 예가 사례 연구 6.2 텍사스 교과서에서 볼 수 있다. 이 사례는 극단적으로 보일 수 있으나 실제 일어난 일이며 여러분이 입문하고자 하는 교육 세계의 엄연한 한 부분이다.

교과서는 많은 양의 자료를 요약하는데 그렇게 하는 것은 막연하고 피상적일 수 있으며 개념적 사고, 비판적 분석, 평가를 하지 못하게 만들 수 있다. 수학 교과서는 예외지만, 대부분은 사건들이 급속하게 변화하기 때문에 빠르게 시대에 뒤처지게 된다. 그러나 비용이 많이 들기 때문에 종종 대체되어야 할 시점에서 오랜 시간 후에야 바뀌는 경우도 있다. 교과서가 주제를 불필요하게 쉽게 만든다는 우려도 있다. 어떤 주들은 그들이 채택하는 교과서의 읽기 수준이 어느 정도 될 것을 요구하기 때문에 출판업자들이 그 생각의 본래 의도를 훼손하는 방식으로 문장을 변형시키는 경향이 있다. 또한 미국 사회 내에서 넓이 대 깊이를 중요하게 여기는 것도 문제이다. Sadker와 Sadker는 이것을 "언급 현상"으로 묘사하는데, 교과서가 어떤 것도 잊어버리지 않도록 모든 것을 언급하고자 한다는 것이다. 이 현상의 부산물은 학생들의 학습이 감소된다는 것이다. 보다 많은 예시로 개념에 대한 보다 풍부한 묘사를 필요로 하는 학생들은 교육 내용을 습득하는 능력에 있어서 한계가 있다.[18]

사례 연구 6.1   웹 활용

Chad Raisch는 2학년 담당 교사이다. 다음은 이 교사가 학생들과 함께 인터넷을 사용하는 방법에 대해 설명한 것이다.

인터넷으로 인해 수업중에 사용하는 교과서를 보완할 학습기회가 크게 늘었다. 인터넷 연결을 통해 내 학생들이 교실 밖 활동에 보다 쉽게 접근할 수 있게 되었다. 예를 들면, Advanced Placement 과정의 '미국 역사' 수업에서 나는 자주 우리 책의 안내 사이트에 나온 활동들을 조사해 오라고 숙제로 내주곤 했다. Garraty와 Carnes의 열 번째 증보판, 미국이라는 국가 [occawlonline, pearsoned, com/bookbind/pubbooks/garraty-awl/chapter1/deluxe.html].

그 웹사이트에서 학생들은 여러 활동중에서 대화식의 사지선다형과 진/위 조사 활동을 할 수 있다. 학생들은 위 퀴즈들을 풀어봄으로써 교육 내용에 대해 자신들이 얼마나 이해하고 있는지 평가할 수 있다. 그리고 그들이 잘 수행해 낼 때, 그들은 종종 정규 수업 과정이 아니지만 즉각적인 피드백을 위해 그들의 숙제를 제출할 수 있다. 게다가 교사는 학생들의 퀴즈 결과를 그들에게 곧바로 e-메일로 보낸다. 이런 평가 기준을 제공하는 것 외에도 웹사이트는 각 단원마다 분석적 쓰기 활동에 대한 기록을 제공한다. 학생들은 온라인상에서 여러 개의 일차 자료를 읽고 분석하여 그 기록에 대한 자신들의 해석으로 논쟁거리를 만들어 스스로 역사가가 되기도 한다. 그들의 과제는 교사에게 e-메일로 전달된다.

위의 내용은 위 안내 웹사이트나 다른 유사한 것들이 학생과 교사에게 제공하는 것의 절반도 안 된다. 다른 특징들로는 대화식 지도, 우주 비행중의 일정, 십자 퍼즐, 대화식 짝 맞추기와 빈칸 채우기 활동, 웹퀘스트, 파워포인트 슬라이드쇼 보기, 어휘 사전, 대화식 플래쉬카드, 장 개요, 장 요약, 단원과 장 목표, 제시 자료들, 인터넷의 다른 사이트의 링크 목록과 같은 것들이 있다. 만약 교과서를 보충하기 위해 웹사이트를 활용하고 있지 않다면 시도해본다. 이런 사이트들은 학습자들에게 공학적으로 매력적인 학습 기회를 열어줄 것이다.

◢◤ 성 찰 질 문

1. Chad Raisch는 당신에게 교과서를 보충할 웹사이트를 활용할 것을 권유한다. 당신이 가르치고자 하는 내용에 대한 교과서를 골라서 그가 요청하는 것을 당신이 할 수 있을지 본다.
2. 공학을 잘 활용하면 어떤 점이 당신의 직업을 보다 쉽게 또는 어렵게 만드는가 그것이 학생들의 학습을 향상시킨다고 확신하는가?

장점

이러한 비판들을 고려할 때, 여러분은 교사들이 다른 교수자료를 사용하는 것이 가능한 경우에도 왜 그토록 교과서에 의존하는지에 대해 의문을 던질 수도 있다.

물론, 이에 대한 답은 교과서들이 여러 이점을 제공하기 때문이라는 것이다. 교과서는 1) 교사가 과정, 단원, 소단원을 계획하는 데에 사용할 수 있는 대요를 제공하고, 2) 대량의 타당하고 적절한 정보를 요약적으로

사례 연구 6.2   텍사스 교과서

아래의 기사는 경쟁적인 교과서 시장에서 텍사스의 사례와 교과서 산업에서 주의 불균형의 영향을 다루고 있다.

Austin—만약에 중학교 교과서가 John Jay 대신에 John Marshall이 미국 대검찰청장이라고 잘못 기술했다면? 또는 Louisiana 구입이 1803년이 아니라 1804년이라고 했다면?

아무도 최근 교과서에서 발견된 이와 같은 실제의 실수를 정정하는 것에 대해 교과서 출판업자들을 비난하려 하지 않을 것이다. 그러나 사회적 또는 정치적인 편견을 규정하는 것과 같은 보다 "정정하기" 어려운 경우에 판매하는 것에만 빠져있는 출판업자들이 특별한 이익집단이 반대하는 내용을 적극적으로 수정하거나 또는 심지어 그러한 집단에게 출판 전에 그들의 견해를 얻기 위해 책을 제출한다면 무슨 일이 발생하겠는가?

교과서 내용에 대한 전쟁이 심각한 텍사스에서는 자기검열의 실제가 점차적으로 명백해지고 있다. 수년 간 출판업자들은 교과서를 만들거나 중단시킬 수 있는 보수주의자에 의해서 불구덩이 속으로 끌려 들어가 있었다. 그러나 비평가들에 의하면 현재는 일반인들이 책을 검토하도록 제공되기 전에 야단법석을 일으킬만한 보수적인 단체들이 그 내용에 대하여 논의하는 것을 출판업자들이 허용하고 있다.

해마다 교과서 전쟁은 시작된다… 주 교육 위원회는 전 학년에 대한 2003년 사회 연구 교과를 다루는—345백만 달러어치를 구입하는 공청회를 개최하였다. 특정 이익 단체들이 이 종일 이벤트에 대대적으로 참석하였다. 70명의 대변인이 적혀 있는 압력단체 명단에는 중남미인 대학생, 교과서에 보다 많은 소수인과 여성들이 묘사되기를 원하는 NAACP, 이슈를 더욱 보수적으로 해석하고자 하는 기독교인 집단, 그리고 이렇게 어설프게 땜질하는 것에 반대하는 사회과 교사들이 포함되어 있었다.

유명한 Texans Mel과 Norma Gabler이 60년대에 반 기독교적 편견을 찾는 것에 주목하기 시작한 이래로 비평가들은 보수적 우익이 자신들의 의제를 교실 안에 끼워 넣으려고 했다고 비난해왔다. 보수주의자들은 수년 동안 서류가방을 들고 있는 여성 사진, 진화론, 그리고 "노예에 대한 지나친 과잉 강조"와 같은 것에 대해 싸워왔다.

1995년에 입법부가 개입하여 교육부는 오로지 이념이 아닌 사실적인 실수에 기초하여 교과서들을 거부할 수 있다라는 법을 통과시켰다.

그러나 위원회는 또한 품질 우수하고, 민주주의, 애국심, 그리고 자유기업 체제를 활성화시키는 교과서들을 승인할 것을 요구하는 주 법을 따라야 한다. 그리고 보수적인 구성원들은 그들의 신념에 맞게 이들에 대한 정의들을 확장하는 방법을 모색하고 있다.

최근의 두 가지 사례: 주 위원회는 환경과학 교과서를 작년에 거부하였다. 부분적인 이유는 그 책이 지구온난화 현상에 있어서 중요한 역할을 한다는 식으로 미국과 자유 기업 체제의 나쁜 면을 강조했기 때문이다. 그리고, 올해 초에는 위원회의 위원들이 1800년대 미국 서부에서 만연했던 매춘을 언급하는 것에 대해 반대한 후에 역사책이 출판업자에 의해서 회수되었다.

보수적인 단체는 이와 같은 생각들이 반 미

국적 또는 반 자유기업적이라는 것에 동의하고, 아이들에게 가르칠 수 없다고 주장하였다.

비평가들은 교육위원회의 결정이 오직 Lone Star 주(텍사스 주 이름)에 있는 어린 아이들에게 영향을 주게 된다면 그래도 괜찮다라고 말하였다. 그러나 텍사스에서의 교과서 시장은 너무 광범위하고 재정적으로 매력적-공립학교 어린이들이 4.1백만으로 교과서 구매량에 있어서 캘리포니아 다음이다-이기 때문에 출판업자들은 종종 전국적으로 승인 받은 교과서를 사용한다.

그 위원회의 위원인 David Bradley는 텍사스가 출판산업에서 가지는 영향력을 지칭하면서 "우리는 교실에서 450kg의 고릴라다."라고 말한다. "왕이라는 것은 참 좋다."

Bradley는 1997년에 수학교과서를 반대하기 위해 시도했던 한 전술에 빠져 있다. 그는 교과서에서 시, 베트남전쟁 그리고 잘라피뇨 요리법을 다루고 있는 것에 대해 반대했다. 그의 반대가 사실적 오류에 관한 것이 아니었고, 새로운 법에서는 그가 이념적 토대에서 반대하는 것을 금지했기 때문에 그는 제본을 뜯어내면서 그 교과서의 품질을 비난하기 시작했다.

지난 해에 초점이 되었던 새 과학 교과서가 약간의 감정을 격발하였던 반면, 워싱턴의 미국 출판인협회의 고문 변호인인 Joe Bill Watkins는 올해의 사회 교과서에 대한 싸움은 "다른 의견들에 대해 더욱 많은 가능성을 제시한다고 믿는다....(중략). 지금은 미묘한 시기이다. 이에 많은 이해관계가 얽혀 있다."

올해 교과서를 제출한 29개의 출판사들은 그들의 책이 어떻게 될지, 어떤 요청을 받게 될지를 알고 [싶어한다].

적어도 이들 출판사의 일부는 일반인의 검토 전에 그들의 교과서를 제공했다고 보수단체의 Peggy Venable이 주장한다.

"오늘날 여기 일부 사람들은 동의하지 않는다. 그들은 우리 학교에서 강화된 미국적 가치를 원하지 않는다."라고 심리에서 Rick Green 의원이 말했다. "그러나 텍사스의 절대 다수는 그렇게 하는 것이 옳다고 생각하며, 그것이 바로 우리의 교육체제의 목적이다."

그러나 일부 사람들은 교육의 주된 목적이 다른 의견을 포용하고, 비판적인 사고를 격려해 주는 것이라고 믿는다.

1995년의 새로운 규정 이래로 주 위원회에 의해 불합격 판정을 받은 최초의 교과서는 "환경 과학: 자원 고갈 없는 미래를 위하여"였다. 20여 년간 대학에서 사용된 이 책은 상급학생들을 대상으로 한 것이었다. 이는 텍사스 교육청의 교과서 위원회에 의해 사전 승인을 받았다. 그러나 학교 위원회의 위원들은 지구온난화와 환경파괴에 관한 진술 부분─특히, 이러한 문제에 대한 미국의 역할을 지적한 부분─에 대하여 비판한 보수적인 TPPF(Texas Public Policy Foundation)의 보고서 이후 해당 교과서를 거부했다.

매사추세츠의 출판업자인 Dean DeChambeau와 Jones, 그리고 Bartlett은 그 교과서에서 발견된 세 가지의 사실적인 오류들에 회사가 동의했었다고 말한다. 그러나 TPPF의 보고서에 의해 제안된 다른 변화에 대하여는 "우리는 확고히 거절한다... 왜냐하면 그들은 자신들이 편향된 자료라고 인식한 것들을 자신들의 편향된 자료들로 교체할 것을 요구하기 때문이다."라고 하였다.

...TPPF의 교육연구관은 "어떠한 검열도 없다."라고 Chris Patterson에게 말했다. 이 단체는 최근에 사회과 교과서로 제출된 23종에 대한 결과를 발표했다. 그들 중 어느 것도 기각되지 않았다.

1. 만약 당신이 학생들에게 어떠한 특정 개념을 이해시키기 위하여 필수적이라고 생각하는 주제와 관련하여 검열이 이루어지는 것을 본다면 교사의 입장에서 무엇을 할 수 있겠는가?

2. 당신은 잠재적으로 논란의 여지가 다분한 주제를 가르치기 전에 이를 준비하기 위하여 어디를 접촉해 볼 필요가 있겠는가? 또는 단순히 논란이 되는 이슈를 피해야 하는가?

3. 논쟁적인 주제가 분명히 드러나는 교과영역이 있는가? 특정 학문(예컨대 수학과)은 논의의 소지가 없을 수 있겠는가?

제시하고, 3) 학생들로 하여금 교과 과정을 위해 학습할 필요가 있는 자료의 대부분을 수월하게 과제로 제시할 수 있게 해 주고, 4) 모든 학생들이 이해할 수 있는 일반적인 자료를 제공하고, 5) 정보와 활동의 조직에 관한 아이디어를 교사에게 제공하고, 6) 이해를 촉진시킬 수 있는 삽화, 그래프, 지도, 그리고 기타 해설자료 등이 포함되어 있고, 7) 요약이나 점검 질문과 같은 다른 교수 보조 도구가 포함되어 있고, 8) 수업자료 준비에 대한 교사의 부담을 경감시키고, 따라서 수업 준비 시간을 늘려준다.[19]

좋은 교과서는 바람직한 특성들을 많이 가지고 있다. 잘 조직되고, 통일성이 있으며, 통합적이고, 비교적 최신 내용을 담고 있다. 또한 정확하고, 상대적으로 덜 편향적이다. 학자, 교육자, 그리고 소수 집단의 의견이 고루 반영되어 있다. 좋은 교과서에는 교사의 평가 항목, 연구 지도, 활동 지침 등이 함께 제공된다. 이러한 교과서는 주의하여 선별되고, 적절한 관점이 유지되어 지식의 유일한 자원으로 간주되어 교육과정처럼 다루어지지 않는다면 수업의 도구로 수용될 만하다. 대부분의 경우, 여러분은 자신이 사용할 교과서에 대한 선택의 여지가 없을 것이다. 그러나 교과서에서 다루는 내용을 어떻게 보충할 것인지, 그리고 다루는 범위의 확장이 정당한 주제가 무엇인지에 대한 결정은 내릴 수 있다. 다음의 내용은 여러분이 이러한 결정을 하는 데에 있어 그 정도를 설정하는 것에 도움을 줄 것이다.

1. *학교구의 교육과정 지침* : 해당 학교 교육구에서는 당신이 무엇을 가르치길 원하는가?

2. *자신이 가르치고 있는 주의 학업성취 기준* : 당신이 가르치고 있는 주의 학문적 기준은 무엇이며 규정된 기준과 관련하여 교과서 내에 적절하게 포함되지 않은 주제는 무엇인가?

고정관념

기초 독자와 교과서는 1960년대에서 1970년대에 도심과 소수민 아동들의 사회적 현실과 무관한 것으로 비판받기 시작하였다. 수년 전, Fantini와 Weinstein은 학교 교과서를 "건전하고 사랑스러운 가족들과 함께 오직 청결하고, 잔디가 깔린 교외에서 살아가는 행복하고, 단정하고, 부유한, 백인을 묘사하는 반면 … 우리 인구 중 많은 수를 차지하는 민족 [그리고 인종]집단은 종종 생략되거나" 오직 "다른 나라로부터의 어린이로서" 포함된다고 설명하였다.[20] 이와 같은 고정관념적인 묘사는 이전보다 훨씬 겉으로 드러나지는 않지만, 여전히 남아 있다.

한 교육자에 따르면, 수년 동안 교과서의 독자들에게 있어 모든 미국 인디언들은 "Big Horn" 또는 "Shining Star"로 불렸다. 이탈리아인, 그리스인, 또는 폴란드인의 이름을 가진 이들은 빨간 스카프를 하고 찢어진 옷을 입는 행상인 또는 오르간을 연주하는 사람들

같이 나타나 있다. 흑인은 전혀 없거나, 아니면 배경에 한 흑인 소년이 삽입되어 있다. 황인종, 중남미계의 사람, 또는 흑인은 중국, 인디아, 아프리카에 대한 이야기에서 묘사되어지나 항상 이상한 외국인으로 묘사된다. 여자는 거의 항상 엄마, 간호사 또는 교사로 묘사된다. 종교는 일요일 아침에 교회에 참석하는 것과 관련된 것을 제외하고는 거의 언급되지 않는다. 짧게 말해서, 이러한 책들의 독자들은 사회에 대한 단일문화적 관점에 노출되게 된다. 백인이 아닌 어린이는 그들을 거의 언급하지 않거나, 그들을 완전히 생략하거나 선입견적으로 그들을 설명한 책으로 학습한다.[21]

오늘날 많은 독자들, 익힘책, 그리고 교과서들은 인종적, 윤리적, 종교적 그리고 성에 관한 고정관념을 배제한다. (외설, 폭력, 성 관련 주제는 여전히 일반적으로 꺼려지며, 재앙과 죽음 같은 유쾌하지 않은 문제들도 꺼려진다.) 장애를 갖거나 노인을 포함하여 주요 인종, 민족, 그리고 소수 집단들이 이야기에서 인물과 삽화로 더 많이 묘사된다. 여성은 비행기 조종사, 경찰관, 건설 노동자, 변호사, 그리고 의사 등으로 그려진다. 흑인, 중남미인, 다른 소수 민족들은 전문적이고 경영적인 직업을 갖고, 모두 농구선수나 음악가가 아니다. 최근 교과서에서 명시적인 고정관념은 아주 꺼려진다.

균형잡힌 교과서 개발은 여전히 논쟁이 진행중인 주제로 남아있다. 정치적인 연속선의 한 쪽 끝부분에는 교과서에 있는 내용과 삽화가 여전히 인종과 성의 고정관념을 전한다는—과학, 자본주의, 형식적인 합리성 등을 지나치게 강조하는 것은 한때 지배적이던 권력 집단(백인, 남자)과 전통적으로 연합된 것을 가치 있게 여긴다는 것과 같은—비난이다.[22] 비평가들은 민감하고 암묵적인 고정관념이 여전히 존재(여자는 서비스업 또는 가족의 역할에서 긍정적이거나 주된 역할로 묘사된다)한다고 여긴다.[23] 반면 연속선의 반대쪽 끝에는 "정치적으로 옳은 것"—단순히 모든 학생들의 문화를 반영하는 것이 아니라 "공통적인 문화"의 어떤 암시도 헐뜯는 것—에 대하여 출판업자들과 현재의 교과서 저자들에게 너무나 많은 압력이 주어진다는 비판이 있다. 비평가들에 의하면 대부분의 유럽인, 백인종 또

는 남자는 인종적인 편견, 성차별주의, 그리고 심한 차별에 대한 매개물로써 지각된다.

Oakes와 Lipton은 1991년 캘리포니아 교과서 수정이 개척자들이 서부를 어떻게 확장했는지와 미국 인디언들이 어떻게 반응했는지에 대한 실제 이야기를 여전히 손상시키고 있는 것에 대해 우아하게 기술한다. 그들은 우선 교과서에서 다음을 인용한다.

비록 일부 인디언들이 자선 시설에 만족했을지라도, 많은 다른 인디언들은 이 새로운 삶의 방식에 행복해 하지 않았다. 인디언들이 자선 시설에 살면서 그들 고유의 문화와 그들 종족의 촌락에서 알았던 삶의 방식을 포기하게 되었다. 그들은 종군 신부의 허가 하에 자선 시설을 벗어날 수 있었다. 그들은 사냥을 하거나 열매를 따는 것도 자유롭지 못했다.

자선 시설의 인디언들은 일단 자선 시설의 삶에 참여하기로 동의하는 순간 그들의 종족으로 되돌아오는 것이 허락되지 않았다. 달아나는 사람도 있었다. 그러나 군인들은 대개 그들을 다시 데려왔고, 때때로 그들을 채찍질하였다. 반란을 일으키고자 했던 사람도 있었다. 그들은 자선 시설 공동체의 지휘자인 스페인 종군 신부와 군인들에게 저항하여 일어서기를 원했다.…

그리고 Oakes와 Lipton은 이 교과서 내용에 대해 다음과 같이 논평한다.

… 이 판본은, 캘리포니아 인디언들이 감내해야 했던 품위와 인권에 대한 놀랄만한 위반을 묘사하면서 말끝을 흐리고 있다. "몇몇의 인디언은 만족했다"는 것은 농장에서 행복한 흑인 노예를 언급하는 것과 도덕적으로 동등하게 볼 수 있다. 그 인디언들은 그들의 문화를 "포기했다"는 것은 자유와 중립적인 선택에 가깝게 보인다. 그 교과서는 어른들이 불량 어린이들에게 하는 익숙한 언어-채찍질, 허락 없이 떠날 수 없고 사냥과 열매를 따는

것도 자유롭지 못한-로 인디언에 대한 범죄를 설명한다. 인디언의 죽음은 건전하게 보이도록 살인자로부터 안전한 거리를 유지한 듯하다. 즉, 영토 탈취와 노예화가 아니라 재앙, 흉작, 그리고 식생활 변화로 인디언 인구가 절반으로 줄어들었다는 식이다. 반면 인디언들은 그들의 죄 때문에 노골적으로 미개인화되었다. 즉, 그들은 폭력적인 반란을 일으키고, 공격하고, 자선 시설들을 태워버리고, 신부들을 죽인다는 식이다.[24]

우리는 정보의 정치학과 적합한 교과서 내용이 무엇인가에 대한 두 가지 상반된, 매우 감정적인 관점과 씨름하도록 강요받고 있다. 이러한 모든 우려를 충족시키는 좋은 문헌 또는 좋은 교과서를 찾는 것은 매우 어렵다. 일부 새로운 기준들에 맞추기 위해 많은 고전적인 작품들이 교육과정으로부터 삭제되어 왔고, 그리고 담백한 교과서와 수업자료들이 많이 포함되었다. 작가인 Connie Muther는 "이러한 생각은 모두를 기쁘게 하고 [누구도] 감정 상하게 하지는 않는데, [그래서] 교과서는 명확한 관점이 없어지게 된다"고 하였다.[25] 비록 많은 새로운 책들이 대중을 더욱 정확하게 묘사하지만 그들은 무해하고 지루하며 골자가 빠져 있다.

(이 교과서의) 저자 중 한 명은 9-11용 한 교과서에서 대부분의 교과서가 중립적이고, 유쾌하고, 긍정적이고, 정책적으로 옳은 것으로 적당히 처리한다는 점을 명확히 보여주었다. 그는 교과서에 대한 소개를 아래와 같이 하였다:

당신은 삶이 매우 힘들고, 교양 있는 마음을 요구하는 책을 읽을 필요가 없다고 느낄지도 모른다. 만일 번지르르한 그림과 웃기는 표지, 또는 한 쪽에 그려져 있는 만화나 사례 연구가 당신을 즐겁게 해 줄 수 없다면, 당신은 심각한 문제들에 대해서 읽거나 생각하는 것으로부터 성가심을 당하지 말아야 하거나 기대하지 말아야 하는 것으로 합리화하고 있을 수도 있다.

나중에 저자는 이 문제를 독자의 얼굴에 더욱 직접적으로 제시하면서, 그의 교과서는 자기 주장이 강하며, 대부분의 교육용 교과서에서 꺼리는 불쾌한 문제들을 다루고 있다고 주장한다.

…(중략) 이것은 가볍게 읽기 위한 것, 또는 "Dick과 Jane"의 독자를 위한 것이 아니다. 모든 주제에 관해서 정치적으로 옳아야 한다는 충동을 가진 이들은 마음을 심란하게 하는 것- 자신의 인종적, 윤리적, 종교적 또는 성에 관한 편견들은 인정하지 않으려 하면서-을 많이 찾을 수 있다. 마지막으로 내용에 억제, 절제와 낙천주의가 부족하고, 표현이 다소 파괴적이고, 절제되지 못하다는 점에서 잘못이라고 하는 이들도 있을 것이다.

마지막으로 저자는 출판 산업을 조롱한다.

전형적인 교육용 교과서를 읽을 때, 삶은 아주 무미건조하게 된다. 그 내용이 매우 간접적이고 중용적으로 되는 것은 출판업자가 긍정적인 인간 조건의 중립적, 긍정적 모습을 전하고자 하는 주류 사회에 대한 기여이다.[26]

가독성

학생 읽기 문제에 대한 관심은 구체적인 학생 집단, 특히 평균 수준 이하의 독자들에게 적합한 교과서와 다른 읽기 자료를 식별하도록 교육자들을 자극해 왔다. 이러한 노력으로 사용된 하나의 전략은 **수준화**이다. 이것은 매우 주관적인 사정 방법이다. 교과서 읽기의 어려움을 측정하기 위해 1920년대에 처음으로 고안된 **읽기 공식**은 또 다른 전략이다. 이들은 최근에 일반인들에게 더욱 널리 알려졌다.

일부 읽기 공식은 음절의 수 또는 한 단어 내 문자의 수를 센다. 반면, 몇몇은 특정 단어 목록에 없는 단어들의 수를 센다. 또 다른 몇몇은 문장 길이를 측정한다. 나머지 몇몇은 한 문단에서 단어들을 제거한 다음 학생들이 삭제된 정확한 단어를 채워 넣을 수 있는지 여부를 시험해 본다.[27] 몇몇 공식들은 읽기의 어려움을 계산하기 위해 그래프, 회귀 통계, 백분위와 점수 범위들을 사용한다. 현재 읽기 수준 결정에 관련된 셈과 계산 작업을 위해 컴퓨터 프로그램이 활용 가능하다. 다양한 공식들이 있으며, 모든 공식들은 교육 전문가들에게 교과서의 어려움과 잠재적인 독자들에게 적합성을 평가하는 수단을 제공하려고 한다.

읽기 공식으로 가장 잘 알려진 것은 Edward Fry에 의해 개발된 것이다. 이것은 무작위로 택한 지문에서 평균적인 문장과 음절 수에 기초한 등급 수준을 측정하는 것이다.[28] Alton Raygor에 의해 개발된 Raygor 읽기 측정은 Fry 방법(음절 대신에 단어를 세는 것)보다 사용하기 좀더 쉬운 반면 정확성은 동일하다.[29] 다른 공식들의 예는 표 6.2에 제시되어 있다.

다양한 읽기 공식들에 대한 비평은 다음과 같다. 1) 학생들의 선수 지식, 경험, 흥미, 읽기 이해 정도에 영향을 주는 모든 사항을 고려하지 못한다. 2) 더 적은 수의 음절로 이루어진 단어들과 더 짧고 간단한 문장들이 종속절을 가진 더 많은 수의 음절로 이루어진 단어들과 더 긴 문장들보다 이해하기 쉽다고 가정하는데, 이는 항상 사실인 것은 아니다. 3) 출판업자들은 반드시 알려주지는 않지만 특정 수준의 가독성을 보이도록 문장과 단어 길이를 조정함으로써 이러한 공식들에 반응해 왔다.[30] 4) 공식들을 엄격히 고수하는 것은 연결된 단어, 어휘, 문장 구조의 산문을 재미있고, 이해 가능하며, 품위 있게 읽을 가치가 있도록 하지 못하게 한다. 간단히 말해, 읽기 공식들을 엄격히 따르는 것은 지루하고 재미없는 교과서의 채택을 초래할 것이다. 결과적으로, 교사가 학교에서 사용하는 교과서와 학생들의 학습 욕구 사이에서 합의점을 결정하고, 학생의 학습을 확실히 하는데 필요한 부가적인 자원이 필요할 때에 교과서를 보충하는 것은 필수적이다.[31]

읽기 능력 공식에 대한 또 다른 비판은 매우 이른 단계에 있는 어린이들을 위한 교과서에 유용하지 않다는 것이다. 교과서 지문이 대부분 100단어 미만이기 때문에, 공식은 어린 학년에게 적절한 교과서에는 효과가 없다. 공식이 적용될 수 없을 때, 교사들은 이를테면 교과서 길이, 크기, 유인물의 배열, 소개된 어휘와 개념, 언어 유형, 설명을 뒷받침하는 실례(그것이 자료를 명확화하는 것을 도와 주는가?)와 같은 요인들을 고려함으로써 교사 자신의 사정 기술을 개발할 필요가 있다. 본질적으로 교사는 그들이 사용하는 책 속의 어휘에 세심할 필요가 있고, 어린이들에게 책을 적절히 맞추는 기술을 개발할 필요가 있다.

이러한 단점과는 상관없이 읽기 공식은 교사들이 읽기의 어려움을 사정하고 학생 능력에 적절한 인쇄된 자료를 선택하는 것을 도와준다. 대부분의 교사들은 능력의 범위에 있는 학생 집단과 함께 작업을 수행하기 때문에, 자료의 난이도가 일 년 이하 혹은 집단의 평균 읽기 단계 수준 이하를 넘어서지 않도록 할 것을 조언한다. 한 집단에서 읽기 능력이 1~2년 이상에 걸쳐 있다면, 교사는 한 세트 이상의 교육적 자료를 사용해야 한다.

몇몇 교육자들은 현재 교과서를 채택할 때 간주해야 하는 주된 질적 기준은 읽기 능력이 아닌 이해 능력이라고 강하게 주장한다. 교사와 교과서 위원회는 이해 능력에 공헌하는 장치로서 구조적 검토, 도입 목표, 요약, 복습 연습 문제와 같은 다양한 교과서 지원 도구들을 식별하고 있다. 한 읽기 전문가는 교과서를 선택할 때 고려되어야 할 40개 이상의 지원도구들을 목록화했다.[32]

인지적 과업 요구

비평가들은 대개 교과서가 모든 교과와 학년 수준에서 지나치게 많은 주제를 다루고 있다는 점을 발견했다. 서법은 피상적이고 일관성이 없으며 깊이와 생기가 부족하고, (앞서 설명하였듯이, 이러한 현상은 **언급하기**라고 불린다.) 내용은 중요한 것과 사소한 것 사이에서 우왕좌왕한다.[33] 많은 교과서들이 또한 학생들의 상상력과 흥미를 포착하고 학생들을 생각하게 하는데 실패하고 있으며, 인지적 정보와 언어적 처리 과정에 관한 최신 지식을 얕잡아 본다.[34] 소위 가장 좋은 교과서들

표 6.2 읽기능력 공식 자세히 보기

100개 이상의 읽기능력 공식이 있으므로, 다음 내용은 단지 소수의 표집이다.

Betts 수준

이 공식은 구두로 읽는 과정에서 빚어지는 실수에 기반을 두고 있다. 독립적인 수준은 실수가 5% 이하일 때이다; 수업 수준은 실수가 약 5%(20 단어에서 하나)일 때이다; 좌절 수준은 실수가 5% 이상일 때이다.

중국어

중국어는 단어가 아닌 문자로 쓰여 있으므로, 문자 당 획수를 세어야 한다.

Cloze 법

책을 서열화하기 위해 Cloze 법을 활용하려면, 간단히 교과서 지문을 택하고 매 다섯 번째 단어를 지워서, 한 집단에게 빈 칸을 채우도록 한다. 이 방법은 객관적이고 정확하지만 시간이 소요된다. Cloze 점수를 학년 수준으로 변환하려면 Dale-Chall 매뉴얼을 참고한다.

새로운 Dale-Chall 읽기능력 공식

(매 50번째 페이지마다)100단어 정도의 예문을 택하고, 그 예문에서 문장 수를 셈으로써 학년 수준과 원한다면 Cloze 점수를 획득할 수 있다. 다음으로 Dale 목록의 3,000 단어에 없는 생소한 단어를 결정한다. 학년 수준과 Cloze 점수를 얻기 위해서는 표를 활용한다. 표와 3,000 단어 목록은 사용자 설명서에 제시되어 있다.

Flesch Kincaid 읽기 쉬움 공식

이 공식은 산업분야에서 널리 활용된다: 학년 수준 = 4(단어/문장)+12(음절/단어)−16.

Fry 가독성 그래프

100단어 예문을 무작위로 최소한 3개를 선택하고, 각 예문에서 문장 수를 센다. 그리고 나서 각 예문에서 음절 수를 센다. 문장 수와 음절 수의 평균을 내고 학년 수준을 구하기 위해 그래프를 활용한다. 그래프에는 저작권이 없다.

Lix와 Rix

이 공식은 유럽에서 다양한 언어로 활용된다. Lix는 평균 문장 길이에 평균 단어 길이를 더한다. Rix는 문장 길이에 의해 나누어진 긴 단어의 수이다.

수준화

여러 저자들은 각각 요인들의 상이한 혼합을 제안한다. [수준화는 훨씬 더 현대적 용어이고, 주로 읽기 수준 도입부에서 활용된다.]

Lexiles, DRP 단위, ATOS 학년 수준

이 공식은 대기업들에 의해 많은 수의 도서에 적용된다. 아마도 도서목록을 구입하는 것이 최상책일 것이다.

출처: Edward Fry. "Readability Versus Leveling." *The reading teacher* (November 2002):290. Reprinted with permission.

은 자주 재미있고 장식적으로 설계되지만, 단지 주제에 대한 표면 정보만을 제공하고, 주요 문제에 대한 적절한 통합이 부족하며, 학생들의 심정을 그려내지 못한다. 그것들은 의도적이지는 않지만 과도하게 단순화되고 사고를 제한하도록 조정된다.

교과서 채택 위원회는 주제의 범위와 읽기 쉬운 문장을 요구함으로써 피상성 문제를 더욱 악화시켰다. 정치적 열정과 법적 도전 의식이 있는 특별 이익 단체들은 출판업자들이 언어와 인지적 과정을 희생하면서 내용에 대해 정치적으로 민감해지도록 야기하면서 문제를 더욱 부가시켰다. 교사들 역시 너무 많은 교사들이 비평적으로 아이디어를 탐구하는데 초점을 맞추는 것보다는 오히려 "옳은" 정답을 강조하는 식으로 그들의 몫을 담당했다.

몇 년 전, Bennett과 그 동료들은 교사들이 교과서에서 부과한 417개의 언어 및 수학 과제들을 분석하고, 60%가 연습 문제 혹은 이미 학생들에게 알려진 내용이었음을 발견했다. 새로운 과제는 25%를 차지했고, 학생들이 발견하고 발명하거나 새로운 개념 또는 문제를 발전시키도록 요구되는 과제들은 과제의 7%를 차지했다. 또 다른 연구에서는 약 84%의 교사들이 교과서상으로 명시적인 수업, 질문에 정답을 제시하기 위해 교과서와 익힘책에서 언어 정보를 선택하는 방법에 의존하고 있음을 발견했다. 교사들은 교과서상으로 암묵적인 수업, 즉 제공된 교과서의 정보로부터 학생들이 정답을 유추하도록 하는 것을 거의 채택하지 않는다. 교사들은 문서상으로 암묵적인 수업, 즉 학생들이 주어진 정보를 넘어서 선수 지식과 사고 능력을 회상하여 정답을 얻도록 하는 것은 더더욱 활용하지 않는다.[35]

많은 교사들은 낮은 수준의 인지적 요구를 하는 것으로 알려져 있고, 학생들의 생각 혹은 사고 방법으로부터 분리된 교과서로부터 변화하고 싶어하지 않으며, 그럴 수 없다. 적어도 수학 교사들은 문제 풀이를 강조한다고 기대할지도 모르지만 많은 수학 교사들, 특히 초등학교 고학년 혹은 중고등학교 단계에서의 교사들은 이러한 면에서 그들의 동료들과 크게 다르지 않다. 실로 다음을 강하게 시사하는 자료들도 있다. 이러한 "교사들은 수학을 모른다. [결과적으로] 그들은 기초적인 문제들을 부과하지만 단어 문제들은 가르치기 어렵기 때문에 그냥 넘어간다."[36]

단어 문제들은 또한 몇몇 교사들, 심지어 "꽤나 잘 훈련된" 교사들조차 갖고 있지 않은 내용 이해의 수준을 요구할 수 있다. 예컨대, 1990년대 초기에 한 연구자는 예비 교사들에게 1과 3/4을 1/2로 나누는 것에 대한 이야기 문제를 만들어 낼 것을 요구했다. Harriet Tyson에 의하면 다음과 같다.

교육대학생의 터무니없이 많은 69%가 그렇게 할 수 없었다. 그러나 놀랍게도 중학교 교사가 될 계획인 수학과 전공 혹은 부전공 학생의 55% 또한 나눗셈 문제에 요구되는 삶의 상황을 고안해 낼 수 없었다. 물론 그들이 배웠던 체계적인 접근을 통해 모두가 문제를 "해결할" 수는 있었다. 그러나 1/2로 나누어진 1과 3/4을 활용하는 실세 삶의 상황을 상상하려고 노력할 때, 많은 사람들은 1/2이 아닌 오히려 2로 나누는 것에 관련된 문제를 만들어냈다. 이러한 연구는 수학 전공자와 부전공자들이 1/2로 나누는 것의 개념을 이해하지 못했음을 명백히 해 준다. 만약 이해했다면, 그들은 1/2로 나누는 것이 더 큰 숫자를 만들어 내는 것에 반하여, 2로 나누는 것이 더 작은 숫자를 만들어 낸다는 것을 알았을 것이다. 기술자들은 이러한 개념을 이해할 필요가 없을지도 모르지만, 교사들은 이해해야 한다.[37]

여기서의 요점은 간단하다. 좋은 교수는 지적으로 많이 요구되는 것이다. 그것은 복합적이고 정교한 의사 결정이며, 교과서가 교사를 위해 그렇게 할 수는 없다. 교과서는 내용상의 의무사항이 아니라 자원이다.

교과서와 교육학적 지원도구

때로는 교과서 중심적 지원도구, 수업적 지원도구, 교과서 요소 혹은 독자 지원도구라 불리는 교과서 지원도구는 내용의 이해를 강화하기 위해, 그리고 학습을 용이하게 하기 위해 설계된다. 장 도입부에 나타나는 지원도구로는 개관, 수업 목표, 핵심 질문(선행 질문) 등이 포함된다. 장을 통해 제공되는 지원도구에는 표제, 특별한 유형에서의 핵심 용어, 여백에 제시되는 난외주("유발 항목"), 개관 표, 개요, 토의(요점-반대 요점, 찬반), 그래프, 도표, 그림 등과 같은 도해 등이 포함된다. 장의 후반부에 제시되는 지원도구로는 요약, 토의 문제(후행 질문), 사례 연구, 문제, 정리 연습 문제, 예시 검사 문항, 제안 활동, 제안 읽기 자료, 용어 풀이 등이 포함된다.

학생들이 그 장을 읽기 전에 사용되는 이러한 지원도구들은 일반적인 접근법, 학습되는 정보와 개념들을 알려주어, 강한 이해력을 기를 수 있다. 학생들이 그 장을 읽는 동안에 사용되는 지원도구들은 내용의 조직화, 예시 제공, 보충 정보 제공, 목표의 반복에 초점을 맞춘다. 그 장의 후반부에 사용되는 것들은 요약과 연습을 통해 학습을 강화하고, 문제와 활동을 통한 비판적 사고를 북돋운다. 교과서 지원 활용의 통찰을 위해

서는 교사들을 위한 조언 6.2를 참고한다.

때로는 수업적 지원도구, 교수 지원도구라 불리는 **교육학적 지원도구**는 교사가 활용하도록 설계되고, 교과서에 보충물로 제공된 자료들이다. 1) 교사용 지도서, 2) 시험 문제, 3) 기술 배양 및 연습 문제용 서적, 4) 투명성 혹은 복제 차단, 5) 학습 활동 강화, 6) 풍부한 학습 활동, 7) 행동 목표, 8) 소단원 계획, 9) 게시판 배열, 10) 보충적인 표, 그래프, 도표, 지도, 11) 학부모 수반 자료들, 12) 교사 자원 묶음, 13) 컴퓨터 소프트웨어, 14) 오디오, 비디오 카세트 등이 포함된다.[38]

교사들을 위한 조언 6.2

학생의 교과서 지원도구 사용

교과서 선정을 위한 교과서 선정 위원회 기준과 교사의 필요가 증가함에 따라 교과서 지원도구는 계속해서 늘어왔다. 다음은 요즘 흔히 교과서에서 찾아볼 수 있는 특색에 대한 목록이다. 교과서의 지원도구를 어떻게 사용하는지에 대해 이해하도록 학생들에게 묻기 위한 질문을 교과서는 포함하고 있다.

글의 특색: 학생을 위한 예시 질문

내용

1. 내용 표를 어떻게 사용하는가?
2. 주 제목과 소제목의 차이는 무엇인가?
3. 빈칸 내 정보는 어느 장에서 찾을 것인가?

목록

1. 목록에서 어떤 정보를 찾는가?
2. _____의 정보를 몇 쪽에서 찾을까?
3. _____에 대한 주제가 왜 통합적으로 참조되는가?

공개 자료(개관 목표, 초점적 질문, 개요)

1. 이 장의 중심 요소나 주제는 무엇인가? 어떻게 알까?
2. 목표가 이 장의 개요와 부합하는가?
3. 빈칸의 논의는 몇 장에서 찾을 수 있을까?

그래픽 자료(차트, 그래프, 도형)와 도표자료

1. 차트 밑의 범례가 자료의 의미를 어떻게 설명하는가?
2. 그래프 선들에 기초하면 2010년에는 무엇이 발생할 것인가? 점선들은 무엇을 의미하는가?
3. 서사문에서 작가는 어디에서 표를 설명하고 있는가?

요약

1. 만약 그 장이 무엇에 대한 것인지 알아내기 위해 단지 한 쪽만 읽을 수 있다면 몇 쪽을 읽어 보겠는가? 그 이유는?
2. 어디에서 이 장의 중심 생각에 대한 요약을 찾을 수 있는가?
3. 요약이 주제목과 부합하고 있는가?

사진(그림)

1. 사진이 적절하며, 최근의 것인가?
2. 이 사진에서 저자가 전달하려는 것은 무엇인가?
3. 사진이 어떻게 저자의 성향을 보여주는가?

제목

1. 제목이나 부제목에서 어떤 중심생각을 끌어낼 수 있는가?
2. 부제목이 어떻게 주제목과 연관되어 있는가?
3. 빈칸의 논의를 몇 쪽에서 찾을 것인가?

정보 자원(각주, 참고목록 서적)

1. 저자는 어디에서 그 장에 대한 정보를 얻었는가?
2. 각주가 중요한가? 최근의 것인가?
3. 그 장의 끝에 참고목록을 보충하기 위해 어떤 참고서적을 사용할 것인가?

글의 핵심 용어

1. 이 쪽에서 어떤 것이 중요한 용어인가?
2. 글은 인쇄에서 핵심 용어들은 무엇인가?
3. 글속에서 이러한 용어의 의미를 어디에서 찾을 수 있을까?

책 난외주(혹은 유발항목)

1. 책 여백에 주석을 알아볼 수 있나?
2. 왜 이 용어들과 문구들이 책 여백에 적혀 있는가?
3. 다음의 주제에 대한 논의를 빨리 찾아보아라.

충분한 토의(상의)—(요점, 핵심적 기호), 제안목록, 사례연구

1. 왜 요점 토의가 흥미로운가? 어떤 입장을 취할 것인가?
2. 이 주제에서 무엇이 중요한 사안인가?
3. 어떤 조언이 여러분에게 의미가 있겠는가? 그 이유는?

장 끝의 자료(복습, 연습, 질문, 활동 예시시험 항목)

1. 연습이 의미가 있는가? 자료와 부합되어 있는가?
2. 어떤 토의 질문이 논쟁의 여지가 있는가, 왜?
3. 왜 활동을 해야만 하는가?
4. 실제적인 시험을 보아라. 무엇을 공부해야 할지 알기 위해 예시 시험 질문에 답해보시오.

교사는 접근법들을 결합하고, 이해를 촉진하는 질문들로 학생들을 안내할 것이다: "너희들이 알아야 하는 정보가 어디에 나와 있지?" "어느 단어들을 모르겠니?" "교과서에서 그것들을 이해하는데 단서를 발견할 수 있는 곳이 어디지?" "표와 그래프가 이해를 어떻게 돕고 있니?" "진한 글자체(혹은 이탤릭체)에 왜 주의를 더 기울여야 할까?" "여백의 주석이 무엇을 말해주고 있을까?" "토의(숙제) 문제의 순서가 설명의 순서와 일치하는가?" 그리고 나서 교사와 학생들은 토의(숙제) 문제 부분에서 선택된 문제들에 대한 답을 찾아내는 것을 연습할 수 있다.

교과서 지원도구는 특히 인지 처리과정의 발달을 용이하게 할 수 있다. 표 6.3에서 네 개의 발달 영역과, 그에 상응하는 인지 처리과정, 인지 작용에의 대응, 독자 활동, 다양한 교과서 지원도구와의 관계 등을 목록으로 제시하였다. 이론적으로, 인지 처리과정, 조작, 독자 활동은 검증되지는 않았지만 각각 한 단계가 다음 단계에 선행하는 위계 구조의 형태이다. 지원도구들은 위계적이지 않으나, 겹쳐진다—특정 지원도구는 위계에서 한 수준 이상에서 학습을 더욱 용이하게 할 것이다.

좋은 교과서 지원도구가 없다면, 뒤떨어지는 독자들은 거의 학습하지 못할 것이고, 유능한 독자들은 교과서정보를 처리하는 데 기본 전략 또는 부분적으로 비효과적인 전략들을 전개하게 될 것이다. 기본 전략은 주요한 개념과 원리 대신에 주제 문장, 보통과 다른, 그리고/또는 고립된 정보에 초점을 맞추는 것들이다.[39]

표 6.3 교과서 요소 사용과 관련된 읽기와 인지수준

인지과정	인지적 조작	독자 능력	교과서 지원도구
식별	선택적 정보에 초점화 선택적인 정보의 연쇄화	베끼기 밑줄 긋기 단순한 필기하기, 토의	개관 수업목표 다시 묻기 핵심단어나 용어 책 주변에 적어놓기 요약 복습연습
개념화	글의 중심생각 분류하기 글의 중심생각 비교하기	논리적, 구조적인 필기 　토의하기 관련정보 구별하기 서로 연관된 점 찾기	제목, 소제목 난외주 요점-핵심 토의하기 요약 사후 질문 문제 복습연습
통합	글의 중심생각 분석하기 글의 생각을 바꾸기, 새로운 생 　각으로 꾸미기 글의 중심생각 전개하기 글의 중심생각을 문제에 적용 하기	필기 검토하기, 토의하기 일반화하기 항목을 위계적으로 순서 정하기 글의 내용부터 추론하기	제목, 소제목 그래프, 도표 모형, 패러다임 사후 질문 사례 연구 문제 활동
전이	글의 내용 평가하기 글의 내용 확인하기 글의 내용 이상으로 접근하기 글의 내용을 통해 예언하기	필기 검토하기, 토의하기 평가하기 문제 해결하기, 글의 　내용을 바탕으로 추론하기 새로운 정보를 만들기 위해 글 　의 정보 활용하기	그래프, 표 모형, 패러다임, 모의 실험 사례연구 문제 활동

기본 전략은 또한 조직화, 추론, 교과서에 있는 아이디어의 전환 대신에 정보의 긴 목록을 복사하고 암기하도록 이끈다. 교과서는 훌륭한 지원도구를 보유하고 있을 수도 있다. 그러나 교사는 그것을 잘 활용하는 방법을 모를 수도 있다(교사들을 위한 조언 6.2 참고).

학문적 성취 기준을 심하게 강조한 결과 최근에 교과서 지원도구 중 상이한 유형(혹은 보충자료)-주 성취 기준에 맞추어진 보충자료가 등장하였다. 예컨대, 버지니아에서 Harcourt Brace와 Scott Foresman은 역사와 사회 과학을 위한 학습의 버지니아 성취 기준에 부합하는 K-3 교과서를 제출하였다. 출판업자들이 국가 수준의 교과서를 발행했지만 버지니아(텍사스와 캘리포니아)와 같은 주에서는 주 성취 기준에 맞춰진 교과서 특별판들이 출판되고 있다.[40] 이러한 일이 벌어지기 전에, 주의 학문적 성취 기준에 강하게 초점을 맞추는 교사들은 그들 고유의 보충자료들을 생성하였다.

내용 영역을 아우르는 읽기

모든 교사는 어떤 과목이건 몇 학년이건 간에 상관없이 학생이 교과서 내용을 읽고 이해하도록 어떻게 도와야 한다는 점에서 읽기 교사이다. 모든 종류의 시험과 수행평가의 성공적인 성취는 읽기 능력을 필요로 한다. 심지어 수학 시험에서의 성공도 읽기 능력에 달려 있다.

많은 중학교 교사가 교수원리에 따라 내용과 읽기를 결합하는데 별 관심이 없다는 것이 문제이기도 하다. 예를 들어 전국 조사에 참여한 446명의 교사 중 44%가 읽기지도는 내용 교과 교사의 책임이 아니라는 입장을 취하고 있다. 더욱이 30%의 교사는 교과 내용과 읽기 지도를 연관시키거나 읽기 활동에 참여하도록 하는데 필요한 기술이 부족하다는 것을 인정한다.[41] 대다수(90% 이상) 중학교 교사는 읽기 이해를 위한 안내나 읽기 목표를 제시하지 않고 책을 읽는데 많은 시간을 사용하고 있다.[42] 교사가 제공해야 하는 지원의 수준은 개별 학생에 대해 알고 있는 정보에 따라 다양해야 한다. 표 6.4는 읽기 능력을 신장시키기 위해 교과서 선정과 활용에 필요한 필수적으로 고려해야 할 일련의 주의점에 관한 특징을 설명해 주고 있다.[43]

연구자들은 학생들이 내용 교과에서 읽은 것들의 이해가 1) 예습에 의해(학생에게 배경지식을 갖도록 도우는 것으로), 2) 교과서의 내용과 관련된 경험과 지식을 연관시키는 것에 의해(연결하는 것에 의해), 3) 한 부분과 다른 부분을 연결시키는 것에 의해, 4) 중요 새 단어의 의미를 정리하고 토의하는 것에 의해, 그리고 5) 학생이 읽고 있는 내용에 대해 창의적인 의문을 품게 하는 자기질문에 의해 향상될 수 있다고 주장한다.[44] 학생은 다른 이해의 과정과 원인을 찾아보는 추론 연습을 해야 할 필요가 있다. 그러나 단어 인지와 어휘 이해 단계에 매여 있거나 단순하게 지문을 이해하지 못하는 경우에 이러한 연습은 학생들에게 의미가 없다.[45]

지문 내용과 학생의 경험을 연관 짓는 작업은 학습자의 의견을 묻는 과정을 통해 실현될 수 있다. 지문에서 설명하고 있는 사건 한 부분으로 자신들에 대해 상상하게 하거나 그들의 경험을 통해 실례를 생각해 보게 할 수 있다. 지문의 일부를 다른 부분과 연관시키는 것은 학생에게 핵심 사항을 분석하거나 요약, 관계를 설명, 실례 들기, 주제목과 부제목 적기, 난외주, 핵심 용어, 설명 요약과 같은 활동을 통해 성취될 수 있다. 새로운 용어 정의는 추상적 의미를 갖는 용어를 선정해서 교실에서 토의해 보거나 사전이나 유의어 사전을 찾아보도록 함으로써 성립될 수 있다. 반복적인 문장 유형, 친숙한 단어와 개념을 제공하면 읽기에 어려움을 겪는 학습자들에게 단어 인지와 과제 이해를 쉽게 해준다. 수업 목표에 세심한 주의를 기울이거나 질문에 초점을 두거나 복습을 위한 질문에 답해 본다면 학습자가 지문 내용을 이해했는지 알 수 있으며 어느 과를 다시 읽거나 넘어가도 되는지 판단하는데 도움이 된다.

교사가 읽기 활동을 하거나 읽고 있을 때 학생을 주의 깊게 살피는 좋은 관찰자가 되어야 한다. Marie Carbo는 훌륭한 관찰자가 되기 위한 지침서를 개발했다. 학생이 책을 읽을 때 그들의 읽기 유형을 진단하기 위해 학생에게 초점을 맞춘 관찰을 요구하고 있다. 그리고 독자의 읽기 수행 능력을 향상시키기 위해 교사가 무엇을 해야 하는지를 조언해 준다. (표 6.5 참조)

David Ausubel이 개념 사고력 향상을 위해 개발한 선행조직자는 학생에게 어떤 방법으로 읽기를 가르쳐야 할 때 유용하게 사용될 수 있다.[46] 선행조직자는 교과서의 일반적인 특성, 교과서를 구분할 수 있는 주요 범주, 범주간의 유사와 차이, 여러 범주 내의 실례 등을 제시하였다. 선행조직자는 자료가 포함될 수 있는 일반화 또는 추상화를 명시한다. 이 조직자는 학생들이 교과서 자료를 읽기 전에 이미 친숙한 용어로 선행조직자가 진술되어야만 유용하다.[47] 특히 선행조직자가 교과서에 엉성하게 구성되어 있거나 그 과목에 대한

표 6.4 교실을 위한 교과서 정보

각 학생들에 대한 정보를 수집하면 교사는 어떤 교과서를 사용할지 고려할 필요가 있다. 다음의 단계는 이 과정을 쉽게 해준다.

1. 이미 교실에서 사용하고 있는 교과서를 확인한다: 기본서, 명시 선집, 판매본, 교과서, 잡지, 시집, 그림책.

2. 이해하기 쉽게 안내된 교과서를 배열한다: 이를 위해 다음의 질문을 사용한다.

   - 이 글이 현재의 교과 내용 연구와 지식에 보탬이 될까?
   - 이 글이 장르 연구에 사용될 수 있을까?
   - 이 글이 특정한 유형, 구조, 언어 유형이나 문해 장치를 구체화할 수 있을까?
     이 글이 이해 전략을 가르치는데 사용될 수 있을까?
   - 글의 다양한 사본이 사용 가능한가?
   - 이 글이 특정한 학생들의 흥미와 일치하는가?
   - 이것이 글의 구조에 대한 좋은 예가 되는가?
   - 이 글이 일련의 것들 중에 일부인가?
   - 이 글이 유명한 저자에 의해 쓰여졌는가?

   이러한 질문은 잡지의 개인적인 글이나 명문집에 있는 개인적인 이야기와 같은 서사적 글과 설명적 글 모두에서 사용 가능하다.

3. 모든 독자를 위해 쉽게 이해할 수 있는 충분한 내용을 확보하기 위해 참고 자료들이 필요하다: 조별로 교사가 읽기 이해를 안내하기 위해 어느 정도 양의 책 세트를 구비하는 것이 중요하다. 그러나 교실에 광범위하게 배치된 소장 자료는 필수적이다. 다양한 종류와 장르, 길이, 내용의 교과서가 필요하다. 이 책들은 다양한 읽기 능력과 장르를 담고 있어야 한다. 다양한 길이의 소설, 실화 도서, 그림책, 시집, 잡지를 포함하고 있는 것이 중요하다.

   교실에 장서를 비치할 때 다음의 사항들을 깊이 고려하시오.

   - 내용 영역: 수학, 과학, 그리고 사회과학 보충학습을 위한 삽화와 서술적 글
   - 학생의 관심: 학생의 관심에 부합하는 소설, 비소설, 시와 같은 다양한 글
   - 소리내어 읽기: 다양한 글의 구조에 대한 실례를 제공하거나 이해의 과정이나 유창성을 설명하기 위해 사용되는 이야기 구조를 가지고 있는 자료
   - 앵커 책: 특별한 전략이나 절차를 설명하기 위해 전체나 작은 모둠에서 사용되는 자료
   - 세트: 작은 세트(4, 6개의 개별 책)의 책, 조별학습을 위한 안내된 이해를 위해 사용되는; 가르칠 수 있고 사용할 수 있는 전략뿐만 아니라 학생의 수준에 기초함
   - 교과서 세트: 시리즈 책, 좋아하는 작가, 장르, 주제; 일반적 특징을 갖는 일부의 책

   작가의 필기: 이러한 질문들의 목적은 교과서에 대해서 교사가 어떤 결정을 내리는지에 초점을 두고 있음

출처: Maureen McLaughlin and MaryBeth Allen. *Guided Comprehension: A Teaching Model for Grades 3-8.* Newark, Del.: International Reading Association, 2002, pp. 68-69. Reprinted with permission.

선행되는 지식이 부족할 때 유용하다. 비록 Ausubel과 대부분의 교육자는 선행조직자가 교과서를 읽기 전에 제시되어야 한다고 믿지만, 한편으로는 선행조직자를 중간이나 교과서를 쉽게 학습한 후에도 제시할 수 있다고 주장한다.[48]

수업 목표, 개요, 사전질문, 특별 지도와 같은 지문 이해를 돕는 다른 유형의 교과서 지원도구나 실마리는 한 장을 읽기 전에 지문 이해를 쉽게 해주기 위해 제시된다.[49] 이러한 요소는 선행조직자와 유사하다. 왜냐하면 이러한 교과서 요소와 실마리는 학습할 내

표 6.5 읽기 유형 관찰 안내(RSOG)

관찰 : 학생은…	읽기 유형 진단 : 학생은…	교수전략 제안 : 교사는…
1. 소음에 의해 혼란스러워 한다. 아주 작은 소음에도 책으로부터 눈을 뗀다. 손으로 귀를 막는다. 다른 사람들을 조용히 시키려 애쓴다.	조용한 환경에서 읽기를 선호한다.	조용한 독서 공간(도서관 개인 열람석과 카페트가 깔린 곳)을 제공하는 것이 좋다; 헤드셋이 있는 테이프 녹음이 되는 자료를 제공하는 것이 좋다.
2. 다른 사람이 말을 하거나 음악이 나올 때에도 쉽게 독서를 할 수 있다.	말이나 음악이 있는 환경에서의 읽기를 선호한다.	학생이 독서하는 동안 헤드셋을 통해 음악을 듣도록 허락하는 것이 좋다; 소집단 독서 영역을 만드는 것이 좋다.
3. 햇빛이 잘 드는 날에 창문 근처에서 독서를 할 때 느릿느릿하거나 안절부절 못하거나 곁눈질을 한다.	부드럽거나 희미한 불빛에서 독서하기를 선호한다.	식물, 커튼, 발 그리고 칸막이를 사용하고, 불빛을 발산시키는 것이 좋다; 독서 영역에 그늘진 램프를 추가하는 것도 좋다; 학생에게 방의 더 어두운 장소에서 독서하도록 제안하는 것도 좋다.
4. 독서를 위해 밝게 빛이 들어오는 장소를 찾는다.	밝은 불빛에서 독서하기를 선호한다.	학생에게 밝은 불빛 아래와 창가 근처에서 독서를 할 수 있도록 권하는 것이 좋다.
5. 실내에서 스웨터를 많이 입는다.	따뜻한 환경을 선호한다.	학생에게 좀더 따뜻한 곳에서 독서하고, 스웨터를 입도록 권하는 것이 좋다.
6. 쉽게 땀을 흘리고, 얇은 옷을 입는다.	시원한 환경을 선호한다.	학생에게 좀더 시원한 곳에서 독서하고, 얇은 옷을 입도록 권하는 것이 좋다.
7. 독서하는 동안 침착하지 못하고, 자리에서 움직인다.	비공식적인 방식을 선호한다.	학생이 베개 위에 앉거나, 양탄자, 부드러운 의자, 또는 마룻바닥에 앉아서 독서를 하도록 허용하는 것이 좋다.
8. 끊임없이 교사에게 독서하는 것에 대해 승인을 받기를 요청한다; 학생은 교사와 관심을 공유하는 것을 즐긴다.	교사에 의해 동기를 부여받는다.	학생에게 교사와 함께 독서의 관심 사항을 토론하고, 그리고 교사와 함께 작업하는 것을 공유하도록 권하는 것이 좋다; 그들을 칭찬하는 것이 좋다; 소규모의 교사 주도인 독서 집단을 시도하는 것이 좋다.
9. 교사와 함께 독서하기를 즐긴다.	성인과 독서하기를 선호한다.	학생이 종종 교사와 함께 독서하기 위한 일정을 잡는 것이 좋다; 학생은 좀더 나이가 많은 튜터와 성인 자원봉사자들과 시도해 보는 것도 좋다.

출처: Copyright © Marie Carbo 1980. Reproduced from *What Every Principal Should Know About Teaching Reading*. National Reading Styles Institute, Syosset, NY 11791.

표 6.5 (계속)

관찰 : 학생은…	읽기 유형 진단 : 학생은…	교수전략 제안 : 교사는…
10. 긴 과제를 완성할 수 없다.	끈기나 책임감이 없다.	짧은 읽기 과제를 주고, 자주 그것들을 검사하는 것이 좋다; 프로그램에 의한 읽기 교과서나 다감각응용의 수업 꾸러미를 시도하는 것도 좋다.
11. 학생은 읽기 자료의 많은 선택에 혼란스러워 한다.	구조가 필요하다.	선택에 제한을 두는 것이 좋다; 분명하고, 간단한 지시사항을 주는 것이 좋다; 기초적인 독자 또는 프로그램에 의한 교과서와 같은 구조화된 읽기 접근을 시도하는 것이 좋다; 아이들의 관심에 기초한 읽기 자원의 제한된 선택을 제공하는 것이 좋다.
12. 선택을 즐기고, 읽을 때 창조성을 보여준다.	구조가 필요 없다.	읽기 교과서에 대해 많은 선택권을 제공하는 것이 좋다; 개별화된 읽기 프로그램을 시도하는 것이 좋다.
13. 집단토론에 적극적으로 참여한다; 친구와 함께 읽는 것을 선택한다.	동료와 함께 읽기를 선호한다.	격리된 소집단 영역을 설정하는 것이 좋다; 읽기 게임, 활동 카드를 제공하는 것이 좋다. 연극이나 패널에서 쓰기나 연기를 하도록 권하는 것이 좋다.
14. 다른 사람들에게 부끄럼을 탄다; 혼자서 읽을 때 가장 잘한다.	혼자 읽기를 선호한다.	구조가 필요하다면 프로그램에 의한 교과서를 제공하는 것이 좋다; 테이프로 녹음이 된 책, 컴퓨터, 촉각적/운동학적 또는 동기화되지 않은 아이들을 위해 다감각응용의 활동을 사용하는 것이 좋다.
15. 그림의 세부사항을 기억한다; 철자를 정확하게 잘 쓴다; 시각적으로 유사한 단어나 철자를 혼돈하지 않는다; 단어를 잘 본다.	시각적인 학습자이다.	전체적인 단어 읽기 접근이나 구조를 시도하는 것이 좋다; 변화를 위해, 때때로 프로그램에 의한 읽기 절차를 시도하는 것이 좋다.
16. 지시와 이야기를 들은 후에 기억한다; 단어를 쉽게 해독한다; 유사한 소리의 단어를 혼돈하지 않는다; 듣기 활동을 즐긴다.	청각적인 학습자이다.	음성 읽기나 언어학적 읽기 접근을 시도하는 것이 좋다; 변화를 위해, 때때로 프로그램에 의한 읽기 절차를 시도하는 것이 좋다.
17. 만져보면서 학습하기를 즐긴다; 단어를 더듬어보고, "느낀" 후에 그것들을 기억한다; 타자 치기를 좋아한다; 읽기 게임 놀이를 한다; 매우 활동적이다.	촉각적/운동감각적인 학습자이다.	언어-경험 접근법을 시도하는 것이 좋다; 단어를 만들기 위해서 찰흙, 사포 등등을 사용하는 것이 좋다; 많은 읽기 게임, 모형 형성, 프로젝트 학습, 다감각응용의 활동을 시도하는 것이 좋다.

표 6.5 (계속)

관찰 : 학생은…	읽기 유형 진단 : 학생은…	교수전략 제안 : 교사는…
18. 독서를 하면서 끊임없이 점심시간이나 간식시간인지를 묻는다.	읽는 동안 먹는 것을 선호한다.	읽기 기간 동안 영양가 있는 간식을 허용하는 것이 좋다.
19. 이른 아침에 난이도가 있는 읽기를 한다; 오후에 좀더 활기차고, 집중적이 된다.	늦은 오후에 읽기를 더 잘할 수 있다; 심지어 밤에 더 잘될 것이다.	학생이 늦은 오후에 읽기를 하도록 일정을 잡거나 숙제를 위해 "듣는 책"을 들려서 집으로 보내는 것이 좋다.
20. 긴 읽기 동안 가만히 앉아 있을 수 없다; 침착하지 못하고, 때때로 무례하게 된다.	이동성 또는 다른 유형의 공부나 방법이 필요하다.	간식 시간을 허락하는 것이 좋다; 조작적인 읽기 게임을 제공하는 것이 좋다; 어린이가 이동이 가능한 곳(마루, 소파)에서 읽도록 하는 것이 좋다.

용에 대한 특성 파악을 위해 사전 정보를 제공해 주기 때문이다. 게다가 교과서 자료를 개념, 문제, 창의적 과제에 적용하는 사후 질문과 요약하기 활동은 학습을 촉진한다.

읽은 정보를 처리하기 위해 사용한 전략에 대해서 자세하게 진술하게 하고 생각을 과감하게 표현하도록 하는 것이 이상적이다. 학생들은 서로 다른 전략을 사용한다. 학습자가 사용하고 있는 방법이 무엇인지 알게 된다면 교과서 읽기 능력 향상을 위한 접근 방식도 쉽게 개선될 수 있다. 교사는 규칙적으로 이러한 전략에 대해 학생과 함께 얘기해야 한다.

초인지와 지문 구조

일반적으로 폭넓은 주제에 대해 이야기 형식으로 정보를 전달하는 **서사구조**는 독자가 교과서에서 직접 대면하는 **설명적 구조**보다 더 이해하기 쉽다. 초등학교에서 읽기를 배우는 어린이들은 우선 서사구조부터 배운다. 4학년, 5학년쯤 되면 내용 교과를 설명적 구조의 글과 같이 더 복잡한 구조의 지문 유형을 통해 읽기를 배우기 시작한다. 설명적 구조와 교과서에 대한 강조는 학년이 올라 갈수록 증가한다. 이러한 유형의 읽기를 잘 이해할 수 없는 학생은 낮은 성취자가 될 수밖에 없다. 학교에서 배운 대부분의 것들이 설명적 구조의 글을

읽고 이해할 수 있는 능력을 필요로 하기 때문이다.

대체로 학생은 서사적인 글보다 설명적인 글을 더 어려워한다. 왜냐하면 불충분한 사전 지식, 부족한 일기 능력, 동기, 관심 부족, 교과서가 어떻게 조직되었는지 감지하는 능력이 부족하기 때문이다.[50] 게다가 좋다고 하는 대부분의 교과서는 설명을 충분하게 해 주지 않고 다소 지루하고 혼란스럽기도 하다.[51] 서사적인 글 쓰기는 설명적인 글의 내재된 추상성을 이해하지 못하는 많은 독자들이 사용하는 구조를 갖고 있다.

연구자들은 학생이 설명적인 글을 이해하는데 어려움을 겪는 이유가 그들의 사전 경험과 관련 있다고 주장한다. 특히 학생의 배경 지식은 글을 쉽게 이해할 수 있는지를 알려 준다. 책을 풍부하게 접할 수 있는 가정 환경에서 자란 학생은 비교와 대조, 묘사, 원인-결과의 구조를 강조하는 설명적 교과서를 더 잘 이해할 것이다.[52] 사회 경제적으로 부족한 지역의 학생 혹은 좋은 읽기 자료가 부족한 가정 출신의 학생은 설명적 교과서를 이해하는데 필요한 배경지식 경험을 형성하는데 한계를 갖게 된다.

교사는 학생이 정보가 어떻게 조직되었나, 글의 통일성을 유지하는 동사구나 통사적 요소 (제목, 부제목 혹은 굵은 글씨, 기울임체)와 같은 글의 구조를 이해하는 것을 당연하게 여겨서는 안 된다. 좋은 글은 학생에게 가르칠 수 있는 일정한 설명적 구조로 쓰여진다. 보

대부분의 아이들은 이야기로 된 본문을 읽고 익힌 다음 설명문으로 넘어가게 된다.

편적인 교과서의 구조는 다음과 같이 정의될 수 있다.

반응

때때로 "질문/대답" 또는 "문제/해결"로 언급되는 이러한 구조는 교실에서의 과제나 숙제를 하기 위해서 가장 일반적이고 중대하다. 종종 문제가 소개되고, 계획이 논의되고, 활동이 제시되고, 또는 결과가 기술된다. 교사는 학생이 질문이 무엇인지와 해답을 어디에서 발견할 수 있고, 그 문제를 어떻게 수행할 수 있는지를 알 수 있도록 도와줄 필요가 있다. 중간 학년의 성적이 낮은 학습들은 학생들은 직면한 어려움과 그들이 그것에 대해 했던 것을 집단으로 토론해야 한다.

원인-결과

학생들에게 주제를 찾도록 가르쳐 줄 필요가 있다. 무슨 일이 일어나고 있는가? 누구에게? 왜? 교사는 과제나 문제를 명확히 하고, 집단에게 안내에 의한 연습을 실시하고, 그리고 나서 개별 연습을 제시해야 한다. 반면 대부분의 교과서는, 특히 과학에서, 보통 원인-결과 관계를 다루고, 그 과정이 사회 교과 교과서에서는 결과-원인으로 뒤집혀진다. 즉, 사건은 기술되고, 그 이후에 결과가 설명된다.

비교-대조

이 구조는 대부분의 과학교과와 사회교과 교과서에서 일반적이다. 저자는 때때로 표, 도표, 그래프와 함께 유사점과 차이점을 설명한다. 표나 도표가 사용될 때, 범주와 열은 보통 정보를 군집화하는데 도움을 준다. 학생들은 천천히 배우고, 추론하고, 표, 도표, 또는 그래프로부터 정보를 추정한다.

수집

교과서는 종종 정보를 분류하고, 열거하고 또는 목록화한다. 이러한 교과서 구조가 학생들이 이해하기에 쉬울지라도, 그 정보는 과부하(목록이 너무 길다) 때문에 회상하는데 좀더 어렵고, 정보는 더 큰 개념으로의 통합이 드물다. 학생들은 긴 목록으로부터 요약하거나 종합하는 것을 배워야 한다. 대부분의 성취가 낮은 학생들은 핵심을 개념화 하는 것과는 반대로 긴 목록을 기억하거나 쓰려고 시도할 것이다.

일반화

이 구조는 때때로 과학 교과서에서 논쟁-설득으로, 사회교과와 영어교과서에서 주제로 간주된다. 저자는 개념, 자료 요약, 또는 부연 정보와 함께 결론을 제시한다. 학생들은 각 장에서 일반화와 부연 정보를 식별할 필요가 있다. 한 방법은 소제목과 연관하여 주요 제목을 보는 것이다.

주제와 소주제

좋은 교과서는 논리적인 형태로 주제(때때로 제목으로 불린다)를 배열하고, 주제 속에 소주제(즉 소제목)를 통합한다. 대부분의 중학교와 고등학교 교과서는 각 장당 7장과 15쪽 정도가 들어 있다; 각 장마다 3가지에서 4가지 주제가 들어 있고, 주제당 2가지에서 4가지 소주제가 포함되어 있어야 한다. 고등학교 교과서는 평균 15쪽이지만, 장당 20쪽 정도가 되는 경우도 있다. 이러한 교과서들은 장당 4가지에서 5가지 주제와 주제당 같은 수의 소주제를 포함되도록 해야 한다. 주제당 4가지에서 5가지 이상의 소주제는 대부분의 독자를 혼돈시키거나 지나친 부담을 줄 수 있을 것이다.

전체에서 부분으로의 조직

대부분의 교과서는 전체에서 부분으로의 전략을 염두에 두고 쓰여진다. 즉, 내용은 여러 개의 큰 수준(전체 책, 부분, 장, 영역, 하위 영역 등)으로 조직된다. 내용은 그저 드러나는 것이 아니라 더 큰 목적과 주제를 고려하여 조직된다. 교과서는 분지해 나가기보다 반대로 집중된다—즉, 교과서는 자료를 합치는 방식으로 조직된다. 내용과 그 내용에 집중하는 방식에 대한 결정은 교과서의 각 수준에서 이루어진다. 교과서를 잘 읽는 독자들은 그들의 읽기와 사고 과정에서 유사한 거시적 구조를 활용한다. 그러나 모든 학생들은 교과서의 전체 조직을 중심으로 그 설명식 읽기 자료를 조직하도록 조장되어야 한다.[53]

모든 내용 영역에서 교사들은 학생들이 교과서 내에서 사고에 대한 구체적인 그래픽 표현을 만들게 함으로써 교과서 구조에 대한 인식을 촉진할 수 있다. 그러한 전략은 망, 정보망, 도식화로 일컬어진다. 그것들은 1) 표현—학생들은 기본적인 개념이나 사고 그리고 개념 내에 그리고 개념간의 관계를 나타내는 "그래프"를 개발하고, 2) 개요—학생들은 교과서에서 제목, 소제목, 문단을 사용하고, 통합하고, 도식화된 표현으로 완성(또는 채운다)하도록 하는 것들이다.[54]

교사가 한번에 한 전략을 강조하고, 학생들이 그것을 연습하게 하고, 이해의 간격을 메우기 위해 질문이나 비평을 조장하는 것이 중요하다. 학생들이 채택하는 전략은 선정된 주제에 대해 더 많은 정보를 제공할 것이다. 학생은 특징, 특성, 설명 그리고 세부사항들을 고려할 것이다. 궁극적으로, 노련한 독자는 교육학적인 지원도구와 함께 교과서 구조에 민감할 것이다; 그들은 잘 구조화 되어 있다면, 그 구조를 사용할 것이다; 그들은 어떤 정보가 강조될 만큼 중요한지 그리고 새로운 정보를 통합하는 방법을 결정하는 데 있어서 주제에 대한 사전지식과 함께 이 구조를 처리할 것이다.

학생이 교사가 수업적인 결정을 어떻게 하는지를 아는 것 또한 중요하다. 효과적인 교사는 학생이 교육과정이 어떻게 구조화되고, 내용의 어떤 부분이 지적으로 복잡한지를 이해할 수 있게 한다. 지식은 점진적으로 변화된다; 그것은 정적이지 않다. 학생들은 그들 스스로 더 나은 사고하는 사람이 되기 위해서 교사의 사고를 알 필요가 있다. 이 과정은 초인지 교수의 한 유형이다.[55]

교과서 사용 지침

아래의 일반적인 지침은 학생들을 위해 교과서의 가치를 높이는 데 도움이 될 것이다.

1. *교사가 교과서를 엄격하게 따르도록 교과서에 의해 최면 당하지 않는다* : 다른 수업 보조자료와 복사물(모든 학생들을 위한 문고판 책, 정기간행물, 잡지, 중고등학생들을 위한 보고서와 같은 것들)을 가지고 교과서를 보충한다. 그리고 주의 학문적인 학업 성취 기준에 따라 교과서 내용을 맞춰주는 보충자료를 주에서 제공되는지 확실히 살펴본다.
2. *교과서를 학생의 요구와 그 소단원의 목표에 따라 적합하게 조정한다*: 교과서만으로 교수 수준이나 과정 내용을 결정하지 않는다.
3. *교과서의 내용과 구조를 비판적으로 검토해서 교과서의 가치를 평가한다*: 이 주제에 대한 더 많은

전문적인 관점

교과서를 넘어서서...

Diane Ravitch
Brown Chair in Education Studies, Brookings
Institution

교과서의 비평가가 되기를 두려워하지 마라. 때때로 그것들은 부정확하거나, 형편없는 글이 포함되어 있다. 때때로 그것들은 학생이 그 의미를 이해하는 데 충분한 배경 정보를 제공하지 않는다.

교과서의 가장 큰 결점은 그것이 학생들을 지루하게 한다는 것이다. 오늘날의 학생들은 텔레비전과 영화로부터 세계에 대한 정보를 얻는데 익숙해져 있다; 그들 중 많은 사람들이 전자적으로 정보를 얻는 방법을 안다. 교과서만으로 학생들의 흥미를 끌기는 어려울 것이다. 여러분의 학생들이 교과서의 지루한 글을 덮을 때, 아이들을 비난하지 말고, 교과서를 비난하라.

여러분 자신을 학생의 입장에 두고, 꼭 그럴 필요가 없다면 이것을 꼭 읽을 것인지를 스스로에게 물어본다. 그것이 관심을 끄는가? 페이지 수를 세는 것보다 읽는 데에 더 매력을 느끼는가? 이러한 모든 질문에 대한 대답이 "아니다"라면, 학급에서 교과서의 중요성을 감소시키는 것을 생각해 보라.

교과서를 사용하는 가장 좋은 방법은 참고자료처럼 그것을 다루는 것이다. 그것을 배경으로 사용하라. 학습의 주된 원천은 여러분이 제공하는 다른 자료, 경험, 공학으로부터 실습활동(교실 안팎 에서) 또는 교과서보다 학생에게 좀더 생기 있고, 좀더 생생하고, 좀더 동기를 부여하는 추가적인 자료를 사용하는 것에 있다.

▪️ 성 찰 문 제

연구조사는 소수민과 그 반대의 다수민 학생들간의 읽기 성취에 큰 차이가 존재한다고 분명하게 보여주고 있다. 사회 경제적인 지위와 읽기 성취간의 관계도 또한 존재한다. 즉, 도시(낮은 사회 경제적 지위)의 중학교와는 대비되는 교외(높은 사회 경제적 지위)의 중학교에서 가르친다면 어떤 기능 유형을 가져야 할 것이라고 제안하였는가? 두 가지 상황에서 학생들의 읽기 문제를 고려해 보자. 학생이 설명식의 본문(전형적인 교과서)을 이해하기를 원한다면, 당신은 문해교육이 부족한 환경의 학생들과 반대로 문해교육이 충분한 학생들에게 어떻게 다르게 할 것인가? 이러한 질문이 학생 능력의 본질적인 차이를 암시하는 것은 아니라는 것에 유의하자. 학생의 능력이 그들 경험의 반영이라면, 그러한 차이점을 어떻게 조정할 것인가?

가능한 해답을 고려하면서, 폭넓은 다양한 연구자들이 가지각색의 학생 집단간 학업성취에 있어서의 차이를 좁히는 가장 유의미한 방식과 관련해서 발견한 것들을 고려해 보자.

- 고질의 교수
- 교실 크기의 감소
- 학생이 성취할 분명한 수행 기준
- 기준과 분명하게 연결된 과제
- 아이의 교육에 있어서 고양된 부모의 관련

정보는 교사들을 위한 조언 6.3을 참고한다.

익힘책 자료

언어과목, 읽기, 산수 과목에서 연습과 반복 훈련의 실습을 제공하기 위해 저학년 수준에서 따로 또는 개별적으로 익힘책을 종종 사용한다. 익힘책은 교과서와 더불어 초등학교 교실에서 지배적인 주요 수업 도구인 경향이 있다.

교사는 익힘책을 내용 분야에 기반을 두고 매우 다양하게 사용하고 있다. 익힘책과 다른 안내 자료들은 읽기와 언어과목에서 주로(수업 시간의 19% 정도) 사용되지만, 사회 연구와 수학에서 훨씬 더 제한된 범위에서 사용된다.[56]

중등학교 수준에서 익힘책은 실습 목적으로 교과서에 맞춰져 있거나 부록으로서 여러 내용 분야에서 종종 사용된다. 예컨대, 반복훈련 연습문제(때때로 문제)가 있는 학생 설명서로 과정 내용의 대부분을 다루는 경우도 있다. 학생은 우선 교과서나 다른 자료로 새 학습을 하게 된다. 그리고 나서 익힘책은 새 학습을 강화하는 데 사용된다. 이상적으로 보면 연습문제 혹은 문제는 추상적 학습의 구체적인 예시이다. 이런 이유로 많은 교사가 익힘책을 교육적 지원도구로 보고, 익힘책이 교과서에 딸려 있는지를 출판사에 항상 확인한다.

약점

익힘책의 가치는 교사가 그것을 어떻게 사용하느냐에 달려 있다. 익힘책은 학생을 분주하게 하는 작업 형태, 때우기식 형태, 더 심하게는 교수를 위한 대용품으로서 가끔 사용된다. 익힘책은 사실적, 저수준의 정보를 과대 강조하는 경향이 있다. 특히 초등학교 학년 수준에서 학생은 빈칸 채우기, 문장 완성하기, 옳은 단어 인식하기, 단순 수학 계산 작업을 하면서 여러 시간을 보낼 수 있다. 비평가는 익힘책의 연습 문제는 비판적 사고, 창의성, 전체적 및 추상적 사고의 개발, 또는 관련 간편 활동과 자료와는 상관이 없으며 종종 방해하기도 한다고 한다.[57] 일부 교사들은 사실 중심의 익힘책 문제를 다루기 위해, 익힘책 과제와 함께 보다 더 고수준의 사고를 요구하는 문제나 활동을 보충하기도 한다.[58]

교사가 보고서를 채점하거나 서기의 기능을 수행하거나, 개별 또는 집단의 학생과 대화하는 동안 학생을 분주하게 만들기 위해 익힘책 연습문제를 하도록 시킬지도 모른다. 그런 접근방법이 자습 활동과 연계되어 사용되고 때때로 과용되기도 한다. 익힘책이 시간 때우기식으로 또는 단지 자습활동을 촉진하기 위해 주어지는 반면, 그 연습을 새로운 정보 또는 학습내용 범위에 의미 있는 방법으로 연계시키지 못하면, 학생과 교사 모두에게 소위 비평가가 말하는 관리 사고 방식이 일상화된다. 그런 의존은 교사를 "탈기능화시키며" 창의적인 수업을 억제한다.[59]

강점

익힘책의 장점은 연습과 반복훈련 기능을 잘 수행하게 되는 것이다. 이것은 지식의 토대를 학습할 필요가 있는 어린 학생과, 추상적인 학습을 이해하기 위해 특별한 구체적 활동과 새 학습을 통합하기 위해 반복 연습 문제가 필요한 저성취의 학생에 도움이 된다. 익힘책

교사들을 위한 조언 6.3

교과서의 가치 평가하기

교사와 학생들을 위해 교과서의 가치를 평가할 때 명심해야 할 질문이 있다. 첫 번째 질문 항목은 교과서 내용에 대해, 두 번째는 기술적인 부분에 대해, 세 번째는 전반적인 평가에 관한 것이다.

내용

1. 교과서는 그 과정의 내용과 목표가 일치하는가?
2. 교과서는 최신이고, 정확한가?
3. 교과서는 포괄적인가?
4. 교과서는 학생들의 요구, 흥미와 능력에 적합한가?
5. 교과서는 소수민과 여성을 충분하고 적절히 묘사하였는가?
6. 교과서는 교사와 학교에 의해 사용된 절차와 일관된 방법적인 접근을 조장하는가?
7. 교과서는 교사와 학교에 의해 추구했던 학습의 유형(비판적 사고와 문제해결 같은)을 강화하는가?
8. 교과서는 그것이 완전학습될 수 있으면서, 여전히 도전적이기 때문에 학생에게 성취감을 제공하는가?

기술적인 부분

1. 크기는 적절한가?
2. 제본은 적당한가?
3. 종이의 질은 적절한가?
4. 목표, 제목, 요약은 분명한가?
5. 내용과 색인은 잘 조직되었는가?
6. 충분한 수의 사진, 도표, 지도 등이 학생의 수준에 적절한가?
7. 수업용 소책자와 학습지도가 함께 첨가되었는가?
8. 여러 해 동안 지속될 만큼 튼튼한가?
9. 그것의 질과 관련해서 가격이 합당한가? 그것의 경쟁사에 대해서는?

전반적인 평가

1. 교과서의 눈에 띄는 특징은 무엇인가?
2. 교과서의 단점은 무엇인가?
3. 단점을 가릴 만큼 충분히 강한 두드러진 특징이 있는가?

출처: Adapted from Allan C. Ornstein. "The Textbook Driven Curriculum." *Peabody Journal of Education* (Spring 1994): 71-72.

이 이들 수업 맥락 중의 하나로 사용되고 연습문제가 학생에게 학습을 보다 의미 있게 해주는 범위에서 가치가 있다. 본질적으로 익힘책은 기능 강화에 있어서 매우 유용할 수 있다.

익힘책의 장점을 판단하는 준거로는 다음과 같은 것들이 있다. 1) 연습문제(또는 문제)가 추상적 또는 새로운 학습과 연관되어 있다. 2) 연습문제는 흥미있고, 학생의 흥미를 유지한다. 3) 연습문제는 그렇게 많지도 않거나 너무 적지도 않은 적당한 양이다. 4) 학생은 지침을 이해한다(어린 학생과 저성취의 학생은 씌어진 지시문을 종종 이해하지 못한다). 5) 학생은 대부분의 연습문제를 수행하거나 응답할 수 있다(그들이 할 수 없다면, 좌절감이 상승하여 더 이상 지속할 수 없을 것이다). 6) 교사는 학생이 익힘책 이해 또는 수행에 필요한 필수 기능과 전략을 학습할 수 있도록 필요한 지침과 안내에 의한 연습을 제공한다. 7) 교사는 연습문제

를 차별적으로 사용한다(그것은 다른 수업 도구와 교과서를 보완한다).[60]

익힘책은 많은 학생들에게 이상적이지만, 읽기 학습이 어려운 학생들에게 특히 중요하다. 익힘책이 필요로 하는 사람은 바로 이들 아동이다. Jean Osborn은 익힘책이 효과가 있으려면, 교수된 것의 연속적인 관점과 가장 중요한 학습 내용, 강화될 필요가 있는 학습 내용에 초점을 두어야 한다고 주장한다. 익힘책은 다음과 같은 것을 제공할 수 있다.

1) 교수된 것의 세부항목을 연습하는 방법
2) 과외의 연습이 필요한 학생을 위한 과외의 연습
3) 교수된 것의 간헐적인 재검토
4) 사례를 통해 학생이 새 학습을 적용하는 방법
5) 지시를 따르는 연습
6) 학생이 시험을 볼 때 갖게 될 다양한 형태의 경험 내에서의 연습
7) 학생이 스스로 그들의 속도에 따라 작업할 기회[61]

익힘책 사용 지침

익힘책을 선택하고. 그것을 갖고 작업하거나 평가할 때, 다음가 같은 지침을 명심한다. 이것은 익힘책이 여러분의 구체적인 교수와 학습 상황에 적합한지를 판단하는 데 도움을 줄 것이다.

1. 목표: 익힘책이 학교의 최종목표에 부합하는가? 어떤 목표인가? 익힘책은 과정 목표에 부합하는가? 교육과정 목표에는 부합하는가? 단원 또는 수업 계획 목표에는 부합하는가?

2. 가독성: 익힘책 연습문제가 학생의 읽기 수준에 부합하는 어떤 증거가 있는가? 학생이 씌어진 지시문을 이해했는가? 연습문제와 문제의 표현을 이해했는가?

3. 유용성: 익힘책이 학생에게 도움이 되는 어떤 증거가 있는가? 학생이 연습문제에 흥미를 느끼는 어떤 증거가 있는가?

4. 인지: 익힘책 연습문제가 추상적인 사고를 보완하거나 강화시키는가? 연습문제가 인지적으로 자극을 주는가? 연습문제 또는 문제의 사례가 차례대로 해결되고 있는가?

5. 학습 내용 범위: 익힘책 연습문제가 학습 내용을 깊이 망라하고 있는가? 학습 내용의 범위와 순서 측면에서 균형을 이뤘는가?

6. 시청각성: 익힘책은 사용자 친화적인가? 도표, 표, 그림, 도화 등과 같은 적합한 그림이 학습을 촉진시키기 위해 다양하게 있는가?

7. 학습 이론: 익힘책 연습문제는 현재 학습 이론에 부합(또는 충돌)되는가? 어떤 이론인가? 연습문제가 학습을 어떤 방법으로 자극하고 있는가? 개인차가 어떤 방법으로 지원되고 있는가?

8. 교육학적 지원도구: 익힘책은 분리된 교과서로서 사용되거나 다른 교과서와 혼합해서 사용되었는가? 익힘책은 교사용 또는 도움을 제공하는 사용 설명서가 있는가? 가치 있는 도움인가?

정기 간행물, 잡지, 신문

이들은 중요한 정보원이어서 학생의 사고력과 연구력을 향상시키는 훌륭한 교과서다. 정기 간행물은 전문가와 학술적인 협회의 출판물이고, 잡지와 신문보다 더 기술적이다. 학생이 이들을 사용하는 것은 매우 제한적이다. 보조하거나 학습의 초점이 될 수 있는 다른 많은 것이 있긴 하지만, 교사가 사용하는 가장 유명한 잡지는 *Times, Newsweek, U.S. News and World Report*이다. 잡지는 많은 학생에게 화제거리를 주며 집에서나 학교 또는 지역 도서관을 통해서 보통 쉽게 접할 수 있다. 중학생과 고등학교 수준의 학생들에게 지역 신문을 갖고 시작하는 것은 적합하지만, *The New York Times, Washington Post*나 *The Wall Street Journal*을 고등학교 수준에서 사용하는 것은 또한 재고해야 한다. 이들 신문은 10~12학년의 읽기 수준 정도에서 씌어진 것이므로 이들 신문을 사용하기 전에 학생

의 읽기 능력을 주의 깊게 평가한다. 일종의 체계적인 연구를 위해 이들이 필요하다면, 많은 지역 신문이 학급 전체에 신문을(제한된 기간 동안) 배달할 것이다.

학습 내용을 풍부하게 하기 위해 대부분의 교과 교사는 학생이 정기 간행물, 잡지, 신문을 읽도록 격려할 수 있다. 이들 출판물 대부분은 교과서보다 재미있고 좀더 비공식적이고 최신이다. 적합한 잡지와 신문 교과서를 수집하는 것은 학급에 위임하거나 교사가 우선적으로 정해줄 수 있다.

정기 간행물과 잡지 기사는 교과서와 같은 정도로 건전하거나 순화되어 있지는 않다. 내용은 관점을 표현하고 사고력과 연구력을 향상시키는 데 사용될 수 있다. 신문은 이론적으로(실제적으로 항상 그런 것은 아니지만) 자료를 분석하거나 해석하는 것이 아니라 보고하는 것을 다룬다. 무엇을 보고하고 있는지에 대해 결론을 내리는 것과 평가하는 것은 학생에게 달려 있다. 사설, 이야기 논평, 기명 논평(선택), 편집자에게 편지 쓰기는 꽤 다르고 학생은 그런 교과서가 주관적이라는 것을 이해할 필요가 있다. 학생이 특별한 관점을 정기 간행물, 잡지, 신문 기사에 표현할 수 있다는 것을 이해했어도, 왜곡 또는 편견을 확인하는 것이 불가능하여 그 관점을 사실로 받아들일 수 있다. 일반적으로 편견은 다음의 8가지 방법으로 전달된다.

1) 길이, 선택, 누락을 통해
2) 배치를 통해
3) 제목, 머리기사, 표제에 의해
4) 그림과 설명문을 통해
5) 명칭과 제목을 통해
6) 통계를 통해
7) 참고 자료에 의해
8) 단어 선택과 암시에 의해[62]

교사가 이들 수업 교과서를 해석하거나 배정하는 데 전문적인 판단을 사용해야만 하더라도, 학생은 다음 질문에 응답하도록 훈련 받음으로써 그 안에 포함된 정보를 평가하는 것을 배울 수 있다.

1) 기사가 특정 각도에서 쓰여졌는가?
2) 중요 정보가 정확히 다뤄지고 있는가?
3) 논쟁 주제가 합리적으로 논의되었는가?
4) 사실과 의견 간의 명확한 구분이 있는가?
5) 머리기사, 설명문과 서론문이 뉴스를 정확하게 설명하는가?
6) 사설과 논평이 명확히 나타났는가?[63]

다음의 5가지는 정기 간행물과 잡지를 교실에서 사용하는 가장 널리 알려져 있는 방법이다.

1) 확장 활동
2) 오락적인 읽기
3) 읽도록 하는 동기유발
4) 속도의 변화
5) 현재 정보[64]

이러한 활용은 학년과 교과 영역에 따라 다르다. 한 연구에 의하면 고등학교에서 언어 영역 교사의 76%, 사회 연구 교사의 43%, 과학 교사의 23%가 정기 간행물이나 잡지를 그들의 교실에서 사용한다. 고등학교에서는 과학교사의 57%, 영어교사의 31%, 사회교사의 24%가 이러한 것들을 사용하고 있다. 실질적인 사용 빈도와 학생의 유형(학생 능력 또는 성취)은 보고되지 않았다.[65]

교과서가 5년 또는 그 이상의 기간을 주기로 채택되는 것을 고려해 보면, 교사가 그들 각자의 교과 영역에서 최신의 정보를 위해 교육과정을 망라하여 현재의 잡지를 살펴보는 것은 놀라운 일이 아니다. 이들 잡지는 학생의 연구력을 향상시키고, 개별적인 연구과제를 위한 훌륭한 최신 수업 도구이다. 이들은 다양한 관점을 제공하여 비판적인 읽기와 논쟁 논의뿐만 아니라 깊이 있는 이해와 현재의 학습 내용 그리고 관련 있는 내용의 학습을 고무시킨다.

정기 간행물, 잡지, 신문 사용 지침

다음 지침은 교사와 학생에게 도움이 될 것이다.

1. 정기 간행물, 잡지, 신문 기사가 학생의 읽기와 이해의 범위 내에 있는 것인지를 확실히 한다.
2. 쉽게 접할 수 있고 감당할 수 있는 교과서를 선택한다.
3. 정기 간행물, 잡지, 신문이 특별한 관점을 종종 표현하는 사실을 고려하여, 자신의 교수 목표에 적합한지를 확실히 한다.
4. 이들 교과서를 읽고 평가하도록 학생을 훈련시킨다. 아이들과 청소년은 인쇄된 것은 무엇이든 사실이라고 믿는 경향이 있다. 유용한 연구과제는 논쟁 주제에서 다른 견해를 취하는 기사를 상당한 정도로 분석하는 것이다.
5. 카드 목록, 정기 간행물 목록과 정기 간행물과 잡지의 분류와 검색 체계를 사용하여 개별 학습과 연구에 이들 교과서를 사용할 수 있도록 학생을 훈련시킨다.
6. 특히 중등학교와 대학 수준에서 정기 간행물과 잡지(또한 서적)에서 많은 학생이 인용문을 잘라 내거나 도서관에서 전체 기사를 찾아서 오려낸다. 당신은 교사로서 학생이 도서관에 가기 전에 이런 습관을 버리게 하여 사서의 일을 좀더 쉽게 해 주어야 한다.
7. 정기 간행물, 잡지, 신문 기사는 학생이 보고서를 쓰는 데 훌륭한 정보원이 된다. 학생이 노트필기를 하고 주요 생각을 정리하고 이들 수업 교과서의 생각을 해석하도록 격려한다.
8. 이들 수업 교과서는 또한 생각, 선택, 과제의 정보 사용에 대한 사고와 문제를 개별적으로나 집단으로 확인하고 해결하는 데 필요한 훌륭한 정보원이 된다.
9. 주제와 관련되고 학생이 이해할 수 있는 정기 간행물과 잡지의 목록을 제공하여 학생이 연구 논문을 작성하게 한다.
10. 교과서를 보조하고 단원과 수업 계획과 결합시키기 위한 적절한 정기 간행물, 잡지, 신문 기사 서류철을 보관한다. 기존 토대 위에 서류철을 갱신한다.

모의실험과 게임

놀이는 아이들과 청소년에게 즐겁고 자연스런 것이며, 모의실험과 게임은 놀이를 형식적으로 표현한 것이다. 이것은 사회적 인지적 경험의 범위를 넓혀준다. **모의실험**은 목표와 과정 또는 상황을 포함하는 실제 세계의 추상화이다. 게임은 다양한 최종목표와 규칙과 보상과 같은 것을 포함하는 활동이다. 가상 게임은 최종목표, 규칙, 보상과 연관된 모의실험을 포함한다.

모의실험은 군대, 사업, 의학, 공공 행정 영역에서 큰 성공을 이룬 뒤로, 교육자들 사이에서 점점 더 인기를 끌고 있다. 많은 모의실험이 현재 교사를 위해, 특히 컴퓨터와 비디오와 연계하여 사용할 수 있도록 상업적으로 제공된다. 그러나 교사가 만든 모의실험(컴퓨터와 비디오 사용을 위한 것이 아닌)이 구체적인 학생, 과목 또는 학년 수준에 맞출 수 있기 때문에 교실에서 더 자주 사용된다. 모의실험과 게임의 개발자가 되는 교사 연합에서 몇 가지 "하는 방법"에 대한 출판물을 제공하고 있다.

모의실험의 장점을 다음과 같이 네 가지로 제시한 교육자가 있다.

1. 모의실험은 [훌륭한 동기유발 장치]이다.
2. 성공적인 모의실험은 많은 연구 기능과 기술의 사용을 요구한다. … 학습과 재미 사이에 실질적인 관계를 만든다.
3. 정식의 모의실험은 많은 … 주제를 … 생생하게 만드는 강력한 방법이다.
4. 성공적인 모의실험은 교사에게 매우 가치가 있다. 교사는 학생이 살아가고 얘기하고 활동학습 속에 참여하는 것을 통해 학생을 개발하도록[그리고 지켜보도록] 뒷자리에 물러나 앉는다.[66]

요약하자면, 모의실험은 학생이 현실에 가장 가까운 일을 경험하게 한다. 이들은 다양한 형태로 제공된다. 여러분이 가르치는 학습 내용 자료에 적합한 모의실험을 확인하는 훌륭한 수단은 Marco Polo 웹사이트

(www.marcopolo-education.org/join_maillist.cfm)이다. 이 장을 작성하고 있던 어느 날, 인구와 다양한 통계를 설명하는 것을 사용할 수 있는 모의실험에 관한 정보를 원했던 한 교사가 그 웹사이트에 질문을 했다. 한 교사가 응답을 했는데, National Geographic (nationalgeographic.com/xpeditions) 웹사이트에 있는 Population Pasta를 제안하였다. 여러분이 이 사이트를 방문한다면, 여러분은 임무("단순한 인구 통계치를 생생한 도표로 바꾸시오")를 받을 것이고 일련의 실제로 참가하는 활동을 통해 그것을 달성하도록 요청받을 것이다. 임무의 두 가지 사례가 여기 소개되어 있다. 하나는 어린 아이들을 위한 것이고, 다른 하나는 좀 성숙한 학생을 위한 것이다. 문제는 가르치고 있는 K-12 학생 지향적인 것이다.

젊은 탐험대: Xpeditions Atlas로부터 세계 지도를 출력한다. 사람들이 가장 많은 10개국을 찾아 표시한다. 여러분이 이들 국가 중 한 국가에 살고 싶은가? 여러분의 삶이 인구수가 많은 국가에서 어떻게 달라질까 생각해 보자. 같은 크기의 공간에서 사는 사람들이 점점 증가한다면 어떤 일이 일어날까?

점점 더 많은 아이들이 학기중에 교실에 합류된다면 어떤 일이 일어날까? 교실이 학습하기에 더 좋은 장소가 될까? 학생 수가 배가 된다면, 여러분의 교사는 어떻게 변해야 하는가?

성숙한 탐험대: 인구가 가장 많은 10개국 중한 국가를 골라 Xpeditions Atlas로부터 그 지도를 출력한다. 지도에 국가의 인구 수, 평균 임금과 삶의 전망을 Population Reference Bureau에서 찾을 수 있는 통계치를 바탕으로 하여 기입한다. 이 국가에서의 삶은 어떤 것일까에 대한 이론을 만든다.

Map Machine에서 그 나라의 소개자료를 찾는다. 이 자료에 있는 정보는 여러분의 이론을 수정하도록 하는가?[67]

모의실험이 실제 삶의 상황을 반영하고 보다 구조화된 반면, 게임은 보다 비공식적이고 상황의 범위를 넓게 포함한다. 게임은 19세기 초와 Froebel, Pestolozzi, 이후의 진보주의 운동의 놀이 날개와 같은 교육적 개척자로 거슬러 올라가서부터 유치원과 초등학교 시절의 중요한 수업 도구였다.

어느 학년 수준과 과목에서든지 대부분의 교사 지침에는 학습을 풍요롭게 하기 위해 몇 가지 게임이 열거 되어 있을 것이다. 교육적 게임은 사회적, 인지적 목적을 갖고 있는데, 이들은 즐거움만을 위해 설계되지 않는다. 그러나 어떤 게임이라도 학습에 기여한다. 예를 들어 Monopoly는 즐거움을 위한 게임이지만, 어린 아이들이 내용을 학습하고 돈을 다루게 하는 몇 가지의 가치가 있다. 체커와 체스는 즐거움 외에 정신을 자극하는데, 이들에는 수학, 논리, 이동의 순서가 포함되어 있다.

어린 학생에게 게임의 가치는 소리 또는 사물을 구별하고, 자동 기능에서 조작하고 숙련되게 하거나 함께 놀이하거나 사회성을 기르는 학습을 통해 그들에게 경험하게 하는, 게임 그 자체에 있다.[68] 성숙한 학생에게 게임이 끝난 후의 토론 또는 몇 명의 교육자가 결과 보고하는 시간이라고 부르는 것에 좀더 가치가 있다. (모의실험은 사후 토론이나 결과 보고하는 시간을 또한 내포할 수 있다.) 적당한 질문을 통해, 교사는 규칙을 어겼을 경우, 의문의 여지가 있는 행동의 사례와 그런 행동의 이유를 끄집어 낸다. 승자와 패자가 있고, 협동과 경쟁이 있고 규칙이 깨지기도 하고 집행되기도 하는 삶의 상황은 일련의 게임을 통해 깨달을 수 있게 된다. 이런 맥락에서 게임은 교수 도덕과 윤리, 가치 규명과 정서 교육을 위한 훌륭한 도구이다.

게임의 잠정적인 부정적 측면은 경쟁을 강조하는 그것의 너무나 자연스런 속성으로 인한 것이다. 학생과 상황과 연관되어, 교사는 게임의 긍정성이 학생이 다른 사람과 경쟁함으로써 증대되는 부정성을 메우기에 충분한지를 평가할 필요가 있다.

모의실험과 게임 사용 지침서

많은 모의실험과 게임은 상업적으로 만들어지지만, 교사는 이것들이 학생들에게 알맞은지, 수정이 필요한지 수정될 수 있는지, 또는 자신의 자료를 개발할 필요가 있는지를 판단해야 한다. 다음은 모의실험과 게임을 수업과 통합할 때 따라야 하는 지침이다.

1. 모든 모의실험과 게임은 교육적 목표를 가지고 있어야 한다. 오락적인 게임과 교육적인 게임, 게임 목표와 수업 목표는 구별되어야 한다.
2. 모의실험을 사용하는 목적은 학생이 문제의 본질과 문제를 푸는 방법을 이해하도록 하는 데 있다.
3. 게임은 저학년 어린이들의 사고와 사회화를 가르치기 위해서 사용되어야 한다.
4. 모의실험과 게임은 학습 내용의 경험으로서 간주되어야 한다. 학생은 내용을 포함하는 모의실험과 내용을 조직하고, 그것에 익숙해짐으로써-목표, 과정, 상황을 가능한 한 많이 경험함으로써 학습한다.
5. 모의실험과 게임은 가르치기를 원하는 내용(기술, 개념, 가치)과 관련이 있어야 하고, 이 내용은 현실과 일치해야 하고, 그리고 현실 세계와 모의실험 또는 게임의 관계는 참여자들에게 명백해야 한다.
6. 게임 후(모의실험 후) 논의는 나이 많은 학생들이 학습된 기술, 개념, 가치를 명확하게 하는데 중요하다.
7. 게임 후 논의는 사례 연구를 통합해야 하고, 학생의 경험을 활용해야 하고, 관찰한 것을 실제 삶의 상황에 적용하고, 후속 연구를 제안할 수 있어야 한다.
8. 학생들에게 활동하는 동안 그들의 생각을 논의하도록 하는 일련의 질문을 한다. 어떤 생각이 그들의 행동을 결정하는가? 어떤 경험의 결과로 어떤 행동이 나타나는가? 그들이 목적 성취를 위한 의사결정을 할 때 사용하는 전략은 무엇인가? 어떤 전략이 가장 효과적인가? 그들은 다른 사람의 행동을 예상할 수 있는가?
9. 모든 모의실험과 게임에서 학생들은 상호작용할 것이다. 만약 참여자와 관찰자가 충분히 나이가 들었다면, 그들은 협동과 경쟁과 이성적이고 감정적인 행동을 통해서 상호작용을 논의해야 한다.
10. 모의실험과 게임에 의해 목표가 성취되었는지를 결정하기 위해서는 평가, 피드백, 논의를 사용한다.

이론의 실제 적용

각 교과 및 학년에서 성공적인 교수와 학습을 실행하려면 기본적인 수업자료가 필요하다. 초임 교사와 경력 교사 모두 자신의 교과와 학년에 대한 교육과정 게시판과 안내에 대해 잘 알고 있어야 한다. 그러한 게시판에는 필요한, 추천된, 보충자료가 열거되어 있다. 교사는 경력 있는 동료교사 또는 장학사와 함께 자료를 검토함으로써 학교에서 이용가능한 자료를 잘 알고 있어야 한다. 교사는 또한 교육구에서 사용하고 있는 정해진 교과서와 자료의 취약한 부분을 다루기 위해 보충자료를 구성하는 방법을 이해해야 한다.

다음의 질문은 수업자료의 효과적인 활용을 위한 지침이다.

1. 어떤 수업자료를 사용할 것인가?
2. 이러한 자료를 사용함으로써 성취하기 바라는 것은 무엇인가? 그것들은 여러분의 목표와 일치하는가? 그것들은 학생들이 규정된 학문적 성취기준을 만족하도록 돕는가?
3. 학생들이 수업자료를 사용하도록 하기 위해서 어떻게 준비할 것인가?
4. 수업자료를 수업에 어떻게 통합할 것인가?
5. 자료의 내용은 학생들에게 알맞은가? 계속성, 계열성, 어휘 등등을 고려한다.
6. 다양한 수업의 주제에 부합하는 다양한 자료들이 있는가?
7. 어떻게 자료의 발표를 이해하는가? 추후 활동은 적절한가?

공학적 관점

현직교사의 공학적 관점

Jackie Marshall Arnold

K-12 Media Specialist

모의실험은 다른 방법에서 상상할 수 없는 현실적인 경험과 문제 해결의 경험을 제공하는 강력한 도구이다. 공학을 이용한 모의실험은 교사가 교육과정을 강화하도록 탐구하는 강력한 학습기회이다.

양질의 모의실험 경험은 학생을 위한 풍부한 학습기회를 제공할 수 있다. 모의실험은 높은 수준의 사고와 문제 해결 기술을 증진시킨다. 모의실험은 학생들이 협동적으로 활동하도록 한다. 모의실험은 학생들을 끌어들이는 역동적인 경험을 만들 수 있고, 원인과 효과 환경에서의 학습기회를 고려한다. 모의실험은 학생들이 어떤 학습자에게도 도움이 되는 가상의 실제적인 환경을 통해 복잡한 논쟁을 이해하도록 한다.

교사는 상업적으로 만들어진 많은 모의실험 소프트웨어 프로그램이 충동적으로 이용된다는 것을 알아야 한다. Tom Snyder(www.tomsnyder.com)와 같은 출판사는 'Decisions, Decisions'이라는 제목의 소프트웨어와 같은 많은 소프트웨어 선택사항을 제공한다. 이 소프트웨어는 다양한 교육과정 주제를 제공하고 학생들에게 가상의 문제와 선택을 제시한다. 학생들은 논쟁에 참여하고, 더 깊은 주제를 연구하고, 문제 해결을 위한 결정을 한다.

모의실험은 학생들이 다른 방법에서 가능하지 않은 실제적인 경험을 하도록 한다. Lego Dacta (http://www.lego.com/dacta/products/robotics.asp) 회사는 학생들이 현실 세계 물건을 만들고 모의실험하는 데 필요한 하드웨어와 소프트웨어를 제공한다. 예를 들어, 학생들은 차고, 경비 시스템, 빛, 온실, 그리고 그 외의 더 많은 것을 갖춘 'Intelligent House'를 만들 수 있다. 학생들은 창문을 열고 닫을 때, 경비시스템을 설치할 때, 그리고 식물 성장을 극대화하기 위해 필요한 온실 조건을 결정할 수 있다. 그들은 이러한 것들은 할 수 있도록 창조물을 프로그램화 한다. 그 학습 가능성은 끝이 없다.

또한 모의실험은 학생들이 "가상"속에서 경험하도록 한다. 예를 들어, 학생들은 개구리 해부 모의실험을 하기 위해 소프트웨어를 사용한다. 교사는 또한 개구리 해부 과정을 모의실험하는 웹사이트를 찾아야 한다. 'Net-Frog'라는 온라인 학습경험은 버지니아 대학의 Curry School of Education 팀에 의해 설계되었다. 이 웹사이트(http://curry.edschool.virginia.edu/go/frog)는 다수의 상을 받았다. 비디오 클립과 단계적인 피드백을 사용하여 개구리 해부 전체를 모의실험한다.

ThinkQuest는 교사가 양질의 모의실험 구성요소를 연구하도록 하고 교육과정에 기초한 모의실험에 필요한 자원을 제공하는 Sim Rock Café(library.Thinkquest.org/50061/teachersmanual/index.html)라는 상호작용 사이트를 개발했다. 이 사이트는 모의실험의 장점을 두 가지 요점으로 요약한다. 첫째는 정의에 의하면 모의실험은 현실세계를 복사하려고 노력한다는 것이고, 둘째는 최대한의 비평적 사고와 정확한 자료를 요구한다는 것이다. 이 사이트는 자원, 전문적인 개발, 그리고 모든 교사가 모의실험을 만들 수 있도록 링크를 제공한다. 학생과 교사가 만든 모의실험의 몇 가지 예는 웹사이트로 볼 수 있고 교실에서 사용할 수 있다.

출처: Retrieved November 4, 2002, from the Sim Rock Café website at http://library.Thinkquest.org/50061/teachersmanual/index.html

8. 학생들은 자료에 어떻게 반응하는가? 자료는 학생들을 수업으로 이끌었는가? 학생들의 학습은 요구된 내용인가?

요약

1. 좋은 교사는 수업에 적절한 자료를 사용할 때 더 좋은 교사가 된다. 좋은 교사는 사용하는 자료와 가르치고 있는 교과의 교육과정과 학문적 성취기준을 연결한다. 사용할 자료를 선택하고 그것을 사용하는 방법에 대한 학습은 경험을 동반한다.

2. 수업자료는 (전문적, 정부의, 상업적 자원으로부터 제공되는) 인쇄된 것이거나 (교사가 제작하거나 출판된 자료를 복사한 것이면) 복제된 것이다.

3. 자료는 잘 정의되고 합의된 기준에 의해 선택되어야 한다. 기준은 교사의 목표와 부합하는가? 기준은 잘 조직되고 설계되었는가? 기준은 학생들의 읽기 수준에 알맞은가?

4. 자료를 제시할 때, 교사는 학생의 이해, 구조, 계열, 균형, 설명, 속도, 정교화 전략을 고려할 필요가 있다.

5. 수업자료의 유형은 교과서와 익힘책, 학술지와 잡지와 신문, 모의실험과 게임을 포함한다. 교과서와 익힘책은 모든 교실에서 주요한 수업자료로서 우위를 차지하는 경향이 있다.

6. 교과서 채택에서 중요한 것은 고정 관념, 가독성, 교과서와 교육적인 지원, 학생 이해를 위한 지원이다.

7. 교과서 지원도구는 학생들의 이해를 촉진하기 위한 것이고, 교육학적 지원도구는 교사의 교수를 촉진하기 위한 것이다.

8. 일상 수업에 모의실험과 게임을 통합하기 위해 몇 가지 전략이 사용될 수 있다.

고려할 문제

1. 수업자료 사용의 주요한 목적은 무엇인가?

2. 만약 교과서에 인종 또는 종교집단, 성, 노동자 집단, 어떤 다른 소수 집단의 고정 관념이 제시되어 있는지 어떻게 판단하겠는가?

3. 가장 좋은 교과서 지원도구는 어떤 것인가? 이유는?

4. 교과서를 익힘책으로 보충할 때 고려할 중요한 요소는 무엇인가? 수업에서 지나치게 많은 보충 자료를 사용하는 것은 위험한가? 설명하시오.

해야 할 일

1. 수업자료를 평가할 때 고려해야 할 열 가지 질문에 대해 다른 예비 교사와 토론한다. 어떤 질문과 개념이 가장 중요한가? 왜 중요한가?

2. 자신의 수업자료를 개발하는 다섯 단계를 열거한다.

3. 교과서 평가를 위한 점검표를 준비한다. 가까운 학교구에서 사용되고 있는 각자의 학문영역의 교과서를 선택하고 자신의 기준과 여기서 제공한 기준을 사용하여 평가한다.

4. 익힘책, 학술지와 잡지, 모의실험과 게임이라는 자료를 사용할 때의 구체적인 지침을 준다.

5. 교과서에 대한 사례 연구를 주의 깊게 읽는다(6.2). 여러분의 주와 비슷한 논쟁이 있는가? 교사가 무엇을 가르칠 수도 또는 가르칠 수 없을지도 모른다는 것은 무엇을 의미하는가? 예비교사에게는 어떤 의미인가?

6. 교실을 관찰하고 내용 자료에 초점을 맞추는데 어려움을 가진 서너 명의 학생을 선택한다. 읽기 양식 관찰 지침을 사용하여(표 6.5 참조), 학습을 강화하기 위해 취할 수 있는 구체적인 수업 활동을 확인한다.

7. 여러분이 가르치고 있는 학교가 속한 주의 교육부 웹사이트를 방문한다. 예를 들어, 만약 여러분이 버지니아에 산다면, www.pen.k12.va.us.을 방문하면 된다. 웹사이트에서 교과서와 수업자료에 연결할 수 있는지를 본다. 교사가 각자의 학문 영역에서 사용할 수 있도록 자료가 열거되어 있는가? 여러분의 주에서는 사용하도록 기대되는 지정된 학문적 성취기준과의 분명한 연계를 제공하는가?

추천 문헌

Allington, Richard L. and Peter H. Johnston. *Reading to Learn*. New York: Guilford, 2002. Lessons from exemplary classrooms along with reading strategies and methods that work for teachers.

Ellington, Henry, Joannie Fowlie, and Monica Gordon. *Using Games and Simulations in the Classroom: A Practical Guide for Teachers*. New York: Kogan Page Ltd., 1998. This book explains how to develop and implement games and simulations at the primary and secondary levels — case studies are included.

Kellough, Richard D., and Noreen G. Kellough. *A Resource Guide for Teachers K-12*. Columbus, Ohio: Merrill, 1997. This book examines various methods, materials, and resources for teaching middle school students and how to incorporate these resources into lesson plans.

Morlan, John E., and Leonard J. Espinoza. *Preparation of Inexpensive Teaching Materials*, 6th ed. Belmont, Calif.: Fearon, 1998. Use this book to learn about several ways to plan, prepare, use and evaluate materials.

Pressley, Michael. *Reading Instruction that Works*. New York: Guilford, 2002. A focus on comprehension problems, decoding, vocabulary instruction, development of word knowledge and both skills and whole language instruction.

Strong, Richard, Harvey F. Silver, and Matthew J. Perini. *Teaching What Matters Most*. Alexandria, VA: Association for Supervision and Curriculum Development, 2001. This is a thoughtful analysis of how to use standards in ways that enhance instruction and foster student learning.

Vacca, Richard T., and JoAnne L. Vacca. *Content Area Reading*. New York: Longman, 1999. These reading practices across content areas help students improve their reading skills.

핵심 용어

후주

1. Elliot W. Eisner. "Why the Textbook Influences Curriculum." *Curriculum Review* (January-February 1987): 11-13. Elliot W. Eisner. "Who Decides What Schools Should Teach?" *Phi Delta Kappan* (March 1990): 523-526.

2. Linda G. Fielding and David P. Pearson. "Synthesis of Research: Reading Comprehension—What Works." *Educational Leadership* (February 1994): 62-68. Maureen McLaughlin and MaryBeth Allen, *Guided Comprehension: A Teaching Model for Grades 3-8*. Newark, Del.: International Reading Association, 2002.

3. James H. Block, Helen E. Efthim, and Robert B. Burns. *Building Effective Mastery Learning in Schools*. New York: Longman, 1989. Thomas L. Good and Jere E. Brophy. *Looking in Classrooms*, 8th ed. New York: Addison-Wesley, 2000.

4. Paul Burden and David M. Byrd. *Methods for Effective Teaching*, 3d ed. Needham Heights, MA: Allyn and Bacon, 2003.

5. American Library Association, *The New Copyright Law: Questions Teachers and Librarians*

*Ask.*Washington, D.C.: ALA, 1977. Kenneth T. Murray. "Copyright and the Educator." *Phi Delta Kappan* (March 1994): 552-555.

6. American Library Association. *Copyright Primer for Librarians and Educators.* Washington, D.C.: ALA, 1986.

7. Rebecca Barr. *Teaching Reading in Elementary Classrooms.* New York: Longman, 1991. Elfrieda H. Hiebert and Barbara M. Taylor. *Getting Reading Right from the Start.* Needham Heights, Mass.: Allyn and Bacon, 1994.

8. Robert C. Calfee. "Organizing for Comprehension and Composition." In R. Dowler and W. Ellis eds., *Whole Language and the Creation of Literacy.* Baltimore: Dyslexia Society, 1991, pp. 111-129. Patricia G. Mathes and Joseph K. Torgensen. "A Call for Equity in Reading Instruction for All Students: A Response to Allington and Woodside-Jiron." *Educational Researcher* (August-September 2000): 4-15.

9. Allan C. Ornstein and Francis P. Hunkins. *Curriculum: Foundations, Principles, and Issues,* 4th ed. Boston, Mass.: Allyn and Bacon, 2003.

10. Gaea Leinhardt. "What Research on Learning Tells Us About Teaching." *Educational Leadership* (April 1992): 20-25. Claire E. Weinstein et al. "Helping Students Develop Strategies for Effective Learning." *Educational Leadership* (December-January 1989): 17-19. McLaughlin and Allen. *Guided Comprehension: A Teaching Model for Grades 3-8.*

11. George J. Posner and Alan N. Rudnitsky. *Course Design: A Guide to Curriculum Development for Teachers.* 6th ed. Boston: Allyn and Bacon, 2001. Jon Wiles. *Curriculum Essentials.* Boston, Mass.: Allyn and Bacon, 1999.

12. Thomas J. Lasley II, Thomas J. Matczynski, and James Rowley. *Instructional Models: Strategies for Teaching in a Diverse Society,* 2d ed. Belmont, Calif.: Wadsworth, 2002.

13. Thomas L. Good and Jere Brophy. *Educational Psychology,* 5th ed. New York: Longman, 1995: 531.

14. Eisner. "Why the Textbook Influences Curriculum," p. 111.

15. *Report on a National Study of the Nature and Quality of Instructional Materials Most Used by Teachers and Learners.* New York: Educational Products Information Exchange, 1987. And see Myra Pollock

Sadker and David Miller Sadker. *Teachers, Schools and Society,* 5th ed. Boston: McGraw-Hill, 2000.

16. Arthur Woodward and David L. Elliott. "School Reform and Textbooks." *Educational Horizons* (Summer 1992): 176-180. Colleen Fairbanks. "Teaching and Learning Beyond the Text." *Journal of Curriculum Supervision* (Winter 1994): 155-173. Also see Randi Stone. *Best Practices for High School Classrooms: Thousand Oaks,* Calif.: Corwin Press, 2001.

17. Harriet Tyson Bernstein. *America's Textbook Fiasco: A Conspiracy of Good Intentions.*Washington, DC: Council for Basic Education, 1988; Joan DelFattore. *What Johnny Shouldn't Read: Textbook Censorship in America.* New Haven Conn.: Yale University Press, 1992; Kris Axtman. "Texas Wrangles Over Bias in School Textbooks," *Christian Science Monitor* (July 22, 2002). See www.csmonitor.com/2002/0722/p03501-ussc.html.

18. Sadker and Sadker. *Teachers, Schools, and Society.*

19. Cleo H. Cherryholmes. "Readers Research." *Journal of Curriculum Studies* (January-February 1993): 1-32. Allan C. Ornstein, "The Textbook Curriculum." *Educational Horizons* (Summer 1992): 167-169.

20. Mario D. Fantini and Gerald Weinstein. *The Disadvantaged: Challenge to Education.* New York: Harper & Row, 1968. p. 133. Also see Chris Stray. "Paradigms Regained: Towards a Historical Sociology of the Textbook." *Journal of Curriculum Studies* (January-February 1994): 1-30.

21. Allan C. Ornstein. "The Irrevelant Curriculum: A Review from Four Perspectives," *NASSP Bulletin* (September 1988): 26-32. Also see Elaine K. McEwan. *Teach Them All to Read.* Thousand Oaks, Calif.: Corwin Press, 2002.

22. Nathan Glazer, *We Are All Multiculturalists Now.* Cambridge, Mass.: Harvard University Press, 1997. Henry A. Giroux. "Curriculum, Multiculturalism, and the Politics of Identity." *NASSP Bulletin* (December 1992): 1-11.

23. Dennis Doyle. "The Unsacred Text." *American Education* (Summer 1984): 3-13. Connie Muther. "What Every Textbook Evaluator Should Know." *Educational Leadership* (April 1985): 4-8. Allan C. Ornstein. "The Textbook Driven Curriculum." *Peabody Journal of Education* (Spring 1994): 70-85.

24. Jeannie Oakes and Martin Lipton. *Teaching to*

Change the World. Boston: McGraw Hill, 1999: 169-170.

25. Muther. "What Every Textbook Evaluator Should Know." p. 7. Also see Connie Muther. "refections on Textbooks and Teaching." *Educational Horizons* (Summer 1992): 194-200.

26. Allan C. Ornstein. *Teachers and Schooling in America: Pre and Post September 11.* Boston:Allyn and Bacon, 2003. xiv-xv.

27. Harold L. Herber and Joan N. Herber. *Teaching in Content Areas.* Needham Heights, Mass.: Allyn and Bacon, 1993. Michael C. McKenna and Richard D. Robinson. *Teaching Through Text.* New York: Longman, 1993.

28. Edward Fry. "Fry's Readability Graph: Clarification, Validity, and Extension to Level." *Journal of Reading* (December 1977): 242-252. Edward Fry. "Readability Versus Leveling." *The Reading Teacher* (November 2002): 286-291.

29. Alton L. Raygor and George B. Schick. *Reading at Efficient Rates.* 2d ed. New York: McGraw-Hill, 1980.

30. James P. Byrnes. *Cognitive Development and Learning in Instructional Contexts.* 2nd ed. Boston: Allyn and Bacon, 2001. Alice Davidson. "Readability—Appraising Text Difficulty." In R. C. Anderson, J. Osborn, and R. J. Tierney, eds., *Learning to Read in American Schools.* Hillsdale, N.J.: Erlbaum, 1984, pp. 121-139. Robert J. Tierney, John E. Readence, and Ernest K. Dishner. *Reading Strategies and Practices,* 3d ed. Needham Heights, Mass.: Allyn and Bacon, 1990.

31. Harriet T. Bernstein. "The New Politics of Textbook Adoption." *Education Digest* (December 1985): 12-15. Harriet T. Bernstein. "The Academy's Contribution to the Impoverishment of America's Textbooks." *Phi Delta Kappan* (November 1988): 193-198. Marie Carbo. "Eliminating the Need for Dumbed-Down Textbooks." *Educational Horizons* (Summer 1992): 189-193. Jess E. House and Rosemarye T. Taylor. "Leverage on Learning: Test Scores, Textbooks and Publishers." *Phi Delta Kappan* (March 2003): 537-541.

32. Robert A. Pavlik. "Tips on Texts." *Phi Delta Kappan* (September 1985): 86.

33. Bernstein. "The New Politics of Textbook Adoption." Peter W. Foltz and Walter Kintsch. "Readers' Strategies and Comprehension in Linear Text and Hyper Text." Paper presented at the annual meeting of the American Educational Research Association, Atlanta, Georgia, April 1993.

34. Rebecca Barr, Marilyn Sadow, and Camille Blachowicz. *Reading Diagnosis for Teachers.* 2d ed. New York: Longman, 1990; Robert Glaser, ed. *Advances in Instructional Psychology.* vol. 4. Hillsdale, N.J.: Erlbaum, 1993.

35. Neville Bennett and Clive Carré. *Learning to Teach.* New York: Routledge, 1991.

36. Ezra Bowen. "Flunking Grade in Math." *Time* (June 20, 1988): 79. Also see Anne L'Hafner. "Teaching-Methods Scales and Mathematics-Class Achievement." *American Educational Research Journal* (Spring 1993): 71-94. Jian jun Wang. "TIMSS Primary and Middle School Data." *Educational Researcher* (August-September 2001): 17-21.

37. Harriet Tyson. *Who Will Teach the Children?* San Francisco: Jossey-Bass, 1994, p. 10.

38. Sandra Conn. "Textbooks: Defining the New Criteria." *Media and Methods* (March-April 1988): 30-31, 64.

39. Richard L. Allington. "What I've Learned about Effective Reading Instruction." *Phi Delta Kappan* (June 2002): 740-747. Richard E. Mayer. "Aids to Text Comprehension." *Educational Psychologist* (Winter 1984): 30-42. Philip H. Winne, Lorraine Graham, and Leone Prock. "A Model of Poor Readers' Text-Based Inferencing." *Reading Research Quarterly* (January 1993): 52-69.

40. Jason Wermers. "Virginia Becoming Textbook Power." *Richmond Times Dispatch* (November 1, 2002). See www.timesdispatch.com.

41. Deborah Menke and Beth Davey. "Teachers' Views of Textbooks and Text Reading Instruction." *Journal of Reading* (March 1994): 464-470.

42. Sigmund A. Boloz and Donna H. Muri. "Supporting Literacy Is Everyone's Responsibility." *Reading Teacher* (February 1994): 388-391. Rebecca B. Sammons and Beth Davey. "Assessing Students' Skills in Using Textbooks." *Journal of Reading* (December-January 1994): 280-287.

43. McLaughlin and Allen. *Guided Comprehension.*

44. Ibid. See also Bonnie B. Armbruster. "Schema Theory and the Design of Content Area Textbooks." *Educational Psychologist* (Fall 1986): 253-268.

Stephen Krashen. "Whole Language and the Great Plummet of 1987-92." *Phi Delta Kappan* (June 2002): 748-753. Richard F. West, Keith E. Stanovich, and Harold R. Mitchell. "Reading in the Real World and its Correlates." *Reading Research Quarterly* (January 1993): 34-51.

45. Amy Driscoll. *Psychology of Learning and Instruction* 2d ed. Boston: Allyn and Bacon, 2001. Dolores Durkin. *Teaching Them to Read*, 6th ed. Needham Heights, Mass.: Allyn and Bacon, 1993. Anne P. Sweet and Judith I. Anderson. *Reading Research into the Year 2000*. Hillsdale, N.J.: Erlbaum, 1993.

46. David P. Ausubel. "In Defense of Advance Organizers: A Reply to the Critics." *Review of Educational Research* (Spring 1978): 251-257.

47. Peter H. Johnson. *Constructive Evaluation of Literate Activity*. New York: Longman, 1992. McKenna and Robinson. Teaching Through Text.

48. Livingston Alexander, Ronald G. Frankiewicz, and Robert E. Williams. "Facilitation of Learning and Retention of Oral Instruction Using Advance and Post Organizers." *Journal of Educational Psychology* (October 1979): 701-707. Mayer. "Aids to Text Comprehension." Elizabeth U. Saul et al. "Students' Strategies for Making Text Make Sense." Paper presented at the annual meeting of the American Educational Research Association, Atlanta, Georgia, April 1993.

49. John A. Ellis et al. "Effect of Generic Advance Instructions on Learning a Classification Task" *Journal of Educational Psychology* (August 1986): 294-299. James Harley and Ivor K. Davies. "Preinstructional Strategies: The Role of Pretest, Behavioral Objectives, Overviews, and Advance Organizers." *Review of Educational Research* (Spring 1976): 239-265.

50. Bonnie B. Armbruster, Thomas H. Anderson, and Joyce Ostertag. "Teaching Text Structure to Improve Reading." *Reading Teacher* (November 1989): 130-137. Marilyn M. Ohlhausen and Cathy M. Roller. "The Operation of Text Structure and Content Schema in Isolation and in Interaction." *Reading Research Quarterly* (Winter 1988): 70-88. Raymond E. Wright and Sheldon Rosenberg. "Knowledge of Text Coherence and Expository Writing: A Developmental Study." *Journal of Educational Psychology* (March 1993): 152-158.

51. Bernstein. "The Academy's Contribution to the Impoverishment of America's Textbooks." Susan M. Hubbuch. "The Trouble with Textbooks." *High School Journal* (April-May 1989): 203-210. Allan C. Ornstein. "The Censored Curriculum: The Problems with Textbooks Today." *NASSP Bulletin* (November 1992): 1-9.

52. McLaughlin and Allen. *Guided Comprehension*. Richard L. Allington and Peter H. Johnston. Reading to Learn. New York: Guilford, 2002.

53. Robert L. Hillerich. "The Value of Structure." *Teaching K-8* (March 1990): 78-81. Ornstein. "The Textbook Curriculum."

54. Beau F. Jones, Jean Pierce, and Barbara Hunter. "Teaching Students to Construct Graphic Representations." *Educational Leadership* (December1988-January 1989): 20-25. Patricia A. Herman et al. "Incidental Acquisition of Word Meaning from Expositions with Varied Text Features." *Reading Research Quarterly* (Summer 1987): 263-284. Ohlhausen and Roller. "The Operation of Text Structure and Content Schema in Isolation and in Interaction." Steffan Ohlsson. "Abstract Schema." *Educational Psychologist* (Winter 1993): 51-66.

55. Carol Ann Tomlinson. *The Differentiated Classroom*. (Alexandria, VA: Association for Supervision and Curriculum Development, 1999), p. 33.

56. Lauren A. Sosniak and Susan S. Stodolsky. "Teachers and Textbooks: Materials Use in Four Fourth-Grade Classrooms." *Elementary School Journal*. (January 1993): 249-276.

57. Richard L. Allington and Anne McGill-Franzen. "School Response to Reading Failure." *Elementary School Journal* (May 1989): 529-542. Ruth Gardner and Patricia A. Alexander. "Metacognition: Answered and Unanswered Questions." *Educational Psychologist* (Spring 1989): 143-158. Michael McKenna. *Help for Struggling Readers*. New York: Guilford, 2002.

58. Paul R. Burden and David Byrd. *Methods for Effective Teaching*, 3d ed. Boston: Allyn and Bacon, 2003.

59. Jack W. Humphrey. "There's No Simple Way to Build a Middle School Reading Program." *Phi Delta Kappan*. (June 2002): 754-757. David R. Olson and

Janet W. Astington. "Thinking About Thinking." *Educational Psychologist* (Winter 1993): 7-24. Arthur Woodward. "Over-Programmed Materials: Taking the Teacher Out of Teaching." *American Educator* (Spring 1986): 26-31.

60. Patricia M. Cunningham. "What Would Make Workbooks Worthwhile?" In R. C. Anderson, J. Osborn, and R. J. Tierney, eds. *Learning to Read in American Schools*. Hillsdale, N.J.: Erlbaum, 1984, pp. 113-120. Bonnie J. Meyer. "Text Dimensions and Cognitive Processing." In H. Mandl, N. L. Stein, and T. Trabasso, eds. *Learning and Comprehension of Text*. Hillsdale, N.J.: Erlbaum, 1984, pp. 3-52. Edward P. St. John, Siri Ann Loescher, and Jeff S. Bardzell. *Improving Reading and Literacy in Grades 1-5*. Thousand Oaks, Calif.: Corwin Press, 2003.

61. Jean Osborn. "The Purpose, Uses, and Contents of Workbooks." In R. C. Anderson, J. Osborn and R. J. Tierney, eds. *Learning to Read in American Schools*. Hillsdale, NJ: Erlbaum, 1984, pp. 45-111.

62. Donald C. Olrich et al. *Teaching Strategies: A Guide to Better Instruction*, 3d ed. (Lexington, Mass.: Heath, 1990). Charles K. West, James A. Farmer, and Philip M. Wolff. *Instructional Design: Implications from Cognitive Science*. Needham Heights, Mass.: Allyn and Bacon, 1991.

63. Association of Teachers of Social Studies in the City of New York. *A Handbook for the Teaching of Social Studies*, 4th ed. Boston: Allyn and Bacon, 1977, p. 127.

64. Thomas C. Gee, Mary W. Olson, and Nora J. Forester. "Classroom Use of Specialized Magazines." *Clearing House* (October 1989): 53-55.

65. Ibid.

66. Edmund Sutro. "Full-Dress Simulations: A Total Learning Experience." *Social Education* (October 1985): p. 634.

67. See www.nationalgeographic.com/xpeditions.

68. Penelope Semrau and Barbara A. Boyer. *Using Interactive Video in Education*. Needham Heights, Mass.: Allyn and Bacon, 1994. Lillian Stephens. *Developing Thinking Skills Through Real-Life Activities*. Boston: Allyn and Bacon, 1988.

제 7 장

교실에서의 공학

Jill Lindsey-North, Chad Raisch와 Jackie Marshall Arnold 도움을 받음

이번 장에 관련된 Pathwise 성취기준 :

- 학생에게 적합하고 소단원의 학습 최종목표에 맞는 교수방법, 학습활동, 수업자료나 다른 자원을 새로 만들어 내거나 선택하기(A4).
- 개별 학생에게 도전적 학습 기대 제시(B3).
- 사고가 확장되도록 학생을 격려하기(C3).
- 다양한 방법으로 학생이 내용을 이해하고 있는지 살피기, 상황에 따라 학습 활동을 조절하고 학습을 돕기 위해 피드백 주기(C4).
- 수업시간을 효과적으로 사용하기(C5).

이번 장에 관련된 INTASC 원리 :

- 교사는 학습과 자기 동기에 능동적으로 참여하고 긍정적인 사회적 상호작용을 조장하는 학습 환경을 생성하기 위해 개인과 집단의 동기와 행동에 대한 이해를 활용한다(P5).
- 교사는 교실에서 적극적 질문과 협동, 지지적인 상호작용을 촉진하기 위해 효과적으로 언어적, 비언어적, 그리고 매체를 통한 의사소통 기술에 관한 지식을 사용해야 한다(P6).
- 교사는 관련 주제, 학생, 공동체, 그리고 교과 목표의 지식에 기반한 수업을 계획해야 한다(P7).
- 교사는 학생들의 학습과 안녕을 지원하기 위해 동료 교사와 학부모 그리고 더 큰 지역 기관과 관계를 돈독히 해야 한다(P10).

핵 심 문 제

1. 수업 개선에 가장 유익한 공학적 도움은 어떤 것인가?
2. 초보 교사가 공학 사용에서 겪는 어려움은 무엇인가?
3. 영화, 비디오테이프, 오디오테이프를 어떤 수업 목적으로 사용하는가?
4. 수업 맥락 안에서 OHP나 파워포인트를 사용하는 최적기는 언제인가?
5. 교사가 수업 개선을 위해 공학을 어떻게 잘 이용할 수 있을까?
6. 교실에서 컴퓨터를 어떻게 통합하기를 기대하는가?

이 장은 학생의 학습 증진과 교사의 전문성 신장을 촉진하기 위한 공학 사용을 다룬다. 매 장마다 통합된 공학적 관점을 다루었지만 이 장에서는 보다 폭넓고 깊은 이해 관점을 취하고 있다.

공학은 일, 의사소통의 본질 그리고 지식 발달에 대한 우리의 이해를 변화시켰다.[1] 교과서와 칠판만 사용하여 가르치는 시대는 지났다. 오늘날의 수업에는 다양한 접근법, 기교, 정보원이 필요하다. 컴퓨터, 스캐너, CD-ROM, 음악 CD, 오디오테이프, 클립 아트, 그림, 비디오, 카메라, OHP와 파워포인트, 케이블 TV 그리고 원격 통신 시스템을 사용하여 교육과정 내용 전달을 극대화하고 학습을 향상시킬 수 있다.

공학 도구와 멀티미디어 종류의 증가로 교사는 수업적 선택에서의 다양한 목록을 갖게 되었다. 어떤 매체와 공학을 사용하는가는 교수 과제, 제공하는 기술적 역량, 그리고 교사의 지식에 달려 있다. 공학 장비와 전문가간 그리고 학교 사이에는 큰 차이가 있다. 4~5명의 학생당 1대의 컴퓨터를 갖춘 학교가 있는가 하면, 컴퓨터 시간에 사용하는 컴퓨터 실습실이 하나인 학교도 있고, 자습실에서의 컴퓨터 사용을 금지하는 학교도 있다. 게다가 다수의 학생들은 가정에서 컴퓨터나 다른 공학 도구를 사용하지 못할 것이며, 이것은 학생의 공학 기술 수준에 영향을 주게 될 것이다. 이런 요인은 다른 요인과 더불어 수업에 공학을 어떻게 통합할 것인지를 제한할 것이다.

학생이 공학을 적절히 사용하는 것은 학생에게 요구되는 기술을 개발하는데 도움이 되고, 학습 시간을 극대화하며, 서류 작업을 최소화하고, 지역사회와 세계와의 연계를 촉진하고, 수많은 대안적 관점을 제시하고, 직업준비를 돕는다. 전문가로서 교사는 공학을 사용함으로써 시간을 극대화하고, 전문적으로 개발된 자료를 제공받고, 동료 전문가와 대중의 대화에 참여할 수 있고, 행정 업무를 효율적으로 수행할 수 있다.

공학이 학습에 미치는 영향에 대해서 상반된 두 가지 견해가 있다. 첫째, 공학은 수업 전달 수단일 뿐 학습자의 학습에 실질적인 영향을 미치지 못한다. 즉, 어떤 공학 도구나 매체로부터의 학습은 매체 자체와 관련이 거의 없다는 것이다. 교사의 교수전략이나 수업계획 설계 같은 요소가 중요하다. 공학은 수업 전달 방식에 영향을 주지만 학습에 관여된 인지과정을 변화시키지는 못한다.[2] 두 번째 관점은 공학적 매체가 이미지나 정보를 제시하여 학습자가 새로운 정보를 구성하도록 한다는 것이다. 학습이란 새로운 정보가 환경(매체)으로부터 도출되고, 사전 지식에 통합되는 능동적이고 구성적 과정으로 간주된다. 본질적으로 세상이란 아이디어의 복잡성을 진정으로 이해하려면 학습자에게 여러 출처에서 정보와 자료를 뽑아내도록 요구하는 매우 급속히 변화하는 환경이다. 즉, 성공하려면 정교한 공학 기술을 갖추어야 한다는 것이다.[3]

인지과학에서의 30여 년간의 연구결과에 의하면 지식은 개별 학생에게 전달되고, 개별 학생에 의해 능동적으로 구성되며, 학습자는 의미를 이해하고 생성하기 위해 사전 경험과 형성된 태도와 신념을 끌어낸다는 것이다. 공학을 통해 가능한 다양한 정보원은 학생에게 평생학습, 자기주도적 학습의 기회를 제공하고 교사에 의한 직접 교수에 의존하지 않게 한다. 이는 글 읽기, 직접 교수법과 교실 토론이 공학을 통한 학습으로 대체되어야 한다는 것이 아니라 광범위하게 학습 기회를 활용하는 것의 장점을 강조하는 것이다. 교사의 역할도 중요하고 흥미로운 질문에 답을 찾고 연구하는 자기 주도적 탐구자로서의 학생을 돕고 조언하는 것이다.

공학 활용의 이유

DVD 플레이어, VCR, 오디오 테이프, 케이블 TV, 컴퓨터, CD와 인터넷 같은 현대 의사소통 장치는 다감각적 학습을 제공하고 지식 획득에서의 깊은 처리 수단을 제공한다. 이런 매체를 통한 경험은 학습을 생기 넘치게 만든다. 학습에 대한 멀티미디어 차원은 대부분의 교실에서 학생 능력과 학습 양식의 다양성 측면에서 더욱 적합하다. 공학을 제공하는 최신 교육학 도구는 교사에게 모든 학생이 요구되는 능력을 갖추지 못했거나 수업진행을 위해 같은 시간에 출석하지 못하는 등

공학은 살아있는 학습을 만든다.

의 개별 학습자들의 다양한 요구와 속도에 맞춘 수업을 할 수 있도록 힌다.[4]

교실에서의 공학 활용에 대한 장점을 주장하는 것에 있어서 네 가지 주요 가정은 다음과 같다: 1) 학교에서의 정보는 전자 매체에서 독립적으로 학습되어야 하고, 자료 출처는 교사나 교재 이외의 것일 수 있어야 한다. 2) 학습자는 자신의 학습에 책임을 질 수 있는 존재이며, 특히 자료가 시각적이고 청각적으로 제시될 때 그러하다. 3) 학습자는 자신의 학습 정도를 통제할 때 가장 잘 학습한다. 4) 공학 기반 수업을 성공적으로 통합하기 위해 교사는 도움을 받을 수 있다.

일부 교육자는 유아원 아동과 초등학생이 공학을 사용하는 데 있어서 발달적 적합성에 대해 우려를 표명한다. 이 교육자들은 창의적 문제 해결에서 상상력이 주요한 요소인데, 공학이 제공하는 외재적 이미지의 맹공격으로 창의력이 약해지고 있다고 생각한다. 또한 이들은 공학에 의해 이미지가 지속적으로 조작되고 만들어질 때, 육체의 생존 본능에 의해 우리 감성이 둔화되기 시작할 것이라 염려한다. 결국 인간 대화와 상호작용은 점차 수동적으로 공학이 제공하는 것을 바라보는 것으로 대체될 것이다.[5] 비록 이러한 우려 때문에 어떤 공학도 사용하려 하지 않는 교육자도 일부 있지만, 대다수의 교육자들은 이 잠재적 위험을 인식하고 공학 사용과 다른 전통적 교수방법론 사이에서 균

형을 맞추려고 노력하고 있다.

교사는 공학적 교수 방식의 장단점을 비교검토 할 필요가 있다. 교육공학이 개별화 학습과 자기주도적 학습을 촉진하고 점진적으로 효과적이고 효율적인 정보 활용과 평가 방법을 제공하고 있음에도 불구하고, 일부 연구에서 젊은 세대가 기본적인 사회 상호작용으로부터 고립될 수 있다고 주장한다. 학습이 발생하는 길이 되는 학생간의 사회적 교류를 감소시킬 수도 있다. 사회적 환경이 감소되면 학급 구성원들은 더 이상 집단으로서 해답을 찾거나 정보를 비판적으로 평가하고 문제와 쟁점을 숙고하지 않는다.[6]

공학은 진보하고 있으며, 문제점과 가능성들은 분명히 나타나고 있다. 사실, 일부 학생은 고립될 가능성이 있는 반복훈련과 연습 소프트웨어만으로 공부한다. 이와 동시에 인터넷의 도입, World Wide Web, 전자우편, 네트워크와 다른 공학의 도입으로 혁신적 교사들이 교실 안에서뿐만 아니라 교실을 넘어서는 학습 공동체 안에서의 학습자들의 공동체를 만들고 지원하기 위한 공학 활용의 흥미로운 방법들을 찾고 있는 것도 사실이다.

공학은 다양한 학습 양식을 지원하고 개인 재능을 발휘할 수 있게 한다. 집단적으로 함께 공부하는 학습자들은 높은 수준의 멀티미디어 발표를 만들 수 있고, 교실 교육과정과 대등한 인터넷 정보를 검색하고, 모

의실험 소프트웨어를 동료와 함께 사용하여 학습 시간을 보내고, 현재 사건과 관련된 정보의 데이터베이스 등을 구축할 수 있다. 공학의 창의적인 활용과 집단 작업이 사회적 상호작용과 동시에 학습을 어떻게 조성하는지 이해하려면 교사 1인당 컴퓨터 5대(혹은 그 이하)를 갖춘 교실이 필요하다.

학생은 교사가 제공하는 다양한 여러 종류의 학습 기회로 이득을 본다. 이 장의 끝에서 보게 되겠지만, 상이한 수업 접근들을 언제, 어떻게 사용하는지를 아는 교사가 학생 성취를 어떻게 증진시키는지를 보여주는 연구들이 등장하고 있다.

여러분이 학교에서 보게 될 공학의 다양한 유형에 대해 살펴보고자 한다. 사례 연구 7.1을 읽어본다: 집단의 학문적 잠재력을 달성하기 위해 학생들이 함께 작업하는 공간으로서 학교를 정의할 수 있는 첨단 학교의 사례이다.

칠판과 표시판

현대 공학이 교실에 사용된 것은 오래전의 일이다. 교사들은 학생들의 학습을 돕기 위해 시각적 보조물과 혁신적인 제시전략을 사용해 왔다. 칠판, 시각적 표시 도구, 녹음기, 필름슬라이드, 슬라이드, 촌극, 연극 등이 다중감각적인 학습기회를 제공했다. 칠판은 아마도 교실에서 발견되는 가장 오래되고 전통적인 도구일 것이다. 칠판은 교과서 다음으로 가장 널리 사용되는 안내 지원도구이다. 두 교육자의 말에 따르면, 칠판은 "너무 일상적인 것이어서 많은 사람들이 시각적 도구라는 것을 전혀 생각하지 못한다; 그래도 칠판을 사용할 수 없다면 대부분의 교사들이 어려움을 겪을 것이다."[7]

일반적으로 교실 앞에 하나의 칠판이 설치되어 있고, 때로는 교실 옆이나 뒤에 또 다른 칠판이 있는 경우도 있다. 예전에는 대부분이 칠판이 검은색이었으나 (이것이 이름이 되었다), 검은색이 빛을 흡수하거나 공간을 음침하게 하기 때문에 색상이 변경되었다. 밝은 초록색과 노란색이 눈부심과 눈의 피로를 줄여주고, 빛을 덜 흡수하며, 기분을 상쾌하게 하고, 흰색 및 다른 색상의 분필과 좋은 대비를 보인다. 지금은 많은 학교에서 칠판 대신에 **화이트보드**를 사용한다. 이 보드의 배경은 주로 흰색이다. 교사는 이 위에 여러 가지 색으로 판서한다. 화이트보드는 시각적으로 칠판보다 더 매력적이며, 쉽게 지울 수 있고, 분필과 달리 먼지가 발생하지 않는 장점이 있다.

칠판과 화이트보드는 자연스럽고, 빠르고, 융통성이 있기 때문에 대중적으로 이용된다. 칠판과 화이트보드는 어떤 과목의 어떤 단원과도 속도를 맞출 수 있으며, 그림과 중요한 클리핑 즉, 단원의 요점 묘사를 도와주는 스케치와 도표, 제안 또는 주제 목록, 개요, 요약, 과제, 문제해결 등을 제시하기 위해 사용할 수 있다. 칠판과 화이트보드는 모든 학급에서 문제 해결 활동에도 유용하다. 칠판과 화이트보드는 유연성과 친밀성으로 인해 때로 과도하게 사용되기는 하지만, 구식으로 무시되어서는 안 된다.

표시판은 학생의 프로젝트와 학습 경과를 제시하기 위해 사용될 수 있다. 단원 또는 소단원과 관련된 흥미 있는 주제의 제시, 공고, 메모, 반복적인 과제의 게시, 교실 장식 등이 여기에 해당한다. 표시판은 게시판, 페그보드, 플란넬 보드, 자석판 등 여러 유형이 있다. 이와 같은 표시판은 학생의 창의성과 흥미를 자극하고, 학습활동에 대한 참여를 증진시키고, 교실을 보다 활기차고 학생 중심이 되도록 한다. 교실에 표시판이 없으면 칠판의 일부분이 이 목적을 위해 사용될 수 있다. 또는 독립적인 표시판이 만들어질지도 모른다.

칠판과 화이트보드 사용을 위한 안내

1. 명료하게, 그리고 모두 볼 수 있도록 충분히 크게 판서한다.
2. 판서하는 동안 칠판이나 화이트보드를 바라보고 말하지 않는다.
3. 미리 조직화해서 판서한다. 가능하면 문자나 번호로 개요를 제시한다. 이를 위한 가능한 방법이 많

사례 연구 7.1   첨단 학교

California Escondido에 있는 San Pasqual 초등학교는 빨간색의 대형 축사, 저장고, 읍사무소와 안마당을 갖춘 1900년대 초기 농촌을 상기시킨다. 그러나 구식 외양 안에서 6학년 학생들이 디지털 촬영 사진과 이집트 신에 대한 웹사이트에서 가져온 사운드 클립을 결합하고 상호작용 백판에 자신들의 발표물을 전시하고 있다.

이 최첨단 K-8 학교는 그들의 단일 학교 교육구에서 큰 시설이 절실했던 행정가, 교사와 학부모가 1997년에 설립한 창작품이다. 오늘날 새로운 "축사"는 체육관과 공연장이다. "저장고" 내부에는 도서관과 쿠션이 갖추어진 독서 탑이 있다. "읍사무소"는 회의장이다. 월요일 아침에 소박한 안마당에서 국기를 게양하고, 학생들은 인터넷이 연결되어 있어 클릭으로 다른 먼 세상으로 갈 수 있는 교실로 향한다.

오렌지와 아보카도를 심고 옥수수를 경작하는 농촌 San Pasqual은 California San Diego에서 북동쪽으로 30마일 떨어진 곳이다. 일부 가족은 농경에 종사하지만 학부모 대다수는 San Diego로 출퇴근한다. 500명 학생의 약 30%가 중남미계이고 65%가 백인이다. 영어 사용 학습자는 학생 전체의 16%를 차지한다. 이 학생의 19%는 무료나 저렴한 가격으로 점심을 제공받는다.

최근 San Pasqual은 놀랍게 성장했다. 재건축으로 도시 사람들이 몰려들어 학교 전체 학생수가 2배를 넘었다. 1997년에 학교의 수용력을 넘어섰고 교육구에서는 급히 새로운 시설이 필요하게 되었다.

San Pasqual Unified School District(SPUSD)의 Jeffery Felix 교육감과 교장은 20명의 학부모와 교사 위원회를 이끌고 새로운 학교 계획을 추진하였다. San Diego에서 온 건축가 HMC가 감정, 부지 매입과 안전한 자금 확보, 그 지역에 전입하는 학생수를 고려하여 학교를 설계하고 장기적 안목으로 공사하였다. 건물은 가능한 가장 튼튼한 공법으로 설계되었고 교수와 학습 그리고 에너지 효율성을 모두 지원한다.

첨단 도구에 용이한 접근

공학은 어디나 있다. K-5의 모든 교실에는 적어도 2대의 컴퓨터가 있다. 6-8학년의 대다수 학생은 노트북을 매일 이용한다. 다수 학생이 노트북을 소유하고 학교에 가져온다. 학교는 노트북을 구입하기 어려운 학생에게 경제적 지원을 제공한다.

이 학교 공학 담당교사이자 6학년 교사인 Ken Beeunas는 "필요하면 언제가 컴퓨터가 가능하다"고 말한다. 모든 교실에서 현재 설치된 것보다 많은 컴퓨터가 설치될 수 있다.

"항시" 학생들이 직접 공학에 접근할 수 있도록 하기 위해 Beeunas는 호주의 "언제, 어디서나" 모형을 근간으로 프로그램을 만들었다. 그 결과 친밀감이 증가하여 학습이 향상되었다. 초고속 무선통신 컴퓨터가 2002년 가을에 추가되면, 6학년들은 기지국으로부터 135m 이내의 어디에서나 작업할 수 있다.

모든 교사는 자신의 학급 컴퓨터로 연구와 발표, 의사소통, 기록을 할 수 있다. 전문성 개발은 계속되고 있고 모든 연구 영역으로 공학을 통합하는 새로운 방법을 모색하고 있다. "우리는 우리의 공학 사용이 가능한 순조롭기를 원한다"고 교사들의 공학을 사용한 교육과정 향상을 돕는 Beeunas는 말한다.

절약적인 관리

학교는 학생과 직원이 인터넷을 사용하도록 선을 설치하는 한편으로 작동의 효율성을 바탕으로 지워졌다. 매 방의 온도가 감지되어 중앙 컴퓨터에서 자동적으로 조정되고, 학교의 어느 컴퓨터에서나 개인 취향에 맞게 온도를 조정할 수도 있다. 에어컨이 필요하지 않을 때, 통풍을 위해 선풍기를 회전시킨다.

조명은 자동 시간 설정이 되어 있고, 매 교실 안에서 전원을 켰다 껐다 할 수 있으며, 컴퓨터 네트워크를 통해서도 가능하다. 적외선 열 감지기가 각 교실에 설치되어 있어 조명이 켜지고, 건물 보안 시스템의 일부가 되기도 한다. 건물 방향은 계절적으로 가장 우세한 바람을 고려하여 정해졌고, 직사광선의 영향을 완화시킨다. 넓은 지붕으로 그늘을 만든다. 이런 사려깊은 특성으로 비용 효과적 냉난방과 조명 시스템을 갖추어 매달 지역 발전소에서 25,000달러를 환불받아 절약한다.

다기능 도서관

이 첨단 학교의 핵심은 도서관이다. 이 학교의 매체 전문가 Teri MacDonald는 오래된 책 700권을 소장한 도서관이 "학교가 커지면서 이 교실에서 저 교실로 이동하였고, 마침내 서가 사이에 공간이 거의 없는 이동식 건물로 바뀌었다"고 말한다. 주에서 나온 보조금 덕택으로 책이 11,000권에 달하고 새로운 공간에 쉽게 보관할 수 있다.

새로운 도서관의 편리하고 접근이 용이한 장비들은 첨단학교의 문해 목표를 지원하고 학생들이 다양한 공학을 통해서 연구를 수행할 수 있도록 돕는다. 서가의 모든 책은 읽기 수준이 표시되어 있어 학생들이 자신의 능력에 맞는 책을 선택할 수 있도록 한다.

게다가 도서관에 있는 15대의 컴퓨터로 영어 보충 연습이 필요한 학생은 문해 프로그램 소프트웨어에 접속할 수 있다. 학부모도 올해 시작한 이 소프트웨어를 저녁 영어 시간에 사용할 수 있다. "처음에는 학부모들이 도서관에 와서 컴퓨터로 혼자 작업하는 것을 두려워했다"고 MacDonald는 말한다. "학년도가 끝날 무렵에 도서관은 교사와 함께 공부하는 소집단으로 차고, 모든 컴퓨터에 자리

가 없을 정도로 분주해졌죠. 학부모들도 매우 편안했고 자신들의 성공에 기뻐했어요. 우리는 책을 영어와 스페인어로 쌍으로 구비하고 학부모들이 대출하여 집에서 자녀들에게 읽어주게 했습니다."

생생한 역사

지난 15년 동안 SPUSD의 8학년들은 교실에서 미국 역사의 주제를 학습한 다음에 Bryce Bacher와 Colby Strongberg와 같은 교사와 함께 미국의 역사적 기념물을 방문하였다. Bacher에 의하면, 초기에 "연구란 사전을 뒤져보고, 편지를 써서 안내자료를 요청하는 것을 의미하였다." 그러나 오늘날 학생들은 인터넷으로 기념물을 찾아보고 발표자료를 만들어 동료학생들과 공유한다.

관련 웹사이트에서 1차자료 및 2차자료와 연결함으로써 보다 큰 흥분과 기대감을 유발한다. 학생들은 학습하고 있는 사건, 그리고 방문을 계획하고 있는 장소와 관련된 사람들과 직접적으로 교류한다. 실제로 방문하느냐와는 상관없이 학생들은 "Little School in the Valley"의 안락하고 역사적인 환경으로부터의 가상적인 경험을 통해 역사와 연계된다.

성찰질문

1. 여러분이 재직하는 학교가 San Pasqual 과 같이 하려면 무엇이 필요한가?
2. 교과 영역에서 증거가 필요하다고 생각하여 왔으나 증거를 분명히 하지 못한 공학에는 어떤 것이 있는가?
3. San Pasqual 교사가 학생 성취 향상을 촉진하기 위해 어떻게 공학을 사용하는가? 이 교사의 노력에서 보이는 부정적인 면이 있는가?

출처: Paula Monsef, "A High Tech School with a Down Home Feel." *Edutopia* (Fall 2002):6-7. Copyright©by the George Lucas Foundation, Edutopia Newsletter, also available at www.glef.org.

전문적인 관점

교육공학

Henry A. Giroux,
Distinguished Waterbug, Professor of Education,
Pennsylvania State University

나는 Rhode Island 지역에서 노동계층의 아이로 자랐다. 내가 다닌 고등학교는 엄격한 수준별 학급 편성 체제를 갖추고 있었는데, 나처럼 경제적으로 불우한 대부분의 백인과 흑인 학생들은 교육공학과 학습지가 전부인 수업을 받곤 했다. 수업시간에 조용히 있으면 영화를 볼 수 있었기 때문에 시청각 자료는 지식탐구의 대상이기보다 오락거리에 불과했다.

전자 대중매체는 아이들의 행동을 통제하는 수단이었다. 때문에 교사는 제대로 된 학습이라면 당연히 책을 가지고 하는 것이라 믿어 의심치 않았다. 나는 교실에서 불이 꺼지면 항상 안도감을 느끼곤 했다. 적어도 어둠 속에서 나는 내가 영화관에 있다고 생각할 수 있었다. 그것은 중산계층에서 자라나지 못한 나와 내 친구들이 학교생활 내내 겪곤 했던 모멸감과 지루함에서 잠시 잠깐 벗어날 수 있는 것을 의미했다.

혹 내가 틀렸을 수도 있다. 그러나 나는 학교가 그다지 변하지 않았다고 생각한다. 오늘날 대부분의 학생들이 대중매체의 사회를 살아가지만 교육공학은 새로운 정보 체제를 이용해서 상업적 이해관계를 대변하는 교육과정을 양산한다. 결국 공학적 혁신은 아이들을 비판적 시민으로 키우는 대신 착한 소비자로 만들어 버린다.

아이들이 비판적 시민이 되고자 하면, 시각과 전자 매체가 중개하는 지구촌 사회와 이에 따라 새롭게 쓰이는 문화와 지식의 의미를 읽고 분석할 수 있어야 한다. 공학은 효용성 내에 포함될 수 없으며, 단순한 오락거리로 치부할 수 없다. 여기서 말하고 있는 문제는 단지 새로운 정보 체제의 교육적 중요성과 점점 더 학교 밖의 아이들을 가르치게 되는 대중적이고 문화적인 형태를 이해하는 것이 아니라, 누가 교육자를 교육할 것인가에 관한 것이다. 이것은 단순히 공학적 문제가 아니라 윤리적이고 정치적인 문제이다.

이 있지만 한 가지 방법을 지속적으로 사용한다.
4. 판을 난잡하게 하지 않는다. 단원의 핵심 주제에 대한 판서나 도표 제시에 한정시킨다.
5. 비일상적이거나 개인적인 약어를 사용하지 않는다.
6. 보다 효과적인 묘사를 위해 색상이 있는 화이트보드용 펜, 분필, 자, 줄, 스텐실 등의 도구를 사용한다.
7. 판을 과도하게 사용하지 않는다. 길거나 복잡한 자료에는 간략히 정리한 배포자료를 제공한다.

OHP와 정보/영상 프로젝터

OHP와 정보/영상 프로젝터 또는 영상 투사 기기는 시각정보를 제시하기 위한 공학적 선택권을 제공한다. 필기하는 동안 교사나 강의자가 학생들을 대면할 수 있다는 것이 OHP와 컴퓨터 프로젝터를 사용하는 가장 큰 장점 중 하나이다. PowerPoint 또는 HyperStudio와 함께 사용하는 정보/영상 프로젝터는 또한 음악, 동영상, 명령에 따라 페이지를 넘나드는 "fly-in" 문서 등을 포함시킬 수 있다. 게다가 제시된 정보나 영상은 세련되고 흥미로운 프리젠테이션을 위해 자세히 살펴볼 수도 있다. 컴퓨터를 이용한 이와 같은 프리젠테이션을 위해서는 어느 정도의 전문성이 필요하며 시간을 투자할 수 있어야 한다(Microsoft PowerPoint 온라인 학습 참조 : www.microsoft.com/education, HyperStudio 참조 : www.education.umd.edu/blt/hyperstudio). 교실에서 컴퓨터 기반의 프리젠테이션 사용을 필요로 한다면 학교의 기술지원 인력을 확인해 두어야 할 것이다.

OHP는 상대적으로 저렴하고 쉽게 사용할 수 있으며, 많은 교실에서 표준 장비가 되어 있다. OHP용 자료는 복사가 가능한 어떤 문서로부터 거의 대부분의 복사기로 쉽게 만들 수 있다. 또한 상업적으로 준비된 OHP용 자료를 여러 교재에서 활용할 수도 있으며, 일반적 주제 영역에 따라 구입할 수도 있다. OHP는 교사가 교실 활동 중 자료 위에 판서하기 위해서도 사용할 수도 있다. OHP는 특히 큰 집단을 대상으로 발표하기 위한 소규모 집단의 정보 생산활동에 도움이 될 수 있다. 각각의 소규모 집단은 손으로 발표자료를 만들 수 있으며, 이것을 모두가 볼 수 있게 발표할 수 있다.

또한 정보/비디오 프로젝터는 교실 수업에서 유용하게 사용할 수 있다. 교사가 소프트웨어 프로그램을 몇 번 경험하게 되면 빠르고 쉽게 발표자료를 만들 수 있으며, 다시 사용하기 위해 저장해 놓을 수도 있다. 발표자료는 필요할 때 쉽게 수정할 수도 있다. 학생들은 빠르게 한두 장의 슬라이드 만드는 것과 같은 시각적으로 흥미있는 방식으로 집단활동을 할 수 있다. 또 정보/영상 프로젝터를 사용함으로써 정보를 보다 쉽게 받아들이도록 다양한 학습 양식을 지닌 학생들을 지원할 수도 있을 것이다.

OHP와 정보 / 영상 프로젝터 활용을 위한 안내

1. 최신의 자료로 갱신한다.
2. 수업 시작 전에 자료의 내용을 예고하거나 준비시킨다.
3. 자료가 학생의 흥미와 성숙 수준에 적합하고, 수업 목표에 충실한지 확인한다.

4. 모든 학생들이 제시되는 자료를 볼 수 있는지 확인한다. 자료의 적절성에 초점을 맞춘다.
5. 제시되는 각각의 자료를 설명하고 토론한다.

영화

텔레비전을 제외하고 영화는 아마도 아이디어를 전달하고 청중을 설득하는 가장 영향력 있고 매력적인 매체일 것이다. 영화가 보여주는 생생한 영상은 청중에게 극적인 영향을 미친다. 영화는 학생들의 흥미와 동기를 동시에 유발시킨다. 교육 목적의 많은 영화들이 만들어졌다(우수한 인터넷 자원인 teachwithmovie.org 참조). 영화는 정형화된 모습으로 제시되며, 일정한 순서를 따르며, 속도 또한 고정적이다(속도를 늦출 수 있는 영사장치나 멈춤이 가능한 프로젝터를 사용하지 않는다면). 학생들은 영화에서 정해진 속도나 순서에 사고를 강요받기 때문에 능동적인 사고보다는 수동성을 초래하는 경향이 있다. 영화를 보는 동안 학생들에게 질문을 하거나 인식 유형을 알려주면 교실에서 보다 능동적인 사고를 하는데 도움이 될 것이다.

영화 활용을 위한 안내

1. 학생의 흥미와 성숙 수준에 적합한지 확인하고, 스스로 영화의 내용에 익숙해질 수 있도록 미리 살펴본다.
2. 영화 상영 계획에 따라 영사장치(또는 프로젝터) 설치를 준비한다. 사용방법을 잘 모르면 도와줄 수 있는 사람과 약속을 확인한다.
3. 모든 학생들이 화면을 볼 수 있는지 확인한다. 선명한 영상을 위해서 교실은 충분히 어두워야 한다.
4. 프리젠테이션을 위해 학생들을 준비시킨다. 영화에 대해 답변하거나 안내하기 위한 주요 요점, 질문 목록이 도움이 되며, 영화를 보여주기 전에 나눠준다.
5. 영화상영 후에 토론 시간을 마련한다.

전문적인 관점

연필이 핵심이다

Harvey S. Long
George Mason 대학 사범대 교수

19 50년대 후반부터, 컴퓨터를 사용한 교육이 교육에서의 컴퓨터 공학의 사용을 열광적으로 활성화시키고 있다. 최근까지 이에 대한 지지는 존재하지 않거나 중요하지 않은 문제에 대한 해결책과 관련되어 있었다. 그러나 초소형 컴퓨터의 등장과 증가하는 교육 관련 쟁점에 대한 국가적인 관심사는 중요한 문제와 공학관련 해결책의 연결을 촉진하고 있다. 이러한 도전 중에는 문맹, 교육 개혁과 재편성의 필요성, 정보화 시대에 교수의 도전 등이 있다.

그러나 가능한 해결책과 인식된 문제를 연결하는 것은 또한 컴퓨터 기반의 해결을 실행하는 것과 같은 다른 어려움을 여전히 만들어내고 있다. 한 지역 초등학교와 중학교에서 컴퓨터를 공유하는 학생은 평균적으로 대략 30명이 있다. 만약 이 컴퓨터들이 연필이라면, 우리는 이 "두 가지 기능을 가진" 연필을 학생용 필기도구의 대용물로 여기기 어려울 것이다. 학생과 컴퓨터의 비율이 30대1이

되는 다양한 기능을 가진 컴퓨터는 확실히 국가적인 영향력을 생산하는데 비효과적일 것이라고 예측할 수 있다.

네트워크를 통한 컴퓨터가 정보, 계산, 그리고 거의 확실히 사람들에게 접근하는 것을 제공한다는 점에 대해 논쟁하는 사람은 거의 없다. 그러나 오늘날, 5명의 교수 중 오직 한 사람만이 교수 과정에서 실제로 컴퓨터를 사용한다. 개인적인 선택 때문이든, 컴퓨터 접근의 부족 때문이든, 나머지 사람들은 학생들이 정보 검색, 상호작용적인 평가, 교사의 컴퓨터 회의를 통한 고립의 제거로부터 이득을 본다는 것을 부정한다.

실제로 모든 학생과 교사들이 손에 연필을 쥐고 있기 때문에 이 글의 저자는 "연필 공학"에 한 부분을 할애하지 않도록 선택된 것이다. 나는 컴퓨터 공학에 대한 실제적인 사고와 논리적인 실행이 또한 비슷한 용어인 "연필 공학"의 소멸로 이끌기를 바란다.

저자의 노트: Long 교수는 이것을 거의 10년 전에 썼다. 2003년까지, 컴퓨터는 사실상 거의 모든 학교에 있다. 그러나 많은 사람들은 공학적 차이는 미국에 여전히 존재한다고 주장한다. Long 교수의 논의는 여전히 타당한가?

텔레비전과 비디오

최근 증거에 의하면 텔레비전이 "제2의 학교조직"이나 문화전달자가 되었다. 10세 이하의 어린이는 1주일에 평균 30~35시간 텔레비전을 보거나, 깨어있는 시간의 약 1/5을 텔레비전을 보면서 지낸다. 1980년대의 한 연구는 고등학교를 졸업할 때까지 아이들이 학교에서 12,000~13,000시간을 보내는 것에 비해 TV 화면 앞에서 15,000~20,000시간을 보낸다는 것을 보여주었다. 6세 이전에 아이들은 그들이 평생 동안 아버지와 대화하는 시간보다 텔레비전 앞에서 더 많은 시간을 보낸다.[8] 21세기가 시작되면서 상황이 변하고 있다는 것을 보여주는 증거는 절대적으로 부족하다. 이러한 상황의 위험은 어른들로부터 미국 아이들이 어릴 때부터 고립되어 있다는 점이다. 구체적으로 다른 산업화된 문화의 어린 아이들과 비교해 보면, 미국 학생들은 1주일에

친구들과 거의 12시간 이상을 보내고 어른들과는 떨어져 있다.[9] 우리는 이 장에서 이러한 사실을 이후에 좀더 자세히 토론할 것이다. 여기서 핵심은 미국의 어린 아이들은 다른 문화의 어린 아이들보다 잠재적으로 훨씬 많이 공학에 의해 사회화된다는 것이다.

Neil Postman은 텔레비전을 제2의 학교조직으로 바라보기보다는, 텔레비전과 다른 대중매체(라디오, 만화책, 영화)를 "첫 번째 교육과정"이라고 본다. 왜냐하면 이것들은 아이들이 학습 기술을 개발하고 지식과 이해를 습득하는 방법에 영향을 주기 때문이다.[10] Postman과 다른 사람들에 의하면, 텔레비전의 교육과정은 대개 흥미를 지속시키도록 디자인되어 있다. 반면, 학교 교육과정은 사고 기능의 숙달과 같은 다른 목적을 갖는다. 부가하자면, 텔레비전 시청은 노력과 기술을 거의 요구하지 않는다. 아이들은 문제에 대해서 사고하거나 해결할 필요가 없다. 오히려, 아이들은 화면에 비친 과다한 폭력과 성적행동은 말할 것도 없으며, 빨리 변화하는 자극, 빠른 대답, "도피주의자" 환상에 익숙해진다.

텔레비전의 영향

텔레비전 시청과 인터넷 사용의 진정한 효과는 아직 알려져 있지 않다. 미국 심리학회는 텔레비전 폭력이 어린이들에 입증된 공격적인 행동의 약 10%를 설명해준다고 보고한다.[11] 어린 아이들이 과하게 텔레비전을 시청했을 때 나타날 수 있는 유해한 영향에 대한 지난 10년 이상의 연구는 이제 인터넷의 잠재적인 부정적 영향에 대한 새로운 연구와 결부되고 있다. 웹은 어린 아이들에게 훌륭한 학습 가능성을 제공한다. 그러나 일부 최근 자료는 가족 구성원간의 의사소통의 감소, 침체와 고립의 증가, 면대면 상호작용의 감소라는 문제들을 제시한다.[12]

보통의 어린이는 이제 초등학교를 졸업할 때까지 8,000번 이상의 살인과 100,000번 이상의 폭력적인 행동에 노출된다. 아이들은 18살까지 텔레비전에서 40,000번의 살인과 200,000번의 폭력적인 행동을 보게

된다는 추정이 가능하다. 연구에 대한 종합적인 검토에서 텔레비전의 폭력에 반복적으로 노출되는 것이 싸움을 하게 된다거나 다른 아이들의 놀이를 방해하는 것과 같은 공격적인 행동을 하는 성향으로 나타난다는 것이 발견되었다.[13] 물론, 이 모든 것은 실제로 학생들이 텔레비전을 얼마나 많이 시청하느냐에 달려 있다. 비록 구체적인 자료가 유용하지 않더라도, 평균적으로, 어린 아이들이 텔레비전을 하루에 3~5시간 정도(1주일에 22시간 정도)로 많이 본다는 것은 명백하다. 부정적인 영향은 단지 텔레비전 시청 때문만이 아니라, 무엇을 시청하느냐와도 관련이 있다. The Parent Teacher Association(PTA)와 다른 학부모, 종교 활동 단체는 텔레비전에서 폭력적이고 성적인 장면을 저녁 7~10시의 시간대에는 방영하지 못하도록 수년간 로비를 해왔다(제한적인 성공을 거두었다).[14] 흥미로운 것은 이런 단체들의 최선의 노력에도 불구하고, 텔레비전이 시각적인 이미지에 관한 한 여전히 매우 혼합적인 메시지의 매개체라는 것이 아주 명백하다는 것이다.

한 연구에서 설문 조사한 청소년의 거의 절반은, 텔레비전의 가치 체계는 반사회적인 행동(예를 들면, 마약, 폭력, 성적인 부분이 괜찮거나 심지어 "멋지기"까지 하다)을 강조한다는 것을 지적하면서, 텔레비전의 부정적인 영향을 인정한다. 동일한 비율의 학생들은 텔레비전 시청이 좀더 건설적이고 가치 있는 활동에 참여하는 것에서 멀어지게 한다고 주장한다. 이 학생들은 텔레비전 시청을 시간 낭비나 게으름을 피우는 일과 동급으로 본다. 소수의 학생들이 텔레비전 앞에 "푹 빠져있는 것"과 선정적인 광고를 보는 것은 스낵을 먹고 정크 푸드를 먹는 것과 같은 영향력을 지닌다고 불평한다.[15] 그리고, Sadker와 Sadker는 고등학생들에게 있어서 "매일 텔레비전을 시청하는 것은 알코올 소비보다 9% 정도 더 큰 위험이 있다... 만약 뮤직비디오를 본다면, 위험은 31%로 증가한다"고 보고한다.[16]

텔레비전의 희생자로 어린이들을 바라보는 지배적인 관점에도 불구하고, (7세만큼 어린) 어린이들은 종종 텔레비전과 현실간의 관계에 대해 상당한 정도의 교양과 광고의 영향에 대한 고도의 비판을 보이곤 한

다. 그들은 또한 나쁜 행동, 부적절한 이야기 개관, 화려한 소비와 같은 텔레비전의 인위성을 꽤 열렬히 비판하는 것처럼 보인다. 어떤 어린 아이와 대화를 해보더라도 이러한 사실은 쉽게 드러난다. 이러한 비판적인 반응의 일부는 그들이 성인, 특히 교사와 부모가 자주 자신들의 텔레비전 시청에 찬성하지 않는다는 것을 그들 스스로 인식하고 있고, 또한 텔레비전이 해로운 영향을 미친다고 믿기 때문이다. 어른들이 자주 자신들의 우려를 어린이들로 대체하는 것과 마찬가지로, 좀더 나이든 아이들이나 십대들도 위험에 처한 것은 좀더 어린 텔레비전 시청자이고, 자신들은 좀더 "성인"이며 덜 위험에 처해 있다고 주장한다.

게다가, 모든 연구가 학생들의 행동과 태도에 대한 텔레비전의 영향에 대해 부정적인 결론만을 뒷받침하는 것은 아니다. 만약 적절하게 사용되기만 한다면, 텔레비전은 사회화와 학습에 긍정적인 영향을 미칠 수 있고, 정보, 교육, 뉴스, 소비자 지식의 전달 수단이 될 수 있다. 지난 20년간의 연구는 Sesame Street와 The Electric Company와 같은 유치원과 초등학교 아이들을 위한 선별된 교육 프로그램이 협동적인 행동과 인지 기술 향상과 관련 있다고 지적한다.[17] 열쇠는 어린 아이들이 텔레비전 프로그램의 좀더 바람직한 소비자가 되도록 돕고 하루에 대략 2시간 정도로 텔레비전 시청하는 시간을 제한하는 것이다.

학문적으로 대부분의 자료는 초등학교 고학년과 중학교 학생들에게 있어서, 하루에 5시간 이상 텔레비전을 시청하는 것이, 특히 숙제로부터 멀어지게 하고, 학습 과정에서 수동적이 될 때, 낮은 학업 성취와 관련 있다고 암시한다.[18] 미국 학생들을 다른 10개국의 학생들과 비교한 연구에서 다른 나라의 학생들은 "텔레비전을 덜 보고 미국 아이들보다 숙제하는데 시간을 더 보낸다"는 것이 제시되었다.[19] 진정한 열쇠는 미국 아이들이 자유시간에 무엇을 하면서 시간을 보내느냐와 관련있는 것으로 보인다. 다른 나라의 어린 아이들은 실속있는 학교 활동, 또는 자유시간에 학교 관련 활동에 참여한다. 미국에서 어린 아이들은 공부할 자유 시간이 너무 없기 때문에 (비록 이 주장이 완전히 사실인지

여부에는 논쟁이 있지만) 다른 나라와 비교했을 때 뒤처진다. Laurence Steinberg는 다음과 같이 기술한다.

전형적인 청소년은 매주(밤에 평균 7시간 수면을 취한다고 추정) 대략 120시간을 깨어 있다. 미국에서의 평균적인 하루 학교 생활은 1주일에 30~35시간으로 계산해서 6.5시간 지속된다. 시간 사용에 대한 연구에 의하면, 십대들은 먹고, 개인적인 일을 하고, 가사 잡일을 하고, 교통으로 이동하는 것과 같은 일을 하는데 1주일에 추가로 25시간을 보낸다.

그렇다면, 학생들이 다양한 다른 활동을 하는데 할당되는 시간이 1주일에 대략 60시간 정도가 남는다. 만약 미국의 전형적인 십대가 사회활동을 하는데 1주일에 20~25시간을 보내고, 아르바이트하는데 1주일에 15~20시간, 과외 활동에 10~15시간, 텔레비전 시청에 10~15시간을 보낸다면, 학교 밖에서 공부할 시간은 남지 않는다. 이것이 숙제하는데 보내는 전국적인 평균 시간이 1주일에 5시간 이하인 이유이다.

학교에서 보내는 시간의 단지 40%가 학문 관련 활동이라고 봤을 때, 전형적인 미국 학생이 보내는 시간의 매우 작은 부분—매주 15~20시간, 또는 깨어있는 시간의 약 15% 정도—이 학습이나 학업성취를 위해 노력하는 시간이 된다는 것은 명백하다.[20]

학생들의 학습 행동 형성에서 텔레비전과 다른 전자 매체의 다른 좋지 못한 결과의 가능성은 여전히 있다. 청각적 시각적 자극은 Lev Vygotsky가 자발적인 발상—체계적이거나 구조적이거나 더 큰 범위의 정신적인 틀로 일반화되지 않는 것—이라고 불렀던 것을 만들어낸다. 자발적인 발상은 즉각적인 경험으로부터 어느 정도 거리를 두는 것으로 특징지어지고, 교재를 읽거나 교수-학습 과정(학습자가 교사나 다른 학생과의 대화에 참여함)에 노출되는 과학적 발상과는 다르다.[21] 만약 적절히 가르친다면, 과학적 발상은 사전 지식에

연결시키고, 이를 바탕으로 구축되는 "스케폴딩"이 관여된다. Good과 Brophy는 교사가 학생들에게 어떻게 효과적으로 문제 해결을 가르치는지에 대한 설명과 함께 그 과정을 설명한다.

> ...한 가지 특징은 골격을 갖춘 과제와 대화를 통해 본을 보이고 지도하는 것이다. 교사는 과학적 지식이 문제 해결에 어떻게 사용되는지 보여줌으로써 모범사례를 보여준 후, 문제 해결 기회를 제공한다. 학생의 처음의 시도는 과업의 단순화와 명료화를 통해 골격을 갖추고, 교사와 학생이 주의 깊게 듣고 서로에게 응답하며, 때로는 발화자의 생각을 존중하는 태도로 비판하는 교실 대화를 통해 골격을 갖춘다. 예를 들면, 광합성 단원에서, 학생들은 식물에 대한 설명과 예측을 요구하는 질문에 대답하기 위해 몇 가지 핵심사항에 대답을 하게 된다. 스케폴딩은 학생들이 핵심이 되는 비교(예를 들면, 식물이 먹는 음식과 사람이 먹는 음식)를 하도록 돕기 위해 도표를 제공하거나 기억할 필요가 있는 핵심 아이디어의 상기물을 통해 제공된다.[22]

자발적인 발상은 텔레비전 시청자가 일시적이고 낮은 수준의 정보를 처리하고, 발생하는 학습에서 수동적인 역할을 한다는 점을 가리킨다. 한편, 읽기와 교실 담화에는 구조화된 언어 활동, 적극적인 학습, 체계적인 사고가 포함된다. 우리 학생들은 전형적으로 마지막으로 읽은 책의 주요 아이디어를 심지어 1년 후에도 기억할 것이다. 특히, 만약 그 경험이 언어적으로 구조화 되어 있고, 노력을 요구하며, 자아 성찰을 이끌어내는 것이라면 더욱 그렇다. 텔레비전과 비디오는 성찰과 토론이 동반되면 구조화되고, 능동적인 학습 기회를 제공한다. 그러나 이것이 대부분 학생들의 보는 경험의 실상이 지니는 특징은 아니다. 텔레비전의 잠재력이 발휘되려면 교사가 자발적인 경험이 아닌 배우는 핵심 개념을 위한 골격으로써 그것을 어떻게 사용할 것인지 주의 깊게 고려하는 것이 요구된다.

텔레비전 활용

아동과 청소년의 문화적응과 사회화에 대한 텔레비전의 영향력과 사회 전반에 끼치는 그 영향 때문에 교육자는 이 매체를 무시할 수 없다. 교육자는 1) 상업적인 텔레비전 시청에 너무 많은 시간을 보낸 결과, 낮은 학업 성취를 보이는 경향을 뒤집을 수 있는 방법을 찾아야 하고, 2) 일부 아동(어른까지도)이 다른 사람과의 접촉으로부터 고립되고, 좀더 가치있는 활동에 참여하지 않게 되는 도피의 수단이나 사회적 동료로서 텔레비전이 이용되는 것을 막아야 한다. 마지막으로 3) 학교 교육과정에 이 매체를 편입시킬 긍정적인 방법을 찾아야 한다. 그림 7.1은 텔레비전 시청이 많은 미국 교실에서 발생하는 일들의 중요한 일부이고 학생이 교사와 함께 하는 시간의 거의 10%를 설명해준다는 것을 보여준다.

두 가지 유형의 프로그램이 학교에서 활용될 수 있다. **교육용 텔레비전**은 정보 전달과 이해 형성을 의도로 상업 및 공영 텔레비전 방송국에서 생산되는 프로그램을 가리킨다. 많은 상업 및 공영 텔레비전 방송국은 교육적 목적과 세부목적에 적합한 프로그램을 만든다. 특히, 많은 대도시의 방송국과 국가의 케이블을 통해 전달되는 공영 텔레비전은 교사에 의해 완전히 활용되지 않았던 실제적인 교육적 잠재력을 지니고 있다.

수업용 텔레비전은 구체적인 교과목을 가르치기 위해 큰 학군이나 대학에 의해 만들어진 프로그램을 가리킨다. 일부 숙련된 교사들은 개별 교실 계획에서 더 많은 유연성을 제공하는 비디오를 이용하여 많은 수의 학급을 동시에 가르치곤 한다. 비록 그런 프로그램이 보통 미리 제작되긴 하지만, 일부 학교는 상호 작용적이고 폐쇄회로로 전달되는 텔레비전 수업을 개발하여 학생들에게 수업을 하는 교사와 의사소통할 수 있는 수단을 제공한다. 다른 측면으로, 특별하거나 앞선 학문 교과과정을 접할 수 없는 특히 시골 지역에서 이것은 교육을 전달하는 비용면에서 효율적인 방법이다.[23] 교사들을 위한 조언 7.1은 교사에게 교실에서 텔레비전을 언제 어떻게 사용할지 결정을 내리는 구체적인 지침을 제공한다.

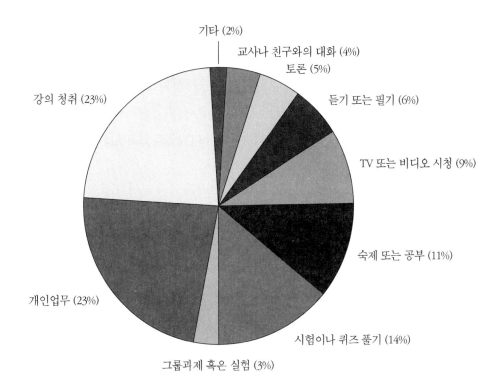

기타 (2%)
교사나 친구와의 대화 (4%)
토론 (5%)
듣기 또는 필기 (6%)
TV 또는 비디오 시청 (9%)
강의 청취 (23%)
숙제 또는 공부 (11%)
개인업무 (23%)
시험이나 퀴즈 풀기 (14%)
그룹과제 혹은 실험 (3%)

┃그림 7.1┃ 교실활동에서의 시간 배분

출처: M. Csikszentmihalyi and B. Schneider. *Becoming Adult*. New York: Basic Books, 2000, p. 144. Copyright by Mihaly Csikszentmihalyi and Barbara Schneider. Reprinted by permission of Basic Books, a member of Perseus Book, L.L.C.

교사는 이제 위성을 통해 교실에 방송되는 교육적 목적을 위해 특별히 개발된 **케이블 텔레비전** 프로그램을 선택할 수 있다. 학교는 (지방정부와 케이블 회사가 서명한 계약에 의거해 때로는 무료로) 쓰기를 어떻게 향상시킬 것인지, 고대 역사나 고전 미술에 대한 매일 또는 주간 연속물, 러시아나 다른 특별한 언어를 배우는 첫 단계 또는 세계 뉴스 등과 같은 다양한 상업 광고 프로그램을 시청할 수 있다. 일부 케이블 회사는 100개 이상의 채널을 제공하는데, 그 중에서 일부를 특별히 교육 프로그램에 할당하고 있다. 그런 서비스는 특히 자원이 제한되어 있는 작은 시골학교에 유용하고 가르치기에는 너무 비싸거나 개별 학군에서 접하기 어려운 교과목의 경우에 유용하다.

텔레비전은 학생들의 지식을 증가시키는 데 있어서 잠재력을 가지고 있다. 학생들은 현재의 사건과 과학적 진보에 대해 배울 수 있고, 극적이고 음악적인 공연에 노출될 수 있고, 미술, 과학, 정치, 사업의 세계에서 주도적인 인물을 더 잘 알 수 있게 된다. 수업 보조자료로써 텔레비전은 적절하게 사용되었을 때, 아이디어의 골격을 제공할 수도 있다; 이것은 주제에 대한 토론과 더 나아가 연구를 자극할 수 있다. 이것은 전문가와 전문 교사를 한 번에 수백 명의 학생이 있는 교실에 시간 제한 없이 또는 여러 번에 걸쳐 수천 명의 학생들 앞에 데려올 수 있다. 또한 적절히 사용만 된다면, 학습자 성취와 동기를 강화한다. Blubaugh는 교육 프로그램과 어린 아이들의 학교생활에 대한 준비성(고등학교의 영어, 과학, 수학과 수행, 그리고 학교가 텔레비전, VCR 컴퓨터를 적절히 사용했을 때의 낮은 탈락률)을 연결시키는 연구를 인용하고 있다.[24]

비디오테이프

비디오테이프가 있으면 영화와 TV 프로그램을 수업 도구로 사용하는 것이 간단하게 된다. 대부분의 학교는

교사들을 위한 조언 7.1

적극적인 시청의 열쇠가 되는 질문

교실에서 텔레비전을 생산적으로 사용하려면 교육과정, 학습자의 학습 양식, 교사가 수업에 사용하려고 가져온 다른 자원간의 연계가 필요하다. 여기, 교사가 공학을 포함하는 교실 자원을 사용할 때 스스로 물어봐야 할 열쇠가 되는 질문들이 있다.

- 이 비디오를 사용하는 목적은 무엇인가? 이것은 수업의 질을 높이는가?
- 비디오 내용에서 수업에 초점을 맞추기 위한 최선의 방법은 무엇인가? 비디오를 본 후 토론과 활동을 위한 토의사항은 무엇인가?
- 이 비디오에 의해 내용이 풍부해질 수 있는 과목이 하나 이상 있는가?
- 프로그램을 방송하는 방송사는 웹사이트를 가지고 있는가?

- 이 비디오와 연계된 온라인 자원이 있나?
- 학생들이 어떤 온라인 자원을 찾기를 비라는가?
- 비디오에서 보여진 주제에 대한 전문가를 교실에 초대할 기회가 있는가?
- 이 비디오에 상응하는 문제 해결 기법은 무엇인가?
- 이 비디오와 구체적인 교육과정을 연계할 수 있는가?

이 모든 질문에 대답을 하거나 오직 이 질문들만 사용할 필요는 없다. 텔레비전 자원을 사용하기 전에 중요한 것은 수업에서 능동적인 목적을 가지는 일이다.

출처: Donelle Blubaugh. "Bringing Cable into the Classroom." *Educational Leadership* (February 1999): 64.

카세트 테이프뿐만 아니라 매체 도서관에 사용할 수 있는 TV/VCR이 최소한 한 대는 있다. 지역 도서관은 DVD와 비디오카세트를 빌려주며, 전국적인 프로그램 테이프는 일반적으로 생산자에게 주문하게 된다. 또한 방송대본을 연구 목적을 위해 구입할 수 있다.

교사와 학생들은 교실에서 일어난 일들을 녹화하고 텔레비전에 붙어있는 VCR을 통해 교실에서 그 녹화자료를 재생할 수 있다. 면담, 공동체 모임, 특별한 사건, 학생들의 프로젝트가 녹화될 수 있다. 학생들은 그들 자신의 이야기나 연구를 토대로 비디오를 만들 수도 있다. 일부 대규모 학군은 이제 녹화팀을 운용하여 그들 자신의 비디오를 만들고 그것들을 주변 학교들에게 배포하고 있다.

텔레비전과 비디오 사용 지침

1. 학습자의 흥미와 성숙도 수준, 그리고 수업 세부목적과 일치하는 프로그램을 선택한다. 교육적인 중요성, 품질, 내용, 쓰기, 생산자를 고려한다.
2. 교실이나 매체 센터가 프로그램을 시청하기에 적당한지 확인한다. 조명과 그림자, 청각 장치, 좌석 시설, 텔레비전의 배치를 검토한다.
3. 학생들에게 필요한 배경 자료를 주고 그들이 프로그램을 시청하기 전에 기대하는 바가 무엇인지 말하도록 한다. 교사는 주된 핵심에 초점을 두고 있는 질문지를 나눠주기를 원할 수도 있다. 이 질문지는 학생들이 집에서 프로그램을 시청하도록 숙제를 내줄 때 특히 도움이 된다.

전문적인 관점

기술 + 사고 = 더 많은 학습

Bob Lazzaro
교사, 뉴욕

학생들은 교실에 들어서자 마자 즉시 천정에 매달려 있는 35인치의 모니터에 주의를 돌린다. 화면에는 호주 해변에서 떨어진 대양을 달리는 범선에서 온 오늘의 이메일이 있는 웹사이트가 제시되고 있다. 위성 연결을 통해, 선원은 28m의 보트 위의 상황과 전체적인 항해에서의 좋은 순위에 대한 기회를 기술하고 있다.

웹 사이트에 열거된 적도와 위도 좌표로부터 보트의 정확한 위치를 확인한 후, 그들의 일지에 항해를 기록하고, 교사는 한 학생에게 날씨 웹 사이트로 이동하라고 지시한다. 학생들은 그 사이트를 마우스로 클릭하면서, 도플러 레이더의 예보, 구름 위성사진, 그 주의 나머지 날들에 대한 예보 등으로 기록된 현재 상황을 기록하고, 토론한다.

교실에서 공학은 전 지역 학생들의 교육에 중요한 효과를 주고 있다. 학생들은 매일 컴퓨터, 프린터, 스캐너, VCR, CD-ROM 같은 장비, 인터넷 웹 사이트, 도서관 카드, 이메일 같은 더 많은 전자 수단과 도구들을 사용하고 있다. 문서작성 프로그램, 스프레드시트, 데이터베이스는 모두 학생들이 작업을 쉽게 할 수 있도록 해 주지만 그들은 좋은 사고의 필요성을 배제하지는 않는다.

"쓰레기를 넣으면 쓰레기가 나온다"는 유명한 격언은 여전히 맞다. 쏟아져 나온 쓰레기는 문서작성 프로그램에서 더 좋게 보이지만, 질은 여전히 똑같이 좋지 않다. 학생들은 맞춤법 검사가 제시하는 모든 예시를 무시하고 틀린 맞춤법이 가득한 작문을 제출하는 것으로 알려져 있다. 프로그램이 작문을 검토할 때, 오류들을 그냥 넘어가도록 미리 설정되어 있기 때문에 프로그램은 오류를 완전히 무시하게 된다.

같은 특징에 의해서, 일단 손질하지 않은 초고를 컴퓨터에 입력하면, 문서 편집기상에서 편집 및 수정이 아주 빨라서, 손으로 다시 쓰는 것보다 문체의 보다 발전된 기술을 익히는데 더 많은 시간을 사용할 수도 있다.

공학은 학생들의 학습을 도울 수 있도록 교실에 계속해서 도입될 것이다. 하지만 학생들이 단지 그들의 손으로 키보드를 만지는 것만으로 학습이 일어나는 것은 아니다. 우리는 그들의 마음을 어루만져야 하고 공학은 우리가 그렇게 하도록 도울 수 있다.

4. 강의 장치나 수업의 대체물로 텔레비전을 사용하는 것을 피한다. 텔레비전을 수업과 토론에 통합시킨다.

5. 주된 핵심을 분석하기 위해 프로그램을 시청한 후 토론을 실시한다.

6. 교사가 미리 녹화한 테이프를 보기 전에 저작권 문제에 대해 매체 전문가와 상의한다.

컴퓨터

학교 교육에 목적을 둔 컴퓨터 공학은 1950년대 이후에 사용 가능해졌지만 컴퓨터가 교실이나 학교에 주요한 영향을 주기 시작한 것은 지난 몇십 년에 불과하다. 1980년에 15%의 공립학교에서 약 5만여 대의 마이크로 컴퓨터가 사용되었다. 1995년에는 2백만 대 이상의 컴퓨터가 99% 가량의 학교에서 사용되었다. 2001년 즈음, 학생의 컴퓨터 사용이 너무 널리 보급되어 (인터넷 사용을 포함한) 학생당 컴퓨터 비율은 대략 5명당 1[25] 대꼴이었다. 1994년 3월 의회가 제정한 Goals 2000: Educating America Act의 결과로 전국에 있는 학교에서 교수와 학습을 위해 컴퓨터, 소프트웨어 및 이와 관련된 서비스를 보편화시키려는 국가의 역점 사업을 달성하기 위해 수십억 불의 예산이 투입되고 있다.

그러나 현재 컴퓨터의 보편화에도 불구하고 사용 형평성의 문제가 남아 있다. 2000년에 Holloway는 빈민층이 집중된 교실에서는 단지 39%만이 인터넷을 사용한 반면, 보다 풍족한 교실에서는 74%가 사용했으며, 그렇지만 거의 매년 향상되고 있다고 보고했다. 2001년에도 문제는 여전히 남아 있었지만, 확실히 빈민지역에서 보다 많은 학생들이 컴퓨터를 사용할 수 있게 되었다.[26] 본질적으로, 인터넷 사용은 가족의 소득수준과 관련이 있다. 이것은 놀랄만한 사실은 아니다. 하지만 이것은 저소득의 환경에 있는 교사들에게 특별히 정보 격차를 최소화하는 방법을 찾아야 한다는 것을 의미한다.

현재 컴퓨터 공학, 관련 비디오와 통신 공학은 과거 수십 년간 컴퓨터 공학이 수업과 학습 과정을 향상시켰던 것보다 더 많은 잠재력을 지니고 있다. 구식 컴퓨터와는 다르게, 새로운 컴퓨터는 학습자와 정보 기반 간의 복잡한 상호작용을 보완할 수 있다. 그러나 아주 분명한 것은 그러기 위해서는 학생들이 공학에 접근할 수 있어야 한다.

우리는 계속 증가하는 컴퓨터 세대와 사용 가능한 정보의 양으로부터 초래된 "정보의 홍수" 한 가운데 있다. 사람들은: 1) **컴퓨터 문해**, 또는 컴퓨터가 무엇을 위해 사용되는지에 대한 일반적 지식과 컴퓨터 사용에 대한 일반적 경험; 2) **컴퓨터 역량**, 또는 특정 목적을 위한 도구로써 컴퓨터를 사용하는 능력; 3) **컴퓨터 전문성**, 또는 컴퓨터가 어떻게 작동되는지에 대한 지식 등 세 단계의 컴퓨터 지식으로 이런 홍수에 참여할 수 있다. 참여자의 새로운 네 번째 단계는 전문 능력 이상의 컴퓨터 기업가 정신이다. 기업가는 게임이나 문제를 해결하고, 대륙 또는 대양을 넘나들며 메시지를 교환하고, 판매를 위한 독창적인 게임과 소프트웨어를 고안하고, 새로운 소프트웨어를 동료 기업가와 교환하는데 밤낮을 보낸다. 기업가는 잘되면 세계 공학 혁명에서 자유분방하고 창조적인 유형이 될 수 있고, 최악의 경우 그들은 사회에서 컴퓨터를 책임감 있게 사용하도록 하는 윤리에 눈멀도록 할 수도 있는 방법으로 공학에 집착하게 될 수도 있다. 실제로, 웹은 고립주의적 성향을 악화시키고 있으며, 인터넷 중독 세대가 현재 등장하고 있다.

교육자로서, 우리는 우리의 학생들이 어릴 때 컴퓨터 사용능력을 갖도록 하는데 역점을 두어야 한다. 컴퓨터 사용능력은 "네 번째 R"이나 기본적인 능력이 될 수도 있다. 이러한 노력에서 몇 가지 의문점이 생긴다. 교사는 얼마나 컴퓨터에 유능해야 하는가? 모든 교사가 최소한 컴퓨터 사용능력을 갖춰야 하는가? 각 학교의 몇 %의 교사가 컴퓨터 사용방법을 학생들에게 가르치는 기술을 지녀야 하는 걸까? The International Society for Technology in Education(ISTE)은 교육적인 컴퓨터 사용과 기술 통합에 관련된 지침을 개발하는 책임을 지고 있다. National Council for Accreditation of Teacher Education(NCATE)에 의해 승인된 교사 연수 프로그램은 이러한 기준이 통합되어 있어야 하고, 교사 교육 지망자들이 이러한 기준을 충족하도록 기회를 제공해야 한다. ISTE 기준은 기초 컴퓨터/기술 작동과 개념, 공학의 개인적·전문적 사용, 그리고 수업에의 공학 적용(표 7.1 참조) 등과 같은 세 가지의 광범위한 영역을 포함하고 있다. 세 가지의 광범위한 영역 내에는 6가지 기준과 효과적인 교사 교육의 일부분이면서 좋은 수업에 필수적인 이 기준들에 적합한 수행지표가 포함되어 있다.

교사는 몇 시간의 실습으로 구성된 강습회를 통해 컴퓨터 사용 능력을 갖추게 된다. 훈련 소요 시간은 연수 기간의 필수적인 부분으로써 교사의 컴퓨터 사용 능력에 토대가 되지만, 핵심 요인은 교사의 자세이다. 교사가 컴퓨터 사용을 망설인다면 많은 아이들은 이러한 태도를 포착하게 될 것이다. 교사가 열정적이라면 아이들은 더 열심히 그리고 쉽게 배울 것이다. 머뭇거리는

컴퓨터 공학으로 인해 놀랄 만큼의 많은 양의 정보가 이용 가능하다.

교사는 기술 강습회나 전문적인 개발 기회를 통해 제공되는 연수에 참여하는 것을 추구해 볼 수도 있을 것이다. 이러한 기회는 교사들의 안심 수준을 높여주고 그리하여 교실 내에서의 태도에 영향을 주게 된다.

컴퓨터는 획득, 변형, 그리고 평가 등의 세 가지 기본적인 학습 단계에서 사용될 수 있다.

획득

컴퓨터는 학생들이 세 가지 정보원을 생성하고 검색하기 위해 사용된다:

- 정보 유용성: 뉴스, 날씨, 스포츠, 그리고 주식 시장 동향과 같은 정보는 검색서비스를 통해 획득 할 수 있다.
- 데이터 은행과 웹 사이트: 학생들은 인터넷에서 사용 가능한 리포트, 학습, 그리고 인구 통계학적 경향에 대한 현재의 정보와 견해에 접근할 수 있다.
- 전산화된 도서: 전체 도서는 전자 형태나 컴퓨터 디스크에 저장된다. 그래픽, 사진, 인쇄를 결합한 CD-ROMs은 전통적인 인쇄 도서에서 놓치고 있는 동적이고 실제 세상을 묘사하는 독특한 능력을 갖고 있다.

변형

독립 단원 또는 모듈은 수업의 보충자료 및 독립 프로그램으로써 사용하도록 제공된다. 상호작용적 컴퓨터 자료는 주제를 제시하고 학생들을 안내하는 전산화된 비디오 수업을 통해 사용할 수 있고, 기술과 개념에 대한 지식, 이해도, 적용능력을 측정하기 위한 일련의 활동을 통해 사용될 수 있다. 예를 들어, 많은 교과서는 현재 웹 사이트와 함께 제공되고 있는데, 여기에는 상호작용적 복습 활동, 각 장의 목표 및 요약, 상호작용 도해와 일정, 기초적인 쓰기 활동, 인터넷 활동, 더 많은 검토와 연구를 위한 목록들이 제시되어 있다. 독립 단원이나 모듈 등 두 가지 접근법 모두 학생들이 수업에서 자신의 속도로 진행할 수 있도록 허용한다.

평가

학생들은 컴퓨터에 의한 빠르고 정확한 피드백으로 자신의 학습을 의미 있게 평가할 수 있다. 컴퓨터는 사실상 학생들이 만드는 어떤 반응에도 응답할 수 있도록 계획될 수 있다. 컴퓨터는 학생들에게 재검토를 위한 정보나 언제 답변이 틀렸는지를 말해줄 수 있다. 교과서에 동반되는 웹사이트 대부분이 점수를 매기고, 학생들에게 즉각적인 피드백을 제공할 뿐만 아니라, 그 과제를 교사에게 E-mail로 보내는 것이 가능하도록 되

표 7.1 교육 과정과 내용 영역 기준

교사용 NETS

이러한 여섯 가지 기준은 각각 적절한 수행지표를 동반한다. 이 기준은 교사들이 교실에서 필요로 하는 공학 기술의 유형을 기록하고 있다.

I. 공학 조작과 개념

교사들은 공학 조작과 개념에 대한 확고한 이해를 보여준다. 교사들은:

    A. (ISTE의 학생용 전국 교육 공학 기준에 기술된 것과 같이) 공학과 관련된 입문적인 지식, 기능, 개념의 이해를 보여준다.

    B. 현존하거나 최근 생겨난 공학에 정통하도록 공학 지식과 기술에 있어서 지속적인 성장을 보인다.

II. 학습 환경과 경험의 계획 및 설계

교사들은 공학에 의해 옹호되는 효과적인 학습 환경 및 경험을 계획하고 설계한다. 교사들은:

    A. 학습자의 다양한 요구를 지원하기 위한 공학이 보강된 수업전략을 적용할 적당한 학습 기회를 발전적으로 모색한다.

    B. 환경 및 경험을 계획할 때 공학에 의한 교수와 학습에 관한 현행 연구를 적용한다.

    C. 공학 자원을 인지하고 찾아내어 정확성과 적합성에 대해 평가한다.

    D. 학습 활동의 맥락 안에서 공학 자원의 관리를 계획한다.

    E. 공학 보강 환경에서 학생의 학습을 관리하는 전략을 수립한다.

III. 교수, 학습 그리고 교과 과정

교사들은 학생들의 학습을 최대화하도록 공학 적용 방법과 전략을 포함하여 교과 과정 계획을 실행한다. 교사들은:

    A. 내용 기준과 학생 공학 기준을 다루는 공학 보강 경험을 촉진한다.

    B. 학생들의 다양한 요구를 다루는 학습자 중심의 전략을 지원하기 위해 공학을 이용한다.

    C. 학생들의 더 높은 수준의 기술 및 창의성을 개발하기 위해 공학을 적용한다.

    D. 공학이 보강된 환경에서 학생들의 학습활동을 관리한다.

어 있다. 학생들은 모의실험을 통해 새로운 유형의 응답을 제시할 수 있으며, 즉각적인 평가 및 피드백을 얻을 수 있다. 간단히 말하자면, 컴퓨터는 학생들이 자신의 응답 결과에 대해 기본적인 정보를 받게 함으로써 학습을 평가할 수 있도록 한다.[27]

컴퓨터 소프트웨어

질과 다양성이 향상된 수업 소프트웨어는 전 교과와 전 학년 수준에서 사용 가능하다. 이들은 더 이상 단지 고립된 주제를 포함하거나 단지 한두 개의 기능을 제공하지는 않는다. 현재의 소프트웨어는 수업의 모든 단원과 모든 과정을 제시해 줄 수 있다.

교육용 소프트웨어에 대한 가장 흔한 비판은 일반적으로 반복훈련과 개인교수형 소프트웨어가 대부분을 차지한다는 것인데, 이것은 특정한 기능 습득이 학습의 최종목표일 때 강점으로 보일 수도 있다. 소프트웨어는 고도의 상호작용 수준까지 진보했다. 이전 소프트웨어가 특정한 응답에 계열화된 질문으로 구성된 반면에, 새로운 소프트웨어는 적절한 수업 수준에서 분기하는 것으로 학생의 여러 가지 응답을 허용한다. 새로운 반복훈련과 개인교수형 소프트웨어는 학생이 과제나 개념을 숙달하는 데 실패하면 단지 교과내용의 계열화된 반복을 제시하기보다는 유사, 예, 제안 등을

표 7.1 (계속)

교사용 NETS

IV. 사정 및 평가

교사들은 효과적인 사정 및 평가 전략의 다양성을 촉진하기 위해 공학을 적용한다. 교사들은:

A. 다양한 사정 기법을 사용하여 교과에 대한 학생들의 학습을 사정하는 데 공학을 적용한다.

B. 수업적 실행을 향상시키고 학생들의 학습을 최대화하기 위해 자료를 수집하고, 분석하고, 결과를 해석하고 연구결과를 전달하는 데 공학 자원을 이용한다.

C. 학습, 의사소통, 생산성을 위해 학생들의 적절한 공학 자원 활용을 결정하기 위해 다양한 평가 방법을 적용한다.

V. 생산성과 전문적인 실행

교사들은 그들의 생산성과 전문적 실행을 강화하기 위해 공학을 이용한다. 교사들은:

A. 진행중인 전문성 개발과 평생학습을 연관시키기 위해 공학 자원을 활용한다.

B. 학생의 학습 지원에 대해 공학의 이용을 고려한 의견을 결정하는 전문적 실행을 계속적으로 평가, 성찰한다.

C. 생산성을 증대시키기 위해 공학을 적용한다.

D. 학생의 학습을 북돋우기 위해 동료, 부모님, 그리고 더 큰 공동체와 의사소통하고 협력하는 데 있어서 공학을 이용한다.

VI. 사회적, 윤리적, 법적, 인류적 쟁점

교사들은 PK-12 학교에서 공학의 이용과 관련된 사회적, 윤리적, 법적, 인류적 쟁점을 이해하고, 실제로 그러한 원칙들을 적용한다. 교사들은:

A. 공학 이용과 관련된 법적, 윤리적 관행을 가르치고, 모방한다.

B. 다양한 배경, 특성, 능력을 가진 학습자들을 힘을 실어주고, 부여하기 위해 공학 자원을 적용한다.

C. 다양성을 지지하는 공학 자원을 식별하고 이용한다.

D. 공학 자원의 안전하고 건강한 사용을 촉진한다.

E. 모든 학생들에게 공학 자원에 대한 공평한 접근을 조장한다.

사용하여 개념을 분석한다. 여전히, 교사는 반복 훈련을 지향하는 소프트웨어의 사용에 많은 주의가 필요하다. Turning Points 2000 보고서는 8학년 학생을 위한 문제를 상세하게 기록한다.

　… 8학년을 위한, "저급 사고기능을 교수하는 컴퓨터의 사용은 학교의 학업 성적과 사회적인 환경에 부정적인 관련이 있는 것으로 알려졌다 … 일부 학습게임이 고급 또는 저급이기는 하지만, 저급 활동에는 우선적으로 반복훈련과 연습이 포함되었으며 새로운 수학 법칙을 증명하기 위해 컴퓨터를 사용하는 것은 주제에 따라서 고급 또는 저급일수도 있었다. 고급 활동에는 약간의 학습게임과 주제 예시와 함께 모의실험 및 응용프로그램이 포함되었다. 우리들은 저급 컴퓨터 활동과 학업성적 간에 이러한 부정적인 관계가 전 교과 영역에서의 컴퓨터 사용방법에 대해 함의를 가진다고 생각한다. 겉보기로는, "반복훈련과 중단"은 종소

리, 호각, 그리고 번쩍이는 커서와 함께 제시되더라도 여전히 치명적이다.[28]

표준적인 "반복훈련과 연습"을 능가하는 소프트웨어는 지금 많이 있다. 어느 학년 수준에서도 교사는 학습과정을 지원할 수 있는 풍부한 소프트웨어를 발견하게 될 것이다. 열대 우림, 단순한 기계와 동물을 포함하는 여러 가지 주제와 관련하여 내용중심의 소프트웨어가 제공되고 있다. 또한 학생의 창의성과 생산성을 위한 소프트웨어는 어떤 교과의 교수도 지원할 것이다. PowerPoint, HyperStudio와 Kid Pix 같은 멀티미디어 소프트웨어는 어떤 주제에 대한 발표의 생성도 지원한다. 그 외의 도구 소프트웨어(Excel, TimeLiner, Graph Club)는 학생이 어떤 유형의 자료도 관리하고, 조작하는 것을 지원할 것이다. 이용 가능한 소프트웨어와 교육과정의 내용을 가장 잘 지원하는 새로 나온 소프트웨어에 대해서는 매체 전문가 또는 공학 조정자와 상담한다.

소프트웨어를 선정하거나 구매할 때 교사는 프로그램이 학생 관심을 얼마나 잘 유지하는지, 그리고 무엇보다도 학생이 그것을 사용하여 정보를 얼마나 잘 받아들이고 처리하는가를 고려해야 한다. 보다 명확히 말하면, 교사는 1) 소프트웨어가 눈과 마음에 얼마나 잘 호소하는지와 시각적 교과서의 자료가 얼마나 잘 통합되었는지, 2) 소프트웨어가 개념을 선정하고, 조직하고, 분석하고 관계를 평가하는 것에 대해 학생을 얼마나 잘 돕는지, 3) 소프트웨어가 주관적, 발산적, 창의적 사고를 얼마나 잘 촉진시켜 주는지, 4) 내용이 교사의 수업목표와 학생 학습요구 범위에 맞는지에 초점을 맞출 필요가 있다.[29] 컴퓨터 소프트웨어를 평가하는 것에 대한 평정표는 교사들을 위한 조언 7.2를 참조한다. 사용하는 소프트웨어가 당신이 확립한 수업의 최종목표를 지원하고, 강화하는 것이 중요하다.

컴퓨터 소프트웨어(CD-ROM, 웹 페이지, 데이터베이스, 그리고 정보망)를 통해 사용 가능한 정보 시스템의 목록 중에서 CD-ROM은 특별한 교육 잠재성을 가지고 있다. 그 용량은 거대하다. 예를 들면, 전체 백과사전은 한 장의 CD에 넣어서, 사용자가 청각, 시각, 운동감각 자극의 조합을 통해 자료의 세계를 경험할 수 있다.

대부분의 학교 학습이 역사적으로 청각 자극(교사에게 듣는 것)에 의지하고, 선형 계열화에 기반하고 있는 반면에, CD-ROM은 학생이 일련의 쉬운 명령들을 사용하여 들어가고 나옴으로써 다양한 주제와 매체를 선택하는 것이 가능하다. CD-ROM 소프트웨어는 음악, 발언, 그리고 실제 인물의 음성 같은 오디오 트랙, 인쇄된 교과서, 그래프, 그림, 뉴스 모음, 그리고 영화 같은 시각적 트랙, 그리고, 애니메이션 및 동작

◼️ 성 찰 문 제

앞에서는 8학년을 위한 반복훈련과 연습이 학생 학업성적에 어떻게 유해한 영향을 끼치는지를 언급했다. 이전 장에서는 반복훈련과 연습, 그리고 직접교수법을 적절히 사용할 필요가 있다는 것에 대해 말했다. 연구는 학생에게 무엇을 해야 하는지에 대해 종종 결론을 제시해 주지 않는다. 지시는 해 주지만 명확한 답을 해 주지는 않는다. 저급 기능 연습과 고급 사고 기능을 위해 컴퓨터 소프트웨어를 사용할 수 있는 방법을 식별하되 매우 구체적으로 해본다. 당신의 학문영역에 관해서 학생에게 가르칠 기능 또는 개념을 식별한다. 상이한 수준에서, 예를 들면 저급자와 고급자에게는 어떤 소프트웨어가 사용 가능한가?(제3장의 Bloom의 분류를 참조한다). 교사들을 위한 조언 7.2를 사용해서 소프트웨어를 평가해본다.

교사들을 위한 조언 7.2

소프트웨어 평가

이름 : _____   날짜 : _____

성별 : 남자/여자(동그라미로 표시한다)   생일 : _____

CD-ROM 제목 : _____

다음 20개의 준거로 소프트웨어를 평가한다. 다음을 의미하는 번호로 1-5의 척도를 사용한다.

5. 항상 그렇다   4. 자주 그렇다   3. 어느 정도까지 그렇다   2. 거의 아니다   1. 결코 아니다

_____

1. 프로그램을 조작하기 위해 필요한 기능은 7-10살 아동 정도면 된다.   (   )
2. 어떤 활동 어느 시점에서든지 나오고 들어가기가 쉽다.   (   )
3. 필요한 독서량은 7살 아동에 적당하다.   (   )
4. 필요한 독서량은 10살 아동에 적당하다.   (   )
5. 프로그램은 "키보드를 세게 쳐라" 검사에서도 견딘다.   (   )
6. 아동은 화면의 비율과 순서를 제어할 수 있다.   (   )
7. 프로그램은 중요한 내용을 포함하고 있다.   (   )
8. 프로그램은 아동이 개념의 이해를 개발하도록 돕는다.   (   )
9. 그래픽은 프로그램의 교육적 의도를 지원한다.   (   )
10. 프로그램은 도전감의 범위를 잘 제공한다.

    (예컨대, 그 프로그램은 아동과 함께 수준이 높아진다)   (   )
11. 프로그램은 내용을 강화하는 피드백을 제공한다.   (   )
12. 프로그램은 소녀, 소수민 및 장애자를 공평하게 표현한다.   (   )
13. 아동의 사고가 프로그램에 포함될 수 있다.   (   )
14. 프로그램은 아동이 다른 내용에 전이할 수 있는 기능을 가르친다.   (   )
15. 프로그램은 깊이 있는 자료를 포함하고 있다.   (   )
16. 프로그램은 7-10살 아동이 사용하기에 즐겁다.   (   )
17. 그래픽은 아동에게 의미 있고 즐겁다.   (   )
18. 말과 소리는 아동에게 의미 있고 즐겁다.   (   )
19. 도전은 유동적이거나 아동이 그들 자신의 수준에 대해 선택하게 준비해 준다.   (   )
20. 프로그램은 아동에게 의미 있는 내용을 포함하고 있다.   (   )

1-6의 척도에서 6의 의미는 "강한 일치"를 의미하고, 1의 의미는 "강한 불일치"를 의미한다. 다음의 진술에
답하라.

    a. 아동이 중요한 소단원을 학습하도록 프로그램이 도울 수 있다고 생각한다.   (   )

출처: Alex C. Pan and Stuart Z. Carroll, "Preservice Teachers Explore Instructional Software with Children." *The Educational Forum* (Summer 2002): 375. Reprinted with permission of Kappa Delta Pi, International Honor Society in Education

등을 통해 학습에 생기를 불어 넣는다. 학생은 음악에 대한 전통적인 교과서를 단지 읽는 것보다는 활동중인 재즈 예술가(말하자면, Dizzy Gillespie)의 25년 방송용 영화 필름을 보기 위해 CD-ROM을 사용할 수 있다. 즉, 여러 음악 악보를 듣고(사용자는 악보를 선택할 수 있다), 계속해서 다른 음악가나 전문가가 Gillespie에 대해 말하는 것을 듣고(다시 사용자는 선택을 한다), 그리고 최종적으로 관련된 교과서나 보충하는 잡지 기사를 읽는다. 학생은 그것을 단지 읽음으로 가능한 것보다 더 깊게 이해함으로써 어떤 주제라도 경험할 수 있다. 그들이 교육하는 것보다 더욱 즐겁게 해주는 멀티미디어 경험은 관심의 부분이 된다. 그리고 실제로 피상적으로 사고하는 사용자를 필요로 한다. 그러나 그들은 분명하게 이전에 가능하지 않았던 방법으로 자신들의 학습에 참여하는 기회를 학습자에게 제공한다.

컴퓨터 모의실험과 가상현실

현대의 교육용 소프트웨어의 전체 매력을 높이는 것은 그래픽과 소리 제시뿐만이 아니라 학생이 현실의 상황을 대리 경험할 기회를 주는 컴퓨터 모의실험과 가상현실 헤드세트도 있다. 학생들은 실험을 해 보고, 과거의 사건, 현재의 경향 또는 장래의 가능성을 경험하며, 모의실험을 통해 "만일-어떤"과 같은 딜레마도 접할 수가 있다. 소프트웨어는 학습자의 상호작용적 참여를 통해 논리적인 사고, 가설 설정, 문제해결 전략 개발 등

을 촉진할 수 있다.

교수와 학습 방법으로서 **컴퓨터 모의실험**의 아이디어는 문제해결에 관해 Newell과 Simon의 고전적인 교과서를 기반으로 한다. Newell과 Simon은 몇 년 전에 이것을 이론화했는데, 인간이라면 인지는 내부의 표상에 작동하고, 만일 컴퓨터가 임의로 상징-구조를 조작할 수 있다면, 컴퓨터 모의실험은 지식, 개념, 추론, 통찰과 기능의 학습을 촉진하는 잠재성을 가진다는 것이다.[30] 그들의 아이디어는 아직도 21 세기의 초반에도 타당한 것으로 보인다. 컴퓨터 모의실험은 유일한 교수 방법이 아니며, 오히려 학생이 눈에 띄는 개념과 기능을 습득하도록 강화하는 한 가지 방법이다.

컴퓨터 모의실험이 수행에 기초하는 정보처리 활동뿐만이 아니라 상이한 능력에 관련되는 명시적 및 암시적인 진술과 과제를 포함하기 때문에 학생들이 문제를 해결하는 기능을 관찰하기 위한 이상적인 출발점으로 고려된다. 또한, 모의실험은 흥미롭게도 학습자의 수행을 추적하기 위해 더욱 더 어렵게 만들어질 수도 있다. 그러나 일부 연구자는 모의실험이 지나치게 단순화된 가정에 기반하고 있기 때문에 컴퓨터 모의실험이 실제의 인간 문제해결에 대한 이해에 거의 기여하지 못한다고 주장한다. 즉, 프로그램은 한정된 예제들에 작동하도록 만들어져 있으며, 과제 수행은 실제 정신적 과정과 일치하지 않는다는 것이다.[31]

모의실험은 또한 특정의 활동 또는 교과에서 학습자를 시험하기 위해 반응시간 과제 또는 현실 과제를 포함할 수 있다. 모의실험의 복잡성과 도전감은 학습

자의 기능과 일치하도록 변경될 수 있다. 프로그램에 많은 선택들을 추가하여 학습자가 향상되면 그에 따라 상이한 대표적인 사례들을 제시하여 다루도록 한다. 상이한 학습자가 동시에 공동으로 모의실험에 참가하여 각각 학생들이 특정의 문제에 대한 책무성을 가질 수 있게 과제나 문제를 나누는 것이 허용되도록 수정이 가능하다는 점이 흥미롭다.

흥미로운 모의실험은 인터넷을 통하여 접근할 수 있다. 모의실험을 통해, 참가자는 거리에 관계없이 반응할 수 있고 먼 거리를 여행하지 않고도 특별한 훈련을 이용할 수 있다. 실제로, 컴퓨터에 기반을 둔 모의실험, 게임과 미시 세계는 지역 사회, 국가 또는 세계의 여러 곳으로부터 상이한 많은 학생들이 함께 하도록 하나의 체제로 통합될 수 있다. 학생은 전자우편을 통해 자료를 교환할 수 있고, 지역 조건에 맞게 모의실험을 수정하고 지역 문제를 제시한다.[32]

결국, 모의실험은 학습결과를 기록하고 개관하고 발전적 피드백을 제공함으로써 학습자의 자기 평가를 보조할 수 있고 서로 학습하는 학생을 위한 데이터베이스로서 도움을 준다. 시스템은 다른 학생이 문제 해결을 시도한 것을 보여줌으로써 학습자가 같은 실수를 저지르는 것을 피하도록 도와준다. 동일한 시스템은 나중의 복습시간에 적절한 움직임 또는 행동을 재생할 수 있다. 이러한 재생 시스템을 통해 학생은 자신의 학습과 다른 사람의 학습을 성찰할 수 있다. 교과의 학습뿐만이 아니라 향상된 학습전략 과정을 습득하게 된다.

가상현실 모의실험은 오락 목적으로 현재 설계되고 있으며 활용하려면 특별한 장비가 필요하기 때문에 비교적 비싸다. 그럼에도 불구하고, 가상현실 장비는 종종 전통적인 교실의 경계 내에서 불가능했던 대안적 경험 안으로 학습자의 마음을 옮겨 줄 수 있다. 감정적이고 물리적인 감각을 이끌어내는 학습은 잠재적으로 학습된 내용에 대한 기억의 강화를 증가시킨다. 그러나 도출된 감정의 일부는 해로울 수도 있다. 가상의 경험에 대한 부정적인 면은 한동안 완전히 알려지지 않을 것이나, 분명히 어떤 새로운 공학이든지 그것이 사용되는 방법에 따라 장래의 희망과 도전을 갖게 된다.

이런 이유로 가상현실 응용프로그램의 도덕적, 윤리적 관련성은 검토되어야 한다. 교육자는 다른 모든 고려사항보다 학생의 안녕을 중히 여겨야 하고, 공학을 현명하게 사용해야 한다. 21세기에는 가상현실 학습의 예상되는 이득이 탐구될 것이다. 모든 응용프로그램을 좌우하는 것이 공학인지 또는 다른 것인지, 이것은 의문이다. 특별 학생과 특별 학급에 대한 최고의 관심은 이것일까?

컴퓨터 사용 지침

컴퓨터는 교수와 학습 과정에 영향을 주기 시작하고 있다. 다음은 교실과 학교에 컴퓨터 공학을 구현하고 통합함에 따라 교사를 위한 지침이다.

1. 컴퓨터 사용이 교육과정의 최종목표와 일치할 때 교실에서 컴퓨터를 사용한다.
2. 학교에 의해서 또는 수업을 위해 구입하기 전에 소프트웨어를 미리 본다.
3. 컴퓨터에 어떤 응용프로그램을 사용하기를 원하는지 결정한다. 연습과 반복 훈련, 문제해결, 개인교수 활동, 모의실험, 게임 등을 위해 사용하는가?
4. 교과목표와 학생의 능력과 요구를 바탕으로 사용에 대한 규준을 설정한다.
5. 교수학습이론의 관점에서 견실한 소프트웨어를 사용한다. 학생의 비판적 사고, 문제해결전략의 개발, 창의성을 기르기 위해 설계되어야 하며, 정확하고 가장 최신의 것으로 명확히 조직되어야 한다.
6. 포괄적인 교육과정과 수업 꾸러미로 소프트웨어와 다른 전통적인 자료를 통합한다.
7. 컴퓨터 통신망을 통해 다른 학생들과 교류하는, 즉 컴퓨터 간에 정보를 교환하는 것에 대한 선행 지식을 가진 학생을 격려한다. 이것은 전자우편 동아리들의 사례처럼 지역사회, 국가, 국제적인 수준에서 가능하다.
8. 학생이 부적절한 자료에 접근 못하도록 확인하기

위해 인터넷 사용을 살핀다. CyberPatrol과 같은 여과하는 소프트웨어가 부적절한 내용과 장소에 대한 접근을 통제하기 위해 많은 지역에서 사용되지만, 100% 확실하진 않다.

9. 모든 교육공학의 사용을 향상하기 위해 건물의 매체 전문가 또는 공학지원인력과의 관계를 구축한다.

10. 수업에서 소프트웨어를 사용하기 전에, 교실에서 컴퓨터로 소프트웨어를 작동하는 방법을 점검한다.

11. 교실에서 소프트웨어를 사용할 때 저작권과 지역의 지침에 따른다.

전자통신 시스템

전자통신 시스템은 쌍방향 컴퓨터, 위성, 케이블 네트워크, 텔레비전 및 전화선을 포함한 전기적 매체로 연결된 2개 혹은 그 이상의 지점 간의 정보교환을 뜻한다. 광대한 거리에 있는 사람들을 가공의 방법으로 한데 모이게 하는 전자통신 시스템의 모든 관련 영역에 있어서 수업은 새로운 가능성에 대해 활기를 보이고 있다. 교실에 이미 컴퓨터가 구비되어 있는 현실을 감안하면 학습이라는 것이 더 이상 자습을 하거나 또는 칠판을 중심으로 돌아가는 이야기는 아니다. 실제로 21세기 초기 몇 년 간 성인의 절반 가량이 컴퓨터를 이용해 인터넷으로 정보에 접근하고 있다는 실질적인 증거들이 이미 나온 상태다.[33] 교과서는 이 세기가 진척됨에 따라 이제 다른 역할을 담당하게 될 것이다. 더 이상 학습의 초점이 아닌 수많은 정보출처 중의 하나로 여겨지게 될 것이다. 새로운 지식의 습득 및 회상은 누구도 그 속도에 발맞출 수는 없는 일이기 때문에 선진 교육 과정에서 더 이상 관건이 아닐 것이다. 대신, 데이터와 네트워크에 접근하는 것이 중요해질 것이다.

원격회의 및 컴퓨터 회의

원격회의 및 영상회의는 유사한 기술을 활용한다. 차이라면 청중이다. "conferencing"이라는 단어는 특정한 목적을 가진 회의 또는 교실 및 정보의 교환을 나타낸다. 참가자들은 이러한 정보교환을 위해 상이한 장소에서 한 데 모인다.

원격회의는 현재 많은 학교 현장에서 사용되고 있다. 학생 집단이 컴퓨터 모니터를 통해 선생님 또는 다른 곳의 사람들을 만날 수 있다. 이 참가자들은 마치 그들이 서로 테이블을 사이에 두고 있는 것처럼 보고, 듣고, 질문하고 결정을 내릴 수 있다. 이는 학생들이 교장이나 전문가에게 말하거나 거의 세계 모든 또래들과 통신할 수 있는 훌륭한 방법이다. 또한 시골 분교 학생들은 특히 특수 전문 인력이 부족한 경우(예컨대 물리 선생님) 타 학교 선생님을 만날 수 있는 탁월한 방법이기도 하다.

Andrews와 Marshall은 통신 학습의 확장된 예를 상세하게 설명한다. 캐나다 Edmonton의 J. Percy Page 고등학교의 이 실례를 보면서 학습상황이라는 것이 수업시간 45분을 채운다거나 선생님 한 분의 수업을 듣는 것에 얽매이는 것이 아님을 주목하게 된다.

네 곳의 학생들이 전기적으로 한데 모였다. 커뮤니케이션 연구센터의 한 학생이 각 장소의 학생들을 환영한다. 이 때 이 중 한 명의 학생인 Amy가 자신의 마이크를 켜고 "논의 주제는 기술과 개인의 사생활 그리고 안전입니다. 우리 그룹은 우리의 개인 사생활과 안전이 공학의 진보 덕에 얼마나 위험에 처하게 되었는지를 보여주는 비디오를 준비했습니다"라고 말한다. 마음을 졸이며 영원 같은 시간이 흐른 후 비디오가 시작된다. 그런데 화면이 갑자기 빨리 돌아가더니 스크린에 줄이 가고 소리는 엉킨다.

이 학생 집단은 이내 당황하게 되고 그들의 선생님-촉진자에게 고개를 돌린다. 이들이 여러 시간 동안 연구를 했음을 부드럽게 상기시키며 비디오 없이 이 이슈의 양쪽 입장을 가르칠 수 있느냐고 묻는다. 기술자가 비디오의 제 속도를 내기 위해 손을 보는 가운데 브레인스토밍을 재빠르게 마친 Amy와 Gloria는 이 사안의 양측 입장을 요약하며 같은 반 학우들의 정보를 곁들였고 다음과 같은 몇 개의 질문을 던진다. 공학의 진보가 우리 개인의 사생활과 안전 그리고 국가의 안전에 어떻게 영향을 미쳤는가? 이러한 공학 신세계로 야기되는 위험상황은 무엇이며 우리 자신을 어떻게 보호할 수 있는가?

그 이후의 시간 동안 캐나다의 여러 지역 학생들이 공학과 사생활에 관련한 다양한 현안에 대해 토론한다. 토론토 지역의 학생들은 사람들이 인터넷 사이트에 방문시 인터넷 프로토콜 주소를 캡쳐하거나 광고를 보내는 행태는 스파이짓과 다름이 없다며 타 지역의 학생들을 납득시키려 애쓴다. 학생들은 개인정보를 얻을 수 있는 일부 추가적인 방법들을 지적하며 어떻게 개인의 사생활을 보호할 수 있는지를 논의한다. 그 사이 기술자가 비디오를 고치고 학생들의 발표는 자신들이 제작한 멀티미디어 발표로 마무리된다.

다음, 퀘벡 대학의 교육 연구자가 화면에 나타나 학생들이 무엇을 배웠고 이러한 학습의 방식에 대해 어떻게 생각하는지를 묻는다. 이 학생들은 다음과 같은 속 안의 생각들을 쏟아낸다. "다른 친구들은 우리끼리 할 때는 전혀 생각 못한 많은 다른 의견을 보여 주었습니다." "우린 IP 추적이니 인터넷의 안전에 관한 뭐 그런 건 하나도 몰랐어요." "이렇게 배울 수 있다니 놀라워요."

휴식 후, 캐나다 전국의 교실에서는 원격 멘토, 탐험가, 그리고 유명한 사진작가인 Mike Beedel의 발표로 재개된다. 캐나다 브리티쉬 콜롬비아의 영적인 곰의 곤경에 대한 그의 발표에는 아슬아슬한 영상과 작가 Pamela Coulston의 많은 생각을 불러일으키게 하는 나레이션을 담고 있다. 각 지역의 학생들은 잡힐 듯 잡히지 않는 이 곰에 대해서, 그리고 이들의 위협 받는 서식지에 대해 열정적으로 질문한다. 학생들은 정부 관리에게 이 곰의 생존에 우려를 표명하는 편지와 전자우편을 보내기로 결의한다. Mike는 모두의 화면에 보이는 백색 칠판에 필요한 주소 정보를 제공한다. 이 발표에 대해 퀘벡 대학의 연구자가 다시 한 번 평가를 하며 이 과정을 마친다.[34]

네트워크 덕분에 사용자들은 타인과 교신할 수 있고, 연구를 할 수 있고 학교 내 또는 지역 내 나아가 전 세계의 자료를 공유할 수 있다. 네트워크를 통해 정보는 텍스트 또는 그래픽 정보의 형태로, 수업시간보다 훨씬 긴 시간 동안 하루 중 어느 때라도, 정보 수신자가 반드시 수신 당시 있을 필요 없이도 한 컴퓨터에서 다른 컴퓨터로 전송된다. 교사들은 학생들에게 과제를 보낼 수 있고 학생들은 선생님에게 다시 시험 본 종이를 제출할 수도 있다. 네트워크로 논의 기록을 제공하기도 하고, 학생들은 텍스트를 다시 읽어 보고 자신의 컴퓨터 디스크에 저장하거나 어느 때라도 프린트 출력할 수 있다.

전자우편

전자우편의 메시지는 메시지를 받는 수신자가 편한 시간에 그 메일 시스템에 접근할 때까지 전자우편 박스에 저장된다. 이 글의 독자 거의 모두가 아는 것처럼 이 전자우편 메시지를 컴퓨터 화면에서 볼 수 있고 프린트 및 저장할 수 있다. 메시지는 대륙 그리고 바다를 건너 전송될 수 있다. 뉴욕시의 한 교실에서는 시카고나 도쿄의 어떤 교실과도 즉시 의사소통할 수 있다. 많은 학교 및 대학에서는 현재 장거리 비용 걱정 없이 메일의 수신 및 발송을 위한 자체 네트워크를 갖추고 있다. 물론, 학생 및 교사는 팩스로 정보를 송수신할 수 있지만 팩스는 시간 소요나 지역 또는 장거리 요금이 소요되는 전화 요금이 들어간다.

전자우편 교환은 가상의 모든 교육 현장에서 내용 학습과 함께 글쓰기를 통한 의사 전달 기술을 가르치는 데 사용되고 있다. 이러한 메일 교환은 다른 학생들, 특정 학습 활동과 관계된 교육 전문가, 다른 문화권이나 환경의 사람들과 전자 통신상에서 펜팔을 하고 있는 전체 학급 또는 개인 간에 이루어질 수 있다. 펜팔이 이러한 서로간의 소통증진에 수십 년 간 사용된 반면 전자우편은 기존의 편지 교환에서 일어나는 시간 지체를 현격히 줄일 수 있다는 장점이 있다. 공학은 또한 메일 사용자 간에 즉석의 글쓰기를 통한 의사소통이 지속될 수 있다는 가능성을 열어준다.

학교 현장에서의 전자우편은 학생이 학생을 가르치는 구조의 기회를 높인다. Santrock은 Anne Brown과 Joe Campione의 학습자 공동체 양성(FCL) 프로그램, 즉 6-12세 아동을 대상으로 전자우편을 비롯한 다양한 의사소통 형태를 통해 학생들이 질문하는 방법과 비판능력을 갖추도록 한다.[35] 학생들이 사실을 직접 접하면서 동시에 전자적으로 소통함으로써 주제를 면밀히 알아야 하는 이러한 학습자 공동체 양성과 같은 프로그램은 21세기의 교육에 있어 기술적 정교함의 필요성을 잘 보여준다. 더 이상 한 학급의 교사가 반드시 한 명의 성인이고, 한 교사의 학급이 같은 나이의 학생들로 구성되지는 않는다.

학생들은 전자우편을 통해 또래간에 개인적인 친분을 유지할 수 있다. 교육자는 학문적 탐구를 위해 학생들이 전자우편을 사용토록 장려한다. Texas Dallas의 Ursuline Academy에서는 원격 멘토링 프로그램으로 재학중인 학생들과 Texas Instruments 사의 성공한 전문 여성 엔지니어를 연결한다. 이를 통해 학생과 성공한 전문인이 폭넓은 개인적 전문적 사안에 대해 탐구하고 이를 실제 생활과 연결시키게 된다.[36]

온라인 교육 과정

대학에서는 학생들에게 인터넷을 통해 현재 독립적 학습 과정을 제공하고 있다. 학생은 이를 수료하기 위해 최대한의 시간으로 각자 편한 시간에 온라인으로 등록하고 참여한다. 이는 학생들이 자체 학교 시설에서 이용 불가능한 학과 내용을 심도 있게 공부할 수 있는 훌륭한 방법으로, 이를 통해 앞으로 학교 현장의 교육이 어떻게 이루어질지 미리 볼 수 있다.

미국 서부의 많은 대학들이 가상 대학을 설립하기 위해 함께 참여하였다. 이미 캘리포니아에는 가상 법과 대학원(Concord 대학)이 있다. 미국 전역의 많은 주류 기관에서는 특수 학과목에 대한 온라인 강좌를 제공하고 있다.

이 온라인 학습 체험은 한 때 성인의 전유물로만 여겨졌지만 이제는 초, 중, 고등학교를 망라한 모든 학교 학생들의 현실적인 선택이 되고 있다. 초등학교에서 고등학교에 이르는 교육 단계를 의미하는 K-12의 학생들은 현재 다양한 온라인 수업을 적극적으로 활용하고 있다. 이러한 현실은 학교를 하나의 장소로 생각하는 우리 모두에게 변화하는 현실을 잘 보여준다. 이미 앞 장을 통해 텍사스에서 가상수업을 실시하고, 오하이오에 현재 가상학교를 설립했음을 언급했다. 그러한 기회 제공을 통해 제대로 배운 학생이 되고자 하는 학생들에 필요한 광범한 기능들이 제공되고 있다. 표 7.2는 공학 활용능력을 위한 학생용 프로파일을 간략히 소개한다. 지구촌 경제에서 성공하기 위해 학생들은 무엇을 배워야 하는가? 그 목록을 주의 깊게 살펴본 후 학생들이 차후의 학문적인 성공에 필요한 개인적인 프로파일을 개발시키도록 도울 수 있는 공학을 어떻게 이용할지 생각해 본다.

결론

공학을 이용한 학교 현장에서의 성취는 응용프로그램을 활용하는 것과 이러한 응용프로그램이 교수목표를 얼마나 잘 지원해 주는가에 따라 좌우될 것이다. 또한 학교와 학교의 자원에도 좌우될 것이다.

많은 학교가 사실 정보사회로 진입하기 위한 재원도 없을 뿐만 아니라 공학을 재정적으로 지원하는 연방 프로그램의 수혜를 받아야 하는 불리한 조건의 학생들이 많은 곤란한 지경에 있다.[37] 일반적으로 이러한 학교들은 한 학급에 고작 2, 3대 정도의 컴퓨터를 갖추고 있거나 28명에서 30명의 학생을 수용할 수 있는 대형 컴퓨터 실험실 한 곳만이 있을 뿐이다. 큰 용량의 소프트웨어 프로그램을 담을 수 없는 느리고 오래된 컴퓨터인 경우가 대다수다.

표 7.2 공학 활용능력을 위한 학생용 분석표 : 유치원-12학년

2학년 수료 이전에 학생은

1. 컴퓨터, VCR, 오디오 테이프, 전화, 타 공학장치를 작동시키기 위해 입력장치(마우스, 키보드, 리모트 컨트롤러)와 출력장치(모니터, 프린터)를 사용한다.
2. 지시받은 그리고 독자적인 학습활동을 위해 다양한 미디어, 공학 자료를 사용한다.
3. 발달단계에 적절하고 정확한 용어를 사용하여 공학에 관해 의사소통한다.
4. 학습 지원을 위해 멀티미디어 자원(쌍방향 도서, 교육 소프트웨어, 기본 멀티미디어 백과 사전)을 사용한다.
5. 학급에서 공학을 사용할 때 또래, 가족, 및 타인과 협력하여 작업한다.
6. 공학 사용시 긍정적인 사회 윤리적 행동을 한다.
7. 공학 시스템 및 소프트웨어의 사용에 책임지는 모습을 보인다.
8. 교사, 가족, 다른 급우들의 도움을 받아 멀티미디어 작품을 만든다.
9. 문제 해결, 의사소통, 사고, 아이디어, 이야기의 표현을 위해 공학 자원(퍼즐, 논리적 사고 프로그램, 쓰기 도구, 디지털 카메라, 그림 도구)을 사용한다.
10. 교사, 가족, 다른 급우의 도움을 받아 전자통신을 이용하여 타인과 통신하고 정보를 수집한다.

5학년 수료 이전에 학생은

1. 키보드와 다른 일반 입력, 출력장치(적응적 장치를 포함한)를 효율적이고 효과적으로 사용한다.
2. 이러한 사용으로 말미암은 장단점 및 일상생활에서의 공학의 일반적 사용 내용을 논의한다.
3. 책임 있는 공학과 정보의 사용에 대해 논의하고 부적절한 사용으로 인해 개인적으로 겪은 결과에 대해 설명한다.
4. 개인적 생산성 지원과 사용 능력 부족을 재조정하고 교과 과정 동안 학습을 용이하게 하기 위해 도구와 주변 장치들을 이용한다.
5. 학급 내외의 청중을 위한 지식 작품 제작을 위해 개별 및 협력적 글쓰기, 커뮤니케이션을 위한 공학 도구(멀티미디어 저작, 프리젠테이션 도구, 웹 도구, 디지털 카메라, 스캐너)를 사용하고 출판 활동을 한다.
6. 원격 정보 접근, 타인과의 통신 및 개인적 흥미 추구를 위해 전자통신을 사용한다.
7. 협력적 문제 해결 활동 참여를 위해 전자통신 및 온라인 자원(전자우편, 온라인 토론, 웹 환경)을 사용한다.
8. 문제 해결, 자기 주도의 학습 및 심화 학습 활동을 위해 공학 자원(계산기, 탐사기, 비디오, 교육 소프트웨어)을 사용한다.
9. 언제 공학이 유용한지를 결정하여 과제 및 문제 해결을 위해 적절한 도구와 공학 자원을 선정한다.
10. 전자 정보 출처의 정확성, 관련성, 적절성, 포괄성을 평가한다.

8학년 수료 이전에 학생은

1. 하드웨어, 소프트웨어의 반복적인 문제의 규명과 해결을 위해 전략을 구사한다.
2. 정보 공학에 있어 지식의 최근 변화 및 그러한 변화가 작업장과 사회에 미치는 결과를 설명한다.
3. 정보 및 공학 사용시 법적 윤리적 행동을 실현하고 오용의 결과를 논의한다.
4. 학습과 연구 지원을 위해 콘텐츠 전용 도구, 소프트웨어, 모의실험(환경 탐사기, 도식 계산기, 탐사적 환경, 웹 도구)을 사용한다.
5. 교과 과정 동안 개인적 생산성, 그룹 협동성 그리고 학습지원을 위해 멀티미디어 툴과 주변장치를 적용한다.
6. 학급 내외의 청중에게 교과 과정 개념을 전달하는 공학 자원을 사용한 작품(웹 페이지, 비디오테이프)을 디자인, 개발, 발표 및 제시한다.
7. 교과 과정과 관련한 문제, 사안, 정보 조사 및 학급 내외의 청중용 솔루션 또는 작품 개발을 위한 전자통신과 협력 도구를 사용하여 또래, 전문가, 타인과 협력한다.
8. 과제 달성 및 문제 해결을 위해 적절한 도구와 공학 자원을 선정하여 사용한다.
9. 하드웨어, 소프트웨어 및 통신 연결성의 기본적 개념과 학습 및 문제 해결의 실제적인 적용에 대한 이해를 설명한다.
10. 실생활 문제와 관련한 전자 정보 출처의 정확성, 관련성, 적절성, 포괄성과 편향을 연구 및 평가한다.

표 7.2 (계속)

12학년 수료 이전에 학생은

1. 현대 및 부상하는 공학 자원의 가능성과 한계를 규명하고 개인 및 평생 학습을 위한 이들 시스템 및 서비스의 가능성 및 작업장에서의 요구를 평가한다.
2. 공학 시스템, 자원 및 서비스 등에 있어서 유식하게 선택한다.
3. 작업장 및 사회 전체적으로 공학의 광범한 사용 및 맹신으로 빚어지는 장점과 단점을 분석한다.
4. 공학과 정보의 시용과 관련해 법적, 윤리적 행동을 변호하고 설명한다.
5. 개인적 또는 전문적 정보(금융, 일정, 주소, 구매, 서신 교환)의 관리 및 통신을 위해 공학 도구와 자원을 사용한다.
6. 원거리 및 분산 교육을 포함한 평생 학습을 위한 공학 기반의 선택사항들을 평가한다.
7. 협동 작업, 연구, 출판, 통신 및 생산성을 위해 온라인 정보 자원을 일상적이며 효과적으로 사용한다.
8. 내용 학습에 있어 연구, 정보 분석, 문제 해결, 의사 결정을 위해 공학 도구를 선정하고 적용한다.
9. 실제 상황에서 전문적 시스템, 지능형 도구, 모의실험을 조사하고 적용한다.
10. 정보, 모형 및 창조적 작품을 수집, 종합, 생산 및 발표하기 위해 공학을 사용함으로써 내용과 관계된 지식 기반에 기여할 수 있는 또래, 전문가 및 타인과 협력한다.

출처 : Reprinted with Permission from *National Educational Technology Standards for students—Connecting Curriculum and Technology.* Copyright©2000, ISTE(International Society for Technology in Education), 800.336.5191(U.S. & Canada) or 541.302.3777 (Int'l), iste@iste.org, www.iste.org. All rights reserved.

또한 무엇을 성취할 수 있을지는 각자의 준비성과 컴퓨터 활용능력(표 7.3 참조) 그리고 학급에서 공학을 어떻게 사용할지에 따라 좌우될 것이다(표 7.4 참조). 1990년대의 연구를 보면 컴퓨터 사용의 30-60%는 컴퓨터 소프트웨어의 기술적 숙련과 타자/마우스 기술 및 인터넷 사용에 할애되었다.[38] 그림 7.2에서 보듯, 많은 학급에서는 아직도 실용적 내용의 컴퓨터 교육이 주류를 이루고 있다. 컴퓨터 사용능력이 취업에 있어서 필수로 간주되면서도 정작 어린 학생들에게 급속도로 변화하고 있는 공학을 이용해 기술적 숙련을 얼마나 많은 시간 동안 교육시키는지에 관해서는 회의적인 시각도 있다(교육공학에 대한 우려를 엿볼 수 있는 전문적인 관점 7.3 참조).

공학의 사용, 특히 컴퓨터와 전자통신의 사용은 학생의 필요와 평생 학습 능력의 발달을 충족시키는 것에 기반을 두어야 한다. 공학은 교실에서 일어나는 것을 보완하고, 학생 성취를 향상하는 방식의 일종으로 그려진다. 몇몇의 교사들은 컴퓨터 또는 다른 형태의 공학을 사용한 작업을 학생 학습에 있어서 반드시 필요한 교사들의 초점에서 학생을 벗어나게 하는 것으로 생각한다. 다시 말해, 고부담 환경에서 교사들이 교사 중심의 강의와 학생중심 상호작용 방법을 포함한 다양한 방법을 통해 학생들에게 주제를 탐구하도록 조장해야 하는가? 시카고 학교 연구 협회의 연구 결과는 학생들이 자료를 접하고 이용하는데 도움을 주는 방법을 다양하게 해야 하는 이유를 보여준다:

고부담 시험 환경에서 교사들은 이른바 교재중심의 강의식 수업 방법, 즉 학생들이 요소와 절차를 기억하도록 조장하는 강의, 반복훈련과 연습, 실습장 등을 사용할 것인지, 또는 탐구기초, 실제적인 활동을 강조하고 지식 생성적 논의와 학생들이 그들의 넓은 세상과 연결하는 프로젝트 즉 "상호작용" 접근을 사용할 것인가?

물론 이것은 이것 아니면 저것의 문제는 아니다. 거의 모든 교사들은 혼합된 양식을 사용한다. 그러나 단일 학년에서 '시카고 초등학교의 수업과 성취'에 관한 협회보고에 의하면 교실에서 높은 수준의 상호작용 수업을 한 시카고 초등학교 학생들은 기말시험에서 수학은 5.1%, 읽기는

표 7.3 컴퓨터와 교사의 능력에 대한 평가(1999)

학교와 교사의 특징	전혀 준비 안됨	준비됨	잘 준비됨	매우 잘 준비됨
학교에서 컴퓨터 또는 인터넷을 사용할 수 있는 공립학교 교사 전체	13	53	23	10
학교 수업 수준				
초등학교	12	55	23	10
중등학교	15	50	23	12
무료 또는 낮은 가격 적용 학교급식 대상자				
11% 이하	10	53	25	12
11-30%	13	52	25	10
31-49%	14	51	24	10
50-70%	16	58	16	10
71% 이상	13	55	22	10
교수 경험				
3년 또는 그 이하	10	46	31	13
4-9년	10	49	28	13
10-19년	14	55	21	10
40년 이상	16	58	19	8
전문성 개발 시간*				
0시간	32	46	15	6
1-8시간	19	55	20	6
9-32시간	4	61	25	10
33시간 이상	1	32	37	29
보통 이상으로 부여된 작업 유형				
워드프로세서, 스프레드시트와 같은 컴퓨터 응용프로그램 사용	4	45	33	19
반복적인 연습	4	54	27	14
인터넷을 이용한 조사	4	43	34	19
문제풀기/자료 분석	3	49	29	19
CD-ROM사용한 조사	3	42	33	21
멀티미디어 프로젝트/보고서 작성	5	38	33	24
자료의 그래픽 사용 설명	4	38	35	22
실연/모의실험	2	34	37	28
인터넷 또는 이메일을 통해서 전문가, 저자, 다른 학교의 학생들과 교신	4	32	34	30

* 지난 3년간 컴퓨터 또는 인터넷 사용에 있어서의 전문성 개발
설명: 모든 공립학교 교사 중 1% 미만이 컴퓨터 또는 인터넷이 그들 학교 어느 곳에서도 사용 가능하지 않다고 보고하였다. 이러한 교사들은 위의 표에 제시된 측정치에 포함되지 않았다. %는 반올림을 하였기에 합계가 100이 되지 않는다.

출처: U.S. Department of Education, National Center for Education Statistics, Fast Response Survey System. "Survey on Public School Teachers Use of Computers and the Internet," FRSS 70, 1999.

표 7.4 컴퓨터 사용(1999)

학교와 교사의 특성	교사에게 보통 이상으로 부여된 작업 유형				
	교실 수업을 위한 사용	컴퓨터 응용 프로그램[1]	반복 연습	인터넷 사용한 조사	문제 해결과 자료 분석
학교에서 컴퓨터 또는 인터넷을 사용할 수 있는 공립학교 교사 전체	66	41	31	30	27
학교 수업 수준					
초등학교	68	41	39	25	31
중등학교	60	42	12	41	20
무료 또는 낮은 가격 적용 학교급식 대상자					
11% 이하	71	55	26	39	25
11-30%	65	45	29	35	29
31-49%	65	39	33	29	26
50-70%	62	33	33	25	27
71% 이상	64	61	35	18	27
전문성 개발 시간[3]					
0시간	41	21	19	20	14
1-8시간	56	36	26	28	24
9-32시간	72	47	35	32	30
33시간 이상	82	55	43	42	41

5.2% 높은 점수를 받았다. 주로 강의나 교과서 중심 수업을 받은 학생들은 두 과목 모두에서 시 평균보다 낮은―수학은 3.9%, 읽기는 3.4% 낮은― 점수를 받았다. 연구자들은 초등학교 8년 과정을 상호작용적인 교실에서 학습한 학생들이 교재나 강의 중심의 수업을 받는 학생들의 학문적인 성취보다 한 해 정도 앞설 수 있다고 제안했다.

교사가 교재나 강의 중심의 수업 또는 상호작용 방법을 사용하던 간에, 모든 교사들은 교육과정에서 진도를 나가기 전에 이전 소단원에 대한 복습을 어떻게, 얼마나 많이 하는가의 문제에 직면한다. 협회 연구는 학생들이 복습 수업이 제한적으로 이루어졌을 때 기말시험에서 보다 좋은 점수를 받았다고 보고했다―시의 평균보다 수학에서 4.2% 높은 점수를 받았고, 읽기는 4.1% 높은 점수를 받았다. "비록 유사한 내용을 복습하는 것은 새로운 학습에 대한 순수한 지식 기초를 구성하는데 도움을 주나, 이것은 또한 새로운 자료 교수법으로부터 벗어나게 함에 따라 학습을 감소시킬 수 있다"라고 저자는 기록하였다.

강의식 수업과 복습은 대부분 5학년 이후에, 행동적인 문제와 불규칙적인 출석이 다반사로 이루어지거나, 학생의 성취도가 낮거나, 대규모 학교에서, 그리고 흑인 그리고/또는 저소득층의 학생이 지배적인 학교에서 일반적으로 사용된다. 이러한 모든 것은 상호작용 수업으로부터 가장 이득을

표 7.4 (계속)

학교와 교사의 특성	CD-ROM 을 사용한 조사	멀티미디어 보고서/ 프로젝트 생산	교재의 그래픽틱한 설명	실연/ 시뮬레이션	다른 것과의 조화[2]
교사에게 보통 이상으로 부여된 작업 유형					
학교에서 컴퓨터 또는 인터넷을 사용할 수 있는 공립학교 교사 전체	27	24	19	17	7
학교 수업 수준					
초등학교	27	22	17	15	7
중등학교	27	27	23	21	7
무료 또는 낮은 가격 적용 학교급식 대상자					
11% 이하	32	29	26	22	7
11-30%	27	23	18	16	9
31-49%	30	23	16	17	11
50-70%	24	25	19	13	5
71% 이상	19	22	19	16	3
전문성 개발 시간					
0시간	16	16	10	8	4
1-8시간	24	20	16	13	7
9-32시간	31	26	21	19	8
33시간 이상	34	37	31	29	9

[1] 문서편집기, 스프레드시트와 같은 컴퓨터 응용프로그램 사용
[2] 다른 학교로부터 전문가, 저자, 학생 등과 이메일 또는 인터넷을 통해 교신
[3] 지난 3년간 컴퓨터 또는 인터넷의 사용에서의 전문성 개발을 의미함

설명: 컴퓨터 또는 인터넷이 그들 학교 어디서도 사용 가능하지 않다라고 한 공립학교 교사들은 모두 1% 미만이다. 이러한 교사들은 이 표에 제시된 수치에 포함되지 않았다.

출처: U.S. Department of Education, National Center for Education Statistics, Fast Response Survey System. "Survey on Public School Teachers Use of Computers and the Internet," FRSS 70, 1999.

볼 학생들이 그렇지 못하고 있음을 보여주는 것일 수도 있다.[39]

다음의 공학적 관점에는 공학을 수업에 통합시키려고 할 때 사용할 수 있는 자원이 열거되어 있다.

이론의 실제 적용

교육자로서, 전자 매체가 점점 더 보충적 역할을 하고 있으며 심지어 학교와 가정에 넘쳐나는 전통적 인쇄 자료를 대체하고 있다는 점을 기억해야 한다. 이러한 새로운 처리과정과 체계를 이해하고 적용하는 것은 그

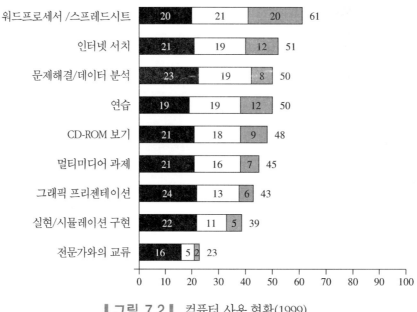

워드프로세서 /스프레드시트 20 21 20 61
인터넷 서치 21 19 12 51
문제해결/데이터 분석 23 19 8 50
연습 19 19 12 50
CD-ROM 보기 21 18 9 48
멀티미디어 과제 21 16 7 45
그래픽 프리젠테이션 24 13 6 43
실현/시뮬레이션 구현 22 11 5 39
전문가와의 교류 16 5 2 23

0 10 20 30 40 50 60 70 80 90 100

┃그림 7.2┃ 컴퓨터 사용 현황(1999)

Note: 학교에서 컴퓨터 사용이 어렵다고 응답한 교사는 분석에서 제외하였다. 이 때문에 총계가 딱 맞지 않는다.

출처: U.S. Department of Education, National Center for Education Statistics, Fast Response Survey System, "Survey on Public School Teachers Use of Computers and the Internet," FRSS 70, 1999. (Originally published as figure 2.6 on p. 25 of the complete report from which this article is excerpted.)

로부터 학습해야 하고 공학을 통제해야 하는 학생과 교사에게 있어서 필수적이다.

학습에 대한 이들의 잠재력은 대단하다. 공학은 개별학습을 증진시키고 학생 반응에 유연하게 반응할 수 있다. 정답을 즉각적으로 인지할 수 있다; 학생들에게 두 번째 기회, 더 쉬운 질문과 문제를 부여하거나, 프로그램의 검토, 혹은 오답을 보여 줌으로써 오답을 조정할 수 있다. 질문에 대한 학생의 반응에 따라 다음에 무엇이 나올 것인가를 결정할 수 있다. 공학은 교사들에게 학습 과정을 안내하는 지식과 기회를 더욱 더 많이 제공하고, 학생들에게는 학습에 대한 통제를 더욱 더 많이 제공한다.

교실에서 효과적으로 공학을 활용하려면 조작을 위한 일반적인 지침을 다수 기억해 두는 것이 가치가 있을 것이다. 이러한 지침은 이 장에서 논의된 장비와 매체에 관하여 질문 형태로 쓰여져 있다.

1. 교실과 미디어센터에서 이용 가능한 공학 자료와

장비에 친숙한가?
2. 이 밖에 학교의 다른 곳에 어떤 자료와 장비가 있는지, 그리고 그것들을 활용하기 위해 적용할 어떤 검토 과정이 있는지 찾아보았는가?
3. 가르치고자 하는 소단원에 해당하는 자료를 미리 살펴보고, 그것의 이용 가능성을 평가했는가?
4. 사전에 자료를 주문했는가? 약속된 날짜까지 배송을 위해 충분한 시간을 두었는가?
5. 보고, 듣고, 지정된 매체에 반응하는 동안 학생들이 무엇을 찾을 것인지 안내할 준비가 되어 있는가?
6. 학생들이 보고 들은 것의 주된 생각을 강조하는 요약 활동을 위한 시간을 두었는가?

요약

1. 교육 공학의 활용에 관련된 기본적인 지침은 a) 목표에 적합한 장비의 선택, b) 장비의 작동 방법을 배

전문적인 관점

수업 공학에서의 난점들

Harold G. Shane
Emeritus Professor and former Dean of Education
Indiana University-Bloomington

트랜지스터(1947)와 단일 마이크로칩(1959)이 처음 등장한 이후로 그들은 엄청나고 빠르게 발전하여 교육에 영향을 주었다. 전체에 있어서, 전자 장치는 우리의 학교의 역사에서 한 획을 그었다. 그러나 "정보사회"라는 중대한 시대에서 우리는 현명함으로 수업공학을 사용하지 않는다면 우리 목 주위를 도는 맷돌과 같이 될 것이다.

새천년에 접어들면서 우리를 둘러싼 주요한 몇 가지 문제에 대해서 살펴보자. 우선 어린 학습자들은 그들 스스로 답을 찾는 것보다 컴퓨터가 찾아주도록 하는 습관으로부터 보호되어야 할 것이다.

다른 문제로는 학습 시대에 교사가 전자 도구를 사용하는 방법과 관련되어 있다. 우리는 또한 사용 도구에 의해 강요되는 "냉동된 교육과정"을 획득하는 것을 피해야 한다. 다양한 학교에서 학생들의 다양한 요구에 적절한 학습 도구를 사용하는 것은 특히 어려운 문제이다.

지면이 제한되어 있는 관계로 다른 많은 문제들을 살펴보는 것이 어렵지만, 적어도 다음 두 가지는 언급되어야 한다. 그 중에 하나는 어린이들에 의해서 장난, 적대, 기만 등을 위해 전기장치를 복합적으로 사용하는 것이다. 이것은 그렇게 하지 못하도록 해야 할 것이다.

두 번째는 일반적으로 인정되지 않고 있는 전자파(EMP)의 위험이다. 인간에게는 해롭지 않은 이 EMP는 전자의 피해를 일으킬 수 있는 에너지 파장을 전달한다. 원자핵이 폭발하거나 화재 등에 의해 야기되는 EMP 폭발은 미국 대륙 대부분에서 장비를 대부분 작용하지 않게 할 것이기 때문에 우리는 마이크로 전자 지원 시스템에 지나치게 의존해서는 안 된다. 분명히 우리 학교들은 EMP 폭발이 사실상 무기력하게 할 수 있는 컴퓨터와 로봇에 너무 의존적이어서는 안 된다.

우는 것, c) 자료를 사전 검토하는 것을 포함한다.

2. 시각적 이미지는 자료의 표현 효과를 증대시킨다. 시각적 이미지는 칠판, 화이트 보드, 게시판, 영화; OHP, PPT 프로그램을 통한 설명에 통합될 수 있다.

3. 학교에서 활용하기 위한 텔레비전의 두 가지 유형에는 교육적 텔레비전(상업적 그리고 공공 텔레비전 방송국에 의해 만들어진 정보 제공적인 프로그램)과 교수적 텔레비전(특정 수업 목적을 위한 교육자들에 의해 만들어진 프로그램)이 있다.

4. 교사와 학생은 컴퓨터 활용의 다음 수준에 따라 참여할 수 있다: 컴퓨터 활용능력, 컴퓨터 유능감, 컴퓨터 전문성. 모든 학생들은 적어도 컴퓨터 활용이 가능해야 한다. 국가 교육 공학 성취 기준 프로젝트(NETS) 분석표가 표 7.2에 소개되어 있다.

5. 모든 교사는 인터넷 접근을 통해 학생이 학과의 개념들을 탐구하는 것을 도와 줄 방법을 찾아야 한다. 그러한 접근은 여러 가지 상이한 공식적, 비공식적 방법으로 조성될 수 있다.

6. 컴퓨터 소프트웨어의 질과 종류의 다양성은 최근 개선되어 왔다. 컴퓨터 기반 수업 활용의 가장 도전적이고 흥미로운 점은 자극과 상호작용 체계가

현직 교사의 공학적 관점

Jackie Marshall Arnold
K-12 Media Specialist

 웹은 다수의 교사 중심적 자원들을 지원할 수 있다. 다음 목록은 교사들이 이용 가능한 자원들의 시작점일 뿐이다.

Classroom Connect:
http://www.classroom.com/
모든 과목 영역에서 K-12 교사들을 위한 전문성 개발과 온라인 교수 자원의 유명한 공급원이다.

Kathy Schrock's Guide for Educators:
http://school.discovery.com/schrockguide/
이는 교육 과정을 통해 공학을 강화하기 위한 사이트의 광범위한 목록이다.

WWW for Teachers:
http://4teachers.org/
이 사이트는 교사들에게 특히 사정 영역에서 다수의 자원들을 제공한다.

Technology Software Tutorials:
http://www.internet4classroom.com
이 사이트는 발견하고 활용하기 쉬운 링크, 웹 사이트, 온라인 모듈을 제공한다.

Public Broadcasting System TeacherSource:
http://www.pbs.org/teachersource/
PBS는 비디오와 다른 링크들이 교육 사이트 품질을 찾는 데이터베이스 뿐만 아니라 성취 기준에 따른 수업 계획과 활동을 제공한다.

Education planet-Educational Web Guide:
http://www.educationplanet.com/
교육에 초점을 맞춘 검색엔진으로, 현재 성취 기준 기반의 수업 계획, 학부모 자원, 그 외의 많은 것들을 이 사이트에서 보유하고 있다.

Active Learning Practices for Schools:
http://learnweb.harvard.edu/alps/
하버드대학에 의해 후원된 이 이트는 자원, 수업 기법, 교육적인 수업을 조성하기 위한 시범 등을 제공해 준다.

Education World-Where Educators Go to Learn:
http://www.education-world.com/
이는 수업 계획, 공학의 통합, 성취 기준의 발견, 그 외의 것들을 위한 높은 질의 자원들의 방대한 집합체이다.

The WebQuest Page at San Diego State University:
http://webquest.sdsu.edu/

이 사이트는 개별화된 프로젝트를 만들어내기 위한 탬플릿 뿐만 아니라 이전에 만들어진 수천개의 프로젝트로의 접근을 제공한다. WedQuest는 학생 탐구를 조성하는 멋진 활동이다.

WebQuest는 1995년 Bernie Dodge에 의해, 교사들이 인터넷을 통한 학생 학습을 조성하는 것을 조력하는 수단으로 만들어졌다. WebQuest는 거의 모든 지역에서 개발될 수 있고 한 학급 단위에서 세 학급, 혹은 그 이상에 이르기까지 전형적으로 자리를 차지하고 있다. WebQuest 구조는 6개 요소로 구성되어 있다.

도입 혹은 WebQuest가 무엇인지에 대한 개관
과업 혹은 학생들이 무엇을 완성할 것인지에 대한 설명
정보 자원 혹은 학생들이 인터넷에서부터 내용 전문가에 이르기까지 활용 가능한 모든 다른 자원들의 목록
처리 과정 혹은 WebQuest를 완성하는데 필요한 실제 단계
지침 혹은 WebQuest를 완성하는 방법을 위한 교사 투입
결론 혹은 활동의 마무리[40]

Dodge의 WebQuest 페이지에 접속하면 WebQuest에 대한 더 많은 정보를 얻을 수 있다.(edweb.sdsu/webquest/overview.htm)

계속 증가하고 있다는 것이다.

7. 원격 통신 체계에는 화상 회의, 전자우편, 텔레비전 수업이 포함된다.

(www.iste.org 참고) 웹사이트를 방문하여 소단원을 구성하는데 도움이 되는 몇몇 구체적인 자원들을 확인해 보시오.

고려할 문제

1. 칠판이 여전히 가치 있는 수업 도구라는 데 동의하는가? 설명해 보시오. 칠판의 한계는 무엇인가? 그것의 이점은?

2. 몇몇 교육자들은 컴퓨터가 교육을 개혁해 왔다고 생각한다. 동의하는가? 설명해 보시오.

3. 적절한 비디오 체계를 고를 때 고려해야 할 중요 요인은 무엇인가?

4. 교사는 학생들이 텔레비전과 비디오 활용 습관을 변화시키도록 고무해야 하는가? 교사는 진정 학생들의 텔레비전 시청습관을 변화시킬 수 있는가?

해야 할 일

1. 이 장에서 논의된 교육 공학 요소 중 하나를 고르시오. 그러한 공학 형태를 활용하는 개념 혹은 기술을 가르치는 구체적 방법을 확인해 보시오.

2. 선택된 웹사이트(공학적 관점 참고)를 방문하고 K-12 학생들에게 그러한 사이트를 활용할 방법을 결정하시오.

3. K-12 학생을 위한 NETS 성취 기준 각각의 내용을 검토하시오. 설명된 기술 중에서 어느 것을 소유하고 어느 것을 소유하지 말아야 할까?

4. 현재 많은 독립적 연구자들에 의해 수행된 연구들은 학생들이 학습 활동(집에서, 학교에서)에 쓰는 시간은 그들의 성취 목표에 정말 영향을 미친다. 교사로서, 교실 밖에서 중요한 학습 목표에 학생들이 쓰는 시간을 최대화할 수 있는 구체적인 일들을 확인해 보시오.

5. ISTE 웹사이트는 많은 다른 자원들을 제공한다.

추천 문헌

Bitter, Gary, and Melissa Pierson. *Using Technology in the Classroom*, 5th ed. Boston: Allyn & Bacon, 2002. This is a great place to start for educators wanting to incorporate technology in the classroom.

Cuban, Larry. *Oversold and Underused: Computers in Classrooms*. Cambridge, Mass.: Harvard University Press, 2001. This is a critical look at the actual use of computers by teachers and students in early childhood education, high school, and university classrooms.

Heinich, Robert, Michael Molenda, and James D. Russell. *Instructional Media and Technologies for Learning*, 7th ed. Upper Saddle River, N.J.: Prentice Hall, 2001. This book discusses how to select, develop, and use instructional media.

Kemp, Jerrold E., and Don C. Smellie. *Planning, Producing, and Using Instructional Technology*, 7th ed. New York: Harper Collins, 1998. This book shows how to integrate media with instruction.

McKenzie, Walter. *Multiple Intelligences and Instructional Technology: A Manual for Every Mind*. Eugene, Ore.: International Society for Technology in Education, 2002. This is a practical look at how to weave multiple intelligences theory with technology throughout your existing curriculum.

Papert, Seymour. *The Children's Machine: Rethinking School in the Age of the Computer*. New York: Basic Books, 1994. In a follow-up book to Mindstorms, the author discusses where the computer revolution went wrong? and where to go from there.

Sandholtz, Judith Haymore, Cathy Ringstaff, and David C. Dwyer. *Teaching with Technology: Creating Student-Centered Classrooms*. New York: Teacher's College Press, 1997. A report on the ten-year study trying to understand the role of teachers in a technology rich classroom using the Apple Classroom of the Future.

핵심 용어

후주

1. NCATE. *Technology and the New Professional Teacher: Preparing for the 21st Century in the Classroom.* Washington, D.C.: National Council for the Accreditation of Teacher Education, 1997. Mickey Revenaugh. "Toward a 24/7 Learning Community." *Educational Leadership* (October 2000): 25-28.

2. Curtis J. Bonk and Kira S. King. *Electronic Collaborators.* Mahurah, N.J.: Erlbaum, 1998. James Lockhard et al. *Microcomputers for the Twenty First Century.* New York: Longman, 1997.

3. Mary Elin Barnish. "International Learning in a High School Academy." *Educational Leadership* (November 2002): 79-82. Jacqueline Jordan Irvine and Beverly Jeanne Armento. *Culturally Responsive Teaching.* Boston: McGraw Hill, 2001.

4. Richard L. Allington. "You Can't Learn Much from Books You Can't Read." *Educational Leadership* (November 2002): 16-19. Simon Hooper and Lloyd P. Rieber. "Teaching with Technology." In A. C. Ornstein (ed.), *Teaching: Theory and Practice.* Needham Heights, Mass.: Allyn and Bacon, 1995, pp. 155-170. Joyce A. Burtch. "Technology Is for Everyone." *Educational Leadership* (February 1999): 33-34.

5. Christopher Belski-Sblendorio. "Push-Button Entertainment and the Health of the Soul." In Pamela Johnson Fenner and Karen L. Rivers (eds.), *Waldorf Education: A Family Guide.* Amesbury, Mass.: Michaelmas Press, 1995.

6. Judith O'Donnell Dooling. "What Students Want to Learn About Computers." *Educational Leadership* (October 2000): 20-24. Helen L. Harrington. "The Essence of Technology and the Education of Teachers." *Journal of Teacher Education* (January-February 1993): 5-15.

7. Leonard H. Clark and Irving S. Starr. *Secondary and Middle School Teaching Methods*, 6th ed. New York: Macmillan, 1991, p. 403. Joseph F. Callahan, Leonard H. Clark, and Richard D. Kellough. *Teaching in the Middle and Secondary Schools*, 7th ed. Columbus, OH: Merrill Prentice Hall, 2001.

8. Carla Kalin. *Television Violence and Children.* Retrieved on April 3, 2003 from http://interact.uoregon.edu/medialit/m1r/readings/articles/kalin.html. See also M. Lee Manning and Katherine T. Bucher. *Teaching in the Middle School.* Upper Saddle River, N.J.: Merrill Prentice Hall, 2001.

9. Mihaly Csikszentmihalyi and Barbara Schneider. *Becoming Adult.* New York: Basic Books, 2000.

10. Neil Postman. *Teaching as a Conserving Activity.* New York: Delacorte, 1979.

11. James Garbarino and Claire Bedand. *Parents Under Siege.* New York: A Touchstone Book, 2001.

12. Ibid.

13. See http://www.iptv.org/rtl/factoidz.cfm. Peter Plagens. *Big World, Small Screen.* Washington, D.C.: American Psychological Association, 1992, pp. 41-52. Mortimer B. Zuckerman. "The Victims of Violence." *U.S. News and World Report* (2 August 1993): 645.

14. Joan M. Bergstran. "Help Your Child Find Great Alternatives to Television." *PTA Journal* (April 1988): 15-17. Nancy L. Cecil. "Helping Children Become More Critical TV Watchers." *PTA Journal* (April 1988): 12-14.

15. Kathy A Krendal, Kathryn Lasky, and Robert Dawson. "How Television Affects Adolescents: Their Own Preceptions. *Educational Horizons* (Spring 1989): 89-91.

16. Myra Pollack Sadker and David Miller Sadker. *Teachers, Schools and Society.* Boston: McGraw Hill 2000, 462.

17. See http://www.iptv.org/rtl/factoid2.cfm. Mona

Charen, "Kidvid Doing Battle with G.I. Joe" *The New York* Times (26 January 1992): H29. Fred D'Ignazio. "Why Should You Teach with TV? *Instructor* (March 1993): 24-28.

18. John W. Santrock. *Child Development*, (9th ed.) Boston: McGraw Hill, 2001.

19. Allan S. Vann. "Debunking Five Myths About Computers in Schools." *Principal* (January 1998): 53.

20. Laurence Steinberg. *Beyond the Classroom.* New York: Simon and Schuster, 1996, pp. 179-180.

21. Lev Vygotsky. *Thought and Language.* Cambridge, Mass.: MIT Press, 1962.

22. Thomas L. Good and Jere E. Brophy. *Looking in Classrooms*, 8th ed. Reading, Mass: Addison Wesley, 2000, p. 442.

23. Paula K. Montgomery. "Integrating Library, Media Research, and Information Skills." *Phi Delta Kappan* (March 1992): 529-532.

24. Donelle Blubaugh. "Bringing Cable into the Classroom." *Educational Leadership* (February 1999): 61-65.

25. Henry Becker. "Computer Use in United States Schools." Paper presented at the annual meeting of the American Educational Research Association, Boston, April 1990. *The Condition of Education.* Washington, D.C.: U.S. Government Printing Office, 1993, Tables 14, 36. Robert Heinich and James D. Russell. *Instructional Media and Technologies for Learning*, 6th ed. Columbus, Ohio: Merrill, 1999. Internet Access in U.S. Public Schools and Classrooms: 1994-2001. Washington, D.C.: National Center for Educational Statistics. Retrieved from: http://nces.ed.gov/pubs2002/internet/4.asp.

26. John H. Halloway. "The Digital Divide." *Educational Leadership* (October 2000): 90. Internet Access in U.S. Public Schools and Classrooms: 1994-2001. Washington, D.C.: National Center for Educational Statistics. Retrieved from: http://nces.ed.gov/pubs2002/internet/4.asp.

27. Joan Bissell, Anna Manring, and Veronica Rowland. *Cyber Education: The Internet and Worldwide Web for K-12 Educators.* Boston, Mass.: McGraw Hill 1998. Peter Smith and Samuel Dunn. "Human Quality Considerations in High Tech Education." *Educational Technology* (February 1987); 35-39.

Ester R. Steinberg. Computer Assisted Instruction. Hillsdale, N.J.: Erlbaum, 1990.

28. Anthony W. Jackson and Gayle A. Davis. *Turning Points 2000.* New York: Teachers College Press, 2000, pp. 85-86.

29. Carol Tell. "The I-Generation—from Toddlers to Teenagers." *Educational Leadership* (October 2000): 8-13. Dennis Dewman. "Technology as Support for School Structure." *Phi Delta Kappan* (December 1992): 308-315.

30. Allen Newell and Herbert A. Simon. *Human Problem Solving.* Englewood Cliffs, N.J.: Prentice Hall, 1972.

31. Myron J. Atkins. "Evaluating Interactive Technologies for Learning." *Journal of Curriculum Studies* (July-August 1993): 333-423. Stephen T. Peverly. "Problems with the Knowledge-Based Explanation of Memory and Development." *Review of Educational Research* (Spring 1991): 71-93.

32. James A. Levine et al. "Education on the Electronic Frontier." *Contemporary Education Psychology* (March 1991: 46-51. Gwen Solomon. "The Computer as Electronic Doorway: Technology and the Promise of Empowerment." *Phi Delta Kappan* (December 1992): 327-329.

33. John W. Santrock. *Child Development*

34. Karen Andrews and Ken Marshall, "Making Learning Connections Through Telelearning," *Educational Leadership* (October 2000): 54.

35. John W. Santrock. *Child Development*

36. Carole Duff. "Online Mentoring." *Educational Leadership* (October 2000): 49-52.

37. Allan S. Vann. "Debunking Five Myths About Computers in Schools." *Principal* (January 1998): 53.

38. David Skinner. "Computers: Good for Education?" *Public Interest* (Summer 1997): 98-109.

39. Excerpted from David T. Gordon. "Moving Instruction to Center Stage." *Harvard Education Letter.* Volume 18:5 (September/October 2002), pp. 1-4. Copyright (c) 2002 by the President and Fellows of Harvard College. All rights reserved.

40. Susan Brooks-Young. "Set Out on a Web Quest." *Today's Catholic Teacher.* (November-December 2001): 13-15.

제 8 장

수업 모둠 편성

이번 장에 관련된 Pathwise 성취기준 :

- 이전에 학습했던 내용, 현재의 내용과 미래에 학습하도록 남겨진 내용 간 관계 설명하고 이해하기(A3).
- 교수 방법, 학습 활동, 수업 자료, 학생들에게 적합하고 소단원의 목표에 부합하는 기타 자원들 창조하고 선택하기(A4).
- 가능한 한 안전하고 학습에 도움이 되도록 물리적 환경 조성하기(B5).
- 학생들이 이해 가능한 내용 만들기(C2).
- 다양한 방법으로 학생들의 내용 이해 점검하기, 학습을 지원하기 위해 학생들에게 피드백 주기, 상황이 요구하는 학습 활동에 부응하기(C4).

이번 장에 관련된 INTASC 원리 :

- 교사는 학생들이 학습에 접근하는 방법이 어떻게 다른지를 이해하고 다양한 학습자에게 알맞은 수업 기회를 창조한다(P3).
- 교사는 학생들의 비판적 사고, 문제 해결, 수행 기술의 개발을 독려하기 위해 다양한 수업 전략을 이해하고 활용한다(P4).
- 교사는 개인과 모둠의 동기 유발과 긍정적인 사회적 상호작용, 학습에의 적극적 참여, 자아 동기를 독려하는 학습 환경을 조성하는 행동을 활용한다(P5).

핵 심 문 제

1. 일제식 모둠, 소모둠, 개별화 수업은 언제 활용하는 것이 적절한가?
2. 각 유형별 수업의 장단점은 무엇인가?
3. 교사는 각 유형별 수업에 학생들을 어떻게 효과적으로 조직화하는가?
4. 수업을 개별화하는데 어떤 방법들이 활용 가능한가? 교사가 학생들에게 수업을 개인화하기 위해 어떻게 차별화하는가?

수업을 위해 학생들을 조직하는 가장 보편적인 방법은 나이와 학년 수준, 때로는 실력에 따라 25명에서 30명의 학생들을 조직하고, 이들에게 특정한 교실과 교사를 배정해 주는 것이다. 이렇게 부여된 유형에서 수업이 이루어질 때, 이는 소위 **자가형 교실**이라고 불린다.

초등학교 수준에서 교사는 하루 종일 학습에 배성된다. 학생들은 특별 수업(예컨대, 보충 읽기, 음악, 체육 수업 등)을 받기 위해 다른 교실로 이동하거나, 다른 교사들이 특별 수업을 하기 위해 교실에 들어올 수도 있다.

중등학교 수준에서 자가형 교실은 보편적으로 소위 **분과형**으로 바뀐다. 학생들은 각 과목당 다른 교사를 배정 받고, 하루에 6~7명의 교사들을 대면한다. 분과형은 보통 6, 7, 8학년(주에 있는 학군에 따라)에 시작된다. 오하이오 주는 4, 5학년에서도 분과형을 폭넓게 행하도록 교사 자격 기준을 마련해 두고 있다.

수업을 위한 모둠편성에는 기본적으로 세 가지 방법이 있다: 1) 간혹 대모둠 수업이라고 불리는 일제식 모둠 수업은 전체 학급이 한 모둠으로 수업을 받는다; 2) 소모둠 수업은 대모둠이 실력, 흥미, 프로젝트, 또는 여타의 기준에 의해 하위 모둠으로 분할된 것이다; 3) 개별화 수업은 개개의 학생이 혼자서 공부하거나, 특정 과제 혹은 과제를 하기 위해 다른 사람과 함께 공부하는 것이다. 각각의 모둠화는 서로 다른 물리적 배치를 요하므로, 자리 배치를 위한 몇몇 설계를 살펴보고, 각 수업을 위한 모둠화의 특징을 살펴볼 것이다.

이 장을 시작하면서 중요한 것은 학생들이 학습하는데 수업이 지극히 중요하다는 점을 확실히 이해하는 것이다. 미국의 교사들은 일본 및 중국과 같은 많은 다른 나라의 교사들보다 학생들 앞에서(실제 교수) 더 많은 시간을 보낸다. 하지만 아직까지 미국 학생들은 그들의 국제적으로 경쟁하고 있는 학생들보다 더 높은 성취를 보이지 못하고 있다.[1] 학생 학습에 있어 시간이 차이를 만들어 주지만, 가치가 부여된 차이점을 만들기 위해서는 매우 중요한 것이 발생해야 하고, 성취 기준에 연결되어야 하며, 학생이 수행할 것을 위한 교사

역할에 대한 높은 기대가 수반되어야 한다. 이 장은 학습을 위한 교실 환경 배치 방법에 관한 것이지만, 학습이 학생들에게 중요한지를 실제로 받아 적어야 하는 것은 책상의 배열이 아니라, 소단원의 내용이라는 점을 잊지 말아야 할 것이다.

교실 좌석 배치

교실 배치는 교사에게 있어 자신의 교수 철학을 반영한 것이라 볼 수 있으며 필연적으로 교실에서 일어나는 상호작용의 유형에 영향을 미친다. 교수에 관한 고전적 연구에서 Adams와 Biddle은 교실에서 발생하는 활동은 대부분 모든 학생의 주의가 필요함을 발견했다. 교사는 교실에서 전체학생을 대상으로 가르칠 때 수업시간의 85% 이상 동안 교실 앞쪽에서 이야기하고 매 30초마다 자신의 위치를 바꾸는 경향이 있다.[2]

더 나아가 Adams와 Biddle은 학생참여가 제한되는 이유가 교사도 학생도 깨닫지 못하는 환경 또는 물리적 설정 때문이라는 것을 알아냈다. 교사에게는 교실 한 가운데에 앉아있는 학생, 이른바 "응답자"라고 불리는 학생이 가장 활동적인 학생인 것으로 보였다. 언어적 상호작용이 교실 내에서 이 영역에 매우 집중되어 있고, 교사가 대부분의 시간을 보내는 이 직선의 공간을 언급하기 위해 "활동 영역"이라는 용어를 만들어 냈다.(그림 8.1)

학생중심적이며 간접적이고 온화하며 친근한 교사는 교사중심적이며 직접적이고 업무적인 교사와는 달리 교실 앞에서 교사와 직접적으로 얼굴을 맞대는 전통적이면서도 고정적인 학생 좌석 배치를 거부하는 경향이 있다. 고정적 좌석 형식은 학생간의 시각 접촉과 상호작용을 감소시키고 교사 통제와 학생의 수동성을 증가시키는 경향이 있다. 학생중심의 교사는 교사 자신뿐만 아니라 학생 각자가 얼굴을 마주볼 수 있게 하는 좌석형태, 예를 들면 직사각형(회의), 원형, 그리고 편자형(U자형)과 같은 형태를 선호하는 경향이 있다.(그림 8.2)

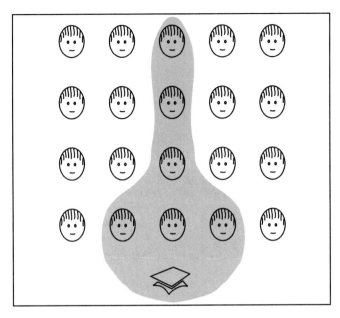

정면

┃그림 8.1┃ 교실 활동 영역

일부 보수적인 개혁 비판가는 학생중심의 수업과 좌석 형태에 반대하려고 들 것이다. 반면 그들 내에서도 좀더 학생중심적 진보주의자는 좀더 개방적이고 전통적인 요소가 덜한 교실 배치를 주장할 수도 있다. 위 두 주장은 어느 것도 옳지 않다. 교사의 수업 목표가 교실 배치를 어떻게 할 것인지를 결정하는 것이다. 직접 교수법 수업에서는 전통적인 학생의 열을 맞춘 배치가 필요할 것이다. 시민전쟁의 원인과 결과에 초점을 둔 복잡한 내용의 협동학습에서는 완전히 다른 교실 배치가 필요할 수도 있다. 본질적으로 학습 목표가 교실 배치를 결정짓는 것이다.

특수 수업 설계

그림 8.2에 있는 직사각형, 원형, 그리고 편자형 배치는 학생 수가 20명에서 25명 사이를 넘지 않는 경우를 가정한 형태이다. 25명을 초과할 경우 이중 직사각형, 이중 원형, 그리고 이중 편자형(W형) 배치로 조정하면 된다(그림 8.3).

개방형 교실 좌석 배치는 저학년, 중간 학년, 그리고 중학교 학생에게 적합하다(그림 8.4). 선반, 탁자, 그리고 작업 공간이 많이 있으면 소규모 수업과 개별화 수업이 가능하다. 전통적인 교실에서처럼 고정적인 위치에 있는 형식적 책상배치는 찾아볼 수 없다. 책상은 움직일 수 있도록 모둠이나 조의 형태로 배치된다. 개방형 교실은 학생이 돌아다니면서 각각 별도의 환경이 조성된 학습활동에 참여할 수 있는 기회를 제공한다.

그림 8.5는 2 가지 좌석 배치 설계 형태를 추가로 보여준다. 두 가지 모두 특별한 활동에 대응하는 것들이다. 좌측의 형태는 학급전체의 토론이나 회의에 적합하고, 우측의 것은 협동학습이나 소규모 학습에 적합하다. 그림 8.2, 8.3, 그리고 8.4는 가정에서 또는 영구적인 배치인 반면, 그림 8.5는 일시적인 설계 형태이다.

결과적으로 학생상호작용이 증가함에 따라, 교사가 훌륭한 관리기술(9장 참조)을 가지고 있지 않다면 특수한 좌석 배치와 관련해 훈육 문제가 발생할 수 있다. 그러나 이런 모든 설계 형태는 교사에게 활동에 있어서 융통성을 부여한다. 즉, 단결과 협동의 단체적 느낌을 갖게 하고, 소모둠으로 작업할 수 있게 하고, 다른 여러

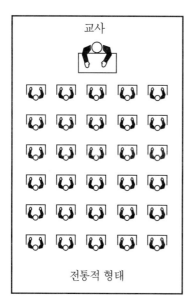

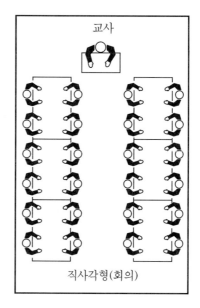

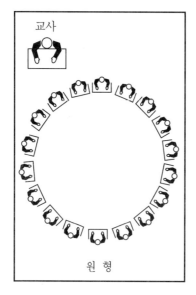

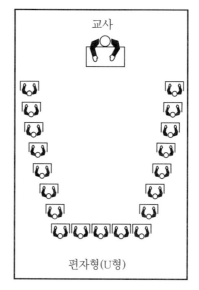

교사의 책상은 교실 앞쪽의 학생의 목 부상을
방지하기 위해 구석에 자리잡고 있다.

┃ **그림 8.2** ┃ 네 가지 좌석 형태

방법을 활용하는 중에 교사가 시연을 보여주고, 아이디어 확장회나 토론 수업을 이끌며, 시청각 자료를 활용할 수 있게끔 한다.

교실 설계에서의 고려 요인

교실 설계는 교실의 크기에 의해 결정될 것이다. 세부적인 것으로는 학급의 학생 수와 책상과 의자 수와 모양, 이동형 가구의 수, 문이나 창, 벽장, 그리고 칠판과 같은 고정시설물의 위치, 사용되는 시청각 장비, 학교 철학, 교사의 접근법과 경험과 같은 것들이다. 교실 배치에는 여러 가지 요소들이 고려되어야 한다.

1. *고정 시설물*: 교사는 교실 내에 이미 고정된 시설

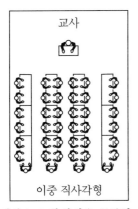

이중 직사각형

책상으로 학생열을 구분하여 너무 가까이 앉게 하지 않고 잠재적인 훈육문제를 감소시킨다.

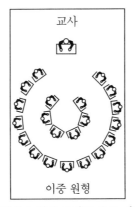

이중 원형

교사가 책상 주위를 돌고 내부의 작은 원형 위치로 들어갈 수 있는 공간이 제공된다.

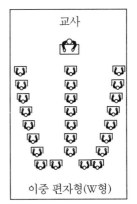

이중 편자형(W형)

여유공간이 있다면, W형 대신 이중 U형을 구성하도록 배치될 수도 있다.

┃그림 8.3┃ 세 개의 수정 좌석 배치 형태

물을 변경할 수는 없고 문, 창문, 벽장, 콘센트 등의 위치를 고려해야 한다. 전기 장비는 콘센트 가까이 있어야 하고, 전선은 교실 가운데를 지나서는 안 된다. 만약 불가피하다면, 철사를 천정에 밀착시켜 고정해야 한다.

2. *혼잡 영역*: 물품 보관 장소나, 벽장 주위, 그리고 연필깎이, 쓰레기통 주위와 같은 혼잡 영역은 개방되고 쉽게 왕래할 수 있어야 한다. 교사 책상은 덜 혼잡한 곳에 있어야 한다.

3. *작업 영역*: 작업 영역과 학습 영역은 개인적이고 조용하여야 하고 혼잡하고 시끄러운 곳에서 떨어진 교실의 구석이나 뒤편에 있는 것이 바람직하다.

4. *가구와 장비*: 교실, 가구, 그리고 장비는 깨끗하게 유지되고 사용 가능하도록 정비된 상태여야 한다. 책상과 의자는 오래된 것일 수도 있지만, 깨끗하고 너무 닳지 않아야 한다(관리부나 책임자에게 요구하여 적절히 갖춰놓는다). 그리고 가구 위에 그림이나 낙서는 즉시 금지되어야 한다. 장비는 지정된 곳에 보관하여야 한다.

5. *수업 자료*: 모든 자료와 장비는 쉽게 접근할 수 있어야만 수업 활동이 신속하게 시작, 종료될 수 있고 청소시간이 최소화 될 수 있다. 벽장에 보관하지 않은 물품과 장비는 혼잡한 곳을 벗어난 조용한 곳에 보관하여야 한다.

6. *가시성*: 교사는 관리적 문제를 감소시키고 수업 감독을 향상시킬 수 있도록 교실 어디에서도 모든 학생을 볼 수 있어야 한다. 학생은 책상을 움직이고 목을 힘들게 하지 않고 교사와 칠판, 투사 영상, 그리고 시연을 볼 수 있어야 한다.

7. *융통성*: 교실설계는 별도의 수업 활동 요구가 발생하거나 조편성을 다시 할 경우에 수정될 수 있도록 융통적이어야 한다. 교실 융통성을 살펴볼 때에는 교실 전체를 활용하는 진행에서 교사가 모든 학생을 볼 수 있고 모든 학생은 교사를 볼 수 있는지 확실히 해야 한다.[3]

초등학교 교사는 여러 과목을 가르치고 있으므로, 종종 융통적이어야 한다. 다른 교사와 교실을 거의 공유하지 않으므로 더 융통적일 수 있다. 교실은 자신만의 것이며, 독서와 수학, 과학, 그리고 예술과 공예를 위한 학습공간, 흥미공간, 그리고 작업과 학습공간을 설정할 수 있다. 긍정적인 학교 분위기를 위해서는 교실을 공유하는 교사간의 협력이 필수적이다.

불행하게도, 고등학교에서 교실 배치에 있어서 융

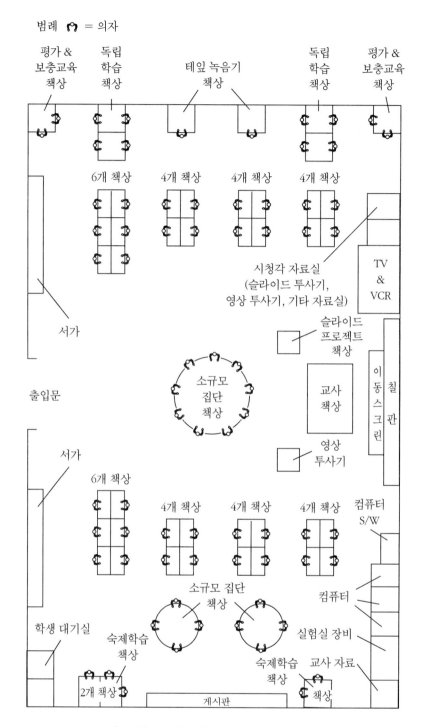

범례 🪑 = 의자

평가 &
보충교육
책상

독립
학습
책상

테잎 녹음기
책상

독립
학습
책상

평가 &
보충교육
책상

6개 책상   4개 책상   4개 책상   4개 책상

서가

시청각 자료실
(슬라이드 투사기,
영상 투사기, 기타 자료실)

TV
&
VCR

슬라이드
프로젝트
책상

교사
책상

이
동
스
크
린

칠
판

출입문

소규모
집단
책상

영상
투사기

서가

6개 책상

4개 책상   4개 책상   4개 책상

컴퓨터
S/W

소규모 집단
책상

컴퓨터

학생 대기실

숙제학습
책상

소규모 집단
책상

실험실 장비

2개 책상

숙제학습
책상

게시판

교사 자료

책상

┃그림 8.4┃ 개방형 교실 좌석 형태

통성이 있는 교사는 거의 없다. 학생은 기가 막히게도 100년 전 모습 그대로 대개 열을 맞춰 앉아 칠판과 교사를 보고 있다. 이러한 현상에 대한 한 가지 가능한 설명은 대부분의 고등학교 교사는 내용만을 강조하고 수업 목표와 같이 사회화와 개인관계를 무시하고 있다는

것이다.

교사는 주어진 배치형태가 교수 양식과 학생의 필요에 적합한가에 대해서 오직 경험과 시간을 통해서만 배울 수 있을 것이다. 학생의 효율적인 작업을 돕고, 자료와 장비가 최상의 효과를 거둘 수 있을 만큼 활용될

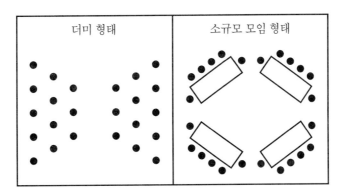

┃ 그림 8.5 ┃ 단체로 구성된 학생지원을 위한 특수 교실 구성 형태

많은 요인들이 교실 디자인에 관여한다.

수 있으며, 불필요한 장비는 사라지고 교사가 수업을 하는 것과 학생을 감독하는 것이 쉽다고 느낄 수 있는 교실 설계 형태를 제안하려면 여러 번의 시도해 보고, 지속적으로 개선해 보아야 할 것이다.

일제식 수업

일제식 수업은 가장 전통적이고 일반적인 학급 구성 방식이다. 교사는 일반적으로 "신화적" 평균 학생의 수준 정도의 설명이 가장 많은 학생들의 요구를 충족시킬거라는 가정하에 이 수준의 학생에 맞추어 수업을 구성한다. (어떤 교과에서든지) 공통의 내용 영역을 가르치는데 있어서 일제식 수업 방식이 가장 효과적이고 편리한 유형이라는 가정하에 이 방식이 사용된다.[4]

교사는 학생 수가 많은 학급에서 강의나 설명식 수업을 한다. 교사는 주제와 관련된 자료를 전체 학생들에게 시연하고 질문하고 질문에 답한다. 그리고 모든 학생에게 같은 연습과 반복 훈련 기회를 제공한다. 전체 학생은 같은 문제를 수행하며 같은 자료를 사용한다. 수업은 학급 전체를 위해 설계되지만 교사는 특정 학생이 질문에 답하기를 요구하거나 특정 학생이 수행 활동을 할 때 살핀다. 그리고 교사는 학생들을 개별적으로 살펴본다.

일제식 수업은 경제적이고 효과적인 접근 방식이기도 하다. 5장에서 논의했듯이 이 방식은 학급 전체가 같은 기능과 교과 내용을 배우거나, 학급의 기대를 설정하거나, 시험을 실시할 때 특히 편리하다. 어떤 활동할 때 학급 구성원 전체를 동원하게 되면, 학급에 대한 소속감을 강화시켜 주며, 공통체 의식과 학급 정신을 수립하는데 도움이 된다. 일제식 수업은 생각을 교환하거나 학습 환경을 조성하는데 필요한 규정이나 약속을 정할 때, 사용 가능한 자원을 공유함으로써 협동정신을 배운다. 이러한 학생 모둠 편성 방식은 많은 학생들이 있는 학급에서 가장 효과적이다. 특히 개별적인 기능과 과정을 학습하는데 역점을 둘 때 효과적이다(교사들을 위한 조언 8.1 참조). 무수히 많은 교육자들이 학습자 중심의 대안적인 수업 방법을 활용할 것을 권하고 있는 사실에도 불구하고, 일제식 수업은 여전히 가장 흔한 수업 형태이다. 일제식 수업은 소모둠 수업과 연계되어 흔히 사용된다. 교사는 선제 학습이 이루어질 때 대체로 새로운 정보를 제시한다. 그 다음 소모둠으로 나누어 복습이나 연습, 심화 학습 활동을 한다.

일제식 수업 방식에 대한 비판은 각각의 학생에게 필요한 요구를 충족시켜 줄 수 없다는 것이다. 이러한 방식을 사용하는 교사는 학생을 동일한 능력, 관심, 학습 방식, 동기 수준을 가진 동질적인 모둠으로 간주하는 경향이 있다. 수업은 가상의 평균 학생에게 맞춰져

교사들을 위한 조언 8.1

직접 교수법의 구성 요소

일제식 환경에서 낮은 학업 성취의 위기에 처한 학생을 지도하는데 있어서 고도로 구조화된 접근 방식이 가장 효과적이라는 증거가 제시되고 있다. 최근 이 접근방식을 흔히 직접교수법, 설명식 교수법이라고 부른다. 5장에서 이미 논의되었지만 여기에 나열된 직접교수법의 핵심 사항들은 세부 기능, 개념, 과정을 지도할 때 특히 적합하다.

1. 최종목표를 간결하게 진술하여 수업을 시작한다.(학업 성취 기준에 최종목표가 부합되어야 함)
2. 사전에 복습한다. 미리 필요한 학습을 예습한다.
3. 각 단계 다음에 연습 활동과 함께 세부 단계마다 새로운 자료를 제시한다.
4. 분명하고 자세한 지시와 설명을 제공한다.
5. 모든 학생을 위해 높은 수준의 활동 연습 기회를 제공한다.
6. 처음 연습할 땐 학생을 안내하며 학생들이 계속 연습하도록 살핀다.
7. 많은 질문을 통해 학생들의 이해 정도를 점검한다.
8. 조직적인 피드백과 수집을 제공한다.
9. 자습과 독립적으로 연습하는 동안 학생을 돕고 살핀다.
10. 복습, 시험, 수행평가를 제공한다.

출처: Adapted from Barak Rosenshine. "Explicit Teaching and Teacher Training." *Journal of Teacher Education* (May-June 1987): Rosenshine이 1970년대 및 1980년대에 직접 교수법에 관한 논문을 발표한 이래로 이 형태의 수업에 관심이 있는 많은 사람들에 의해 약간씩 변형된 형태들이 많이 소개되었다. 여기에서 소개된 단계들은 직접 접근법에 기초적인 것들이며, 따라서 이 접근법을 사용하는 어떤 수업에서든지 볼 수가 있다.

있으며―즉, 일부 학생들에게만 실제적으로 유용하며
―, 대부분의 학생은 폭이 좁은 한계 내에서 학습 활동
을 수행하며 배우도록 기대된다. 일제식 수업에서 학
생은 평가받으며, 교수 방식과 자료는 선택되고, 학습
은 모둠 평균에 토대를 두고 진행되어, 결과적으로 높
은 성취 수준의 학생은 점점 수업이 지루해지고, 낮은
성취 수준의 학생은 좌절하는 경향을 보이게 된다.[5] 학
생 개개인의 특성은 학급 전체 상황에 거의 묻혀 버린
다. 외향적인 학생은 교사를 독차지하려는 경향이 있
다. 그리고 수동적인 학생은 필수적인 주의사항을 받
아들이지 않으며 관심을 갖고 듣지도 않는다. 결국 교
사 중심의 일제식 수업에서 학생들은 때때로 문제 행
동을 유발하게 된다.

가르침과 배움의 과정에서 다양성, 동기, 융통성을
위해 다양한 모둠 형태가 필수적이다. 현재 미국의 교
실에서 일부분을 차지하고 있는 다양한 학생들의 요구
를 충족시키기 위해서라도 필요한 것이다. Eugene
Garcia는 언어적으로 열등한 학생에게 절실히 필요한
교사의 모습을 묘사하고 있다:

> 언어적으로 열등한 학생을 성공적으로 지도하는
> 교사는 어린이들이 스스로 공부하거나 다른 친구
> 들과 협력하여 공부할 수 있도록 일련의 학습 활
> 동을 위한 학습 시간을 적절한 비율로 분배한다.
> 수학과 과학 시간에 다양한 방식의 소모둠 활동을
> 한다. 이러한 활동은 특정 개념이나 교과목의 이
> 해를 돕도록 설계되어 있다.[6]

많은 교육자들은 일제식 학습 교실에서 다양한 학
생들에게 효과적이려면 특히 저학년에서 소규모 학급
으로 구성되어야 한다고 적극적으로 주장한다. 다음
장에서는 학급 규모에 대한 연구들에 대해서 살펴볼
것이다. 분명한 것은 가르침을 받는 수많은 학생은 서
로 다르기에 차이가 생긴다는 사실이다. 만약 소규모
학급으로 학생을 지도하면 학생의 학업 성취도에 얼마
나 많은 차이가 있는지가 연구의 쟁점이다.

학급 규모와 학업 성취도

학급의 학생 수가 전체 학생의 학업 성취도에 영향을
미칠까? 일부 주 의회에서는 영향을 미친다고 여긴다.
1990년대 후반에 캘리포니아 주는 어린 학생들의 학습
요구를 다루는 방식으로 소규모 학급을 채택했다. 다
른 주와 차이점이 있는가? 많은 연구자들은 약간 작은
크기의 학급이 학업 성취도 면에서 차이를 보일지에
대해 의문을 갖고 있었다. (캘리포니아 주는 20명의 학
생으로 구성된 학급을 연구했고 테네시의 STAR 프로
젝트는 15명으로 구성된 학급을 중심으로 연구했다.)
핵심은 학급 규모와 교사의 수업 실제의 효과성 간의
상호작용인 것으로 보인다. 이는 유능한 교사가 지도
하는 큰 규모의 학급이 유능하지 못한 교사가 지도하
는 소규모 학급보다 더 좋다는 것이다. 사실 학급 규모
의 효과에 관심이 많은 연구가들은 이제 학급의 학생
수와 학습 활동을 하는데 도움이 되는 요소 간의 관계
를 규명하는 연구가 필요하다고 주장한다.[7]

학생의 수행 향상에 있어서, 학급 규모와 학생 성취
도 사이의 관계는 분명한 연관성이 있다는 점은 상식
이다. 보수적 비판가들은 학급의 규모가 작아진다고
학생의 학업 수행이 자동적으로 향상되지 않는다고 생
각한다. 예를 들어 소규모 학습과 학업성취도의 관계
를 분석한 152편의 연구를 재검토한 결과 82%가 중요
하고 의미있는 영향력을 발견할 수 없었다고 했다. 9%
는 긍정적인 효과를 거두었고, 약 9%는 부정적인 결과
를 초래했다.[8] 현재 이 연구들은 보다 더 소규모 학급의
(재정적, 실제적) 복잡성을 규명하는 부가적인 연구로
이어지고 있다. 예를 들어 캘리포니아 주의 학급 규모
"실험"은 수준 미달의 교사가 교실에 배치되는 결과를
초래했다. 거의 대부분의 학교가 더 많은 교사를 필요
하게 되었지만 가난한 도심의 학교들은 유능한 교사를
가장 적게 임용할 수밖에 없었다.

낮은 성취수준의 학생을 연구한 8편의 재고찰 연구
에서 Robert Slavin은 (15에서 20명 정도의 학생으로
구성된) 소규모 학급과 비교해서 (22에서 37명의 학생
으로 구성된) 비교적 학생이 많은 학급에서의 학업 성

취 수준의 차이는 의미가 없다는 것을 발견하였다. 8편의 연구에서 나타난 효과를 종합한 결과 단지 .13이라는 낮은 수치를 보였다. 이는 16명 정도인 소규모 학급에 비해 대규모 학급의 평균 크기는 27명 정도(40% 정도의 차이)인 상황을 고려할 때 낮은 수치였다.[9] Slavin은 다른 재고찰 연구에서 학급의 규모가 교사와 학생의 비가 1대 1 수준으로 즉 개인 교습이 이루어질 수 있는 정도로 감소해야 진정으로 극적인 차이가 생긴다는 것을 밝혀냈다.[10]

비록 Glass와 그의 동료들이 15명 이하의 학급 규모가 학업 성취에 긍정적인 영향을 미친다고 했을 때, 상당한 정도의 주목을 받았지만, 실제적인 효과는 아주 일부 연구에서만 유의미했다. 학습의 이익은 학급 규모가 아주 적게 줄었을 때(3명 정도로 학생 수가 감소했을 때)에 비로소 나타났다. 학급 규모와 성취도 효과는 중등학교보다 초등학교에서 더 긍정적이었다.[11]

(테네시에서) 단독 연구로서는 최대 규모의 연구에서 유치원 학생들이 보조교사가 있는 25명과 15명의 학급이나 보조교사가 없는 25명의 학급에 무작위로 배정되었다. 이러한 반 배치는 3학년 동안 지속되었다. 이 연구는 학생들이 3학년이 되었을 때 보조교사의 유무에는 거의 상관이 없었고, 소규모 학급에서 단지 약간의 긍정적인 학습 효과가 있었다고 보았다. 학생이 4학년에 들어 갈 때 즈음에 이 차이는 긍정적이지만 유의미하지 않았다.[12] 인디아나 주와 South Carolina 주와 같은 다른 주 단위의 연구에서는 학급 규모가 감축되었을 때 어느 정도 성취도 면에서 효과가 나타났다.[13]

그러나 중학교 수준에서는 학급 규모의 효과는 학생의 학업 성취에 유의미한 영향력을 발휘하지 못했다.[14] 학급 규모는 (우등생, 인문교육, 직업교육)과 같이 교육 과정상의 차이, (영어, 사회 과목 같은) 교과목 차이, (사전 능력, 동기, 학습능력, 높은 성취도와 낮은 성취도와 같은) 학생에 따른 차이, (선택적인 복습과 연습, 문제해결, 질문과 토의와 같은) 내용 표현 방식 차이에 따라 효과가 다르게 나타난다. 이러한 다양한 변인들은 연구 결과를 불투명하게 만든다.

학급의 학생 수 감축은 대체로 학교 성취도에 어느

정도 효과를 발휘하는 것 같다. 그리고 학급 규모를 감축하기 위해 많은 비용이 소요된다. (California주는 10억 달러에 가까운 경비를 지출했다). 이 비용은 학문적인 성취 수준을 향상하기 위한 다른 제도들 즉 최상의 정책 마련과 프로그램을 결정하는데 사용되는 것보다 더 많이 증가되어야 하는 수준이다. 예를 들어, 학생들의 출석률을 높이기 위해 (다른 교과 영역) 읽기 수업 시간을 늘리거나 수업의 질을 개선하거나 (낮은 성취도 학생을 위해 유능한 교사를 고용해서), 시험을 위한 교재를 학습하기 위해 보다 많은 복습과 연습을 제공하는 것들이 단순히 학급 규모를 줄이는 것보다 더 긍정적인 효과를 가져다 준다.[15]

교사가 다른 모둠을 부당하게 다루지 않으면서 낮은 성취 수준의 학생을 위해 별도 시간의 장점을 최대한 활용할 수 있는 방법을 알고 있다면, 아마도 25명 정도의 학급을 (4, 5명 정도의) 소규모 학급으로 나누고, 교사가 성취도가 낮은 수준의 모둠에 보다 많은 시간을 할애할 경우 15명 정도의 소규모 학급을 구성하여 지도하는 것보다 더 유용할 것이다. 학급 전체 안에서 이렇게 다양한 유형의 모둠은 가르치고 배우는데 필요한 다양성, 동기, 융통성을 위해 필수적인 요소이다.

뭐라고 결론을 내릴 수 있을까? 우선, 미국학교는 해마다 학급의 학생 수를 감축하기 위해 노력하고 있다는 사실을 들 수 있다. 1970년대에 학급당 평균 학생 수는 22.3명이었으며 1990년대에는 평균 학생 수는 17명이었으며, The Digest of Education Statistics를 바탕으로 한 어떤 연구는 2000년대 초에는 학급 규모가 더 감축될 거라 예상하고 있다.[16] 둘째, 소규모 학급으로 교육하는 것이 학업 성취도에는 큰 차이가 있다는 확신을 갖기 어렵다는 것이다. National Assessment of Educational Progress(NAEP)의 자료 분석을 통해 Johnson은 인종, 민족, 부모의 교육 정도, 이들 가정의 읽기 자료, 급식비 경감과 무료화, 성별과 같은 요소와 학급 규모간의 연관된 변인들을 조사했다. Johnson은 다음과 같이 결론을 내렸다:

모든 요인들을 조정한 후에 연구자들은 1998년

성 찰 문 제

비록 학급의 규모와 학생의 성취도와의 관계가 불명확하지만, 학급 규모가 교사의 삶과 학생의 교육적 경험의 질에 영향을 줄 수 있다. 예를 들어, 한 학급에서 소수의 학생은 교사들에게 보다 적은 관리와 교육적 문제를 초래한다는 것이 논리적으로 맞으며, 실제 그런 기록이 있다.[18] 소규모 학급에서 교사는 발생한 문제를 해결하기 위해 보다 나은 일련의 조치를 취한다. 교사는 학생 수가 적을수록 보다 많은 1대1 지도나 개별학습 방식을 사용할 수 있다. 학급 규모에 의해 영향을 받을 수 있는 학급 경영과 교수원리보다 학생이 학습하는데 필요한 수행평가, 효과적인 교수 설계의 활용, 긍정적인 교실 학습 공통체 의식의 조성, 개별학습을 위한 시간 활용 등과 같은 다른 요인들을 생각해 보아야 한다.

이러한 "다른 요인"을 각각 고려해 보고 25명과 15명의 학생이 갖는 결과를 비교해 본다. 또한 학생 수가 많은 학급이 더 유리할 때가 있는가? 그 이유는? 또 고려할 문제는 왜 교사는 소수의 학생으로 구성된 학급이지만 교수 방식에는 별다른 변화를 주지 않는가 하는 것이다. Holloway는 소수의 학생으로 구성된 학급이지만 교사는 내용 적용 범위나 모둠 연습, 교육학적 전략을 활용하는데 별다른 변화를 추구하지 않는다고 보았다.[19] 이것이 명백한 사실이라면 소규모 학급에 대한 이러한 논쟁이 과연 무슨 의미가 있겠는가?

NAEP에 실시한 소규모 학급의 학생과 규모가 큰 학급의 학생간의 읽기 성취도 평가에서 성취도의 차이가 통계적으로 의미가 없다는 것을 발견했다. 즉, 소규모 학급에서 공부하는 미국학생은 그 밖의 식별된 환경들을 고려할 경우, 대규모 학급의 학생들에 비해 평균적으로 더 우수하지 않았다.[17]

이는 학교가 소규모 학급을 위해 노력할 필요가 없다는 뜻일까? 자원이 허락한다면 아니다! 그래서 학급 규모 연구가 제시하는 결론은 좋은 교육 환경의 핵심이 바로 교사라는 사실이다. 이는 교사에게 좋은 소식이다. 교사는 학생의 학습 차이를 가져다 주는 핵심적인 요인이 된다는 의미이다. 교사가 25명이나 15명의 학생을 가르치건 간에 학생들의 학습이 의미 있는 환경에서 어떻게 구성될 수 있는가에 달려 있다. 교사가 제시하는 과제, 교사가 부여한 학습 경험이 지도하고 있는 학급의 학생 수보다 더 큰 의미를 갖는다.

교실 과제

수업 과제는 교실 상황을 결정하는 데 있어서 핵심이 된다. 대부분의 교사는 가르쳐야 할 내용과 사용할 수업자료와 방법 그리고 학생이 상호작용할 수 있게 하는 정도를 선택함으로써 수업 과제를 통제한다.

현재 대부분의 주에서 강조하고 있는 학문적 성취기준에서 보자면, 이런 분위기는 몇 년 전보다 더더욱 사실이다. 중등학교 교실은 초등학교 교실보다 더 통제되는 경향이 있다. 물론 중요한 변수는 교사이지 학년 수준이 아니다. 교사가 수업을 전적으로 통제할 수 있을 때, 전부는 아니더라도 대부분의 학생은 단일 교실 과제에 동시에 참여하게 되고, 동일한 내용으로 동일한 최종목표를 향해 공부하게 되기 쉽다. 그러나 내용과 활동을 계획하는 데 학생의 의견을 허용하는 교사도 있다. 학생이 의견을 제시할 때, 다른 교실 과제를 수행하게 될 가능성이 있다.[20]

과제에 대한 교사의 통제는 사회적 상황과 평가의 특성에 영향을 준다. 교사가 강하게 통제하는 단일 과제 조건 하에서 학생은 보통 혼자서 수행하고, 학문적 능력과 성취의 평가는 학급내의 다른 학생 또는 표준화된 성취 수준과 비교하는 것에 기반을 두게 된다. 교사가 적게 통제를 하는 다과제적 조건 하에서는 보다 사회적인 상호작용과 협동학습이 존재한다. 평가는 다른 사람과의 비교에서보다 개인적인 향상에 기반을 두고 이루어진나.[21]

교실 학습은 다음 세 가지 기본적인 범주 중에 하나이다.

1) 지식과 사실(예: 칠레의 수도는 무엇인가?)
2) 기능(예: 읽기, 쓰기, 철자법, 컴퓨터 문해력)
3) 고수준의 사고 과정(예: 분석, 문제 해결, 개념)[22]

전통적인 교실에서 교사에 의해 주도되는 과제 대부분은 사실 또는 기능을 포함하는 저 수준의 인지 처리과정이라 불리는 것이다. 고수준의 인지적 과제는 아주 적은 부분만 차지한다. 일제식 교실 상황의 경우 능력의 범위가 대개 광범위하기 때문에 일을 단순하게 만들어 집중하도록 함으로써 학생이 실패 없이 과제를 수행할 수 있도록 하게 되기가 쉽다는 것에서 그 이유를 찾을 수 있다. 저 수준의 과제와 사실 또는 기능, 정답에 초점을 맞추는 것은 비판적인 사고와 장기적인 이익에 필요한 사전, 사후 지식간의 상호작용을 희생하면서 단기적인 최종목표를 강조하는 것이 된다. 이것은 학생이 처리과정이 아닌 정답을 알고 있고, 과제를 제시간에 완수하고, (마치 약을 먹는 것처럼) 걷어치워버린다는 생각에서이다. 학생측면에서 보다 더 과정지향적(고수준) 대답을 조장하는 한 가지 방법은 재미있게도 여러분이 가르치는 단원에 대해 여러분 자신이 보다 많은 고찰을 하는 것이다. 여러분의 깊은 성찰은 보다 높은 수준의 학생 사고를 유도한다.

대부분의 교실 과제는 교사에 의해 제기되고, 구조화되며, 지식의 획득과 이해에 초점이 맞춰져 있다. 학생은 보통 교사의 기대에 부응하여 행동한다. 교사가 주도하는 교실 과제는 기본적으로 네 개의 범주로 구분된다.

1) 증가 과제: 새로운 기능 또는 생각에 초점을 두거나 인식이 요구된다.
2) 재구조화 과제: 생각 또는 유형의 발견을 의미하며, 어느 정도 자료의 재조직화가 필요하다.
3) 강화 과제: 새로운 문제에 대해 익숙한 기능과 생각을 적용하는 것을 의미한다.
4) 실행 과제: 다른 과제 상황과 다른 인지적 처리과정에 사용될 수 있도록 새로운 기능과 생각을 자동화시킨다.

학습을 촉진시키기 위해서 교사는 학생의 능력 및 배경 지식을 과제와 적절히 대응시키는 것을 배워야 한다. 이것은 학생이 점점 더 나이가 들고 더 많이 학습하려는 잠재력을 갖고 있을 때 더욱 어려워지게 된다. 학생의 능력과 관심의 범위 측면에서 이질적인 모둠으로 구성된 교실에서 또한 더욱 어렵다. 교사는 어떤 과제가 학생의 학습에 가장 많이 기여하는지, 그리고 학생이 새로운 통찰력과 기능을 획득하려면 이들 과제를 언제 알려주는 것이 적당한지를 고려해야만 한다.

대응을 잘 했는지는 학생이 수행하는 것으로 판단할 수 있다. 학생이 과제를 수행하는 데 있어서 많은 실수를 하면 할수록, 그만큼 대응을 잘못한 것이다. 과제가 너무 쉬워서 학습에 기여하지 못할 수 있기 때문에, 실수를 적게 하는 것은 학생이 과제를 수행할 능력이 있다는 것을 의미하는 것이지 반드시 좋은 대응이었다는 것을 의미하지 않는다. "대응된" 과제는 적당한 난이도로 학습을 강화시킨다. "잘못 대응된" 과제는 너무 쉽거나 너무 어려운 것이다. 학생의 학습 요구에 과제를 대응시키는 것은 새로운 교사와 경력 교사가 당면하는 가장 큰 과제 중 하나이다. 예컨대, 과제의 과대 내지는 과소평가 유형이 수학, 언어학, 사회적 연구학문에서 21개의 3학년에서 6학년 학급에 대한 연구에 나타나 있다.[23] 이 연구에서는 500개의 학문적인 과제가 분석되었으며, 잘못 대응된 정도가 고성취와 저성취의 학생 모두에게 유의미하였다.

교사는 과제를 과소평가하는 것보다 과대평가하는 경향이 보다 더 자주 있다. 사실, 인용된 연구에서, 어떤 교사라도 과제가 너무나 쉽다고 보지 않았다. 이 두 가지 잘못 대응시킨 형태는 학생의 요구를 충족시키는 데 실패하게 한다. 과제가 과소평가되었을 때, 너무나 많은 학생이 잠재력을 향상시키는 학습을 못하게 되고, 또한 지루하게 여길 것이다. 과제가 과대평가되었을 때, 너무나 많은 학생이 무엇을 해야만 할 것인지 이해하지 못하게 되어서 의기소침해지기 쉽기 때문에 학습에 실패하게 된다. 대응하는 것이 상위 학년에서 보다 어려워지게 된다는 가정이 옳다면, 잘못된 대응은 그렇게 많은 학생이 청소년기에 학교를 그만두게 되는 이유를 설명하는 데 도움을 줄 것이다. 너무 많은 과제들이 그들이 성취하기에 너무 어렵거나 너무 쉽다. 결과적으로, 그들에게 부여된 과제의 관련성을 이해하지 못하게 된다.

교실 과제를 이해하는 것은 실제적으로 "전부-또는 진무"의 경험만은 아니다. 학생은 교실에서 통찰력이 번뜩이는 경험을 거의 하지 못한다. 그것보다는 다양한 과제를 경험하고, 이후의 실행과 설명을 통해 점진적으로 이해하게 된다. 고성취자는 저성취자보다 종종 더 자주 과목에서 거대한 지식 기반(예컨대, 새로운 정보를 보다 빨리 획득하도록 그들을 돕는 보다 많은 선행학습)을 갖고 있어서, 과제에 속해 있는 관련 정보를 빨리 모은다. 게다가 그들이 학습하는 능력에 보다 자신감을 갖고 있어서 과제를 유지하고 오랜 기간 동안에도 포기하지 않고 다양한 과제를 수행한다. 사실, 어떤 학생은 더욱 어려운 과제에 도전하기도 한다. 저성취자들은 그렇지 않다. 저성취자는 어려운 과제로 종종 실패를 하고 쉽게 포기한다. 이것이 바로 다양한 수업적인 접근이 필요한 이유이다. 한 가지 방법(예컨대, 교사 중심 교실)으로 학생 모둠을 구성하는 교사는 하나의 학생 모둠(대표적으로, 이익이 필요하지 않은 고성취자)에게 보다 이익을 주고, 다른 모둠인 저성취자에게 더 불이익을 준다. 특히 다음과 같은 상황에서 협동적인(학생 중심의) 학습 접근은 교사 중심의 수업과 함께 모든 학생의 학습을 잠정적으로 최대화시킨다.

1. 학생은 함께 수행해야 하는 이유를 알고 있다.
2. 학생은 다른 사람과 상호작용하는 방법을 보았다.

3. 학생 모둠은 그들 자신의 효과성을 체계적으로 분석하고 숙고한다.[24]

개념 학습의 많은 부분은 단순하거나 세부적인 표상화가 아닌 다차원의 이해와 관련되어 있다.[25] 즉, 대칭과 같은 새로운 개념을 설명할 때, 많은 다양한(예컨대, 그림에 대칭선을 그리고, 학생이 다른 시각적인 형상화를 살펴보게 하는) 방법으로 학생이 수업자료를 학습하도록 도울 필요가 있다는 것이다. 여러 번 반복되는 단순 과제 또는 접근은 특정 개념 속성만을 나타내기는 해도 개념의 모든 특성을 효과적으로 표현할 수 없다. 이러한 수업적 접근이 완전히 이해하도록 모두 표상화 하지 못하므로, 구체적인 수업자료가 동반된, 저성취자를 위해 종종 설계되는 저수준의 과제는 한계가 있을 수도 있다. 그래서 저성취의 순환은 교사가 교실 과제를 소개하는 방법에 의해 반복될 수 있다. 여러분이 여러분 자신의 교실에서 과제를 소개했을 때 겪는 이런 궁지를 생각해 보자.

수업 변인

연구자들은 학생 성취에 주는 영향을 측정하기 위해 교사와 학교가 변화시킬 수 있는 교실의 구성요소 또는 변경 가능한 환경이라 불리는 것에 초점을 두고 있다. Robert Slavin에 따르면, 수업에는 1) 수업의 질, 2) 적절한 수업 수준, 3) 수업 과제를 수행하도록 하는 유인 요소, 4) 과제를 학습하는 데 필요한 시간 등 네 가지의 구성요소가 있다. 그는 네 가지 모든 요소가 수업이 효과적이게 하기 위해서 적당해야 한다고 결론지었다. 예컨대, 수업의 질이 낮다면 학생이 얼마나 많이 동기가 유발되어야 하고, 그들이 학습해야 하는 시간이 얼마나 되는지가 문제되지 않는다.[26] 이들 네 가지 모두가 여러분이 교사로서 통제할 수 있다는 것을 또한 명심한다. 학생과 함께 가지는 시간의 총 양에 한계가 있어도, 여러분은 학생과 함께 할 일과 그들이 여러분의 교실에 있는 시간을 결정할 수 있다.

몇 년 전에 Benjamin Bloom은 지난 반 세기 동안 이루어진 수백 개의 연구를 요약한 것에 기반을 둔 19개의 교수와 수업의 변수를 목록화했다. 그의 연구는 이들 변수가 학생의 성취에 미치는 영향을 종합했다. 가장 영향을 많이 미치는 변수를 순서대로 하면 다음과 같다.

1) 개인 교수형 수업(1:1 비율)
2) 수업적 강화
3) 피드백과 교정
4) 단서와 설명
5) 학생 학급 참여
6) 향상된 읽기와 학습 기능
7) 협동 학습
8) 채점이 되는 숙제
9) 교실의 사기
10) 초기 인지적 선수조건[27]

Bloom은 수업의 질과 양(교사 수행과 수업에 바쳐진 시간)이 교수 및 학습과 연관된 가장 중요한 요인이라고 결론지었다. 효과적인 수업의 변수 대부분은 개별적이고 소모둠의 수업을 강조하는 경향이 있다. Bloom은 "함께 사용되면, 특히 상위 5위 안에 들었던 것들은 그들 중 하나의 변수만 사용하는 것보다 더 학습에 기여한다"고 여겼다.[28] 본질적으로, 학생 성취에 영향을 주는 것은 여러분이 행한 어떤 한 가지가 아니라, 여러분이 적절한 장소에서 취하는 일련의 실천들이다.

좀더 최근에 Good과 Brophy는 교사가 어떻게 행동하고, 학습 환경을 배열하는 방법, 그리고 가르치는 사람이 누구인가에 의해 차이가 발생한다는 개념을 강조하고 있다. 좋은 교수는 한 가지 옳은 것만을 행하는 것이라기보다는 사물을 옳게, 의도적으로, 시기적절한 방법으로 조합하여 행하는 것이다. 좋은 교사는 학급 환경을 배열하는 방법과 그들 교수의 초점(사고력 지향 대 학습 시간 지향)을 바꾼다. Good과 Brophy는 다음과 같이 기술한다.

연구조사는 때때로 이들 복잡성이 반영되어 있다. … (예컨대) (연구자들은) 4학년 학생의 수학 성취에 대립하는 두 개의 중재효과와 같은 것을 (비교하였다). 사고기능 중재에서 교사는 정의, 기술, 이유에 대한 사고, 비교, 요약 등과 같은 인지적 전략을 가르치는 방법을 배웠다. 학습 시간 중재에서 교사는 학생의 참여와 학문적 학습 시간을 증대시키는 방법을 학습했다. 연구자들은 사고기능 중재가 학습 시간 중재보다 더 나은 결과를 낼 것이라고 기대했지만, 그 효과는 학생의 성취 수준에 따라 달랐다. 고성취 학급은 사고기능 중재에서 더 우수했고, 저성취 학급은 학습 시간 중재에서 더 우수했다. 그런데 사고기능 중재를 받은 학급 내에서는 저성취자가 고성취자보다 더 이익을 보았다. 그래서 같은 처지가 학생의 다양한 양식에 따라 다른 효과를 낼 수 있다.[29]

일반적인 결론은 교실 환경, 즉 수업의 질적, 양적인 것 모두는 학생의 이익을 위해 수정될 수 있고, 되어야만 한다. 수업 변수(여러분이 가르치는 내용과 방법)는 수업을 향상시키는 훌륭한 지침이 된다. 이들 변수는 교육구, 민족성과 성별, 학년, 교실 규모, 과목 범위를 초월하여 효과적일 수 있다. 이들은 투입 또는 교육적 소비가 아니라, 처리과정을 주로 다룬다. 이들은 IQ 검사와 같은 관행 또는 학생의 다양한 인지적 결함보다는 변경 가능한 교실 변수에 관심을 기울이라고 요구한다. 무엇을 변경할 수 있을지는 여러분이 결정한다. 일제식 모둠에 학습 시간을 어떻게 조정하고, 언제 소모둠으로 사고기능을 개발할 것인지는 여러분이 결정한다.

일제식 모둠 교수 지침

일제식 모둠 또는 학생이 20명 이상 되는 일반적인 학급을 가르칠 때에는 조직화하고 정시에 시작하는 것이 중요하다. 여러분은 할당된 시간을 잘 사용할 필요가 있다. 여기에 수업을 진행하는 정도에 대한 몇 가지 실질적인 제안이 있다.

1. 학생들이 도착하기 전에 교실에 들어가 있는다. 여러분의 그곳에 있으면 학급이 정시에 시작하는데 도움이 된다.

2. 출석부, 단원 계획, 여러분이 필요할지 모를 다른 수업적인 자료(도표, 그림, 지도) 등의 수업자료를 준비한다.

3. 학생이 전적으로 주의를 기울이게 한다. 학생이 연습문제 복습, 반복훈련의 사전연습 또는 일련의 문제를 푸는 것으로 시작한다. 지시사항을 명확히 설명하고, 학생이 과제를 분명히 시작하도록 한다.

4. 특수 학생의 요구에 주의를 기울인다. 학생이 과제를 완성하는 동안, 특수 학생의 요구 또는 문제에 응한다. 한 번에 한 학생에게 주의를 기울인다. 그렇지 않으면 통제할 수 없게 될 것이다.

5. 학생들 사이를 돌아다닌다. 이것이 학급 운영에 도움이 되고, 학생이 책, 볼펜, 과제와 같은 것을 준비해 오도록 하게 한다.

6. 공책, 숙제 또는 다른 쓰기 과제물을 점검한다. 시간이 허락된다면, 학생이 공책, 숙제, 교과서를 지참하고 있는지 확인한다.

7. 과제를 복습한다. 과제의 특정한 부분을 토론하거나 다시 가르치는 과외의 시간을 갖는다.

8. 수업을 요약한다. 수업을 진행하는 것을 배운다. 수업이 끝났다는 말을 할 때까지 학생은 교실 과제를 계속한다는 것을 학생들에게 주지시킨다.

소모둠 수업

학생을 소모둠으로 나누는 것은 학생에게는 학습에 더 적극적으로 참여하도록 하는 기회를 제공하는 것이고 교사에게는 학생의 학습진도를 더 잘 감독하도록 하는 기회를 제공한다. 성공적인 소모둠 활동을 위한 최적의 수는 5명에서 8명이다. 5명보다 적을 때, 특별히 모둠 토의에서, 학생들은 모둠으로서 상호작용하기보다는 오히려 둘씩 짝을 지어버리는 경향이 있다.[30]

소모둠 활동은 학생들에게 협동과 사회적 기술을 강화시킬 수 있다. 적절한 모둠 경험은 민주적 가치의 발전, 문화적 다원론, 사람들 사이의 차이에 대한 인정을 강화시킨다. 소모둠 수업은 흥미로운 도전을 제공할 수 있고, 학생이 자신의 속도에 맞게 진행하도록 할 수 있고, 자료를 숙달함으로써 심리적으로 안정된 상

소모임 수업은 교수-학습 과정에 있어서 중요한 역할을 한다.

태를 제공할 수 있고, 학생들이 수업활동에 기여하도록 격려할 수 있다.

학급을 소모둠으로 나누는 것은 교사가 질문, 토의, 실습장 연습문제 점검, 특정한 모둠을 위한 퀴즈를 통해 과제를 감독하고 진척 정도를 평가하도록 돕는다. 소모둠은 또한 교사가 특정 학생에게 알맞은 수준의 새로운 기술을 소개하는 기회를 제공한다. 각 모둠에게 할당된 학생의 수는 종종 진척 정도에 의해 결정되기 때문에, 모둠 크기는 다양하다. 만약 어떤 학생의 진척 정도가 할당된 모둠의 진척보다 빠르거나 또는 느리면 학생은 모둠에서 모둠으로 이동할 것이다. 사실상, 교사는 모둠 편성을 통해 이질적으로 구성된 학급을 몇 개의 동질적인 하위모둠으로 재구성하게 된다.

소모둠은 전형적으로 초등학교 읽기와 수학에서 사용되었다. 교사는 학급을 학생의 수, 능력, 교사가 다룰 수 있는 모둠의 수에 따라 2개 내지 3개의 모둠으로 나눈다. 교사는 늘 한번에 한 개의 모둠과 활동하고, 그동안 다른 학생들은 자습이나 혼자 할 수 있는 과제를 한다.

소모둠의 사용은 초등학교 읽기와 수학에서의 전형적인 모둠에서 모든 학년과 과목으로 확대될 수 있다. 소모둠을 구성해야 하는 몇 가지 다른 이유는 다음과 같다.

1) 특정한 주제나 활동에 대한 특별한 흥미 또는 기능
2) 특정한 과목(읽기 또는 수학)이나 내용(다른 과제와 연습)을 위해 학급 내에서 모둠을 편성하거나 재편성하는 능력, 그래서 학급에서 이질성으로 인한 문제 감소
3) 인종적, 윤리적, 종교적, 성별 관계를 강화하기 위한 통합

모둠이 어떤 토대를 바탕으로 편성되었는지와는 상관없이, 소모둠에 주어지는 과제는 학생의 능력과 흥미의 범위 안에서 충분히 구체적이어야 하고, 따라서 각 모둠은 교사의 도움 없이 스스로 과제를 해낼 수 있어야 한다. 이렇게 하면 교사가 집중을 위해 한 모둠을

선택하거나 설명, 질문, 재질문, 격려를 통해 학생을 돕는 것이 가능하다.

능력별 편성

이질성을 다루는 가장 일반적인 방법은 학생을 능력에 따라 수업과 프로그램에 할당하는 것이다. 고등학교에서 학생은 진학 준비, 직업 또는 기술, 교양 프로그램으로 나누어진다. 많은 중학교와 고등학교 초기에 학생은 때때로 능력에 따라 학급에 할당되거나 **능력별 편성**되고, 교사가 이동하고, 학생은 그 학급에 있게 된다. 일부 경우에, 대개 초등학교에서 학생은 재능, 장애, 2개 국어와 같은 특별한 특성을 기초로 학급에 할당된다. 초등학교는 여러 형태의 능력별 편성을 한다. 게다가 중등학교에서는 학생을 이질적인 학급으로 할당하고 그리고 나서 읽기와 수학과 같은 선택된 영역의 능력에 따라 동질적으로 재구성하는 형태가 사용된다.

수준별 학급 편성(학생의 서로 다른 능력에 따라 학급을 나누는)에 대한 일반적인 비판에도 불구하고, 많은 교사들은 동질 모둠을 가르치는 것이 쉽다는 이유로 이 아이디어를 지지한다. 게다가, 높은 성취를 보이는 학생의 부모는 대개 수준별 학급 편성이 자기 아이들의 흥미에 기초한 것으로 인식한다. 현실도 또한 중요하다. 학생이 중학교에 올 때쯤이면 성취도에서 상위 1/3과 하위1/3 학생의 성취와 동기 격차는 극도로 커져 있고, 교사는 이러한 학생의 능력의 범위를 수용할 수 없다. 그러므로 학교 문화 기준은 수준별로 학급을 편성하지 않는 것에 반대하게 된다.[31] 게다가, 신보수주의 교육 개혁 비평가는 수준별로 학급을 편성하지 않는 것은 결국 "평균적인 학생에게 가르치는 것"이라고 믿기 때문에 이것의 정체를 폭로하고 있다.

능력에 따라 학생을 나누는 것에 대한 초기 비판은 이것이 낮은 능력을 가진 학생에게 낮은 기대, 낮은 자아 존중, 적은 수업 시간, 적은 숙제, 적은 학습을 하게 한다는 것이며, 가장 나쁜 것은 낮은 성취자를 더욱 악화시키고 낙인을 찍는다는 것이다.[32] 이러한 실제에서

의 부정적인 결과는 수학 교실에서 소수 민족과 여학생에게 불균형하게 영향을 미친다. 학교와 사회에서 다양하게 다루어져야 하는 민주적 기준과 요구, 능력은 다양한 측면이 있고 타고나는 것이 아니라 개발될 수 있다는 견해를 가정하면, 능력의 차이는 교실에서의 부채라기보다는 오히려 자산이 된다.[33]

연구자는, 교육과정과 수업이 학생의 능력에 맞게 짜여지고, 모둠을 끌어가는 학급 과제나 숙제는 추가적인 노력이 요구되기 때문에 능력이 높은 학생에게 수준별 학급 편성이 도움이 된다고 한다. 학문적 정신을 억제하는 경쟁적인 가치들은 더 적고, 관리 문제에 더 적은 시간이 부여된다.[34]

그러나 이러한 주장은 민주적 사고-즉, 높은 성취 학생과 낮은 성취 학생 사이에 존재하는 (성과를 포함하는) 불평등과 차이를 감소하도록 운영하는 것-에 반하는 경향이 있다. 능력별 편성을 비판하는 사람들은 높은 성취자의 이득이 수업이 덜 참여적인 모둠에 종종 편성되는 낮은 성취자의 자아 존중과 성취에 있어서의 결핍을 보상할 만큼은 되지 못한다고 한다. 그러나 낮은 성취 모둠이 겪고 있는 일이 그들이 덜 반응적이기 때문인지, 운영 문제인지, 또는 비판에서 제안되었듯이 수업이 정말로 열등하기 때문인지 명확하지 않다.

이 논쟁에 관한 60년 동안의 연구를 고찰한 후에, Slavin은 수준별 학급 편성에서 모든 학생(높은 성취와 낮은 성취)의 성취 이득은 서로 상쇄되거나 "거의 제로가 된다"고 주장했다.[35] 다시 말해, 능력별 편성은 학교(또는 특정 학급일지라도)에서의 모든 성취에 거의 도움이 되지 않으며, 종종 불평등(높은 성취의 학생에게는 더 좋은, 낮은 성취의 학생에게는 더 나쁜)에 기여한다. 게다가, 연구에 의하면 수준별로 편성되지 않은 학급, 즉 다양한 능력을 가진 학생으로 편성된 학급에서의 수업은 낮은 수준의 학급에서의 수업보다 높은 성취와 중간 수준의 학급에서의 수업과 더 비슷하다.[36] 유사하게, 높은 수준의 수학 수업에 편성된 평균 수준의 학생은 평균 수준의 학급에 편성된 동료들의 점수보다 유의미하게 더 높은 수학 점수를 받았고 성취도

검사에서 더 높은 점수를 받았는데, 그것은 아마 교사가 그들에게 더 높은 기대를 했고 내용이 더 심화되었기 때문일 것이다.[37]

교사와 행정가가 수준별 학급 편성에 대해 무엇을 해야 하는지 정확하게 제안하는 증거에 대하여 연구자들 간에 합의는 없다. 그러나 일부 정책적인 시사점은 생겨나고 있다. Good과 Brophy는 예를 들어 수준별 학급 편성은 최소화되어야 하고, 가능한 한 미루어야 하고, 사용할 때는 교육과정보다는 오히려 능력과 성취에 의해서 편성하는 것으로 제한해야 한다고 제안했다.[38]

반면에, **학급내 능력별 편성**은 거의 모든 학생에게 효과적인 것으로 주장되어 왔다. 모둠이 유동적이고 발전적일 때 특별히 효과적이다. 이질적인 학급에서 동질적으로 재편성된 학생은 그렇지 않은 경우보다 더 많이 학습한다. 이것은 읽기와 수학에서 특별히 잘 나타나며, 학급내 편성은 공통적인 것이기 때문에, 물론 낮은 성취의 학생을 위한 것이기도 하다.[39]

연구자료에 의하면 학급내 모둠의 수는 많기보다는 교사가 관리와 피드백을 많이 할 수 있고 자습 시간과 전이 시간을 줄일 수 있는 (2~3개 정도의) 적어야 한다고 제안한다.[40] 예를 들어, 세 수준 모둠의 경우에 학생은 직접적인 장학 없이 대략 3분의 2의 시간은 자습하는데 보낸다; 그러나 네 수준 모둠의 경우에 학생은 과제에 대한 교사의 감독 없이 수업시간의 4분의 3의 시간을 자습하는데 보내게 된다.

학급내 능력별 편성이 이루어지면 학생은 서로 다른 속도와 자료로 진행하게 된다. 과제와 숙제는 수준별 학급 편성의 경우보다 더 융통적인 경향이 있다. 교사는 또한 학생을 평균에 가까이 가도록 하기 위해서 학급내 낮은 성취 모둠의 수업 속도와 시간을 증가하려고 애쓰는 경향이 있다.[41] 학급별 편성보다는 학급내 편성에서의 낮은 성취 모둠이 덜 치욕적인데, 왜냐하면 학급내 모둠은 하루의 일부분이고 나머지 시간에는 학급이 통합되기 때문이다. 재편성 계획은 학급별 편성보다 더 융통적이어야 하는데, 이것은 모둠간의 학생 이동이 학급별 편성보다는 학급내 편성에

교사들을 위한 조언 8.2

학급 모둠 편성 실제

교사와 학교는 고성취 학생과 특수 학생의 요구를 무시하지 않으면서 모둠 구성의 대안적 방법을 제공할 수 있다. 다음은 고려할 만한 권장 사항이다.

1. *능력별 편성을 연기한다:* 가능한 능력별 편성을 늦추고, 중학교 수준에서는 선택 교과에서만 능력별로 편성한다. 초등학생은 학급 내에서 읽기와 수학 능력 정도로 능력별 모둠을 구성한다.

2. *제한적으로 능력별 모둠 편성한다:* 고등학교에서 능력별 편성은 기능 영역에서의 차이가 일제식 수업에서 치명적이고, 선수요건이 각 학습 단계에 영향을 미치는 일부 교과에 제한한다.

3. *배치 절차를 수정한다:* 석차, 평균이나 표준화 시험 점수와 같은 단일 준거를 사용하는 것은 능력별 편성을 오도하게 된다. 대신 최근 성적과 매 교과의 시험결과를 활용한다.

4. *모둠 구성을 융통성 있게 한다:* 목표를 달성하면 모둠을 해체하여 새로운 과제에 맞는 새로운 모둠을 편성한다.

5. *또래 지도에 도움을 제공한다:* 학습 문제를 가진 학생을 낮은 능력 모둠으로 배정하기 전에 (방과 후나 수업 전에) 또래 지도나 코칭 시간에 참여하도록 독려한다.

6. *모둠 구성원이 다른 학교 경험으로 확대 하지 않도록 제한한다:* (읽기나 수학) 모둠 구성원이 한 주제나 활동에 대한 학습시간 동안만 모둠에 속하도록 한다.

7. *다른 대안을 활용한다:* 다양한 학급 특성을 고려하여 학생들이 교과 단원을 다른 비율로 마칠 수 있도록 완전학습, 지속적 진보, 개별 학습, 비담임 교사와 같은 다른 유용한 방법을 고려한다.

출처: Adapted from Jomills H. Braddock and James P. McPartland. "Alternatives to Tracking." *Educational Leadership* (April 1990):76-79. Jeannies Oakes and Martin Lipton. "Detracking Schools: Early Lessons from the Field." *Phi Delta Kappan* (February 1992):448-454. Thomas L. Good and Jere E. Brophy. *Looking in Classrooms*, 8th ed. New York: Addison Wesley Longman, 2000, pp. 281-282.

서 덜 혼란스러운 까닭이다. 마지막으로, 재편성은 자주(그러나 매일 또는 매주가 아닌) 평가되는 성취 수준에 기초했을 때 가장 도움이 되며, 그렇게 되면 학생은 학기 중에 그리고 교사가 학생의 능력과 요구의 수준과 속도에 수업을 맞추게 되면 재편성될 수 있다. 교사들을 위한 조언 8.2에는 교사가 현장에서 능력별 편성을 할 때 고려해야 할 실제적인 지침이 제시되어 있다.

두 연구자가 학급내 능력별 편성에 대한 두 가지 접근을 설명하고 있다. 구조적 편성은 교사가 모둠을 구성하고 그리고 나서 수업을 진행할 때 일어난다. 이 모둠은 다양한 방법으로 구성될 수 있으나, 수업 전에 구성되어야 하고 교육과정 영역에 의해서 편성될 때 적절하다. 상황적 편성은 선호되는 접근인데, 교사가 수업 후에 모둠을 구성할 때 이루어진다. 교사는 누구의 요구가 검토되거나 강화되어야 하는지 살펴보고 그리고 나서 즉각적인 요구에 기초하여 모둠으로 학생을 배치시켜야 한다.[42] 무엇보다도, 연구자들은 동질적 모둠 편성이 전체적이 아니라 부분적으로 이루어져야 한다는데 동의한다-즉, 영구적인 모둠으로 학생을 분리하는 것은 적절하지 않다.

또래 지도

또래 지도는 학생이 다양한 상황에서 일대일이나 소모둠으로 다른 학생을 돕도록 지정하는 것이다. 짝을 편성하는 방법에는 1) 같은 학급 내에서 또래지도, 2) 상급생이 하급생 지도, 3) 두 학생이 동일한 학습 활동을 서로 도와주기 등 세 가지 방법이 있다. 1), 2) 유형의 취지는 두세 명의 또래 학생과 한 명의 지도 학생으로 구성될 수 있지만 도움이 필요한 학생에 대한 일대일 지도를 원칙으로 한다. 3) 유형은 또래 지도 이상이며 또래 짝 활동이나 협동학습이라고도 한다.

세 유형 중 같은 학급 내에서의 또래 지도 편성이 초등학교와 중학교에서 가장 일반적이다. 특정 자료를 통달하거나 수업시간에 제시된 자료를 완전히 이해한 학생이 도움이 필요한 학생과 짝이 된다. 학생들은 또래에게서 덜 위협을 받기 때문에 교사가 자신을 "바보"라고 여길까 걱정하는 질문을 교사보다 또래에게 질문하려 한다는 연구 결과가 있다. Jeanne Ormrod는 또래 교수 상황의 학생들을 대상으로 한 연구에서 전체 수업 시간 중에 한 질문보다 또래 교수 상황에서 240배나 많은 질문을 한다고 밝혔다.[43] 더욱이 학생들은 또래 지도 상황에서 개념이나 문제를 두세 번 설명한 후 이해하지 못했을 때, 또래 학생이 자신을 비난하는 것에 관해 덜 걱정한다.[44] 또래 학생은 다른 학생이 잘 이해할 수 있는 언어로 보다 잘 설명한다. 낯선 단어를 거의 쓰지 않고 가끔 은어를 사용하여 어려운 개념을 이해하도록 한다. 또한 빠른 학습자는 그 개념을 직전에 배웠기 때문에 느린 학습자에게 어려운 것이 무엇인지 교사보다 더 잘 파악한다. 또래 교사는 또래 지도 관계에서 개념이나 문제를 설명함으로써 자신의 이해를 깊이하고, 사회 기술을 증진시키는 장점이 있다.[45] 교사는 학습문제가 심각한 학생에게 쓸 시간적 여유를 갖게 되는 이점이 있다.

David와 Roger Johnson은 또래 지도의 장점을 다음과 같이 설명한다:

1. 또래 지도는 성인에게 잘 반응하지 않는 학생을 가르치는데 효과적이다.
2. 또래 지도는 또래 교사와 또래 학생의 우정을 돈독하게 하는데, 이것은 느린 학습자를 모둠에 통합하는데 있어서 중요하다.
3. 교사는 또래 지도로 다수 학생을 지도하면서도 느린 학습자에게 주의를 기울일 수 있다.
4. 또래 교사는 성인 사회에서 유용한 일반적 교수 기능을 배운다는 장점이 있다.[46]

또래 교사가 또래 학생을 돕는 방법에는 설명식 도움과 시험식 도움이 있다. 설명식 도움은 어떻게 하는지 상세하게 단계에 따라 설명해 주는 것이다. 시험식 도움은 어떻게 문제를 해결하고 답을 찾는지에 대한 설명 없이 정확한 답을 제공하거나 오답을 정정해 주는 것이다. 설명식 도움과 시험식 도움에 대한 다수 연구에서 학습 자료 설명은 도움이 되지만 시험식 도움은 별 효과가 없다고 밝히고 있다.[47] 또래 교사는 학습 자료를 설명하면서 새로운 관계를 알게 되고 자료를 보다 잘 이해하게 된다. 시험식은 개념 재구성과 관계가 거의 없다.

설명식 도움 받기는 학업성취와 상관이 있는데, 이는 놀라운 사실이 아니다. 시험식 도움을 받은 학생이나 어떤 도움도 받지 못한 학생은 설명식 도움을 받은 학생보다 낮은 학업 성취를 보인다.[48] 설명식 도움을 받는 것의 장점은 자료에 대한 불완전한 이해를 완전하게 하고, 오개념을 바로 잡아주는 데 있다. 또한 학습 동기와 노력을 증진시킨다. 시험식 도움을 받거나 도움을 받지 못한 학생은 좌절하고 학습 흥미를 잃게 된다.

(각각 8개와 15개의 학급을 연구한) 두 개의 별개 연구에 따르면 또래 교사가 1) 정교화된 정보를 갖고 있을 때, 2) 과제 특성에 직접 집중할 때, 3) 절차적 도움을 제공할 때, 4) 정보 이용 방법을 보여줄 때 가장 효과

적으로 또래 지도가 이루어진다. 그러나 문제는 대다수의 또래 교사가 훈련 받지 않는 한 설명을 알맞게 하지 못한다는 것이다.[49] 적절한 또래 교사 훈련과 경험으로, 정규수업 시간에 비해 학습 활기 지표의 하나인 학생 질문이 또래 지도 기간 동안 급격히 증가한다.

수업 시간 전체를 통틀어 학생 질문은 드물고, 정교하지 않다. 학생 질문 횟수는 시간당 1.3에서 4.0의 범위를 보이고 평균 횟수는 3회이다. 평균 학생수 26.7명의 교실을 대상으로 질문 빈도를 연구한 결과, 학생 1인은 시간당 0.11번 질문한다(3번 질문÷26.7명). 한편 교사는 시간당 30에서 120번 질문하고 평균 69번 질문하는데, 수학교사는 질문을 많이 하는 경향이 있다. 그러므로 정규 수업시간에 교사가 질문의 96%를 하는 것이 된다.[50]

세련되지 않은 학생 질문과 낮은 빈도의 학생 질문은 학생이 자신의 지식 결손을 식별하지 못하는 것(모르는 때를 알거나 피상적인 것에서 필수적인 정보를 구별하는 능력의 부족), 자아 존중감 상실, 또래 앞에서 질문하는데 있어서의 사회적 어려움 등에 기인할 수도 있다. 일대일 지도 상황은 이런 어려움을 대부분 제거한다. 잘 훈련되거나 경험 많은 또래 교사는 특정

결손에 맞추어 설명이나 질문을 할 수 있다. 또래 앞에서의 난처함은 사적인 시간으로 인해 최소화된다.

Benjamin Bloom은 또래지도(1:1 학생 대 학생 비율이 이상적이며 3:1이 이하가 적당)가 전통적 수업(학생 대 교사 비율이 30:1)보다 모둠을 구성하는 가장 효과적인 방법이며, 나아가 (자신이 개발한) 완전학습을 30명의 학생에게 적용할 때보다 효과적이라고 주장했다. Bloom에 의하면 3주간 전통적 수업을 받은 학생의 20%만 도달했던 학업성취에 있어서의 향상된 수준에 또래 지도를 받은 학생의 90%와 완전학습을 한 70%가 도달하였다.[51] 그림 8.6은 전통적 수업, 완전학습, 또래 지도를 통한 학업성취를 비교한 것이다.

또래 교사와 또래 학생 모두에게 가장 효과적인 또래 지도 프로그램은 1) 교사가 세운 절차적 규칙, 2) 기본 기술과 내용에 초점을 둔 지도, 3) 일대일이 가장 이상적이나 또래 교사 1명당 3명 이하의 또래 학생, 4) 4~8주간 짧은 또래지도 공부 시간 등의 특징을 보인다.[52] 이런 특징을 보이는 또래지도 프로그램이 정규 교실 수업에 결합될 때, "또래 지도를 받은 학생은 다른 학습 방법보다 또래 지도에서 훨씬 많이 배울 뿐만 아니라 학습에 대해 보다 긍정적인 태도를 형성한다."

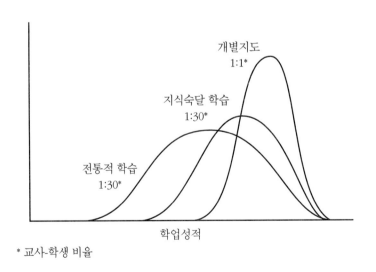

┃그림 8.6┃ 전통적 학습, 지식숙달 학습, 개별학습에 따른 성취도 분포곡선

출처: Benjamin S. Bloom, "The 2 Sigma Problem: The Search for Methods of Group Instruction as Effective as One-to-One Tutoring," in *Educational Researcher* (June-July 1984), 5. Reprinted by permission of the publisher.

게다가 "또래 교사는 또래 교사 경험이 없는 학생보다 많이 학습한다."[53]

물론 단점도 일부 있다. 또래 지도는 망신당할까 두려워하기 때문에 (내가 도움이 안 된다면 어쩌나) 또래교사가 다른 학생을 진실로 도울 수 있다고 생각하지 않거나 자신이 너무 똑똑해서 다른 학생을 도울 수 없다고 생각한다면(왜 다른 학생을 도와주느라 내 귀한 시간을 낭비해야 하는가) 문제가 된다. 교사는 교차 연령 또래 지도(4학년이 2학년 지도)나 사려 깊게 협동 학습 모둠을 구성하여 이런 문제를 해결할 수 있다.

또래 지도 지침

또래 지도는 능력별 모둠 구성처럼 적절히 활용된다면 효과적일 수 있지만 상당한 시간이 걸리고 제대로 시작하려면 노력이 필요하다. 다음은 효과적 또래 지도를 위한 제안이다:

1. 매 또래 교사에게 일정과 정확히 무엇을 해야 하는지(가령, 문장을 모둠에게 읽어주고 적어도 두 명의 학생이 형용사와 명사를 식별하게 한다) 알려준다.
2. 또래 교사가 교사를 대신하듯 행동하지 못하게 한다. 가능하다면 교차 연령 또래 지도를 하는 것도 좋다.
3. 또래 교사 각각의 역할을 학생이 잘 이해하도록 한다. 교사는 적절한 또래 교사 행동의 모범이 되어야 하고 무엇을 어떻게 얻을 수 있는지 예를 제공해야 한다.
4. 또래 지도 구성을 계획하여 또래 교사가 자료, 매체, 활동(예컨대, 한 주는 익힘책의 연습문제를 풀어 복습하고 다음 주는 도서관 자료를 조사하고, 그 다음 주에 이야기를 토론하고 글을 쓴다)을 골고루 섞어 할 수 있도록 이해시킨다.
5. 학부모에게 또래 지도 프로그램 편성, 목적, 절차를 알린다.

협동학습

협동학습은 1990년대 많은 관심을 받았던 수업방법이다. 협동학습에서는 학생들이 인정 또는 평점을 위해 일제식 모둠 상황에서 경쟁하는 대신에 소모둠 내에서 함께 작업하게 된다. 1970년대 이전까지 미국의 학교에서는 거의 사용되지 않았던 이 아이디어는 시민 및 사회적 책임을 학습하기 위해 학생들이 함께 작업할 것을 추천하고 있는 "민주주의와 교육"에서 John Dewey의 이론뿐만 아니라 그의 모둠 활동 및 모둠 연구과제 개념에 뿌리를 두고 있다. Dewey는 상호관계적인 학교 경험의 공유와 참여를 통해 민주주의적 삶을 준비해야 한다고 주장하였다. 1960년대 일본의 교육자가 팀워크와 모둠의 노력을 다시 소개하기는 하였지만, 협동학습은 1970, 80년대에 Robert Slavin과 Johnson 형제(David and Roger)에 의해 미국에서 대중화되었다.

전통적인 학습구조에서 학생들은 교사에게 인정받고, 좋은 성적을 위해 경쟁한다. 그리고 같은 학생이 해가 바뀜에 따라 "승자"와 "패자"가 되는 경향이 있다. 성취 수준이 높은 학생은 지속적으로 보상을 받고 학습에 대한 동기가 유발되며, 성취 수준이 낮은 학생들은 지속적으로 실패(또는 실패와 유사한)와 좌절을 경험하고, 결과적으로 많은 학생들이 심리적, 물리적으로 학교에서 탈락하게 된다. 학생들 사이의 경쟁을 줄이고 협력을 증진시키는 것은 적개심, 편견, 실패의 유형을 감소시키는 것일 수 있다.

이것은 교실과 학교에서 경쟁의 여지가 없다는 것을 의미하지 않는다. 협력을 주장하는 사람들도 정상적인 조건에서 그리고 공정하게 배치된 개인 또는 모둠에서 동기유발, 흥분, 흥미, 수행 증진의 원천(예를 들어, 간단한 반복연습 활동, 속도 과제, 고민이 적은 게임, 정신운동, 운동경기 등)이 될 수 있는 경쟁심을 느낀다. 모둠 간의 경쟁은 모둠의 목표와 개인의 책임이라는 두 가지 요소만 있다면 모든 학년 수준과 교과에서 학업 성취도를 증진시키기 위한 수단으로 받아들여진다. 그러나 모둠의 등급화는 보상이 외재적이기

교사들을 위한 조언 8.3

협동학습을 위한 유의미한 방법

19 70년대에 시작된 협동학습의 세부적인 응용에 대한 연구는 이제 전세계의 다른 지역으로 확장되었으며, 다양한 방법과 기법이 관련되어 있다. 여기 제시되는 것은 적절한 협동학습 단원을 조직할 때 교사가 고려해야 할 실제적인 질문들이다.

1. 어떤 협동학습 모형을 사용하는가? 왜 그 모형을 사용하는가?

2. 모둠을 어떻게 구성하는가? 능력, 민족, 성별을 고려하는가?

3. 모둠은 어떤 목표, 방향, 시간표를 부여받는가?

4. 학생들이 모둠으로 수행하고, 차이를 존중하고, 서로 상호작용하고, 서로 다른 민족, 종교, 사회경제적 모둠에 속하는 동료를 받아들이도록 어떻게 동기를 유발하는가?

5. 모둠이 어떻게 기능하는지에 관해 무엇을 관찰하는가? 학생 모둠이 추론, 가정, 예측과 같은 다양한 기능을 사용하는가? 또는 틀에 박힌 절차에 의존하는가? 학생들은 개념과 기능을 이해하도록 서로 돕는가?

6. 협동학습을 하는 동안 모둠이 어떤 과제를 수행하도록 기대하는가? 학생들의 역할은 명백한가?

7. 개인과 모둠의 평가(학문적, 사회적인)는 어떻게 이루어지는가? 학생들은 시험, 개인 작업, 또는 특정 활동을 통해 개인적 학습에 대한 책임을 부여받는가? 모둠의 작업과 모둠 각 구성원의 성취가 모둠의 책임이 되는가?

8. 필요할 경우(문제가 발생했을 때) 모둠의 진척 정도를 주시하거나 개입하는가? 단지 답변만 제시하는가? 또는 문제를 해결 작업을 지원하는가?

9. 학습이 얼마나 진행되었는지 그리고 문제가 어떻게 해결될 수 있는지에 대한 피드백을 제공하는가? 필요할 경우 문제나 내용을 명백히 하거나, 정교화거나, 다시 가르쳐 주는가?

때문에 개인의 동기를 저하시키고, 성취 수준을 낮춘다는 것을 보여주는 (소수 관점의) 자료도 있다.[54] 또한 높은 수준의 학생들은 모둠 활동이 시간의 낭비라고 느끼고 성취 수준이 낮거나 흥미유발이 되지 않은 학생들에게 학습 내용을 설명하는 것에 분개하기도 한다.[55]

협동학습 관련 연구들을 검토한 것에 따르면, 참여자 간의 협력은 1) 긍정적이고 응집성 있는 정체성, 2) 자기 존중감, 3) 다른 사람에 대한 이해와 믿음, 4) 의사소통 기능, 5) 타인의 수용과 지원, 6) 모둠간의 건전한 관계, 7) 대립의 감소 등을 조성하는 데 도움이 된다. 이 연구들은 또 협력과 모둠학습은 사회적 및 개인 관계 기능을 증진시키는 데 경쟁이나 개인적 노력보다 더 효과적이라고 한다.[56] 협동학습이 사용될 때 성취 효과가 전통적인 방법들에 비해 지속적으로 긍정적이라는 점이 무엇보다도 중요하다. 이와 같은 결론은 모든 학년(2-12)과 모든 교과(대부분의 연구가 3-9학년 대상의 읽기와 수학을 다루고 있다)에 대한, 그리고 다양한 지역 여건에서 행해진 44개 통제 실험 중 37개에서 지지되었다[57](교사들을 위한 조언 8.3 참조).

협동학습에서 학생들은 그들 스스로 일을 나누고, 서로 도우며(특히 뒤처진 구성원들을), 서로의 노력과 기여를 칭찬하고 비판하며, 모둠 성취 점수를 받아들인다. 교사가 함께 작업하라고 단지 말하는 것으로는 충분하지 않다. 학습자들은 팀으로서의 이유와 관계성을 가져야 한다. 이 아이디어는 "각 개인의 행동이 모둠에 이익을 주고, 모둠 행동이 개인에게 이익을 준다는 식으로" 일종의 상호의존성을 형성하는 것이다.[58] 교사는 학습목표, 학생 역할, 그리고 기대를 명확히 하고 모둠 내 및 모둠 간의 자원을 분배하고, 팀 정신을 증진시킬 과제와 보상을 제공할 필요가 있다. 그리고 개인적 성취에 대해 어떤 종류의 보상과 인정이든지 제시해야 한다는 것이 가장 중요하다.

형식적 협동학습 전략은 몇몇 기본적인 학습 원리에 초점을 맞춘다. 학생간의 긍정적 상호의존성, 모둠적 정보처리, 사회적 기능의 적절한 사용, 개인적, 모둠 책무성 등이 여기에 해당한다. 형식적 모둠에서 개인적 성공과 팀의 성공은 쉽게 연계된다. 어떤 비평가들은 (모둠간 경쟁의 결과로서) 형식적 구조에 의한 손해로 인식되는 것을 명백하게 표명한다고 하더라도, Robert Slavin 등은 형식적 구조가 학생의 학습을 상당히 증진시킬 수 있다는 것을 보여준다.

형식적 협동학습에서 학생들은 아래의 것들을 공유한다.

- 모든 구성원의 학습을 최대화하는 목표
- 학습 목표에 대한 개인 및 모둠의 책무성
- 협력으로 성취될 수 있는 세부적인 학업 목표
- 개인간 및 소모둠 기능의 학습과 사용에 대한 기회와 의무
- 학습과 동료 상호작용을 성찰할 기회와 의무[59]

형식적 모둠은 몇 가지 다른 유형을 취할 수 있다. 어떤 방법은 복잡한 특정 과제를 완성하기 위해 며칠 동안 함께 작업할 수 있도록 설계된다. 아래는 Marzano, Pickering, Pollock의 형식적 모둠에 대한 사례이다.

Randall은 고등학교 경제학 과목의 매매와 소비자 단원을 시작하면서 32명의 학생들에게 4명씩 8개의 모둠을 구성하도록 하였다. 모둠 구성원들은 각각 기록, 요약, 기술적 조언, 연구자로서의 역할을 부여받았다. 각 모둠은 그녀가 제공한 세부 지침을 사용하여 상품을 생산하는 과제를 부여받는다. 학생들은 나흘간 상품을 결정하고, 설계하고, 거래를 위해 공동으로 작업할 것이다. 그들은 다른 팀에게 상품 판매를 시도할 것이다. Randall은 사회적 기능, 문제해결 전략, 모둠의 절차 등에 대해 개인 및 모둠을 체계적으로 주시하게 된다. 종종 특정 기능에 대해 자가 측정을 하도록 요구한다. 학생들은 최종 산출물 발표에서 모둠 전체로서의 성취뿐 아니라 개인적인 기여도 보여주어야 한다.[60]

또다른 형식적 협동학습으로는 특정한 팀학습을 모형으로 구조화된 것이 있다. 팀 학습 접근의 사례로 Student Teams-Achievement Division(STAD), Teams-Games-Tournament(TGT), Jigsaw가 있다.

Student Teams-Achievement Division(STAD): 서로 다른 능력을 지닌 4명으로 팀을 구성한다. 교사는 모든 모둠에게 한두 차시 동안 수업을 실시하고, 숙달을 위해 학급을 팀으로 나눈다. 내용을 터득한 학생들은 숙달 속도가 늦은 팀 동료를 도와준다. 모둠 내에서의 반복연습이 강조되고, 학생들은 토론과 질문에 참여할 수 있다. 학습 퀴즈가 자주 주어지고 학생들의 점수는 모둠 내에서 확실하게 협력과 협조할 수 있도록 팀 점수로 평균을 낸다. 퀴즈는 진척의 측면에서 기록되기 때문에 수행 수준이 낮은 모둠은 인정받고, 증진할 기회를 갖는다. 팀의 보상은 성취 정도에 따라 "미" "우" "수"로 주어진다. 학생들이 다른 학생들과 작업할 기회를 주고 점수가 낮은 팀에게 새로운 기회를 주기 위해 매 5주 또는 6주마다 팀이 바뀐다.[61]

Teams-Games-Tournament(TGT): STAD와 마찬 가지로 TGT도 Robert Slavin이 개발하였다. TGT 에서는 퀴즈 대신 3명의 팀원으로 구성된 주간 "tournament table"을 실시한다. 여기서 각 구성 원은 개개의 팀 성적에 기여한다. 공평한 점수를 위해서 낮은 수준의 성취자는 다른 낮은 성취자와 경쟁하고, 높은 수준의 성취자는 다른 높은 성취 자와 경쟁한다. 그래서 낮은 성취자의 영향은 높 은 성취자의 영향과 동일한 효력을 갖는다. STAD 와 마찬가지로 성취 점수가 높은 팀이 인증서나 보상을 받는다. 팀은 공평하도록 개인적 성취에 근거해서 매주 바뀐다.[62]

Jigsaw: 원래 중학교(7-12학년)를 위해 개발되었 다. Jigsaw는 학생들이 특정한 학습과제, 과제, 연 구과제에 대해 소모둠(4-5명) 내에서 학습하도록 한다. 그들은 자원, 정보, 학습과제에 대해 서로 의존한다. 각 팀 구성원은 한 가지 영역에서 "전문 가"가 되고 다른 팀의 같은 영역 전문가와 만나고,

원래 팀으로 돌아와서 다른 구성원들을 가르친 다.[63] 팀 학습을 위한 시간을 가진 후 학생들은 평 가를 받는다. 그리고 각 학생들의 개인적 수행과 팀 수행에 근거하여 다시 한번 평가를 받고 나서 "미" "우" "수" 팀으로서의 보상이 주어진다.

Jigsaw 수업 사례는 사례 연구 8.1 : 협동학습에 제 시되어 있다. 사례연구에 제시되어 있는 것이 여기서 언급한 Jigsaw에 해당하는지 주의하여 읽어보고 판단 해 보기 바란다. 얼마나 유사한가? 다른가? 또한 이 사 례 연구에 교사의 행동 및 실천과 관계된 Pathwise 준 거가 나타나 있는지 주의 깊게 살펴보자. 준거의 참조 는 교수에 대해 폭넓게 사고할 수 있도록 도와줄 것이 다. 영역 A가 계획과 준비, 영역 B가 교실환경, 영역 C 가 수업, 영역 D가 교사의 전문성이라는 것을 기억하 기 바란다.

비형식적 협동학습은 교사가 질문하고, 학생들 간 에 또는 교사와 함께 응답에 대해 토론하도록 할 때, 교 사가 이야기 또는 강의 내용을 읽어주고 질문할 때, 교

사례 연구 8.1　　협동학습

Heather McDonald는 5학년을 가르친다. 이 학급 은 물의 순환, 지구상의 물의 양, 그리고 지구상의 민물의 제한된 총량에 대해서 학습하고 있다. (A) 그녀는 어떤 유형의 오염물질이 담수 공급에 침투 할 수 있는지 그리고 이 오염물질이 야생 생물을 어떻게 파괴할 수 있는지 학생들이 이해하기를 원 하다. (A) 그녀는 이틀에 걸친 단원을 계획하였다.

　수업 첫날의 목적은 오염의 네 가지 주요 범주 인 화학적, 열에 의한, 유기적인, 생태학적인 개념, 그리고 침전물, 산성비, 유기적 폐기물 등과 같이 각 범주에 따라 분류되는 오염물질의 유형에 대해 서 학습하는 것이다. 그들은 총 10개의 오염물질에 초점을 맞출 것이다. (A) 그녀는 단원의 교수를 보 완하기 위해 Jigsaw 협력 모둠 배역을 사용한다.

(B) 지난 두 주일 동안 학생들은 Student Teams-Achievement Division(STAD)로 알려진 각기 다른 능력을 지닌 4명으로 구성된 모둠 활동을 했다. McDonald는 각 STAD 구성원에게 1부터 4까지의 번호를 부여하였다. 그녀는 그들의 번호에 따라 새 로운 Jigsaw 모둠을 구성하고, 새로운 모둠의 각 구성원들은 특정 오염의 범주와 각 범주의 영향으 로 발생하는 오염물질의 유형에 대한 전문가가 될 것이라고 알려준다. (B; C) 학생들은 정보를 탐구 하기 위해 자료를 사용하여 20분간 함께 작업한 뒤, 원래의 STAD 모둠으로 돌아간다. 모둠의 각 전문가들은 자신이 담당한 범주와 오염물질에 대 해서 가르친다. McDonald는 각 모둠을 옮겨 다니 면서 설명을 듣는다. (C) 모든 구성원들의 그들의

전문적 지식을 공유한 후에 McDonald는 이 정보가 내일 수업에 쓰일 것이라고 말한다. 그녀는 내일 각 모둠이 각기 다른 가상의 강물 표본을 받게 될 것이고, 오늘 학습한 정보를 토대로 표본 속의 오염물질을 분석하게 될 것이라고 간략하게 설명한다. (A; C)

그날 늦게 수업을 계획하는 시간에 McDonald는 다음 날의 수업을 위한 자료를 만들고 조직하였다. 그녀는 단원 계획을 보완하기 위한 참고서적으로 Aquatic: Project WILD by the Western Association of Fish and Wildlife Agencies and the Western Regional Environmental Education Council을 사용하였다. 그녀는 또 다른 색상의 공작용 색판지를 1인치의 정사각형 조각으로 오린다. 각 색상은 특정 오염을 표현한다. 그녀는 이 조각들을 섞은 다음 강을 의미하는 4개의 분리된 통속에 넣는다. (A) McDonald는 각 모둠이 프로젝트를 성공적으로 완수하기 위한 자료가 충분한지 확인한다. (B)

다음 날 오후 1시에 학생들이 교실에 들어오고, McDonald가 문 앞에서 인사한다. (B) 학생들은 자기 모둠끼리 모여 앉는다. (B) McDonald는 어제 배운 정보가 오늘 적용될 것이라고 다시 말해준다. 그녀는 각 모둠이 연구 팀이라고 설명한다. 각 팀은 다른 강으로부터 민물 표본을 수집할 것이다. 어떤 강이 야생동물에게 가장 치명적인 오염물질을 포함하고 있는지 결정하고, 그 오염물질이 어떻게 나타났는지 추론하고, 물속에서 이 오염물질의 총량을 어떻게 감소시킬지에 대한 아이디어를 생각해 내는 것이 모둠의 목적이다. (C; C)

그녀는 칠판 앞에 가서 그녀에게 오염의 네 가지 범주를 제시하고, 그것을 간략하게 정의해볼 것을 요청한다. 학생들은 성공적으로 답변한다. 그리고 나서 그녀는 각 범주에 대한 오염물질의 사례에 대한 설명을 요청하고, 학생들이 10 가지 오염물질에 대해서 말하는 것을 각각 다른 분필로 칠판에 적는다. 학생들은 신속하게 답변하며, 그녀는 각

분야의 모든 전문가들을 칭찬한다. (B) 그녀는 오염물질이 특정한 색상의 분필로 쓰여졌다는 것과 이 색상은 상수도 오염물질의 색상과 대응한다는 것을 지적한다.

그녀는 활동 절차를 설명한다. 각 모둠은 물 표본을 구하여 색상에 따라 내용물을 배열하고, 오염물질의 색상에 따라 각 색상 모둠에 표지를 붙이고, 각 오염물질의 수준을 보여주는 막대 그래프를 그린다. 그녀는 각각의 물 표본이 서로 다른 강으로부터 수집되었기 때문에 서로 다를 것이라는 것을 상기시킨다.

McDonald는 각 연구 팀의 각각의 구성원들이 서로 다른 역할을 할 것이라고 알려준다. (B) 그녀는 각 모둠 구성원들에게 1부터 4까지의 숫자를 부여한다. 모둠내의 직업을 시작하기 전에 McDonald는 말할 기회를 부여하고, 부여된 일을 정확하게 수행하는 것과 같은 모둠 작업 규칙을 각 구성원들이 살펴보도록 한다. (B) 그녀는 또 모둠 작업을 얼마나 잘 했는지, 각 개인의 역할을 얼마나 잘 수행했는지 그리고 오염물질과 오염물질의 분석에 대한 그래프 그리기에 대해서 모둠으로 평가를 받게 될 것이라는 것을 알려준다. (A) 그녀는 혹시 어떤 질문이 있는지 물어본다. 아마도 2주간의 모둠 활동으로 서로의 학습 습관과 협력 모둠 규칙에 익숙하기 때문에 질문이 없을 것이다.

그녀는 각 모둠의 1번 연구자에게 어느 한 강으로 가서 물 표본을 채취하도록 한다. 각 연구자는 통으로부터 색상 조각을 1/4컵 퍼내서 샌드위치 봉지에 던져 넣는다.

각 모둠의 2번 연구자에게 색상에 따라 조각을 배열하고 칠판에 적힌 정보에 따라 오염물질의 이름을 표시하도록 한다.

McDonald은 그래프 종이와 풀을 각 모둠에 나눠준다. (B) 그녀는 3번 연구자에게 각 오염물질의 수를 세도록 요청하고, 4번 연구자에게 오염물질에 대한 간단한 막대그래프를 그리게 한다.

각 단계를 진행하는 동안 McDonald는 학생들

이 서로 학문적으로 과제를 잘 수행하는지 살펴보기 위해 실제적인 활동뿐 아니라 언어적 대화도 관찰한다. (C) 한 학생이 과제에 대해서 질문한다. 그녀는 먼저 모둠의 구성원들이 답을 알고 있는지 확인해 보라고 알려준다. 모둠 구성원들은 무엇을 해야 하는지 보여준다. 그녀는 풀로 붙이는 일을 동료에게 넘기려는 한 여학생을 주목하고, 상대방이 그 일은 자신의 일이 아니라 그 여학생 일이라고 말하는 것을 엿듣는다. 그 여학생은 마지못해 풀칠을 한다. 전체적으로 그녀는 학생들이 능동적으로 참여하고 각 학생들이 수업에 따라 각자의 역할을 잘 수행한다고 기록한다. (D)

막대그래프가 완성되면, McDonald는 각 팀에게 그래프를 살펴보고, 자신들이 발견한 것이 무엇인지 토론하게 한다. 그녀는 두 조각 이상의 오염물질은 야생동물에게 위험한 오염으로 간주된다는 것을 상기시킨다. 그녀는 학생들에게 이 오염물질에 초점을 맞추고, 이 특정한 오염물질이 왜 이 강에서 발견되었는지, 그리고 무엇이 그 양을 감소시킬 수 있는지 추론해보도록 한다. (C) 그녀는 또한 어떤 오염물질이 야생동물에게 가장 위험한지 판단해보도록 한다. 그녀는 각 구성원들이 전적으로 참여하도록 기대되고, 이 정보를 학급의 다른 학생들과 공유할 수 있도록 준비해야 한다는 것을 설명한다. 그녀는 2번 연구자가 기록을 담당하도록 안내한다. 이 질문들에 대해서 15분간 토론한다. McDonald는 각 팀의 1번 연구자에게 해당 팀에서 발견한 것을 학급 전체에 보고하도록 한다. 학급은 이 문제들과 가능한 해결 방안, 활동을 통해서 학습한 것, 환경에 발생되는 여러 오염물질을 감소시키기 위해 생활 속에서 할 수 있는 것들에 대해 토론한다.(C)

McDonald는 학생들에게 서로 모둠 활동을 얼마나 잘 했는지, 기대에 비해 잘 되지 않은 것, 성과를 향상시키기 위해 모둠이 다음에는 무엇을 할 수 있는지에 대해서 2-3분간 생각해 보도록 한다.

그녀는 돌아다니며 각 모둠의 얘기를 듣고, 필요하다면 그녀의 의견을 제시한다. (C)

오후 1시 50분에 수업이 끝난다. (C) McDonald는 수업을 성찰한다. 그녀는 수업이 진행되는 동안 각 모둠을 돌아다니고, 토론을 듣고, 각 모둠의 작업을 관찰하였기 때문에 학습 목적이 달성되었는지 안다. 학생들의 추론과 강물 표본의 평가에 초점을 맞추면, 학생들이 담수 보존의 중요성과 오염물질이 어떻게 야생동물에게 위협적일 수 있는지 이해하고 있다는 것을 느낀다. (D) 그녀의 다음 수업은 소금물과 담수의 혼합을 포함하는 물의 근원과 이 환경에서 살아가는 생물의 종류에 초점을 맞출 것이다.(A)

◾◾ 성 찰 문 제

1. McDonald가 이 수업에서 한 것과 Jigsaw 전략을 위해 명료화된 단계를 비교해 보아라. Jigsaw 접근과 얼마나 일치하는가?

2. 모둠 구성원 일부가 결석하면 McDonald는 어떻게 할 것인가? 협동학습 활동을 하는 동안 학생의 불참을 어떻게 다룰 것인가?

3. 긍정적 상호의존성은 협동학습의 중요한 부분이다. 이 수업의 어디에서 그 증거를 찾을 수 있는가?

4. McDonald가 학습을 위해 학생들의 모둠을 다르게 구성하는 것을 어떻게 생각하는가?

5. 어떤 방식에서 McDonald의 접근이 효과적이라고 또는 비효과적이라고 생각하는가?

6. 이 사례 연구에서 강조된 영역을 살펴보아라. 한 영역(즉, A 또는 B)에 대해서, 어떤 수행 표시를 교사가 잘 수행하는지, 또는 잘못 수행하는지 측정하기 위해 살펴볼 수 있는가?

출처 : Case Study written by Melissa Mikesell, classroom teacher in West Carrollton, Ohio.

사가 아이디어의 요약과 종합을 촉진하기 위해 질문할 때 발생한다. 여러 가지 형태의 비공식적 협동학습이 사용될 수 있다. 일반적으로 비공식적 접근은 직접교수법과 같은 다른 수업전략과 명백하게 연계된다. 직접교수법과 같은 다른 수업전략과 결부하여 비공식적인 모둠 편성에 대한 아래의 유형은 한 교육자에 의해 개발되었다.

1. 교사가 다음에 제시될 이야기, 비디오, 시연 또는 강의에 대한 일련의 예측 또는 선행조직자가 될 질문을 하고, 학생들은 토론한다.

2. 교사가 이야기를 읽고, 비디오를 보여주거나 강의를 전달하면서, 몇 분 단위로 멈추고, 교사가 준비한 질문 또는 문제에 대해 토론하도록 한다. 질문과 문제는 사실적 또는 개념적이다. 방금 제시된 자료에 초점을 맞추거나 설명의 새로운 부분과 연결짓도록 학생들을 도와준다. 학생들은 토론한다.

3. 교사는 학생들의 자료 요약과 종합을 도와주는 질문을 하고 단원을 마무리한다. 학생들은 토론한다.[64]

표 8.1 선택된 구조의 개요

구조	개요	기능: 학문적 & 사회적
팀 구성		
순환순서	각각의 학생은 순서에 따라 자신의 팀 동료와 주요사항을 공유한다.	개념이나 의견 표현, 이야기 창작, 동등한 참여, 팀 동료와 교제한다.
반 구성		
진영	교사에 의해서 각각의 학생은 결정된 선택사항이 있는 교실의 한 구석으로 이동한다. 학생들은 구석에서 토론을 하고, 다시 모두 모여서 다른 구석에서 벌어진 토론 내용을 경청하고 그들의 개념을 쉽게 재구성한다.	대안적인 가설, 가치, 문제해결을 위한 접근을 확인하며, 관점에 있어서 상이한 측면을 인지하고 고려하며, 반 친구와 만난다.
숙련		
머리 맞대기	교사는 질문을 하며, 모든 학생은 그 질문의 정답을 확실하게 알 수 있도록 조언을 구하며, 그런 다음 한 학생이 정답을 말하도록 한다.	복습하기, 지식을 검토하기, 이해하기, 가르치기
색 구분 협동 카드	학생은 잠깐 보여주는 카드놀이를 통해서 사실을 기억한다. 이 놀이는 구조화 되어 있기 때문에 단기기억에서 장기기억으로 전환시켜 각 단계에서 성공 가능성을 극대화한다. 점수는 향상된 것을 바탕으로 한다.	사실 기억하기, 도와주기, 칭찬하기
짝꿍 점검	학생들은 4개의 모둠 안에서 짝꿍과 함께 활동한다. 짝꿍과는 서로 교대로 활동을 한다—한 명이 문제를 푸는 동안 다른 한 명은 지도를 한다. 두 문제를 풀고 나서 다른 짝꿍모임들과 정답이 동일한지를 확인한다.	기능 익히기, 도와주기, 칭찬하기

출처: Paul J. Vermette. 협동학습 활동 구성. Upper Saddle River, N.J.: Prentice Hall, 1998, p. 23

다음은 비형식적 협동학습 전략에 대한 두 가지 사례이다. 표 8.1은 다른 접근 방식의 사례를 보여준다. 순환순서(Round-Robin)와 같은 방법들은 학생들이 다른 학생들을 이해하는 데 도움을 준다. 머리 맞대기는 내용 자료의 숙달을 도와준다.

머리 맞대기

1. 교사가 각 모둠원에게 1, 2, 3, 4와 같이 번호를 부여한다.(모둠은 3명에서 5명 정도로 구성될 수 있다).
2. 교사가 질문을 한다.
3. 교사는 모든 팀원들이 정답을 이해할 수 있도록 만들기 위해서 "머리를 맞대고 함께 고민해라"하고 학생들에게 말을 한다(모든 학생들은 그 문제와 관련 있는 자료에 대해서 논의하고, 대답해야 한다).
4. 교사가 번호(1, 2, 3, 4)를 부르면 그 번호에 해당하는 각 모둠의 학생들은 손을 들고 대답할 수 있다.[65]

짝꿍과 생각 나누기

1. 교사는 주제나 개념을 학생들에게 제공해 준다.
2. 그러면 학생들은 그 주제의 의미에 대해서 독립적으로 생각해 본다-교사는 학생들이 독립적인 사고를 할 수 있도록 3초에서 5초 정도의 시간적 여유를 주어야만 한다.
3. 학생들은 다른 학생들과 짝을 지어 주제에 대해서 논의하고, 자신의 개별적인 생각과 다른 학생들의 생각을 공유한다(이것은 무작위로 이루어질 수 있다).
4. 그런 다음에, 자신의 생각을 학급 전체 학생들과 공유한다―교사는 학생들이 공유한 것을 생각해 볼 수 있도록 공유 활동 직후에 3초에서 5초 정도는 기다릴 수 있어야 한다.[66]

Marzano와 그의 동료들은 교실에서 관찰될 수 있는 비형식적인 학습 활동에 대해서 기술했다. 아래의 예시를 읽으면서, 예전에 언급했던 형식적 구조와 비교해 보기 바란다. 교사가 아무런 노력 없이 "잘 정돈된" 팀을 만들고 짝꿍끼리 어떻게 자신의 역할을 서로 평가할 수 있도록 했는지에 주목 하기를 바란다.

Anderson은 자신의 5학년 학생들에게 노예제도에 관한 원문 자료를 큰 소리로 읽어주는 것을 좋아한다. 10분 정도 읽고 난 후에, 3-4분 정도 짝꿍과 함께 작성할 토론 과제를 제시해 준다. 그 과제는 상세한 질문에 학생들이 응답하도록 되어 있다. 각각의 학생들이 응답을 생각한 다음에 자신의 짝꿍과 그것에 대해 토론을 하게 한 후, Anderson은 다시 큰 소리로 원문 자료를 읽기 시작한다. 10분 후에, Anderson은 읽는 것을 중단하고, 짝꿍과 함께 하는 두 번째 토론 과제를 부과한다. 때때로, 그는 토론에 대해서 간단히 요약한 것을 공유하도록 하기 위하여 2-3쌍에게 질문을 한다. 수업시간 마지막 부분에, Anderson은 읽은 내용과 토론을 통해서 알게 된 것을 간략하게 써서 제출하도록 한다.[67]

협동학습을 위한 지침

David Johnson과 Roger Johnson은 협동적 접근에 대한 여러 가지 전략을 개발하였다:

1. 목표를 결정한 후, 적절한 형식적 또는 비형식적인 협동학습 접근을 결정한다.
2. 협동적인 목표를 촉진하도록 교실을 배치한다.
3. 의도나 기대에 대한 의견을 교환한다. 학생들은 현재 실행하고자 하는 것을 이해할 필요가 있다.
4. 할 일을 적절하게 배분하도록 조장한다. 학생들은 자신의 역할과 책임을 이해해야 한다.
5. 학생들이 개념, 자료, 그리고 지략을 공유할 수 있도록 조장한다. 학생들은 교사가 아닌, 서로에게 주의를 기울여야 한다.
6. 도움이 되는 행동은 조장하고, 거절당하거나 적대적인 행동에 주목한다. 침묵, 조롱, 개인적인 비판, 상대보다 한 발 앞서기, 그리고 개념에 대한 피상

모둠활동 분석을 위한 구조화된 교사 관찰 서식

아래 모형을 사용해서 상호작용의 유형을 분석한다

	John	Tom	Amanda	Lucette
다른 모둠원에게 질문하기	XX	X	X	
다른 모둠원이 말한 것을 필기하기		XX	X	
다른 모둠원의 생각을 명확하게 하도록 도와주기		XX	XXX	X
다른 모둠원의 진술을 바꾸어 말하기		XXXX		
다른 모둠원들을 격려하기	X	XX	X	XXX

┃그림 8.7┃

적인 수용 등과 같은 행동은 논의 되도록 한다.

7. 모둠을 주시한다. 모둠 내에 있는 개인 및 전체로서 모둠의 진척 정도를 확인한다. 문제점에 대해서는 설명 및 토론, 조언, 그리고 적절한 칭찬을 해준다.

8. 개인 및 모둠을 평가한다. 평가시에는 모둠 및 모둠의 진척 상태에 초점을 맞춘다. 모둠의 노력 및 성취에 대한 맥락적인 측면에서 개인을 평가한다. 즉각적인 피드백을 제공한다.

9. 과제를 성공적으로 달성한 모둠에게는 보상을 제공한다.[68]

협동학습에 관해 검토에서 Johnson은 협동학습을 할 때 각 수업에 포함해야 하는 다섯 가지 기본적인 요소를 제시하고 있다: 1) 적극적인 상호 의존-학생들은 모둠 안에서 자기 자신과 다른 구성원들의 학습을 위한 책임이 있음을 느껴야만 한다. 2) 면대면 상호작용—학생들은 자신이 학습하고 있는 것을 다른 구성원들에게 설명해 줄 수 있는 기회가 있어야만 한다. 3) 개인적인 책무—각 학생은 자신에게 할당된 과제에 대해서 숙달하고 있어야만 한다. 4) 사회적 기능-각 학생은 효과적인 상호작용, 모둠원에 대한 배려, 그리고 갈등상황은 서로 협력해서 해결해야만 한다. 5) 모둠 과정—모둠이 얼마나 협동해서 과제를 잘 처리했고 얼마나 향상할 수

있었는지를 알아보기 위해 분석해야 한다.[69] 그러한 분석은 다양한 형태로 이루어 질 수 있다. 교사는 모둠이 얼마나 역할을 잘 수행했는지에 대해 일화적으로 기록을 하거나 그림 8.7과 같은 행렬모형을 사용해서 보다 구조화된 관찰을 지속적으로 할 수 있다. 또한 교사는 학생들에게 자신의 모둠이 얼마나 역할을 잘 수행했는지를 물어볼 수도 있다(그림 8.8 참조).

모둠 활동

비록 모둠 학습과제로도 알려져 있는 모둠 활동이 학업 성취와 관련되어 있음을 보여주는 연구는 없지만, 적절한 환경 하에서 작은 모둠 교수는 학습의 주요한 원천으로 교사에게 의존하는 것에 비해 동일하게 또는 훨씬 더 효과적인 것으로 여겨진다. 또한 다양한 형태의 모둠 활동은 1) 교사에게는 다양한 학습자를 다룰 수 있는 기회를 제공해 주고, 2) 학생에게 특별한 학습과제를 계획하고 전개해 나갈 수 있는 기회를 제공해 주고, 3) 학생들 간의 상호작용과 사회화를 증가시키는 것으로 간주된다. 간단히 말하면, 학생은 인지적인 목적뿐만 아니라 사회적, 감성적인 목적도 달성하게 된다.

모둠 활동이 적절하게 계획, 수행된다면, 다음과 같은 다섯 가지 모둠 경향적인 특성을 교실 내에서 조장시킬 수 있을 것이다. 즉, 1) 모둠원 간의 협동할 수 있

이름: _____

오늘 여러분이 수행한 활동에서 여러분을 가장 잘 표현한 것을 3개만 체크해 주세요.

내일 여러분이 사용하고 싶은 행동 1개에 동그라미를 그리세요.

○ 나는 내 모둠과 보조를 맞추어서 활동하였다.

○ 나는 내 의견이 **시끄러운 소리**가 되지 않도록 하였다!

○ 나는 다른 모둠원에게 기분좋은 방법으로 과제에 집중하도록 일깨워 주었다.

○ 나는 자료 관리를 도왔고, 그것들이 확실히 "좋은 모습"으로 제자리에 다시 놓여질 수 있도록 하였다.

○ 나는 참가했다.

○ 나는 다른 모둠원에게 모둠 활동에 참가하라고 요청했다.

○ 나는 내 모둠이 계획을 세우는 것을 도와주었다.

○ 나는 내 모둠이 계획에 따라서 잘 하도록 도와주었다.

○ 나는 우리의 활동 결과를 요약하는 것을 도와주었다.

┃그림 8.8┃ 모둠 활동에 대한 자기 분석

출처: Lynda Baloche, 협동적인 교실. Upper Saddle River, NJ: Prentice Hall, 1998:182. Reprinted by permission of Pearson Education Inc., Upper Saddle River, NJ.

는 과제 구조, 2) 자신의 수준에 맞는 활동을 하면서 동시에 모둠의 목적에 관해서도 생각할 수 있는 기회, 3) 모둠원 간의 사회적 및 대인관계 기능 개발-학생은 다른 이들과 의사소통하는 것과 신뢰성 있는 관계를 맺는 법을 배운다, 4) 모둠의 성취수준에 기초한 보상 체계(좋은 행동을 북돋아주는), 5) 다양한 팀 구성 전략-학생은 함께 활동하는 것, 개별적인 특성을 올바로 인식하는 것, 그리고 개별적인 장점을 이용하는 것 등을 배우게 된다.

모둠 활동에 참여하는 것에 의해서, 학생들은 남을 도와주는 활동 및 경험을 공유하게 된다. 이론적으로 말하면, 학생은 동료에 대한 긍정적인 기대를 경험하게 되고, 서로 노력하는 행동을 통해, 사려성, 협동심, 그리고 책임감 등을 배우게 된다. 만약에 모둠의 역할과(이나) 규칙을 명확하게 규정하여 적절하게 모둠을 조직한다면, 긍정적 규율(실제로 자기 규율)이 교실 문화의 한 부분으로 점차 생겨나게 된다. 결국, 학생은 다른 사람의 요구, 의도, 그리고 느낌 등을 올바로 인식하고

보다 잘 이해할 수 있게 된다: 이러한 새로운 모둠학습에 대한 경험은 모두 중요하다, 왜냐하면, 교육 및 활동 환경은 프로그램, 단원, 그리고 부분 내에서 사람들이 함께 활동하는 것이 점점 더 많아지고 있기 때문이다.

연구자들에 따르면, 학생들이(어른들 뿐만 아니라) 모둠 프로젝트를 수행할 때에는 인간성이 아니라 구체적인 문제에 집중하고, 학생이 이해할 수 있는 피드백을 제시하고, 그리고 학생이 바꿀 수 있는 행동에 대해 피드백을 제시해야 한다.[70] 솔직한 의사소통이 이루어지려면 개인은 타인의 장점과 독특함을 식별하고, 타인의 의견에 주의를 기울이고, 지원적인 피드백을 주고받는 것을 배워야 한다. 이러한 것은 성숙, 이해, 그리고 존경이 요구된다. 효과적인 학생 모둠 활동은 그러한 특성들을 기르고 강화시킬 수 있다.

모둠 기법

모둠 활동을 하는 동안, 교사는 기술자나 감독자가 아

니라, 촉진자나 자료 공급원으로서의 역할을 수행하고, 지도자로서의 역할 대부분은 교사에게서 학생에게로 이동된다. 특정 소모둠 기법은 모둠의 연구 과제를 수행하는 데 있어서 학생을 도와 줄 수 있으며, 교사에 의해서 시작되었던 학습활동이 학생에 의해서 시작되도록 할 수 있다.

1. 브레인스토밍은 개방형 문제에 대해서 재치 있는 많은 아이디어나 해결책을 도출해 내기 위한 기법이다. 모둠원은 틀에 박힌 사고에서 벗어나, 자신의 사고를 확장하도록 조장된다. 모든 제안은 판단 없이 수용되며, 모둠원이 모든 아이디어를 쏟아놓은 다음에 가능성 있는 해결책에 집중하게 된다.

2. 버즈 모임은 모둠원이 "오류"로 판명되거나 인기 없는 입장을 지지하는 것으로 인해 받을 수 있는 두려움 없이 자신의 의견을 논의할 수 있도록 열린 환경을 제공해 준다. 또한 버즈 모임은 입장을 명확하게 하는 것을 도와주고, 잘못된 개념을 정정할 수 있도록 모둠 앞에 새로운 정보를 이끌어내는 기능을 한다.

3. 논쟁이나 패널토의는 몇몇 다른 소모둠 기법보다 형식적인 면에서 보다 구조화되어 있다. 논쟁에서는 쟁점이 되는 문제에 대한 두 가지 입장이 형식적으로 제시된다; 각 논쟁자에게는 자신의 입장을 설명하고, 모둠 반대편의 질문에 대답을 하며, 질문을 할 수 있는 시간이 주어진다. 패널토의는 문제에 대한 정보를 제시하거나, 가능하다면 모둠의 전체적인 합의에 도달하기 위해서 활용된다. 각 패널 참가자는 처음에 모두(冒頭) 진술을 할 수도 있지만, 패널 참가자 사이에는 논쟁이 이루어지지 않는다.

4. 역할놀이와 즉흥극은 자신의 역할과 감정에서 벗어나, 다른 사람의 입장에 서 보는 기법이다. 또한 역할놀이는 모둠 간의 태도와 가치를 탐색하기 위한 기법으로서의 역할도 한다.

5. 어항은 모둠원이 한 개인이 표현하기를 원하는 것에 완전히 주의 집중하도록 하는 기법이다. 전체 모둠은 원형으로 둘러앉는다. 원 중앙에 의자 두 개를 놓는다. 자신의 관점에 대해 표현하기를 원하는 모둠원은 의자에 앉아 있는 동안 그 관점을 표현해야 한다. 그 관점에 대해 토론하기를 원하는 다른 모둠원은 남은 의자에 앉고, 나머지 모둠원은 의자에 앉아 있는 두 명이 이야기를 하고 있는 동안 그것을 주의 깊게 듣는다. 토론에 참가하려면 이 의자가 비기를 기다려야만 한다.

6. 원탁회의는 조용하고, 비형식적인 모둠 기법이다. 보통 4명이나 5명이 탁자 둘레에 앉거나 청취자 앞에서 그들 간의 의견을 개진한다.

모둠 기법을 유연하고 상상력이 풍부하게 사용하면 교수적으로 중요한 이점이 있다. 그러한 기법은 학생들에게 자신의 인지적 학습뿐만 아니라 자신의 행위에 대해 통제할 수 있도록 해준다. 교사는 다른 모둠의 요구와 흥미를 충족시키기 위하여 그 기법을 다른 수업에 삽입할 수 있다. 교사는 활동을 보다 흥미 있고 활기차게 만들기 위해서 그 기법을 사용할 수 있다. 교사는 강의, 질문, 그리고 연습 및 훈련 방법을 보완할 수 있다.

모둠 활동 지침

학생은 흥미, 능력, 친숙, 혹은 개성에 따라 모둠 연구 과제를 배분 받을 수 있다. 교사는 소 모둠을 활용하기 위해, 학생과 목표를 모둠을 구성하기 전에 알고 있어야만 한다. 만약에 목표가 신속하게 작업을 마치는 것이라면, 교사는 각 모둠에 유능한 리더를 임명하고, 높은 성취수준을 지닌 학생에게 의존하여 활동을 이끌어 가고, 알고 있는 개성적 갈등은 피하며, 그리고 모둠 크기는 5명까지로 제한해야 한다. 만약에 목표가 인지적인 것이 아니라 구성원간의 관계에 관한 것이라면, 학생은 유사점보다 상이점에 따라 구성될 수 있고, 그리고 모둠은 보다 더 크게 조직될 수도 있다.

이러한 모둠 활동을 조직하려면 다음의 권고사항을 고려해 볼 필요가 있다. 비록 각 권고사항은 단지 여러분의 환경과 지도형태와 부합할 때 활용될 수 있겠지만, 권고사항의 각 내용은 근본적으로 순차적이다.

1. 특정 목표나 결과물을 신장시킬 수 있는 모둠 연구 과제를 결정한다.
2. 모둠 연구과제에 참여하기를 원하는 지원자를 받되, 최종적으로 모둠원을 결정하는 권한은 유보해둔다.
3. 모둠 활동의 각 단계에 대한 지침서(문서나 구두)를 면밀하게 검토해야 한다.
4. 참가자의 역할, 상호작용, 그리고 잠재적 문제점들을 설명한다. 사례를 제시하고, 상호작용의 본을 보인다.
5. 모둠이 적절한 감독하에 연구과제나 숙제의 일부분을 조직, 계획, 그리고 전개하도록 수업시간을 배정한다.
6. 모둠원이 설정된 일반적인 규칙 안에서 학급 전체에 대한 설명의 모습을 결정하도록 한다.
7. 어떤 한 개인에게 모둠의 활동이나 책임을 전적으로 부담시키지 않는다.
8. 학생들에 의해 완료된 모둠연구과제를 평가한다. 모둠원이 직면했거나 선택했던 전략에 대한 문제점 및 결정에 대해 논의한다.

학습 강화를 위한 개별화 수업

지금까지 학급 전체를 대상으로 하는 수업과 소모둠 수업의 다양한 형태에 대해 알아보았다. 이것들은 미국교실에서 사용되는 가장 일반적인 형태의 수업이다. 수업의 다른 유형으로는 개별화 수업이 있다. 여기에서는 이러한 접근법의 예를 살펴볼 것이다. 비록 이러한 수업 유형이 오늘날의 많은 학교에서 "순수한" 형태로 행해지는 것은 없지만 이것들을 이해하는 것은 중요하다. 1960~1980년대에 유행한 이 개별화 및 완전학습 구조는 오늘날 사용되는 많은 수업 모형의 중요한 선구자이다.

개별화 수업

개별화 수업을 위한 여러 가지 체계적인 프로그램은 1970년대와 1980년대에 등장했다. 비록 개별화 수업 접근법이 다소 다양하기는 하지만, 모든 프로그램은 1) 학생의 초반 학업성취 수준이나 학습 결점을 진단한다거나, 2) 학생과 교사나 기계가 1대1관계를 맺도록 한다거나, 3) 연습과 반복훈련이 자주 동반되는 순차적으로 조직된 수업 자료를 도입한다거나, 4) 학생이 자기 자신의 학습속도에 맞게 진도를 나갈 수 있도록 허용하는 것을 통해, 개별 학습을 최대화하려고 시도했다. 비록 그 접근법이 행동주의와 인지주의 심리학을 통합한 것이기는 하지만, 수업의 세부목적과 반복훈련 연습, 수업 소단원, 학습자의 성공을 최대화하는 순서화된 자료를 강조하기 때문에 행동주의적 요소가 더 많아 보인다. 본질적으로, 만약 학습자들이 성공을 보장하도록 "연출된" 수업을 경험한다면, 그들은 학습하고 동기부여가 된다고 여겨졌다.

개별 수업 초기 프로그램 중에 1950년대 후반과 1960년대 초반에 Pittsburgh대학에서 개발된 Project on Individually Prescribed Instruction(IPI)이 있었다. 모든 학생들에게 그들의 학업능력 수준을 진단한 결과에 기초하여 기능이나 과목에 대한 개별 계획이 마련되었다. 학습 과제는 개별화되었고, 학생들의 학업진행은 지속적으로 평가되었다. 가장 중요한 것은, 소단원이 순서적으로 제시되어서 학생은 한 수업 기간 내에 기능을 숙련되게 소화할 수 있었다는 점이다.[71]

Individually Guided Education(IGE)는 Wisconsin대학에서 개발한 전체 교육 시스템으로, 수천 개의 학교에 소개되었다. 각각의 학생이 무엇을 어떻게 학습하는지가 다양하게 계획되었다. 이 프로그램에는 개별 목표, 교사 또는 개인 지도교사 간의 1대1 관계, 진단평가, 자율 학습, 소모둠 수업, 대모둠 수업 등이 포함되어 있었다.[72]

Personalized System of Instruction(PSI)은 보다 더 행동주의적이고, 교사 중심적인 접근법으로 창시자의 이름을 따서 종종 *Keller plan*이라고 불리기도 한다. 이

전문적인 관점

수업의 심리학

Ernest R.Hilgard
Stanford 대학 심리 교육학과 명예 교수

지난 몇 년간 교실에 적용되었으면 하고 바랬던 학습 심리학을 강조하던 것이 수업 심리학으로 전환된 것은 희망적인 결과를 가져왔는데, 인지 심리학의 발달과 수업이 효과적인 환경에 대한 더 큰 인식에 의해 조장되었다. 수업이 교사가 설정한 목적에 도달하도록 설계된 완전학습간의 한 가지 차이는 지식이 다양한 환경에서 문제 해결을 위해 구조화되어 있는 것에서의 자기-통제적인 기능의 습득과 대조를 이루고 있다.

만약 교사가 그러한 전략간의 차이를 이해한다면, 학생을 학습자로 보고 상호작용하는 것을 향상하기 위한 단계로 나아갈 수 있다.

것은 처음에 고등학생과 대학생을 위해 개발되었다. PSI는 전체 과정이 세부 목표에 따라 작은 단원으로 나뉘어 있는 학습 지침을 활용하였다. 각 학습자는 할 수 있는 한 빨리, 또는 천천히 학습단원을 진행하고, 다음 단원을 나가기 전에 (80% 이상) 그 단원을 숙달하고, 학생감(다른 학생들을 도와주는 고성취학생) 역할을 하였다.[73]

IPI, IGE, PSI에 대한 일부 보고서는 학생 학업성취에 대해, 특히 구조적 학습 접근법을 선호하는 것으로 보였던 낮은 성취의 학생들에게 있어서 괄목할만한 이득이 있음을 보여주었다.[74] 세 가지 프로그램 중에서 IPI와 IGE가 가장 널리 사용되었고, 학생 시험 점수에서 가장 일관성 있게 증가를 보였다. 개별화 계획을 실행하는데 비용이 많이 들었고, 현재도 역시 많이 들기 때문에, 오늘날 대부분 학교는 "모둠" 수업 방법을 계속 사용하고 있다.[75]

IPI, IGE, PSI접근법들은 비록 이전에 유행했었지만, 오늘날에는 오직 극히 제한된 소수의 학교에서만 사용되고 있고, 이들에 대한 연구는 더 제한적이다. 2001년에 출판된 교육 실제에 대한 가장 종합적인 통합 연구인 *Handbook of Research on Teaching*의 가장 최근호에는 IPI 모형이 유일하게 언급되었다.

비록 이러한 개별화 접근법이 "공식적인" 전략으로 서는 유행이 지났지만, 오늘날 많은 학군에서 수업의 변형된 형태로 계속되고 있다. 사실, 아프리카계 미국인과 주류인 백인 학생간의 학업성취 차이를 좁히려고 노력하는 일부 학군을 살펴보면, 전형적으로 권리를 박탈당하고, 나쁜 학업수행을 보이는 학생들의 학습 잠재력을 최대화하기 위해 개별화 수업의 형태를 사용하고 있음을 볼 수 있다. 즉, 구체적인 학문적 성취기준을 확인하고, 필수 내용에 대한 학생의 선행 지식을 진단함으로써, 교사는 좀더 많은 학생들이 성공하도록 학습 경험을 조정한다(그림 8.9 참고). 학생이 아는 것과 모르는 것에 대한 자료를 분석한 후, 교사는 적절한 수업을 제공하고 학생이 이해했는지 여부를 확인하고, 학생들이 자신의 학습을 지속하는 방법을 결정한다.

그림 8.9에 있는 PDCA(Plan-Do-Check-Act) 수업 주기는 자료를 확보하여 구성요소로 분해함으로써 교사가 학생 학습에 대한 수업적 감각을 형성하는 방법으로 가르칠 수 있도록 하는 것으로 예측되고 있다. 첫 번째 열쇠는 학생이 학군에서 규정된 학습내용을 숙달하고 있는지를 교사가 결정하는 것이다. 이것은 사정을 신중하게 함으로써 이루어진다. 두 번째 열쇠는 모든 모둠이 학습내용을 같은 정도로 숙련할 것인지를 결정하는 일인데, 다양한 학생 모둠에 따라 자료를 구분해 보면 된다. 여학생들은 어떻게 성취를 하나? 남학

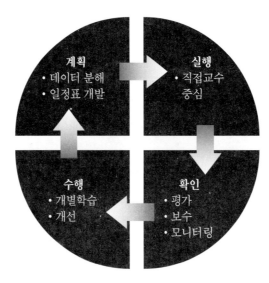

▎그림 8.9▎ PDCA 수업순환도

출처: Patricia Davenport and Gerald Anderson, Closing the Achievement Gap. Houston, Texas: American Productivity and Quality Center, 2002.

생들은? 아프리카계 미국인 학생들은? 이 모둠들 간에는 명백한 차이가 존재하는가?

일단 학습결손이 확인되면, 교사는 학습내용을 어떻게 다룰 것인지, 일제식 모둠, 소모둠, 또는 개별적으로 할 수 있는지에 대한 수업 결정을 내리게 된다. 10장과 11장에서 좀더 논의하겠지만, 사정은 훌륭한 개별화 수업의 중요한 열쇠이다. 만약 학생의 장차 성공하는데 필요한 중요하고 특별한 학문적 기능을 가르치려 한다면, 그 학생이 자신의 학습에게 어디쯤 와 있는지를 교사는 알아야 한다.

완전학습 수업

완전학습은 원래 John Carroll과 관련되어 있었으며, 나중에 James Block, Benjamin Bloom과 관련되었고, 특히 수업이 학생의 학습내용 습득을 보장하도록 하는 것에 초점을 두고 있다. 완전학습은 특히 학문적 수행을 향상시켜야 할 필요가 명확한 도시 학군의 후원자들의 지지를 받았다. 완전학습이 보통 전체(또는 대규모) 모둠 학습에 좀더 초점을 두고 있었기 때문에 완전학습을 진정으로 이해한 사람 중에 개별화 수업에서

이것을 포함하려는 사람은 드물었다. 이것은 일제식 모둠 개별화 모형이기 때문에 여기에 포함된 것이다. 교사는 대규모 모둠을 가르치지만 학습내용을 이해하지 못한 개별 학생들을 식별하려고 노력한다.

Carroll은, 만약 학생이 어떤 과목에 대한 능력이나 적성에 있어서 정규분포를 보이고, 그들의 개인적 특성에 맞춘 적절한 수업이 제공된다면, 대다수의 학생들은 그 과목에 대한 완전학습을 할 수 있고 학습은 극적으로 향상될 것이라고 주장한다. 그는 또한, 만약 학생이 과제를 배우는 데 충분한 시간을 보내지 않는다면, 완전학습을 할 수 없을 것이라고 한다. 그러나 학생마다 과제를 완수하는데 필요한 시간의 양은 다양하다. (주요 학습 장애가 없다고 추정되는) 거의 모든 학생들은 만약 충분한 시간이 주어진다면 평균적인 성과를 성취할 수 있다.[76] 완전학습은 개별 학생이 일제식 모둠 환경에서 배운 학습내용을 배우기 위해 필요한 시간을 확실히 갖도록 하려고 한다.

Carroll과 이후에 Robert Slavin은 (적성과 같은 학생 특성에 기반을 둔) 학습에 필요한 시간과 (교사의 통제하에 요소인) 학습에 유용한 시간을 구분한다. 높은 성취를 보이는 학생은 낮은 성취를 보이는 학생보

다 같은 자료를 배우는데 있어서 시간이 덜 필요하다. 모둠 수업은 크든지 또는 작든지 좀처럼 다양한 학습자의 특성을 조정하거나 학습에 필요한 시간을 고려하지 않는다. 교사는 완전학습으로 다양한 개별 학생 또는 모둠을 위해 수업 시간을 다양하게 하는 능력을 가져야 한다. 특히, 시간을 더 필요로 하는 낮은 성취의 학습자에게는 더욱 그렇다.[77]

Block과 Bloom은 공립 학교 학생의 90%는 교육과정의 많은 부분을 동일한 숙달 수준으로 학습할 수 있고, 이 90%의 학생들 중 20%는 빨리 배우는 20%의 학생보다 10~20%정도 더 많은 시간을 필요로 한다고 주장했다.[78] 비록 천천히 배우는 학생이 같은 재료를 배우는데 더 긴 시간을 요구하지만, 만약 그들의 초기 지식 수준이 정확히 진단되고, 그 수준에서 순차적인 방법으로 적절한 방법과 자료로 학습한다면 그들은 성공할 수 있다.

이 목표를 완수하려면, 학생이 학습 순서의 각 단계에서 성공에 필요한 기능을 소유하고 있는지를 결정하기 위해 절대평가(10장과 11장 참고)가 사용되어야 한다. 또한, 수업의 작은 단원들이 사용되어야 한다. 3학년 수학이나 7학년 사회와 같은 전체 교육과정은 너무 복잡해서 큰 단원으로 학습될 수 없다. 대신, 이것은 프로그램 수업의 원칙에 따라 더 작은 단위로 나뉘어져야 한다.

25개 이상의 연구를 훑어보면서, Block와 Burn은 완전학습을 한 61%의 학생들은 학업성취도 평가에서 완전학습을 하지 않은 학생보다 두드러지게 높은 점수를 보인다는 것을 발견했다.[79] 전체 학군의 연구 결과, 완전학습 접근법은 이후 학습의 기본이 되는 읽기, 수학과 같은 기본적인 기능을 가르치는 데 성공적이다. 게다가, 도시에 사는 학생들은 전통적인 모둠 수업보다 이 접근법으로 더 많은 이득을 얻는다.[80]

완전학습과 관련된 가장 호의적인 결과가 모든 중요한 질문에 해답을 제시한 것을 의미하지는 않는다. 완전학습 전략도 비평하는 사람이 있다. 가령, 일부 비평가는 읽기, 쓰기, 수학과 같은 기본 기능이 학생이 숙련할 수 있는 낱개의 과제로 쪼개진다면, 학생은 좀더 포괄적인 기능을 습득할 수 없을 것(읽거나 쓰거나 더 수준 높은 계산을 못한다)이라고 주장한다. 학생은 작은 기능 항목으로 이득을 얻을 수 있지만, 이것이 반드시 학습을 입증하는 것은 아니다.[81] 비평가들은 강력하면서 수사적인 질문을 던진다. 즉, 전체의 개념, 개념 및 문제 해결 기능의 중요성은 어떻게 되었는가? 라는 것이다. 명사와 동사의 차이를 알지만, 한 단락도 채 되지 않는 분량의 글을 쓸 수 없는 학생이 있다. 학생은 어휘를 암기할 수 있지만, 여전히 해당 학년의 독해(이해)를 하면서 읽지 못한다.

전통적으로, 교사는 시간을 고정된 것으로 보고, 개인적인 차이가 학업성취의 차이에 반영된다고 보았다. 학생 간의 학습 투자 시간을 다양하게 하는 완전학습 상황은 학생 간의 학습 시간을 다양하게 하는데, 다른 학생의 회생 하에 추가 시간을 필요로 하는 학생들에게 호의적으로 함으로써 학생 간의 학업성취 차이를 줄인다.[82] 높은 학업성취를 보이는 학생이 느린 학생이 내용을 파악할 때까지 기다리고, (교사는 낮은 성취를 보이는 학생에게 과도하게 많은 시간을 보내서 그들이 완전학습을 할 수 있도록 하기 때문에) 교사의 관심을 기다려야만 하는 상황에서, 높은 성취를 보이는 학생은 상대적으로 차별을 받는 셈이다. 결과적으로, 그들은 지루하게 되고, 학습 성과는 아마도 손해를 입을 것이다.

이러한 비판이 완전학습의 중요성이나 다른 직접 교수법을 무력화하지는 않는다.[83] 그러나 학습을 작은 단위로 쪼개어 항목을 순차적으로 배열하는 수업 접근법이 모든 학생 특히, 높은 성취를 보이는 학생, 재능이 있는 학생, 창의적인 학생에게 바람직한 결과를 가져오는지, 또 모든 학생이 기본적인 기능과 과제를 숙련하기 위해 그렇게 많은 연습을 필요로 하는지, 마지막으로 높은 성취를 보이는 학생을 위해 수업 시간을 다양하게 하는 것을 허용할 것인지 말 것인지에 대해서는 의문의 여지가 있다.

지난 20년 동안, 완전학습 접근법은 5,000개 이상의 학교에서 채택되었다. 연구에 의하면 광범위한 진단 절대평가(10장 참고)가 필요하고, 학생의 능력에 따라 각 학급별로 완전학습 기준을 다양하게 결정해야 한다. 교사는 다양한 단계에 있는 다양한 학생들을 위해 대안이 되는 숙제(치료적이거나 교정을 해주거나 심화적인 내용의 숙제)를 고안해야 하고, 학습의 변화를 측정하기 위해서 적어도 두 가지 유형의 검사도구를 개발해야 한다. 교사는 학생 학습의 개인적 차이를 극복해야 하고, 학습 내용의 적용 범위와 시간을 다양하게 해야 한다. 완전학습 수업을 성공적으로 하려면 이를 위해 기꺼이 열심히 일하는 수석 교사가 필요하다. 실제로, 어떤 수업 방법을 효과적으로 수행하기 위해서는 수석 교사가 필요하다. 그러나 만약 완전학습 모형을 주의 깊게 살펴본다면, 그것은 견고한 수업 이상의 어떤 것으로도 구성되어 있지 않다. 단순화된 형태의 완전학습 교수는 다음의 단계로 구성되어 있다.

1. 대규모 모둠이나 일제식 모둠 수업에 의존하여 소단원을 가르친다.
2. 학생의 진보를 평가하기 위해 책임을 묻지 않는 "형성" 퀴즈를 낸다.
3. 결과에 기반하여, 학급을 "숙련" 모둠과 "비숙련" 소모둠으로 나누어, 90%가 완전학습을 하도록 한다.
4. 숙련 모둠에게 모둠 연구과제, 자율학습 등의 "심화학습"을 시킨다.
5. 비숙련 모둠에게 "교정해 주는" 수업을 한다. 즉, 2~3명으로 구성된 소규모 학습 모둠을 만든다거나, 개별 교수를 해 준다거나, 대안적인 수업 자료를 제공한다거나, 수업 자료를 다시 읽는다거나, 연습과 반복 훈련 등을 한다.
6. 단원이나 주제에 대해 "총괄적"이거나 마지막 퀴즈를 낸다. "형성" 퀴즈에서 완전학습을 한 학생들은 이 퀴즈를 할 필요가 없다.[84]

개인화 수업

개별화 구조의 진보적인(학생중심) 변화는 모든 학생의 개인별 학습 환경에 더 주목하고, Rhode Island, Providence에 Met School 같은 학교에서 사용되고 있는 **개인화 수업**이다. Met School은 교과의 필요조건과 정의된 학문내용 성취기준이 아니라 학생을 보는 것으로 교육을 시작한다. (이 교과서의 많은 부분에서 교사가 그들의 주에서 제시된 학문 내용 성취기준의 이해에 의해 시작하며, 그 다음에 그 내용을 가르치는 방법에 관해 결정하는 것이 가정되고 있음을 주목한다.) 결과로, Littky와 Allen은 "각 Met 학생의 교육이 매일의 상호 작용, 집과 학교와 연수 사이의 규칙적인 접촉, 학습계획회의 그리고 더 많은 것들에 의해 유지되는 하나의 거대한 진행중인 대화"라고 주장한다.[85] Met School은 Carnegie 단원이 아니라, 학생의 관심이나 지적인 열정에 의해 지도된다. 본질적으로, 이것은 중등교육 수준에서 개별화(학생중심) 구조의 발전된 예다.

개인화를 하게 되면, 학생이 배울 필요가 있는 것을 학습한다는 것을 어떻게 보증하겠는가? Littky와 Allen은 정의된 최종 학습목표가 있기는 하지만, 교사의 정의된 교육 과정이 아니라 학생과 더불어 시작하는 것에 관련되어 있다고 한다. 그들은 다음과 같이 말한다.

학생의 교육과정이 개별화되어 있고, 의무과정이나 Carnegie Units을 따르지 않기 때문에 Met는 각 학습계획을 위한 중요한 방향을 제공하고 학생이 적절하게 대학, 경력과 시민권을 준비하고 있는지를 확인하는 필수 최종 학습목표에 대한 목록을 가지고 있다. 학생이 그들의 흥미를 추구할 자유를 주목할 만큼 누리더라도, 학교 차원의 최종 학습목표를 숙달하기 위해 그들의 흥미를 사용해야 한다.

Met 최종 학습목표는 모든 학생이 졸업하기 위해 보여야 하는 기능과 질적 수준이다. 사람이 배우고, 사고하는 방법에 대한 광범위한 연구에 기반한 최종목표는 어떤 고등학교 이후의 노력에 있어 성공하기 위해 필수적인 질적 수준과 능력이다.

- 경험적인 추리, 또는 "어떻게 그것을 증명하겠는가?"

"말 못하게 되는" 것에 관하여

Heartland University의 익명의 교수

나는 교수라는 평소 역할이 아니라 부모로서 이 글을 쓰고 있다.

2년 전 학기 초에 실시된 표준화 읽기 검사가 존의 운명을 정했었다. 그 결과는 그의 읽기 학년 등급이 이전 학년의 1년 상위 수준에서 1.2년 아래 수준으로 하락했다는 것이었다. 그는 4학년 교사 Mrs. Smith에 의해 "느린" 읽기 모둠으로 좌천되었고, 지시와 반복훈련 활동의 군국주의적인 규칙을 추종하는 읽기 특수 교사 Mrs. Jones가 주당 세 번씩 맡게 되었다.

단지 몇 달 전 여름에 Treasure Island, Robinson Crusoe, Swiss Family Robinson 및 Dr. Jekyll과 Mr. Hyde의 요약판(100-150쪽)을 재미로 읽던 그 소년은?지금 "Tony's Visit to the Zoo"에 대한 질문조차 대답할 수 없고 숙제도 할 수 없었다. 집으로 걸려온 읽기 교사와의 전화통화로 그가 "수업을 따라갈 수 없을 정도로 무능하고 이해가 부족"하다는 것을 확인했다.

손톱을 깨무는 새로운 버릇, 저녁 식사 자리에서의 반복되는 폭발, 그의 형제 및 자매와의 싸움, 그리고 그의 새로운 독서 모둠에 대한 잦은 비판과 "무언"(6주 동안 내내) 등은 나로 하여금 그의 교장 선생님, 그 학교의 모든 아이들의 이름을 알고, 그 사무실의 잡지대에 *Educational Leadership, Elementary Principal, Phi Delta Kappan, Reading Teacher* 최신호로 꽉 채워져 있는 유명한 Mr. Green 과의 약속을 재촉했다.

내가 집에서의 John의 행동들을 언급했을 때, 교장은 검사를 더 해보도록 제안했다. "아니오"라고 나는 대답했다. "당신이 어린이를 충분히 오랫동안 검사한다면, 학교는 그의 잘못을 더 많이 발견하고 그에 대해 더 많은 낙인을 붙이게 될 것입니다." 내가 내 아이의 여름 읽기습관을 자세히 언급했을 때, Mr. Green은 서투른 독자는 그들이 읽은 것을 이해하지 못한다고 결론지었던 최근의 연구를 지적했다. 다소 낙담이 된 나는 오로지 바보나 멍청이만이 매일 저녁 취침 전 한 시간 동안이나 책을 읽는 실수를 하고, 게다가 책을 읽고 난 후에도 다른 책을 읽기를 원할 것이라고 주장했다.

교장은 융통성이 있었지만 쉽게 양보하지 않았다. 그는 John의 나이(그가 그의 학급에서 가장 어린 학생임)를 언급하고, 그 때 Piaget의 성장 발달 단계를 개관했다. 나는 검사 신뢰도의 원리와 수업의 지루한 방법에 대한 언급으로 대응했다. 결국 타협은 이루어졌다. 아내와 나는 학교의 복지사와 만날 약속을 했고 그녀는 가정의 조건을 사정할 수 있었고, John은 재시험을 받게 되었다.

학교의 관료적인 번잡한 절차를 3주 더 거친 후에야 교장은 좋은 소식을 가지고 우리를 불렀다. 존의 재시험 점수는 그 학년보다 0.75년 상위 수준이었다. 그는 읽기 교사의 자존심을 보호하기 위해, 학기가 끝나는 1월에 프로그램을 바꾸도록 제안했다.

John은 지금 6학년인데 여전히 읽기숙제를 지루해하지만, 자신의 즐거움을 위해서 Dick Gregory, John Steinbeck, Jack London과 Pearl Buck을 읽고 있다. 내가 중재하지 않았다면, 내 아들에게 일어났을지도 모르는 일을 생각하면 슬퍼진다. 그러나 지식을 가지고 체제에 도전하는 부모는 차치하고서라도 숙제를 점검하거나 저녁식사 탁자에 같이 앉을 수 있는 아버지를 갖지 못한 모든 아이들은 오죽하겠는가? 검사자료와 읽기 낙인으로 무장한 Mrs. Smith와 Mrs. Jones는 9살 아이가 스스로 대처하거나 방어할 수 없고, 이겨낼 수도 없고, 도피할 수도 없는 상황에 가뒀다. 학교는 전문적인 특수용어를 가지고 낙인을 찍고, 모둠으로 구분하여, 총명한 아이로 하여금 배우는 것을 더 이상 원치 않도록, 배울 수 있다는 것을 더 이상 느끼지 못하도록 해왔다. 이 아이들의 표현 수단은 학급에서는 반항과 어리석음이며, 집에서는 분노였다. 단지 몇 주 안에, 교실의 능력 모둠은 선생님의 자성예언과 함께 연결되면서 아이의 과거 수행과 행동을 무색하게 했다.

내 아들은 모든 이점을 가졌다. 높은 SES, 두 사람의 교육받은 부모, 밝은 동료 모둠과 최고 등급

의 학교, 그러나 그는 이 새로운 낙인들에 대처하지 못했다. 사실, 이러한 이점을 가지지 못한 수백만 모든 학생들이 사회경제적 그리고 학교 연속선상에서 다른 쪽으로 우연히 분류되는 것에 대해 생각해보라. 그들의 시험 점수, 학교에서 그들의 "어리석음", 학교의 내부와 외부에 대한 분노를 생각해 보라. 교육자로서, 누가 책임이 있는가를 자문해보라. 그리고 Smith, Jones, Green이 했던 것과 상이하게 당신이 하려고 하는 것에 대해서도 자문해 보라.

- 상징적인/양적인 추리, 또는 "어떻게 그것을 측정하거나 표현하겠는가?"
- 의사소통 또는 "어떻게 정보를 취하고, 표현하는가?"
- 사회적인 추리 또는 "다른 사람은 이것에 대해 무엇을 말해야 하는가?"
- 개인적인 질, 또는 "이 과정에 무엇을 기여하는가?"

최종목표는 일반적이다. 즉, 다양한 방법으로 학습될 수 있고, 연습될 수 있고, 보여줄 수 있으며, 흥미가 있는 어떤 연구과제 또는 학습 경험을 통해 성취될 수가 있다. 최종 학습목표는 학생의 공부를 이끌 뿐만 아니라 Met 지역사회와 대중에게 우리가 학생의 학문 학습과 개인적인 개발을 우선시 하고 있음을 보여 준다.[86]

개인화 학습 개념이 갖고 있는 효력은 학생이 학습하는데 필요한 교사 또는 정의된 성취기준에 집중하는 것이 아니라 학생에게 집중하고 있다는 것이다. 학생이 30명이든지 또는 한 명이든지, 최종목표는 각각의 학생을 학습자로서 성공하게 하는 방법을 결정해야 하

는 것이기에 우리는 수업모둠 편성에 관한 이 장을 개별화 학습에 대한 논의로 마무리 짓고자 한다. 이러한 일이 일어나게 만드는 신비한 방법이 있는 것은 아니지만, 다음의 제안들은 출발점이 된다.

1. 학생 참여를 최대로 하는 방법은 어떤 것이며 어떻게 학습하는지를 찾는다.
2. 주 학문 내용 성취기준을 알고, 당신이 가르치는 소단원에 그것을 내재하는 방법을 찾는다.
3. 가르치는 것의 "전체"가 학생에게 분명할 수 있게끔 수업을 조직한다.
4. 학생의 성공을 극대화하는 학업 관계와 배열을 만드는 방법을 안다.

Met학교는 중등수준에서 개인화 방법을 개략적으로 보여주지만, Maryland, Vermont, Virginia의 학교에서는 정규교실에서 학생의 개인화 계획을 채택하고 있다. 개인화 계획은 학생이 숙달검사에 합격하는 것을 돕고, 그들의 학업을 더 잘 수행하기 위해 사용된다. 분명히 이러한 개인화는 시간이 걸리며, 교사는 개별 학생이 학습 접근법을 형성하는데 있어서 부모와 다른 학생들의 도움을 기대한다.

단원에 초반에 Cassell의 학생들은 고대 로마에 대해 폭넓게 공부하는 것의 일부로 단원의 전체에 걸쳐 수행될 두 개의 계열적인 과제에 대해 학급과 집 양쪽에서 공부를 시작한다. 두 과제 모두 수준별로 되어 있다.

첫 번째 과제에 대해서, 학생은 군인, 교사, 의사, 농부, 노예, 또는 농부의 부인과 같은 고대 로마의 특정 사람의 역할을 맡는다. 학생은 단지 자기 자신의 관심을 바탕으로 선택한다. 그들은 혼자서 그리고 같은 주제를 선택한 다른 사람들과 함께 같이 공부하고 고대 로마 당시의 삶을 이해하기 위해 인쇄물, 비디오, 컴퓨터와 인적 자원 등을 넓고 다양하게 사용한다.

궁극적으로, 학생은 그들의 급우가 두 번째 과제에서 자원으로 사용할 수 있는 일인칭의 자료 기록지를 작성하게 된다. 이 자료 기록지를 작성하려면 매일의 일정, 무엇을 먹고 입는지, 어디에서 사는지, 법에 의해 어떻게 처리되는지, 직면한 문제 또는 도전의 종류, 그 당시의 사건, 기타 등등에 관한 정확하고, 재미있고 상세한 정보를 제공하는 사람의 역할이 요구된다.

Cassell은 학급 전체 및 소모둠으로 원 자료의 활용 가능성과 적절한 사용을 평가하고, 효과적인 문장으로 진술하고, 여러 원 자료들을 일관성이 있는 전체로 혼합하는 것에 대해 알려준다. 학생들은 일인칭 자료 기록지를 작성하면서 이 기능들을 사용한다. 교사의 최종목표는 각각의 학생이 각각의 영역에서 그들의 기능 수준을 증가시키는 데 있다.

두 번째 과제는 학생에게 고대 로마에 비슷한 또래 아이들의 삶과 그들 자신의 삶을 비교하고, 대조하도록 하는 것이다. 이 과제는 학생의 관심을 토대로 한 첫 번째 과제와는 달리 학생 준비성을 바탕으로 주로 수준별로 이루어진다. 교사는 각 학생에게 과제에 대한 자신의 가족적인 맥락이 설정된 시나리오를 맡긴다. 예를 들면, "너는 Pax Romana로 널리 알려져 있는 시대의 후기에 살고 있는 의원의 장남이다." Cassell은 학생의 역사에 관한 연구와 사고에 있어서의 기능에 따라 시나리오의 복잡한 정도를 결정한다. 대부분의 학생은 그들의 첫 번째 과제에서와 달리 가족과 함께 공부한다. 그러나 과제들 사이에 연속성을 필요로 하는 학생은 그들의 첫 번째 조사에서 친숙해진 역할을 계속할 수도 있다.

모든 학생은 배경 정보를 모으기 위해 다른 원 자료들 뿐만 아니라 이전에 개발된 일인칭 자료 기록지를 사용한다. 그들은 상술된 공통적인 질문을 다루어야 한다. 먹는 것이 가족의 경제상태와 위치에 의해 어떻게 정해지는지? 교육의 수준은 어떠하고 그것은 사회에서의 신분에 의해 어떻게 영향받는지? 고대 로마 사람의 삶과 자신의 삶은 어떻게 상호 의존하는가? 로마는 자신이 사는 동안 어떻게 변화할까? 그 변화는 자신의 삶에 어떻게 영향을 미칠까? 모든 학생은 확실한 연구와 집필 기준을 충족해야 한다.

공통의 요소에도 불구하고, 과제는 다양한 방법으로 차별화 된다. 각각의 학생이 개인적인 관심에 따라 질문을 추가하기 때문에, 관심에 의해 상이하게 된다. 아이는 어떤 경기를 했는가? 그 때 과학의 실제는 어떤 모습이었는가? 예술의 목적과 양식은 무엇이었는가?

개별 학생은 각자의 성공 기준에 교사의 도움으로 개인적인 연구와 집필 최종목표를 추가하기 때문에 준비성에 있어서의 차별화가 생겨난다. 다양한 가독 수준별로 된 책, 비디오와 음성 녹음테이프, 모형, 그리고 정보통에 대한 접근 등이 포함된 폭넓은 범위의 연구 원 자료를 사용할 수가 있다. 또한 교사는 학생의 준비성 수준에 따라 교사와 동료지원의 종류, 모형화, 그리고 성공에 대한 지도의 유형을 다르게 제공하는 소모둠 수업을 통해 준비성을 다루게 된다.

마지막으로, 교사는 학생의 지식, 연구의 숙련도, 그리고 역사에 관한 사고 등에 대한 가장 최근의 사정을 바탕으로 난이도가 설정된 질문 한 가지를 각 학생의 연구에 추가한다. 복잡한 질문의 예로는 "여러분의 삶은 여러분 가족 이전 세대의 삶과 어떻게 다른가? 그리고 손자의 삶과 여러분의 삶을 어떻게 비교할 것인가?"를 들 수 있다. 덜 복잡하지만, 여전히 도전적인 질문으로는 "언어는 여러분 전 세대로부터 여러분 후의 세대에 걸쳐 어떻게 변할 것인가? 그리고 이런 변화는 왜 생길까?"가 있다.

학습-특성 수준화는 학생이 그 결과물을 표현하기 위해 사용하는 매체, 예컨대, 정기 간행물 항목, 구두 독백 또는 비디오테이프 발표 등을 상이하게 하는데 반영된다. 각 유형의 작품을 위한 지침은 질을 보증하고, 그 단원에 대해 설정된 필수적인 이해와 기능에 초점이 맞춰져 있다. 비록 각 학생이 궁극적으로 그들 자신의 작품을 만들어야 하지만, 같은 역할로 공부하는 "평행의 동료"와 더불어 또는 학생 혼자서 공부한다.

고대 로마에 대한 공부에서, Cassell은 수업을 다른 여러 가지 점에서 수준화한다. 때때로, 그녀는 학생들이 읽을 때, 연구할 때, 또는 수업에서 노트 필기 할 때 사용하는 그래픽 조직자의 유형을 다르게 한다. 그녀는 준비성이 상이한 학생들로 모둠을 구성하여 복습하고, 이어서 준비성이 같은 학생들이 함께 하는 복습 게임을 실시한다. 그녀는 모든 수업 토의에서 구체적이고 친숙한 것에서부터 추상과 친숙하지 않은 것에 이르는 질문들을 다루기 위해 열심히 노력한다. 그녀는 학생이 중요한 아이디어를 이해하고 중요한 기능을 사용하는데 가장 도움이 된다고 생각하는 것을 선택할 수 있는 숙제를 제시한다. 물론 학급은 모둠 전체로서 계획을 세우고, 공부하고, 개관하고, 토론한다.

Cassell의 학급은 상이한 학습자들에게 효과적일 가능성이 아주 높은데, 이것은 그녀가 끊임없이 그녀의 학생이 처해 있는 곳으로 다가가 그들을 움직이려고 하는 것-수업을 수준별로 하는 것에서 부분적으로 이유를 찾을 수 있다. 그러나 수준별 수업의 성공은 그 자체 만의 문제가 아니다. 이것은 학생 이해에 더하여 학생 관여에 완전히 정착되어 있기 때문에 성공적이다.

교사는 학생이 그들의 공유된 학습 여행에서 도달하기를 원하는 목적지가 어디인지, 그리고 학생이 특정 시간에 이 여행의 어디에 있는지를 알고 있다. 그녀는 여행자의 도착지와 경로에 대해 분명히 알고 있기 때문에, 효과적으로 그들을 안내할 수 있고, 최종목표를 달성하기 위해 수업을 다양하게, 또는 수준별로 한다. 더욱이 도착지는 단지 자료의 축적이 아니라 오히려 이해의 구성이다. 그녀의 학급은 효과적인 교육과정 및 수업과 효과적인 수준별 수업 간의 밀접하고, 필수적인 관계의 좋은 사례가 된다.

■▪ 성 찰 문 제

1. Cassell은 여러 가지 방법으로 수준별 수업을 했다. 당신은 다른 어떤 방법으로 수준별 수업을 할 수 있는가?

2. 모든 교사가 자신의 교실에 존재하는 다양한 유형의 학습자를 위해 요구되는 수준별 수업을 하고 있다고 생각하는가? 그렇다고 생각하는 이유 또는 그렇지 않다고 생각하는 이유는?

3. 수준별 수업을 할 때, 수업 모둠에 대해 상이한 방법들을 생각하는 것이 교사에게 왜 중요한가?

출처: Excerpted from Carol Ann Tomlinson, "Mapping a Route Toward Differentiated Instruction," *Educational Leadership* (September 1999): 15-16.

개별화라는 과제는 교사에게 훌륭한 수준별 수업 방법-여전히 개인화 학습의 또 다른 방법-을 찾도록 요구한다. 훌륭한 수준별 수업은 일제식 모둠, 소모둠, 개별화(개인화) 학습을 사용하는데, 우리들이 논의했던 다양한 전략들을 모두 사용한다. 사례 연구 8.2는 Carol Ann Tomlinson에 의해 쓰여진 수준별 수업에 관한 기사이다.[87] Cassell이 그녀의 학생을 위해 다각적인 학습 경험을 조직하는 방법을 주의 깊게 읽어보자. 그녀의 최종목표는 학습을 재미있게 만드는 것이 아니고, 오히려 모든 학생이 배우는데 적극적으로 관여하게 하는 것이다. 결과적으로, 그들은 학습이 재미있다는 것을 알게 된다.

홀륭한 교사는 학생학습을 촉진하기 위해 여러 가지 상이한 방법으로 교실을 조직한다. 그들이 기초적인 기능 또는 과정을 교수하고 있다면, 직접 교수법 연습이 가미된 전체 학급 구조를 사용할 수 있다. 문제해결이나 비판적 사고에 관해 학생을 교수한다면, 공식 또는 비공식 협동학습의 일부 유형과 함께 소모둠 방법을 사용할 수도 있다. 그리고 학생 개인의 관심을 강조하고 싶다면, 학생이 자신의 개인적인 열정을 따르도록 허용하는 개별화 수업(또는 개인화)을 할 수도 있다.

홀륭한 교사는 하나의 방법만을 가지고 있지 않다. 그리고 홀륭한 교사는 교육상 단지 "폼 내기" 위해 다양한 방법을 사용하지 않는다. 오히려 그들은 다양한 최종 수업목표를 성취하기 위해 수업 모형을 다양하게 사용한다. 교사가 학생에게 다양한 모형을 사용하면, 학생은 다양한 방법으로 내용에 대해 배우기 때문에 학생의 학습은 틀림없이 향상된다. 상이한 방법으로 학급을 조직하는 교사는 학생이 학문의 구조를 충분히 이해하는 것을 가능하게 한다. 그들이 여태까지 역사 사건에 관한 역사교사의 강의를 듣는 것만 했다면, 학생은 역사를 반만 배운 것이다.[88] 그 같은 사건을 완전히 이해하려면 소모둠 형태에서 탐구하고 있는 주제를 동료와 논의하고, 이해를 강화하거나, 또는 보다 더 완전하게 개인적인 열정을 따르기 위해 주제를 개별적으로 공부하는 것이 필요하다. 본질적으로, 홀륭한 교사는 적응적이며, 그들이 성취하기를 바라는 최종 학습 목표에 따라 다양한 전략을 사용하는 것으로 그러한 기능을 입증한다.

이론의 실제 적용

다양한 수업 방법들과 자료들을 사용하는 것이 중요한 것처럼 여러 가지 교실 조건과 학생들의 요구사항을 충족시키고 다양성을 제공하기 위해 수업 모둠 편성을 혼합하는 것도 중요하다. 일제식 모둠, 소모둠, 그리고 개인 지도를 혼합하여 사용해야 한다. 여기에 질문 형태로 된 몇 가지 상식적인 방법들이 있다.

일제식 모둠을 위한 수업

1. 교실은 매력적이고 안전한가? 공간과 가구배치는 유동적인가?
2. 수업활동에 모든 학생들이 관계되어 있는가? 교실 중앙이나 한쪽 끝에서 교사-학생간의 상호작용에 대해 강조하는 것을 자제하였는가?
3. 그 활동에서 학생들이 쉽게 관찰하고 참여할 수 있도록 수업 자료와 매체 장비들이 정리되어 있는가?
4. 교실 활동을 지도하고 관찰하는가?
5. 일제식 모둠(직접지도) 방법과 소모둠(비정규 협동학습) 방법을 결합하는가?
6. 대모둠 활동에서 소모둠 혹은 개인별 수업으로 원활하게 전환시킬 수 있는가? 전환시 활발함을 유지하는가?

소모둠을 위한 수업

1. 학생들이 무엇을 해야 하는지 어떻게 진행해야 하는지를 아는지 확실히 하였는가? 학생들은 목적과 과제를 이해하는가? 그리고 언제 그것을 달성했는가?
2. 학생들은 소모둠에서 작업하는 동안 그들의 책임을 인지하고 있는지를 확실히 하였는가?
3. 모둠에서의 적절한 개인의 행동에 대하여 토의함으로써 의사소통을 향상시키고 분쟁을 최소화시켰

공학적 관점

현직교사의 공학적 관점

Jackie Marshall Arnold
K-12 Media Specialist

현대의 교실에서 공학을 사용하기 위해 계획할 때 수업 모둠 편성은 매우 중요한 요소가 될 수 있다. 효과적인 교사들은 사용될 공학의 배치와 적절한 모둠 편성을 결정하기 위해 수업의 목표와 활동들을 점검한다. NETS 표준은 여러 종류의 학생 조 편성과 다양한 학생모둠들을 위해 컴퓨터나 다른 공학을 도입하는 학생 수업활동을 설계, 실행, 그리고 평가할 필요가 있다고 주장한다(표준1.3.3.). 효과적인 교사들은 공학을 사용할 때는 다양한 수업 모둠 편성 전략들을 연구하고 적용한다.

수업 공학 응용프로그램은 개인별 수업, 소모둠 수업, 그리고 일제식 모둠 수업을 도와준다. 예를 들면 모든 학생들이 새로운 공학 기술이나 응용 프로그램을 숙련할 필요가 있을 때는 전체 모둠을 컴퓨터 실습실에서 기술과 응용 프로그램을 함께 익히게 하는 것이 편리하다. 같은 방식으로 모든 학생들이 컴퓨터로 입력해야 하는 보고서가 있다면 충분한 작업장을 갖춘 일제식 모둠방식이 실질적인 모둠 편성 방법이다.

작업장을 순환방식으로 사용하여 하루 종일 컴퓨터를 사용하도록 하는 것도 컴퓨터 할당의 개인화를 위한 또 다른 효과적인 방법이 될 수 있다. 학생들은 사전에 설계된 작업을 수행하기 위해 컴퓨터를 교대로 사용할 수 있다. 이런 조 편성 방법을 사용하면 모든 학생들이 인터넷 조사에 참여하고, 모의실험에 연결된 교과과정을 탐험하고, 연습을 통한 작업과 소프트웨어의 한 부분을 실습하고 기타 여러 가지에 있어서 컴퓨터를 이용하여 유익하게 한 명이 한번씩 경험할 수 있다.

현재 많은 교실에는 한 대에서 다섯 대까지의 컴퓨터를 비치하고 있어서 컴퓨터에서의 소모둠 작업을 위한 응용 프로그램들이 많이 있다. 이 교과서에 제시된 몇 가지의 사례연구에서 설명된 것과 같은 컴퓨터에서의 학생들의 모둠 편성은 매우 성공적이고, 적절한 수업 전략이 될 수 있다. 예를 들면 협동 수업 모둠에서 학생들은 웹사이트들을 조사하고, 그래프를 만들고, 웹사이트를 개발하고, 그리고 더 많은 것들을 하기 위해 함께 작업할 수 있다. 교사들은 주의 깊게 모둠을 구성해야 한다. 예를 들면 각 모둠에 읽기를 잘하는 사람이 한 사람씩 반드시 배정되도록 하는 것이 많은 웹사이트에서 필수적인 많은 양의 읽기를 용이하게 한다는 점에서 중요하다. 교사들은 모든 학생들이 자신의 책임을 알 수 있도록 학생들에게 역할을 할당해 줄 수도 있다. 예를 들면 학생들의 역할은 관리자, 시간관리자, 마우스 작동자, 그리고 노트에 기록하는 사람 등이 있다(그러나 꼭 이렇게 제한될 필요는 없다). 모둠 구성원들 각자 모두에게 할당과 역할을 줌으로써 모든 학생들이 목표가 무엇인지 그리고 그 목표를 달성하기 위해서는 무엇을 할 필요가 있는지 알게 될 것이다.

다양한 수업 모둠 편성 방법이 사용될 수 있다. 때로는 한 대의 컴퓨터에 한 학생을 배치하는 것이 매우 적절하겠지만 그러나 교사들은 종종 그렇게 하지 않는다. 컴퓨터에 있어서 학생들을 소모둠에서 협동적으로 작업하도록 하는 것이 수업이나 학생들의 학습을 위해 더 많은 유익함을 얻을 수 있다. 협동적 학습 전략을 사용하는 교사들은 공학을 사용하여 실제적인 수업 환경에서 협동심을 촉진하기도 한다.

는가?

4. 모둠을 조직할 때, 학생들의 능력과 관심을 고려하였는가? 통합을 이루기 위한 목적으로 모둠을 인종적, 사회적 부류, 그리고 성별로 혼합하고 인지적 측면에서 상당히 평등하도록 능력에 따라 혼합하였는가?

5. 특별한 학습과 행동의 문제들을 고려하였는가? 같이 잘 작업할 수 없는 학생들을 분리하였는가?

6. 학생들이 그들의 개인별적 모둠 안에서 스스로의 속도에 따라 작업하도록 허용하는가? 각각의 모둠들이 각자의 속도에 따라 작업하도록 허용하는가?

7. 각 모둠들의 작업을 감독하는가? 필요로 하는 모둠에 대해 설명해 주고 질문하고 도와주는가?

8. 긍정적 강조를 통해 모둠의 결과에 대한 지식을 제공하고 있는가? 즉각적인 피드백을 제공하고 성과에 대한 모둠보상을 제공하는가?

요약

1. 일제식 모둠, 소모둠, 그리고 개인별 편성에 의한 수업이 진행될 수 있다. 교사는 학생들의 필요성과 수업의 목표에 따라 이러한 세 가지 모둠 편성을 달리할 책임이 있다.

2. 교실 의자의 배치는 전통적 형태, 사각, 원, 말굽모양, 그리고 여러 가지 특별 활동을 위한 특별한 형태가 포함된다.

3. 대모둠 혹은 일제식 모둠 수업은 교사가 강의하고 설명하고, 질문하고, 그리고 실습과 훈련을 제공할 때 적당한 가장 공통적인 교실 구성 형태이다.

4. 일제식 모둠 수업은 평균적인 학생들에게 맞추어지는 경향이 있고, 그리고 학생들은 좁은 범위 안에서 수업하도록 기대된다. 학생들에 의해 수행되는 대부분의 교실 과제들은 너무 쉽거나 혹은 너무 어렵다.

5. 소모둠은 교사들로 하여금 지도하는데 융통성을 부여하고, 특정한 모둠의 학생들에게 적합한 단계

의 기술과 과제를 도입할 기회를 준다.

6. 학생들을 소모둠으로 구성하는 것에는 여러 가지 방법들이 있다. 소모둠 활동은 모둠 크기가 한 모둠에 5명에서 8명의 학생들로 제한될 때 가장 잘 수행된다.

7. 개인별 수업은 학생들로 하여금 단기간 또는 장기간에 자신의 속도와 수준에 따라 혼자 작업할 수 있도록 해준다. 개인별 수업은 교사로 하여금 지도 방식을 학생의 능력, 필요성, 그리고 관심에 따라 적용할 수 있게 해준다.

8. 개인별 학습은 학습 요구와 학생에게 초점이 맞춰진다.

고려할 문제

1. 당신이 일제식 모둠 수업을 하는 동안 어떤 종류의 의자 배치를 선호하는가? 이것은 교수방법에 관한 어떤 것을 암시하는 것인가?

2. 당신은 어떤 소모둠 수업 방법을 선호하는가? 왜?

3. 학급 사이즈는 일제식 모둠 혹은 소모둠 상황에서 당신이 가르치는 방법에 어떤 영향을 미치는가?

4. 일반적으로 당신 자신의 학급에서는 어떤 방법을 강조할 것으로 예상하는가(혹은 현재 강조하고 있는가)─일제식 모둠, 소모둠, 혹은 개인별? 왜?

해야 할 일

1. 당신이 가르치고자 하는 주제 수준과 학년 수준을 위한 세 가지 상이한 좌석 배치의 장점과 단점을 논의한다.

2. 교실에서 수업하고 있는 두 명이나 세 명의 교사들을 참관하고 일어나고 있는 교실과제를 글로써 설명한다. 학생들은 그 과제를 그들의 삶과 관련이 있다고 보는 것 같은가?

3. 경쟁적이고 협동적인 교실들의 본질을 옹호하거나

혹은 비판한다. 당신의 전체적인 선호도에 상관없이 각각의 장점을 분명히 설명하도록 한다. 당신은 학교에서 보상구조를 어떻게 바꿀 것인가?

4. 한 지역의 학교에서 학생들의 수업 프로그램을 참관한다. 학생의 책임 관점에서 그 프로그램은 어떻게 운영되는가?

5. 학생들은 어떤 내용적 분야에서 다른 학생들을 가르치는가?

추천 문헌

Baloche, Lynda. *The Cooperative Classroom*. Upper Saddle River, N.J.: Prentice Hall, 1998. This book describes different types of formal and informal cooperative learning approaches.

Bloom, Benjamin S. *Human Characteristics and School Learning*. New York: McGraw-Hill, 1976. This classic text, which emphasizes individual instruction and school learning, offers mastery approaches to changing the level of learning and rate of learning.

Chubb, John E. and Tom Loveless, *Bridging the Achievement Gap*. Washington, DC: Brookings Institution Press, 2002. An exploration of the cause of the achievement gap between different student groups, with particular attention to ways of "bridging" the gap through different school and classroom practices.

Hacsi, Timothy. *Children as Pawns: The Politics of Educational Reform*. Cambridge, Mass: Harvard University Press, 2002. A thoughtful discussion of a wide range of issues with particular focus on class size research.

Marzano, Robert J., Debra J. Pickering, and Jane E. Pollock. *Classroom Instruction That Works*. Alexandria, VA: Association for Supervision and Curriculum Development, 2001. This text describes the different ways of teaching content and documents the research base to support each approach.

Slavin, Robert E. *Cooperative Learning: Theory, Research and Practice*, 2d ed. Upper Saddle River, N.J.: Prentice Hall, 1995. This book discusses how to set up and use cooperative learning in classrooms.

Vermette, Paul J. *Making Cooperative Learning Work*. Upper Saddle River, N.J.: Prentice Hall, 1998. This book describes how cooperative learning structures can be used to enhance student learning.

핵심 용어

후주

1. Students Get More Face Time With Average Results." *USA Today* (October 30, 2002). Retrieved from http://www.usatoday.com/news/education/2002-10-30-students-average_xihtm.

2. Raymond S. Adams and Bruce J. Biddle. *Realities of Teaching* New York: Holt, Rinehart and Winston, 1970.

3. Edmund T. Emmer, Carolyn Evertson and Murray Worsham. *Classroom Management for Secondary Teachers*, 6th ed. Boston, Mass.: Allyn and Bacon, 2003. Carolyn Evertson, Edmund T. Emmer, and Murray E. Worsham. *Classroom Management for Elementary Teachers*, 6th ed. Boston: Allyn and

Bacon, 2003.

4. Thomas L. Good and Jere E. Brophy. *Looking in Classrooms*, 8th ed. Reading, Mass: Addison Wesley, 2000.

5. Ibid. Larry Cuban. *Why Is It So Hard to Get Good Schools?* New York: Teachers College Press, 2003. Larry Cuban. *How Teachers Taught.* New York: Teachers College Press, Columbia University Press, 1993.

6. Eugene Garcia. "Effective Instruction for Language Minority Students: The Teacher." In Antonio Darder, Roldolfo D. Torres, and Henry Gutierrez (eds.), *Latinos and Education*. New York: Routledge, 1997, p. 368.

7. Timothy A. Hacsi. *Children as Pawns.* Cambridge, Mass.: Harvard University Press, 2002.

8. Eric A. Hanushek. "The Impact of Differential Expenditures on School Performance." *Educational Researcher* (May 1989): 45 51, 62.

9. Robert E. Slavin. "Class Size and Student Achievement: Small Effects of Small Classes." *Educational Psychologist* (Winter 1989): 99-110. Robert Slavin. "Putting the School Back in School Reform." *Educational Leadership* (January 2001): 22-27.

10. Robert E. Slavin. "Chapter 1: A Vision for the Next Quarter Century." *Phi Delta Kappan* (April 1991): 586-589.

11. Gene M. Glass and Mary L. Smith. *Meta-Analysis of Research on the Relationship of Class Size and Achievement.* San Francisco: Far West Laboratory for Educational Research and Development, 1978. Gene M. Glass et al. *School Class Size.* Beverly Hills, Calif.: Sage, 1982.

12. Barbara A. Nye. *The Lasting Benefit Study: A Continuing Analysis of the Effect of Small Class Size in Kindergarten Through Third Grade.* Nashville: Tennessee State University, 1991. Barbara A. Nye. "Smaller Classes Really Are Better." *American School Board Journal* (May 1992): 31-33.

13. Daniel J. Mueller, Clinton I. Chase, and James D. Walden, "Effects of Reduced Class Size in Primary Classes," *Educational Leadership* (February 1988): 48-50. Robert E. Slavin, Nancy L. Karweit, and Barbara A. Wasik. "Preventing Early School Failure: What Works?" *Educational Leadership* (December-January 1993): 10-17.

14. Gene Glass and Mary L. Smith. *Meta-Analysis of Research on the Relationship of Class Size and Achievement.* Glen E. Robinson, "Synthesis of Research on the Effects of Class Size." *Educational Leadership* (April 1990): 80-90. Also see, Stanley Pogrow. "The Unsubstantiated 'Success' of Success for All." *Phi Delta Kappan* (April 2000): 596-600.

15. Harris M. Cooper. "Does Reducing Student-to-Instructor Ratios Affect Achievement?" *Educational Psychologist* (Winter 1989): 79-88.

16. Kirk A. Johnson. "The Downside to Small Class Policies." *Educational Leadership* (February 2002): 27-29. Digest of Education Statistics, 2000. Washington, D.C.: United States Government Printing Office, 2001. Table 411.

17. Ibid., p. 29.

18. Patricia Handley. "Every Classroom Teachers' Dream." *Educational Leadership* (February 2002): 33-35.

19. John H. Holloway. "Do Smaller Classes Change Instruction?" *Educational Leadership* (February 2002): 91.

20. Ronald W. Marx and John Walsh. "Learning from Academic Tasks." *Elementary School Journal* (January 1988): 207-219. Stephen T. Peverly. "Problems with the Knowledge-Based Explanation of Memory and Development." *Review of Educational Research* (Spring 1991): 71-93.

21. Jacques S. Benninga et al. "Effects of Two Contrasting School Task and Incentive Structures on Children's Social Development." *Elementary School Journal* (November 1991): 149-168. Deborah Meier. "Standardization Versus Standards." *Phi Delta Kappan* (November 2002): 190-198.

22. Nancy S. Cole. "Conceptions of Educational Achievement." *Educational Researcher* (April 1990): 2-7.

23. Neville Bennett et al. "Task Processes in Mixed and Single Age Classes." *Education* (Fall 1987): 43-50. Neville Bennett and Clive Carré. *Learning to Teach.* New York: Routledge, 1993. Also see Weldon Zenger and Sharon Zenger. "Why Teach Certain Material at Specific Grade Levels?" *Phi Delta Kappan* (November 2002): 212-214.

24. Paul J. Vermette. *Making Cooperative Learning Work.* Upper Saddle River, N.J.: Merrill, Prentice Hall, 1998.

25. Thomas J. Lasley II, Thomas J. Matczynski, and James Rowley. *Instructional Models: Strategies for Teaching in a Diverse Society*, 2d ed. Belmont, Calif.: Wadsworth, 2002.

26. Robert E. Slavin. "A Theory of School and Classroom Organization." *Educational Psychologist* (Spring 1987): 89-128.

27. Benjamin S. Bloom. "The 2 Sigma Problem: The Search for Methods of Group Instruction as Effective as Oneto-One Tutoring." *Educational Researcher* (June-July 1984): 4-16.

28. Ibid., p. 6. Also see Benjamin Bloom. "Helping All Children Learn." *Principal* (March 1988): 12-17.

29. Good and Brophy. *Looking in Classrooms*, p. 456.

30. David Johnson and Frank P. Johnson. *Joining Together: Group Theory and Group Skills*, 8th ed. Boston, Mass.: Allyn and Bacon, 2002. Robert E. Slavin. "Student Teams and Comparison Among Equals: Effects on Academic Performance and Student Attitudes." *Journal of Educational Psychology* (August 1978): 532-538. Noreen M. Webb. "Verbal Interaction and Learning in Peer-Directed Groups." *Theory into Teaching* (Winter 1985): 32-39.

31. Jomills H. Braddock and James M. McPartland. "Alternatives to Tracking," *Educational Leadership* (April 1990): 76-79. Jeannie Oakes and Martin Lipton. "Detracking Schools: Early Lessons from the Field." *Phi Delta Kappan* (February 1992): 448-454.

32. Thomas L. Good. "Two Decades of Research on Teacher Expectations." *Journal of Teacher Education* (July-August 1987): 32-47. Cloyd Hastings. "Ending Ability Grouping Is a Moral Imperative." *Educational Leadership* (October 1992): 14-18.

33. Jacqueline Jordon Irvine. *Educating Teachers for Diversity*. New York: Teachers College Press, 2003. Oakes and Lipton. "Detracking Schools." Anne Wheelock. "The Case for Untracking." *Educational Leadership* (October 1992): 14-18.

34. Adam Gamoran. *The Variable Effects of High School Tracking*. Madison, Wisc.: Center on Organization and Restructuring of Schools, University of Wisconsin-Madison, 1992. Ralph Scott. "Untracking Advocates Make Incredible Claims." *Educational Leadership* (October 1993): 79-81.

35. Robert E. Slavin. "Grouping for Instruction in the Elementary School." *Educational Psychologist* (Spring 1987): 12.

36. John Goodlad. *A Place Called School*. New York: McGraw Hill, 1984. Oakes. *Keeping Track: How Schools Structure Inequality*. New Haven, Conn.: Yale University Press, 1985.

37. Adam Gamoran. "Synthesis of Research: Is Ability Grouping Equitable?" *Educational Leadership* (October 1992): 11-14. De Wayne A. Mason et al. "Assigning Average-Achieving Eighth Graders to Advanced Mathematics Classes in an Urban Junior High." *Elementary School Journal* (May 1992): 587-599.

38. Good and Brophy. *Looking in Classrooms*, p. 278.

39. Adam Gamoran. "Synthesis of Research: Is Ability Grouping Equitable?" *Educational Leadership* (October 1992): 11-13. Jeanne Oakes. "Tracking in Secondary Schools." *Educational Psychologist* (Spring 1987): 129-153. De Wayne A. Mason and Thomas L. Good. "Effects of Two-Group and Whole-Class Teaching on Regrouped Elementary Students' Mathematics Achievement." *American Educational Research Journal* (September 1993): 328-360.

40. Elfrieda Heibert. "An Examination of Ability Grouping in Reading Instruction." *Reading Research Quarterly* (Winter 1983): 231-255.

41. Robert E. Slavin. "Ability Grouping and Student Achievement in Secondary Schools." *Review of Educational Research* (Fall 1990). Joseph S. Yarworth et al. "Organizing for Results in Elementary and Middle School Mathematics." *Educational Leadership* (October 1988): 61-67.

42. Good and Brophy. *Looking in Classrooms*, pp. 275-281.

43. Jeanne Ellis Ormrod. *Human Learning*. Upper Saddle River, N.J.: Prentice Hall, 1999.

44. Robert E. Slavin. "Mounting Evidence Supports the Achievement Effects of Success for All." *Phi Delta Kappan* (February 2002): 469-471. Theresa A. Thorkildsen. "Those Who Can, Tutor." *Journal of Educational Psychology* (March 1993): 82-190.

45. Marilyn J. Adam. *Beginning to Read*. Cambridge, Mass.: MIT Press, 1990. Penelope L. Peterson et al. "Ability X Treatment Interaction Effects on Children's Learning in Large-group and Small-group Approaches." *American Educational Research*

Journal (Winter 1981): 453-473.

46. David Johnson and Roger Johnson. *Learning Together and Alone: Cooperative, Competitive and Individualistic Learning*, 5th ed. Boston, Mass.: Allyn and Bacon, 1998.

47. Susan R. Swing and Penelope L. Peterson. "The Relationship of Student Ability and Small-Group Interaction to Student Achievement." *American Educational Research Journal* (Summer 1982): 259-274. Noreen M. Webb. "Predicting Learning from Student Interaction: Defining the Interaction Variables." *Educational Psychologist* (Spring 1983): 33-41.

48. Nicola Findley. "In Their Own Ways." *Educational Leadership* (September 2002): 60-63. Panayota Mantzicopoulous et al. "Use of Search/Teach Tutoring Approach with Middle-Class Students at Risk for Reading Failure." *Elementary School Journal* (May 1992): 573-586.

49. Lynn S. Fuchs et al. "The Nature of Student Interactions During Peer Tutoring with and Without Peer Training and Experience." *American Educational Research Journal* (Spring 1994): 75-103. Noreen M. Webb. "Peer Interaction and Learning in Small Groups." *International Journal of Educational Research* (Spring 1989): 211-224.

50. William S. Carlsen. "Questioning in Classrooms: A Sociolinguistic Perspective." *Review of Educational Research* (Summer 1991): 157-178.

51. Benjamin Bloom. "Helping All Children Learn in Elementary School—and Beyond." *Principal* (March 1988): 12-17. Bloom. "The 2 Sigma Problem: The Search for Methods of Group Instruction as Effective as One-to-One Tutoring."

52. Peter A. Cohen, James A. Kulik, and Chen-Lin C. Kulik. "Educational Outcomes of Tutoring: A Meta-Analysis of Findings." *American Educational Research Journal* (Summer 1982): 237-248. Darrell Morris, Beverly Shaw, and Jan Perney. "Helping Low Readers in Grades 2 and 3: An After-School Volunteer Tutoring Program." *Elementary School Journal* (November 1990): 133-150. Linda Devin-Sheehan, Robert S. Feldman, and Vernon I. Allen. "Research on Children Tutoring Children: A Critical Review." *Review of Educational Research* (Summer 1976): 355-385.

53. *What Works: Research About Teaching and Learning*. Washington, D.C.: U.S. Government Printing Office, 1986, p. 36.

54. James W. Keefe and John W. Jenkins. "Personalized Instruction." *Phi Delta Kappan* (February 2002): 440-448. Robert E. Slavin. "Synthesis of Research on Cooperative Learning." *Educational Leadership* (February 1991): 71-82.

55. Alfie Kohn. "Group Grade Grubbing versus Cooperative Learning." *Educational Leadership* (February 1991): 83-87. Marian Matthews. "Gifted Students Talk About Cooperative Learning." *Educational Leadership* (October 1992): 48-50. Chip Wood. "Changing the Pace of School." *Phi Delta Kappan* (March 2002): 545-550.

56. David Johnson and Roger Johnson. *Joining Together: Group Therapy and Group Skills*, 5th ed. Needham Heights, Mass.: Allyn and Bacon, 1994). Robert E. Slavin. *Cooperative Learning: Theory, Research, and Practice*. Englewood Cliffs, N.J.: Prentice-Hall, 1990.

57. Slavin. "Synthesis of Research on Cooperative Learning." See also, Gayle H. Gregory and Carolyn Chapman. *Differentiated Instructional Strategies: One Size Doesn't Fit All*. Thousand Oaks, CA: Corwin Press, 2001.

58. Michael S. Meloth and Paul D. Deering. "Task Talk and Task Awareness Under Different Cooperative Learning Conditions." *American Educational Research Journal* (Spring 1994): 139.

59. Lynda A. Baloche. *The Cooperative Classroom*. Columbus, Ohio: Prentice Hall, 1998, p. 116.

60. Robert J. Marzano, Debra J. Pickering, and Jane E. Pollock. *Classroom Instruction That Works*. Alexandria, VA: Association for Supervision and Curriculum Development, 2001, p. 90.

61. Robert E. Slavin. *Using Student Team Learning*, 3d ed. Baltimore: Johns Hopkins University Press, 1986.

62. Robert E. Slavin. *School and Classroom Organization*. Hillsdale, N.J.: Erlbaum, 1988. Slavin. "Synthesis of Research on Cooperative Learning."

63. Elliot Aronson et al. *The Jigsaw Classroom*. Beverly Hills, Calif.: Sage Publications, 1978.

64. Baloche. *The Cooperative Classroom*, pp. 100-101.

65. Stanley Kagan. "The Structural Approach to Cooperative Learning." *Educational Researcher* (December-January 1989?1990): 13.

66. Thomas J. Lasley, Thomas J. Matczynski, and James

Rowley. *Instructional Models: Strategies for Teaching in a Diverse Society*. Belmont, Calif.: Wadsworth, 2002: 315.

67. Marzano, Pickering, and Pollock. *Classroom Instruction That Works*, pp. 89-90.

68. David W. Johnson. *Reaching Out*, 5th ed. Needham Heights, Mass.: Allyn and Bacon, 1993.

69. Roger Johnson and David Johnson. "Toward a Cooperative Effort." *Educational Leadership* (April 1989): 80-81.

70. Roger Johnson and David Johnson. "Gifted Students Illustrate What Isn't Cooperative Learning." *Educational Leadership* (March 1993): 60-61. John A. Ross and Dennis Raphael. "Communication and Problem Solving Achievement in Cooperative Learning." *Journal of Curriculum Studies* (March-April 1990): 149-164.

71. Robert Glaser and Lauren B. Resnik. "Instructional Psychology." *Annual Review of Psychology 23* (1972): 207-276. Also see Robert Glaser (ed.). *Advances in Instructional Psychology*. Hillsdale, N.J.: Erlbaum, 1978. Lorrie Shepard. "The Role of Classroom Assessment in Teaching and Learning." In Virginia Richardson (ed.), *Handbook of Research on Teaching*, 4th ed. Washington, D.C.: American Educational Research Association, 2001, pp. 1066-1011.

72. Herbert J. Klausmeier and Richard E. Ripple. *Learning and Human Abilities*, 3d ed. New York: Harper & Row, 1971. Also see Beverly A. Parsons. *Evaluative Inquiry: Using Evaluation to Promote Student Success*. Thousand Oaks, CA: Corwin Press, 2002.

73. Fred S. Keller. "Good-Bye Teacher." *Journal of Applied Behavioral Analysis* (April 1968): 79-84.

74. Margaret C. Wang and Herbert J. Walberg (eds.). *Adapting Instruction to Individual Differences*. Berkeley, Calif.: McCutchan, 1985. Also see Wang (ed.). *The Handbook of Adaptive Instruction*. Baltimore: Paul Brooks, 1992.

75. Mary A. Gunter, Thomas H. Estes, Jan Schwab, and Christine Hasbrouck Chaille. *Instruction: A Models Approach* 4th ed. Boston, Mass.: Allyn and Bacon, 2003. Deborah B. Strother. "Adapting Instruction to Individual Needs." *Phi Delta Kappan* (December 1985): 308-311. Also see Robert E. Slavin et al. *Preventing Early School Failure*. Needham Heights,

Mass.: Allyn and Bacon, 1993.

76. John B. Carroll. "A Model of School Learning." *Teacher's College Record* (May 1963): 723-733.

77. John B. Carroll. "The Carroll Model: A 25-Year Retrospective and Prospective View." *Educational Researcher* (January-February 1989): 26-31. Robert E. Slavin. "Mastery Learning Reconsidered." *Review of Educational Research* (Summer 1987): 175-214.

78. James H. Block. *Mastery Learning: Theory and Practice*. New York: Holt, Rinehart and Winston, 1971. Benjamin Bloom. *Human Characteristics and School Learning*. New York: McGraw-Hill, 1976. Benjamin Bloom. *All Our Children Learning*. New York: McGraw-Hill, 1981.

79. James Block and Robert Burns. "Mastery Learning." In L. S. Shulman (ed.), *Review of Research in Education*, vol. 4. Itasca, Ill.: Peacock, 1976, pp. 118-145. Also see James Block, Helen Efthim, and Robert Burns. *Building Effective Mastery Learning Schools*. New York: Longman, 1989.

80. Thomas R. Guskey. "Helping Students Make the Grade." *Educational Leadership* (September 2001): 20-27. Daniel U. Levine. "Creating Effective Schools." *Phi Delta Kappan* (January 1991): 394-397. Daniel U. Levine and Allan C. Ornstein. "Reforms That Can Work." *American School Board Journal* (June 1993): 31-34.

81. Mary Ann Raywid. "Accountability: What's Worth Measuring?" *Phi Delta Kappan* (February 2002): 433-436. Allan C. Ornstein. "Comparing and Contrasting Norm-Reference Tests and Criterion-Reference Tests." *NASS Bulletin* (October 1993): 28-39. Blaine R. Worthen and Vicki Spandel. "Putting the Standardized Test Debate in Perspective." *Educational Leadership* (February 1991): 65-70.

82. Marshal Arlin. "Time, Equality, and Mastery Learning." *Review of Educational Research* (Spring 1984): 65-86. Marshal Arlin. "Time Variability in Mastery Learning." *American Educational Research Journal* (Spring 1984): 103-120. Kevin Castner, Lorraine Costella, and Steven Hass. "Moving from Seat Time to Mastery." *Educational Leadership* (September 1993): 45-50.

83. Arthur K. Ellis and Jeffrey T. Fouts. *Research on Educational Innovations*. Larchmont, N.Y.: Eye on Education, 1997.

84. James Block. *Mastery Learning in Classroom*

Instruction. New York: MacMillan, 1975.

85. Dennis Littky and Farrell Allen. "Whole-School Personalization, One Student at a Time." *Educational Leadership* (September 1999): 24-28.

86. Ibid, p. 28.

87. Carol Ann Tomlinson. "Mapping a Route Toward Differentiated Instruction." *Educational Leadership* (September 1999): 12-16.

88. Bruce Joyce and Beverly Showers. *Student Achievement Through Staff Development*. Alexandria, VA: Association for Supervision and Curriculum Development, 2002.

제 9 장

학급경영과 훈육

이번 장에 관련된 Pathwise 성취기준 :

- 공평성을 장려하는 분위기 조성(B1).
- 학급 친구들과 친밀감 형성하고 유지하기(B2).
- 교실 행동의 일관된 기준을 설정하고 유지하기(B4).
- 학습에 대해 최대한 안전하고 적절한 물리적 환경 만들기 (B5).

이번 장에 관련된 INTASC 원리 :

- 교사는 개별적인 이해와 집단 동기를 사용하고, 학습과 관련한 학습을 창조하는 환경에 대한 행동은 긍정적인 사회적 상호작용과, 활동적인 참여를 장려하고, 자기동기를 촉진한다(P5).
- 교사는 형식적이고 비형식적인 평가를 위해서 평가 전략을 이해하고 사용하며 학습자의 연속적인 지적, 사회적, 신체적 성장을 확실히 한다(P8).
- 교사는 학교 동료, 부모, 넓은 사회에서 학습자들의 학습과 복지를 지원하는 이사회와의 관계를 육성한다(P10).

핵 심 문 제

1. 학급경영이 교수의 긴요한 부분인 이유는 무엇인가?
2. 학급경영에는 어떤 접근법들이 있는가? 자신의 성격과 철학에 가장 적합한 방법은 무엇인가? 유사한 운영 문제들을 해결할 수 있는 다른 방법은 무엇인가?
3. 자신의 학급경영 목표에 가장 적합한 접근법은 무엇인가?
4. 성공적인 학급경영의 특징은 무엇인가? 이와 같은 특징들이 자신의 관리 행동과 얼마만큼 일치하는가?
5. 예방적 훈육 척도들은 학급경영을 어떻게 개선할 수 있는가? 자신의 성격과 철학에 가장 적합한 방법은 무엇인가?
6. 학급경영자로서 자신의 강점과 약점을 어떻게 분석할 수 있는가? 자신의 관리 능력을 평가하기 위해 어떤 방법 또는 기술을 사용할 수 있는가?
7. 학급경영에 잠재적으로 영향을 주는 공학은 무엇인가?

가르치기 위해서 교사는 자신의 학생을 관리할 수 있어야 한다. 아무리 교사가 교사로서 잠재력을 많이 소유하고 있다 하더라도, 담당 교실에서 분위기를 통제하지 못한다면 학습은 보다 적게 이루어질 것이다. 학급경영은 교수의 절대적인 부분이며, 교사는 학생을 관리할 수 있어야 하고, 학생 관리 기술을 익혀야만 한다.

가르치는 것을 준비할 때, 두 가지 기본을 이해해야 한다. 첫째, 학교는 중산층의 사회 규범에 의해 대부분 관리된다. 둘째, 학생 행동은 자신들이 양육될 때 적용된 규범에 얽매여 있다. 교사는 학생들이 어떻게 행동해야 하는가에 대한 일련의 기대들을 갖고 있지만, 학생들은 이러한 교사 기대에 부합되지 않는 행동들을 배운 채로 학교에 오게 된다. 교실에서의 주된 문제는 교사가 기대하는 것과 학생이 학습한 것 간의 대립에 의해 발생하게 된다. 이러한 대립을 중재하려면 교사는 학생들이 새로운 행동들을 배우도록 도와주어야 할 뿐만 아니라, 교사가 학생들이 학교에 올 때 가지고 있는 것을 이해하기 위해 노력도 해야 한다. 대부분의 교사들이 학교와 가정 문화 간의 상호작용을 이해하지 못하기 때문에 교사 통제와 학생 학습을 제한하는 다수의 문제들이 발생하게 된다.

대중매체에서 학교 기업화, 재정 문제, 성적 저하, 학생 마약 남용 문제 등이 부각되었음에도 불구하고, 일반인들은 대개 부적절한 학급경영과 훈육이 교육의 주요 문제로 여기고 있다. 1960년 이해 부모를 대상으로 교육에 관한 Gallup의 연간 여론 조사에서 학생 훈육 또는 훈육의 부족이 30년간 매해 상위 1, 2, 3 순위 중에 들어 있었다.[1]

최근 NEA 교사 의견 여론 조사에 따르면, 교사의 90%가 학생의 문제 행동이 교사의 수업을 방해한다고 주장하며, 25% 정도는 아주 심하게 방해한다고 얘기한다. 또 같은 여론 조사에서 약 100,000명의 교사들이 학생들로부터 개인적으로 언어적, 또는 물리적인 공격을 매년 받고 있으며 대부분의 경우 교실에서 다른 학생들 앞에서 겪는다고 하였다.[2]

훈육은 사라지지 않는 문제이며, 특히 도심부의 학교에서 그렇다. 그 이유는 1)많은 학생들이 자기조절력이 부족하고, 교사의 권위에 따르는 것을 마지못해 하며, 2) 많은 교사들이 훈육 문제를 다루는 것에 대한 체계적인 방법이 부족하고, 3) 교사들을 위해 충분한 지원을 제공하지 않는 학교 관리자들이 많이 있으며, 4) 자신들의 자녀 교육에 충분히 참여하지 않는 부모들이 많이 있기 때문이다.

학급경영 접근법

교사의 성격, 철학, 교수 양식은 교사의 관리 접근법과 훈육 접근법에 직접적으로 영향을 끼칠 것이다. 많은 접근법이 있긴 하지만, 일단 선택한 방법은 자신에게 불편함이 없고, 자신의 개인적인 성향과 일치해야 한다.

여기서는 6가지 접근법 또는 모형을 살펴본다. 각각은 연구를 기초로 하며, 각 접근법은 교실에 적용이 가능하다. 비록 이들이 별개의 접근법으로 제시되지만, 이들은 일반적인 특성을 공유하고 있으며, 대부분의 교사들은 그들의 개성과 학생들의 성장에 따라 이 방법들을 조합하여 사용한다. 모든 접근법은 심리, 교실 경험, 상식이 혼합된 것에 기초하고 있다. 모든 접근법에는 개입하기 위한 기법과 예방요소들이 혼합되어 있다. 그것들은 교사에 의해 행사되는 통제와 장학, 과제와 개성에 대한 상대적인 강조의 정도에 있어서 상이하다. 그들은 고정적, 직접적, 그리고 매우 구조화된 것(고수준의 교사 통제)에서부터 융통적, 간접적, 그리고 민주적인 것(보통 수준의 교사 통제)을 양극단으로 하는 연속선을 형성한다. 일반적으로 교사들은 학년도가 진척됨에 따라, 그리고 학생들의 성장에 따라 고수준의 통제에서 보통 수준의 통제 체제로 이동해야 한다. 다시 말해, 만약 교사가 학생의 자기-수양을 촉진하는 것을 목표로 한다면(그리고 이것이 반드시 목표가 되어야 하고), 그에 따라 교사는 학생들이 그들 자신의 행동을 통제할 수 있는 방법을 학습하도록 도와주는 방법을 찾아내야 한다. 만약 교사가 항상 지시하고, 학생들을 통제한다면 이와 같은 일은 일어날 수 없다. 교사들은 고수준의 통제로 교직 또는 학년도를 시작하는 것이 필요할 수도 있지만, 그들이 매력 있는 수업을 만들고, 학생들이 교사의 기대를 이해하게 됨에 따라, 학생들은 그들 자신의 행동에 대해 더 많이 자기감시에 참여하기 시작해야 한다.

독단적 접근법: 고수준의 교사 통제

학급경영에 대한 독단적 접근법은 교사가 행동의 규준을 상술하고, 불복종의 결과를 정의하는 것이 요구된다. 독단적 접근법은 또한 이러한 규준과 결과에 대해서 명확하게 전달해야 한다. 교실은 학생들이 누가 교실의 맡고 있는지를 잊지 않도록 하는 그런 방법으로 관리된다. Duke와 Meckel에 따르면 "학생들은 교사가 교실에서 그들에게 특정 방식으로 행동하기를 기대하고 있음을 깨닫게 된다."고 하였다.[3] 교사들은 학생들이 그들의 행동에 대해 책임을 지도록 한다. 예를 들어, 규율에 따르지 않는 학생은 경고를 한 번 받게 되고, 그다음에는 한 번 또는 그 이상의 처벌을 받게 된다.[4] 즉, 교사들이 학생들의 부정적인 행위에 대해 빠르고 적절하게 반응해야 한다는 것이다. 가벼운 부적절 행동은 가벼운 처벌이 따른다. 그러나 만일 문제 행동이 계속된다면, 처벌은 강해질 것이다. 이 접근법은 전염성이 있는 문제 행동이 일찍 처리되지 않으면 압도되거나, 파문을 일으킬 것임을 가정하고 있다. 만일, 문제 행동이 무시되거나 초기 단계에서 멈춰지지 않았다면, 그 행동은 실제로 통제할 수 없게 될 것이다. 그 결과, 더욱 많은 학생들이 혼란을 일으키게 될 것이다.[5]

독단적 접근법은 교사가 그들의 학생에게 책임지는 행동을 강요하는 Lee와 Marlene Canter의 훈육 모형을 기초로 하고 있다. 교사는 학급을 즉각적으로 책임지고, 기본 원칙을 정하고, 효과적이지만 차분하게 학생들과 상호작용 한다.[6] 교사는 명확한 기대, 문제 행동에 대한 능동적 반응, 그리고 모든 학생들을 위한 온정과 지원이 결부된 일관성 있는 후속 조치 등을 함께 사용하는 것이 기대된다.

이 기법은 좋은 교사란 그들 스스로 훈육 문제를 다

룰 수 있고, 교수 실패는 교실 규율을 적절하게 유지하지 못한 무능함과 직접적으로 관련되어 있다고 가정한다. 장담 할 수는 없지만, 성공은 적어도 좋은 훈육과 상관관계가 있다. 이 접근법은 아마도 정서적으로 미숙한 학생들과 그들 자신의 행동을 통제하는 데 어려움을 지닌 학생들에게 가장 효과적일 것이다.[7]

Canter는 교사가 독단적 훈육을 적용할 때 고려할 사항으로 다음과 같이 제안한다:

1. 학생에 대한 긍정적인 기대를 명확하게 식별한다.
2. 입장을 취한다(예컨대, "그게 좋겠군" 또는 "그건 아닌데").
3. 단호한 어조를 유지한다.
4. 눈 마주침, 몸짓, 접촉 등을 사용하여 언어적 메시지를 보충한다.
5. 진심으로 칭찬을 주고 받는다.
6. 학생에게 요구하고, 그것을 하도록 한다.
7. 학생에게 한계를 부여하고, 그것을 지키도록 한다.
8. 행동의 결과와 특정 조치가 왜 필요한가를 알려준다.
9. 차분함과 일관성을 유지하고, 감정과 위협을 피한다.
10. 끈기있게 되풀이 하고, 최소한의 규칙을 지키도록 하고, 포기하지 않는다.[8]

이 독단적 모형은 학기를 시작할 때 1) 책일 질 수 있는 행동에 대한 적절한 기대를 명확하게 하고, 2) 기존의 또는 잠재적인 훈육 문제를 식별하고, 3) 학생과 상황에 적합한 행동의 부정적 및 긍정적 결과를 결정하고, 4) 정해져 있는 결과를 이행 및 적용하는 방법을 배우는 것 등을 통해 견고한 관리를 수립해야 한다고 본다. 이 계획은 정신적인 시연(무슨 일이 벌어지기 전에 행할 것에 대한 좋은 생각을 가지는 것)과 연습(실수를 통한 학습)을 통해서 잘 이뤄진다.

응용과학적 접근법: 교사의 높은 관여

잘 운영된 학급은 혼란이 없고, 학생들이 순종적인 방식으로 행동하고, 학습에 고도로 참여하는 데, 이것은

교실환경에서는 구조화되고 조직화된 교사가 성공한다.

우연이 아니다. 그러한 학급은 교사가 생성하고자 하는 교실 상황(배열, 자료), 학생 행동(규칙, 절차), 수업 활동(숙제, 과제) 등의 유형에 대해 명확하게 생각할 때 존재하게 된다. **응용과학적 접근법**은 Evertson과 Emmer에 의해 개발되었으며, 학생이 학문적인 활동에 참여할 때 학생의 조직과 관리를 강조한다.[9] 그들 연구의 대부분은 실생활에서의 효과적 및 비효과적인 학급 경영에 대한 관찰을 기초로 하고 있다. 그들의 연구는 과제 지향-즉, 기업가적 및 순종적으로 학문적 과제를 성취하는 것에 초점을 두는 것—이 학생과 교사가 따를 명확한 절차들을 갖도록 한다고 제안한다.

Evertson과 Emmer는 학생 활동을 조직하고 관리하는 것을 과제 분배, 기준, 그리고 절차의 수립과 전달, 학생 과제 확인, 피드백 제공 등의 세 가지 범주로 구분한다;

1. **숙제와 과제 요구사항 명확하게 전달하기**: 교사는 숙제, 과제의 특성, 수행 기준, 절차를 수립하여 학생에게 명확하게 설명해야 한다.

   a. *숙제에 대한 명확한 지침을 제공한다*: 말과 문서 등 두 가지 형식으로 설명되어야 한다. 교사는 과제물에 대해 학생들에게 말로 알려주는 것과 더불어 과제물을 칠판에 붙여 게시하거나 복사본을 나누어 줘야 한다. 학생들에게 칠판에 게시된 복사본을 그들의 공책에 기록하도록 한다.

   b. *보고서의 형식, 간결성, 제출마감일 등에 대한 기준 세운다*: 학생들이 과제를 시작하기 전에 문서의 형식과 사용되는 필기도구(펜, 연필, 타자기 등), 쪽번호 체제, 제목의 형식, 제출 마감일 등과 같은 모든 과제에 대한 일반적인 규칙들을 전달받아야 한다. 이렇게 하면 학생들은 각 시간에 언급되지 않더라도 그들에게 교사가 기대하는 것을 알게 된다.

   c. *결석생을 위한 절차를 개발한다*: 결석한 학생을 위한 보강 과제에 대한 처리절차가 수립되어야 한다. 교사들은 수업 이전 또는 이후에 정해진 시간에 간단히 학생들을 만나서, 그날의 특정 시간에 가능한 학급 도우미를 정해주고, 이 학생들이 만나서 보강 과제를 수행 할 수 있는 장소를 지정해 주어야 한다.

2. **학생의 작업 살피기**: 학생의 작업을 살핌으로써 교사는 학생의 어려움을 파악하고 학생이 작업을 지속하도록 격려할 수가 있다.

   a. *모둠 작업을 살핀다*: 작업을 수행 중인 특정 학생을 돕기 전에, 교사는 분명히 모든 학생이 작업을 시작하고, 과제물을 할 수 있도록 해야 한

다. 다시 말해, 어떤 학생은 과제를 하고, 어떤 학생은 과제를 하지 않는 일이 일어나지 않도록 해야 한다.

b. *개별 작업을 살핀다*: 교사는 여러 가지 방법으로 작업을 살필 수 있는데, 교실을 둘러보면서 필요한 세부적인 피드백을 제공하거나, 활동 중 특정 시점에 학생이 과제를 교사에게 가지고 오도록 하거나, 과제물에서의 단계마다 제출 마감일을 정해두는 것 등이 있다.

c. *작업의 완성도를 살핀다*: 작업을 제출하는 절차는 정해져 있고 지켜져야 한다. 모든 학생들이 같은 시간에 작업을 제출할 때 가장 좋은 방법은 모든 과제가 수집될 때까지 아무 의견 없이 주어진 지시대로 과제물을 제출하도록 하는 것이다.

3. **학생에게 피드백 주기**: 빈번하고, 즉각적, 세부적인 피드백은 학업을 주시하고, 관리하는 절차를 강화하는 데에 있어서 매우 중요하다. 진행중인 작업, 숙제, 끝마친 과제물, 시험, 그리고 그 외의 작업들은 즉시 확인되어야 한다.

a. *문제에 주의를 집중한다*: 학년도를 시작하면서 교사가 교실 및 가정에서의 과제물을 완료하는 것에 주의를 기울이는 것이 매우 중요하다. 학생이 처음으로 적절한 이유 없이 숙제를 하지 못했을 때는 학생과 대화를 한다. 만일 학생이 도움을 필요로 한다면 도움을 제공하되, 동시에 과제를 하도록 한다. 만일 학생이 작업을 수행하는 데 지속적으로 문제를 보인다면 그 때는 부모와의 협력이 반드시 필요하다. 나아질 것을 기다리지 말고 현재의 문제에 대해 설명 해야 한다.

b. *잘한 작업에 주의를 기울인다*: 잘 수행한 과제를 인정하는 것도 피드백을 제공하는 것의 일부이다. 이것은 그 작업을 게시하거나, 말로 칭찬하거나, 또는 글로 평을 제시하는 것 등으로 이루어질 수 있다.[10]

Evertson과 Emmer에 따르면, 효과적인 관리자는 11가지 관리 방법을 활용하며, 이들 모두는 학생 성취와 행동의 개선과 상관관계가 있는 것으로 알려져 있다. 이러한 방법은 표 9.1에 나열되어 있다.

Evertson과 Emmer가 사용한 일반적인 접근법과 방법은 초등과 중등 교사에게 적합하다. 이 접근법은 다양한 수업인 기법들, 특히 직접교수법과 같이 교사 중심 접근을 보완하는 것으로서 잘 맞는다(5장 참고).

응용과학적 접근법은 학생들의 "과제 수행 시간"과 "학문적 참여 시간"이 높게 나타난다. 과제 수행 시간은 학습에 할당된 시간을 의미하고, 참여 시간은 과제를 완성하는 동안에 학생이 경험하는 성공을 의미한다. 성공적인 학생은 대개 과제에 참여하는 학생이다. 학생들이 그들의 과제를 성공적으로 수행하고, 그러한 과제가 의미 있고, 타당할 때, 훈육 문제가 발생할 기회가 적다는 생각이 깔려있다. 교사들은 학생의 작업을 조직하고, 학생들의 작업 수행을 유지하고, 그들의 작업을 살피고, 피드백을 제공하며, 보상과 벌을 제공함으로 책임감을 갖게 한다."[11] 이것은 "no-play, no-frill"(행동이 좋지 못하면, 서비스도 없다)접근이고, 고전적인 "3Rs"에 대응하고 오늘날 교육에 있어서 "학문적인 생산성" 운동의 일부분으로 포장되고 있다.

행동 수정 접근법 : 고수준의 교사 개입

행동 수정은 James Watson의 고전적 연구와 보다 최근에 B. F. Skinner의 연구에 근간을 두고 있다. **행동 수정 접근법**은 단순한 보상에서 정교한 강화 훈련까지 다양한 기술과 방법이 포함되어 있다. 행동주의자들은 행동이 환경에 의해 형성된다고 주장하며, 그렇기 때문에 문제의 원인에는 관심을 거의 기울이지 않는다.

행동 수정 접근법을 활용하는 교사들은 보상 체계를 통해 적절한 행동이 더 많이 발생하도록 하고, 벌을 통해 문제 행동의 가능성을 감소시키려고 노력한다. Albert Bandura에 의하면, 이러한 교사들은 다음의 질문을 던질 것이다: 1) 수정을 요하는 특정 행동은 무엇이고, (그것을 증가, 감소, 소거하려는) 의도는 무엇인

표 9.1 효과적인 학급경영 방법

1. *학급 준비*: 학년 초에 교실 공간, 자료, 장비가 준비되어야 한다. 효과적인 운영자는 다른 이들 보다 공간을 더 잘 배열하며, 기존의 제약들에 보다 더 효과적으로 대처한다.

2. *규칙과 절차의 계획*: 교사는 학생이 규칙과 절차를 이해하고 따르도록 확실히 해야 한다; 교사는 학년 초에 학생들에게 규칙을 설명하고 상기시키는 시간을 가진다. 또한 학생들에게 규칙 순응에 대한 피드백을 제공한다.

3. *규칙과 절차의 교수*: 규칙과 절차(줄서기, 학습 과제 제출하기)는 체계적으로 교수되고 강화된다. 이러한 교사들 대부분은 학생들이 특징한 단서나 신호, 예컨대 종소리, 교사의 주목하라는 요구에 반응하도록 가르친다. 그들은 또한 어떻게 하면 행동이 기대에 부응하는지를 학생들과 토의한다.

4. *결과*: 교사는 규칙과 절차에 따르지 않은 결과를 명확하게 수립한다; 추후 조치가 일관성 있게 취해진다.

5. *학교 활동의 시작*: 처음 며칠은 학생들이 일관적이고 협동적인 집단으로서 기능하도록 준비하는 데 시간을 보낸다. 일단 집단이 정해지면 교사는 전체 집단의 초점을 유지한다.

6. *잠재적 문제를 위한 전략*: 잠재적 문제를 다루는 전략을 사전에 계획한다. 교사는 이러한 전략으로 덜 효과적인 운영자 보다 더 신속하게 문제 행동을 다룰 수 있다.

7. *감독*: 학생 행동을 면밀히 감독한다; 학생의 학문적 활동 또한 감독한다.

8. *문제 행동의 통제*: 부적절하고 혼란스러운 행동을 즉각적, 지속적으로-이 행동이 악화되고 퍼지기 전에 통제한다. 교사는 문제 행동을 다루는 다양한 기술을 사용할 수 있다.

9. *수업의 조직*: 교사는 학급에서 모든 학생들의 수준에 적합한 수업 활동을 조직한다. 학생 성공과 내용은 학생 흥미와의 관련성이 높다.

10. *학생 책무성*: 학생이 학습과 행동에 책임을 지도록 하는 절차가 개발되어 왔다.

11. *수업적 명료성*: 교사는 수업을 명료하게 제공한다; 이것은 학생들이 과업을 지속하는데 도움을 주며, 더 빨리 학습하도록 하고, 교육적 문제를 감소시킨다. 명확하게 지시하여 혼동을 최소화한다.

출처: Adapted from Edmund T. Emmer and Carolyn M. Evertson. "Synthesis of Research on Classroom Management." *Educational Leadership* (January 1981): 342-347. Carolyn M. Evertson and Catherine H. Randolph. "Classroom Management in the Learner-Centered Classroom." In A.C.Ornstein(ed.), *Teaching: Theory and Practice*. Needham Heights, Mass: Allyn & Bacon, 1995, pp. 116-131. Catherine H. Randolph. "Perspective on Classroom management in Learner-Centered Schools." In Hersholt L. Waxman and Herbert J. Walberg(eds.), *New Direction for Teaching*. Berkeley, Calif.:McCutchan, 1999, pp. 249-268.

가? 2) 행동은 언제 발생하는가? 3) 행동의 결과는 무엇인가? 혹은, 행동이 표출될 때 교실에서 무슨 일이 발생하는가? 4) 이러한 결과는 문제 행동을 어떻게 강화하는가? 그 결과는 어떻게 변경될 수 있는가? 5) 적절한 행동은 어떻게 강화될 수 있는가?[12]

행동 수정 접근법의 기본 원리는 다음과 같다:

1. 행동은 개개인의 이력에서 문제의 원인, 또는 집단의 조건에 의해서가 아니라, 그 결과에 의해 형성된다.

2. 행동은 즉각적인 강화에 의해 강해진다. **정적 강화**는 칭찬 혹은 보상이다. **부적 강화**는 학생이 싫어하는 것을 제거하거나 멈추는 것, 혹은 특별한 자극, 발생한 행동 증가를 제거하는 것이다.[13] 예컨대, 학생은 교사에 의해 질책 당한다. 그러면, 학생은 학급 규칙에 따라 행동하는데 동의하고, 교사는 질책을 멈춘다. 부적 강화 상황에서 학생은 환경으로부터 혐오적인 자극(잔소리, 꾸중, 위협 등)을 제거하기 위한 방식으로 행동한다.

3. 행동은 체계적인 강화(정적, 부적)에 의해 강해진다. 행동은 강화가 뒤따르지 않으면 약해진다. 강화는 먹을 수 있는 것(사탕), 사회적인 것(칭찬), 자료(유형의 보상), 토큰(별표, 점수) 등과 같은 여러 가지 상이한 형태를 취한다.[14]

4. 학생들은 벌(혐오적인 자극) 보다 정적 강화에 더 잘 반응한다. 벌은 자제력 있게 활용한다면 문제 행동을 감소시키기 위해 활용될 수 있다.

5. 학생이 적절하거나 순응하는 행동에 대해 보상을 받지 못할 때, 부적절하거나 비순응적 행동이 점차 지배적이 될 수 있고, 강화를 획득하는데 악용될 것이다.

6. 지속적인 강화-발생할 때 마다 매번 행동에 강화를 주는 것-는 새로운 학습 혹은 상황 조건에서 특히 가장 좋은 결과를 보인다.

7. 일단 행동이 학습되면 간헐적 강화-단지 때때로 행동에 강화를 주는 것-를 통해 가장 잘 유지된다.

8. 간헐적 강화 계획에는 a) 변동 비율, 예측할 수 없는 시간 간격으로 강화 제공, b) 고정 비율, 미리 선택된 수의 반응 이후에 강화 제공, c) 고정 간격, 미리 선택된 시간 간격에서 강화의 제공 등이 포함된다.[15]

9. 강화자에는 다양한 유형이 있으며, 이들 각각에는 정적 혹은 부적인 것이 있다. 정적 강화자의 예로 는 a) 언어적 평("좋아" "맞았어" "잘했어"), 얼굴 표정, 제스처와 같은 사회적 강화자, b) 칭찬 글귀, 금색 별표, 체크와 같은 묘사적 강화자, c) 어린 학생들을 위한 쿠키, 배지와 성장한 학생들을 위한 자격증, 부모님께 보내는 서한과 같은 유형의 강화자, d) 어린 학생들을 위한 감독자 역할 하기, 교사 옆에 앉기, 성장한 학생들을 위한 친구와 함께 공부하기, 특별한 프로젝트에 참여하기와 같은 활동 강화자 등이 있다.[16]

10. 규칙이 수립되고 강화된다. 규칙을 따르는 학생들은 다양한 방법으로 칭찬 받고 보상을 받는다. 규칙을 어기는 학생들은 무시되거나, 적절한 행동을 기억하도록 요구 받거나, 즉시 벌을 받는다. 규칙을 어기는 데 대한 반응은 행동 수정 접근법의 상이한 변인과 다소 차이가 있다.

각각의 교사는 개별 학생에 대한 잠재적인 강화 대리자로서의 아직 정해지지 않은 가치를 갖는다. 이 가치는 과거 경험에 기초하여 학생에 의해 먼저 부여되

전문적인 관점

효과적인 학급경영

Carolyn M. Evertson
Vanderbilt 대학 사범대 교육 심리학과 교수

신규 교사들의 주된 관심사는 학급을 효과적으로 운영하는 것이다. 그러나 종종 효과적인 운영은 단순히 문제 행동을 다루는 것으로 보인다. 훌륭한 학급경영이란 학생을 훈육하는 일련의 전략이라고 보는 것은 훌륭한 운영이 터하고 있는 토대를 오해한 것이다. 학급경영이 효과적인가는 일단 발생한 문제를 다루는 특별한 기술이 아니라 오히려 문제가 최초로 발생하는 것을 성공적으로 방지하느냐에 의해 결정된다. 훌륭한 운영의 실제는 학급 과제와 활동을 성취하기 위해 주의 깊게 조직되고, 체계화된 계획을 바탕으로 개학 첫 날부터 시작된다. 훌륭한 운영자는 또한 학생들의 학업과 행동에 대한 바람, 규칙과 절차, 학생들의 학문적 수행을 점검하고 감독하는 일상 업무, 학생들의 성적을 매기고 피드백을 주는 절차, 유인책과 억제책, 학생 집단 편성을 위한 방법, 겉보기에는 하찮아 보이지만 본질적인 여러 다양한 절차들에 대해 분명히 한다. 예방적 계획은 학생들에게 성공하는 방법을 제공함으로써 행동적인 문제로부터 눈을 돌리도록 하는데 도움이 된다.

고, 교사 행동의 결과로서 변경된다. 교사는 이러한 평가 과정이 학생들에게서 지속되고, 학생과의 긍정적인 관계가 교실에서 행동에 영향을 끼치는 교사의 잠재력을 강화시킬 것이라는 점을 인식해야 한다. 게다가 교사는 학생의 인생에 있어서 강화 대리인의 역할을 수행하는 많은 어른 중에 한 사람이다. 학급경영 과정을 용이하게 하기 위하여, 교사는 다른 사람들이 지원할 수 있는 것을 목록으로 만들 수도 있다.

학급경영에 적용 가능한 행동 수정 체계와 유형들은 여러 가지가 있다. 기본적으로 행동에 대한 제한과 결과를 설정하고, 다양한 규칙, 보상, 벌을 활용한다. 다양한 사회적 학습 상황에서 이용되는 유명한 체계로는 *본받기*가 있다.

모범은 주목하게 하고, 주의를 유지하고, 모방하게 하는 정도만큼 행동을 수정하는데 효과적이다. 부모, 친척, 교사 다른 어른들(지역사회 거주자), 공공 인사(운동 선수, 영화 배우), 동료들이 효과적인 모범이 될 수 있다. 가장 좋은 모범은 개개인이 1) 성, 2) 나이, 3) 민족성, 4) 신체적 매력, 5) 인간적 매력, 6) 역량, 7) 권력, 8) 모방자에 대한 보상 능력 등과 같은 특성들 중 하나 혹은 그 이상을 바탕으로 식별될 수 있는 사람들이다.

학급경영에서 본받기를 활용하고자 하는 교사는 언급된 처음 5가지가 변화하기 어려운 개인적 특성이라는 점을 인식해야 한다. 그러나 다음에 거론되는 3가지는 교육적이고 모범의 효과성을 증가시키도록 조작하기에 용이한 역할 특성이다.

모범을 통해 규율을 잘 확립하는 것에는 다음이 포함된다.

1. *시범*: 학생들은 기대되는 것을 정확히 알고 있다. 게다가 기대 행동에 대한 설명을 들었을 뿐만 아니라 그들은 그것을 보고 듣는다.
2. *주의 집중*: 학생들은 묘사 혹은 설명되는 것에 관심을 집중한다. 관심의 정도는 모범(교사)의 특징과 학생의 특징이 관련되어 있다.
3. *실습*: 학생들에게 적절한 행동을 실습할 기회가 주어진다.

4. *교정적 피드백*: 학생들은 빈번하고, 구체적이며, 즉각적인 피드백을 받는다. 적절한 행동은 강화된다; 문제 행동은 억제되고 수정된다.
5. *적용*: 학생들은 학급 활동(역할 놀이, 모범 활동)과 다른 실생활 환경에서 그들의 학습을 적용할 수 있다.[17]

"본받기"로부터 학생들이 어떻게 학습하는지에 대해 잘 알지 못하는 교사들은 모범을 성공적으로 활용하는 교사들보다 학생들에게 더 적은 학습을 유발하고, 더 많은 훈육 문제를 가지게 된다.

Miltenberger는 교실에서 행동 수정을 활용하는 모형에 덧붙여 몇몇 다른 방법을 설명한다.

1. *"잘하고 있을 때 잡아채기" 방법*: 교사는 학생들이 바람직한 것을 수행하는지 관찰하고, "선생님은 지금 1분단처럼 앉아 있는 것을 좋아해" 또는 "선생님은 지금 Bobby처럼 과제물을 하는 것을 좋아해" 등과 같이 긍정적으로 언급한다.
2. *규칙-무시-칭찬 방법*: 교사는 명확한 규칙을 개발하고, 가벼운 문제 행동을 무시하고, 순응적 행동은 칭찬한다.
3. *규칙-보상-벌 방법*: 교사는 명확한 규칙을 수립하고, 적절한 행동을 보상하며, 위반에 대해서는 벌을 내린다.
4. *대비 운영 방법*: 교사는 특정 시점에 여러 가지 상이한 보상으로 이득을 볼 수 있는 현실적인 강화자를 만들어 냄으로써 적절한 행동을 보상한다. 어느 고등학교에서 대수학 I 교사는 학급에서 학생이 규칙에 따르는 (긍정적 수학) 행동을 했을 때 "행운의 표시"를 제공한다. 그 학생은 나중에 행운의 표시를 걸 스카우트 쿠키 몇 개와 교환한다.
5. '*계약 방법*: 교사는 학생에게 기대되는 행동과 적절한 행동에 대한 보상을 구체화하는 계약서를 만든다.[18]

집단 관리 접근: 중간수준의 교사 개입

교육에서 집단 관리 접근은 Jacob Kounin의 연구에 기초하고 있다. Kounin은 특히 교사 행동이 학생 행동에 관련되는 것으로서 체계적인 학급경영 전략을 처음으로 연구한 연구자들에 속한다. **집단 관리 접근**은 문제 발생 이후에 처리해야 하는 것 보다는 오히려 문제를 예방하기 위해 부적절하고 바람직하지 않은 학생 집단 행동에 즉각적으로 반응하는 것이 중요함을 강조하고 있다. 그는 "파동 효과"로 불리는 것에 대해 설명한다.[19] 한 학생이 잘못 행동하지만, 교사가 즉시 문제 행동을 중지시킨다면, 그것은 격리된 사건으로 남고, 문제로 발전되지 않는다. 문제 행동이 목격되지 않거나, 부적절하게 무시되거나, 너무 오랫동안 계속되는 것이 허용된다면, 그것은 종종 집단 전체에 퍼지고 보다 심각하고 만성적인 것이 된다.

Kounin은 학급 활동을 학생 행동과 교사 관리 행동(표 9.2.참고)의 범주로 나누어 관리를 목적으로 하는 학급 활동을 분석하고 있다. 학생 행동의 대부분 범주는 학습 관련성과 일탈에 관한 것이다. 교사 행동의 대부분 범주는 단념 기법, 이동 관리, 집단 집중 등에 관한 것이다.

표 9.2 Kounin의 학급경영을 관찰하기 위한 행동과 범주

학생 행동 범주

I. 학습 관여	II. 일탈
A. 관여	A. 문제 행동 없음
B. 약간 관여	B. 약간의 문제 행동
C. 무관여	C. 심각한 문제 행동

교사 관리 행동 범주

I. 단념기법	III. 집단 집중
A. "함께하기"	A. 주의환기
1. 학생들을 시대 유행에 맞게 다루기	1. 긴장을 유발하기
B. 중복조치	2. 낭독자를 무작위로 지목하기
1. 여러 가지 행동을 다루기	3. 비자원자 찾아가기
C. 고자세	4. 새로운 자료 제시하기
1. 공개적으로 학생 질책하기	5. 낭독자 편에 서서 집단 무시
D. 저자세	6. 질문하기 전에 낭독자 선택
1. 문제 행동을 하는 학생에게 가까이 가기	7. 질문하고, 그리고 낭독자 지적하기
II. 이동 관리	B. 책임
A. 순조로움-덜컹거림	1. 학생에게 입장을 지지하는지 묻기
1. 주제를 급변하기	2. 전체 합창으로 응답에 적극적 경청
2. 수업을 간략화 하기	3. 다른 사람들 찾아가기
B. 여세	4. 자원자와 비자원자 찾아가기
1. 지나치게 머무르기	5. 학생에게 수행 시범 요구하기
2. 수업을 단편화하기	6. 빈번한 복습

출처: Adapted from Jacob Kounin. *Discipline and Group Management in Classrooms*. New York: Holt, Rinehart & Winston, 1970, Chaps. 3 and 7.

작업 참여

작업 참여는 학생이 할당된 학업 활동에 참여하는 데 소비한 시간의 양이다. (이것은 다른 연구자가 "과제 집중 시간" 혹은 "학업 참여 시간"으로 명명한 것과 매우 유사하다.) 익힘책에 글쓰기나 암송하기, 읽기, 시연 시청과 같은 활동에 참여한 학생은 다른 어떤 할당된 과제에 참여하지 않은 학생보다 훈육문제를 덜 드러낸다. 만약 교사가 학생의 작업 참여를 지속시킬 수 있다면, 지루함이나 훈육문제가 발생할 기회가 더 적을 것이다.

일탈

일탈 행위는 전혀 문제 행동이 아닌 것에서부터 심각한 문제 행동에 이르기까지 다양한 유형을 보인다. 문제 행동이 전혀 아닌 행위는 학생이 무의식적으로 과제를 중단하거나, 다른 학생 혹은 교사를 흥분하게 한다거나, 일시적으로(혼란을 초래하지는 않는) 과제를 중단하는 것을 말한다. 그에 반해 정도가 가벼운 문제 행동은 휘파람불기, 표정짓기, 집적 거리기, 만화 읽기, 노트 돌리기와 같은 행위들을 말한다. 심각한 문제 행동은 공격적이고 피해를 주는 행위로써 다른 사람을 방해하거나 학교 혹은 사회 규칙을 어기는 행위이다. 중요한 것은 정도가 가벼운 문제 행동이 심각한 문제 행동으로 악화되는 것을 방지하는 것이다. 정도가 가벼운 문제 행동의 경우 신속하게 조치할 필요가 있다.

단념 기법

단념 기법은 문제 행동을 중지시키기 위해 교사가 취하는 행동이다. Kounin은 단념 기법은 두 가지 능력이 필요하다고 생각했다. **함께하기**는 대응이 필요한 학생에 대해 시기 적절한 방법으로 반응하는 능력이다. 또한 함께하기는 학생에게 어떠한 일이 일어나고 있는지 교사가 알고 있다는 것을 전달하는 것을 포함한다. 이는 Kounin이 다음과 같이 표현했다. "교사는 머리 뒤에 눈이 달려 있다." **중복조치능력**은 한번에 한 가지 문제 이상에 대처할 수 있는 능력이다. 이런 능력의 교사는 동시에 한 학생이상에 대해 집중할 수 있다. 이를테면 암송하고 있는 학생과 질문이나 의견을 제시하는 학생을 동시에 살피는 상황 같은 것이다.

이동 관리

이동관리는 수업 동안은 물론 다른 수업간에 과제가 진행됨에 따른 변화에 맞게 행동을 조직화하는 것이다. 이러한 이동은 순조로움과 급작스러움으로 특징지을 수 있다. 이 두 가지 용어는 특별히 복잡한 것은 아니지만, 아주 적절한 것이라 할 수 있다. 유연함은 흐름이 원활하고 조용한 행동이다. 유연한 이동에서는 작업 시간이 중단되지 않고, 전환이 어떤 혼란 없이 짧고, 부드럽게 자동적으로 이루어진다. 특별히 교사는 1) 학생이 활동하는데 여념이 없을 때 불필요한 통보나 간섭을 피한다. 2) 다음 행동을 시작하기 전에 시작된 행동을 끝낸다. 3) 급작스럽게 행동을 끝내거나 시작하지 않는다. 급작스러움은 활동이 무질서하게 흘러가는 것을 의미한다. 이러한 상황은 교사가 한번에 너무 많은 것을 끝내려고 하거나, 한 과제의 종료나 새로운 과제로의 변경에 대해 명확히 하지 않을 때 발생할 수 있다. 교사는 전환하는 동안 소리를 질러야 할지도 모른다. 결국 학생이 무엇을 해야 하는지 물어봐야만 할 때 무질서한 상황이 발생할 수 있다. 그리고 참여하지 않는 학생들이 혼란을 야기할 수도 있다. 급작스러운 행동을 방지하려면 교사는 행동의 다음 다섯 가지 하위 요소들을 피해야 한다.

1. 교사가 일단의 학생이나 행동에 너무 몰두하여 다른 학생을 무시하거나 잠재적인 혼란가능성이 있는 사건을 놓치는 행위.
2. 교사가 학생의 준비상태를 평가하지 않고, 갑자기 행동을 취한다거나 학생에게 혼란만을 야기시키는 지시를 내리고, 설명하고 질문하는 행위.
3. 교사가 행동이 완료되기 전에 끝내거나 이야기를 중단하는 행위.
4. 교사가 급작스럽게 행동을 끝내는 행위.
5. 교사가 한 행동을 끝내고 다른 행동을 취한 후 다

시 이전에 종료한 행동으로 돌아가는 행위. 이런 경우에는 교사가 행동에 대한 명확한 방향과 연계가 부족한 것이다.

이동 관리는 또한 여세(餘勢)를 몰아가는 것과 관련 있다. 즉 적절한 속도로 행동을 유지하는 것이다. 이러한 여세는 현 상황에 지체하거나 세분화시킬 때 느려지고 방해를 받을 수 있다. 지체는 대부분의 학생의 이해도에 대해 필요한 것 이상으로 설명을 하거나 강의를 들려주기, 타이르기, 잔소리하기, 과대 강조하기, 혹은 너무 많은 지시를 내리는 등의 형태를 띨 수 있다. 세분화시키는 것은 너무 많은 세부사항을 제시하거나 교사의 활동을 너무 많은 단계로 나누거나, 중복하는 경우, 그리고 반복하는 경우를 말한다. 예를 들면, 교사가 한 학생이 크게 읽고 다른 학생은 듣도록 할 수 있을 때, 학생을 한 명씩 책상으로 불러서 읽힐 때와 같은 경우가 세분화인 것이다.

집단 집중

집단 집중은 학생이 집단 활동이나 과제에 대한 집중을 말한다. 집단 집중은 Kounin이 명명한 "주의환기"를 통해 성취될 수 있다. 주의환기에는 긴장감을 유발시키기, 새로운 자료 제시하기, 낭독자를 무작위로 선정하기, 낭독자를 선택하기 등이 있다.(Kounin이 제시한 다른 방법의 목록은 표 9.2참조) 집단 활동 주의력은 책임감을 통해서도 성취될 수 있다. 예를 들면 학생에게 입장을 지지하는지 묻기, 돌아가면서 학생의 감상문을 점검하기, 실제 실행을 하게 한 후 그 결과를 점검하기와 같은 것이 있다(표 9.2 참조).

요약하자면 Kounin은 수업과 활동에서의 학생 참여가 성공적인 학급경영의 핵심이라고 믿었다. 학생은 작업하고, 얌전하게 처신하는 것이 기대된다. 성공적인 교사는 체계적인 방법으로 학생 활동을 주시하고 활동에 대해서 수용할 수 있는 것과 수용할 수 없는 것을 명확하게 규명하며 함께하기와 중복조치능력을 보여준다. 또한 과제에 대해 명확한 방향 감각과 연계감각을 가지고 있다. 한 활동에서 다른 활동간에 전환이

순조롭게 이루어지며, 이를 통해 학생의 집중한 상태가 활동간에 쉽게 전환된다. 마찬가지로 수업도 적절한 속도로 진행된다.

Brophy, Doyle, Emmer, Evertson, and Good와 같이 학급경영 분야에 있어서 유명한 응용과학 이론가들은 대부분 Kounin의 영향을 받았다. 현재 그들이 말하고자 하는 것의 대부분은 30년전에 Kounin이 어떤 형태로든지 이미 언급한 것들이다.

Kounin이 주장한 핵심은 교사는 학급경영자로서 다음의 것을 해야 한다는 것이다.

1. *집단 집중을 유지한다*: 교사는 학생이 무엇을 할 필요가 있는지(무엇을 조직 해야 하는지)알아야 하고, 그 다음에 학생이 개략적으로 제시된 것의 실행을 기대해야 한다.
2. *어느 정도의 집단 책임감을 갖도록 한다*: 교사는 모든 학생이 교실 안에서 일어난 것에 대해 책임감을 느낄 수 있도록 해야 한다. 그렇게 하면 모든 학생이 자신이 참여한 느낌을 받을 것이다.
3. *집단의 주의를 끈다*: 교사는 학생의 주의집중을 쉽게 하는 방법을 찾고, 수업을 정시에 시작한다.[20]

Kounin의 가장 위대한 공헌은 방지를 강조한 것일 게다. 훌륭한 교사는 교실환경을 구조화하여 문제 행동 학생들이 예방되지 않았다면 최소화한다. 학생 문제 행동은 완전히 제거될 수는 없을 것이다. 하지만 "여세"와 "순조로움"과 같은 개념을 아는 교사는 너무 적은 활동을 하거나 적절한 변화 없이 한 수업에서 다른 수업으로 뛰어넘는 교사보다 훨씬 적은 문제 행동을 접하게 될 것이다.

효과적인 학급경영을 위한 실제적 제안에 대한 개관은 교사들을 위한 조언 9.1을 참고하기 바란다.

승인 접근법 : 중간수준의 교사 중재

훈육에 대한 **승인 접근법**은 인본주의 심리학에 뿌리를 두고 있다. 인본주의 심리학은 모든 사람은 승인에 대

교사들을 위한 조언 9.1

학급 경영 접근법 향상에 관하여

교사는 어떻게 학급경영에 있어 긍정적인 접근법을 개발하고 유지하는가? 또는 채택하려고 하는 훈육 접근법은 무엇인가? 여기에서는 대부분의 상황에서 효과가 기대되는 실질적인 제안을 하고자 한다.

정의적 차원

1. *긍정적 자세를 가져라*: 하지 말아야 할 것이 아니라 해야 할 것을 강조하라.
2. *격려하라*: 힘든 작업과 훌륭한 행동에 대해 인정한다는 것을 보여줘라.
3. *신뢰하라*: 학생을 신뢰하되 만만한 사람이 되지 마라. 학생이 교사에게 정직하고, 악용하지 않는 한 그들 편임을 느끼게 하라.
4. *흥미를 표현하라*: 개별 학생과는 흥미를 느끼게 하는 것과 주말에 한 일들, 그리고 다른 영역이나 과목에서 학습활동이 어떻게 진행되고 있는지에 관한 얘기를 하라. 집단의 행위에 영향을 미치는 사회적 경향, 양식 그리고 학교 사건에 대해 민감하게 대응하고 존중하라. 동료 집단의 압력이 개인 행위에 영향을 주고 있음을 인지하라.
5. *공정하고 일관성 있게 대처하라*: 특별히 선호하는 학생이나 지적의 대상으로 삼는 학생을 두지 말라. 한 번의 위반에 대해서 비난하지 말고 재 위반 시에 아예 무시하지 말라.
6. *존중하라; 비꼬아 말하지 말라*: 학생에 대해 존중하고 심사 숙고하는 자세를 견지하라. 학생의 필요와 흥미를 이해하라. 지적을 할 때 거만하거나 생색을 내거나 교사로서의 지위에 의존하지 말라.

절차적 영역

7. *교실규칙을 수립하라*: 규칙을 명확하고 간결하게 만들고 실제로 실시하라. 교사가 만든 규칙은 결국 학생들의 규칙으로 받아들여져야 한다.
8. *결과에 대해 논의하라*: 학생은 받아들여질 수 있는 행동과 받아들여질 수 없는 행동의 결과를 이해하여야 한다. 합리적인 결과를 인용해라. 즉, 적절한 보상과 벌을 활용하라. 너무 자주 벌을 주지 않는다. 그것은 오래지 않아 효과를 상실한다.
9. *일정한 절차를 수립하라*: 학생은 무엇을 해야 하고 어떠한 상황 하에 있는지 알아야 한다. 일정한 절차는 정돈되고 안전한 교실 환경을 제공한다.
10. *문제 행동에 맞서라*: 규칙 위반과 일정한 절차에 대한 방해적 행위에 대해 무시하고 넘어가지 않는다. 교수에 있어 방해되지 않는 방법으로 문제 행동을 처리하라. 심각하고 전파성이 강한 문제 행동에 대해서는 비록 교수를 중단할 지라도 받아들이거나 용서하지 않는다. 만약 무시하게 되면, 더욱 악화될 것이다.
11. *실패는 감소시키고, 성공을 독려하라* : 학업적 실패가 실망과 퇴학, 그리고 적대행위 때문 이라면 그것은 최소화로 유지되어야 한다. 학생이 자신을 승자로 이해하고 성공에 대한 인정을 받을 때 예의 바르고 침착하며 자신감 있는 모습이 될 것이다. 결국 함께 활동하기가 더욱 용이하고 가르치기도 훨씬 수월하다.
12. *좋은 예를 설정하라*: 설교하고자 하고, 기대하는 것에 대한 본보기를 만들어라. 예를 들면, 학생에게 원하는 말하기 방식대로 교사 스스로도 그와 같이 말하라. 학생이 정돈하는 면을 기대한다 면 정돈된 공간을 유지하라. 학생이 숙제 하는 것을 기대한다면 숙제를 확인하라.

한 원초적인 욕구를 가지고 있다고 주장한다. 다른 모든 사람과 마찬가지로 학생도 승인을 얻기 위해 노력한다. 학생은 배우는 것 이상으로 자신에게 중요한 사람에게 귀여움을 받고 싶고 그 속에 같이 참여하고 싶어한다. 마찬가지로 학생은 문제 행동을 저지르기 보다는 보통의 행위를 하려고 한다. 승인 접근법은 또한 교사가 규칙과 결과 수립을 통해 지도력을 제공하면서 동시에 학생에게 결정과정과 선택과정에 참가하도록 허용하는 민주적 교수 모형에 기초하고 있다.

Rudolph Dreikurs는 승인의 필요성에 근거한 훈육 접근법으로 유명하다.[21] 그는 학교에서 적절한 행동과 성취의 선행요소가 동료와 교사에 의한 승인이라고 주장한다. 사람들은 지위를 얻고 알려지기 위해 모든 종류의 행동을 시도한다. 만약 그들이 사회적으로 수용 가능한 방법을 통해 알려지지 못하면, 반사회적 행위를 초래하는 잘못된 목표로 전환하게 될 것이다. Dreikurs는 네 가지 잘못된 목표를 식별했다.

1. *주의 획득:* 학생이 자신이 바라는 만큼 알려지지 않았을 때, 종종 주의 획득을 위한 문제 행동에 의지한다. 그들은 다른 학생과 교사가 자신에게 관심을 가져주기를 원한다. 그들은 "교실 광대"처럼 행동할 수 있고, 특별한 부탁을 하며, 계속해서 과제에 대한 도움을 요구하거나 교사가 자신의 주위에 있지 않으면 활동 자체를 거부하기도 한다. 그들은 동료 또는 교사의 주의를 얻으면 제 역할을 수행한다. 교사는 "내가 지금 성가시게 하니?" 라고 질문함으로써 어떤 문제 행동이 이와 같은 잘못된 목표를 가지고 있는지 판단할 수 있다.

2. *권력 추구:* 학생은 자신의 존재에 대한 인식의 욕구를 권력 투쟁으로 인지하는 것에서 성인을 무시하는 것으로 표현하기도 한다. 구체적 양상으로는 주장하기, 부인하기, 괴롭히기, 울화통, 낮은 수준의 적대적 행위와 같은 것들이 있다. 만약 학생이 교사로 하여금 자신들과 논쟁하거나 싸우게 한다면 학생이 이긴 것이다. 왜냐하면 학생은 자신이 힘이 있다고 느끼고 있기 때문이다. 교사는 "내가

위협을 느꼈나?" 와 같은 질문을 통해 어떤 문제 행동이 이와 같은 잘못된 목표를 가지고 있는지 판단할 수 있다.

3. *보복 모색:* 힘을 통해서 알려지는 것이 실패한 학생은 보복을 시도할 수 있다. 그들의 잘못된 목표는 자신이 다친 것에 대해서 혹은 거부당했거나 사랑 받지 못했다고 느낀 것에 대한 보상을 위해 다른 사람들에게 피해를 주는 것이다. 보복을 모색하는 학생은 처벌을 두려워하지 않는다. 그들은 타인에게 잔혹하고 적대적이며 폭력적이다. 단순한 논리가 이런 학생에게는 항상 효과가 없다. 처벌은 그들에게 행위에 대한 새로운 원인을 제공할 뿐이다. 이런 학생들이 문제를 더 일으킬수록 자신들이 더욱 정당화되었다고 느끼게 된다. 교사는 "내가 마음 상했는가?" 와 같은 질문을 통해 어떠한 문제 행동이 이와 같은 잘못된 목표를 가지고 있는지 판단 할 수 있다.

4. *물러나기:* 만약 학생이 아무런 도움도 없고 거절당했다고 느낀다면, 그들의 행동 목표는 문제에 직면하기보다는 사회적 상황으로부터 물러나는 것이 될 수 있다. 그들은 자신의 능력을 시험한 상황으로부터 자신을 제거함으로써 본인이 가진 자존심을 돌보지 않는다. 그와 같은 물러나기는 불완전함의 느낌을 보여주는 것이다. 도움을 받지 못한다면 그들은 결국 고립될 것이다.[22]

교사들이 해야 할 첫 번째 일은 학생의 잘못된 목표를 식별하는 것이다. 문제 행동의 유형이 학생이 가진 기대의 유형과 목표를 나타내고 있는 것이다.

1. 만약 학생이 행동을 중단하고 계속 반복한다면, 그들의 목표는 주의 획득인 경향이 있다.

2. 학생이 중단을 거부하거나 문제 행동을 증가시킨다면, 그들의 목표는 권력 추구적인 경향이 있다.

3. 학생이 적대적이거나 폭력적이 된다면, 그들의 목표는 보복적인 경향이 있다.

4. 학생이 협동하거나 참여하는 것을 거부한다면, 그

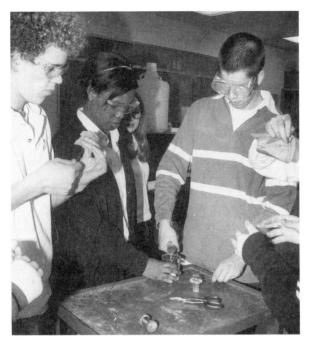

소모둠에서 함께 작업하는 것은 협력과 책임감을 북돋는다.

들의 목표는 물러나기 경향이 있다.

교사가 학생의 목표를 식별한 후에는 학생이 무엇을 하고 있는지에 대한 설명을 통해 학생과 마주대할 필요가 있다. Dreikurs는 이때 친구처럼 위협적이지 않게 한다면 학생으로 하여금 본인의 행동을 점검하고 나아가 변화에 이르게 까지 할 수 있다고 주장했다. 이후에 교사는 학생을 격려하여 본인의 노력으로 자신의 잘못된 목표를 인지하고 행동을 변화시키도록 해야 한다. Dreikurs는 격려와 칭찬에 있어서 한 가지 중요한 구분을 하였다. 격려는 학생의 능력에 대한 존중과 믿음을 전하는 말과 행위이고 반면에 칭찬은 과제가 성취 되었을 때 주어지는 것이다.

교사는 학생이 잘못된 행위에 대한 결과를 인지하고 이해하는 것을 확실히 할 필요가 있다. 결과는 가능한 한 문제 행동과 밀접하게 관련되어야 하고, 교사는 그러한 결과를 분노나 승리감을 나타내지 않고, 차분한 자세로 일관성 있고 즉각적으로 적용하여야 한다. 예를 들면, 숙제를 완성하지 않은 것은 방과후에 남아서 마무리 해야 함을 의미한다. 다른 사람을 방해하면 잠시 동안 자신이 속한 조직에서 고립되어 있어야 한

다. 학생은 점차적으로 자신의 잘못된 선택이 다른 누구도 아닌 본인의 잘못으로 인해 불쾌한 결과를 낳는다는 것을 배우게 된다. 결국 학생은 자신의 행동을 통제하는 법을 배우고 더 나은 결정을 하게 됨에 따라 자제를 통해 본인의 행동을 통제하는 수준에까지 이르게 된다.

Dreikurs는 잘못된 목표를 보이는 학생과 함께 활동할 때 그들을 격려하고 결과를 달성하게 하는 몇 가지 전략을 제시 했다. 표 9.3에는 몇 가지 예가 제시되어 있다.

성공 접근법: 중간수준의 교사 중재

성공 접근법은 인본주의 심리학과 민주적 교수모형에 기반을 두고 있다. 문제 행동과 그러한 행동의 결과를 다루는 대신, 그것은 일반적인 심리적 및 사회적 조건을 다룬다. 현실치료라고 불려지는 이 접근으로 가장 주목 받는 William Glasser는 교사는 학생 쪽에서 나쁜 행동을 변명해서는 안되지만, 부정적인 교실 조건을 바꾸고, 교사가 학생들을 성공적으로 이끌기 위해서 조건들을 개선할 필요가 있다고 주장한다.[23] 그러한 조건들 중 하나가 성공적인 사회관계이다. 그러므로, 교사는 학생들과 협조하여 규칙을 만들고, 향후 그러한 규칙들을 공정하게 집행해야 할 것이다. 현실치료는 학생들과 돌보는 관계를 가지고, 과거 행동이 아니라 현재행동에 초점을 두며, 학생들이 행동에 대한 개인적인 책임을 이해하도록 돕고, 행동 변화에 대한 계획을 학생들과 함께 개발하고, 그 계획에 충실하는 것 등으로 구성된다.

통제이론은 Glasser의 현실치료가 확장된 것이다. Glasser는 통제이론에서 소속감, 사랑, 통제 그리고 자유 같은 특정한 학생 요구에 교사가 주의를 기울이는 것의 중요성을 추가했다. 훈육문제는 학생 행동과 격리되지 않는다. 훈육문제는 무수한 인간욕구 때문에 발생하고, 교사들은 행동이 효과적으로 관리된다면 그러한 욕구들을 알게 될 것이다.[24]

Glasser의 훈육에 대한 비강압적인 관점은 단순하

표 9.3 승인 접근법 실행을 위한 전략 (일부 사례들)

학생 격려를 위한 전략	결과 달성을 위한 전략
1. 긍정적 자세를 가져라; 부정적 표현을 피해라.	1. 지시를 분명하게 내려라.
2. 학생이 완벽이 아니라 발전하도록 격려한다.	2. 학생과의 관계를 상호 신뢰와 존중에 기반하여 형성하라.
3. 노력을 강조하라; 학생이 노력한다면 결과는 부차적인 것이다.	3. 합리적인 결과를 활용하라; 문제 행동과 결과간의 직접적 관련성이 이해되어야 한다.
4. 실수에서 배울 수 있도록 가르쳐라.	4. 적절한 관점에서 행위를 판단하라; 사소한 사건을 문제 삼는 것을 피해라.
5. 학생의 독립심을 격려하라.	5. 학생이 자신의 행위에 대한 책임을 가정할 수 있도록 허용하라.
6. 학생의 능력에 신념을 보여라.	6. 친밀함에 확고함을 더해라; 학생은 교사를 친구처럼 보아야 하지만 한계는 반드시 규정되어야 한다.
7. 학생간 협동과 팀 노력을 격려해라.	7. 초기에 한계를 설정하라. 하지만 학생측면에서 책임감을 중시하는 방향으로 활동하라.
8. 긍정적 평을 가정으로 보내라; 발전상을 기재하라.	8. 요구와 규칙을 간단히 유지하라.
9. 학생의 활동에 자부심을 보여라; 그것을 표현하라.	9. 말한 대로 행동하라; 규칙을 실행하라.
10. 스스로 낙관적이고 정열적이고 열렬히 응원하라.	10. 신속하게 사건을 종결하라; 잘못은 정정되고, 그리고 잊혀진다.

출처: Adapted from Rudolph Dreikurs, *Maintaining Sanity in the Classroom*, 2d ed. New York: Harper & Row, 1982.

지만 강력하다. 행동은 선택의 문제이다. 좋은 행동은 좋은 선택의 결과이다; 나쁜 행동은 나쁜 선택의 결과이다. 교사의 일은 학생들이 좋은 선택을 하도록 돕는 것이다. 학생들은 그들이 그러한 선택의 결과를 어떻게 인식하느냐에 따라 선택한다. 나쁜 행동으로 그들이 원하는 것을 얻게 되면 그들은 나쁜 선택을 할 것이다.

긍정적인 자아존중감을 가진 학생과 성공적인 경험을 한 학생은 대부분의 경우 좋은 선택을 한다. 긍정적인 자아존중감과 성공에 이르는 길은 돌보는 사람과의 좋은 관계에서 시작된다. 대부분의 학생들에게 학교는 그들을 진정으로 돌보는 사람들과 만나는 유일한 장소가 될 것이다. 그러나, 일부 학생들은 성인들 특히 교사와 긍정적인 관계 맺기를 거부한다. 그래서 교사들은 그들이 보살피고, 긍정적이고 이런 것 들을 지속적으로 행하고 있다는 것을 보여줘야 한다. 여기서 강조점

은 도움―가르치는 직업이 정확히 의미하는 것―에 있다. 그리고 이 접근법은 많은 교육자들에게 매력적이다.

Glasser는 아래와 같이 제안한다.

1. *학생들 자신의 행동에 대한 책임을 끊임없이 강조하기*: 좋은 행동이 좋은 선택에서 나오기 때문에, 정기적으로 학생들의 선택과 행동에 대한 책임을 분명히 한다.

2. *규칙 정하기* : 규칙은 필수적이고, 수립되어야 하고, 교사와 학생이 학기 초에 일찌감치 동의한 것이어야 한다. 규칙은 집단 성취와 집단 사기를 촉진해야 한다. 규칙은 평가되고, 바뀔 수 있지만 규칙이 존재하는 한 집행된다.

3. *변명 수용하지 않기*: 교사는 학생이 틀린 것에서 옳은 것을 구분할 수 있을 때까지 문제 행동에 대

한 변명을 수용해서는 안 된다. 이것이 특히 규칙과 관련해서 만들어진 것이라면 반드시 그렇다.

4. *가치 판단 이용하기*: 학생들이 문제 행동을 나타낼 때, 교사는 학생에게 그들의 행동에 대해 가치판단을 내려보라고 요청해야 한다. 이것은 학생이 더 나은 선택을 하기 위한 책임감을 높인다.

5. *문제 행동에 내해 적절한 대안을 제안하기*: 교사는 선택을 해야 하고, 그 선택이 그들의 책임감을 강화한다.

6. *합리적인 결과를 집행하기*: 합리적인 결과는 학생이 어떤 행동을 선택하던지 따라야 한다. 문제 행동의 결과는 변덕스럽고, 감정적이고, 냉소적이거나 신체적으로 벌을 주는 것이어서는 안 된다. 좋은 행동의 결과는 학생에게 만족스러워야 한다. 교사는 결과를 조작하거나 행동을 한 후에 합리적인 결과가 일어나지 않았다고 변명을 해서는 안 된다.

7. *지속하기*: 교사는 학생이 바람직한 행동에 전념하도록 반복적이고, 끊임없이 대책을 강구해야 한다. 교사는 항상 학생이 선택을 하고, 나쁜 행동에 대해 가치 판단을 하도록 도와야 한다.

8. *끊임없이 검토하기*: 학문적인 활동과 구분된 학급 활동을 하는 동안 이러한 절차를 논의하고, 개발한다. 이때는 학생과 교사가 문제에 대한 그럴 듯한 해결책을 찾는 시간이다. 학생들이 다른 사람들의 결점이나 비난할 점을 찾거나 소리치거나 위협하는 것이 허용되어서는 안 된다. 진정으로 염려하는 문제로 주의가 유도된다면, 교사와 학생간의 긴밀한 유대와 보살피는 태도가 형성될 기회를 갖게 될 것이다.[25]

Glasser는 자신의 관점을 요약하면서, 교사가 어려움을 나타내기 시작하는 학생들과 만나고, 그들을 격려해야 하고, 학생들이 규칙 제정하고, 지키고, 집행하는데 관여하도록 해야 한다고 주장한다. 학교는 특히 전에 학교에서 실패를 경험한 학생들에게 우호적이고, 온정적인 장소여야 한다. 학생들의 문제 행동들은 종종 학문적인 성취와 서로 얽히게 된다. 교실에서 제대로 능력을 발휘하지 못해 좌절하고 실패한 학생은 교실에서 지내는데 있어서 자주 불안을 나타낸다. 학문적인 문제를 교정하기 위해서 학생, 교사 그리고 학교는 구체적인 약속을 해야 한다. 그러나 학생들이 그 문제를 어떻게 다루어야 할지 모르는 경우가 너무 많고, 교사가 다른 문제들로 너무 많은 부담을 지고 있으며, 그리고 학교는 학생과 교사를 돕기 위한 자원이 부족하다.[26]

Glasser에 의하면, 학교 개혁은 교사와 학생이 더 열심히 공부하도록 자극하는 것에 관한 것이 아니다. 학생을 포함해서 사람들은 무엇이 그들을 심리적으로 만족시키는가를 요구하지 않는다면 좀더 생산적이지 못할 것이다. 우리는 수업 일수나 학년의 길이, 혹은 숙제의 양을 바꾸는 것으로서가 아니라, 학교가 학생을 좀더 만족시키고, 학생들의 관심에 좀더 일치시킴으로써 학생들은 교실에서 힘, 충족감 그리고 가치를 얻게 된다. 훈육과 성취의 문제에 대한 해결은 주로 학생들이 누군가가 그들에게 귀를 기울이고, 그들에 대해 생각하고, 그들을 돌보고, 그들이 중요하다고 느끼도록 만드는 것과 관련되고, 그것에 기초한다.

Glasser의 생각 대부분은 교실활동과 집단토론을 제쳐둔 시간과 관련되어 있다. Glasser는 일반적으로 교사와 학생이 학생들의 행동을 토론하는 사회적 행위 만남, 교사와 학생이 지적으로 중요한 주제를 토론하는 개방형 만남, 학생들이 교육과정 목표와 관련하여 얼마나 잘 행하고 있는지에 대해 교사와 학생이 토론하는 교육과정 만남 등 세 가지 상이한 유형의 만남을 주장한다.

때때로, 1대1 면담 또한 필요하다. 1대1 면담에서는 교사와 학생이 문제 행동을 규명하고, 행동이 문제가 되는 구체적인 이유를 지적하고, 그 행동을 개선하기 위한 구체적인 방법을 찾을 것이 요구된다. James Cangelosi는 이러한 1대 1면담의 하나로 학생과 함께 공부하는 교사의 예를 제공한다.

Mr.Dean이 학생들에게 고등학교 산업예술에 대한 연구과제를 하라고 할당한 시간에 Elmo는 이

틀 연속으로 앉아서 공간을 응시하거나 잠을 잤다. 과제에서 벗어난 행동의 이러한 표시에 대해 반응하면서, Mr.Dean은 개인적으로 Elmo와 만난다. Mr.Dean은 Elmo가 이후 대화를 하는 동안 눈을 쉽게 맞출 수 있도록 Elmo 바로 앞에 앉는다.

Mr.Dean : 와줘서 고맙다. Elmo야 오늘 너는 실습수업에 있었니?

Elmo : 예, 선생님은 저를 그곳에서 봤어요.

Mr.Dean : 너는 오늘 실습 수업시간에 얼마 동안 있었니?

Elmo : 저는 수업시간 내내 있었어요 ; 저는 달아나거나 없어지지 않아요! 누군가는 슬쩍 빠져나가기도 하지만 저는 그렇지 않았어요.

Mr.Dean : 나는 다른 사람들에 대해 이야기 히고 싶은 게 아니라 오늘 네가 실습수업에서 했던 것에 대해 이야기 하고 싶구나.

Elmo : 아마도, Sandra가 빠져 나간 아이들 중 하나 일거예요.

Mr.Dean(중단시키며) : 우리는 너와 나 이외에 Sandra나 다른 아이들에 대해 이야기 하려는 게 아니야. 오늘 실습시간 55분 동안 너는 무엇을 했니?

Elmo : 잘 모르겠어요.

Mr.Dean : 오늘 실습시간에 네가 했던 것 한 가지만 이야기 해보렴.

Elmo : 저는 선생님께서 새로운 기계 사용법을 알려주는 것을 봤어요.

Mr.Dean : 내가 천공반 사용법을 너에게 보여준 후에 너는 무엇을 했니?

Elmo : 잘 모르겠어요. 저는 잠들었던 것 같아요.

Mr.Dean : 네가 잠들기 전에 내가 너에게 하라고 했던 것이 무엇인지 기억하니?

Elmo : 연구과제를 계속하라고 했지만, 저는 피곤했어요.

Mr.Dean : 네가 피곤했다니 유감이구나, 그렇지만 네가 실습실에서 잠자는 것보다 네 연구과제를 끝내는 것이 더 좋지 않았겠니?

Elmo : 그러나 그 연구과제는 너무 지루해요!

Mr.Dean : 네가 그 연구과제가 지루하다고 생각했다니 유감이구나. 다음 월요일까지 네 연구과제를 끝내지 못하면 어떻게 되겠니?

Elmo : 선생님이 말씀해주셔서 알아요. 저는 그 실습을 통과하지 못해요.

Mr.Dean : 실습을 통과하지 못하면, 그것은 너에게 좋은 거니? 나쁜 거니?

Elmo : 나빠요. 정말로 나빠요.

Mr.Dean : 네는 실습을 통과하고 싶니?

Elmo : 물론이죠!

Mr.Dean : 네가 실습을 통과하기 위해서 무엇을 할거니?

Elmo : 제 연구과제를 해야죠.

Mr.Dean : 언제까지 할거니?

Elmo : 월요일이요.

Mr.Dean : 월요일까지 그것을 하기 위해서 너는 무엇을 해야 하니?

Elmo : 이번 주말에 그것을 해야 할거예요.

Mr.Dean : 너는 그것을 언제 할거니?

Elmo : 수업시간에요, 선생님이 우리에게 그것을 하도록 준 시간이잖아요.

Mr.Dean : 네가 그것을 완성할 시간이 2시간밖에 없어. 너는 낭비할 시간이 없어. 내가 학급 아이들에게 프로젝트를 하라고 할 때 내일 수업시간에 네가 무엇을 해야 하지?

Elmo : 저는 제 연구과제를 할거예요.

Mr.Dean : 네가 피곤하다면 어떻게 할거니?

Elmo : 어쨌든 저는 제 연구과제를 할거예요.

Mr.Dean : 너는 현명한 선택을 했구나. 네가 내일 실습시간의 45분 동안 작업할 것을 나에게 알려주는 메모를 쓰겠니? 나는 네 연구과제를 위해 적어도 수업시간의 45분을 남겨두려면 그것을 잊지 않기 위한 메모가 필요할 것 같구나. 그리고 너의 약속을 네가 기억하도록 내가 그 메모를 복사해줄게.[27]

Glasser의 연구는 계속해서 발전하고 있다. 현실치료와 통제치료에 대한 그의 개념은 The Quality School의 출판으로 좀더 발전되었다. 이 교재에서 그는 학교경영이 학생의 행동에 어떻게 영향을 미치는지를 조사했다. 그리고 Every Student Can Succeed에서 그는 교사가 질 높은 학교를 만드는데 사용하기 위한 전략들을 제공했다.[28] 본질적으로, Glasser는 문제 행동은 단독으로 일어나는 것이 아니라고 주장한다.

Glasser의 접근은 폭넓고 다양한 교사와 행정가들에게 계속해서 좋은 호응을 얻었다. 이 간단한 접근법은 아래와 같이 교사가 해야 할 것을 요구한다.

1. 지속적으로 학생들과 관련을 맺는다. 학생들의 관심과 능력을 아는 측면에서 그들과 관계를 맺는다.
2. 행동에 초점을 두고 "누구를 비난할 것인지"가 아니라 "무슨 일이 일어났는지"를 다룬다.
3. 학생이 행동에 대한 책임감을 수용하도록 돕는다. 이전에 제안한 것처럼 변명을 허용하지 않는다.
4. 학생이 행동을 평가하도록 돕는다.
5. 행동이 되풀이 하여 발생하지 않도록 계획을 수립한다.
6. 학생이 그들의 행동을 바꾸기로 한 약속을 이행하도록 돕는다. 이것은 긍정적 및 부정적인 결과에 대한 대화와 분명한 지적이 요구된다.
7. 지속적으로 행동을 주시한다.[29]

학급경영에 대한 대안적 접근법 실행

여섯 가지 접근법 모두는 예방과 중재의 요소를 가지고 있고, 그것이 얼마나 고정적 또는 융통적으로 보이는 것과는 관계없이, 모두가 일련의 규칙과 제한 그리고 행동의 결과를 필요로 한다. 모든 접근법에서 학생들은 학문적인 성취를 달성해야 하고, 그들은 그들의 행동과 학업에 대해 책무성을 가진다. 여섯 가지 접근법의 간략한 개관은 표 9.4에서 제시되어 있다.

모든 접근법은 분명하고, 의사소통이 잘되는 규칙을 가져야 한다고 주장하지만, 더 확고한(교사 중심) 접근법은 교사가 학생들에게 더 많은 힘과 권위를 행사하기를 기대한다. 중간 수준의 교사 중재(MTI)접근법은 좀더 상호신뢰에 의존하고, 교사와 학생간의 존경이 있다. 고수준의 교사 중재(HTI)접근법은 교사가 교실을 통제하는 것으로 보이고, 규칙을 빨리 세운다. 중간수준의 중재 접근법은 학생들의 긍정적인 기대를 강조한다; 중간수준의 중재 접근법은 자기 통제를 보이고, 그들의 동료와 교사와 함께 규칙을 지켜나갈 학생들의 능력에 더 많은 신념을 가진다.

모든 접근법이 한계를 가지고 있을지라도, MTI 접근법은 규칙을 시행하는데 있어서 더 큰 범위를 허용하고 학생들이 교사들과 권력을 나누어 가지도록 한다. 모든 접근법이 결과에 의존하지만, HTI접근법은 불복종의 결과로서 일반적으로 좀더 엄한 처벌을 더 엄격하게 부과할 것을 주장한다. 문제 행동에 대한 벌은 그것이 논리적인 한, 그리고 방해의 심각성에 비례하여 허용된다. MTI접근법은 처벌을 부과하지만, 학생들의 행동이 다른 사람에게 영향을 미친다는 것을 알게 하고, 그들이 그들의 행동을 점검하도록 돕고, 그들의 문제 행동의 결과를 규명하도록 돕는 것을 강조한다.

모든 접근법은 학생들이 학문적인 작업에 책무성을 갖게 한다. HTI접근법은 학생들의 사회화와 모둠 활동을 제한하고, 학문적인 과제를 결정하고, 그들이 과제를 완성하도록 한다. 학생들은 그들에게 기대되는 것을 듣고, 공부 외의 다른 활동에 거의 시간을 사용하지 않는다. 교실은 학생들이 학업을 지속적으로 할 수 있도록 조성된다. MTI 접근법에서 학생은 학업에 대해 책임을 지지만, 그들은 교육과정을 계획하는 것에 참여하고 사회화가 허용된다. 학습 과제에 대한 관여가 덜 강렬하며, 공부는 흔히 협동적으로 또는 모둠을 기초로 수행된다.

하나의 방식을 선택할 때 교사는 자신의 성격과 철학, 그리고 성취하고자 하는 것에 대해 객관적이어야 한다. 자기 자신—자신의 장점과 단점—에 대해 솔직해지는 것이 가장 중요하다. 가장 좋은 접근법을 결정

표 9.4 교실 경영 모형의 개관

고수준의 중재 접근법	중간수준의 중재 접근법
1. 독단적인 접근법	4. 집단 관리 접근법
a. 단호하고, 단정적인 접근법	a. 집단 집중과 집단 관리
b. 접근행동에 대한 주장	b. 과제에 대해, 작업 관련
c. 분명한 한계와 결과	c. 합계하기, 중복, 순조로움, 권력
d. 즉시 행동 취하기	d. 다양하고 도전적인 수업
e. 규칙을 실행, 감독, 강화	e. 교사의 주의 환기, 학생 책무성
2. 응용 과학 접근법	5. 승인 접근법
a. 학교와 교실규칙을 규명하고, 실시하기	a. 집단의 수용과 소속
b. 소집단 활동, 교사주도 활동, 활동간의 이행에 대한 절차	b. 학생 인식과 칭찬
c. 의도적인 학문적 수업, 학생 책무성	c. 일상적인 일과 한계
d. 과제에 대한 절차와 학생 작업의 감독	d. 견고함과 우정
	e. 교사 리더쉽, 교사에 의한 교정적 행동
3. 행동 수정 접근법	6. 성공 접근법
a. 보상을 통한 강화	a. 학생 성공과 성취
b. 최고의 결과를 만들기 위해 꾸준하고, 간헐적인 강화	b. 합리적인 결과(어떤 학생의 입력)를 가진 합리적인 규칙
c. 바람직한 행동을 빠르고, 강하게 만들기	c. 학생의 책임감과 자기 주도
d. 바람직한 행동을 본받기	d. 좋은 선택의 결과는 좋은 행동
e. 언어적인 논평, 관찰, 연습, 상 등의 사용	e. 교사의 지원, 공정성 그리고 온정성

하는데 도움이 되려면, 교사는 학생 모집단- 학생의 발달의 요구 · 능력, 관심-을 고려해야 하며, 집단에서 그들이 어떻게 행동하는지를 살펴야 한다. 특정한 교실 상황에서는 선택한 접근 방식의 수정이 필요할 지도 모른다. 수정이 필요하다면 이론이 아닌, 실제를 바탕으로 한다. 일반적으로 HTI접근법은 보다 감정적으로 미성숙한 학생들에게 더 좋으며 MTI접근법은 보다 나이가 많으며 감성적으로 성숙한 학생들에게 더 좋다. 접근법 간의 차이점들을 탐구하기 위해 사례 연구 9.1을 참고한다. 이 연구는 어떻게 똑 같은 행동이 다른 철학을 가진 교사들에 의해 다루어지게 되는지 생각해 보도록 할 것이다.

어떤 선생님들은 전문적 문헌에서 논의되거나, 또는 "교정", 긴급 수리 등으로 알려진 프로그램 꾸러미를 찾는다. 학생을 관리하는 것만큼 복잡하고 다차원적인 과정이 하루 이틀 정도의 강습회에 참석함으로써

혹은 해야 할 것이나 하지 말아야 할 것의 목록을 읽음으로써 완전히 이해될 수 있다는 가정은 잘못이다.

어떤 규칙은 모든 모형들의 핵심이 되지만, 그들은 개념적이며, 연관된 학급 상황과 성격에 따라 조정되어야 한다. 모형은 돌에 새겨진 것처럼 해석되어서는 안 된다. 즉 규칙은 전적으로 신성한 것으로만 보아서는 안 된다는 뜻이다. 교사의 성숙함과 상식이 요구되는 학생 관리와 관련해서 많은 영역이 불명확하다. 글자 그대로 받아들인다면, 이러한 모형은 교사의 결정과 판단을 제한하게 된다.

요점은 교사가 융통성이 필요하며, 교사의 상황 및 성격과 관련하여 모형들을 검토해야 한다는 것이다. 각각의 모형은 연구에 의해 지지 받고 있으며, 모두 교사가 실제 훈육 문제들에 반응하는 방식을 제공하고 있다. 교사는 훈육에 있어서 자신의 접근법에서 몇몇 전략들을 섞어서 활용해야 한다. 학생이 어떻게 행동

사례 연구 9.1   다른 유형의 학급경영으로 문제 해결하기

6학년 초임 교사인 Bidwell 양은 학급 문제를 예방하기 위해 학급을 관리하는데 실패했다. 그녀는 분명한 규칙을 갖고 있으며, 규칙을 위반하게 되면 어떤 결과를 초래할 것인지에 대해서도 지도했다. 그리고 매일 학급에서 공부하는 한 부분으로 일상적인 과제를 해오도록 하기 위해서 매우 분명하게 절차를 알려 주었다. 사실 그녀는 학습에 도움이 되고 불필요한 문제를 예방할 수 있는 학급 환경을 조성했다.

그녀 학급의 두 학생은 숙제 해오는 것을 단순히 거절하고 학교에 오곤 했다. 이 두 학생은 퀴즈에서 만족스러운 결과를 보였으며, 수업 시간 동안 합리적으로 수업에 잘 참여했다. 그러나 지속적으로 숙제를 해오지 않았으며 이는 학급 전체로 확산되기 시작했다. 지금은 다른 학생들도 숙제를 하지 않고 학교에 오고 있다. Bidwell 양은 매우 다른 유형의 원칙을 사용하는 두 교사를 선택했다. 한 교사는 교사가 고도로 교실에서 통제력을 발휘해야 한다고 믿고 있으며 독단적인 원칙을 사용하고 있다. 다른 교사는 문제를 관리하기 위해 Glasser의 (성공 접근법) 전략과 유사한 보다 온건한 교사 통제 유형을 활용한다.

고도의 통제력을 행사하는 교사라 가정해 본다. 이 장을 다시 한 번 읽어 본다. 그리고 Bidwell 양에게 특별한 제안을 한다. 그런 다음 적절한 통제력을 사용하는 교사라 가정해본다. 어떤 특별한 제안을 할 것인가? 두 교사가 제시하게 될 유사한 점은 무엇이 될까? 크게 다른 점은 무엇인가? Bidwell 양이 2학년 담임이라면, 고등학교 영어 선생님이라면, 고등학교 고급 화학 선생님이라면 여러분의 제안은 어떻게 달라질까?

을 하는지에 관하여 완벽하게 알고 있는 교사는 거의 없다.

무엇이 교사에게 최상의 방법인지를 고려할 때 교사는 자신의 지도 유형과 지도하고 있는 학생의 요구와 학교의 정책을 고려해야만 한다. 선택의 폭을 좁혔을 때, 접근방식이 겹치거나 서로 배타적일 수 있음을 명심하라. 그리고 한 가지 방식 이상이 교사에게 활용될 수 있음을 명심하라. 교사는 다양한 접근방식들에서 아이디어를 얻을지도 모르며, 자신만의 방식을 만들지도 모른다. 최종적으로 도달해야 하는 접근법은 직관적으로 교사에게 의미가 있어야 한다. 누군가가 자신의 교육 방식이나 훈육 접근법을 강요하도록 허용하지 말아야 한다. 한 개인(같은 학교에서 심지어 같은 학생들)에게 적절한 것이 독특한 개인적 기질 때문에 다른 학생에게는 적합하지 않을지도 모른다.

신규 교사는 반드시 상대적으로 제한적인 기술들, 예컨대 HTI 접근법 한 가지와 MTI 접근법 한 가지만 배우는 것으로 시작해야 한다. 교사가 전문적인 기술에 대한 레퍼토리나 학급의 역동성에 대한 이해를 촉진하거나 개발할 때 접근방식은 다양하게 확대되어야 한다.

다음은 필수적인 생존적 관리 기술들이며, 어떻게 나타내는지를 반드시 알고 있어야 하는 세부적인 행동들이다. 이것들은 완전 초보자들을 위한 출발점, 기술 기반 전략이다. 노련한 교사라면 이러한 것들을 형성하고 다시 정의하게 될 것이다. 그리고 문제 행동을 다루기 위한 훈육 기술보다 문제를 예방하는 지도 방법에 더 중점을 두게 된다.

- **기술1**: 교사는 학생이 과제 해결을 위해 최대한의 시간을 활용할 수 있도록 수업을 구성해야 한다.
  - *행동 1*: 정시에 수업을 시작한다.
  - *행동 2*: 학생의 행동을 살피기 위해 교실을 돌아

다녀야 한다.
- *행동 3*: 활동을 전환하기 위한 분명한 절차과정을 수립한다.
- *행동 4*: 변화의 기회를 위해 분명한 절차를 설정한다.

- **기술 2**: 교사는 구체적인 교실 규칙을 식별하고 실행해야 한다.
  - *행동 1*: 규칙은 반드시 합리적이고, 시행력을 갖고 있으며, 이해 가능해야 한다.
  - *행동 2*: 규칙은 학생에게 반드시 지도되어야 한다. 그리고 예비적으로 시연되어야 한다. 학생이 규칙을 이해했는지를 피드백해 준다.

- **기술 3**: 교사는 평범한 부정행위를 다루는데 높거나 낮은 수준의 단념 방법을 어떻게 사용하는지를 알아야 한다. (높은 수준의 단념법은 그것에 주의하지 않으면서 문제 행동을 멈추게 한다.)
  - *행동 1*: 학급수업의 한 부분으로 문제 행동을 하는 학생의 이름을 이용한다. (낮은 수준)
  - *행동 2*: 문제를 일으키는 학생 근처로 이동한다. (낮은 수준)
  - *행동 3*: 눈을 맞추는 것과 같은 비언어적 단서를 이용한다. (낮은 수준)

- 행동 1~3이 효과가 없을 때 다음을 시도한다.
  - *행동 4*: 학생의 이름을 부르고 학생에게 적절하게 부과된 과제로 방향을 전환한다. (높은 수준)
  - *행동 5*: 방과후 문제 행동에 대해 처벌한다. (높은 수준)

- **기술 4**: 교사는 심각하고 상습적인 문제 행동을 교정하기 위해 특별한 처벌 사항을 정해야 한다.
  - *행동 1*: 언제, 어떻게 다양한 유형의 처벌을 사용할지 알아야 한다.

Paul Burden은 서로 다른 낮고 절제된 (기술3) 수많은 행동들을 정의했다. 그들은 교사가 우선 상황에 맞게 도움을 주려고 시도한 후에 낮은 수준의 평범한 절제 방법이나 반응을 처치한다. 그 다음에 지속적인 행동을 위해 적절한 반응을 취한다.[30] 표 9.5는 교사의 입장에서 행동이 진행되는 과정에 대해 설명해 주고 있다.

Burden의 접근 방법은 이 책에서 제시된 한 가지와 여러 면에서 평행을 이룬다. 항상 가능한 낮은 수준의 반응으로 시작해서 더 심각한 개입이 필요한 학생 행동의 과정으로 진행한다. INTASC 와 PRAXIS 모두는 학급을 경영하는 기준을 제시하고 있다. 여기에서 제시된 접근법은 그 요구사항에 필적한다. 학급경영, 훈육에 대한 PRAXIS 기준은 교사가 개입하는 접근방식에 초점을 두고 있다. 예를 들어 PRAXIS III 수행평가가 요구되는 지역에 학생들을 가르친다면 평가 담당자는 초임 교직 1년 동안 교실에 들어와서 교사가 학급 행동에 대해 지속적인 기준을 설정하고 실행하는지를 평가한다. 이때 평가자는 교실에서 질서를 지키는지 *여부*만큼이나 질서를 *어떻게* 지키는지를 살피지는 않는다. 이 평가자는 교사를 관찰할 때 다음과 같은 유형의 질문을 생각하게 될 것이다. 행동에 대한 적절한 기준이 교실에서 적용되고 있는가? 행동에 대한 이러한 기준을 적용하기 위해 교사는 어떤 접근 방식을 사용하고 있는가?

그러면 PRAXIS 평가관은 교사가 수행하는 것을 평가하기 위해 특정한 채점과정을 활용할 것이다. 평가관은 다음과 같은 것들을 알고 싶을 것이다:

1. 문제 행동이 교실에서 발생했을 때 교사가 적절히 반응하는가? 혹은 대처 없이 학생이 문제 행동을 계속하도록 허용하는가?
2. 한 학생에 대한 근본적인 존경을 보이면서 문제 행동을 다루는가? 혹은 학생 스스로 인식을 덜어주면서 문제 행동을 다루고 있는가?

PRAXIS 평가는 좋은 학급 경영이 교사와 학생에 의해 협력적으로 세워진 행동 기준을 낮게 된다는 점을 암시하고 있다. 다양한 조치가 취해지겠지만 적절하게

표 9.5 최소한의 제제를 가하는 원리를 활용한 비행에 대한 대응 방안 3단계

교사 반응	1단계 상황에 맞는 도움 제공	2단계 관대한 반응 사용	3단계 보통의 반응 사용
목적	수업상황에 잘 대처하도록 과제에 집중할 수 있도록 돕기	학생이 다시 과제에 충실하도록 비 처벌적인 행동 취하기.	원하지 않는 행동을 줄이기 위해 요구된 자극을 제거하기
예시행동	• 주의를 딴 곳으로 쏠리게 하는 물체를 제거하기 • 일과의 일부로 지지하기 • 적절한 행동 강화하기 • 학생의 관심 고조시키기 • 실마리 제공하기 • 장애를 극복하도록 돕기 • 행동에 대해 방향 다시 제시하기 • 수업 바꾸기 • 비 처벌적인 타임 아웃 제공하기 • 교실환경 수정하기	비언어적 반응(조치) • 행동 무시하기 • 비언어적인 신호 사용하기 • 학생 가까이 서기 • 학생 접촉하기 언어적 조치 • 수업 중에 학생 부르기 • 유머 사용하기 • 나-메시지 보내기 • 긍정적인 말씨 사용하기 • 규칙 상기시키기 • 학생이 선택하게 하기 • 무엇을 해야 하는지 묻기 • 말로 질책하기	논리적인 귀결 • 특권 박탈하기 • 자리 바꾸기 • 문제에 대한 반성문 쓰기 • 교실 뒤나 밖으로 내보내기 • 방과후에 남게 하기 • 부모 면담하기 • 교장 선생님과 면담하기

출처: Paul R. Burden *Classroom Management*, 2nd ed. New York: John Wiley, 2003, P.204. This material is used by permission of John Wiley and Sons, Inc.

되었다면 이것은 긍정적으로 학생의 학습에 영향을 미치는 결과들이 되어야 한다. 교사는 교실 분위기를 편안하게 만들어야 한다. (PRAXIS기준 B4참조)

위에서 추천했던 접근법 (Burden의 것)은 Joneses가 학생들이 이해할 수 있는 학급 경영방식을 추천했던 원리의 순서와 일치한다. 특히 교사는 다음의 사항을 준수해야 한다고 논쟁하고 있다.

- *문제 행동이 발생했을 때*: 처음으로 문제 행동을 했을 때는 비언어적인 방식으로 정지시키도록 한다(예를 들면 눈을 맞춘다거나 문제행동을 하는 학생에게 가까이 간다). 사실상 낮은 수준의 제제방법을 사용한다.
- *문제 행동을 그만두지 않는다면*: 문제 행동을 하는 학생이 어기고 있는 규칙이 무엇인지 말하도록 한다.

- *위와 같이 하고도 안 된다면*: 문제 행동을 하는 학생에게 문제 행동을 멈추거나 개선을 위한 계획을 수립할 수 있는 기회를 제공한다.
- *위의 조치에 대해서도 효과가 없다면*: 학생을 지정된 곳으로 이동시키고, 다음의 질문과 답을 찾을 수 있는 계획을 세우도록 한다.
  1. 내가 무슨 규칙을 위반했는가?
  2. 어떤 특별한 행동들이 규칙에 어긋나는가?
  3. 내 행동이 교실에 다른 학생들에게 어떤 문제를 야기시키는가?
  4. 내가 어떻게 하면 더 책임감 있게 행동할 수 있을까?
  5. 어떻게 선생님은 내가 규칙을 잘 지킬 수 있도록 도와줄 수 있을까?[31]

보다시피, 학생이 규칙 위반의 특성을 분명하게 표

현해야 하는 정도에 있어서 진전이 있다. 교사의 최종 목표는 학생이 더 책임감 있게 행동하고 스스로를 절제할 수 있도록 향상시키는 것이다. 학생이 스스로의 문제 행동에 대해 생각하도록 하는 것이 실천 가능한 방법이다.

훈육 쟁점 1: 처벌을 통해서 문제 행동 다루기

교육자들은 문제 행동을 무시하는 정도에 대해 동의하지 않는다. 일부 연구자들은 바람직한 행동에 유의하고 강화하는 동안 바람직하지 않은 행동을 무시하는 것이 최선의 절차라고 한다. 일부 교사들은 이 결과를 극단적으로 생각하여 만약 문제 행동, 심지어 지속적으로 저지르는 문제 행동을 무시한다면, 문제 행동은 없어질 것이라고 바라게 된다. 오직 그런 경우에만 그렇다![32] 다른 연구자들(특히 응용 과학자들)은 문제 행동이 단지 일시적이거나, 또는 한 학생만 포함되어 있거나, 또는 그 행동을 다루는 것이 전체 학급을 혼란스럽게 했을 때 무시되어야 한다고 제안했다.[33] 지속되는 소수의 문제 행동을 무시하면 학생들에게 무엇이 일어나고 있는지 교사가 인식하지 못하거나 또는 그것에 대처할 수 없다는 인상을 주게 된다. 본질적으로 소수의 문제 행동은 만약 그것이 언급되고 다루어지지 않는다면 강화될 수도 있다.

Robert Slavin은 여기에 또 다른 특징을 언급했다. 많은 형태의 문제 행동은 또래의 관심과 동의를 얻고자 하는 열망에 의해 동기화된다. 교사에게 복종하지 않는 학생들은 늘(의식적으로 또는 무의식적으로) 급우들 사이에서 그들의 위상에 비하여 반항의 효과를 평가한다. 이것은 특히 학생들이 청년기에 접어들면 더욱 그렇다. Slavin은 문제 행동을 무시하는 것은 그 행동이 또래에 의해서 강화되거나 격려된다면 효과적이지 않다고 결론을 내렸다. 그러한 행동은 무시될 수 없다. 왜냐하면 그렇게 되면 문제 행동은 더 나빠지고 더 많은 또래의 지지를 끌어내기 때문이다.[34]

이 책의 다른 저자인 Ornstein은 문제 행동을 하는 학생들 사이의 또 다른 특징을 언급했다. 그는 몇 년 전에 감정적으로 분열된 학생과 건전한 자아 발달이 부족한 학생이 특히 문제가 된다고 주장했다. 다른 학생들과 잘 지내지 못하는 그들은 고립되고 거부된다. 종종 그들은 사고에 대한 책임이나 원인을 인식하지 못한다. 그들은 거의 잘못에 대한 아무런 감정도 느끼지 못하고, 다른 사람의 감정에 대해서 반응하지도 않는다. 그들은 잘못되었다는 것을 깨닫게 되면 움츠리는 경향이 있다. 그는 "위협이나 처벌을 사용함으로써, 교사가 적대감을 나타내는 것은 실수하는 것이다"라고 주장한다; 그러면 이러한 학생들은 그들이 교사를 미워할 권리와 나쁘게 될 권리가 있다고 느낀다. Ornstein의 주장하듯이 교사가 그들에게 지나치게 극단적이기보다 동정적이어야 하며, 심지어 특별히 허용적이어야 한다는 것은 권할 만하다.[35] 이 충고는 2000년대의 주의력 결핍 장애(ADD) 아동이나 주의력 결핍 과잉행동 장애(ADHD) 아동을 위해 적절한가?

Cummings는 그것의 실제적인 정도를 제안했다. 첫째, 그녀는 ADD와 ADHD 아동의 특징으로 보여지는 구체적인 행동을 대략 설명한다(표 9.6 참조).[36] 둘째, 그녀는 교사들이 이러한 학생들을 이해하는 방법을 배워야 하지만 그것이 문제 행동을 참아야 하는 것을 의미하지는 않는다. 오히려 교사는 학생이 Glasser에 의해서 명료해진 목적에 맞는 전략과 표 9.7에 제시된 자기 반성 기술을 배우도록 돕는다. 본질적으로 그러한 학생들과 함께 그들이 자신의 문제 행동에 대해서 생각하는 것은 중요하다. 흔히 학생이 정확하게 자기 평가를 하든지 안 하든지 그것은 그들이 자신의 행동을 생각하는 것만큼 중요하지 않다. 처벌은 마지막 수단이므로 그것은 늘 학생이 자신의 행동에 주목하는 정도를 제한하고, 교사의 처벌 행위에 대해 학생의 반응을 더 많이 야기한다.

처벌이 적절하다는 결정을 내릴 수 있는 상황일 때, 교사는 처벌의 형태와 엄격성을 결정해야 한다. 교사는 처벌 사용 기준을 세워야 한다. 처벌은 행동주의자에 의해서 피하고 싶은 불쾌한 자극으로 해석되었다.

표 9.6 ADD와 ADHD 학생의 일반적인 문제 행동

- 자, 연필 또는 다른 물건을 가지고 놀기
- 책상이나 의자를 톡톡 두드리기
- 부적절한 소리를 속삭이고 내기
- "입 닥쳐"라고 말하거나 언어적으로 부적절한 비평하기
- 다른 학생의 개인적 공간을 침범하기
- 다른 학생들과 나누지 않거나, 다른 사람의 자료를 취하기
- 수업 시간에 자거나 과대하게 공상하기
- 수업 도중이나 순서가 아닐 때 이야기하기
- 대답이나 욕구 조절 문제를 불쑥 말하기
- 교사와 논쟁하거나 말대꾸하기

출처: Adapted from Carol Cummings. *Winning Strategies for Classroom Management*. Alexandria, VA: Association for Supervision and Curriculum Development, 2000, p.116.

표 9.7 자기 성찰

숙제에 대한 성공과 목표에 대한 진척 정도를 측정하기 위해 표와 다음의 척도를 사용한다: 척도: 1 = 거의 하지 않는다; 2 = 가끔 한다; 지속적으로 한다.

지금 내 상태			주제	원하는 상태		
1	2	3	나는 제 시간에 숙제를 제출한다.	1	2	3
1	2	3	나는 학급 과제에 많은 기여를 한다.	1	2	3
1	2	3	나는 학급에서 시간을 현명하게 사용한다.	1	2	3
1	2	3	나는 양질의 과제를 하기 위해 노력한다.	1	2	3
1	2	3	나는 급우들과 협동적으로 작업한다.	1	2	3

출처: Adapted from Carol Cummings. *Winning Strategies for Classroom Management*. Alexandria, VA: Association for Supervision and Curriculum Development, 2000, p.83.

Gage와 Berliner에 따르면, 일반적인 처벌은 (단지 관련된 학생들만 겪는) 나쁜 태도를 그만두도록 호명하는 부드러운 훈계에서부터 문제 행동을 멈추게 하려고 교사가 공개적으로 훈육하는 것까지, 사회적 고립(방과 후 학교에 남는 것, 쉬는 시간을 못 갖는 것)과 같은 더 심각한 결과까지, 교실 밖의 사람(학생 주임 교사, 교장, 부모)에게 보고되는 것까지를 말한다.[37]

신체적인 처벌이 사용되어서는 안 된다. 부정적인 효과는 곧 사라질 부적절한 행동의 일시적인 장점을 능가한다. 이것은 학급을 문란하게 하는 경향이 있다. 비록 신체적 처벌이 어리고 신체적으로 미성숙한 학생을 통제할 수 있을지라도, 그것은 또한 분노와 분개를 만든다. 만약 그 효과를 조금이라도 보려면, 교사는 신체적으로 더 강한 학생에게 어느 시점에서 사용해야 하고, 이때 물러서는 교사는 체면과 권위를 잃게 된다.

교사들은 신체적 처벌의 부정적인 결과를 알아야

할 필요가 있지만, 또한 미국의 부모들이 집에서 신체적 처벌을 사용한다는 것도 인식할 필요가 있다. 반면에, 많은 부모들은 교사가 그들이 좋아하는 기술을 사용할 것을 장려한다.[38] 신체적 처벌의 사용은 정당화될 수 없다. 어려움이 있는 학급의 많은 우수한 교사들은 학생들을 체벌하지 않는다. 심지어 그들의 주나 학교구에서 체벌을 허락할지라도 체벌 없이 교육하는 방법을 배워야 한다. 그러면 여러분은 더 유능하게 될 것이며, 학생에게 궁극적으로 도움이 될 것이다.

학생이 벌을 받는 이유는 명백해야 한다. 더욱이, 처벌은 문제 행동에 적합해야 한다(과잉 반응은 분노, 억제된 적대감 또는 학생의 감정적인 반응을 야기할 것이다). 교사는 분노와 감정을 가지고 처벌하는 것을 피해야 한다.

"관리 전략"으로서 처벌을 언급하는 한 연구자는 24개의 일반적인 전략이 고등학교 교사들에 의해 사용되었다고 조사하였다.[39] 이 표본은 281명의 학생과 80명의 교사로 구성되었는데, 이들은 각 전략의 엄격성에 순위를 매기었다. 이 자료는 교사가 덜 엄격한 전략과 매우 엄격한 전략을 겸할 때 상대적으로 엄격하지 않은 전략을 사용하는 경향이 있음을 나타낸다. 상대적으로 엄격하지 않은 전략은 과제 수행, 권리 박탈 또는 학급 배치 변화를 포함한다. 덜 엄격한 전략은 학생의 자유와 시간의 압박, 교장실 다녀오기, 또는 방과 후 남는 것을 강요하는 것이다. 매우 엄격한 전략은 퇴학과 전학, 부모와의 협의, 수치와 모욕, 또는 정학을 포함한다. 약 절반정도의 항목에 대한 평균 순위가 학생과 교사 사이에서 유의미한 차이가 있더라도, 전략에 대한 순위는 비슷한데(.84의 상관관계), 이것은 처벌의 엄격성에 대해서도 유사하게 인식한다는 것을 의미한다.

Good과 Brophy에 따르면, 처벌할 때 적용되는 일반적인 원리는 다음과 같다:

1) 처벌에 대한 위협은 늘 처벌 그 자체보다 더 효과적인데, 특히 알려지지 않은 결과들이 있다는 식으로 표현되었을 때 효과적이다.

2) 처벌은 실행되기 전에 위협되거나 경고되어야 한다(그러나 교사들은 즉시 위협한다).

3) 처벌은 학생이 무엇을 해야 하는 지에 초점을 두면서, 기대나 규칙이 긍정적으로 진술된 것이 수반되어야 한다.

4) 처벌은 부정적인 강화와 연합되어야 하고, 그래서 학생은 처벌을 피하려고 개선해야 한다.

5) 처벌은 체계적이고 계획적인 것이어야 한다.[40]

또한 교육자들에 의하면 교사는 분노와 감정을 가진 채로 처벌하는 것을 피해야 하고, 적절하지 않은 행동이 시작되었을 때(그 행동이 강화될 때까지 기다리는 것이 아니라) 처벌해야 하고, 학생들이 벌을 받을 때 이유를 (설교와 지나친 설명 없이) 명확하게 해야 한다.[41] 다음 두 가지 다른 제안은 가치가 있다: 1) 한 학생의 문제 행동으로 인해 전체 학급과 집단을 처벌하지 않는다(이것은 편애의 표시이며, 결국 학급 또는 집단은 교사에 대항하여 연합할 것이다). 그리고 2) 지나친 처벌을 피해야 하는데, 왜냐하면 이것은 교사에 대한 자기 방어로 학생을 결합시키기 때문이다. 더 많은 전략을 위해 교사들을 위한 조언 9.2를 참조한다.

교사의 결정은 항상 합리적이고 반성적이라고 말하는 것은 좋은 일이다. 불행하게도 그렇지 않다. 많은 관리 문제는 소수의 우발적인 일에 대한 과잉 반응, 작은 문제를 무시하고 통제할 수 없을 때까지 학생을 방치하는 것, 또는 (우발적인 일에 적합하지 않고 반응하는) 부적절한 처벌을 하는 것 등, 교사 자신들에 의해 야기된다.

교육자는 교실에서 교사의 결정과 학생 행동에 대한 반응은 원래 반성적이고, 이전의 신념, 개인적 견해, 행동에 대한 내재된 이론의 심리적인 맥락에서 이해될 수 있다.[42] 사실, 복잡하고 즉흥적인 것이 많은 교실 상황은 교사에게 반성적이나 객관적인 결정보다는 오히려 직관적이기를 요구한다. 그래서, 종종 복잡하고 즉흥적인 결정을 요구하는 교육적 결정은 처방적이기 보다는 반응적이고, 생각을 잘 나타내는 기술보다는 선행 사회적 경험과 인격에 의해 더 많은 영향을 받는다.

교사들을 위한 조언 9.2

문제 학생을 다루는 전략

다음은 때때로 교사의 기대에 기초해서 "곤란한" 학생으로 불리는, 문제 학생을 다루기 위한 일반적인 전략이다. 본래 시내의 고등학교 학생을 위해 개발되었지만, 이 전략은 모든 학교와 학년에 적용될 수 있다.

1. 학생을 있는 그대로 인정하면서 학생들의 긍정적인 특성을 기대하고 강조한다.
2. 자연스럽게 행동한다. 왜냐하면 이러한 학생들은 허위를 깨달을 수 있고 그러한 허위를 공격한다.
3. 확신한다. 상황을 이용하고 학생들 앞에서 포기하지 않는다.
4. 구조를 제공한다. 왜냐하면 많은 문제 학생들은 자기 통제가 부족하고 침착하지 못하고 충동적이다.
5. 규칙과 일상적인 일과를 설명해서 학생들이 그것을 이해하게 한다. 설명은 간단해야 한다; 그렇지 않다면 효과가 없게 되고, 변명하거나 설교하는 것처럼 보이게 된다. 또한, 처벌된 행동이 받아들여질 수 없는 이유를 설명한다.
6. 배우기를 기대하고 학업을 요구한다는 긍정적인 기대를 전달한다.
7. 동기에 의존하되, 질서를 유지하는 솜씨에 의존하지 않는다. 재미있는 수업은 학생이 지속

적으로 과업을 할 수 있도록 한다.
8. 확실한 친구가 된다. 그러나 심리적 신체적 거리를 유지해서 학생이 여러분이 여전히 교사라는 것을 알아야 한다.
9. 특히 긴장되고 화가 날 때, 교사는 평정을 유지하고 학생의 평정을 유지한다. 감정이 평온해질 그때, 즉 방과 후까지 벌을 연기하는 것이 필요하다.
10. 가능할 때마다 개별적으로 행동을 관리한다.
11. 행동을 예상한다. 만일 교사나 학생이 행동의 과정을 결정한다면, 무슨 일이 일어날 지 판단할 수가 있으며 문제를 줄일 수가 있게 된다.
12. 문제 행동을 받아들이는 것이 아니라 예상한다. 문제 행동을 다루는 것을 배워야 하지만 화를 내거나 부적합한 감정을 가져서는 안 된다.
13. 문제 행동의 결과에 기초해 따라야 한다. 한번 경고하는 것이지 반복적으로 해서는 안 된다.
14. 특정한 형태의 행동은 처벌된다는 것을 미리 학생에게 알린다.

출처: Adapted from Allan C. Ornstein. "Teaching the Disadvantaged." *Educational Forum* (January 1967):215-223. Allan C. Ornstein. "The Education of the Disadvantaged." *Educational Research* (June 1982):197-221. Jeanne Ellis Ormrod. *Educational Psychology: Developing Learners* 4th ed. Upper Saddle River, NJ: Merrill Prentice Hall, 2003.

벌 사용 지침

이 장에서 훈육에 활용할 수 있는 지침들을 나열하였다. 여기서 소개하는 지침은 벌이란 개별 학생과 상황에 따라 맞추어지고 융통성 있어야 한다는 생각에 기

초하고 있다.

1. 벌을 주지 못하면서 위협하지 않는다: 벌이 실제로 주어질 수 있다는 것을 확실히 한다. 3시30분에 치과 예약을 해두어 퇴근하려고 서두른다면, 방과 후

전문적인 관점

개학 첫날의 절차

Sara Eisenhardt
National Board Certified Teacher
Cincinnati, Ohio

뛰어난 교사는 직관적으로 학급을 관리한다. 내 견해에 따르면, 교실 관리에는 학생을 알고 "일이 제대로 돌아가게 하기"위한 전략을 이해하고 실행하며 개발하는 것이 포함된다. 나는 25년간의 교직 경험을 통하여, 매 학급의 요구와 역동성에 부합할 수 있도록 조정하여 가르치고 학생들이 학습할 수 있도록 하는 일상업무를 위한 시스템을 개발하였다. 이 전략 개발은 매우 복잡하고 도전적인 활동이다. 학생을 알고 학생이 특정 상황에 어떻게 반응할지 예측할 수 있어야 한다. 교사는 일상 업무에서 벗어나 교사가 준비한 학문적 일에 집중할 수 있도록 학생에게 무엇을 가르치고 싶은지 확인하고 이를 개학 첫날, 주별, 월별 등으로 가르칠 수 있어야 한다. 학생이 무엇을 알고, 할 수 있기를 원하는지 분명히 해야 하고, 그리고 그 최종 목표를 달성할 수 있도록 하는 가장 효과적인 방법을 계획해야 한다.

내가 비공식적인 멘토 역할을 해 주었던 한 초보교사에게 "네가 무엇을 모르는지 배울 때까지는 알지 못한다"라는 속담이 확실히 맞았다. 나는 T 도표를 그리고 초보교사에게 개학 첫날 학생에게 무엇을 가르치고 싶은지 그리고 첫날에 무엇을 할 수 있는지 확인하도록 했다. 초보 교사는 학생들이 활동에 대해 알기를 원한다고 했다. 나는 그것은 활동이라는 것을 상기시키고 학생이 무엇을 알기를 원하며 무엇을 할 수 있는지 다시 물었다. 그는 개학 첫날 활동들을 나열한 후에도 학생이 "무엇을 알기를 원하는지 그리고 무엇을 할 수 있기를 원하는지" 확인하지 못했고 속임수가 있는 질문이라고 의심하는 눈치로 답을 모르겠다고 했다. 매우 유능한 교사와 덜 유능한 교사간의 주요한 차이란

유능한 교사는 각 활동을 왜 하는지 확실하게 이해하고 안다는 데 있다.

교사의 질문에 학생이 반응하도록 학생과 어떻게 의사소통 하는지 내 전략을 알려주었다. 나는 한 학생의 대답이 중요한 때(개념 이해에 대한 의사소통)와 교사가 학급 전체 대답을 원할 때(사실을 질문하고 대답하기)의 차이를 구분하여 설명하였다. 질문하면서 내 손을 올리고 한 학생의 이름을 호명하면서 손을 내리는, 한 학생의 대답을 원할 때의 나의 전략을 초보 교사에게 보여주었다. 이것이 학생이 내가 원하는 행동을 하도록 하는 전략이다. 나는 내 학생이 모든 수업시간에 인지적으로 참여하기를 원하기 때문에, 학생이 반응함에 따라 자신의 눈, 귀 그리고 마음의 소리를 어떻게 귀기울여 듣는지 가르친다고 설명했다. 나는 학생들 사이의 다양한 관점과 대화를 촉진하기 위해서 항상 이 과정을 반복한다고 설명했다. 나는 정보 암송이나 회상 질문을 "자, 여러분…"하면서 어떻게 시작하는지 시범을 보여주고, 학생의 주의 집중을 위하여 짧게 침묵하는 것을 보여주었다. 초보 교사에게 이런 것을 설명하자, 그는 교실에 들어가서 어떻게 인사할 것인지, 자료를 어떻게 수집하고 보관할 것인지, 일일 업무와 월별 업무를 어떻게 독립적으로 처리할 지, 토론에 어떻게 참여하고 협력적으로 반응할 것인가와 같은 "아는 것과 할 것"을 나열하기 시작했다. 우리는 이러한 일상 업무가 일어나는 실제 맥락 안에서 학생들에게 이러한 일상을 가르치는 통합되고 연관된 수업을 협력하여 개발하였다. 이 초보 교사는 학생에게 교실 행동과 일상을 가르치는 잘 구조화된 학습 기회를 만드는 것이 얼마나 중요한지 이해하고 효과적인 관리 전략이 부족하여 겪었던 수많은 도전과제가 있다는 것을 알게 되었다.

학급경영이 무엇이냐고 묻는다면, 나는 "학생에 관한 지식-조직-명확한 의사소통-일관성-공감"이라고 말할 것이다.

3시에 남아 있으라고 한 말을 지키지 못한다.

2. **별도 과제를 벌로 부여하지 않는다**: 숙제뿐만 아니라 해당 교과까지 싫어하게 된다.

3. **규칙 위반 즉시 벌을 준다**: 학생이 잘못 행동한 이틀 후에 벌을 주지 않는다.

4. **잘못된 행동에 알맞은 벌을 준다**: 심각한 잘못을 무시하거나 과중하지 않은 행동에 너무 과한 벌을 주지 않는다.

5. **일관성 있게 벌 준다**: 어떤 학생에게 벌을 주었다면 동일한 잘못을 한 다른 학생에게도 같은 벌을 준다. 그러나, 학생과 상황이 다르다면 조정의 여지를 남겨두어야 한다.

6. **벌을 줄 때 이중 기준을 사용하지 않는다**: 성별에 차이를 두지 않고 똑같이 다루고, 저성취 학생과 고성취 학생도 같은 방식으로 다룬다. (그러나, 정서적으로 문제가 있는 아동에게는 차이를 두어야 한다.) "애제자"를 두지 않도록 한다.

7. **상황을 개인화하지 않는다**: 학생이 아니라 문제 행동을 처벌한다. 학생의 분노나 사적인 발언에 반응하지 않는다. 학생의 말은 진심이 아니며 감정적인 반응이다. 행위에 초점을 맞추어야 한다. 학생이 한 말이나 행동이 진심이 아니었다는 것을 유념하여 학생을 과도하게 벌하지 않는다. 학생이 통제가 안 될 때 학생을 진정시키는 것이 핵심이다. 필요하다면 학생이 진정된 후 벌을 준다.

8. **심각한 사건은 문서화한다**: 문제 행동이 학생을 퇴학 시키거나 정학 시킬만한 것이라면 분서화는 더욱 중요하다.[43]

훈육 쟁점 2: 피드백, 신뢰, 대화를 통한 문제 행동 예방

David Johnson은 대인관계, 협동, 자기 실현에 대한 여러 권의 책을 집필하였다.[44] 자각, 상호 신뢰 그리고 대화를 향상시키는 그의 방법은 탁월한 예방 전략이다. Johnson의 방법은 성공 접근과 수용 접근처럼 훈육에 있어 융통적이며 민주적 접근이다. 학생 신뢰와 이해를 바탕으로 인간적인 교실을 원하는 사람은 누구나 이 방법을 사용할 수 있다. 대인 관계와 협동 과정을 강

▨ 성 찰 문 제

일부 개혁적 성향의 교육자들은 높은 성취기준과 높은 기대로 학생들의 학업 성취가 향상되었다고 주장한다. 보다 진보적 성향의 교육자들은 학교가 학생의 실 세계와 관련된 내용을 연결시켜야 한다고 생각한다. 최근 Miami Herald(2002년, 10월 27일)에 따르면 미국 교실의 다양성에 문화적으로 보다 일치하는 교실 실제를 만들기 위해 교사는 학생을 가르치는 방법을 바꿔야 한다고 보도하였다. 이 기사에서 South Florida 대학 교수가 논의한 다양한 교실을 위한 전략을 다음과 같이 인용하였다.

아동은 교실 규칙 대신 … 단일성, 민족 자결, 신념 등과 같은 Kwanzaa 축제에 들어 있는 아프리카의 전통적 가치를 제공받는다. 아동은 교실에서 다른 사람의 행동을 단속하는 데 있어 "네 뒤에는 내가 있어" 개념에 따르도록 독려 된다.

이 방법이 다양한 환경에서 자란 학생들을 가르치는데 적당하다고 생각하는가? 어떤 점이 적당한가? 어떤 점이 틀렸는가? 여러분의 학생에게 적당한가? 적합하지 않은가?

조하는 교사에게 일 대 일 원칙이나 집단 원칙에서 구체적으로 적용 가능하다.

피드백을 통한 자각 형성

피드백은 학생의 행동이 다른 사람에게 어떤 영향을 미쳤는지 설명해준다. 교사가 학생을 위협하지 않으면서 피드백을 제공하는 것은 중요하다. 피드백이 위협적일수록 학생은 방어적이 되어 학생이 피드백을 정확히 이해할 수 없게 된다. 피드백을 통해 학생의 자각을 높임으로써, 학생에게 미래에 행동함에 있어서 정보에 근거한 선택 원칙을 제공한다.

다음의 지침을 따르도록 한다:

1. *성격이 아니라 행동에 초점을 두고 피드백한다:* 교사가 생각하는 학생 특성이 아니라 학생의 행동을 언급한다. 학생 행동에 대한 언급은 교사가 보고 들은 것에 대한 반응이지만, 후자는 성격에 대한 추론이나 해석이다.
2. *주관적 판단이 아니라 객관적 묘사에 초점을 맞추어 피드백한다:* 일어난 일에 대한 교사의 옳고 그름 판단이 아니라 일어난 일 자체를 말한다. "네 맞춤법은 엉망이구나", 혹은 "대중 앞에서 어떻게 말해야 하는지 모르는구나" 라고 말하기 보다는 "그 단어의 철자가 틀렸구나" 혹은 "잘 알아듣지 못하겠구나" 라고 말한다.
3. *추상적 행동이 아니라 구체적 상황에 초점을 맞추어 피드백한다:* "무책임하구나" 라고 말하기 보다는 "네 숙제가 3일이나 늦었구나" 라고 말한다. 구체적 상황과 관련한 피드백은 자각으로 이끈다. 추상적 피드백은 해석적이기 쉽고, 종종 오해를 불러일으키기도 한다.
4. *과거가 아니라 현재에 초점을 맞추어 피드백한다:* 즉각적 피드백일수록 효과적이다. "네가 화날 때도 있겠지" 라고 말하기 보다는 "내 말에 네가 화가 날지도 모르겠구나" 라고 말한다.
5. *사람이 변화시킬 수 있는 행동에 초점을 맞추어 피드백한다:* 학생의 눈동자 색이 마음에 들지 않는다고 말하는 것은 좋지 않다. 이는 변화시킬 수 없는 것이기 때문이다.

신뢰 형성과 유지

학생간 그리고 학생과 교사간에 건강한 관계를 형성하기 위하여, 상호 신뢰 분위기가 만들어지고 무르익어야 한다. 거절이나 배신에 대한 두려움을 감소시켜야 하며, 수용, 지지와 존중은 장려되어야 한다. 신뢰는 관례처럼 한 순간에 형성되지 않고 무너지는 것도 아니다. 신뢰는 항상 변화하며 자양분이 필요하다. 신뢰에 대한 다음 개념을 고려한다.

1. *신뢰 형성:* 신뢰는 노출의 위험을 감수하고 서로의 생각과 느낌을 공유하는 것이다. 수용과 지지를 받아들이지 않는다면, 그 관계는 소원해질 것이다. 수용하고 지지한다면 계속해서 자기를 노출하여 관계가 더욱 돈독해질 것이다.
2. *신뢰하기:* 두 사람 사이의 신뢰 형성 수준은 개인의 의지와 신뢰하는 능력과 관계 있다. 각자 자기 노출 결과의 위험을 감수하고 타인에게 의지해야 한다. 각자 다른 사람이 위험 감수로부터 이익을 경험할 수 있도록 솔직하게 수용하고 지지해야 한다.
3. *알맞은 신뢰:* 상황을 판단하고 언제, 누구를, 얼마나 신뢰할 지 현명한 판단을 내려야 한다. 타인의 행동이 해가 되지 않다고 이성적으로 확신이 들 때 신뢰는 적합한 것이다.
4. *자성 예언으로서 신뢰하기:* 가정(假定)은 개인의 행동에 영향을 미친다. 행동은 다른 사람의 기대에 대한 표현으로 종종 나타나는데, 이런 가정은 자성 예언이 된다. 다른 사람이 나를 신뢰하게 만들고자 한다면 신뢰하게 될 것이다.

효과적으로 의사 소통하기

모든 행동은 의미를 전달한다. 사람은 전달받는 사람

으로부터 반응을 이끌어내기 위해 의미를 전달한다. 전달하는 의미와 반응은 언어적/비언어적이다. 효과적인 의사소통은 전달하는 사람의 의미를 의도하는 그대로 해석하는 경우에 주어진다. 그리고 효과적인 의사소통은 개인간의 이해와 협동을 증진시킨다. 비효과적인 의사소통은 전달자가 의미하는 것과 전달받는 사람이 생각하는 의미가 일치하지 않는 경우에 발생한다. 이 경우 이해와 협동이 감소하게 된다. 상호간의 신뢰는 효과적인 의사소통의 가능성을 높여 주지만, 불신은 잘못된 의사소통의 주요 원인이 된다. 의미를 전달하는 기능은 교사와 학생간의 의사소통을 증진시킬 수 있다. 효과적인 의사소통을 위한 지침으로 다음과 같은 것이 있다.

1. *일인칭 단수를 사용한다*: 자신의 아이디어 또는 느낌에 책임을 진다. "대부분의 사람들" "당신 학급의 몇몇은"과 같은 용어를 사용한 메시지는 의심을 받는다. "내 생각에는 …" 또는 "내 느낌으로는…"과 같이 말한다.

2. *의미를 완전하고 명확하게 한다*: 사람들은 듣는 사람들이 알고 있는 것에 대해 종종 잘못 추정한다. 그래서 자신의 생각을 전달하는 과정에서 몇 가지 단계를 빠뜨리거나, 자신의 의도를 명확하게 할 수 있는 세부적인 내용이나 아이디어를 언급하지 않는다.

3. *언어적 의미와 비언어적 의미를 조화시킨다*: 의사소통 문제는 언어적 의미와 비언어적 의미가 상반될 경우에 발생한다.

4. *핵심 아이디어 전달에 변화를 준다*: 전달하는 의미를 강조하기 위해 언어적, 비언어적 단서와 같은 한 가지 이상의 의사소통 수단을 사용한다.

5. *답변을 요청한다*: 상대방이 전달하는 의미를 실제 어떻게 받아들이고 해석하는지 확인할 수 있는 유일한 방법은 전달받는 사람의 반응을 살펴보는 것이다.

6. *듣는 사람의 참조 형태를 고려한다*: 같은 정보라도 성인보다는 아이들이 더 다르게 해석할 수 있다.

이것은 나이, 성숙수준, 교육수준, 문화적 배경에 따라 다른 언어와 다른 비언어적 단서를 사용해야 함을 의미한다.

7. *의미를 구체적으로 나타낸다*: 동사("나는 일하는 것을 좋아한다"), 부사("숙제는 내일까지이다"), 느낌을 분명하게 하기 위한 형용사("Marco는 뛰어난 학생이다")의 사용은 중요하다.

8. *행동을 평가 없이 기술한다*: 학생의 행동을 평가하기("너는 자기 중심적이고 다른 사람의 아이디어를 들으려고 하지 않는다") 보다는 있는 그대로 묘사("너는 Alisha를 방해한다") 한다.[45]

지난 몇 년 간 학교에서 학생의 폭력행위와 관련된 심각한 정도의 사고가 있었다. 교사, 부모, 학생, 또는 사회 어디에 책임이 있느냐를 놓고 대토론회가 격렬하게 벌어졌으나, 이에 따른 비난은 문제를 해결하지 못한다. 한 저자가 교사와 학교 관계자들이 Columbine 사건과 같은 문제를 방지할 수 있는 행동 또는 중재를 설득력 있게 기술하였다. 많은 해결 방안들이 아주 의도적이기는 하지만 "얼토당토 않은" 방법이다. 핵심은 문제와 해결 방법을 더 잘 일치시키고, 사고를 요구하고, 대화하고, 어린 사람들을 이해하고, 어떤 일에 대해서 연구하는 것이다.

기본적으로 근원적 원인 중재와 지엽적 중재 두 가지 유형의 중재가 있다. 내 판단에 의하면 소위 "치료"로 불리는(표 9.8 참조) 몇몇은 쓸모가 있으나, 다른 방법들은 쓸모 없다. 아직도 다른 것들은 이롭기보다는 해로움을 더 많이 유발한다. 그러나 그것들은 모두 지엽적 중재이다. 그 방법들 중 어느 하나도(유용한 것일지라도) 문제의 근원에 성공적으로 접근하는 것은 없다. 만약 지엽적 중재 (예를 들어 총기의 통제, 또는 금속탐지기)가 유용하다고 증명된다면 사용하지 않을 이유가 없다. 그러나 깊이 잠재된 문제가 잔존할 것이라는 것을 인식해야 한다. 그리고 어떤 종류의 중재를 실천하기 전에, 그 방법의 사용을 지지할 증거가 있다

표 9.8 정략적인 중재 방안

문 제	응급 처치 방안
우리 교육기관에 도덕적 훈련이 충분하지 않다.	기도를 허용하거나 모든 교실에 '십계명'을 부착한다.
매체에 폭력 묘사가 너무 많이 포함되어 있다.	폭력적인 영화, TV, 비디오 게임을 단속한다.
너무 많은 총기를, 너무 쉽게 사용할 수 있다.	더 강한 총기 규제 방안을 마련한다.
어린이들이 별로 공손하지 않다.	교사를 "선생님"으로 부르도록 강제하는 규칙을 만든다.
몇몇 학생들이 규범에서 고려하고 있는 것과 다르게 행동한다.	그들을 확인하고 감시하에 둔다. 다른 학생들처럼 행동할 때까지 학교로부터 떼어놓거나, 강력한 치료를 받게 한다.

출처: Elliot Aronson. *Nobody Left to Hate*. New York: W. H. Freeman/Owl Book, 2000, p.9.

는 것을 확신할 수 있어야 한다. "치료"는 견고한 근거를 기반으로 하지 않고, 감정, 희망적 사고, 편견, 그리고 정치적 편의에 의존한다는 것은 곧바로 드러나는 사실이다.[46]

이 장은 중재에 관한 토론으로 결론을 맺는다. 많은 교사들이 학급경영의 핵심은 방해하는 학생들을 어떻게 다루어야 하는지를 이해하는 것이라고 생각한다. 그러나 여러 번 언급한 것과 같이 실제 핵심은 발생하는 문제를 어떻게 중재해야 하는지 이해하는 것이다. 또는 최소한 문제 발생의 가능성을 어떻게 줄일지 아는 것이다. 중재는 학생들이 환영받고 학습이 촉진될 수 있는 환경의 조성으로부터 나온다(예방 차원의 조언 분석에 대한 제안은 교사들을 위한 조언 9.3 참조). 예방에 관한 요점을 본질로 몰고 가기 위해, 다음 사례는 도시 학생들을 지도한 결과로서 전국적으로 주목을 받고 있는 실제(앞의) 1년차 교사에 관한 이야기이다.

ABC 뉴스의 Prime Time Live(1998년 4월 4일)에서 California Long Beach의 1년차 교사인 Susan Gruell의 이야기를 방송하였다. Gruell은 고군 분투하고 있었다. 학생들 중 최소한 몇몇은 그녀가 실패하기를 바랬다. 그리고 몇 명은 심지어 그녀가 교실 앞에서 울거나 좌절하기를 바랬다. 어느 날 Gruell은 큰 입술을 가진 흑인 소년의 풍자화가 묘사되어 있는 공책을 압수하였다. 풍자화는 조롱과 퇴폐적인 내용이었다. 많은 교사들이 강도높은 교사의 통제(그리고 징벌)를 가해야 한다고 보았지만, Gruell은 그렇게 하지 않았다. 그녀는 대신 학습 패러다임(1장 참조)을 실천하였다. 그녀는 학생들이 공책에 그려진 것의 의미를 개인적인, 그리고 개인간의 용어로 살펴보기를 원했다. 그녀는 편견의 개념을 설명하고, 대학살과 나찌의 유태인에 대한 비인간화의 관계를 설명하였다. 학생들의 행동에 벌을 가하기 보다 왜 그런 행동을 했는지 이해할 수 있도록 도와주기 위한 그녀의 열정은 그녀의 학급에겐 진정으로 놀라운 여정의 시작이었다. 이어지는 몇 주와 몇 개월간 학생들은 자신과 다른 사람들의 삶 속에서의 편견과 부정에 대해서 학습하였다. 학생들은 Anne Frank와 Zloto Vilapovich와 같이 편견에 의해 삶이 바뀌거나 *삶을 마감한* 사람들을 자신과 연결시켜보았다. 이와 같은 과정 속에서 학생들은 책임있고 성숙한 행동에 대한 자극을 받았다. 그들은 자신의 일에 투자하였으며, 더 이상 잘못된 행동을 할 이유가 없었다.

이 장에서는 학생들을 어떻게 관리하는지에 대한 아주 좋은 정보를 소개하였다. 학생들이 학습을 하도록 하기 위해 학급을 통제할 필요가 있다. 그러나 진정

교사들을 위한 조언 9.3

예방 차원의 조언 분석을 제안

잘못된 행동의 몇몇 원인은 우리의 통제를 벗어나 있다. 일상적 훈육 문제를 제거하고 문제 학생의 행동을 다루기 위한 수단을 알게 되면 가르치는 것과 교사로서의 일반적 효과성을 위한 시간이 증가하게 된다. 다음은 학생의 잘못된 행동을 예방하기 위한 수단을 분석하는 것에 대한 제안이다.

1. 다른 교사들과 개인적으로 만나서 문제와 어려운 학생들을 다루기 위한 성공적인 전략을 토론한다.
2. 훈육 문제를 다루는 데 있어 동료의 장점을 확인하고 분석한다. 다른 교사의 교수를 살펴본다. 당신은 가르치기 어렵다고 판단한 학생들을 위해 무엇을 하는가?
3. 필요할 경우 어느 장학사와 관리자가 지원해 줄 것인지 결정한다. 잘못된 행동을 다루는 데 어떤 접근 방법을 사용하는가?
4. 교실 관리 접근법을 분석하기 위해 다른 교사, 장학사, 관리자가 규칙적으로 교실을 방문하도록 요청한다.
5. 부모의 관리 철학을 알아보기 위해 정기적으로 교류한다. 이 내용은 교실 수업의 지원과 후속적 활동을 위해 사용된다.
6. 훈육과 관련된 최근의 법률적 문제를 알려준다. 교육 논문과 주 법률 요약을 읽고, 연방 하원의원과 이야기 한다.
7. 모든 심각한 학생 행동 문제를 주의 깊게 기록한다.
8. 훈육 수단에 대한 기대를 평가하고, 성취하고자 하는 것을 개관한다.

출처: Adapted from Daniel L. Duke and Adrienne M. Meckel. *Teacher's Guide to Classroon Management.* New York; Rabdom House, 1984.

으로 좋은 수업 전략(그리고 좋은 계획)을 사용할 필요가 있으며, 최상의 계획이 실패하였을 경우 중재 전략과 문제 다루기를 사용할 필요가 있다.

훌륭한 학급 경영과 학생 학습과의 관계는 학생들의 이해와 관련되어 있다. 당신이 가르치는 대부분의 모든 학생들은 그들이 학습할 수 있도록 학급을 통제하기를 원하거나 기대한다. 최근의 Christian Science Monitor 논문은 10대의 43%가 동료의 잘못된 행동이 그들 학습을 침해한다고 믿고 있는 것으로 보고하고 있다. 이와 마찬가지로 중요한 사실은 모든 교사와 관리자의 83%가 신규 교사의 성공에 있어 주요 장애가 학급 경영이라고 믿고 있다는 점이다.[47] 많은 신규 교사들이 잘못된 행동에 너무 민감하게 반응하고(대개 주의를 끌기 위한 것이며, 당신을 향한 것이 아니다), 행동에 대해 염려한다. 훌륭한 교실 관리자를 살펴보면, 학생들의 행동에 개인적으로 대하지 않으며(그것이 의미하는 바에 대해 성찰한다고 하더라도), 잘못된 행동이 확산되기 전에 처리한다. 그들은 또한 학생들과 유의미한 관계 형성을 시도한다. 당신을 알고 있고 당신이 믿고 있다고 알고 있는 학생들은 관리하기가 훨씬 쉽다. 그리고 학습 활동으로 계획하고 있는 것을 수행하고 있는 학생들은 보다 순응적이고 성공적일 것이다.

전문적인 관점

일년차 교사

Julianne Burt
Teacher, Fort Wayne, Indiana

1학년부터 8학년까지의 일반 음악 교사로서의 수업 첫날을 준비하면서 한 번에 한 가지 일만 할 수 밖에 없었다. 만약 해야 할 모든 것들을 한꺼번에 생각했더라면 나는 미쳐버렸을 것이다! 그래서 학교를 시작하기 전에 성취해야 할 가장 중요한 일의 목록을 만들었다(즉, Indiana주의 음악 성취 기준 확인, 학년 수준의 목표와 목적, 교실 관리 전략, 교실 규칙과 결과, 교실 장식 등). 이렇게 많은 일들을 하면서 학생들의 교육에서 가장 중요한 것이 무엇인가에 대해 생각했다. 그리고 모든 것들의 기반이 되는 각 학년 수준에서의 연간 목표를 시작했다.

각 학년의 목표를 만드는 것에서 시작했고, 이 목표의 일부는 3학년부터 8학년까지 일일 음악 기록을 하게 하는 것과 같은 학급 경영 전략을 증진하기 위해 사용되었다. 학생들은 음악을 들으며 교실로 들어온다. 그리고 곧바로 올바른 음악 용어로 성찰 내용(학년 수준에 적절하게)을 기록한다.

그 다음에 규칙과 이에 따른 교실에서의 규칙 위반에 대해 초점을 맞추기로 했다. 학교 내의 다른 교사들이 자신의 교실에서 적용하는 규칙과 그에 따른 것들을 연구하기로 했다; 이 지식을 5개의 짧고 직접적인 교칙을 만드는 데 활용했으며, 이 규칙은 각각의 개별적인 학년 수준에 적절할 뿐 아니라 모든 학년 수준에 적절했다.

마지막으로 교실을 꾸미기 시작했다. 어린 학생과 나이든 학생 모두 관심을 끌 수 있는 것을 포함하는 것을 핵심으로 삼았다. 학생들이 자신들의 교실이라는 것을 깨닫기를 바랬다. 예를 들어, 나이든 학생들을 위해 학교와 공동체의 어떤 음악적인 활동도 포함할 뿐 아니라 그 지역의 예술 뉴스를 접할 수 있는 "Music Notes" 게시판을 설치하였다. 보다 어린 학생들을 위해서는 교실에서 창의성을 북돋아주는 밝은 색상의 그림 및 기호와 친밀한 환경을 마련해 주었다.

첫 출근날까지 교실에서 학생들의 성공을 위해 중요한 것에 초점을 맞추었기 때문에 충분히 준비했다고 느꼈다. 내 초점은 다른 교사, 멘터, 교장 또는 심지어 나 자신의 즐거움에 대한 강조가 아니라, 내 능력의 최선을 다해서, 학생이 학습에 필요로 하는 것과 학생들이 음악실에서 일련의 목표에 다가갈 수 있도록 초점을 유지하는 데 있다.

이론의 실제 적용

훌륭한 경영과 원칙을 이론으로부터 실천으로 옮기기 위해서는 개관 또는 마무리 질문을 고려할 필요가 있다. 이상적으로는 이어지는 30개 질문 모두에 "예"라고 대답할 수 있어야 한다. 학생들을 관리할 문제를 갖고 있다면, 아마도 그런 경우는 아닐 수도 있다. 부정적 반응이 5개 이상이면 당신이 자신의 문제에 기여하고 있고, 그리고/또는 교정 행동을 취하지 않는다면 더 큰 문제와 부딪칠 것을 의미한다.

1. 배경 정보   예 아니오
   a. 학습자로서 학생 각각의 개인적 ☐ ☐
      요구에 대해 알고 있는가?
   b. 학생들의 기록을 살펴보았는가? ☐ ☐
   c. 학생들에 대해 동료(다른 교사)들 ☐ ☐

과 이야기했는가?

d. 학생들의 가정생활은 심리적으로 안전한가? ☐ ☐

(좋은 아침을 먹는가? 잠은 충분한가? 공부하기 위하여 조용한 공간이 있는가? 등)

e. 어떤 동료가 학생들에게 영향을 주는지 알고 있는가? ☐ ☐

2. 태도

a. 학생들과 긍정적으로 상호작용하는가? ☐ ☐

b. 학생들에게 귀 기울이는가? ☐ ☐

c. 학생들을 존중한다는 것을 보여주는가? ☐ ☐

d. 도움이 되는 피드백을 제공하는가? ☐ ☐

e. 학생들에게 큰 기대를 갖고 의사소통하는가? ☐ ☐

f. 적절한 시기에 칭찬을 하는가? ☐ ☐

g. 교실에서 발언권을 주는가(학생을 지명하는가)? ☐ ☐

h. 수업에 앞서 학생들의 장점을 강조하는가? ☐ ☐

3. 일과와 절차

a. 학생들에게 일과와 규칙에 대해서 명확하게 진술했는가? ☐ ☐

b. 교실의 일과는 적절하고 간결한가? ☐ ☐

c. 학생들이 이해하고 본으로 삼을 수 있는 일관성 있는 교실 일과가 있는가? ☐ ☐

d. 일과는 모든 학생들에게 공평하게 작용하는가? 부적절한 행동의 공개를 포함하는가? ☐ ☐

e. 부적절한 행동의 결과에 투명하게 ☐ ☐

대처하는가?

f. 잘못된 행동에 대한 결과는 공정하고 일관성이 있는가? ☐ ☐

g. 학생이 부적절한 행동을 했을 때 평정심을 유지하는가? ☐ ☐

4. 수업

a. 수업의 요구가 학생들의 능력과 요구에 적절한가? ☐ ☐

b. 학생들이 교실 과제에 흥미를 느끼는가? ☐ ☐

c. 각각의 학생들은 숙제를 어떻게 하는지 이해하는가? ☐ ☐

d. 학생들을 위한 특별한 학문적 지원(보충, 개별지도)이 마련되어 있는가? ☐ ☐

5. 예방 수단

a. 학생들에 대해 자신이 했던 경고를 끝까지 이행한 적이 있는가? ☐ ☐

b. 학생들의 좌석 변경이 문제에 합당할 경우 바꾼 적이 있는가? ☐ ☐

c. 잘못된 행동에 대한 토론이 요구될 경우 학생들과 개인적으로 이야기한 적이 있는가? ☐ ☐

d. 학생들과 이야기하거나 교실 밖의 모습을 알아보기 위해 시간을 내려고 하는가? ☐ ☐

e. 학생들의 부모와 대화한 적이 있는가? 지속적으로 이루어지는가? ☐ ☐

f. 잘못된 행동을 한 학생을 지도하기 위해 카운슬러 또는 훈육 책임자와 이야기한 적이 있는가? ☐ ☐

공학적 관점

교사 입장에서 공학적 관점

Jackie Marshall Arnold
K-12 Media Specialist

21세기의 교실에서 교사는 교실 그리고/또는 컴퓨터실에서 컴퓨터에 둘러 쌓인 자신을 발견할 것이다. 오늘날의 교사는 관리자, 부모, 그리고 학생들로부터 공학을 교수에 통합함으로써 이러한 기계들을 사용하리라는 기대를 발견하게 될 것이다. 그러나 효과적인 도구로서 공학을 사용하는 것은 학생들이 컴퓨터를 적절하게 사용하도록 희망하는 것보다 더 많은 지식을 필요로 한다. 교사는 공학적 기능을 필요로 할 뿐만 아니라, 교실에서 컴퓨터 사용의 난제를 해결하기 위한 경영 기능도 필요로 한다.

교사는 공학의 사용이 모든 학생들에게 늘 컴퓨터를 요구하는 것이 아니라는 것을 깨닫는 것이 중요하다. 협동학습 집단이 구성되고, 성취해야 할 세부적인 과제 또는 공학적 도구로 해결할 문제가 주어질 수도 있다. 학생들의 나이에 근거해서 역할이 할당될 수 있으며, 또는 집단 스스로 구성원의 역할을 결정할 수 있다. 예를 들어 4명으로 구성된 집단에서, 한 학생은 항해자가 될 수 있고, 한 명은 기록자, 다른 한 명은 시간 관리자, 그리고 또 다른 한 명은 관리자가 될 수 있다. 이런 방식으로, 각 학생들은 기대되는 것과 자신이 제공할 수 있는 역할이 무엇인지 알게 된다.

교실에서 공학을 사용하기 위한 또 다른 경영 기법으로 학생들이 하루 종일 다른 장소로 옮겨 다니는 순환 일정이 있다. 한 번 일정이 정해지면 학생들은 그 일정에 친숙해진다. 그러면 그 일정을 모든 학생들이 공학을 사용하도록 하기 위해 사용할 수 있다. 일정잡기는 바쁜 교실 생활에서는 도전이 될 수 있다. 일정의 개발은 일관성 있고 각 학생들에게 공정해야 한다. 하루의 제한된 시간 동안의 일정을 고려한다. 그리고 학생들의 컴퓨터 사용 시간이 충분하다고 느낄 때까지 더 많은 시간을 포함시켜서 일정을 늘려나간다.

공학을 사용하는 동안 학생의 생산성을 증대시키기 위해 다음 제안을 고려한다.

1. 모든 학생들이 연구과제의 목적을 알고 있는지와 과제 성취 점검표를 제공했는지 확인한다.
2. 연구과제를 위해 충분한 시간이 허용되었는지 그리고 절차에 대한 기준점을 제공했는지 토론한다.
3. 끝날 때까지 기다리지 말고 절차 전반에 걸쳐 피드백과 조언(시간의 효과적 사용에 대한 보상을 포함해서)을 제공한다.
4. 시간의 비효과적 사용을 규정하고 부적절한 행동의 결과(컴퓨터 사용특권 등)를 분명하게 설명한다.

마지막으로 학생들의 공학 사용을 극대화하는 데 있어서 내가 항상 유일한 "전문가"가 될 수 없다는 사실을 기억한다. 학생들이 질문을 하거나 어려움을 겪을 때 서로 지원하고 도와 주도록 학생들을 훈련시킨다. 교실에서 "공학 선도" 학생들이 필요한 학생들을 도와주는 리더십을 발휘할 수 있도록 허용한다. 또 다른 제안으로 부모를 탐색해서, 그들 중 공학적 전문성을 가진 사람으로부터 도움과 학생들과의 지식 공유를 간청하는 방법도 있다. 자원봉사자는 특별한 연구과제 또는 같은 시간에 모든 학생들이 도움을 요청할 경우에 상당한 도움을 제공할 수 있다.

교실과 컴퓨터실에서 공학을 사용하는 것은 자신의 유형과 성공적인 관리 및 훈육 기법을 개발하는 데 많은 시간의 사용과 연습을 하도록 할 것이다. 시간을 충분히 가져라-당신과 당신 학생들을 위한 보상은 위대할 것이다!

요약

1. 이 장에는 훌륭한 훈육의 확립과 유지를 위한 6가지 접근법을 제시하고 있다. 모두 명백한 규칙과 기대를 형성하고, 예방 수단에 대한 추천을 포함하고 있고, 긍정적이며 실천적이다. 이 방법들은 교사가 행사하는 통제의 정도와 과제에 대한 강조에 있어서 차이가 있다.

2. 교사가 채택하는 접근법 또는 접근법의 조합은 상당 부분 교사의 철학, 개성, 교수 유형, 그리고 교수 환경에 달려있다. 교사는 높은 수준과 보통 수준의 중재 전략을 각각 한 가지씩 아주 잘 학습하는 것으로 교수를 시작해야 한다. 두 접근 방식이 완전하게 숙달될 때까지 이것 모두의 사용을 시도해서는 안 된다.

3. 처벌은 종종 규칙과 규정을 강조하기 위해 필요하다. 처벌은 상황에 적절해야 하고 학생의 발달 단계를 고려해야 한다. 처벌은 또한 학교 정책과 같은 선상에 있어야 한다.

4. 훈육을 유지하고 증진시키기 위한 예방적인 수단은 교실 문제가 방해가 되고, 교수에 영향을 끼치기 전에 그 문제를 감소시키는 것에 토대를 두고 있다.

고려할 문제

1. 학급경영을 통해 성취하고자 하는 목적이 무엇인가?

2. 어떤 학급경영 접근법을 좋아하는가? 그 이유는 무엇인가?

3. 교사의 개인적 특성이 훈육 전략에 어떻게 영향을 주는가?

4. 어떤 조건하에서 학생을 체벌할 것인가? 어떤 조건하에서 신체적 징벌을 사용할 것인가?

5. 이 장에서 논의한 어떤 예방적 수단이 당신의 개성과 철학과 가장 일맥상통한다고 보는가?

해야 할 일

1. "훌륭한" 훈육자로 알려진 교사와의 협의회를 마련한다. 이 장에서 기술한 어떤 접근 방식이 그 교사의 접근 방식과 유사한가? 그 교사의 방법과 전략에서 건설적이고 긍정적인 요인은 무엇인가?

2. 교사를 관찰하기 위해 근처에 있는 학교 방문을 계획한다. 그 교사가 혼란 또는 혼돈을 방지하기 위해 어떤 특별한 "거래의 속임수"를 사용하는가? 보통의 그리고 높은 수준의 접근 방식으로 무엇을 사용하는가?

3. 예방 차원의 훈육 기법과 자주 범하는 훈육 상의 오류에 대한 목록을 준비한다. 교실에서의 예방 차원의 기법과 자주 범하는 오류에 대해 토론한다. 일상적 오류 중 어떤 것이 미연에 방지될 수 있을까? 그리고 이때 어떤 예방 차원의 훈육 기법이 사용될 수 있나?

4. 다음과 같은 교실 상황에 대해 교사로서 어떻게 반응할 것인지 토론한다. a) 학생이 끊임없이 큰소리고 외친다, b) 학생이 공부하는 것을 거부한다, c) 학생이 학급 동료 앞에서 부적절한 언어를 사용한다, d) 학생이 다른 학생과 논쟁을 시작한다.

5. 첫 번째 교수 임무를 위해 일련의 교실 규칙을 만든다. 규칙이 명백한가? 합리적인가? 이해할 수 있는가? 학생들과 규칙에 대한 동료 비평을 갖는다. 학생들을 어떻게 가르칠 것인지 묘사한다.

추천 문헌

Burden, Paul. *Classroom Management: Creating a Successful Learning Community*, 2d ed. New York: John Wiley and Sons, 2003. A thoughtful research-based approach to classroom management that is appropriate for a wide range of teaching contexts.

Charles, C. M. *Building Classroom Discipline*, 7th ed. Boston: Allyn and Bacon, 2002. This book outlines various disciplinary models and practices.

Emmer, Edmond T., et al. *Classroom Management for*

Secondary Teachers, 5th ed. Boston: Allyn and Bacon, 2000. A business-academic approach to organizing and controlling students, this book includes several practical techniques for secondary teachers.

Evertson, Carol M., et al. *Classroom Management for Elementary Teachers*, 4th ed. Boston: Allyn and Bacon, 2000. The companion book to the one above, this one is mainly for elementary teachers.

Carol Weinstein. *Secondary Classroom Management: Lessons from Research and Practice*. New York: McGraw Hill, 1996. This is an applied science approach to the research on classroom management and discipline.

Carol Weinstein. *Elementary Classroom Management: Lessons from Research and Practice*. New York: McGraw Hill, 1997. This is a companion book to the secondary text that focuses just on the elementary grades.

Charles Wolfgang. *Solving Discipline and Classroom Management Problems*, 5th ed. New York: John Wiley, 2002. This text surveys the different management strategies.

핵심 용어

고수준의 교사 중재 372	단념기법 364
독단적 접근법 356	집단 관리 접근 363
부적 강화 360	성공 접근법 368
신체적 처벌 378	승인 접근법 365
응용과학적 접근법 358	이동관리 364
일탈 364	작업참여 364
정적 강화 360	중간수준의 교사 중재 372
중복조치능력 364	집단집중 365
처벌 377	통제이론 368
피드백 383	학급 경영 357
함께하기 364	행동 수정 접근법 359
현실 치료 368	

후주

1. The annual poll is published in the September or October issue of *Phi Delta Kappan*. See, for example, the September 1998 issue.

2. *Public and K-12 Teacher Members*.Washington, D.C.: National Education Association, 1993.

3. Daniel L. Duke and Adrienne M. Meckel. *Teacher's Guide to Classroom Management*. New York: Random House, 1984, p. 23.

4. Ronald C. Martella, J. Ron Nelson, Nancy E. Marchand-Martella, and Ronald Nelson. *Managing Disruptive Behavior in the Schools: A Schoolwide, Classroom and Individualized Social Learning Approach*. Boston, Mass.: Allyn and Bacon, 2002.

5. Allan C. Ornstein. "Techniques and Fundamentals for Teaching the Disadvantaged." *Journal of Negro Education* (Spring 1967): 136-145.

6. Lee Canter and Marlene Canter. *Assertive Discipline: Positive Behavior Management for Today's Classroom* 3d ed. Santa Monica, CA: Lee Canter et al, 2002. See also Lee Canter et al. First Class Teacher: Success Strategies for New Teachers. Santa Monica, Calif.: Canter and Associates, 1998.

7. Thomas J. Lasley. "A Teacher Development Model for Classroom Management." *Phi Delta Kappan* (September 1989): 36-38.

8. Canter and Canter. *Assertive Discipline*.

9. Carolyn M. Evertson et al. *Classroom Management for Elementary Teachers*, 5th ed. Boston: Allyn and Bacon, 2000. Edmund T. Emmer et al. *Classroom Management for Secondary Teachers*, 5th ed. Boston: Allyn and Bacon, 2000.

10. Ibid.

11. Allan C. Ornstein. "Emphasis on Student Outcomes Focuses Attention on Quality of Instruction." *NASSP Bulletin* (January 1987): 88-95. Allan C. Ornstein. "Teacher Effectiveness Research: Theoretical Considerations." In H. Waxman and H. J. Walberg (eds.), *Effective Teaching: Current Research*. Berkeley, Calif.: McCutchan, 1991, pp. 63-80.

12. Albert Bandura. *Principles of Behavioral Modification*. New York: Holt, Rinehart and Winston, 1969. Albert Bandura. *Social Foundations of Thought and Action: A Social-Cognitive Theory*. Englewood Cliffs, N.J.: Prentice-Hall, 1986.

13. B. F. Skinner. "The Evolution of Behavior." *Journal of Experimental Analysis of Behavior* (March 1984): 217-222. B. F. Skinner. "Cognitive Science and Behaviorism." *British Journal of Psychology* (August 1985): 291-301.

14. Paul A. Schutz. "Facilitating Self-Regulation in the

Classroom." Paper presented at the annual meeting of the American Educational Research Association, New Orleans, April 1994. Paul R. Burden. *Classroom Management: Creating a Successful Learning Community*. New York: John Wiley, 2003.

15. Jack Snowman, Robert F. Biehler, and Curtis J. Bank. *Psychology Applied to Teaching*, 9th ed. Boston: Houghton Mifflin, 2000.

16. C. M. Charles. *Building Classroom Discipline*, 6th ed. New York: Longman, 1999.

17. Albert Bandura et al. "Representing Personal Determinants in Causal Structures." *Journal of Personality and Social Psychology* (June 1985): 406-414. Virginia W. Berninger and Robert D. Abbott. "The Unit of Analysis and the Constructive Process of the Learner." *Educational Psychologist* (Winter 1992): 223-242. B. F. Skinner. "The Evaluation of Verbal Behavior." *Journal of Experimental Analysis of Behavior* (January 1986): 115-122.

18. R. A. Miltenberger. *Behavior Modification*. Belmont, Calif.: Wadsworth, 2001.

19. Jacob S. Kounin. *Discipline and Group Management in Classroom*. New York: Holt, Rinehart and Winston, 1970. Jacob S. Kounin. *Discipline and Classroom Management*. New York: Holt, Rinehart and Winston, 1977.

20. Paul Burden. *Classroom Management*. 2d ed. New York: John Wiley, 2003, pp. 107-108.

21. Rudolph Dreikurs. *Psychology in the Classroom*, 2d ed. New York: Harper & Row, 1968. Rudolph Dreikurs and Pearl Cassel. *Discipline Without Tears*, rev. ed. New York: Dutton, 1988.

22. Rudolph Dreikurs, Bernice B. Grunwalk, and Floyd C. Pepper. *Maintaining Sanity in the Classroom*, 2d ed. New York: Harper & Row, 1982. Rudolph Dreikurs and Loren Grey. *Logical Consequences: A New Approach to Discipline*. New York: Dutton, 1988. Rudolph Dreikurs. Children: The Challenge. New York: Dutton, 1990.

23. William W. Glasser. *Reality Therapy: A New Approach to Psychiatry*. New York: Harper & Row, 1965. William W. Glasser. *The Quality School: Managing Students Without Coercion*. New York: HarperCollins, 1990.

24. William W. Glasser, *School Without Failure*. New York: Harper & Row, 1969. Glasser. *The Quality School*.

25. William W. Glasser. *Control Theory in the Classroom*. New York: Harper & Row, 1986.

26. Ibid.

27. James S. Cangelosi. *Classroom Management Strategies*, 3d ed. New York: Longman, 1997, pp. 30-31.

28. William Glasser. *The Quality School: Managing Students Without Coercion*, 2d ed. New York: Harper Perennial, 1992. William Glasser. *Every Student Can Succeed*. Chatsworth, Calif.: Black Forest Press, 2000.

29. Evertson et al. *Classroom Management for Elementary Teachers*.

30. Burden. *Classroom Management*, pp. 198-215.

31. Vernon F. Jones and Louise S. Jones. *Comprehensive Classroom Management: Creating Positive Learning Environments for All Students*, 3d ed. Boston: Allyn and Bacon, 1995.

32. Carl Bereiter. "Implications of Connectionism for Thinking About Rules." *Educational Researcher* (April 1991): 10-16. Paul A. Schutz. "Goals in Self-Directed Behavior." *Educational Psychologist* (Winter 1991): 55-67.

33. Thomas L. Good and Jere E. Brophy. *Looking in Classrooms*, 8th ed. Reading, Mass: Addison Wesley, 2000.

34. Robert E. Slavin. *Cooperative Learning*, 2d ed. Needham Heights, Mass.: Allyn and Bacon, 1990. Robert E. Slavin. *Educational Psychology: Theory into Practice*, 6th ed. Needham Heights, Mass.: Allyn and Bacon, 2000.

35. Allan C. Ornstein. "Teaching the Disadvantaged." *Educational Forum* (January 1967): 221.

36. Carol Cummings. *Winning Strategies for Classroom Management*. Alexandria, VA: Association for Supervision and Curriculum Development, 2000.

37. N. L. Gage and David C. Berliner. *Educational Psychology*, 6th ed. Boston: Houghton Mifflin, 1998.

38. William Damon. *Greater Expectations*. New York: Free Press, 1992. Annette M. Iverson. *Building Competence in Classroom Management and Discipline*, 4th ed. Columbus, OH: Merrill Prentice Hall, 2003.

39. Moshe Zeidner. "The Relative Severity of Common Classroom Management Strategies: The Student's Perspective." *British Journal of Educational Psychology* (February 1988): 69-77.

40. Thomas L. Good and Jere E. Brophy. *Contemporary Educational Psychology*, 5th ed. New York; Longman, 1995. Good and Brophy. *Looking in Classrooms.*

41. Bob Algozzine and Pam Kay. *Preventing Problem Behavior.* Thousand Oaks, CA: Corwin Press, 2002. Tom V. Savage. *Teaching Self-Control Through Management and Discipline*, 2d ed. Needham Heights, Mass.: Allyn and Bacon, 1999.

42. Christopher M. Clark and Penelope L. Peterson. "Teachers' Thought Processes." In M. C. Wittrock (ed.), *Handbook of Research on Teaching*, 3d ed. New York: Macmillan, 1986, pp. 255-296. Bud Wellington. "The Promise of Reflective Practice." *Educational Leadership* (March 1991): 4-5.

43. Ornstein. "Techniques and Fundamentals for Teaching the Disadvantaged." Ornstein. "Teaching the Disadvantaged." Allan C. Ornstein. "A Difference Teachers Make: How Much?" *Educational Forum* (Fall 1984): 109-117. Also see Joseph E. Williams. "Principles of Discipline." *American School Board Journal* (February 1993): 27-209.

44. David W. Johnson. *Reaching Out: Interpersonal Effectiveness and Self-Actualization*, 6th ed. Needham Heights, Mass.: Allyn and Bacon, 1997.

45. Ibid.

46. Elliot Aronson. *Nobody Left to Hate.* New York: W. H. Freemanh? Owl Book, 2000.

47. J. Kehe. "It's 8 a.m., and Everything Is Not Under Control." *Christian Science Monitor* (October 8, 2002). Retrieved

제 10 장

학업 성취기준과 학습자 평가

이번 장에 관련된 Pathwise 성취기준 :

- 학생에게 적합하고 소단원 목표에 부합되는 평가 전략을 세우거나 선택하기(A5).
- 다양한 도구를 통해서 교육 내용에 대한 학생들의 이해 정도를 살펴보고, 학습에 도움을 주는 피드백을 학생들에게 제공해주며, 그리고 상황에 따라 학습활동을 조절하기(C4).
- 학습목표에 부합되는 정도에 관해 숙고하기(D1).

이번 장에 관련된 INTASC 원리 :

- 교사는 학습자에 대한 연속적인 지적, 사회적, 그리고 신체적 발전을 평가하고 지켜주기 위한 형식적, 비형식적 평가 전략에 대해서 이해하고 활용한다(P8).

핵 심 문 제

1. 학업 성취기준은 평가에 어떠한 영향을 끼쳐왔는가?
2. 신뢰도와 타당도를 검사하는 가장 일반적인 방법은 무엇인가?
3. 규준지향평가와 준거지향평가 간의 차이점은 무엇인가?
4. 교실에서의 학생 검사는 어떻게 개선될 수 있는가? 어떤 단답형 검사 문항이 가장 말이 많은가? 왜? 교사는 서술식 검사 문항의 쓰기와 채점을 어떻게 개선할 수 있겠는가?
5. 어떤 시험치기 기능이 학생들에게 지도될 수 있는가?

다음 두 장에서는 성취기준, 학습자 평가, 그리고 학습자와 교사의 책임감이 논의되었다. 지난 수십 년 동안, 그리고 특히 2002년에 No Child Left Behind 법안의 통과로 인해, 교육자들은 미국 교실에서 가르치는 것의 의미에 대해 "새로운" 인식을 가지게 되었다. 성취기준, 평가, 그리고 책임감에 대해서 강조하는 것이 보다 나은 교육을 이끈다는(혹은 이끌 것이라고)것에 모두가 동의하는 것은 아니다. 그러나 이것이 학교와 그곳에서 지도를 하고 있는 교사에게 영향을 주었고 앞으로 줄 것이라는 데에는 대부분 동의하고 있다.

학교의 질을 향상시키기 위해 여러 가지 다양한 방

법이 활용되고 있지만(예, 상품권을 활용한 경쟁, 학생 수 감소법 제정 등), 어떤 것도 성취기준 흐름이 교사에게 끼친 그러한 직접적인 영향력을 잠재적으로 갖고 있지 않다. 이 장에서는 성취기준 흐름으로 인해 수반하는 것에 대한 설명을 하고자 한다. 다음 장에서는 학생 수행에 대한 교사의 평가 방법과 교사는 어떻게 평가되고 학생이 학습 한 것에 대해서 지녀야 할 책임감에 대해서 다루고자 한다.

성취기준

Iowa를 제외한 모든 주는 주 정부 자체의 성취기준을 가지고 있다. 이 책에서 여러분에게 교육 및 주 정부의 성취기준에 대해서 알 필요가 있음을 강조하는 이유는 일면 그러한 기준에 의해서 여러분의 학생이 평가될 것이기 때문이다.

성취기준은 다음과 같은 세 가지 기본적인 전제를 바탕으로 전개된다.

1. 학생, 교사, 그리고 학부모는 학생이 배우리라 기대 될 수 있는 것에 대해 명확히 알고 있어야 한다.
2. 교사는 학생들이 배울 필요가 있는 것을 학습하고 있는지에 대해서 알아야 한다.
3. 결과는 적당한 혜택 및 지원과 관련되어져 있어야 한다.[1]

비록 성취기준에 대한 가장 악의 없는 진술조차도 분명히 비평가들의 비판을 이끌어내겠지만, 이러한 전제들은 대부분의 사람들이 경쟁하려고 한다는 것이 아니다. 여기서의 핵심은 논쟁의 복잡성을 탐구하려는 것이 아니다. 그보다는 성취기준이 비록 논쟁거리가 되고 있기는 하지만, 대부분의 주에서 가지고 있으며 가르칠 내용과 방법에 영향을 줄 것이라는 것을 이해시키려고 하는 것이 여기서의 핵심이다. 그러므로 여러분은 성취기준에 대해서 알고 있어야만 하며, 현재 주와 지역 교육조직을 관리하고 있는 대부분의 사람들

이 성취기준을 교육개선을 위한 본질적인 요소라고 믿고 있다는 것에 대해서 이해해야만 한다.

성취기준과 그 의미

거의 대부분의 교과 영역에는 내용 성취기준이 있다-현재 심지어는 유아영역에도 존재한다. 비록 교사들이 그러한 성취기준에 따라 적극적으로 수업을 만들지는 않지만, 그들이 지도하는 교과내용의 성취기준은 알고 있을 필요가 있다.

좋은 학업 성취기준은 명확성과 절감이라는 두 가지 본질적인 특징을 지니고 있다.[2] 명확성이란 성취기준이 매우 자세해서 누가 읽던지 간에 학생이 학습할 것으로 기대되는 것이 무엇인지를 알 수 있는 것을 의미한다. 절감이란 성취기준의 초점이 협소하다는 것을 나타낸다. 만약에 성취기준에 학생이 모든 것을 학습해야 한다고 명시되어 있다면, 그 학생은 성공할 수 없을 것이다.

주정부는 성취기준을 명확하고 제한되게 설정하는 한편 성취기준이 논리적이지만 엄격하도록 하기 위해서 노력하고 있다. 또한 몇몇 주정부는 성취기준을 명확히 하기 위해서 연합된 성적등급척도를 마련하기도 한다. 성취기준을 위한 연합된 성적기준척도의 예시는 www.battelleforkids.org에서 볼 수 있다.

Marzano는 성취기준이 학생 성취도를 신장시킬 수 있는지, 그리고 교육개혁에 관심이 많은 다른 사람들이 동의를 하는지에 대해서 논의한다.[3] 그러나 Marzano에 의하면, 성취기준을 효과적으로 만들기 위해서, 정책입안자는 몇 가지 구체적인 단계를 밟아야 한다.

1. *전체적인 내용성취기준의 수를 줄이고 초점을 명확하게 정 한다*: Marzano는 여러 가지 상이한 내용성취기준(www.mcrel.org 참조)에 대한 검토에서 14개의 상이한 교과 영역에서 130개의 관련 문서를 발견했다. 가르칠 필요가 있는 것을 모두 다루는 것은 K-12 맥락 안에서는 결코 이루어질 수 없다.

2. *학생의 향상 정도를 찾기 위한 주시 체제를 세운다*: 학생들은 극히 유동적이다-학생들은 그들의 전체 교육 기간 동안 한 학교에 고정되어 있지 않다. 때때로 교사가 고정적인 학생에게도 접근하기가 어려운데, 어떻게 유동적인 학생을 관찰할 수 있을까? 교사는 이 자료가 필요하고 성취기준에 기초하여 성적을 부여하는 식으로 학생의 향상 정도를 명확하게 기록하기 위해서 사용할 필요가 있다(다시 말하면, 구체적인 성취기준과 관련하여 학생의 진척 정도를 기록한다).[4]

　　Marzano의 권고는 국가 및 광범위한 수준의 성취기준 실행에 적합하다. 구체적으로 교사에게 주는 시사점은 무엇인가? 교사는 지도할 내용을 결정해야 하고, 명확한 초점을 가지고 있어야 하며, 학생들이 학습한 것을 알고 있어야 하고, 그리고 나서 다시 수정해야 한다. 말은 쉽지만, 실제적인 실행절차는 약간 더 복잡하다.

성취기준이 차이를 만들 수 있는가?

성취기준을 지지하는 사람들은 성취기준이 학생의 학업성취에 효과적이고 백인과 흑인 사이의 학업 성취차이를 없애는데 도움을 줄 수 있다고 단언한다. Schmoker와 Marzano는 다음과 같이 여러 곳에서 효과가 있음을 알 수 있었다고 주장한다.

- *Frederick County, Maryland*, 잘 규정되고 일반적으로 평가된 성취기준에 도달한 학생들의 수가 크게 향상되었는데, 이로 인해 Maryland에 있는 학교들 중에서 중간 정도였던 학교 순위가 최상위 단계로 뛰어오르게 되었다. 지역의 평가는 주 평가안에 함께 포함시킴으로써 성취기준과 의도적으로 맞춰졌다.
- *Fort Logan Elementary School in denver, Colorado*, 교사 팀들이 학생의 수행에서 학년 성취기준과 비교하여 취약점을 분석하여, 성적을 상당

히 향상 시켰다. 각 팀은 시험 자료를 분석하였으며, 학생들이 어렵다고 확인된 부분을 학습하는데 도움을 주기 위한 학습 전략을 개발하였다.
- *Amphitheater High School in Tucson, Arizona*, 교사 Bill Bendt는AP 시험에 의거하여 제작된 성취기준에 수업의 초점을 주의깊게 맞춤으로써 매번 예외적으로 많은 학생들이 AP 시험을 합격하도록 도왔다.[5]

　　교사에 의해서 적절하고 현명하게 활용된다면, 성취수준에 기반한 교육은 학생들의 학습에 있어서 가치 부가적인 효과를 만들 수 있을 것이다. 이것이 가르쳐야 하는 내용에 묶여야 한다는 것을 의미하는가? 대부분의 경우, 그 대답은 "*아니요*"일 것이다. 좋은 교사는 가르칠 내용과 방법을 결정을 한다. 비록 Schmoker와 Marzano가 성취기준 기반교육을 분명하게 지지하고 있기는 하지만, 학교 수준(그리고 학급 수준)에서 그러한 것들은 반드시 "성취기준 문서를 검토하고. . . [그리고] 그런 다음에, 심사 숙고하는 사색가, 유능한 근로자, 아니면 책임감 있는 시민이든지 간에, 학생들이 가장 필요로 하는 것에 기초해서 우선순위를 매기고 엄격한 훈련을 실시해야 한다."라고 명료하게 주장하고 있다.[6]

　　성취기준은 여러분이 가르쳐야 할 교육과정의 토대가 된다. 성취기준을 확인하는 과정의 중심에는 교사로서 여러분들이 가르치기로 결정한 것을 평가하기 위한 방법을 찾아야 한다는 요건이 수반된다. 평가 과정은 본 장에서 암시하고자 하는 초점이다. 우리는 학생들이 알고 있는 것을 여러분도 알 수 있도록 하기 위해서 여러 가지 방법을 검토할 것이다. 만약에 여러분들이 그러한 지식을 가지고 있고 효과적으로 활용하는 방법을 이해하고 있다면, 학생들은 더 많은 것을 배울 수 있을 것이다. 평가의 목적은 통지표에 객관적인 성적을 적기 위한 것이 아니라, 학생들이 알고 있는 것, 모르는 것, 그리고 학습이 필요한 것 등을 여러분과 학생이 분명하게 인식하는 것이다.

성 찰 문 제

본 장의 서두에서 언급한 것처럼, 성취기준을 기반으로 하는 개혁에 강조하는 것은 일반적으로 받아들여지는 것은 아니다. 실제, 성취기준에 협소하게 초점을 두게 되면 결과적으로, 사실적 자료와 기계적인 학습을 지나치게 강조하게 된다고 주장하는 사람들이 많이 있다. 또한 어떤 이는 성취기준의 강조가 학생의 모든 잠재적 능력을 성취하는데 도움을 주는 교육적 기회를 제공하는 것에 반하는 영향을 줄지도 모른다고 문제를 제기하기도 한다. 본질적으로, 대부분의 주에서 비록 성취기준의 개정을

중요하게 받아들이고 있지만, 많은 교육자들은 그 접근의 효과성에 계속해서 의문을 제기하고 있다.

성취기준 기반 교육에 관한 찬성과 반대의 논쟁에 대해 여러분은 자신의 시각을 명확하게 가져야 한다. 이것은 여러분 자신의 교과 영역과 관련된(혹은 지도하기를 원하는 평가 수준을 위한)성취기준을 신중하게 검토하는 것에 의해서 시작할 수도 있을 것이다. 어떤 방법을 지닌 성취기준이 여러분의 업무를 보다 쉽게 해 줄 것인가? 또는 보다 어렵게 해 줄 것인가?

학생 학습 평가

학생의 학습을 평가하는 과정은 현재 교사라는 것이 의미하는 것의 핵심이다. 훌륭한 교사는 학생의 학습을 진단하는 법을 알고 있으며, 이것이 바로 학생이 알고 있는 것을 평가하기 위한 검사를 사용하는 법을 교사가 인식하고 있다는 것을 의미한다.

평가는 두 단계의 과정으로 되어 있다. 첫 번째 단계는 측정이며, 하나 혹은 일련의 검사는 자료를 산출한다. 이 측정 과정이 본 장의 핵심이다. 일단 측정을 하게 되면, 보통은 교육 목적의 맥락 안에서 수행의 타당성에 관한 판단을 하게 된다. 판단의 과정은 11장의 핵심이다. 여러분이 판단을 하는 것처럼, 다른 이도 여러분이 가르치는 활동에 대해서 판단하게 되는 것을 보게 될 것이다.

또한, 평가에서 검사하는 것과 가르치는 것은 반드시 연결되어 있어야 한다. 어떤 연구자는, 교사가 교재를 다양한 방법으로 가르칠 때, 학생이 그 내용을 더 잘 이해할 수 있다고 주장한다.[7] 사실, 교사가 학생에게 내용을 기계적으로 기억하는 것을 넘어서 분석하고, 교과 내용에 창의적·실제적으로 관여하도록 하면 교재

를 보다 잘 기억하게 된다. 여러분은 교수 과정에서 검사와 평가를 따로 분리하기보다는 교수의 연장선으로 생각할 필요가 있다.

검사 선택 준거

검사를 선택하기 위한 주요한 두 가지 기준은, 특히 표준화된 검사에 있어서, 신뢰도와 타당도 이다. **신뢰도**라는 것은 짧은 시간 간격을 두고 동일한 검사를 반복했을 때, 또는 상이한 유형의 동일한 검사를 실시했을 때, 비슷한 결과가 나오는 것을 의미한다. 신뢰성이 높은 검사는 일관적, 신뢰적, 그리고 안정적으로 보여 질 수 있다. **타당도**는 검사가 측정을 통해서 나타내고자 하는 바를 재는 것을 의미한다. 타당하지 못한 검사는 본질을 측정하지 않는다. 예를 들어, 펜과 연필 검사는 운동능력을 측정하는 데에 적당하지 못하다. 검사 선택을 위한 세 번째 기준은 **유용도**이며, 비용과 운영의 단순성과 같은 특성을 의미하며, 검사를 적당하게 선택하게 한다.

전문적인 관점

가르치고자 한 것을 검사하기

Robert E. Yager
Professor of Science Education
University of Iowa

흔히, 읽기, 토론, 그리고/또는 학급 활동 등으로부터 학생들이 기억할 수 있는 것을 알아보는 것 이상으로 검사를 통해서 얻을 수 있는 것은 결코 없다. 그리고, 아직 과정의 목적이나 소단원 목표가 "기억하다" 또는 "상기하다"와 같은 동사로 시작되는 경우가 거의 없다. 따라서, 목적이나 목표 진술에 있어서 동사 형태에 부합되는 퀴즈나 시험에서 기능이나 능력을 기대하는 것은 정당하다.

역량기반 그리고/또는 행동주의적 학습전략에 직접적으로 관련된 사람은 다중 선택문항, 정의와 관련된 용어 짝짓기, 또는 간단한 정의나 정교화를 요구하는 단답형 문항 등을 통해서 정의에 관해 인식하고 있는지를 확인하는 검사문항들로 전이될 수 있는 목록으로 숙달에 대한 역량이나 행동을 정의한 죄가 있다. 그러한 기억력은 학습이라고 할 수 없으며, 종종 교실수업을 위한 목적이나 목표를 확인하는 것의 가치를 부정한다.

유능한 교사는 최종 목표 진술을 사용하여 그 목표를 충족시키기 위한 수단으로서의 교육과정, 그것을 다루기 위한 교수 전략, 그리고 그 목표 진술문에 사용된 행동과 일치하는 검사에서의 기능 등을 선택하게 된다. 우리 중에는 일반적인 목적을 신봉하고, 우리가 알고 있는 정보를 학생들에게 말하는 것으로 수업을 진행하고, 그리고 이러한 정보에 대해서 학생이 무엇을 기억하고 있는지를 평가하는 사람이 너무 많다. 많은 풋내기 교사에게 이와 같은 것은 흔히 겪는 유혹이다. 그러나 우리가 좀더 성숙하고, 검사하는 행동에 대해서 심사숙고를 하기 위한 시간을 가지게 되면서, 목적이라고 주장한 것과 학생의 성공을 평가하기 위해서 우리가 선택하고 만든 척도 사이의 불일치를 알게 되면서 우리는 겸허해지게 된다.

신뢰도

검사 신뢰도는 숫자로 나타낼 수 있다. .80이상의 계수는 높은 신뢰도를, .40에서 .79까지는 적정한 신뢰도를, 그리고 .40 이하는 낮은 신뢰도를 표시한다. 많은 표준화된 검사는 여러 개의 하위검사나 척도로 구성되며, 전체 검사뿐만 아니라 각각의 하위 검사에 부합되는 계수를 가지고 있다. 예를 들어, 읽기 검사를 위한 신뢰도는 이해력 .86, 단어 .77, 유추 .91, 그리고 검사 전체는 .85로 기록될 수 있다.

검사 신뢰도를 결정하기 위한 세 가지의 기본적인 방법이 있다. 검사-재검사 로 지칭되는 두 번에 걸쳐서 실시되는 방법이 있는데, 검사와 재검사 사이의 간격은 보통 10일에서 30일 정도이다.[8] 두 번의 검사를 통해서 각 검사점수의 등급 순서가 비교되어진다. 만약에 점수 등급 순서가 정확하게 일치한다면, 상관계수는 1.00이라고 하거나 혹은 그 검사는 완벽한 신뢰도를 가지고 있다고 한다. .86의 상관도는 그 검사가 시간에 대해서 높은 일관성을 보이고 있음을 표시한다.

검사-재검사 방법에 대해서 몇 가지 이의가 제기되고 있다. 만약에 동일한 문항을 두 검사에서 사용했다면, 두 번째 검사에 대한 응답자의 답변은 첫 번째 검사에 대한 기억이나 검사 사이에 급우나 교사와 함께 그 문항에 대해서 토론을 한 것에 의해 영향을 받을 수도 있다. 만약에 검사 사이의 간격이 너무 짧다면, 영향의 원인은 기억력일 것이다. 만약에 간격이 너무 길다면, 그 사이의 학습결과로 인해 점수가 변할 수 있다. 또한 두 검사의 조건이 다를 수도 있다. 검사 상황 중 한 경우에 있어서 학생의 흥미 감소, 학생의 건강 및 식이요법의 변화 등이 있을 수도 있고, 혹은 학생의 감정 변화나 검사 관리자가 점수에 영향을 줄 수도 있다.

검사-재검사 방법의 반복되는 검사 문항에 의해 나타나는 여러 문제점들을 극복하기 위해서, 동형 방법이 사용될 수 있다. 이 방법은, 두 개의 개별적이지만 동등한 유형의 검사로서, 학생들에게는 두 가지 유형의 검사가 주어진다. 두 검사에서 나타난 점수 간의 상관관계는 신뢰도에 대한 좋은 추정치를 제시한다. 이 방법의 약점은, 특별히 교사에 의해서 제작된 검사, 심지어는 많은 표준화된 검사에 있어서도, 동형이 언제나 유용한 것이 아니라는 것이다. 그리고 두 가지 유형이 있을 때, 그들이 언제나 동등하지 않으며, 난이도에서 다를 수도 있다.[9] 또한 동형 방법은 검사 상황이 서로 다를 경우에 나타나는 문제점은 다루지 못한다.

검사-재검사와 동형 방법과 관련된 문제점들로부터 때문에 반분 신뢰도법이 개발되었다. 이 방법은 하나의 검사를 합리적으로 동등한 가치를 지니게 절반으로 나누었으며, 나누어진 두 개의 하위 검사는 마치 신뢰도 상관계수를 결정하기 위한 두 개의 따로 떨어진 검사로 볼 수 있다. 나누어진 검사의 일반적인 방법은 번호가 짝수인 문항과 홀수인 문항을 개별적으로 점수를 매기는 것이다. 물론, 절반으로 나눈 검사는 절반의 문항에 의해서 결정되는 신뢰도 점수를 구하기 위한 것이다. 계산할 수 있는 문항 수가 너무 적게 되면 왜곡이 심해질 수 있으며 우연적인 것에 보다 많은 영향을 받을 수 있다. 간단히 말하자면, 검사 신뢰도는 문항의 수가 많을수록 증가하게 되는데, 이는 검사에서 다룬 자료의 표본 수가 더 커지기 때문이다.[10]

각각의 척도는(또는 신뢰도를 추정하는 다른 방법) 상이한 장점과 단점을 가지고 있다. 일반적으로, 반분 신뢰도법보다 앞의 두 종류의 방법이 오류가 더 많다.[11] 여기서 중요한 핵심은 단지 신뢰도 추정치의 수치뿐만이 아니라, 그 방법에도 주목해야 한다는 것

이다.

또 다른 신뢰도 유형에는 채점자 신뢰도가 있다. 이것은 검사 문항을 채점할 때에 채점자(보통은 교사)의 일관성을 의미한다. 분명한 것은, 참/거짓 검사는 논술 검사보다 신뢰롭게 채점될 수 있다는 것이다. 신뢰성 높은 채점자가 되는 것이 언제나 가능한 것은 아니지만, 여러분이 제시하는 검사의 유형을 간단히 변경하는 것에 의해서 채점자의 신뢰도가 높아지거나 떨어질 수 있다는 사실을 인식하는 것은 중요하다.

결론적으로, 신뢰도는 보다 장기간의 검사를 하는 것에 의해서 일반적으로 향상될 수 있다는 사실을 잊지 않기를 바란다.

타당도

개인의 연구 지식 및 시험 실시 이유에 따라 다양한 유형의 타당도가 선택될 수 있다. 여기서는 학교 교사가 알아야 할 것들 만 살펴볼 것이다. 교사 출제 시험을 작성할 때 이러한 타당도 유형을 공식적으로 사용하지는 않겠지만, 이러한 것들을 알면 평가를 하는데 도움이 될 것이다. 전문적인 시험 서비스는 그 시험이 타당도가 있다는 것을 확인하는데 엄청난 비용이 든다. 여러분도 자신의 시험이 역시 신뢰할 만큼 타당도가 있다는 것을 보증하는데 많은 노력을 기울여야 한다.

내용 타당도

특정 과목에 대한 시험을 작성할 때, 교사들은 그 항목이 과목의 특정 내용을 충분히 반영하고 있는지를 자문해야 한다. 해당 항목이 기초 사고력, 일반지식 또는 시험요령을 바탕으로 답할 수 있다면, 과정 내용에 대한 지식 또는 과목의 지식이 충분히 평가되지 않는 것이다. 그 검사는 내용 타당도가 결핍되어 있다.

모든 종류의 타당도 중에서 내용 타당도가 아마 가장 중요한 것일는지도 모른다. 8학년의 과학 시험은 독해, 수학 그리고 10학년의 과학이 아니라, 8학년 때 배우는 과학적 지식 및 기술을 측정해야 한다.

교과 타당도

표준화 검사가 특정 교과에 대해서는 잘 표집했지만, 특정 학교에서 배우는 과정이나 과목에 대해서 잘 표집하지 못했다면 교과에 대한 내용 타당도는 있으나 교육과정 타당도는 없다. 특정 학교의 교과 과정에서 나타나는 지식이나 기술이 반영된 검사는 교과 타당도를 가진다. 그러한 검사에서, 항목은 해당 학교에서 배우는 교과의 내용을 충분히 평가한다.[12]

　교과 타당도 문제는 교사가 출제한 문제보다 표준화 검사에서 더 자주 발생한다. 많은 표준화 검사들은 국가나 주의 차원에서는 훌륭한 내용 타당도를 갖지만, 항목들은 지역 학교의 차원을 목표로 하고 있지는 않다.

예언타당도

예언타당도는 특정 미래시점의 성과에 대한 검사 성적과의 연관성이다. 예를 들어, 12학년이나 대학 1학년에 실시하는 적성 검사가 타당하다면 대학에서의 성공을 예측해야 한다. 이것이 학생들이 고등학교에서 치르도록 되어있는 수학능력시험(SATs)이다. 학생이 어떤 학업 분야나 일에서 어떻게 수행하는 지에 대한 정보는 학생들을 상담하고 다른 프로그램을 위해 학생을 선발하는데 도움이 될 수 있다. (이전 학점과 추천장을 포함한 다른 요소들을 고려하는 것 또한 중요하다.)

유용성

검사가 내용에 있어서는 타당할지 모르지만 문제가 너무 애매하거나 지문이 따라 하기 너무 어려워서 자료를 이해한 학생들이 오답을 할 수도 있다. 또는 자료를 이해하지 못한 학생들이 정답을 선택하는 식으로 나타날 수도 있다. 예를 들면, 학생들은 "항상" 또는 "절대로"가 포함된 진위형 또는 다중선택형 항목이 틀리거나 부적당한 선택일 것으로 기대한다. 때로, 그들은 그 사실을 알지 못하면서도 그러한 항목에 올바르게 답한다. 이것을 보면, 검사 용어는 시험을 보는 학생들에게 너무 어렵지 않아야 한다. 그렇지 않으면, 검사는 내용을 측정하는 게 아니라 독해 실력을 측정하게 될 것이다. 검사 앞쪽에 너무 어려운 항목들을 두면, 학생들이

쉽게 답할 수 있는 마지막 항목에 도달하는 데 너무 많은 시간을 들이게 될 것이다. 마지막으로, 시험이 너무 짧으면, 대표적인 내용이 충분히 평가되지 않을 것이고, 이는 낮은 검사 타당도를 보이게 된다.[14]

　일반적으로, 유용성 있는 검사를 위해서는 학생들이 이해하기 쉽고, 실시하고 채점하기 쉬워야 하며, 예산 내에서 구매될 수 있어야 하고, 검사 조건(검사 시간 같은)에 적합하고, 난이도도 적당해야 한다.[13]

표준화 및 비표준화 검사

표준화 검사는 동일한 채점 기준에 따라 측정, 관리되는 항목들을 포함하는 수단이다. 검사는 표준 정보를 획득하려는 유사한 개인들의 대표 집단을 관리하고 측정하도록 유도되었다. 대부분의 표준화된 검사들이 검사 주관 회사(Educational Testing Service와 Psychological Corporation 같은)에 의해 출판되고 유통된다; (Houghton Mifflin과 Macmillan 같은) 출판회사는 보통 읽기와 수학 교과서뿐만 아니라 시험지를 출판하고, (Iowa주립대와 Stanford대학 같은) 대학들은 특별성취와 IQ검사를 개발하고 타당화해 왔다.

　표준화 검사의 점수는 통상 학생기록부라 불리는 학생 기록에 남게 된다. 종종 이러한 검사는 외부에서 평가된다.

　표준화 검사들은 학교에서 널리 사용되며, 여러분도 거의 확실히 학창시절 전반에 걸쳐 그러한 검사를 여러 가지 치러 왔다. 표준화 검사는 보통 신뢰도가 높고, 타당도가 좋은데, 이들은 대표적인 표본 집단에서 치러지기 때문이다. 신뢰도가 없거나 타당도가 없는 검사 항목들은 대부분 수년 동안 시범 검증을 통해 제거되었다. 규준 자료는 비교집단 내에서 개개인의 검사 점수를 해석하고 개개의 점수에 순위를 매기는데 유용하다. 그러나, 규준 자료는 표본 집단과 아주 다른 능력, 적성, 요구나 학습문제를 가진 학생들이 있는 학급이나 특수학교에는 덜 유용하다. 검사 지침서는 규준 자료를 설정하는데 사용된 과정이 자세하게 기술되

어 있어야 한다. 그 규준이 비록 거의 모든 특질(성, 민족, 지리학적 환경 등)에 대해 보고되어 있을지라도, 그러한 자료는 보통 특수한 특징이나 배경을 지닌 학생들에게 보여지지 않거나 불충분하다.

때로, 교육자는 한 학생이 다른 학생들과 비교해 얼마나 잘하느냐를 염려하는 것이 아니라 학생들이 학습에 진보를 나타내는지에 대해 걱정한다. 교육자는 상응하는 실력이나 성취 수준에 대한 목표를 설정하고 학생들이 적당한 수준을 성취할 수 있는지 결정하지만, 규준 집단에 대해 학생들을 비교하지는 않는다. 표준화 검사의 내용은 특정 학교나 교실에서의 내용과 항상 일치하지는 않는다. 즉, 검사는 그러한 학교나 교실에 대해 교과 타당도가 결핍되어 있을 수도 있다.

보통 교사가 출제한 시험이나 교실시험으로 언급되는 **비 표준화 검사**는 여러 표본 집단에서 평가되지 않으므로 규준 자료가 수반되지 않는다. 이러한 검사 성적은 더 큰 표본에 대조하여 개인의 위치를 나타낼 수 없다. 교사가 출제한 시험들은 더 자주 시행되는 반면, 표준화 검사들은 보통 일년에 한 두 번 시행된다; 교사가 출제하는 검사들은 학교나 교사의 목표와 교육과정

표준화와 검사 과정은 최근에 대규모 척도로 개발되었다.

의 내용에 더욱 더 관련되어 있다. 어떤 내용이 포함되거나 강조되어야 하고 또 평가되어야 하는지 교사보다 누가 더 잘 알겠는가? 요구, 흥미나 학생들의 강점에 대해서 교사 이상으로 누가 더 잘 알겠는가? 검사 성과에 기반을 두어 언제 시험을 치를 것이며, 다음 교육과정은 언제 진행되는지 알겠는가? 우리는 이 장에서 교사가 출세한 시험에 대해 너욱 자세히 토론할 것이다.

규준지향검사(NRTs)

규준지향검사에서, 표본 집단의 수행이 설정되고, "[학생들의] 상대적인 검사 성과를 설명하기 위한 토대"로 사용된다. 규준지향 측정은 한 개인과 또 다른 개인간을 비교할 수 있도록 해준다.[15] 특히, 규준의 목적은, 특히 이 규준이 국가와 주 전체와 같이 대규모 모집단을 기반으로 할 때, 검사에서 학생들의 점수를 다른 학교 학생들의 점수에 비교하는 것이다. 예를 들어, 주 전체적인 성취도 평가에서 Jack의 점수가 그의 학교에서는 98%에 위치하고 주에서는 58%에 위치한다고 생각해 보라. Jack의 점수가 그의 학교에서 다른 학생들의 점수와 비교해 볼 때 매우 높다 해도, 이는 많은 학생들의 점수와 비교해서 평균을 조금 넘어섰을 뿐이다. 도심에 있는 학교에 다니는 학생들은 학급 친구들이나 동료집단과 비교했을 때 훌륭한 성취도를 보일 수는 있지만 국가적 또는 주(州) 전체와 비교하면 형편없는 성취도가 될 수도 있다. 그들의 점수를 주나 국내 규준보다 도심 학교나 도심 규준에만 비교한다면, 규준집단이 더 큰 모집단에 비해 더 낮은 점수를 보이기 때문에 그들의 백분율 점수는 더 높게 나타날 것이다.

규준지향검사는 규준이 더 큰 모집단을 기반으로 하기 때문에 평가에 있어서 신뢰도 및 타당도를 갖는다. 점수는 시간에 따른 배움에 있어서의 진보(또는 최소한의 진보)를 보여줄 수 있다.

준거지향검사(CRTs)

준거지향검사는 목표에 대한 개인의 능력, 즉, 지식이

나 기술의 세부적인 체계를 측정한다. 이 검사는 학생들의 성과가 다른 학생들과 어떻게 비교되는지 보다는 학생들이 아는 것들이나 특정범위에서 할 수 있는 것을 결정하는 데 사용하곤 한다.

준거지향검사는 보통 지역에서 개발된다. 이는 교사들이 특정 범위의 내용에서 학생들의 능력을 판단하게 하므로, 규준지향검사보다 교과 타당도가 너 높다. 즉, 준거지향검사는 보통 특정 수업 목표에 보다 직접적으로 관련되어 있다.

준거지향 측정은 개인적으로 처방된 수업이나 완전학습, 적응 학습 같은 특별한 프로그램이나 특정 지식(예를 들어 시민전쟁의 역사나 물리학의 기체 법칙)의 획득에 초점을 둔 성취도 영역에서 실용적일 수도 있다. 이러한 유형의 검사에서 중요한 것은 교실의 배경이나 교과서나 다른 계획된 검사에 반영되지 않을 수도 있는 실제로 배우는 것이 무엇인지를 고려한다는 점이다.[16] 그러나 고차원 또는 추상적인 개념에 대해 평가하는 신뢰할만하고 타당한 준거지향 측정을 개발하기는 어렵다는 것을 알아두는 것도 중요하다.

평가는 학생들로부터 기대하는 학습(즉, 지식이나 문제 해결)의 종류, 교과의 내용, 교실의 환경을 고려해야 한다. 검사는 공정해야 하며 배우는 학생들에게 자극을 주어야 하고 수업 및 교과 결정의 목적에 대한 정보를 주어야 한다. 당신의 평가 과정을 향상시키는 방법에 대한 통찰력을 얻기 위해 교사들을 위한 조언 10.1을 참고한다.

규준지향검사와 준거지향검사의 차이점

규준지향검사는 다른 학생들과 비교하여 주어진 시간에 학생들의 성취도를 평가한다. 그러나 준거지향검사에서 나온 점수는 비교할 수 없기 때문에 상대적인 성취도가 나타나지 않거나 기준이 만들어지지 않는다. 준거지향검사는 특정 학습 분야에 있어서 학생이 얼마만큼의 능력이 있는지를 보여준다. 이는 시간에 대한 학습의 변화를 측정할 수 있지만 학생들을 비교할 수는 없다.

규준지향검사는 능력의 범위가 넓은 이질적인 집단에 대해서 가치가 있으며, 이 검사는 방대한 수행 범위를 측정하고 학생들의 수행을 비교하는 경향이 있다. 준거지향검사는 능력의 범위가 더욱 좁은 이질적인 교실 환경에서 유용하며, 목표에 제한되거나 예정된 범위와 수행을 측정하는 경향이 있다. 규준지향검사에 있어서 외부 규준은 지리학적으로 다양한 학생 집단을 상대적인 성과에 대해 판단하는데 사용될 수 있다; 준거지향검사는 광범위한 규준이 부족하고 점수의 계산이 성취도를 세우기 위해 사용되는 과정에서만 좋다.[17]

Gronlund와 Linn은 두 유형에 대해 다섯 가지 차이점을 지적했다.

1. 규준지향검사는 학습 과제를 폭 넓고, 일반적인 영역을 다루면서, 각 과제를 소수의 항목들로 측정하는 반면, 준거지향검사는 한정적이며 구체적인 분야를 다루면서, 각 과제를 측정하는 데 있어 상대적으로 다양한 항목을 담고 있다.
2. 규준지향은 학습이나 성취의 상대적인 수준에 있어서 학생들을 구별하는 반면, 준거지향은 어떤 학업을 학생들이 수행하고, 할 수 없는지를 묘사하는 데 초점을 맞추었다.
3. 규준지향검사는 평균적으로 갖는 어려움을 예측하게 하고, 쉽거나 어려운 항목을 생략한다. 준거지향검사는 항목의 난점을 학업의 난점과 연결짓고, 쉽거나 어려운 항목을 생략하지 않는다.
4. 규준지향검사는 개관적이고 일반적인 검사에 사용되지만, 준거지향검사는 완전습득이나 특정 검사에 사용된다.
5. 규준지향 점수 산출은 한정된 집단에 기반을 두고, 그 학생은 집단의 상대적인 위치에 의해 평가된다. 준거지향 점수의 해석은 정해져 있는 학습영역에 기초하여, 학생은 정확하게 답한 문항 수에 의해 평가된다.[18]

준거지향검사는 특정 목표와 관련된 학생들의 수행을 측정하고 더 효율적이고 적당한 교수전략을 개발하

교사들을 위한 조언 10.1

평가 과정의 향상

다음의 글은 워싱턴주의 National Forum on Assessment(이 조직은 학생 권리 보호를 주장한다)와 National Council on Measurement in Education의 평가 정책이 반영되어 있다. 이 제안은 규준지향 및 준거지향검사에 사용될 수 있다.

1. 학생들이 알아야 할 것과 할 수 있는 것들을 열거하는 교육 성취 기준은 평가 과정 전에 명확하게 정의되어야 하고, 연습문제도 개발되어야 한다. 평가는 학생들에게 기대하는 것과 성과의 기대 정도에 대해 교사, 관리자, 부모, 정책 입안자들로부터의 정보에 기초한 여론에 기반을 두어야 한다.

2. 평가 시스템의 주요 목적은 교육자가 수업을 향상시키고, 학습하는 학생들을 발전시키는 것을 돕는 것이다. 평가의 모든 목적이나 과정은 학생들에게 이익을 주어야 한다. 예를 들어, 그 결과는 수업을 향상시키고 학습의 문제점을 재조정하는데 사용되어야 한다.

3. 평가 기준 및 과정은 모든 학생들에게 공정해야 한다. 평가 업무 및 과정은 계층, 문화, 인종, 성 차이에 민감해야 한다.

4. 평가 실행은 학생들이 성취 하길 기대하는 척도에 대해 타당하고 정당한 대표성이 있어야 한다. 우수한 평가 시스템은 학생들이 배우려는 지식과 기술의 모든 범위에 대한 정보를 제공한다.

5. 평가 결과는 다른 적절한 정보의 맥락에서 보고되어야 한다. 학생의 수행은 다양한 척도 시스템으로 구성되어야 한다. 일반적으로, 척도가 많을 수록, 학생들의 수행에 대한 정보가 더욱 타당성이 있게 된다.

6. 교사들은 평가 시스템을 설계하고 이용하는데 참여해야 한다. 수업에 관련시키고, 학습성과를 향상시키기 위해 교육자들은 평가 실행에 참여하고, 위임을 받아 교육과정과 수업을 포함한 결정을 위한 검사 성과를 이용할 필요가 있다.

7. 검사나 평가 프로그램의 목적 때문에 수업을 제한하는 것은 부당하다. 검사가 교육과정을 몰아가지 않아야 한다. 구체적인 내용이나 검사의 기술에 초점을 맞추는 것은 주제나 과정에 있어서 더 많은 내용과 기술을 습득하는 데 있어서 학생들의 능력을 제한한다.

8. 평가 시행 및 결과는 학생, 교사, 부모, 정치가들에 의해 이해되어야 한다. "학년 수준"과 "9단계 척도" 같은 기술적 용어로 기록되는 검사 결과는 가끔 대중에게 오인되거나 오해되기도 한다. 결과는 교육적 기준이나 수행 수준의 측면에서 기록되어야 한다.

9. 평가 프로그램들은 검사 점수가 학생, 교사, 직업 소개소, 또는 대학에 공개될 때 적합한 정보나 해석을 제공해야 한다. 해석은 검사가 무엇을 담고 있는지, 점수가 의미하는 것이 무엇인지, 비교된 규준, 점수가 어떻게 사용되는지 등이 (전문용어가 없는)간단한 용어로 기술되어야 한다.

10. 평가 시스템은 계속적으로 검토되고 향상되어야 한다. 이른바 최고의 평가 시스템조차도 변화하는 조건(공동체, 학생들의 교실 등), 자원(학생, 직원당 비용 등), 그리고 프로그램(학습 규모, 교과 목표 등)에 적당하게 수정될 필요가 있다.

출처: Douglas B. Reeves. Making Standards Work. Denver, Co: Center for Performance Assessment, 1998. 이러한 유형의 팁이나 특히 목록표를 참고하려면 249~254쪽 참조.

며 교실의 요구에 맞추기 위해 교사들이 사용한다. 규준지향검사는 교육과정과 수업에서 강조하는 것이 서로 다른 학군을 바탕으로 마련되었기 때문에, 이러한 개별화를 할 수가 없다. 준거지향검사는 특정 교실이나 학교의 실질적인 수업-학습상황에 더욱 부합되고, 다음과 같은 매우 구체적인 질문에 대한 해답을 하도록 한다. "미주리주의 수도는 어디인가? 뉴욕 동부로 흐르는 강은 무엇인가?" 이 검사 유형의 문제는 지역의 학교 공무원과 교사들이 검사를 출제하는데 필요한 전문성이 결여 되어 있다는 것이다. 규준지향검사는 보통 준거지향(교사가 출제하는) 검사보다 더 신중하게 구성된다. 전자는 검사 전문가들에 의해 출제되고, 검사 항목들을 평가하고 수정하는 지침이기 때문이다. 그래서, 교사가 집단으로 준거지향검사를 개발하는 것이 좋으며, 그렇게 하면 동료 및 검사 전문가와 정보를 교환할 수 있다.

표 10.1은 규준지향검사와 준거지향검사 간의 차이점을 개괄적으로 제시한 것이다.

표준화 검사 유형

기본적으로 표준화 검사에는 지능, 성취기준, 적성, 인성 등 4가지 유형이 있다.

지능 검사

최근에 **지능 검사**는 공격을 받고 있다. 대부분의 학교 체계는 오직 특별한 검사를 위해서만 지능 검사를 사용한다. 가장 일반적으로 사용되는 두 가지 지능 검사는 Stanford-Binet (SB)와 Wechsler Intelligence Scale for Children (WISC)이다. 첫 번째는 집단 지능 검사이고, 두 번째는 개별 검사이다. 지능 검사는 일반적인 지식("25의 제곱근은 무엇인가?"), 어휘(학생의 통과-실패를 점수화하고 여러 가지 수준으로 점수를 부여하는 지능 검사), 이해력, 순서화, 유추적 추론("A와 B의 관계는 D와 _____의 관계이다?"), 그리고 유형 완성하기와 같은 광범위한 영역을 포함하여 견본을 만든다.[19]

성취도 검사

성취도 검사의 사용이 최근 증가하였는데, 지능 검사를 대신하여 교육자에게 학생에 관하여, 그리고 학생들이 다른 학생에 비교하여 어떻게 수행하는지에 대한 주된 정보 제공자가 되고 있다. 초등학생은 모두 다양한 학년 수준에서 수행을 검사 받기 위해 읽기, 언어, 수학 표준화 검사를 받는다. 성취도 검사에는 여러 가지 유형이 있다.

1. *가장 일반적인 개관 또는 일반 성취도 검사는* Stanford Achievement Test—Ninth Edition (SAT9; 2~9학년)와 Iowa Test of Basic Skills (ITBS)이다. 이 검사들은 여러 주(州)에서 사용되고 있으며, 교사에게 학생이 무엇을 배우는지에 대한 감각을 알려준다. National Assessment of Educational Progress (NAEP) 시험은 1969년부터 실시되었는데 여러 가지 다양한 과목(수학, 과학, 쓰기, 미국 역사, 국민 윤리, 지리, 미술)에서 미국 학생들의 지식과 기능을 측정하도록 고안되어 있다. 2002년의 No Child Left Behind (NCLB)법은 NAEP 검사의 사용에 변화를 가져왔다. NAEP 검사가 한 때 선택적이었던 반면, NCLB는 지금 Title 1 기금을 받는 주(州)들은 모두 2년 마다 4학년과 8학년 때 읽기와 수학에서 NAEP 검사에 참여해야 한다. 과학과 쓰기 영역에 참여하는 것은 선택적인 것으로 남아있다.[20]

2. 다수의 초등학생과 중학생들이 배치와 적절한 수업 프로그램을 구성할 목적으로 보통 기초 기능과 학습 기술에 있어서 강점과 약점을 확인하는 진단 검사를 받아야 한다. 일반적으로 학교에서 사용되는 여러 가지 다양한 진단 검사 중 하나는 Stanford Diagnostic Reading Test 4 (SDRT4)이다. 낮은 성취를 보이는 학생들에게 맞춰진 이 검사는 음성적 분석, 어휘, 이해력, 꼼꼼히 보기 등에 초점을 둔 항목들이 포함되어 있다. SDRT4에는 어려운 항목과 쉬운 항목이 섞여 있다. 대부분의 진단 검사에서 항목들은 난이도에 따라 배열된다.[21]

표 10.1 규준지향검사와 준거지향검사의 비교

성격	규준지향검사	준거지향검사
1. 주된 강조점	특정 기간에 비슷한 집단에 비교하여 개인의 성취(또는 수행)를 측정한다. 설문 검사, 성취도 검사	전체 기간을 통틀어 성취(또는 수행)에서의 개인의 변화를 측정한다. 완전학습 검사, 수행검사
2. 신뢰성	높은 신뢰도; 평가 항목과 척도가 보통 .90이상이다.	보통 신뢰도를 헤아릴 수 없음; 대략 .50에서 .70정도이다
3. 타당성	대개 내용, 구성, 예측 타당도가 높다.	적절한 절차가 사용된다면, 대개 내용, 교과 과정 타당도가 높다.
4. 유용성	학생의 어려움을 진단하기; 광범위한 영역에서 학생 수행 평가하기; 학습자를 분류하기; 한 학생이 얼마나 많이 배웠는지를 다른 학생들과 비교하는 데 있어서 결정내리기 행정 절차는 학급마다 표준화되고 일관되어 있다. 대규모 집단 검사	학습자의 어려움을 진단하기; 특정 영역에서의 학생 수행 평가하기; 능력 입증하기; 학생이 전 과정에 걸쳐서 배운 내용을 측정하기 행정 절차는 대개 교사나 학교에 따라 다양하다. 소 집단, 개별 검사
5. 포함하는 내용	보통 내용과 기능에 있어서 광범위한 영역을 포함한다. 학교(또는 교사)가 평가할 내용을 통제할 수 없다. 전문가 의견과 연결되어 있다.	전형적으로 내용이나 기능의 제한된 영역을 강조한다. 학교(또는 교사)가 내용을 선택할 기회를 갖는다. 지역 교육과정과 연결되어 있다.
6. 평가 항목의 질	일반적으로 높음 전문가가 쓴 평가 항목, 예비로 평가되고, 분배 전에 교정됨; 평가가 사용되기 전에 나쁜 항목은 배제함	평가를 쓰는 사람의 능력에 기초하여 다양함 교사(또는 출판업자)가 쓴 평가항목; 평가항목은 예비로 검사되는 일이 거의 없음; 나쁜 항목은 평가가 사용된 후에 배제됨
7. 항목 선택	평가항목은 점수의 타당성을 얻기 위해 개인을 구별한다. 쉽고 혼동되는 항목은 배제한다.	수행을 평가하는데 필요한 모든 항목을 포함한다; 항목 난이도를 다루려는 시도는 거의 하지 않는다 쉽거나 혼동되는 항목이 잘 배제되지 않는다.
8. 학생의 준비	평가에 대한 친숙함이 점수 향상에 도움을 준다고 하더라도, 공부를 좀처럼 하지 않아도 학생이 좋은 점수를 얻을 수 있다. 학생들은 평가 내용에 대해 교사로부터 정보를 얻을 수 없다.	공부는 더 좋은 점수를 얻게 한다. 학생은 평가 내용에 대해 교사로부터 정보를 얻을 수 있다.
9. 성취 기준	성취기준을 확정하거나 학생들을 분류하기 위해 사용되는 규준 의도된 결과가 일반적이며, 다른 학생들의 수행에 비교된다. 등급화, 평균, 9단계로 확정된 점수	학생 능력을 확립하기 위해 사용되는 평가 수준 의도된 결과가 구체적이며, 구체적인 수준과 비교된다. 절대적인 숫자(예, 정확히 83%)로 확정된 점수

출처: Adapted from Allan C. Ornstein. "Norm-Referenced and Criterion-Referenced Tests." *NASSP Bulletin* (October 1993): 28-40.

3. 다수의 학교 체계에서 더 많은 수의 학생들이 읽기, 언어, 수학에서 능력이 있음을 입증하기 위해 능력 검사를 통과해야만 한다. 통과하지 못한 학생들은 중재 유형을 제공받는다. 일부 경우에 검사는 초등학교, 중학교, 고등학교간의 "경계를 파괴"하거나 "문 지킴이"로써 그리고 고등학교 졸업 요건으로 사용된다. 일부 주(州)의 학생들은 시험에 통과할 때까지 진급이나 학위를 받을 수 없다.[22]

많은 주(州)에서 능력 검사와 관련된 현실적인 문제 중의 하나는 능력 검사가 여전히 명확한 성취 기준과 연결되지 않는다는 사실이다. 예를 들면, 2002년에 단지 16개 주(州)만이 읽기와 수학에서 등급간 검사를 했고, 이 주(州)들 중 오직 9개 주(州)만이 그들의 성취기준에 부합하였다.[23] 이러한 상황은 빠르게 변하고 있지만, 많은 주의 현실은 성취 기준과 능력 검사가 서로 조정이 되어 있지 않다는 것이다. 게다가, 주에 의해 조정이 요구되는 곳에서 조차, 추진과정 상의 단계가 가능한 조정을 수년 간 제한하고 있다.

4. *과목 종료 검사*는 고등학교 수준에서 소수의 학교 체계에서 사용된다. 학생들은 졸업하기 위해, 특정 학위를 받기 위해, 또는 어떤 프로그램에 등록하기 위해 검사에 통과해야만 한다. 예를 들면, 뉴욕은 주립대학이나 종합대학의 입학 자격으로 기초 학문 과목 영역 (영어, 역사, 과학, 수학, 외국어)에서 학교 이사회 시험을 보고 있다. 또한, 학위를 받기 위해서도 이 시험에 합격해야 한다. 이 시험은 또한 언어능력 검사로 여겨진다.

Oregon Certificate of Initial Master (CIM)도 과목 출구 검사의 다른 형태이다. CIM은 10학년 말까지 통과해야 한다. 학생들은 내용 지식과 응용 지식 모두를 보여야 한다. 학생이 지식을 습득했다는 증거는 주와 지역에 맞춰 요구에 의한 수행 검사와 교사의 교과 기반의 채점 지침을 사용하는 것에서 부분적으로 얻어질 것이다. 표 10.2 참고.[24]

적성 검사

적성과 성취도 검사의 차이점은 주로 목적에 있다. 성취도 검사는 현재 성취나 과거 성취에 대한 누적된 정보를 제공한다. **적성 검사**는 성취나 학생이 학습하기 위해 어떤 능력을 갖고 있는지를 예측한다. 적성 검사가 학교에서 가르치지 않는 내용에 강조점을 두는 반면 성취도 검사는 학교가 가르친 (또는 가르쳐야만 하는) 내용을 다룬다. 적성 검사에는 두 가지 공통된 유형이 있다.

1. 대학에 가고 싶어하는 대부분의 학생들은 대학 입학 담당자에게 정보를 주기 위한 *일반 적성 검사*를 받는다. 아마도 Scholastic Aptitude Test (SAT)나 American College Testing program (ACT) 시험을 봐야 할 것이다. 대학원에 지원하는 학생은 Miller Analogies Test (MAT)나 Graduate Record Examination (GRE)을 봐야 한다. MAT는 논리와 언어 기능에 대한 일반 적성이다. GRE는 일반 적성 검사이지만, 고급 부분은 전문적인 적성 검사로 여겨진다.

2. *특별한 또는 재능 적성 검사*는 (음악, 미술, 과학과 같은) 특수 학교에 등록하려는 학생들이나 (명예 과정, 이수 증명을 주는 대학 과정과 같은) 특별한 과정에 등록하려는 학생, 또는 (문예 창작이나 컴퓨터 프로그램과 같은) 특별한 프로그램에 등록하려는 학생들을 위한 적격 심사 장치로 종종 운영된다. 특정 영역에 맞춰진 검사 도구가 사무적인 능력(Hay Aptitude Battery Test), 기계적인 능력(SRA Mechanical Aptitude Test), 심동적 능력(Minnesota Manual Dexterity Test), 예술적 능력(The Meier Art Test), 음악적 능력(The Musical Aptitude Profile)을 평가하는데 활용될 수 있도록 제공되고 있다.[25]

인성 검사

인성 검사는 일반적으로 학습상의 문제나 적응상의 문제가 있는 학생들을 특별히 배치하기 위해 사용된다.

표 10.2 Oregon 교과 기반 채점 지침 예 (과학 탐구 채점 지침의 일부분)

내용과 개념의 사용 (항상 채점됨)

과학 개념과 원칙의 정확한 사용

높음(5/6)
- 과학적 사실과 개념이 정확하고 적절하게 사용된다.
- 과정과 개념을 기술하고 설명할 때, 과학 어휘가 정확하게 사용된다.
- 삽화와 모형은 과정과 개념 설명을 돕는다.
- 사전 학습이나 경험이 개념과 직접적으로 연관된다.

중간(3/4)
- 과학적 사실과 개념이 사용되지만, 일부는 부정확하게 적용되거나 미완성이다.
- 과학 어휘 중 일부가 정확하게 사용된다.
- 삽화와 모형은 과정과 개념 설명에 약간의 도움을 준다.
- 이전 학습이나 경험의 연결은 과학 개념과 간접적으로 연관된다.

낮음(1/2)
- 과학적 사실과 개념은 정확하게 사용되지 않거나 생략된다.
- 과학 어휘는 부정확하게 사용되거나 사용되지 않는다.
- 삽화와 모형은 과학적 과정과 개념을 설명하는 데 도움을 주지 못하거나 삽화와 모형이 생략되어 있다.
- 이전 학습이나 경험의 연결은 과학적 개념에 부적절하게 연관되어 있거나 생략된다.

출처: Ron Smith and Steve Sherrell. "Milestones on the Road to a Certificate of Initial Mastery." *Educational Leadership* (December 1996-January 1997): 46-51.

학교에 있는 대부분의 학생들은 인성 검사를 받지 않는다. 가장 일반적으로 사용되는 인성 검사는 California Test of Personality와 Thematic Apperception Test이며, 둘 다 대학 1학년생에게 사용되도록 되어 있고, 다양한 사회적 개인적 적응 영역을 측정하도록 고안되었다. 개인의 특성을 측정하는 다른 유형의 검사는 다음의 내용을 포함한다.

1. 일반적 태도 척도는 대부분 다양한 경제적, 정치적, 사회적, 종교적 영역에서의 태도를 추정하는데, 여러 가지가 제공되고 있다. 그 중에서 보다 더 일반적인 것들로는 Allport Submission Reaction Study와 Allport Vernon-Lindsey Study of Values가 있다.
2. *직업 태도 검사*… 직업 흥미 검사는 최소한 6학년의 읽기 수준이 되는 학생들에게 적합하고, Kuder Preference Record는 고등학생과 대학생을 위해 고안된 것이다.

검사 선택 고려 사항

수백 개의 표준화 검사가 있지만, 적절한 것을 선택하는 것은 어렵다. 개별 학급 교사는 보통 선택권이 없지만, 만약 학군에서 검사나 검사 위원회의 일원으로 근무를 했다면 선택하도록 소집되었을 수도 있었을 것이다. 다음으로 나올 내용은 적절한 표준화 검사를 선택하도록 돕는 12가지 질문이다. 이것은 W. James Popham이 공식화한 준거에 기초를 두고 있다.

1. *성취도 검사는 교과 과정의 수업 소단원 목적과 조화를 이루는가?* 성취도 검사는 교과 과정의 소단원 목적과 일치해야 하고, 중요한 지식, 개념, 그 과정의 기능을 평가해야 한다.
2. *검사 항목은 학습 과업의 대표적 견본을 측정하는가?* 검사 항목은 전체 교과 과정이나 교과목을 측정해서는 안 되고, 주된 소단원 목적과 내용을 다루어야 한다.

3. *검사 항목은 희망했던 학습 결과를 측정하기에 적절한가?* 검사 항목은 교과 과정의 수준과 행동, 수행 수준이 일치해야 한다.

4. *검사는 결과를 도출해 낼 특정한 사용에 적합한가?* 예를 들면, 진단 성취도 검사는 학생의 학습상의 어려움을 분석하는데 사용되어야 하지만, 적성 검사는 주어진 과목이나 프로그램에서 장래의 수행을 예측하는 데 사용되어야 한다.

5. *성취도 검사는 신뢰할만한가?* 검사는 다양한 학습자 유형에 따른 신뢰도 계수를 보고해야 하고, 검사할 학생 집단에서 높게 나타나야 한다.

6. *검사는 재검사 가능성이 있는가?* 검사의 동일한 형태가 유용해서 필요하면 학생들이 재시험을 볼 수 있어야 한다. 또한 대안이 되는 형태가 동질이라는 증거가 있어야 한다.

7. *검사는 타당한가?* 표준화 검사는 대개 낮은 교육 과정 타당성을 갖지만, 높은 구인 타당도를 가진다. (예, 지능과의 관계를 보여줌)

8. *검사는 명백한 편견을 배제했는가?* 모든 학생 집단에게 완전히 편견을 배제한 검사를 찾기란 어려운 일이지만, 교사는 문화적으로 공평하고 (또는 최소한 소수를 배려하는) 소수를 위한 규범적 자료 (신뢰도와 타당도가 있는 자료)를 제공하는 검사를 찾아야 한다.

9. *검사는 학생들에게 적절한가?* 검사는 읽기 수준, 지시의 명확성, 시각적 배치 등이 학생에게 적합해야 한다. 학생의 나이, 학년, 문화적 배경을 고려하여 적절한 난이도 수준이어야 한다.

10. *검사는 학습을 향상시키는가?* 성취도 검사는 교수 학습 과정의 일부분으로 여겨져야 한다. 이것은 검사가 교사와 학생들에게 피드백을 제공하고 교사의 수업과 학생의 학습을 안내하고 향상시키는데 사용되어야 한다는 것을 의미한다.

11. *검사는 관리하기 용이한가?* 대규모 집단에게 적용되어야만 하는 검사는 소규모 집단이나 개인에게 적용된 검사보다 더 사용이 편리해야 한다. 시간이 덜 걸리고 여전히 신뢰도가 있는 검사는 시간이 오래 걸리는 검사보다 더 유용하다.

12. *검사의 비용은 받아들일 만 한가?* 검사를 운영하고 채점하는데 드는 시간을 포함하여, 검사의 전체 비용은 파생될 이익을 생각해볼 때 액수가 적절해야 한다. 만약 비슷한 정보가 신뢰할만하고 타당하지만 비용이 더 적게 드는 다른 방법으로 얻어진다면, 그 방법이 고려되어야 할 것이다.[26]

시험의 장점과 단점

우리는 이제까지 주로 외부 회사가 개발하여 학군 내에서 시행되는 다양한 형태의 시험을 알아보았다. 이 대규모의 시험 중 일부가 높은 변별력을 갖추기 위해 어떻게 사용되는지 알아보기 전에 규격화된 시험의 장점과 단점에 대해서 생각해 보자. Center for Education Policy에 의해 배포된 *Test Talk*는 교육자들이 시험과 관련된 실제 문제를 이해하는 것을 돕기 위해 만들어졌다.[27] 그것은 많은 학생들에게 시행되는 대규모 시험의 여러 장점과 단점에 대해서 약술하여 관심을 끌고 있다.

- *장점 1*: 대규모 시험은 학생들에 대해 각 교사의 개별적 수업 평가에서 얻을 수 있는 것보다 일관성 있는 자료를 제공할 수 있다. 교사 수업 평가의 종류(포트폴리오, 퀴즈)는 특정 교실 내의 학생들에 대한 정보를 많이 제공한다. 그러나 그런 자료는 학교나 학군 내의 상대적인 비교를 위해서는 사용할 수 없다.

- *장점 2*: 대규모 시험은 학생들이 특정 내용에 대해 얼마만큼 이해하고 있는지 잘 요약하여 보여준다. 또한 학생들이 특정 학년 단계에서 기준을 충족시키고 있는지 보여준다.

- *장점 3*: 대규모 시험은 대체로 학교가 시행하기에 효율적이며, 비용 효과가 크다. 그것은 많은 정보를 주며, 교사들이 비슷한 유형의 측정 수단을 개발할 때 자초하는 것에 비교하면 매우 적당한 비용으로 그렇게 한다. 사실 대규모 시험은 매우 낮은

비용으로 실질적인 비교 자료를 제공할 수 있다.

- **약점 1:** 대규모 시험은 학생의 시험 성적이 변화되는 정도에 따라 다르게 나타나는 "측정 기준의 오류"를 가지고 있다: "만약 학생이 [캘리포니아 고등학교 졸업시험과 같은 시험에서] 410점을 받았다면 시험 시행자는 그 학생의 원점수가 386에서 434사이에 있다-표준의 오류는 더하기 빼기 24점이다-는 것을 95% 정도 확신할 것이다."[28] 시험 점수는 정확한 측정 수단이 아니다. 그것은 단지 비슷한 근사치일 뿐이다. 시험을 여러 번 반복해서 본 학생들은 다소 높거나 낮은 점수를 받을 수 있지만 "새로운" 점수는 "옛" 점수의 측정 오류로 나타난 것일 수 있다.

- **약점 2:** 대규모 시험은 한 주제에 대해 가능한 질문 전체 중의 한 표본일 뿐이다. 대규모 시험이 아주 종합적이더라도 교사가 가르친 모든 정보를 포괄적으로 측정할 수는 없다. 대규모 시험은 항목의 표본을 가지고 있고 그 표본은 학생들이 알고 있는 것을 "잠깐 동안 훑어보기"할 수 있게 해 줄 뿐이다. 더불어 시험 항목의 난이도와 관련된 문제도 있다. 학생들을 가장 잘 구별할 수 있게 해 주는 시험 항목은 절반의 학생이 대답할 수 있는 것이다.[29] 즉, 이것은 일부 시험의 형태(규준 지향적인 것들)에서 시험 기안자들이 시험 항목의 난이도를 중간으로 잡아 출제해야 한다는 것을 의미한다.

- **약점 3:** 대규모 시험은 변덕스러운 경향이 있다. 외부적 요소가 학생들의 성적에 영향을 끼칠 수 있으며 이것으로 인해 매년 특정 교실이나 학교에서 학생들의 학업 수행에 대한 많은 변화를 야기할 수 있다. 변덕스러움은 학생들의 높거나 낮은 성적을 어떻게 인식해야 할지 그 방식에도 영향을 끼친다. 판단을 내리기 전에 충분한 시간을 가져라. 학생들의 성취 내용을 명확히 이해하려면 다음에 나오는 것들을 확실히 하면 된다:

  - 시험과 시험 문제에 대해 스스로를 교육시켜라.
  - 주정부가 책무성의 목적으로 사용하는 시험이 이 주(그리고 지역)의 교육과정 기준에 부합되는지 평가하라. 이것이 이 장을 기준에 대한 논의로 시작되는 이유 중 하나이다. 주의 기준을 알고 시험(대규모 시험과 교실 수준의 시험)이 그것들과 부합되는지 알아보라.
  - 학생들이 무엇을 알고 있는지 평가하기 위해 다양한 수단을 사용하고 어느 특정 수단만 가지고 학생의 진급이나 졸업에 대한 중요한 결정을 내려서는 안 된다.[30]

마지막 항목은 특히 중요하다. 이제 고부담 검사에 대하여 간략하게 논의할 준비가 된 것이다.

고부담 검사

고부담 검사—이 검사 결과는 중요한 결정에 영향을 미친다—는 1980년대에 있었던 최소한의 능력과 기본적 기능 검사로부터 발달되었다. 주 정부는 대중의 압력으로 학생이 선택 학년으로 진급할 수 있도록 "진급" 시험을, 고등학교 졸업과 학위 증서를 얻기 위한 "졸업" 시험을, 신임 교사들에게는 "자격" 시험을 부과하기 시작했다.

1990년대에 이 부담은 높아졌으며, 2002년의 'No Child Left Behind' 법령의 통과로 많은 학생들에게 그 부담이 정말로 "높아졌다". 학군은 학교들을 비교하고 교사와 관리자들에게 결과에 대한 책임을 지게 하기 위해서 주에서 시행하는 성취 검사 외에 저학년에게는 캘리포니아 성취 검사(CAT)를, 고학년에게는 학습 능력 적성 검사(SAT)를 적용하기 시작했다. 주 정부의 평가는 또한 수와 복잡성에서 증가되었으며 보상 시스템이 이 과정에 결합되었다. 오늘날 대부분의 학군은 향상에 따른 기금 배당액의 증가와 교사 월급의 특별 수당 등으로 보상하고, 지속적인 실패는 기금의 배당액을 줄이고 심지어 인증을 박탈하는 것 등으로 벌칙을 적용한다. 사실 2002년까지 고부담 검사를 사용한 27개 주 중 절반이 학생의 검사 점수에 따라 학교의 등급을 매겼다.[31]

규격화된 검사가 이제 많은 학군에서 교육과정 설정과 학교 문화에 영향을 끼침으로써 지역, 주, 그리고 국가 검사 프로그램은 매우 중요해지고 있다. 학교(그리고 교사들!)에 가해지는 좋은 결과에 대한 압력이 너무나 거센 나머지 많은 사람들이 위 검사에서 평균보다 낮은 점수를 내는 학생들을 검사에서 배제되도록 하는 방도를 찾고 있는 것은 너무나 흔한 일이며, 이 학생들이 장애를 갖고 있거나 영어를 잘 말하지 못하는 것으로 분류함으로써 이 관행을 정당화하고 있다. 부정적인 등급을 두려워하는 일부 교사들(그리고 학교)은 위험으로 분류된 학생이나 특별한 도움을 필요로 하는 학생을 받아들이는 것을 거부할 수도 있으며, 그 결과 이미 대부분이 무경험인 교사들에 의해 교육을 받고 있는 불우 학생들의 교육 기회를 더욱 손상시키게 된다. 반면에 다른 교사들 (그리고 관리자들)은 검사에 초점을 맞춘 교육과 검사 점수를 높이기 위해 속임수까지 시도하는 현 교육에 대해 비판하고 있다.

거의 아무 날이나 신문을 집어 읽어 보라. 그러면 고부담 검사에 대한 이야기를 찾을 수 있을 것이다. *Hartford Courant* (Connecticut)에 Connecticut 학습 성취도 검사(CAPT)에 대한 이야기가 실린 날에 나는 이 10장을 썼다. 가장 최근의 CAPT 시행 결과에서 그 주의 10학년 학생들의 절반이 필요한 통과 점수에 도달하지 못한 것으로 나타났다. 그 결과, 검사가 너무 어려웠다는 비판과 "똑똑한" 학생들은 누구나 그 검사가

요구하는 바를 알고 있었을 것이다라는 주장으로 상당한 논쟁이 야기되었다.[32]

검사가 너무 어렵거나 너무 쉽다고 논쟁하지 않으며, 사람들은 사실 검사에 어떤 내용이 다뤄지고 있는가에 대한 논쟁을 한다. 예를 들어 Tomlinson은 'No Child Left Behind' 가 검사와 효율성만을 강조하면 효율성을 넘어서 학생의 발전에 대한 관심을 거의 기울이지 않게 만든다고 주장한다. 다시 말하면 학교가 학생들을 숙련시키기에는 너무 많아서 학교가 효과적인 학습 환경을 갖추고 있다면 답할 수 있는 여러 가지 중요한 학업 발달 문제를 진정으로 다루지 못하고 있다 (또는 못할 수도 있다).[33]

교사 출제 시험

교사는 그들 자신의 수업 시험을 작성한다. 이 시험 중 대부분은 교과와 연관되어 있으며 학습 내용 중 특정 부분에 초점을 맞추고 교과에 대한 학습이 잘 이뤄졌는지 그리고 새로운 내용으로 전환할 때가 언제인지 알아보기 위해 평가할 것이다. 한 연구가에 따르면 고등학교를 졸업하기 전 한 학생이 교사가 만든 시험을 보는 횟수는 400에서 1000회에 달한다고 한다.[34] 교사는 교육과정에 맞춰서(또는 병합하여) 교육받은 학생 중 특정 집단에 초점을 두어 평가 절차를 만들어야 한

시험을 준비하거나 평가할 때 교사는 여러 가지를 염두해야 한다.

다. 앞서 학생이 보는 시험 수를 고려해 볼 때 그런 조정은 불가피하다.

교사와 학교는 시험 보는 일에 종사하고 있으며 시험 점수에 의해 크게 영향을 받는다(때로 무력해진다)라고 말할 수도 있을 것이다. 그러나 연구자들에 따르면 시험의 대부분은 신뢰성이 알려져 있지 않은 교사가 만든 시험으로 대부분의 교사들은 시험에 투자하는 시간이 증가함에도 불구하고 신뢰성을 확인 받을 방법이나 내용(타당성에 영향을 주는)의 적절한 경중을 보증할 방법에 대해서도 알지 못하고 있다.[35] 교사가 만든 시험을 분석해 보면 시험 문항 중 80%가 지식이나 특정 내용을 강조하고 있으며, 시험이 종종 적절한 지시를 주지 않고 점수측정에 대해서도 설명하지 않는 경우도 있으며, 15에서 20%가 문법, 철자, 구두점 실수에 대한 내용을 포함하고 있다.[36]

이러한 제한점에도 불구하고 교사에 의한 시험은 여전히 중요하고 실용적인 목적을 수행하고 있다. 교사가 제작한 시험은 대부분의 경우 수업 받은 내용에서 출제되기 때문에 수업 내용에 대한 높은 타당성이 있어야 한다. 게다가 그것은 다음과 같은 정보를 시기적절하게 제공한다. 1) 교사들이 학생이 알거나 알지 못한 내용이 무엇인지 알도록 도와준다. 2) 교사들이 적절한 보충 교육을 위해 학생들을 분류하는 방법을 알 수 있게 도와준다. 3) 학생들의 학업 성취를 주시한다. 4) 학생들의 수행을 평가한다.

특수 학생에게 맞추기

교사가 학생들을 평가할 때 종종 특별한 학습도움을 필요로 하는 학생들에게 맞춰야 하는 경우가 있다. 그런 학생들은 최소 제한 환경에 있을 때 가장 잘 발달될 수 있으며, 그러한 교육 환경이 바로 당신의 교실이 될 수도 있다. 그들은 시험을 볼 때도 특별한 배려를 필요로 한다. 당신이 그들에게 필수 내용을 가르칠 방법을 찾아야 하는 것과 마찬가지로, 당신이 가르친 것을 그들이 이해했는지 평가해야 한다. 일부 학생은 성공적으로 배우기 위해 조정을 필요로 한다. 어떤 조정을 필요로 하는가는 각 학생의 특징에 달려 있다. 교사들을 위한 조언 10.2는 다양한 조정과 중재 실현성에 대해 설명하고 있다.

교사들을 위한 조언 10.2

시험 및 평가에서 조정을 필요로 하는 학생들을 위하여

- 학생들에게 읽기 쉬운 유인물이나 시험 복사본을 준다(타자 친 것, 명확한 언어, 적어도 두줄 간격으로 쓸 것, 깨끗한 복사본, 충분한 여백).
- 손으로 작성하는 시험을 피한다.
- 어휘 시험에서는 단어를 주고 뜻을 쓰게 하는 것보다는 뜻을 주고 단어를 채워 넣게 한다.
- 빈칸 채우기 시험에서는 선택할 수 있도록 단어 예시들을 제공한다.
- 시험을 완료할 수 있도록 시험 시간을 연장한다.
- 교실에서 시험을 보게 하고 소수 그룹으로 보게 하거나 특수 교육 교사와 함께 시험을 치른다. 평균적으로 두 학년을 함께 시험 본다.
- 학생들이 시험 중 풀게 될 시험 질문 유형이 다양할 때 그들에게 예를 제시한다.
- 시험 볼 때 보다 많은 풀이 공간을 제공한다(특히 수학 시간에).
- 학생들이 수학 문제를 풀 때 계산을 시험지에 있는 제한적인 풀이 공간에 곧바로 하게 만들지 말고 그래프 종이나 다른 종이를 사용하여 그것을 시험지에 붙여 제출하게 한다.

- 시험지 인쇄물을 확대시킨다.
- 시간이 오래 걸리는 시험을 수업 시간에 급하게 풀게 만들지 말고 여러 부분으로 나누어 여러 날에 걸쳐 시행한다.
- 학생들이 쓰기 시험보다 구술 시험에서 지식/숙달을 더 잘 표현할 수 있다면 쓰기 시험을 마친 후 구술 테스트를 통해 점수를 더할 수 있게 한다(특히 작문 문제에서).
- 수업 단원 내내 종종 짧은 퀴즈를 내어 다음날 그것들을 복습시킨다; 이것은 학생들에게 수업 내용의 이해에 대한 피드백을 제공한다. 이 짧은 퀴즈는 점수를 매길 필요는 없지만 학생들이 시험 전에 학습과 자신감을 갖게 하는데 도움을 준다.
- 필요하다면 쓰기 시험을 구두시험으로 대체한다.
- 상황에 따라 집에서 시험을 치르게 할 수 있다.
- 필요하다면 테이프에 녹음하여 시험을 치르게 한다. 그리고 학생들에게 작문 문제에 대한 답을 쓰게 하지 말고 녹음할 수 있도록 한다.
- 시험 항목을 학생들에게 소리 내어 읽어준다.
- 다른 영역의 내용 숙달을 측정하는 시험이라면 철자나 문법, 기타 등등의 사항에 대한 감점을 부과하지 않는다.
- 학생들이 시험을 시작하기 전에 시험의 다양한 부분에 대한 지시 사항을 소리 내어 읽어 준다.
- 철자에 문제가 있는 학생들에게는 축소된 철자 목록을 준다. 예를 들어 20에서 25개의 단어보다는 15개의 단어를 준다. 시험에서 단어를 표시할 때 먼저 순서대로 15단어를 쓴다. 그리고 나서 남은 수업동안 다른 단어들로 계속해서 시험을 보게 한다.
- 학생마다 부과된 총 수에서 정확한 수에 대한 비례로 시험 점수를 측정한다(각 학생에게 주어진 과제나 시험이 축소될 수 있다).
- 답하기 전에 칠판이나 책에서 출제한 시험 문제를 복사하여 쓰기 문제가 있는 학생들의 어려움을 없앤다.
- 학생들에게 다양한 시험을 보기 위해 필요한 전략과 기능(참과 거짓, 객관식, 빈 칸 채우기, 작문, 비누방울 채우기 등)을 가르쳐 준다.
- 모든 종류의 시험 형식을 연습시킨다.
- 특별한 도움이 필요한 학생들의 시험을 특수교사와 협력하여 다시 작성한다(문장을 더 짧게 만들기, 어휘를 단순하게 만들기, 읽기 형식을 더 쉽게 만들기).
- 학생들을 의도적으로 속이는 방식으로 기술된 문제는 피한다.
- 객관식 문제는 각 항목을 수평적으로 하지 말고 수직적으로 나열한다(그것이 더 읽기 쉽다).
- 포트폴리오(자신의 실력을 보여줄 수 있는 작품이나 관련 내용 등을 집약한 자료 수집철 또는 작품집) 평가를 활용한다(다른 학생들과의 비교에 대립하는 것으로써 각 개인의 성취와 향상에 대한 발달 평가).
- 시험 등급의 비중을 줄여준다.
- 세부 사항에 집중하지 못하고 부주의하여 실수하는 학생들을 위해 수학 시험의 연산 부호에 색칠한다. 예를 들어 노란색은 덧셈 문제, 녹색은 뺄셈 문제, 파란색은 곱셈 문제로 표시하여 강조한다.
- 시험 시간에 책상에 있는 개인 칠판을 활용하고/혹여 시험 중에 주의가 산만해지는 것을 줄일 수 있는 다른 수단을 찾는다.
- 수학 시험에서 문제 해결 기술을 평가할 경우 계산기 사용을 허락한다.

출처 : Adapted fromSandra F. Rief and Julie A Heinmburge. *How to Reach and Teach Al Students in the Inclusive Classroom* West Nyack, N.Y. : Center for Applied Research in Education, 1996, pp.200-202. This material is used by permission of John Wiley and Sons, Inc.

사례 연구 10.1 학생 진척도 평가: 적응하기

이 사례 연구를 읽다 보면, Pathwise 준거 중 관련된 것이 이 사례의 내용 중에 괄호 안에 제시되어 있음을 알게 될 것이다.

Roosevelt 중학교는 다음주에 새 학기가 시작된다. Titus 교사는 그의 7학년 학급 명단을 집어들고, 학기의 첫 주에 대한 그의 수업을 조직한다. 그는 이 중학교에서 7학년 언어학을 3년 동안 가르쳐왔고, 그는 현재 자신의 위치에 만족감을 느끼고 있다. 지난 봄에, 그는 Ohio주의 학업 내용 성취 기준(www.Battellefokids.org 참조)(D)에 기술되어 있는 언어학 수행 기준을 그의 학생들이 달성하도록 하기 위해 가장 효과적인 내용, 교수전략, 평가를 숙고하는데 더 많은 시간을 보냈다. 결론적으로, 그는 7학년 학생들의 언어학 포트폴리오, 그리고 기말시험의 소집단 면접뿐만 아니라 그 학생들의 이전 표준화 성취도 검사에서의 수행결과를 사용하기로 하였다.

Titus 교사는 이 과정에서 또한 개선이 필요한 부분을 확인하였다(D). 학생 자료 분석에서 그의 학생들의 언어학 포트폴리오에 관한 작업 수준과 읽기, 쓰기 표준화 성취도 검사에 관한 그들의 성취가 일치하지 않음이 확인되었다. 실제로 그는 표준화 검사 결과를 받았을 때 많이 실망하였다. 그는 학생들이 표준화 검사에서 높은 수준의 수행을 보였을 것으로 예상하였다. 그는 연말에 학생들과의 면담에서 그들 중 적어도 1/3이 표준화 성취도 검사를 받을 때 "얼어버림"과 그들이 정답을 배웠던 문항에 대해 "깜깜해짐"을 경험했음을 언급했다(A). 결론적으로 그의 학생들은 성취하지 못한 것이다.

그는 그의 학생들이 표준화 성취도 검사에서 저성취를 보인 것은 적어도 부분적으로는 학습목표, 7학년 읽기-쓰기에 대한 주 수행 지표, 교실에서의 검사, 그리고 표준화된 검사 등이 서로 일치 하지 않았기 때문이라 생각하였다(D). 결과적으로 그는

읽기와 쓰기 평가에 대해 폭넓고 다양하게 탐색하고, 학습목표와 평가가 수행 지표에 일치하는 소단원 및 단원계획을 개발하는 데 있어서 다양한 기회를 풍부하게 제공하는 대학원 여름학기 교과목을 들었다. 그는 연구과제로 시험 공포증에 관하여 연구하였고, 시험 보는 전략에 관한 단원을 개발하여, 수업의 첫 6주 동안에 통합할 계획을 세웠다.

그는 명부를 보기 전까지 지난 여름 그의 강의에서 배운 것을 이번 가을에 실행에 옮길 기회를 갖게 된 것에 흥분되어 있었다. 그렇다, 두 차시로 묶인 7학년 언어 수업이 세 반이라는 점은 똑 같은데, 명부에는 첨부 노트가 있었다. 재빨리 노트를 읽어보니, 세 반 중에 크기가 작은 언어 수업 두 반에 각각 처음으로 일반 교육 교실에 편입된 학생들이 있었다. 언어 수업 7-1반에는 24명의 학생들이 수업을 듣기로 되어 있었는데, 그 중 5명은 특별한 도움을 적당하게 필요로 하는 학생들이었다. 7-2반에는 22명의 학생들이 있었는데 그 중 3명은 역시 부수적인 도움을 필요로 하는 학생들이었고, 다른 한 명인 Josh는 다중 장애 학생들을 위한 특수 학급에 항상 있어왔던 학생이었다. 또한 세 반 모두 뛰어난 지능을 가진 학생들이 적어도 두 명 이상씩은 있었다. 그 동안 그의 학급에는 머리가 좋은 학생들이야 항상 있었지만, 장애를 가진 학생이 있었던 경우는 거의 없었다. 이전에 그들의 언어 교육은 특수 교육 학급에서 이루어 졌었다. 불행히도, Titus가 그의 학급 명부를 가지러 들른 날에 진로 상담자나 교장 모두 이야기를 할 수 없는 상황이었다.(D) 그래서 Titus는 5,6학년 중재 특수 교사들 중 한 분을 찾아 이 학생들에 대해서 좀더 알아보려 시도했다.(A1)

Titus는 6학년 중재 특수 교사를 찾아 특수 학생들을 위한 개별화 교육 프로그램(IEPs)에 대해 자문을 청했다. 그 결과, 그들의 일기, 쓰기 능력은

유치원에서 4학년 정도까지의 수준이고 다중 장애가 있는 학생(Josh)의 경우엔 기본적으로 말이 서투르고, Vanguard 컴퓨터(보조 의사소통 장치)를 통해서 대화할 수 있다는 사실을 알게 되었다.(A) 장애 학생들 모두는 적어도 7학년 수준의 읽기, 쓰기 능력 지표 중 적어도 몇몇 항목에서 합격점을 받고자 하는 목표를 가지고 있었고, Titus는 이런 학생들을 도와 IEP 목표에 도달할 수 있도록 도와야 하는 위치에 서 있었다.

그는 또한 Josh만은 다른 학생들과 달리 표준화 7학년 읽기와 언어 검사를 치르지 않게 될 것이라는 사실을 알게 되었다. Josh는 지역에서 승인된 대체 시험을 치르게 될 것이다. 그러나 IEPs에 속해있는 모든 그의 학생들은 그들의 IEPs에 기재되어 있는 개별 시험 조정 기준을 따르게 된다. 6학년 중재 전문가는 Titus에게 7학년 중재 전문가인 Lacey가 계획을 짜는데 도움을 줄 수 있을 것이라고 말했다. 그러나 아마도 장애 학생들이 그의 교실에 함께 있는 동안에는 한정된 시간밖에 함께하지 못할 것이라고 그는 덧붙였다.

Titus는 낙담했다. 첫 6주 동안의 수업과 학습 단원들을 계획했을 때, 그는 그와 같은 넓은 범위의 기능 수준을 고려하지 않았다. 게다가 시험을 치르는 능력을 향상시키기 위한 학습 단원은 그의 학생들이 기존 형식의 표준화 검사를 치른다는 가정 하에서 만들어졌다. 뿐만 아니라, 그는 IEP에서 승인된 조정에 부합되도록 학급 평가를 조정해 본 적이 한번도 없었다. 또한 걱정되는 문제 중의 하나는, 평균 수준보다 현저히 능력이 떨어지는 학생들을 도와주려는데 치우쳐 능력이 뛰어난 학생들을 제대로 돌보지 못하게 되지 않을까 하는 문제였다.

Titus는 학교 수업이 시작되는 첫째 주 동안 Mrs. Lacey를 만나 시험 평가 조정에 대해 토론하고 계획을 짰다. 그는 무엇이 "합법적으로 용인되는 조정"이고 무엇이 그에 해당되지 않는지를 확신할 수가 없었다. 또한 그의 학생들에게 왜 어떤 학생은 시험을 치르는데 남들보다 두 배에 해당하는 시간을 받는지, 왜 어떤 학생은 읽어주는 사람이 옆에 앉아 있는지, 왜 어떤 학생은 완전히 다른 시험을 보는지에 대해 어떻게 설명해 주어야 할지 확신이 서지 않았다. 또한 학부모님들에게 많은 문의 전화가 걸려 올 것이 예상되었으므로, 매달 가정에 보내는 통신문에 학습 차이와 다양한 평가 형식에 대한 내용을 포함시키도록 계획했다.(D) 아마도 여름동안 그가 대안 평가와 커리큘럼 정립, 기준에 맞는 수업 내용과 그 교수법에 투자한 모든 노력들은 특별한 도움이 필요한 학생들을 가르치는데 큰 도움을 줄 것이다. 그리고 그는 이 모든 것들을 통제할 수 있게 되었다고 생각하게 됐다.

여러분이 Titus를 돕도록 요청받았다. Titus가 학부모들에게 보낼 통신문의 초안을 작성해 본다. 여러분은 학습차이에 관한 어떤 정보를 제공할 것인가? 학습 및 평가 조정에 관한 어떤 정보를 싣는 것이 적절할 것인가?(조언10.2 참고)

🔲 성 찰 문 제

1. 학생의 성취를 향상하는 것과 관련된 주요 문제는 학생의 미래 학습이 어떻게 이루어져야 하는지를 식별하기 위해 학생의 평가 자료를 사용하는 방법을 아는 것이다. K-12 상황에 있는 교사와 함께 학생의 학습활동을 조직하기 위해 학생의 수행 자료를 어떻게 사용하는지에 관해 얘기해 본다.

2. Titus는 검사 불안과 검사 치르기 전략에 집중하였다. 학생들이 덜 불안해하고, 검사를 치르는 것에 더 준비되도록 도와줄 수 있는 구체적인 방도를 식별한다.

3. 이 사례는 다시 Pathwise-PRAXIS 준거를 사용하고 있다. A 및 D 영역에 대한 참조는 보이는데 B와 C에 대한 참조는 없다. 왜 그런가? B와 C영역이 참조되어야 할 부분이 있다고 생각하는가? 설명해 본다.

사례 연구 10.1은 특수성을 지닌 학생들의 요구를 평가하고, 그들의 특별한 학습 문제를 다루기 위해 취해져야 할 조정 유형을 결정하는 것과 관련된 복잡성들을 다루고 있다. 사례연구와 소식지를 읽으면서, Stephan Elliot과 그의 동료의 Assessing One and All을 살펴보는 것이 유용함을 알게 될 것이다.

이 장의 마지막에 제시된 이야기를 읽어보자. 일반적으로 학생들을 위한 검사조정방법은 4가지로 범주화할 수 있다; 시간 조정(여러 번의 휴식시간이 주어지는 짧은 시간의 시험 실행), 좌석 조정(개인 좌석에서 학생이 연구하는 것을 허락하기), 형식 조정(점자로 된 검사 사용하기), 기록 조정(학생의 반응을 기록하는 성인 활용하기)[37] 교사들은 미국 법령의 새로운 변화를 알아야 한다. 미국 법령을 확인하려면 이 사이트(http://www.cec.sped.org)를 통해 국가정책과 법령정보링크를 클릭하면 된다.

단답형 시험과 논술형 시험의 차이점

대부분 학급 시험은 객관식 시험으로 불리는 단답형 시험(다중선택형, 짝짓기형, 완성형, 진위형)과 구조화된 응답 또는 자유 응답 시험으로 불리는 논술형 시험 등 2개의 범주로 나뉜다. **단답형 시험**은 학생이 보통 한두 개의 단어로 구체적으로 간단하게 정답을 제시하도록 한다. **논술시험**은 학생이 그들 자신만의 언어로 정답을 구조화하여 표현하도록 하며 정답 목록을 제한하지 않는다.

논술 시험은 대개 소수의 문제로 구성되어 있고, 각 문항은 장황한 답을 요구한다. 단답형 시험은 많은 문항으로 구성되어 있고, 각 문항은 응답하는데 짧은 시간을 요구한다. 단답형 시험에서 내용 표집과 신뢰도는 더욱 우수할 것이다. 논술시험은 분석, 통합, 평가를 포함한 고수준 사고에 대한 기회를 제공한다. 대부분 단답형 문항들은 저수준 사고 또는 기억을 강조하고, 인지 조작을 촉진하지는 않는다.

객관식 시험의 신뢰도, 타당도, 유용성과 같은 질적인 부분들은 기본적으로 시험 출제자의 능력에 의존하는 반면, 논술시험의 질은 주로 시험을 채점하는 사람의 능력에 의존한다. 단답형 시험은 많은 것을 준비해야 하지만, 점수 매기기는 쉽다. 논술시험은 준비는 쉬울 것이나 점수 매기기는 더욱 어렵다. 단답형 문항들은 명백하며, 오직 한 가지 정답이 있다. 논술은 학생이 개인의 개성과 의견을 표현하는 것을 인정한다. 응답은 해석이 허용되고, 한가지 이상의 답이 있을 수도 있다. 단답형 시험은 추측과 부정행위가 가능하다. 논술시험은 교사가 채점하는 것을 까다롭게 기준화하지 않는다면, 허풍 칠(대답 주변을 기술할) 여지가 있다.[38]

표 10.3에는 단답형과 논술시험을 선택하는 데에

표 10.3 단답형 또는 논술형 시험을 선택하는 이유

단답형 (다중선택형, 짝짓기형, 완성형, 진위형)	논술형 시험
1. 좋은 문항들을 제공한다.	1. 고수준의 인지 사고를 요구한다.
2. 목표와 광범위한 내용에서 표집된다.	2. 지식을 선택하고 조직하는 학생의 능력을 측정한다.
3. 쓰기 능력(필기의 질, 철자)과 언어 유창성에 독립적이다.	3. 쓰기 능력을 측정한다.
4. "주제 주변의 것을" 기술하거나 얘기하는 허풍을 억제한다.	4. 제거 과정을 통해 추측 또는 답안을 제시하는 것을 배제한다.
5. 채점이 쉽고 빠르다.	5. 문제 사고기술을 측정한다.
6. 점수와 등급부여가 신뢰할 만한 절차이다.	6. 독창성과 비관습적인 답변을 조장한다.
7. 채점이 객관적이다.	7. 좋은 채점기준표를 통해 주관성이 제한될 수 있지만, 채점이 주관적이다.

있어 고려하는 몇 가지 사항이 제시되어 있다.

Mehrens와 Lehmann에 따르면, 단답형과 논술시험 중에서 하나를 선택할 때 고려해야 하는 몇 가지 요인이 있다:

1. *시험의 목적*: 교사가 읽기 표현력이나 비판적 사고를 측정하기 원한다면, 논술시험을 선택하여야 한다. 교사가 과목의 광범위한 지식 또는 학습 결과를 측정하기 원한다면 단답형을 사용하여야 한다.

2. *시간*: 논술시험을 준비하는 데에 있어서 절약한 시간은 종종 정답을 채점하는 시간으로 소비된다. 교사가 시험 전에는 분주하고 그 후 충분한 시간을 갖고자 한다면, 논술시험을 선택해야 한다. 교사가 하루 또는 이틀 안에 결과를 처리하려 한다면, 좋은 문제를 출제하기 위한 충분한 시간이 있을 경우에 단답형을 사용해야 한다.

3. *검사자의 수*: 만약 시험 보는 대상자의 수가 적다면, 논술형 시험이 가능하다. 만약 학급이 크거나, 교사가 다른 여러 학급을 가르친다면, 단답형 시험을 추천한다.

4. *융통성*: 타자와 복사 시설이 없다면, 교사는 논술형 시험에 의존하게 될 것이다. 교사는 질문을 소리 내어 읽어줌으로써 완성형 및 진위형을 사용할 수 있다. 그러나, 시험은 문서로 작성, 복사되어 학생들 앞에 제시되어 자신의 속도에 따라 응답하도록 하는 것이 최상이다.

5. *학생의 연령*: 아직까지 5 또는 6학년 학생들에게 논술형 시험은 요구되지 않는다. 6학년 그 이상의 고학년 학생들은 다양한 유형의 시험을 볼 수 있으나, 어린 학생들은 오히려 변화된 문항 형식과 지시에 의해 혼란스럽게 된다.

6. *교사의 능력*: 진위를 파악하는 것과 같은 문항의 유형은 다른 유형보다는 답을 적기 쉽다. 그리고, 교사들은 다른 유형보다 이 유형을 선호하는 경향이 있다. 그러나 다른 유형들도 포함 되어야 한다. 시험 출제는 연습으로 개선될 수 있는 기능이다.[39] 교사들을 위한 조언 10.3을 참고한다.

평가 유형의 차이점을 논하기 전에, 어떤 유형의 평가가 선호되는가에 대해 비판적인 질문에 초점을 맞추어야 한다. 선택된 정답 또는 구조화된 정답이란 무엇인가? 이것에 대한 답은 정말 간단하다. 바로 목표가 평가와 균형을 이루고, 그렇게 하기에 두 가지가 필요하다. 좋은 교사는 다른 방법으로 학생에 관한 성취자료를 수집한다. 교사의 목표가 접근방법을 나타낸다. 교사는 분명히 단답형에서 논술형에 이르기까지 무수히 많은 평가를 개발하고, 사용하는 방법을 알고 싶어 한다.

단답형 시험

단답형 혹은 선다형 시험에는 다중 선택형, 짝짓기형, 완성형, 진위형이 있다. 시험 문항이나 항목을 작성하는 것은 객관적인 시험 유형이라는 것과는 관계없이 대개 학생들에게 문제를 부과하는 가장 적절한 방식을 발견하는 것에 관련되어 있다. 시험 문항이나 항목은 종종 정보의 회상, 사실, 용어, 이름, 규칙에 관한 지식에 의한 예시에 관련되지만, 그것들은 더 높은 수준의 인지 능력들에 관련될 수 있다. (다중 선택형 항목은 심화된 인지 능력을 검사하기 위한 장치로서 보다 더 쉽게 활용될 수 있다; 다른 단답형 유형은 보다 더 어렵다.) 단답형 시험을 준비하고 작성할 때 다음의 사항들을 고려해 볼 필요가 있다.

1. 시험 항목은 수업의 중요한 목표와 결과를 모두 측정해야 한다.

2. 시험 항목은 일부만 알고 있거나, 중요하지 않은 내용에 초점을 맞추어서는 안 된다.

3. 시험 항목은 지식을 갖춘 사람이 혼동되거나 오답에 응답하지 않도록 명백하게 기술되어야 한다. 시험 항목은 정보를 갖추지 못한 사람이 정확하게 답할 수 있도록 하는 단서를 갖고 있어서는 안 된다.

4. 속임수나 사소한 검사 항목은 자료를 알고 있는 학생들을 불리하게 하고 추측과 우연에 의존하는 학생들을 유리하게 하므로 피해야 한다.

교사들을 위한 조언 10.3

교실 시험 준비하기

교사가 제작한 시험은 학교에서 자주 학생의 성과를 측정하기 위해 중요한 기초 자료가 된다. 좋은 시험은 그냥 만들어지는 것이 아니다! 좋은 시험은 수업 목표, 교육과정, 수업 교재가 어떤 의미 있는 방법으로 관련될 수 있도록 적절히 계획되어야 한다. 교사가 교실 시험을 준비하기 위해 고려해야 할 사항을 살펴보자.

1. 학생들이 알고 싶어 하는 것에 대한 기대에 대해 명백한 의사소통을 하였는가?
2. 시험의 목적이 무엇인가? 나는 왜 이것을 하려 하는가?
3. 기능, 지식, 태도, 그 밖에 나는 무엇을 측정할 것인가?
4. 나는 내 수업의 목표를 학생 행동 언어로 명확하게 정의하였는가?
5. 시험 문항이 목표와 상응하는가?
6. 목표가 성취기준과 관련되어 있는가? 학생들이 이해하는가?
7. 어떤 종류의 시험 유형(항목 형식)을 사용하기 원하는가? 그 이유는 무엇인가?
8. 얼마나 오래 시험을 치를 것인가?
9. 시험의 난이도가 어떠한가?
10. 내 시험 문항의 변별도는 어느 정도이어야 하는가?
11. 다양한 문항 형식을 어떻게 배열할 것인가?
12. 각 문항 형식 내의 문항들을 어떻게 배열할 것인가?
13. 학생들에게 시험을 치기 위해서 나는 어떤 준비가 필요한가?
14. 문항에 대한 그들의 정답을 학생들은 어떻게 기록하는가? 분리된 정답지에? 아니면 시험 소책자에?
15. 객관식 문항을 어떻게 채점할 것인가? 교사가 직접 기계를 사용하여?
16. 논술시험은 어떻게 채점할 것인가? 채점기준표를 사용할 것인가?
17. 객관식 문제에서 추측에 대한 지침을 제시할 것인가? 추측에 대한 교정이 옳은 것인가?
18. 시험 점수를 표로 어떻게 나타낼 것인가?
19. 점수를(등급, 경쟁의 수준) 어떻게 배분할 것인가?
20. 시험 결과를 어떻게 보고할 것인가?

출처: Adapted from *Measurement and Evaluation in Education and Psychology*, 3rd edition by Mehrens/Lehmann ⓒ 1991. Reprinted with permission of Wadsworth, a division of Thomson Learning: www.thomsonrights.com, Fax 800-730-2215.

---

5. 시험 항목은 상호 연관되어서는 안 된다. 하나의 항목에 답을 알면 다른 항목에도 답을 알 수 있게 해서는 안 된다.
6. 시험 항목은 문법적으로 정확해야 한다.
7. 시험 항목은 학생들의 연령 수준, 읽기 수준, 인지 발달 수준에 적절해야 한다.
8. 시험 항목은 인종적, 윤리적, 성적 편견이 없어야 한다.
9. 시험 항목은 명확한 정답, 즉 모든 전문가들(다른 교사들)이 동의할 수 있는 답을 갖추어야 한다.
10. 시험이 학생들의 교실 수행을 평가하기 위한 유일한 기반이거나 한 과목의 성적을 매기기 위한 유일

전문적인 관점

단답형 시험 실시를 위한 기본 원칙

Bruce W. Tuckman

Florida 주립대학 교육 연구 교수

예전에 내가 학생이었을 때, 나는 훌륭한 시험 수행자였다. 모든 친구들이 전날 밤 머리 속에 구겨 넣은 모든 것을 잊어버릴까 하는 시험 불안을 극복하는 데 바쁜 반면에, 나는 집중력을 유지하고, 아주 "침착"하였고, 내가 얻을 수 있는 이점을 기대하였다. 나는 모든 사람이 사랑, 전쟁, 시험을 치르는 것에 있어서 공평하다는 것을 알고 있었다. 나는 열심히 공부했고, 모든 필기 내용과 범위가 될 모든 장을 개략적으로 살펴 보았으며, 선생님이 시험에서 질문하기에 충분히 중요하다고 생각하는 것을 알아내려고 노력했다. 하지만 나는 또한 시험 그 자체에서 찾을 수 있는 단서의 종류가 무엇인지 어느 정도 알고 있었다. 그 때 나는 직관으로 공부하고 있었지만, 지금은 시험을 구성하는 방법을 교사들에게 가르치는 사람이고, 나는 내가 가르친 교사들이 그들의 학생들에게 우연히 단서를 제공하지 않도록 내가 사용하곤 했던 그러한 모든 단서들이 무엇인지를 구체화하려고 노력했다.

교실에 가서 공부하는 것과 같이 열심히 수행하는 것을 통해 지식을 획득한 대체물로서 시험 수행 기술을 보상하는 것을 바라지 않으므로, 이것들은 구성된 시험에서 학생들에게 주어져서는 안 되는 단서들이다.

1. 어떤 명백한 오답 선택도 포함하지 말아야 한다. 만약 그렇게 하면, 학생들은 그것들을 짜 맞추어 오답을 추측하는 확률을 줄일 수 있다.

2. 한 항목이 실제로 동일한 시험의 다른 항목에 대한 답을 포함하도록 하지 말아야 한다. 그렇게 하면, 영리한 학생들은 전체 시험을 그냥 넘기면서, 중복된 항목을 발견하고, 그것을 다른 것에 답하는데 활용한다.

3. 정답 선택지를 더 길고, 더 복잡하고, 오답 선택지와 시각적으로 구별되는 방식으로 만들어서는 안 된다. 그렇지 않으면 시험에 준비된 수행자는 의심스러울 때, 항상 "내용이 충실한" 선택지와 항상 옳은 것을 선택할 것이다.

4. 선택지, a, b, c, d, e에서 정답으로 무엇을 선택할 것인지에 일관된 구조를 따르지 말아야 한다. 모자에서 문자를 꺼내거나, 다른 진정한 무작위 절차를 활용하는 것이 좋다. 그렇지 않으면 의심스러울 때, "꾀 많은 여우"는 오랜 시간 동안 옳은 것이 아니었던 답을 고를 것이다.

5. 모든 답안 선택지를 문법적으로 질문에 일치하도록 작성해야 한다. 그렇지 않은 어떤 선택지는 예리한 시각의 학생에 의해 자동적으로 제거될 것이다.

이상의 중요한 다섯 가지 규칙 외에도, 점수 측정 시에 만약 학생들이 추측으로 불공정하게 이익을 보는 것을 바라지 않는다면, 시험에 추측에 해당되는 불이익을 포함시킨다(예컨대, 시험 점수를 맞은 숫자 빼기 틀린 숫자로 하면 된다). 뿐만 아니라, 시험 보는 동안 항목에 관한 예를 제공하도록 요구하며, 질문을 많이 하는 학생들을 조심해야 한다. 알지 못하고서 정답을 던지는 수가 있다.

학생들을 돕고자 한다면, 답할 수 없는 항목은 넘어가고, 다시 돌아와서, 모르는 것을 추측(추측에 대한 불이익이 없다면)하고, 답 선택지를 들여다보기 전에 각각의 질문에 답하도록 노력해 보라고 말해주는 것이 좋다. 그리고 그들에게 행운 보다는 **노력**을 권하는 것이 좋다.

한 기반이어서는 안 된다.

적절한 시험을 구성하기 위해 교사는 명백하게 교과의 내용(세부 지식, 기술, 개념, 보편적 오해, 기타 영역 등)을 알아야 한다. 그러나 내용에 관한 지식만으로는 충분하지는 않다. 교사는 교과의 목표를 시험 항목으로 변환할 수 있어야 하는데, 이러한 시험 항목은 자료를 알고 있는 학생들과 알고 있지 못한 학생들을 구별하고, 지식뿐만 아니라 교과에 관련된 질적 차이(아마도 고등 수준의 사고에서)를 측정할 것이다.

다중 선택형 질문

이 유형은 특히 중등 수준에서 가장 일반적이고 객관적인 시험 항목이다. 몇몇 학생들은 거의 조각을 맞추는 퍼즐: 먼저 쉬운 조작들을 맞추고 어려운 조각을 나중으로 남겨 두는 것처럼 과제를 보기 때문에 답하기에 재미있다고 생각한다. **다중 선택형 시험** 항목의 기본적 형태는 하나의 질문지, 혹은 선두로 문제를 정의하고, 많은 대안 혹은 선택지 중 하나에 의해 완성되는 것이다. 단 하나의 정답이 있어야 하고, 다른 선택지들은 그럴듯하지만 부정확해야 한다. 이러한 이유로 부정확한 선택지들은 때때로 "혼란자"로 불려진다. 대부분의 경우에 서너 개의 다른 선택지들이 정확한 항목에 따라 주어진다.

문항 작성의 방법은 지식을 보유한 학생이 정답을 선택하게 하고, 다른 선택지에 의해 혼란케하지 않는 것이다; 다른 선택지는 지식을 덜 보유한 학생을 혼란케 한다. 다른 선택지의 개수를 증가시킴으로써 추측의 효과는 감소되지만 전적으로 제거되는 것은 아니다. 25문제 사지 선다형 시험에서, 우연에 의해서만 70점 이상을 획득할 가능성은 1000분의 1에 지나지 않는다. 진위형에서 추측의 효과로 유사한 자유를 성취하려면 200항목이 필요하다.[40]

그럴듯한 틀린 선택지를 활용하면 교사가 시험의 난이도를 통제하는데 도움이 된다. 이러한 것들은 속임수, 혹은 사소한 것이어서는 안 된다. 다중 선택형의 주된 한계점은 틀린 선택지가 특히 선택지가 5개 이상이 되면 종종 구성하기 어렵다는 것이다. 교사가 교과의 내용을 잘 알고 있지 못하면, 대개 구성할 수 있는 양질의 다중 선택형 시험 문항의 수는 제한된다.

다음에는 다중 선택형 문항의 세 가지 예가 제시되어 있다. 첫 번째 문항은 단순한 지식을, 두 번째 문항은 공식의 응용을, 세 번째 문항은 개념의 적용을 검사한다.

1. Henry Kissinger는 (   )로 유명하다. (a) 법인 변호사 (b) 아방가르드 극작가 (c) 초현실주의 예술가 (d) 국제적 연설가 (e) 대중 음악가
2. 섭씨 10도와 동일한 화씨 온도는? (a) 0화씨온도 (b) 32화씨온도 (c) 50화씨온도 (d) 72화씨온도 (e) 100화씨온도
3. 주어진 지도에 따르면 Bango(경도, 위도, 지형도가 제시된 가상 국가)에서 가장 수출될 가능성이 높은 것은? (a) 생선 (b) 오렌지 (c) 소나무 재목 (d) 옥수수

시험의 다른 유형들과 같이, 좋은 다중 선택형 시험 항목은 구성하기 어렵다. 몇몇 교사들이 그 단순성을 인지하여 다중 선택형(인식형) 항목을 무시하지만, 사실 그것은 잘 구성되면, 매우 지적으로 까다롭다. 다중 선택형 항목은 개발하는 데 시간을 요하며, 여러 가지 다른 형태(직접 질문, 불완전한 진술, 가장 좋은 답)로 나올 수 있다. 여기 각각의 예가 제시되어 있다:

- *직접적 질문*:
  군대 이동을 관찰하기 위해 처음 활용된 Thadeus Lowe의 The Intrepid(관측용 기구) 발명은 어느 전쟁 때 이루어졌는가?
  A. 1812년 전쟁
  B. 멕시코-미국 전쟁
  C. 시민 전쟁
  D. 스페인-미국 전쟁

- *불완전한 진술형*:

시민 전쟁을 위해 대부분의 군 장교들을 훈련시킨 고등 교육 기관은 _____이었다.

A. Harvard 대학

B. West Point

C. Annapolis

D. Oberlin 대학

- *가장 좋은 답:*
  다음 중 흑인 연대가 북부를 위한 전투에 더 이상의 약정을 하지 않은 이유를 가장 잘 설명하고 있는 것은?

  A. 대부분의 흑인들이 북부를 위한 전투를 반대했다.

  B. 남부 사람들처럼, 북부의 백인들은 흑인들이 전투할 만큼 용감하지 않다는 고정관념을 지속했다.

  C. 북부에 흑인들이 너무 적게 있었고, 수가 적었기 때문에 흑인 부대를 구성하는 것이 어려웠다.

  D. 흑인들이 비교적 비숙련되었기 때문에 훈련시키는 것이 어려웠다.

다중 선택형 문항 작성 지침

다음은 다중 선택형 문항을 작성하기 위한 제안점들이다.

1. 지문에서 가능한 한, 불완전한 진술 대신 오히려 직접적 질문을 활용해야 한다(직접적 질문은 특히 비숙련된 검사 작성자들에게 모호함을 덜 초래할 것이다).

2. 부정적인 진술은 혼동으로 이끌기 때문에 지문에서 피해야 한다.

3. 지문은 번호를 부여하고, 선택지에는 문자를 활용해야 한다.

4. 특히 선택지에서 극단적인 용어("항상" "결코 아니다" "어떤 것도 아니다")를 피해야 한다; 시험에 준비된 사람은 대개 그것들이 포함된 답을 피한다.

5. 각각의 틀린 선택지는 합리적이고 그럴듯해야 한다.

6. 선택지들이 내용, 형태, 길이, 문법에서 병치되도록 배열해야 한다. 정확한 선택지가 더 길거나, 더 짧거나, 더 정확한 진술이거나, 다른 것에는 부족한 일부분의 언급이 있는 것 등으로 잘못된 선택지와 차이가 나는 것을 피해야 한다.

7. 정답들이 무작위 순서에 되어 있는지 확인해야 한다. 다른 것들보다 더 자주 나오는 특정 문자를 활용해서는 안 되고 정답의 배열을 위해 반복 구조를 만들어서는 안 된다.

8. "모든 것들 중에서", "위의 어떤 사항에도 해당되지 않는"과 같은 선택지를 신중하게 활용해야 한다.

짝짓기형 문항

짝짓기형 시험에는 보통 항목이 두 열로 되어 있다. 학생은 한쪽 열에 있는 각 항목에 대해 다른 쪽 열에서 맞는(짝이 되는) 항목을 선택해야 한다. 이 항목들은 명칭, 용어, 장소, 구문, 인용구, 진술, 사건 등이 된다. 선택의 토대는 지시문에 신중하게 설명되어 있어야 한다.

짝짓기형 문항은 내용의 양과 다양성을 만족시킬 수 있고, 학생들에게 흥미있고(게임과 같은 것), 점수 획득하기에 용이하다는 장점이 있다. 짝짓기형 문항은 지시문 다음에 일련의 선택지 대신에 다른 쪽에 열로 나열된 선택지가 있는 다중 선택형 문항의 변형으로 간주될 수도 있다. 하지만, 단 하나의 응답 항목이 각 질문지 마다 구성되어야 하므로, 다중 선택형 문항보다 문항을 구성하기 더 쉽다.

시험 전문가들에 따르면, 짝짓기형 시험의 한 가지 문제점은 목표와 학습 결과의 관점에서 중요한 동질적인 시험 및 응답 항목을 발견하는 것이다. 시험 작성자는 양쪽 열에서 좋은 항목들로 시작하지만, 동질성을 유지하기 위해 중요하지 않고, 부차적인 정보를 덧붙이는 것이 필요할 수도 있을 것이다.[41] 또 다른 문제점은 짝짓기형 문항들이 종종 이해와 더욱 더 정교한 수준의 사고보다 오히려 회상을 요구한다는 것이다. 고난이 수준의 인지는 유추, 인과, 복합적 관계, 이론에 관계되는 짝짓기형 문항을 요구할 것이지만, 그러한 항목은 구성하기 더 어렵다.[42]

다음은 짝짓기형 연습 문제의 예이다.

유명한 미국 대통령들이 A열에 나열되어 있고, 그들의 행정에 관련된 서술적인 문구가 B열에 나열되어 있습니다. 각 대통령을 설명하는 구문의 문자를 주어진 빈 칸에 써 넣으십시오. 각 문제는 1점입니다.

A열 : 대통령   B열 : 설명 혹은 사건

__ 1. George Washington   a. 시민 전쟁 대통령

__ 2. Thomas Jefferson   b. "New Deal"

__ 3. Abraham Lincoln   c. 미국 초대 대통령

__ 4. Woodrow Wilson   d. Louisiana 영토 획득

__ 5. Franklin Roosevelt   e. "New Frontier"

                                 f. 세계 1차 대전 대통령

짝짓기형 문항 작성 지침

다음의 제안점들은 짝짓기형 문항 작성을 개선할 수도 있을 것이다:

1. A열의 항목과 B열의 항목을 짝짓기 위한 기초를 간략하고 명확하게 지시하는 지시문을 제공해야 한다.

2. A열이 10개 항목 이상을 보유하지 않았는지 확인해야 한다; 아마도 5~6개의 항목이 이상적이다.

3. 단순 제거에 의해 마지막 한 두 개의 항목에 답할 수 없도록, A열에 제시된 것보다 B열에 더 많은 응답을 제공해야 한다. A열에 5개의 항목이 있다면 B열에는 6~7개의 항목이 있어야 한다. A열에 10개 항목이 나열되어 있으면 B열에는 11~12개 항목이 동반되어야 한다.

4. 개별 문항으로 채점될 수 있도록, A열 항목에 번호를 부여하고, B열 항목에 문자를 부여해야 한다.

5. A열, B열 항목을 알파벳 순서, 연대기적 순서(답과 관련 없이 주어지는 것이 아닌 것)와 같은 논리적 순서(B에 보다 더욱)로 표현해야 한다. 그리하여

학생들은 정답을 찾는 데 보다 더 빨리 그것들을 살펴볼 수 있다.

6. 모든 열에 있는 항목들이 내용, 형태, 문법, 길이의 측면에서 유사한지 확인해야 한다. B열에서 유사하지 않은 선택지는 시험에 준비된 학생에게 단서를 제공한다.

7. 부정적인 진술(각 열에서)은 학생들을 혼동시키므로 피하도록 한다.

완성형 문항

완성형 시험은 어떤 단어들이 누락된 문장으로 표현된다. 학생은 의미를 완성하기 위해 빈칸을 채워야 한다. 때때로 *채우기형, 빈칸 채우기형* 문항으로 불리는 이러한 단답형 문항의 유형은 내용을 폭넓고 다양하게 측정하는데 적절하다. 이것은 보통 정보의 회상을 검사함에도 불구하고, 또한 사고와 관계를 이해하는 능력, 추론하는 능력을 요구할 수도 있다. 다른 단답형 문항과 같이 추측과 단서 획득을 위한 기회가 거의 제공되지 않는다.

이러한 시험 문항의 주된 문제점은 답이 항상 객관적이지는 않아서, 교사가 채점하는데 시간이 걸리고, 성적 결과가 판정자에 따라 다양할 수 있다는 점이다. 다중 선택형과 완성형의 결합은 시험 항목에서 모호함을 감소시키고, 점수 판정을 더욱 객관적으로 하는 효과적인 방법이다. 하지만, 이러한 결합은 추측의 기회를 확연히 되살아나게 한다.

다음 예들은 추측이 어떻게 감소되는지 보여준다. 완성형 항목(문항 1)에 답하기 위해, 학생은 Illinois의 중심지를 알아야 한다. 다중 선택형 문항(문항 2)에 답하기 위해, 학생은 그것들에 관련된 지식을 통해 선택지를 제거하고, 추측으로 그것들 중 하나를 간단히 선택할 것이다.

1. Illinois의 중심지는 _____이다.

2. Illinois의 중심지는 (a) Utica, (b) Columbus, (c) Springfield, (d) Cedar Rapids이다.

완성형 작성 지침

완성형 문항을 위한 일반적인 제안사항은 다음과 같다.

1. 완성해야 할 항목이 단 하나의 정답을 가지도록 해야 한다.
2. 채워 넣는 사항이 총명한 학생에게 그럴 듯한 상황판단을 줄 수 있어야 한다. 하찮은 내용이나 틀린 자료에 근거한 내용이어서는 안 된다.
3. 빈칸이 2개를 초과하면, 문항이 모호해지고 혼란스럽기 때문에 2개를 넘지 말아야 한다.
4. 구체적 용어(사람, 장소, 대상, 개념)가 들어가는 완성 문항을 작성해야 한다. 좀 더 포괄적인 의미의 단어 조합을 완성해야 하는 항목은 주관적인 답을 이끌어내거나 점수 산정을 하기가 더 어려워진다.

진위형 질문

교육에서는 모든 종류의 단답형 질문이 사용되고 있다. 그 중에서는 **진위형 시험** 문항이 가장 논쟁의 대상이 된다. 진위형 시험 옹호자는 "논리적 추리의 토대는 명제의 참과 거짓을 평가하는 것"이며, "어떤 학생의 특정 지식 영역에서의 수행 능력은 그 분야와 관련 있는 명제의 참-거짓에 대한 판단을 통해 나타난다"라는 것을 주장한다.[43] 진위형 문항의 주요 이점은 문항 생성과 채점이 쉽다는 점이다. 진위형 시험은 넓은 내용 영역을 포함 할 수 있고, 사전에 지정한 시간 범위 내 많은 수의 문항을 제시할 수 있다. 이를 통해서 교사는 학생의 지식에 대해 정확한 평가를 내릴 수 있다. 문항이 신중하게 생성된다면 원칙의 이해를 평가하는데도 활용될 수 있을 것이다.

비판자는 진위형 문항이 추측을 조장하고, 심지어 보상하기도 하며, 이해보다는 기억을 측정하기 때문에 거의 가치가 없다고 주장한다. 진위형 문항은 묵인적인 응답지―즉 의심이 가면 "예"(또는 "참")라고 사람들이 반응하는 것을 드러내 보여주는 경향이 있다고 하는 사람도 있다.[44] 진위형 문항은 잘 만들지 않으면 단점이 장점보다 우세하게 된다. 시험을 치르는 학생에게 맞는 정확한 언어를 사용해야 모호성과 읽기 능력이 시험결과를 왜곡하지 않을 것이다.

아래에 모호한 진위형 문항의 두 가지 예를 제시하였다.

1. 섬 대륙, 오스트레일리아는 Cook선장에 의해 발견되었다.
2. Will Rogers는 초기에 "나는 내가 좋아하지 않은 사람을 만난 적이 없다."라고 말했다.
3. 액체 속에 잠긴 몸은 액체가 제거되었을 때의 무게의 절반에 해당하는 힘에 의해 뜬다.

문항 1에서는 두 가지 진술이 있고, 학생입장에서 응답해야 할 사항이 두 가지 모두인지 한가지인지 명확하지 않다. 게다가 섬과 대륙의 의미부분도 문제내용에 포함되어 있다. 2번 문항에서는 Rogers가 일찍이 그와 같은 말을 했다는 것에 대한 질문인가 아니면 문항의 표현이 정확하다는 질문인가? 시험문항 분별능력이 뛰어난 학생은 이 문항에 2가지 오류의 방법이 있기 때문에 "거짓"이라 말할 수도 있지만 정답은 "예"이다.

추측은 진위형 시험의 최대 단점이다. 학생이 추측할 때, 정답에 대한 절반의 확률을 갖게 된다. 문항 속의 단서와 시험문항 분별력은 이러한 가능성을 증가시킨다. 시험의 목표는 학생이 알고 있는 것을 측정하는 것이지, 학생이 얼마나 운이 있는지 혹은 영리한지를 측정하려는 것이 아니다. 이러한 단점은 시험문항을 늘리거나 틀린 답에 대해서는 배점의 1/4 혹은 1/3만큼의 감점을 함으로써 보완할 수 있다. 진위형 시험은 질문 내에서 단서를 발견하거나 문항 분별능력이 뛰어난 연령의 학생에 대해서는 활용을 삼가해야 한다. 오히려 질문의 형식보다는 내용에 잘 반응하는 어린 학생에게 더욱 적합하다.

진위형 질문 작성 지침

진위형 항목을 작성하기 위한 몇 가지 제안사항은 다음과 같다.

1. 각각의 진위형 문항이 중요한 개념이나 정보를 평가하도록 한다.

2. 진위형을 나타내는 문장이 예외 없이 참 혹은 거짓으로 구분되도록 한다.

3. 결정적이고 확정적 표현("결코" "단지" "전혀" "항상")은 의도하지 않은 단서가 될 수 있기 때문에 사용하지 않는다. 더욱 중요한 것은 답이 참인 문항에 대해서는 위의 문항을 사용하지 않는다.

4. 판단과 번역("거의..않다" "대부분" "대개")과 관련하여 단어 혹은 문장의 성격을 부여하는 것을 피한다. 더욱 중요한 것은 정답이 거짓인 문항에 위의 표현을 사용하지 말아야 한다.

5. 부정적 문장이나 이중부정의 표현은 학생을 혼란시키고 총명한 학생에게 오답을 줄 수 있으므로 사용하지 말아야 한다.

6. 교재를 발췌한 것이나 익힘책의 문장은 기억을 조장하므로 사용하지 않는다.

7. 참과 거짓 문장에 대해 형태와 길이가 동일하여야 한다. 예를 들면, 참의 문장을 거짓인 문장보다 일관적으로 길게 만들지 않는다. 시험문항 변별력이 높은 학생은 그 유형을 인식할 것이다.

8. 참과 거짓 문항의 수를 비슷하게 구성한다.

9. 간단한 문법적 구조를 사용한다. 종속절과 중문 형태는 학생을 핵심 사고에서 빗나가게 하기 때문에 사용하지 않는다. 총명한 학생의 경우 좀 더 복잡한 문항을 속임수로 이해하거나 의도했던 것 이상의 의미를 읽어내는 경향이 있다.

단답형 질문 개관

표 10.4에는 논의한 것들을 대부분 요약하고 있다. 각기 다른 유형의 단답형 시험은 장점과 단점을 모두 가지고 있다. 교사에 따라 단답형 시험의 선호도가 다르다. 비록 각 유형이 구체적인 시험 환경에 유용한 특징을 가지고 있지만, 다양성을 증가시키고, 지식의 각 유형과 수준을 평가하기 위해 함께 사용될 수 있을 것이다.

다중선택형 질문은 가장 어렵고 문장생성에 많은 시간이 소요된다. 그러나 다중선택형 질문은 다른 단답형 항목보다 더 높은 수준의 학습 수준을 용이하게 평가하는데 활용될 수 있다. 짝짓기 질문 역시 어려우며 문항생성에 많은 시간이 소요되지만, 학생에게 흥미를 부여하고 다양성을 위해 사용될 수 있다. 완성형 질문은 주관적 해석과 점수산출에 개방적이며 높은 학습 수준을 평가하는데 사용될 수 있다. 진위형 질문은 학생이 2가지 중에서 하나를 선택하게끔 하며, 일반적 의미에서 학생이 아는 것과 모르는 것을 평가하는 좋은 방법이다.

논술형 질문

단답형 질문은 특히 교사가 개발한 시험에 있어서 학생간의 각기 다른 사고와 주관적이거나 상상력에 의한 사고를 측정하기 위한 시험이 아니다. 학생이 어떻게 생각하고 문제를 공략하며, 인지적 토대를 쓰고 사용하는지 알기 위해 단답형 시험이상의 것이 필요하다. 논술형 질문은 특별히 구체적인 정답이 없으며 주목할 만한 가치의 평가 자료를 만들어 낸다. 한 평가 전문가는 사실상 작문을 초등학교에서 대학과정에 이르기까지 "가장 실제적인 평가의 형태"로 간주하고 있으며, 동시에 "고수준의 정신 과정을 측정하는" 최고의 평가라고 여기고 있다.[45]

권위있는 학자들은 구조적이고 구체적인 논술형 질문이 있을 수 있는지에 대해 동의하지 않는다. 예를 들면, 어떤 권위자는 "왜" "어떻게" 그리고 "어떤 결과를"과 같은 단어의 사용을 옹호한다. 그들은 (우리가 논술형 질문 1번 유형이라고 부르는) 이러한 방식으로 표현된 질문은 필수적인 지식과 개념의 구사를 요구하고, 학생이 주제 문제를 통합하고 자료를 분석하고, 추론하며, 원인-결과 관계를 보이는 것을 요구한다고 주장한다.[46] 다른 교육자는 "논의하라" "검사하라" 그리고 "설명하라"와 같은 단어 사용을 주장하고, (논술형 질문 2번 유형이라고 불리는) 단어 표현을 요구한다. 그와 같은 표현은 학생에게 반응의 폭을 거의 허용하지 않지만, 교사에게는 학생이 어떻게 사고하는지에

표 10.4 단답형 시험 질문의 장점과 한계

질문 유형	장점	단점
다중선택형	1. 대상과 내용 산출의 융통성 2. 틀린 선택지를 추측하거나 제외하는 것이 가능함 3. 채점이 용이 ; 정답의 수가 명확함	1. 내용에 대한 지식 없이 때때로 정답이 결정될 수 있음 2. 양질의 문항은 높은 수준의 사고력 측정의 잠재력을 가짐 3. 작성시 시간이 과다 소요됨
짝짓기	1. 비교적 작성하기 쉽고, 채점이 용이 2. 연관성을 측정하는데 매우 적합함 3. 넓은 영역의 내용을 평가하는데 사용될 수 있음 ; 다양한 선택사항이 가능	1. 종종 단일 단어와 짧은 구의 활용이 필요 2. 모든 종류의 사고를 측정하는데 사용할 수 없음 ; 목록 또는 개인적 정보는 제한된 지식을 평가함 3. 모든 항목이 짝이 맞아야 하고 항목간 구분이 명확해야 하기 때문에 다른 단답형 질문에 비해 작성이 어려움
완성형	1. 시험 항목 작성이 쉬움 2. 최소한의 추측을 유도 ; 단서가 선택지 혹은 대안에 들어 있지 않음 3. 무엇을, 누가, 어디서, 그리고 어떻게 등에 관한 지식 평가 가능 4. 염려할 만한 추가선택사항, 유인내용, 선택예시 내용 없음	1. 채점이 어려움 2. 어떤 답은 주관적이며 다양한 해석의 여지가 있음 3. 대개 간단한 기억이나 사실적 정보 평가 4. 평가 항목이 때때로 혼란스럽고 애매함 ; 문법에 의해 발생함
진위형	1. 작성하기 가장 쉬움; 채점 용이 2. 대상이나 내용에 대한 포괄적인 표본 선정 3. 내정된 벌점으로 추측에 의한 문제 해결 최소화 4. 염려할 만한 유인 내용 없음 ; 아주 신뢰할 만하고 타당한 항목	1. 때때로 모호하거나 너무 광범위함 2. 인지적 요구가 단순함; 저수준의 사고력 측정 3. 추측 하기 쉬움 4. 전적으로 참 또는 거짓 판단에 의거

출처: Adapted from Norman E. Gronlund and Robert S. Linn, *Measurement and Evaluation in Teaching*, 6th ed. New York: Macmillan, 1990

대해 알 수 있는 기회를 제공한다.[47] 첫 번째 유형보다 더 제한적인 형태의 질문은 어떤 학생에게 동떨어진 반응을 야기할 수 있다. 그 질문유형은 학생이 여러 가지 자료 중에서 얼마나 잘 선택하고, 거부하며, 그리고 자료를 조직하는지를 알게 될 때 유용할 것이다. 다른 사람들은 "비교하라"와 "대조하라"와 같은 단어(논술형 3 번유형)를 사용하여 질문 속에 좀 더 구조적인 것과 집중적인 면을 제공한 더욱 정교한 형태의 질문을

옹호한다.[48] 그와 같은 표현은 학생에게 방향을 제공하는 것에 추가하여 자료를 선택하고 조직하는 것을 요구한다.

표 10.5는 각기 다른 논술형 질문으로 도출된 사고 과정들의 나열이다.

실제적으로 각기 다른 유형의 질문 표현은 학생이 질문에 대한 반응을 조직하는 것을 허용한 자유의 정도에 있어서의 차이를 강조한다. 처음의 두 가지 유형

표 10.5 사고 질문의 예와 사고의 인지 수준

1. 비교
   a. 다음의 두 사람을 ….영역에서 비교하라
   b. …와 …간의 유사점과 차이점을 설명하라.

2. 분류
   a. …에 따라 아래의 항목을 조직하라.
   b. 아래 항목은 어떠한 공통 특성을 가지고 있는가?

3. 개요
   a. 계산할 때 사용하는 절차의 개요를 적어라
   b. …의 이점을 논의하라.

4. 요약
   a. …의 주요 요점을 진술하라.
   b. …의 원칙을 설명하라.

5. 조직화
   a. …의 역사를 추적하라.
   b. …의 발달을 점검하라.

6. 분석
   a. 다음 논의에서 오류를 설명하라
   b. …에 어떠한 자료가 필요한가?

7. 응용
   a. …목적을 위해 사용한 …방법을 명확히 하라.
   b. …의 원인을 분석하라.

8. 추론
   a. 저자는 왜 …라고 말하고 있는가?
   b. X라는 사람은 …한 반응을 할 것 같은가?

9. 연역
   a. …에 대한 기준을 작성하라.
   b. …의 가정에 근거하여 타당한 결론을 세안하라

10. 통합
    a. …이야기를 어떻게 종결할 것인가?
    b. …에 대한 계획을 설명하라.

11. 정당화
    a. …에 대한 근본적 이유를 들어라.
    b. 아래의 대안 중에 어느 것에 동의 하는가? 그 이유는?

12. 식별
    a. …의 특징을 식별하라.
    b. 아래의 …에 근거하여 …의 두 특징을 식별하라.

13. 예측
    a. …의 예상되는 결과를 설명하라.
    b. 만약 …이라면 어떠한 것이 일어날 것 같은가? 그 이유는?

출처: Allan C. Ornstein. "Essay Tests: Use, Development and Grading." *Clearing House* (January-February 1992): 176.Heldref Publications. See also Norman E. Gronlund, Robert L. Linn. *Measurement and Evaluation in Teaching*, 6th ed. New York:Macmillan, 1990.

의 논술형 질문은 "확장된 반응"을 허용한다. 이럴 경우 학생이 자신의 사고를 답안지에 조직화하는 것이 어려울 경우 뒤죽박죽이 되거나, 부적절하거나, 피상적이거나, 예상 밖의 논의가 발생할 수 있다. 세 번째 유형의 논술형 질문은 "집중된 반응"을 시사한다. 이럴 경우 간단한 기억의 회상이나 다양한 세부내용의 나열이 될 수 있다.

논술형 질문은 학생이 어떻게 분석하고, 통합하고, 평가하고, 논리적으로 사고하고, 문제를 해결하고, 가정하는지 판단하는데 효과적으로 사용될 수 있다. 또한 학생이 어떻게 사고를 조직하고 관점을 지지하며, 그리고 아이디어, 방법, 해결책 등을 생성하는지 보여줄 수 있다. 질문의 복잡성과 학생에게 기대되는 사고

의 복잡성은 학생의 연령과 능력 그리고 경험에 맞게 조절될 수 있다. 또 다른 장점은 논술형 질문은 생성이 용이하고, 시간이 적게 소요된다는 점이다. 반면 주요 단점은 답안을 읽고 평가하는 데 엄청난 시간이 드는 점과 채점의 주관적 측면이다. 반응에 대한 표준뿐만 아니라 답안의 길이와 복잡성도 채점에 있어 신뢰문제를 일으킬 수 있다.

어떤 연구에서는 몇 명의 교사로 하여금 논술형 질문 평가 시 같은 답안에 대해 개별적으로 채점하도록 한 결과 아주 우수한 것에서부터 수준미달에 이르는 결과 분포를 보였다. 이러한 다양성은 교사간에 평가 기준이 매우 넓은 범위를 가지고 있음을 보여주고 있다. 더욱 문제인 것은 한 연구에서 같은 교사가 같은 논

술형 질문 평가를 다른 시기에 하게 한 결과 현저하게 다른 성적을 부여한 것을 밝힌 점이다.[49] 또한 교사는 내용에 근거해서만 성적을 부여하게끔 되어 있을 때도 필체나 작문의 질, 철자와 같은 요인에 영향을 받았음을 밝혔다.[50]

논술형 시험의 신뢰성을 증가시키는 한 방법은 질문의 수를 증가시키고 답의 길이를 제한시키는 것이다. 질문이 더욱 구체적이고 제한된다면 교사가 채점할 때에 모호함이 줄고 해석이나 주관성에 영향을 받는 것이 줄어들 것이다.[51] 교사에게 있어 또 다른 방법은 답안에 포함되어야 할 바람직한 답의 개요를 개발하는 것이다. 교사가 예상 답안을 더욱 분명하게 정의해 놓는다면 다양한 학생의 답안을 좀더 "신뢰 있게" 성적을 부여할 수 있다. 이것에 대한 이유는 명확하다. 논술형 시험은 다소 주관적이고 그러한 이유 때문에 학생 답안을 평가할 때 어느 정도의 비 신뢰성이 항상 있기 때문이다.

전체가 논술형 질문으로 구성된 시험은 한정된 내용만을 다룰 수 있다. 왜냐하면, 몇 개의 문제만이 주어진 시간 내에 답을 할 수 있기 때문이다. 그러나 이러한 한계는 논술형 시험을 위해 공부할 때 성취도가 높은 학생이 대상과목과 과정을 전체적인 관점에서 보고 사고와 개념과 원칙의 관계를 볼 가능성이 높다는 사실에 의해 보완된다.

논술형 시험의 답은 학생의 작문 서술 능력에 의해 영향을 받는다. 많은 학생이 추상적인 자료를 이해하고 다룰 수는 있지만 작문시험에서 자신이 이해한 내용을 쓰고 보여주는 데는 문제를 가지고 있다. 학생은 긴장한 나머지 짧은 답안을 쓸 수 도 있고, 혼란스럽게 쓸 수도 있고, 저수준의 지식만을 표현할 수도 있다. 이러한 문제를 완화시킬 한가지 방법은 논술형 답안을 쓰는 법을 자세히 알려주는 것이다. 슬프게도 학생에게 논술형 답안을 쓰는 법을 가르치는데 시간을 들이는 교사는 거의 없다. 종종 영어교사가 이러한 일을 해주기를 기대하지만 영어교사 입장에서는 문법과 철자, 발음을 교육하는 데 너무 바쁘기 때문에 논술형 글쓰기 기술에는 접근할 수 없다.

반면에 글을 잘 쓰는데 그 과정의 내용을 배우지 않은 학생의 경우도 있다. 그들의 작문 능력은 구체적 지식의 부족함을 드러낼 것이다. 교사는 적합한 정보와 부적절한 사실 및 생각을 구분할 수 있는 능력이 중요하다. 비록 논술형 질문이 작성하긴 쉬워 보여도 학생의 인지 능력을 평가하기 위해서는 문항을 신중하게 구성해야 한다. 즉 타당한 질문을 작성해야 한다는 것이다. 논술형 질문이 학생에 의해 변절되어 구체적 상황에 정보를 응용하거나, 다른 정보와 통합하거나, 개념의 이해를 보여주지 않고, 사실만을 나열하게 하는 수가 많다. "2차 세계대전의 원인은 무엇인가?"라는 질문이 구체적 원인을 통합하지 않고, 나열만 하게 되는 질문의 예이다. 더 좋은 질문은 "Winston Churchill, Franklin Roosevelt, 그리고 Adolph Hitler가 2차 세계대전의 원인에 대해 청중에게 설명하기 위해 초대되었다고 가정하자. 각자는 무슨 말을 할까? 가장 중요한 원인으로서 어떤 것을 선택할까? 그들은 어떤 점에서 동의할까? 아니면 동의하지 않을까?"

논술형 질문 활용을 결정하는데 고려 해야 할 요인으로는 논술형 시험 답안 채점과 관련하여 난이도와 시간, 채점의 낮은 신뢰도, 제한된 내용 예시, 논술형 주제 자체의 타당성, 문제구성의 용이함, 심화된 인지 수준의 평가, 전체로서의 주제의 통합 촉진 등이 있다. 대부분의 교사는 단답형 질문과 논술형 질문이 가지고 있는 장점을 모두 이용하여 두 가지 형태의 질문을 40 대 60 정도의 비율로 문항 구성을 한다. 이러한 균형은 어느 정도는 성적수준에 의해 결정되었다. 상위 학년에서는 해당학생들이 받아 들일 수 있는 답안을 구성할 수 있다고 믿어지기 때문에 더 많은 논술형 질문을 요구하고 있다. Piaget의 발달단계에 따르면, 11살에 시작되는 형식적 조작기에서 논술형(실제로는 단문 논술형)을 다룰 수 있어야 한다.

논술형 질문 작성 지침

여기에는 논술형 질문을 준비하고, 채점하기 위한 제안이 제시되어 있다.

1. 학생들이 무엇에 대해 쓸 것인지를 알려주는 구체적인 설명 지도하기. 필요하다면 3-4문장으로 지시문 작성하기.

2. 가능한 한 단순하고, 명료하게 각 질문을 말로 표현하기.

3. 학생들이 질문에 대답할 충분한 시간 주기. 교사가 학생들이 그 질문에 대답하는데 설리는 시간이 어느 정도인지를 추정하고, 학생들의 나이와 능력에 따라 이 시간을 2~3배 하는 것이 최상의 원칙이다. 각 질문에 대한 학생들이 자신의 속도로 진행할 수 있도록 시간을 할당하도록 한다.

4. 상당히 많은 생각을 요구하는 질문을 하기. 사실을 보고서로 작성하기 보다는 오히려 자료 조직, 분석, 해석, 이론의 공식화에 대한 평가에 초점을 두는 논술형 질문을 사용하기.

5. 학생들에게 3개 중에 2개 선택하기 같은 질문을 선택할 기회를 주기. 그 교과 전체를 알면서도 질문 받은 특정 영역에는 제한적으로 알고 있는 학생이 불이익을 당하지 않도록 한다.[52]

6. 사전에 각 질문이나 한 질문의 부분에 부담이 얼마나 주어질지를 결정하기. 시험에 대해 이러한 정보를 주고, 그에 맞게 채점하기.

7. 시험치기 전에 학생들에게 채점 방식을 설명하기. 채점 방식이 아이디어에 대한 지식, 개발, 조직과 문법, 구두법, 철자법, 서법 그리고 평가에 고려될 다른 요인들에 주어질 가중치가 어느 정도 일지를 학생들에게 명료하게 해야 한다.

8. 모든 학생들에게 채점 방식을 똑같이 적용하기. 학생들의 대답의 질과 관련이 거의 없고, 오히려 "후광효과"(학생들의 능력, 태도 또는 행동에 대한 인상에 따라 학생들의 점수에 영향을 미치는 경향)가 가지는 편견을 줄이기 위해서 등급을 매기고 있는 학생들의 이름을 가리기.

9. 채점에 있어서의 신뢰도를 높이기 위해서 한번에 한 장의 시험지보다는 한번에 한가지 질문에 점수를 매기기. 이 기법은 각 구체적인 질문에 대한 응답을 비교하고, 평가하는 것을 더 쉽게 만든다.

10. 학생들을 위해 평가지에 잘된 부분을 적고, 질문에 대한 대답을 어떻게 하면 개선할 수 있는지를 설명한 간단한 의견을 적기. 간단한 의견을 적을 때 다른 학생과 비교하지 말기.

참평가

참평가는 학술조사 연구과제, 집단 연구과제, 과학적 실험, 구술 발표, 전시, 그리고 다양한 교과영역에 대한 포트폴리오 같은 학생이 아는 것을 교사가 주시하고, 평가하게 한다. 참평가 기법은 학생들이 그들의 능력을 최대한 펼치고, 독립적인 과제를 수행하고, 새로운 아이디어나 연구과제를 생성하도록 조장한다. 학습이 진행되는 동안에 교사는 촉진자와 코치로서 행동하도록 기대되고, 학생들과 대화를 하고, 평가를 진행하는 동안 학생들에게 그들의 아이디어를 변호하도록 요구한다.

비평가들에 따르면, 표준검사는 높은 수준의 기능과 능력을 건드리지 못한다. 표준검사는 학생들이 문제를 풀고, 대안을 평가하고, 아이디어나 산출물을 창조하기 위해 표준검사를 준비하는 대신 정보를 회상하도록 조장하는 정도이다.[53] 그러나 참평가는 본질적인 기능이나 과제를 평가한다. 참평가는 불필요하게 주제넘거나 일부만 알고 있는 것을 평가하지 않는다. 참평가는 맥락적이고, 복잡한 사고과정과 관련되어 있다. 과제나 고립된 정보 조각으로 세분화하지 않는다.

학생들은 상대적 기준이나 절대적 기준이 아닌 수행 기준이나 기대에 따라서 등급이 매겨진다. 평가 체제(채점기준표)는 하나의 총합에 의한 등급으로 끝나는 대신 많은 면을 가지고 있다. 그리고 자기 평가는 평가과정의 부분이다. 참평가에서는 학급 친구 또는 다른 선생님 등이 시험관의 역할로 참여하는 패널이 있다. 참평가는 시간제한에 의존하지 않는다. 수행에는 다양한 학생들의 학습 유형과 적성, 흥미들에 여지가 있다. 그리고 학생들간의 비교는 최소화된다.[54]

교사들은 폭넓고, 다양한 참평가를 위해 학생들의

초등학교

모의실험 게임 채점기준표

준거	[·] 1	[··] [··] 2	[:·] [:·] [··] 3	[:::] [:::] [:::] 4
분명하게 진술된 게임의 목표	목표가 없음	모호한 목표	목표가 진술되었지만 도달하기 어려움	목표가 분명히 진술되고, 도달가능함
게임을 위한 지시문	지시문 없음	지시문이 제공되지만 분명하지 않음	분명한 지시문이 제공됨	분명하고 간결한 지시문
게임을 위한 시각자료	시각자료 없음	간단한 그래표가 제공됨	게임의 명확한 도표가 제공됨	도표가 명확하고 창조적임
독창성	다른 게임에서 복사해옴	일상적인 아이디어	다른 꼬임을 가진 일상적인 아이디어	색다른 아이디어
집단 효과	집단 구성원들이 다함께 잘 참여하지 않음	구성원들이 어느 정도 잘 참여함	구성원들이 거의 대부분 잘 참여함	모든 구성원들이 내내 다함께 잘 참여함

□ 자기 평가
□ 집단 평가
□ 교사 평가

등급 척도
18 - 20점 = A
15 - 17점 = B
10 - 14점 = C
9점이나 그 이하 = 미흡

총점
_____
(20)

┃그림 10.1┃

출처: Kay Burke, *How to Assesss Authentic Learning* (Arlington Heights, Illinois: Merrill Prentice Hall, 1999) : p.51.

의사소통기능, 포트폴리오, 구두 발표, 학생들에 의해 행해진 낭독, 수행과제, 문제해결 또는 심지어 모의실험 평가를 위한 채점기준표를 만들 수 있다. 초등, 중등, 고등학교 수준의 채점기준표의 예시가 그림 10.1, 10.2, 10.3에 제공된다. 각각의 예들은 (모의실험, 협동학습상황, 그리고 학생들이 문제를 해결하기 위해 노력하는 상황 등을 위한) 채점기준표에 대한 다른 사고방식을 제시하고 있다.

이러한 채점기준표에 대하여 세부적인 것들을 관찰할 필요가 있는데, 왜냐하면 그것들은 교사 스스로가 자신의 방식으로 그것을 어떻게 생성하는지를 알려주기 때문이다.

이러한 것들이 총체적인 채점기준표 인지 분석적인 채점기준표인지를 관찰하는 것이 좋다. 그것들이 수행의 여러 수준에 따라 특정 준거(예, 어떤 문제를 규명하

기)를 평가한다면 분석적이고, 학생의 수행에 대해 하나의 평가나 점수를 준다면 총체적이다.

채점기준표가 많은 다른 과제에 사용될 수 있는지, 아니면 오직 하나의 특정한 과제만을 위해 유용한지를 관찰하는 것이 좋다. 그림 10.1, 10.2, 10.3은 일반적이다. 이집트 예술 같은 것에 대한 한 단원을 위해 교실 수업 과제를 고안하는 것은 하나의 과제를 위한 특수한 것이 될 것이다.

학습자와 그들이 아는 것에 대한 극도로 단순화된 관점의 결과로 채점기준표를 만들 때 지나친 단순화가 될 수 있다. Wiggins와 McTighe는 교사들에게 채점기준표에 대해 좀더 복합적인 방식으로 생각하라고 한다. 그들이 주장하는 좋은 채점기준표는 교사가 학생 설명을 단순함에서 복잡하고, 정교하게 볼 수 있게 한다. Wiggins의 말로 하면, "이해는 정도의 문제이다."[55]

┌───┐

중학교

집단활동 점검표

팀 연구과제를 위한 나의 협동적 집단 기능에 대한 자기-평가

1. 나는 모든 과제에 참석했다.   1   2   3   4   ☐
   - 나는 나에게 부여된 역할을 수행했다.
   - 나는 팀 구성원을 도왔다.
   - 나는 집단에 헌신했다.

2. 나는 적절하게 시간을 사용했다.   1   2   3   4   ☐
   - 나는 과제를 지속했다.
   - 나는 나의 팀 활동을 주시했다.
   - 나는 우리의 과제를 끝내는
     "마지막 순간" 까지 기다리지 않았다.

3. 나는 적절히 행동했다.   1   2   3   4   ☐
   - 나는 모든 사람들에게 정중했다.
   - 나는 말대꾸를 하지 않았다.
   - 나는 적절한 언어를 사용했다.

┌──────────────────────┐   **등급척도**
│ 의견 :   │   11−12점＝A
│ ─────────────────────│   9−10점＝B
│ ─────────────────────│   7−8점＝C
│ ─────────────────────│   6점 이하＝미흡
└──────────────────────┘   최종점수 ☐
                           최종등급 ☐

서명: _____   날짜: _____

└───┘

┃그림 10.2┃

출처: Kay Burke, *How to Assesss Authentic Learning* (Arlington Heights, Illinois: Merrill Prentice Hall, 1999) : p.51.

채점기준표로 하려는 것은 이해의 정도를 보고자 하는 것이다. 예를 들어 적용을 평가하려면, 초보적(단순한) 수준은 글로 기록된 것(단계들을 따르기)에 대해 많이 성찰하겠지만, 능숙한 단계에서의 수행은 유동적이고, 융통성이 있을 것이다. 채점기준표를 가지고, 학습자의 수준이 어떤 지와 어떤 유형의 성장이 여전히 요구되는지를 평가하려고 시도하고 있다.

채점기준표를 개발하는 정확한 방법은 없지만 Arter와 McTighe에 의해 잘 만들어진 몇 가지 선호하는 단계가 있다.

1. 평가하기로 계획한 내용에 관해 전문가가 말하는 것을 살펴보고, 사용할 수 있는 채점기준표가 이미 존재하는지 찾아본다.
2. 학생들의 과제에서 교사가 보기를 원하는 수행 지표들의 목록을 만든다.
3. 학생들의 과제 몇 개를 수집하여 채점기준표를 검사한다. 채점기준표가 학생들의 작업에서 질적인 차이점을 발견할 수 있는가?
4. 학생들의 작업을 규정된 질적 집단으로 분류하기. 집단은 실질적인 질적 차이를 보여주는가?[56]

	고등학교			
문제-해결 채점기준표				
준거	초심자	진행중	전문가와 만남	기대를 넘어서는
실질적인 문제 확인하기	문제? 어떤 문제?	누군가 문제가 있다고 지적함	문제가 있음을 인식함	실질적인 문제를 규명함
사실 모으기	사실을 모을 필요를 인식하지 않음	스스로 한가지 사실을 수집할 수 있나?	추가적인 사실들을 얻기 위한 곳을 알게 됨	모든 필요한 사실들을 얻기 위해 정보에 접근함
가능한 문제해결을 브레인스토밍하기	어떤 해결책을 생성하지 못함	누군가의 도움으로 한가지 아이디어를 생성함	독립적으로 2~3가지 해결책을 생성함	독립적으로 4가지의 창조적인 해결책을 생성함
가능한 해결책의 효과성 평가하기	신청한 해결책의 효과성을 평가하지 않음	해결책의 일부분을 득과 실로 인식함	각각의 가능한 해결책의 효과성을 분석할 시간을 가짐	다음에 다르게 할 것을 결정하기 위해서 재교를 함

▌그림 10.3▐

출처: Kay Burke, *How to Assesss Authentic Learning* (Arlington Heights, Illinois: Merrill Prentice Hall, 1999) : p.51.

참 수행 평가에서, 학생들과 교사들은 학습 공동체의 일부분이 된다. 성취 기준은 명확하고, 동의가 이루어지고, 학교의 목표와 같은 선상에 있어서, 학생들이 기준에 의해 놀라지 않는다. 학생들은 그들의 수행을 수정하거나 바꿀 기회를 갖는다. 그들의 작업은 공적인 학습과 공적인 전시의 원천—급우에게 서로 학습할 기회를 제공하는 것—이 될 만큼 충분히 중요하다. 참평가는 교과나 영역에서 대표적인 수행을 중심으로 설계된다. 이러한 유형의 평가에서 교수, 학습, 평가를 정렬시키는데 좀더 큰 관심을 둔다. 학생들은 공개적으로 그들의 아이디어를 변호할 정도로 자신들의 평가에 있어서 적극적인 역할을 담당한다.

많은 교사들이 참평가에 대해 열정을 갖고 있는 것은 학생들의 공식적인 평가(예컨대, 선다형 평가)에 대한 실망이 반영된 것이다. 즉, 공식적인 평가는 실질적인 학습의 증거를 제공하기에는 너무 제한적으로 보인다는 것이다. 참평가에서 학습자의 반응은 중요하게 여겨진다.

참평가는 다양한 평가 전략을 받아들이는 일반적인 용어이다. 교사가 사용할 수 있는 포트폴리오, 수행평가, 연구과제 작업 등과 같은 여러 가지 다른 유형의 참평가가 있다. 아마도 가장 뛰어난 전략은 포트폴리오일 것이다.

포트폴리오

포트폴리오(학생이 달성한 것에 대한 정보를 총합적으로 공유하는 방법, 11장에서 언급된다)는 학생의 가장 잘된 과업, 즉 완성된 과업의 기록을 편집해 놓은 것이다. 예술가와 사진 작가들 사이에서 오랜 인기를 누리고 있는 포트폴리오는 학생이 달성하고자 하는 바를 문서화하는 새로운 방법으로 등장하고 있다. Paulson, Paulson과 Mayer는 포트폴리오로 작업하는 데 필요한 지침을 제시한다.

1. 포트폴리오를 개발하는 것은 학생이 학습에 대해 배울 기회를 준다. 그래서 최종의 것은 학생이 자기 성찰을 하고 있는 것을 보여주는 정보를 담고 있어야 한다.

2. 포트폴리오는 학생에게 행해지는 것이 아니라 학생이 행하는 무엇이다. 포트폴리오 평가는 학생이 그들 자신의 과업을 중요시하고, 더 나아가 자신을 학습자로서 존중하는 것을 학습하는 확실한 방법을 알려준다. 따라서 학생들은 포함시킬 자료를 선택하는 과정에 참여해야 한다.

3. 포트폴리오는 학생의 누적된 서류철과는 구분되며 다르다. 중앙의 보관소에 보관되어 있는 성적표와 다른 누적된 서류 정보가 거기에 있는 다른 자료들의 맥락 내에서 새로운 의미를 가질 경우, 이들을 포트폴리오에 포함시켜야 한다.

4. 포트폴리오는 학생의 행동을 명시적, 암시적으로 전달해야 한다. 예컨대, 이론적 근거(포트폴리오 작성 목적), 의도(목표), 내용(실질적인 제시내용), 성취기준(좋고 나쁜 수행과 관련된 것), 그리고 판단(내용이 우리에게 알려주는 것)등을 전달해야 한다.

5. 포트폴리오는 한 학년도의 마지막에 충족시키려는 목적과는 다른 목적을 그 해 중간에 충족시킬 수 있다. 문제 영역의 과업을 부분적으로 완성한 것과 같은 몇 가지 자료는 교육적이기 때문에 포트폴리오에 넣을 수 있다. 그러나 그 해의 마지막에는 학생이 공개하려는 자료만을 포트폴리오에 포함시킬 수 있다.

6. 포트폴리오에는 다양한 목적이 있으나 절대 충돌하지는 않는다. 학생의 개인적인 목표와 관심은 그들이 수업자료를 선택하는 것에 나타나 있으나, 그 안에 포함된 정보는 교사, 부모, 또는 학군의 관심을 또한 반영할 수 있다. 학생 포트폴리오의 가장 일반적인 유일한 목적은 수업 프로그램에 나타난 최종목표를 진행하는 절차를 보여주는 것이다.

7. 포트폴리오는 성장을 묘사하는 정보가 있어야 한다. 성장을 설명하는 많은 방법이 있다. 가장 명확한 방법은 학생 기능이 어떻게 향상되었는지를 보여주는 학교 수행에 대한 실질적인 기록에 대한 일련의 사례를 포함하는 것이다. 독서와 같은 외부 활동을 기록한 조사기록표 또는 행동 측정상의 변화는 학생 성장을 묘사하는 다른 방법이다.[57]

포트폴리오에는 상당히 다양한 형태가 있다. 초등학교 교사는 학생이 (a)(폭 넓게 다양한 작문 사례가 있는) 작문, (b) 문해력과 학생이 읽거나 작문을 했던 수업자료를 포함하고, (c) 교사가 지정한 단원의 부분으로서 발생한 다른 모든 수업자료를 포함하는 단원 또는 그와 동등한 것, (d) 학생이 주 또는 학군이 부여한 성취기준을 충족 또는 만족시키는 다양한 방법을 묘사하는 성취기준 등이 들어 있는 포트폴리오를 개발하는 것을 고려할 지도 모른다.[58]

이들 포트폴리오 각각은 학생이 교실 내에서 학습하는 것을 보여주는 다양한 방법을 나타낸다. 포트폴리오의 형태는 여러분이 마음 속에 갖고 있는 목적에 의해서도 또한 결정될 것이다.

- 학생 수행을 지역 또는 주의 성취기준과 연관시켜 기록하도록 노력하고 있는가?
- 학생의 발달상의 성장을 기록하도록 노력하고 있는가?

수행기반 평가

참 평가의 또 다른 형태로는 **수행기반 평가**로 기술되는 것이 있다. 이 형태의 평가는 학생이 실제적이기보다는 계획된 특정 과제와 연관된 그들의 지식 또는 기능을 몇 가지 실제적인 방법으로 보여줄 것을 요구한다. 새로 부각되는 주 표준화 시험 몇 가지에는 수행 요소가 있다. 예컨대, Connecticut의 CAPT시험은 학생이 화학 실험을 수행하고, 실용적인 문제를 풀기 위해 대수학을 사용하고, 그리고 작문에서 명확하고 명백한 논쟁을 이끄는 개인적인 능력을 보여주기 위한 설득력 있는 편지를 쓰게 한다. CAPT 옹호자들은 수행 평가가 학군으로 하여금 학생이 향상된 분석 기능을 강화시킬 실제적인 문제를 다루게 하는 교육과정을 만들게 하고 있다고 믿는다.

아마도 수행 평가에 대한 가장 유명한 설명은 Sizer 의 "전시"의 개념이다. Sizer는 Coalition of Essential Schools의 창립자로, "학생은 그의 학습 산물을 전시해야만 한다. 만약 그가 잘 한다면, 그는 지식을 사용할 수 있는 자기 자신을 확신할 수 있고, 다른 사람도 그렇다고 확신 시킬 수 있다. 그것은 농구에서 자유투를 넣을 수 있는 것과 학문적으로 동등하다."라고 주장한다.[59] 학생은 그들의 기억 기능을 보여주기 위해 수행해야 하는 몇 가지 전시 사례가 표 10.6에 있다. 전시는 다양한 형태로 나타날 수 있는데, 기억이 필요한 것도 있고, 작문이 필요한 것도, 여러 가지 형태의 기능 시연을 함의하고 있는 것도 있다. 그러나 각 전시는 학생이 알기를 원하는 내용을 교사가 학생으로 하여금 행하게 하는 일반적인 요인이 있다. 전시는 학생이 지식을 보다 개인적이고, 이상적으로, 그리고 의미 있는 방법으로 나타낼 수 있게 한다. 개인적인 표현은 더욱 더 생각에 대한 소유의식을 강화시키고 학생이 그들의 학습에서 보다 동기가 유발되도록 돕는다.

연구과제 과업

참 평가의 세 번째 형태는 **연구과제 과업**이다. 수행은 기능의 단기적인 시연(시를 암송하기)을 요구하는 경향이 있는 반면, 연구과제는 보다 장기적이고 협력적인 노력을 필요로 한다. Greeno와 Hall은 다음과 같이 언급하고 있다.

표 10.6 전시: 기억하여 실행하기

여러분의 최종 전시의 일부로서, 여러분은 여러분 자신과 우리에게 기억력으로부터 다음과 같은 것을 할 수 있다는 것을 보여주어야 한다.

1 여러분의 가족이나 공동체에 특별한 시, 노래 또는 이야기를 암송하기.

2 세계지도 그리기, 자유묘사하기(전통적인 메르카토르식 투영도법), 여러분을 위해 임의로 우리가 선택한 연합국의 최소 12개에서 15개의 국가를 여러분의 지도에 적합하게 배치하도록 준비하기.

3 미국 지도 그리기, 자유묘사하기, 여러분을 위해 임의로 우리가 선택한 최소 12개에서 15개의 주를 여러분의 지도 위에 정확하게 배치하기.

4 현재 미국 대통령과 부통령, 두 명의 미국 상원의원, 여러분의 지역구의 국회의원, 여러분 주의 국회의원과 상원의원 그리고 이 도시의 시장에 대해 확인하고 질문하기.

5 여러분이 발견할 수 밖에 없을 정도로 마음을 끌고 이 실습에 적합하다고 동의하는 역사나 문학에서 나온 연설을 우리를 위해 기억하여 암송하기.

6 여러분이 지난 몇 년 동안 모은 1750년 이후의 시각표를 설명하고 그 위에 나타난 어떤 사건에 대한 질문에 대답할 것을 준비하기.

7 우리의 현재 지역 환경으로부터 5개의 새, 벌레, 나무, 포유류, 꽃과 식물을 확인한 것을 준비하기.

8 서로 동의한 정해진 시간에, 우리는 여러분에게 문구나 유사한 "문제" (예컨대, 분해하고 재조립하는 기계)를 주고, 그것을 암기하거나 습득하는데 3일을 줄 것이다. 그리고 나서 여러분이 이 실습을 잘 하는 방법을 우리에게 보여줄 것을 요청할 것이다.

9 여러분이 기억 과제를 완수한 방법 즉, 여러분이 가장 잘 기억하는 것을 배운 방법에 대해 우리와 함께 성찰하는 것에 대비한다.

출처: "An Exhibition from Memory," from *Horace's School* by Theodore R. Sizer, Copyright©1992 by Theodore R. Sizer. Reprinted by permission of Houghton Mifflin Co. All rights reserved.

학생을 이들 연구과제 기반 활동에 참여 시키는 교사는 보통 학생 집단이 그들의 과업을 학급의 나머지 학생들에게 설명하게 한다. 어떤 연구과제에서는 학생의 설명을 같은 문제를 다루는 연구과제에서 작업하고 있는 다른 학급의 학생에게 보여줄 뿐만 아니라 비디오테이프로 촬영되어, 평가자 패널에 제출되기도 한다. 이들 설명은 평가를 위한 주요 정보원이고 가치 있는 학습 활동이다. Middle-School Mathematics Through Applications Project에서 교사는 학생의 과업을 통해 중간 설명이 필수적이라는 것을 알았다. 교사와 다른 학생 집단이 설명을 비평한다. 설명을 준비하는 학생은 그들의 생각과 발견을 나타내는 대안적인 방법을 평가하는 것을 배운다. 다른 학생의 설명을 평가하는 학생은 이해를 전달하기 위한 표현의 효과를 판단하는 방법을 배운다.[60]

학생들은 그들이 아는 것을 보여주고 몇 가지 표창과 보상 또는 등급을 얻기 위해서는 장기간에 걸쳐 작업을 수행한다. 연구과제는 학생의 자기 훈련과 동기화를 어느 정도 강화시킨다. 정말로, 어느 한 작가의 딸은 연구과제 지향의 독어 교사를 두었는데, 이 딸의 자기 훈련과 동기화를 실제적으로 향상시켰다. 연구과제는 그 딸의 개인적인 능력에 영합하는 표현 형태에서 그녀가 알고 있는 것을 시연할 유일한 기회였다.

Rothman이 이들 대안적인 평가가 "학생이 복잡한 사고를 시연하게 하는 것이지, 단지 분리된 기능은 아니다. … 이들 평가는 모든 질문에는 하나의 정답이 있으며 목표는 그것을 찾는 것이며, 빨리 찾는 것이 최종 목적이라는 다중 선택 시험에 내포된 관점에 이의를 제기한다"고 주장한다.[61] 이들 평가의 형태는 학생이 아는 것을 시연하기 전에, 그들 자신의 지식을 구조화하는 데 보다 활동적이 되게 돕는 것과 또한 관련 있다. Elliot Eisner는 신랄하게 기술한다.

수행 평가는 4개 또는 5개의 틀린 선택지들로부터 하나의 정답을 선택할 것을 요구하는 평가 관행에서 멀리 벗어나서, 문제 상황에서 "그들이 아는 것과 할 수 있는 것"에 대해 평가자가 타당한 판단을 내릴 수 있도록 학생이 수행을 통해 증거를 만들도록 하는 관행으로 옮기는 것이 목적이다. 수행 평가는 단답형 시험의 창안과 제 1차 세계 대전 동안 그것의 광범위한 사용 이후로 평가에서 가장 중요한 발전이다.[62]

수행 기반 평가는 결점이 있다. 그런 평가는 교사의 사고와 상당한 정도의 학생 시간을 필요로 한다. (그러나, 수행 기반 평가를 치르는데 걸린 시간을 평가할 때, 학생이 결과물 또는 평가를 위한 수행을 하는 데 걸린 시간 또한 학습 시간이라는 것을 기억하는 것이 중요하다.) 다른 결점은 만약 교사가 분명한 채점기준표를 만들어 사용하지 않는다면, 학생 수행과 연구과제를 평가하는 것이 어렵다.

시험 실시와 돌려주기

여러분은 시험을 언제, 어떻게 볼 것인지를 결정할 필요가 있다. 시험 보는 것이 중요하다고 생각하는 교사는 종종 짧은 시간 간격으로 몇 가지 시험을 제시한다. 시험이 그렇게 중요하지 않은 사람은 그보다는 적게 시험을 볼 것이다. 일반적으로 수업보다 숙달 또는 역량적 접근을 더 선호하는 교사는 학생 수행을 등급화할 뿐만 아니라 학습 과정의 진단과 점검, 수업을 개별화할 목적으로 많은 준거지향검사를 제시한다. 광범위하고 인지적 접근을 선호하는 교사는 과목에 대한 학생 지식을 평가하는 교실 시험을 보다 적게 볼 것이다. 시험에 대한 그들의 접근이 어떤 것이든 간에, 교사는 시험(또는 어떤 평가이라도)을 미리 잘 공지해 주어야 한다. 해당 내용과 평가 방법, 그리고 최종 등급에 얼마나 반영될 것인지를 논의한다. 11장에서, 우리는 과정을 등급화하고 여러분이 생각해야 하는 선택사항에 대해 보다 많이 논의할 것이다.

시험 치르기 기능

학생의 지식보다 조건이 시험볼 때 학생 수행에 영향을 미칠 수 있다. 그런 요인 중 하나는 그들의 일반적인 시험응시 능력으로서 특정 과목의 시험과는 완전히 구별된다. 시험치르기 기능은 모든 학생에게 중요하다. 시험을 여러 번 치르고, 일반 상식을 갖고 있는 대부분의 학생이라면 그들의 점수를 향상시킬 수 있는 특별한 기능을 학습할 수 있다. 좋은 시험치르기 전략을 개발하는 것이 비도덕적이거나 정직하지 못하게 이뤄져서는 안 된다. 그보다는 시험 상황에서 걱정을 감소시키는 방법이어야 할 것이다. 많은 시험 관계자들은 모든 학생이 시험 요령을 훈련 받아야 한다고 주장한다.[63]

중요한 시험치르기 기능은 학생에게 가르쳐질 수 있다. 학생들에게 시험 질문을 진단하고, 시험치르기가 포함된 전략을 연습시켰을 때, (비록 연구자마다 효과크기가 다르긴 하지만) 그들의 시험 점수는 보통 향상된다.[64]

교사를 위한 조언 10.4는 학생이 시험 치르는 것을 여러분이 준비시키는데 도움이 될 것이다. 여러분은 일반적인 시험치르기 기능과 관련된 몇 가지 생각과, 출제자가 시험을 적합하지 못하게 구성했다면 유용할지도 모를 시험 특화 기능과 연관된 것들도 알게 될 것이다.

예컨대, 일반적인 시험치르기 전략에는 다음과 같은 것들이 있다.

1. 시험 경향에 주의 깊게 주의를 기울이고 그리고 나서 여러분이 완전히 그것을 따르고 있다는 것을 확실히 하기 위해 여러분의 과업을 정기적으로 점검한다.
2. 여러분이 무엇을 해야 할지 명확하지 않다면, 질문한다.[65]
3. 강좌가 진행되는 동안 지속적인 연구나 비평이 억지로 외우는 것보다 훨씬 효과적이다.

다음은 시험 특화 전략의 사례들이다.

1. 길거나 가장 정밀하게 설명된 대답에 대한 선택은 옳을 가능성이 있다.
2. 대답 중 하나에 애매한 단어("몇몇" "종종")를 사용하는 것은 옳은 선택임을 보통 알려준다.[66]

다음에는 읽기 시험치르기 전략에 대한 몇 가지 구체적인 사례가 제시되어 있다. 읽기는 모든 학문적 분야에 있어서 학생의 학문적 성장 상 중요하고 No Child Left Behind 법의 결과로 주에서 행해지는 표준화 검사 과정의 일부분이다.

1. 제목/부제를 속삭이듯 읽는다. 문장이 무엇에 관한 것인지를 예측한다.
2. 어떤 그림, 그래프나 도표라도 주의 깊게 공부한다.
3. 단락의 수를 센다.
4. 핵심 단어에 동그라미를 치며, 질문을 주의 깊게 속삭이듯 읽는다. 질문이 물어보는 것을 확실히 이해한다.
5. 제목에서부터 시작하고 단락을 전체적으로 최소한 두 번 속삭이듯 읽는다. 여러분이 읽은 것을 머리속에 그림으로 그린다.
6. 답이 무엇일지 생각하면서, 첫 번째 질문과 선택 답지들을 속삭이듯 읽는다. 선택한 답에 대해 지나치게 생각하지 않는다.
7. 단락으로 돌아가서 가능한 답을 지지하는 단서에 밑줄을 긋는다.
8. 질문으로 돌아가서 틀린 답을 제거한다.
9. 정답에 대해 생각해 보고, 답/단서가 있는 단락의 번호를 기록한다. 여러분의 답이 옳다는 것을 입증해야 한다는 것을 기억한다.
10. 나머지 질문들을 위해 단계 6에서부터 9까지 반복한다.
11. 여러분이 모든 질문에 합당하게 답했다고 확신하기 위해 점검한다.[67]

교사들을 위한 조언 10.4

시험요령 전략

시험 치르기는 교육 과정의 통합적인 부분이고, 모든 학생의 삶에 영향을 준다. 학생이 보다 시험에 요령적으로 될수록, 그들은 학급 시험과 표준 시험을 훨씬 잘 볼 수 있을 것이다. 아래 제안은 고등학교와 대학교 학생들을 대상으로 한 것이다.

1. 주요 시험을 앞두고 밤에 잠을 잘 자고 친구 곁에 앉지 않는다.
2. 시험 지시문과 각 시험 항목을 주의 깊게 읽는다.
3. 인간 채점자 및 기계 채점자 모두 정돈이 잘 되고, 읽기 쉬운 것에 호의적임을 인식한다.
4. 여러분이 끝내는데 충분한 시간이 허용되는 장소를 정하고, 시간을 점검하여 속도를 유지하고 있는지를 정기적으로 살핀다.
5. 쉬운 항목을 먼저 한다. 어려운 시험 질문 또는 문제는 피하고 시간이 있을 때 그것을 다시 본다.
6. 성적표에 단지 정답 수만이 제시되거나 정답을 추측하는 것이 틀리게 응답하는 것보다 덜 엄격하다면(예를 들어, 틀린 답을 하면 −1점을 주고, 옳은 답을 하면 +1점을 주는 것), 추측하는 것이 적합하다.
7. 추측하기 전에 대응 또는 다중 선택 질문에 옳지 않다는 것을 아는 항목을 제외한다.
8. 다른 시험 항목과 선택에서 관련 내용 정보를 활용한다.
9. 하나의 항목이나 질문에만 매달리지 않는다.
10. 옳고 그른 선택을 차별화하는 시험 출제자의 특유의 표현을 인식한다. 예를 들어, 옳은(혹은 그른) 선택이 a) 긴지 혹은 짧은지, b) 보다 일반적인지 혹은 구체적인지, c) 일련의 각 선택사항 내에서 특정한 논리적 상황에 위치하고 있는지, d) 완전히 반대되는 한 쌍의 진술을 포함 또는 제외하고 있는지, e) 문법적으로 줄기와 결합하지 않거나 그렇지 않은지를 주목한다.
11. 정답이 자음으로 시작하는 것을 의미하는 a 대신 an을 사용한다. 대안을 제거한다.
12. 참인 항목은 문장을 수식하기 때문에 거짓인 항목보다 길 수 있다.
13. "항상" "결코" "아무것도"와 같은 단어는 거짓 항목과 결합되어 있다.
14. "보통" "종종" "많은"과 같은 단어는 참인 항목과 결합되어 있다.
15. 다중 선택 시험에서 여러분이 다 마칠 수 없다면, 추측에 대한 벌점이 없는 한, 같은 글자로 나머지 답을 채운다.
16. 특히 답지를 사용하는 경우, 항목 번호와 답 번호가 분명히 일치하도록 정기적으로 점검한다.
17. 작문을 시작하기 전에 숙고하고 윤곽을 잡으며, 여러분이 가능한 시간 안에 질문에 얼마나 많은 시간을 할애할 수 있는지를 결정한다. 어떤 경우든지, 아무리 답이 부족하더라도 점수를 얻을 수 있도록 답을 하여 빈칸으로 제출하지 않는다.
18. 작문을 위한 단문을 작성하고 각 단락에 여러분의 관점을 독자(교사)에게 보다 쉽게 하기 위해 하나의 생각 또는 개념을 개발한다. 뛰어난 아이디어를 가리거나 흐리게 하는 긴 문단보다는 짧은 문단을 여러 개 사용한다.
19. 시간이 허락된다면, 제외시킨 항목으로 돌아가서, 답을 점검하고 부주의한 실수를 고친다.

Anita Woolfolk 참조. *Educational Psychology* 7th ed. Boston, Allyn and Bacon, 1998, pp. 546-547.

시험 절차

단답형 시험과 논술형 시험 모두 혼돈을 피하기 위해서 주의 깊게 실시되어야 한다. 교사는 반드시 소책자나 시험지, 답안지와 시험 문항을 다룰 수 있는 일관된 절차를 세워야 한다. 답안지, 시험지, 혹은 소책자는 우선 늘어서서 나뉘어져야 한다. 예를 들어, 첫 번째 줄의 학생이 다음 학생에게 시험지들을 넘겨주는 각 각의 줄의 수와 정확하게 일치해야 한다. 학생의 이름이나 학급 상황과 같이 꼭 필요한 정보를 기제하도록 학생들을 지도해야 한다. 혼돈을 피하기 위해서 시험지나 연습지가 모두에게 나누어질 때까지 시험이 실시되어서는 안 된다. 시간을 절약하기 위해 답안지는 시험지 안에 끼워 놓고 동시에 사용하도록 한다.

시험을 실시하기 전에 학생들이 지시와 질문에 대해서 이해하고 있는지 확인해야 한다. 즉, 시험지가 깨끗한지, 완벽한지, 순서에 맞게 되어있는지 그리고 학생들이 연필, 볼펜, 자, 계산기, 사전과 같은 필요한 물품을 가지고 있는지 확인해야 한다. 교사는 여분의 학용품이나 시험지를 준비해 둘 필요가 있다.

실험을 실시되는 동안에 시험 문항과 명쾌한 지시를 위한 절차 과정이 수립되어 있어야 한다. 일단 시험이 실시되면 질문이 있는 학생은 큰 소리로 말하지 않고, 다른 학생에 방해 되지 않는 범위에서 손을 들어야 한다. 어린 학생들의 경우에는 앉아 있는 책상으로 교사가 가서 귓속말로 이야기 한다. 고학년 학생은 교사에게 직접 올 수 있도록 허용한다. 만약 몇몇 학생들이 같은 질문이나 동일한 문항에 대해 의문을 갖고 있다면 잠시 동안 시험을 멈추게 하고 모든 학생에게 명확하게 설명을 해준다. 그러나 이는 학생들이 집중력을 잃지 않는 범위에서 간략하게 실시되어야 한다.

방해나 집중력이 떨어지지 않도록 하기 위해서 도로변의 문을 닫고 문에 "시험 중 방해지 마시오" 라는 표지판을 걸어 둔다. 시험을 빨리 마친 학생은 아무리 조용히 시험지를 들고 자리에서 나온다고 해도 다른 학생들에게 방해가 될 것이다. 늦은 학생에 대해 양해를 구하거나 적절한 속도를 유지하지 않는다면 그들에게 시험을 마무리하기 위한 추가 시간을 제공해서는 안 된다. 표준화 시험을 보는데 교실에 늦게 들어오는 학생들이 있다면 시험의 기준이 부분적으로 정시에 할당된 것에 기초하기 때문에 시험을 응시하게 해서는 안 된다.

좋은 점수를 얻기 위한 압박감은 (시험을 잘 보기 위해) 부정행위를 유발하기도 한다. 교사에 의해 실시되는 단답형 시험의 경우에는 특히 학생들의 부정행위를 혼히 발견할 수 있다. 왜냐 하면 한 번 흘깃 옆 학생의 시험지를 보는 것만으로도 그 학생의 정답을 쉽게 볼 수 있기 때문이다.[68] 부정행위를 방지하기 위해서는 충분한 좌석을 이용할 수 있을 경우 학생들을 떨어 뜨려 앉게 한다. 책걸상을 움직일 수 있다면 학생들이 충분한 거리를 두고 앉을 수 있도록 한다. 같은 시험에 두 유형의 시험지를 사용하거나 시험을 두 부분으로 나누거나 다른 부분에 선택적인 줄로 시작하는 좌석 배치를 하거나 하는 것은 부정행위를 줄이는데 도움이 된다. 부정행위를 방지하기 위한 최상의 방법 중 하나는 교사가 직접 시험을 감독하는 것이다. 시험이 실시되는 동안 학생을 감독하는 정도는 부정행위가 얼마나 빈번한 가에 달려 있다. 비록 부정행위가 없다고 하더라도 시험이 실시되는 동안에는 잘 감독을 해야 하며 책을 보아서는 안 된다.

시험이 끝나고 시험지를 거둘 때도 명확한 절차가 반드시 수립되어야 한다. 시험을 빨리 마친 학생에게 그 들의 정답을 다시 한 번 보도록 유도한다. 시험 시간이 끝났을 때 시험지는 순서에 맞게 거두어져야 한다. 예를 들어 시험지를 거둘 때 교사는 맨 뒤에서부터 앞쪽으로 시험지를 거두도록 지시할 것이다.

표 10.7은 학생들이 그들의 잠재능력을 충분히 발휘해서 시험을 볼 수 있도록 돕거나 시험 환경을 개선하기 위해서 교사가 할 수 있는 것들에 대해서 나열하고 있다. 이러한 전략의 대부분은 시험이 실시되기 전이나 진행 중에 혼동이나 방해를 최소화해 조정되어 있으며 학생이 무엇을 알고 있는지 명확하게 해주고 학생들의 불안과 당황스러움을 덜어 주며 최선을 다 할 수 있도록 그들을 동기화 시킬 수 있도록 조정되어 있다.

시험 불안

학생들 사이의 **시험 불안**(이는 잠정적으로 감정을 쇠약하게 하고 걱정에 빠지게 하는)은 흔하며, 무시되어서는 안 된다. 선생님이 되기 위해서 공부하고 있는 우리들 대부분은 특정 교과목(대체로 약한 과목들)에 대해서나, 부담감이 높은 (중간, 기말, 표준화 시험과 같은) 시험에 대해서나, 시험 점수나 등급을 무기로 사용

표 10.7 평가자가 해야 할 목록

1. 표준화 시험 실시하기 전에
   a. 시험 보는 이전에 시험 자료들을 주문하고 점검한다.
   b. 충분한 시험지와 답안지가 있는지 확인한다.
   c. 시험날까지 시험자료들을 안전하게 보관한다.
   d. 시험을 어떻게 응시하는지도 포함된 지침 지시사항을 읽는다.

2. 교사가 만든 시험을 실시하기 전에
   a. 명확함과 오류를 위해 문항들을 점검한다.
   b. 충분한 시험지나 답안지가 확보되었는지 확인한다.
   c. 시험지 쪽과 정확한 순서로 배열되었는지 확인한다.
   d. 시험날까지 시험자료들을 안전하게 보관한다.
   e. 날짜를 통보한다: 국경일 전날과 중요한 행사가 겹치는 날은 피한다.

3. 교실환경이 적절한지 확인한다.
   a. 적절한 작업공간과 책상, 의자가 있는가?
   b. 충분한 조명과 난방, 환기가 되도록 준비되었는가?
   c. 조용한 위치에 있는가?

4. 시험 보기 전에 자료를 점검한다.
   a. 지시가 분명한가?
   b. 제한시간은 분명한가?

5. 시험이 실시되는 동안 주의 산만과 방해를 최소화 한다.
   a. 시험지를 나누어 줄 때와 걷을 때 순서를 정한다.
   b. 연필과 볼펜과 같은 필요한 물품을 학생들이 갖고 있는지 확인한다. 준비되지 않은 학생을 위해 여분의 연필과 볼펜을 준비해 둔다.
   c. 도로변 문을 닫는다.
   d. '시험 실시중 방해하지 마시오' 라는 푯말을 걸어 둔다.
   e. 시험을 빨리 끝낸 학생이 무엇을 할지 결정한다.

6. 학생이 최선을 다하도록 동기화시킨다.
   a. 시험을 보는 목적을 설명한다.
   b. 최선을 다하도록 유도한다. "너희들이 최선을 다한다면 선생님은 그것만으로도 기쁠 것이다."
   c. 실험불안을 덜어준다. "마음 편히 가져라, 숨을 깊게 들어 마셔라, 손가락과 허리를 돌려봐라, 단지 시험이다, 차분히 하자" 등

출처: Adapted from Norman E. Gronlund. *Measurement and Evaluation of Teaching*, 5th ed. New York: Macmillan,1985. Anita E. Woolfolk Educational Psychology 7th ed. Boston Mass.: Allyn and Bacon,1998.

하거나 학생들에게 별 도움이 안 되는 교사들에 대한 우리 자신만의 불안감을 상기할 수 있다.

초등학교 선생님은 특히 학생들이 겪는 불안과 관련된 많은 증후들에 대해서 보고하고 있다. 여섯 가지 가장 일반적인 증후로는 1) 시간 제한에 대한 지나친 염려 44%, 2) 시험 교실의 싸늘한 냉기 감지 41%, 3) 두통 40%, 4) 흥분 38 %, 5) 공격성 증가 33%, 6) 위통 29% 등이 대표적이다. 중학교 교사는 아마도 수많은

표 10.7 (계속)

7. 학생들은 안정시킨다 : 긍정적인 기대와 전략을 제공한다.
    a. 몇몇 문제는 어렵지만 걱정하지 마라. (모든 답을 맞출 수 없다).
    b. 시험을 마치지 못했어도 걱정하지 말아라. 단지 최선을 다하라.
    c. "시험을 빨리 치르도록 하지 마라―부주의로 실수를 하기 시작할지도 모른다."
    d. "너무 천천히 풀지 마라." 뒤처지기 시작할 수 있다. 적절한 속도로 시험을 치르도록 한다.
    e. 어려운 문제에 너무 집착하지 않도록 한다. 시간이 허락한다면 시험지를 다 본 다음에 다시 돌아간다.
    f. 시험 응시와 시간에 각별하게 주의를 기울인다.
    g. 행운을 빈다.(혹은 알고 있는 것보다 더 시험을 잘 볼 수 있다.)

8. 지시를 따르며 시간을 살핀다.
    a. 사전에 결정된 시간할당에 따라서 시험자료를 나누어 준다.
    b. 가능하다면 시험지시문을 읽어 보아라.
    c. 시작 신호를 보낸다.
    d. 시험을 보는 동안에는 학생을 도와서는 안 된다. 교구를 제외하고(예를 들어 여분의 연필과 답안지)
    e. 시간계획을 준수한다. 특히 표준화 시험에 감독을 한다.
    f. 정기적으로 시간을 알려준다 : 시험 마무리 15에서 20분 동안 5분이나 10분 간격으로 시간을 알려주어라.

9. 중대한 사건을 주시하라.
    a. 학생들에 주의를 집중한다 : 시험 상황을 살핀다.
    b. 지시를 따라야 하며 정확한 곳에 정답을 적어야 함을 확인시킨다.
    c. 어떤 학생이 시험에 결과에 영향을 미치는 행동을 보이는지 살핀다 : 부정행위를 방지한다.
    d. 시험의 결과에 영향을 미칠 수 있는, 표준화 시험을 관리한다면 이러한 문제를 감독관에게 알려준다. 주요한 주의 산만 요인이나 방해가 무엇인지 점검한다.

10. 시험자료를 회수한다.
    a. 시험을 빨리 마친 학생에게 시험지를 거두기 전에 답을 다시 한번 점검하도록 유도한다.
    b. 혼돈 없이 적절하게 시험자료를 회수한다.
    c. 교사가 만든 시험을 감독할 때 아마도 늦게 온 학생이나 푸는데 시간이 많이 걸리는 학생을 위해 추가 몇 분 시간을 제공한다. 현명한 판단을 내린다.
    d. 모든 시험자료가 회수되었는지 수를 세어보고 살펴보아라.

11. 언제 추측할지 알도록 학생을 돕는다.
    a. 그래요(맞아요)…… 단지 정답만이 점수화될 때.
    b. 맞아요 ………… 다소 선택적인 것이 제거될 수 있을 때.
    c. 아니다 ………… 추측하기 위해 벌점이 주어지게 된다면.

시험을 본 경험을 갖고 있기 때문에 몇몇 스트레스 증상에 대해 보고하고 있다. 충분한 연령의 학생임에도 불구하고 나이 많은 학생들에게 보이는 증후는 1) 무단결석 29%, 2)공격성 증가 25 %, 3)흥분 21%, 4) 시간 초과에 대한 지나친 염려 17%, 5) 냉한 교실 기온에 대한 불만 14%, 6) 두통 12% 등으로 나타났다.[69]

불안은 표준화 시험을 볼 때 최고소에 달한다. 80% 이상의 고등학교 학생은 표준화 시험 점수가 진정으로 그들이 배운 것을 반영해 주지 않다고 여기고 있으며 65% 이상의 학생은 시험의 수준이 너무 높다고 생각하고 있다.[70] 비록 이 연구한 지 15년이 지났지만, 이러한 발견이 쓸모 없다는 것을 증명해줄 새로운 연구는 거의 찾아 볼 수 없다. 교사는 서술식 평가와 학기말 성취도 평가에 대해서 유사한 불안을 보인다. 거의 40% 교사가 시험 점수를 올리기 위해서 응시자들로부터 압박감을 느끼며 2/3 이상 시험 결과에 의해서 위협을 느낀다고 한다.[71]

시험 불안은 언제나 빨리 완화되지 않는 것 같다. 2005년에 Texas 주에서 시작된 고등학교 졸업을 위한 TAAS (Texas 숙달도 시험)에 성공적으로 합격한 학생과 Louisiana 주에서 지정된 숙달도 시험에서 떨어지게 되면 4학년이나 8학년으로 유급되는 학생을 생각해 보아야 한다. 이와 같은 시험이 실시된다면 학생의 불안은 높아지며 사회적 역기능(부정행위나 공격성)과 연관된 정신적 증후(두통과 흥분)로부터 모든 것에서 나타나게 된다.

562 편의 연구들에 대한 재고찰 연구에서 2만 명 이상의 학생들에게서 나타났던 시험 불안은 학문적으로 부적절하고 도움이 되지 않으며 실패에 대한 예감을 느끼게 하는 것과 관련이 있음을 보여준다. 학교 입학 전 어린 아이의 근원적인 시각에서는 긍정적인 것 같다. 그러나 4학년 이후에 높은 불안을 보인 학생은 시험의 상황에서 벗어나길 원하며 자신에 대해 부정적인 이미지를 강화시키는 유형의 시험에서 계속 낮은 점수를 얻는다. 시험을 보는 것은 시험의 어려움에 대한 학생의 인식에 따라 매우 다양하게 나타난다. 중간 수준의 성취도 학생은 다른 집단의 학생들보다 더 많은 영향을 받는다.[72]

높은 시험 불안/낮은 수준의 시험 수행 주기가 반대로 나타나기는 어렵다. 인센티브나 칭찬, 시상, 피드백을 촉진하는 것들은 시험을 자주 보거나 세세한 시험 지시하고, 시험 문항을 재검토하면 최소의 이윤만을 얻는다. 연구 조사에 따르면 최상의 교육은 공부하는 기술(어떻게 하면 좋은 필기를 할 수 있는지, 정보를 기억하기 위해 기억장치를 어떻게 사용하는 것이 효과적인지)을 가르치는 것과 시험을 통해 배울 수 있는 기술을 가르치는 것이다.[73]

교사는 다음 세 가지에 의해서 교사가 만든 시험에서 불안감을 덜 느끼도록 도울 수 있다. a) 측정했던 것보다 더 빨리 시험을 끝냈을 경우에는 요구된 시간을 줄인다. b) 사용해야만 하는 시험 절차에 대해서 학생들에게 매우 주의 깊게 설명한다. c) 시험의 목적이 학생들이 무엇을 배울 필요가 있는지, 무엇을 알고 있는지를 찾기 위한 것임을 학생들에게 단지 납득하게 한다. 시험은 '걸렸지' 상황이 아니다.[74]

본질적으로 사소한 것들이 시험에 대한 학생들의 불안감을 덜어주는 차이를 만들 수 있다. 표준화 시험을 실시하기 위해 준비하고 있는 한 교사가 "시험을 못 보면 심각한 결과가 초래되기 때문에 시험을 정말 잘 볼 필요 있다"는 조언을 들은 한 학생이라고 스스로 가정해 보아라. 시험을 보기 전에 이 한 마디만을 들려주는 선생님이 있는 학생이라고 생각해 보아라 "얘들아 너희들은 열심히 공부했다. 자, 이 시험에서 최선을 다해 보자꾸나."

시험지 확인과 피드백

교사가 직면하게 되는 한 가지 주요한 문제는 표준화 시험의 결과가 신속하게 학생들에게 제공되어야 한다는 것이다. 신속하게 채점 될 수 있는 교사가 직접 만든 시험과는 달리, 표준화 시험의 결과는 시간이 어느 정도 지체된 후에 외부 자원에 의해서 흔히 되돌아온다.

교사가 직접 만든 시험의 경우에는 가능한 빨리 학

생들에게 시험지를 돌려준다. 시험지를 돌려 줄 때 학생들의 노고를 통해 알게 된 것, 성취 수준, 일반적인 문제나 많은 학생이 어려웠던 특정 영역에 대해서 학급 전체에게 설명한다.

많은 학생들이 실수했던 질문을 특히 강조해서 시험 문항 하나하나에 대해 전체 학생과 의견을 나눈다. 실수한 시험 문항이 근본적으로 완전학습이 되어야 한다면 시험 자료에 대해서 설명할 수 있는 추가 시간을 마련하고 학생들이 복습할 수 있는 유사하지만 다른 연습 문제를 제공한다. 어떤 선생님들은 다시 풀어볼 지원자들을 찾아서 실수했던 시험 문항들에 대해서 설명한다. 그러나 어떤 경우 이렇게 하는 것이 가장 긴요하게 시간을 활용하는 방법이 아닐 수도 있다.

좋은 등급을 성취한 학생들, 특히 예상치 않게 좋은 등급을 성취한 학생들에게는 잘했다고 인정해 준다. 시험을 못 본 학생들에게는 개인지도, 선택 과제, 보충 읽기 자료와 같은 방법으로 특별한 도움을 제공해야 한다. 어떤 경우에는 자료를 다시 공부한 후에 한 번 더 시험을 보아야 할지도 모른다. 같은 의문을 갖은 학생들이 있다면 이들을 소 집단으로 편성하여 수업이 끝난 후에 등급에 대해 궁금한 점들을 풀어주는 면담을 실시한다. 시험 유형은 개의치 말고 개별적인 학생들의 답안과 발전도에 대해서 이야기해 준다. 특히 어린 학생들에게는 더 개인적인 상담이 요구된다. 목적적이고 긍정적인 개별 상담은 학생이 동기화되게 도와주며 특정 영역에서 개선할 필요가 있는 것들이 뭔지를 알게 해준다.

평가의 목적

모든 시험의 목적을 살펴보는 것은 교사로서 매우 중요하기 때문에 평가의 목적을 살펴보면서 이 장을 마무리 한다. 학생이 필수 내용을 학습할 수 있도록 돕고, 효과적으로 학습 최종 목표를 달성할 수 있도록 하기 위해 교사는 시험을 본다(평가한다). 명확한 학습 기준을 가지고 지역 학군과 주정부의 요구사항을 알고 있는 교사는 학생의 잠재력을 충분히 학습하도록 할 수

있는 좋은 입장에 있다. 좋은 평가란 무엇을 왜, 어떻게 가르칠 것인지 아는 것으로부터 시작된다. 교사가 학생이 무엇을 학습했으며 어떤 자료를 제대로 학습하지 못해 다시 가르쳐야 하는지 확인할 수 있도록 다양한 측정 전략을 사용할 때 평가 과정이 가장 효과적이다.

성취 기준에 근거한 학급을 운영하는 교사라면, 이 장에서 기술한 모든 도구를 유기적으로 통합하여 사용할 것이다. 보다 상세히 살피자면, 다음과 같은 사항을 고려하고 다룰 수 있어야 한다.

1. 수업 책무성에 비추어 볼 때 특정 내용 성취 기준이 적절하다.
2. 기준점 성취기준은 재직하는 학교와 주정부에 속한 학생에게 적합하다. 4학년, 8학년, 10학년이 알아야 하는 것은 무엇인가? 해당 학년 수준에서 가르치고 평가해야 것은 무엇인가?
3. 가르치는 학생의 상대적 강점과 약점. 교사는 학생이 성취기준과 비교하여 무엇을 아는지 혹은 모르는지 알 필요가 있다. 이는 무엇을, 어떻게 가르쳐야 하는지 일러줄 것이다.
4. 학생은 성취기준 달성에 책임감을 가질 필요가 있으며 교사가 설정한 최종 학습 목표를 달성해야 한다. 학생이 성공할 수 있도록 도와주는 것은 중요하며, 이는 교사의 성공으로 이끌 것이다.[75]

다음 장에서 평가하고 난 이후의 일에 대해 살펴볼 것이다. 교사는 학생의 학습과정을 평가함으로써(혹은 판단함으로써) 학생이 자신의 학습에 책임감을 갖도록 한다. 특히 표준화 검사의 경우, 교사는 자신의 수업 결과로 나타난 학생의 학습에 대해 책임을 지는데 적당하다.

이론의 실제 적용

시험의 특정 목적과 사용의도 결과가 교사와 학교에 따라 다름에도 불구하고, 시험은 학생과 교사 생활의

공학적 관점

교사의 공학적 관점

Jackie Marshall Arnold
K-12 Media Specialist

평가는 어떤 수업에서건 중대한 요소이다. 효과적인 교사는 학생이 학습해야 하는 것이 무엇인지 이해하고 학습을 어떻게 평가할 것인지 계획을 세운다. Wiggins와 McTighe는 Understanding by Design(1998)에서 계획의 3단계를 설명했다. 효과적인 계획은 희망하는 결과를 확인하는 것에서부터 출발하고, 수락할 만한 증거를 결정하고, 마지막으로 학습 경험과 수업을 계획하는 것이다(Wiggins와 McTighe, p.9). 다수의 교사는 최종목표와 목표가 달성된 것을 어떻게 설명할지 이해하지 못한 채 수업을 먼저 계획할 것이다.

공학을 사용한 평가를 예로서 생각해보자. 이 평가는 형식적일 수도 비형식적일 수도 있다. 예컨대, 평가가 학생들의 특정 주제에 대한 인터넷 정보 수집을 포함하고 있다면, 교사는 개인이나 집단 작업이 발생하는 대로 빠르고 비형식적으로 평가할 수 있다. 이런 유형의 평가에 집단 구성원이 서로 어떻게 작업하는지, 주제에 대한 페이지만 보고 필수 정보를 찾아내었는지, 이후에 공유하고 사용할 수 있는 방식으로 정보를 기록하고 있는지에 대한 측정이 포함될 것이다.

공학사용은 보다 형식적으로 평가될 수 있다. 학생은 학습 과정을 통하여 학습해야 한다고 믿고, 그 다음에 그 지식을 어떻게 증명할 것인지 계획을 세운 효과적인 교사는 공학 기술을 확인할 수 있다. 예컨대, 희망하는 결과가 학생이 발표 프로그램을 능숙하게 다루는 것이라면, 수용할만한 증거는 학습한 특정 내용에 근거하여 발표를 할 수 있

다 정도일 것이다. 그렇다면 효과적인 교사는 특정 수업 내용뿐만 아니라 발표 소프트웨어 학습을 지원하는 경험과 수업을 계획할 것이다.

공학 평가는 계속되는 과정일 수도 있다. 이제 교사는 대부분 개인별 전자 포트폴리오를 만들어 학생을 지원하고 있다. 이 포트폴리오는 학생의 공학 기술과 이해(부족)를 진정으로 평가하고 묘사하고, 학생의 작업을 전시할 수 있도록 한다. 더 알고 싶다면 전자 포트폴리오와 응용 프로그램에 대한 풍부한 정보를 제공하고 있는 다음 사이트를 참고한다: http://electronicportfolios.com/, http://www.ash.udel.edu/ash/teacher/portfolio.html, http://www.hyperstudio.com/showcase/portfolio.html

마지막으로, 학생이 무엇이 어떻게 평가될 것인지 아는 것은 중요하다. 학생에게 평가 도구에 대한 명확한 설명이 필요하다. 공학 프로젝트 평가를 위한 채점기준표의 사용은 이런 목적을 달성하기 위한 뛰어난 방법이다. Rubistar(http://rubistar.4teachers.org)는 교사에게 개인화된 채점기준표를 만들거나 이미 고안된 채점기준표를 사용하기 쉽도록 단계에 따른 과정을 제공하는 잘 제작된 우수한 사이트이다. 만들어진 채점기준표 범주는 웹사이트 설계, 멀티미디어 프로젝트, 하이퍼스튜디오 프로젝트 등에 쉽게 이용할 수 있다.

평가 계획은 계획 단계의 마지막이 아닌 초기에 항상 이루어져야 한다. 교사는 학생에게 무엇을 가르치고자 하는지, 그것이 공학 기술인지 혹은 내용에 기초한 지식인지 주의깊게 살펴야 할 필요가 있다. 효과적인 교사는 학생들을 어디로 이끌고자 하는지, 학생이 언제 학습 목표에 도달했는지 알고 있다.

중요한 부분을 차지한다. 교사로서 시험 능력을 향상시키는 것은 중요한 최종목표 중 하나이다. 다음은 교실 시험 및/또는 준거지향 검사를 구성할 때의 점검표이다.

1. 내 시험은 적절한가?
   a. 정의된 성취기준과 일치하는가?
   b. 내 수업 목표에 적합한가?
   c. 시험 문항이 교과 내용과 기능의 넓은 표상을 반영하고 있는가?
   d. 시험은 점수체계에 신뢰할 만하고 가치 있는 문항으로 구성되어 있는가?
   e. 교실, 학교 그리고 지역사회 조건의 실제를 고려하고 있는가?
2. 내 시험은 타당한가?
   a. 수행 수준에 차이를 두고 있는가?
   b. 외부의, 합의된 성취기준에 적합한가?
   c. 같은 교과를 담당하는 동료 교사나 해당 학년 수준에서 필수 문항을 포함하고 있다고 동의할 것인가?
   d. 시험이 학생의 읽기 수준이나 단순한 정보의 회상이 아닌 실제 수행을 측정하고 있는가?
3. 내 시험은 신뢰할 만한가?
   a. 모든 시험 문항은 명확하고 이해하기 쉬운가?
   b. 시험 문항은 시험 수행과 일치하는가?
   c. 하나의 목표에 적어도 두 문항이 있어, 학생이 두 문항 중 한 문항을 맞추면 다른 문항도 맞출 수 있는가?
   d. 시험 문항이 중요 내용과 기술을 충분히 측정하고 있는가?
4. 내 시험이 편리한가?
   a. 시험이 지겹지 않도록 짧게 구성되었는가?
   b. 학생 수행을 일반화할 수 있도록 충분히 넓고 깊게 시험이 출제되었는가?
   c. 시험 시행을 위한 표준화되고 명확한 절차가 있는가?
   d. 시험이 실제적인가: 채점이 쉬운 시험이 아니

라 가치 있는 행동과 과제를 측정하는가?

요약

1. 훌륭한 교사는 학군과 주정부의 성취기준을 알고 있다.
2. 좋은 시험은 타당하고 신뢰할만하다. 신뢰도 측정에는 검사-재검사 신뢰도, 동형검사 신뢰도, 반분 신뢰도가 있다. 내용 타당도, 교육과정 타당도, 구인 타당도, 준거 타당도, 예언 타당도 등에서 내용 타당도가 가장 중요하다.
3. 검사에는 규준지향검사와 준거지향검사 등 두 종류가 있다. 규준지향검사는 어떤 학생이 다른 학생과 비교하여 얼마나 수행을 잘 했는지 측정하는 것이다. 준거지향 시험은 특정 준거와 학생의 능력을 평가하고 진보를 측정하는 것이다.
4. 표준화(규준 지향) 시험은 개인 수행이나 행동의 일반적 평가에 매우 뛰어난 도구이다. 표준화 시험에는 지능, 성취도, 적성, 인성 등 네 가지 기본 유형이 있다.
5. 교사가 제작한 시험은 단답형이나 논술형 시험이다. 단답형 질문에는 객관식, 짝짓기형, 완성형, 진위형이 있다. 논술이나 자유 반응 질문에 토론 문제가 포함되기도 한다.
6. 적절한 시험 시행은 혼란과 학생의 근심을 줄이고 학생에게 동기를 유발하고 도움을 준다.
7. 학생에게 중요한 수험 전략을 가르칠 수 있다.

고려할 문제

1. 담당 교과의 성취기준이 무엇인가?
2. 학군의 교육과정을 주정부의 성취기준에 어떻게 일치시킬 것인가?
3. 규준지향검사의 장단점은 무엇인가?
4. 준거지향검사의 장단점은 무엇인가?

5. 표준화 시험에 비해 교사 제작 시험의 장점은 무엇인가? 교사 제작 시험에 비해 표준화된 시험에는 어떤 장점이 있는가?

해야 할 일

1. 신뢰도와 타당도의 차이를 설명해본다.

2. 학교를 방문하여 교사, 학교 상담가나 행정가들과 학교에서 사용하는 표준화 검사에 대해 이야기를 나누어본다. 어떤 시험을 왜 사용하고 있는지 알아본다. 이런 검사의 장단점은 무엇인가? 이것을 수업에 보고서로 제출해본다.

3. 객관식 질문을 구성하는 지침 5가지와 짝짓기 문항 구성에 대한 5가지 지침에 대해 토론해본다.

4. (가르치려고 하거나 가르치고 있는 과목에서)비판적 사고력을 검사하는 5개의 논술형 질문을 만들어본다.

5. 검사 전문가를 모시고 학생들이 시험 능력을 증진시킬 수 있는 전략에 대해 토론해 본다.

추천 문헌

Airasian, Peter W. *Classroom Assessment: Concepts and Applications*, 4th ed. Boston, Mass.: McGraw-Hill, 2001. This book focuses on assessment needs of pre-service teachers, including special emphasis on standardized testing, performance tests, and authentic testing.

Burke, Kay. *How to Assess Authentic Learning*, 3rd ed. Arlington Heights, Ill.: Merrill Prentice Hall, 1999. This resource documents the different ways teachers can assess student learning by using alternative assessment protocols.

Elliot, Stephen N., Jeffrey P. Braden, and Jennifer L. White. *Assessing One and All*. Arlington, Va.: Council for Exceptional Children, 2001. This excellent resource helps readers understand how to assess the wide variety of learners evidenced in most classrooms.

Norman E. Gronlund. *Assessment of Student Achievement*, 7th ed. Boston, Mass.: Allyn and Bacon, 2003. A thoughtful description of the development and use of practical assessment tools for teachers.

Popham, W. James. *Classroom Assessment: What Teachers Need to Know*, 3rd ed. Boston, Mass.: Allyn and Bacon, 2001. This book describes the differences between norm-reference and criterion-reference tests and their applications.

Salvia, John, and James Ysseldyke. *Assessment*, 8th ed. Boston: Houghton Mifflin, 2001. This is a wonderful comprehensive resource for understanding all the different formal and informal assessment approaches that teachers might use.

Wiggins, G., and Jay McTighe. *Understanding by Design*. Alexandria, Va.: Association for Supervision and Curriculum Development, 1998. This wonderful book describes the subtle differences between understanding and knowing and how teachers explore and assess those differences.

핵심 용어

후주

1. Matthew Gandal and Jennifer Vranek. "Standards: Here Today, Here Tomorrow." *Educational Leadership* (September 2001): 7-13.

2. Ibid.

3. Marge Scherer. "How and Why Standards Can Improve Student Achievement." *Educational Leadership* (September 2001): 14-18.

4. Ibid.

5. Mike Schmoker and Robert J. Marzano. "Realizing the Promise of Standards-Based Education." *Educational Leadership* (March 1999): 17-18.

6. Ibid., p. 20.

7. Robert Sternberg, Bruce Torff, and Elena Grigorenko. "Teaching for Successful Intelligence Raises Achievement." *Phi Delta Kappan* (May, 1998): 667-669.

8. William A. Mehrens and Irvin J. Lehmann. *Measurement and Evaluation in Education and Psychology*, 3d ed. Ft. Worth, Tex.: Holt, Rinehart, 1991.

9. Jum C. Nunnally. "Reliability of Measurement." In M. C. Wittrock (ed.), *Encyclopedia of Educational Research*, 5th ed. New York: Macmillan, 1982. pp. 1589-1601. Ross E. Traub and Glenn L. Rowley. "Understanding Reliability." *Educational Measurement* (Spring 1991): 37-45.

10. John Sylvia and James Ysseldyke. *Assessment*, 8th ed. Boston: Houghton Mifflin, 2001.

11. William A. Mehrens and Irvin J. Lehmann. *Using Standardized Tests in Education*. New York: Longman, 1987, pp. 64-65.

12. Samuel Messick. "Validity." *Educational Measurement*, 3d ed. New York: Macmillan, 1989, pp. 13-103. Pamela A. Moss. "Shifting Conceptions of Validity in Educational Measurement." *Review of Educational Research* (Fall 1992): 229-258.

13. Norman E. Gronlund and Robert L. Linn. *Measurement and Evaluation in Teaching*, 6th ed. New York: Macmillan, 1990. Tom Kubiszyn, Gary Borich and J. N. Reddy. *Educational Testing and Measurement: Classroom Application and Practice*, 7th ed. New York: John Wiley and Sons, 2002.

14. Gronlund and Linn. *Measurement and Evaluation in Teaching*. Robert M. Thorndike, George K. Cunningham, Robert L. Thorndike, and Elizabeth P. Hagen. *Measurement and Evaluation in Psychology and Evaluation*, 5th ed. New York: Macmillan, 1992.

15. N. L. Gage and David C. Berliner. *Educational Psychology*, 5th ed. Boston: Houghton Mifflin, 1992, p. 572.

16. Peter W. Airasian. "Perspectives on Measurement Instruction." *Educational Measurement* (Spring 1991): 13-16. Herbert C. Rudman. "Classroom Instruction and Tests." *NASSP Bulletin* (February 1987): 3-22. Robert E. Stake. "The Teacher, Standardized Testing and Prospects of Revolution." *Phi Delta Kappan* (November 1991): 241-247.

17. Ronald K. Hambleton et al. "Criterion-Referenced Testing and Measurement: A Review of Technical Issues and Developments." *Review of Educational Research* (Winter 1988): 1-47. Robert L. Linn. "Educational Testing and Assessment." *American Psychologist* (October 1985\6): 1153-1160. Grant Wiggins. "Creating Tests Worth Taking." *Educational Leadership* (May 1992): 26-34.

18. Gronlund and Linn. *Measurement and Evaluation in Teaching*.

19. John Sylvia and James Ysseldyke. *Assessment*.

20. See http://nces.ed.gov./nationsreportcard/about/state. asp.12/4/2002.

21. Ibid.

22. Peter W. Airasian. "Teacher Assessments." *NASSP Bulletin* (October 1993): 55-65. Allan C. Ornstein. "Accountability Report from the USA." *Journal of Curriculum Studies* (December 1985): 437-439. Allan C. Ornstein. "Teaching and Teacher Accountability." In Allan C. Ornstein et al., *Contemporary Issues in Curriculum* Boston, Mass.: Allyn and Bacon, 2003: pp. 248-261.

23. Retrieved from http://w.../standardform3?open-form&parentunid.9/14/2002:p.1.

24. Ron Smith and Steve Sherrell. "Milestones on the Road to a Certificate of Initial Mastery." *Educational Leadership* (December 1996-January 1997): 46-51.

25. Robert J. Drummond. *Appraisal Procedures for Counselors and Helping Professionals*. Upper Saddle River, N.J.: Merrill Prentice Hall, 2000.

26. W. James Popham. *Modern Educational Measurement*, 3d ed. Needham Heights, Mass.: Allyn and Bacon, 1999.

27. Nancy Kober. *Test Talk for Leaders.*Washington,

D.C.: Center for Education Policy, 2002.

28. Ibid., p. 9.

29. Ibid.

30. Ibid.

31. Heather Voke. "What Do We Know About Sanctions and Rewards?" *Infobrief.* Alexandria, VA: Association for Supervision and Curriculum Development, 2002: Retrieved from http://www.ascd.org/readingroom/infobrief/issue31.html.

32. Robert A. Frahm. "Is the Test too Hard, or Are the Schools too Soft?" *The Hartford Courant* (November 12, 2002). Retrieved from http.//www.nl.newsbank.com/nlsearch.asp

33. Carol Ann Tomlinson. "Proficiency Is Not Enough." *Education Week* (November 6, 2002): 36 and 38.

34. William A. Mehrens. "Educational Tests: Blessing or Curse?" Unpublished paper. 1987. William A. Mehrens. "Facts About Samples, Fantasies, and Domains." *Educational Measurement* (Summer 1991): 23-25.

35. Claudia Meek. "Classroom Crisis: It's About Time." *Phi Delta Kappan* April 2003: 592-595. William A. Mehrens and Irvin J. Lehmann. "Using Teacher-Made Measurement Devices." *NASSP Bulletin* (February 1987): 36-44. W. James Popham. "Can High-Stakes Tests Be Developed at the Local Level?" *NASSP Bulletin* (February 1987): 77-84.

36. Margaret Fleming and Barbara Chambers. "Teacher-Made Tests: Windows in the Classroom." In W. E. Hathaway (ed.), *Testing in Schools.* San Francisco: Jossey-Bass, 1983. pp. 29-38. Richard J. Stiggins. "Relevant Classroom Assessment Training for Teachers." *Educational Measurement* (Spring 1991): 7-12.

37. Stephen N. Elliot, Jeffrey P. Bradon, and Jennifer L. White. *Assessing One and All.* Arlington, Va.: Council for Exceptional Children, 2001, p. 115.

38. Robert L. Ebel and David A. Frisbie. *Essentials of Educational Measurement*, 5th ed. Needham Heights, Mass.: Allyn and Bacon, 1991. Thorndike et al. *Measurement and Evaluation in Psychology and Evaluation.*

39. Mehrens and Lehmann. *Measurement and Evaluation in Education and Psychology.* The fifth point is mainly based on the author's ideas about testing students at various ages.

40. David A. Payne. *Measuring and Evaluating Educational Outcomes.* New York: Macmillan, 1992.

41. Kenneth D. Hopkins, Julian C. Stanley, and B. R. Hopkins. *Educational and Psychological Measurement and Evaluation*, 7th ed. Needham Heights, Mass.: Allyn and Bacon, 1990.

42. Benjamin S. Bloom, J. Thomas Hastings, and George F. Madaus. *Evaluation to Improve Learning* New York: McGraw-Hill, 1981. George K. Cunningham. *Educational and Psychological Measurement*, 2d ed. New York: Macmillan, 1992.

43. Ebel and Frisbie. *Essentials of Educational Measurement*, pp. 164-165.

44. Gage and Berliner. *Educational Psychology.* W. James Popham. *Educational Evaluation*, 3d. ed. Needham Heights, Mass.: Allyn and Bacon, 1993.

45. Bruce W. Tuckman. "Evaluating the Alternative to Multiple-Choice Testing for Teachers." *Contemporary Education* (Summer 1991): 299-300.

46. Allan C. Ornstein. "Questioning: The Essence of Good Teaching." *NASSP Bulletin* (February 1988): 72-80. Barak V. Rosenshine and Carla Meister. "The Use of Scaffolds for Teaching Higher-Level Cognitive Strategies." *Educational Leadership* (April 1992): 26-33.

47. Penelope L. Peterson. "Toward an Understanding of What We Know About School Learning." *Review of Educational Research* (Fall 1993): 319-326. Francis P. Hunkins. *Teaching Thinking Through Effective Questioning*, 2d ed. Needham Heights, Mass.: Gordon, 1995.

48. Gronlund and Linn. *Measurement and Evaluation in Teaching.*

49. Peter W. Airasian. *Classroom Assessment: Concepts and Applications*, 4th ed. Boston, Mass.: McGraw-Hill, 2001.

50. Ray Bull and Julia Stevens. "The Effects of Attractiveness of Writer and Penmanship on Essay Grades." *Journal of Occupational Psychology* (April 1979): 53-59. Jon C. Marshall and Jerry M. Powers. "Writing Neatness, Composition Errors, and Essay Grades." *Journal of Educational Measurement* (Summer 1969): 97-101.

51. Bruce W. Tuckman. "The Essay Test: A Look at the Advantages and Disadvantages." *NASSP Bulletin* (October 1993): 20-27.

52. Most authorities (for example, Ebel, Gronlund, and Payne) recommend that students answer all questions

and that no choice be provided because a common set of questions tends to increase reliability in scoring while options tend to distort results. However, weighed against this advantage is the fact that being able to select an area they know well increases students' morale, reduces test anxiety, and gives them a greater chance to show they can organize and interpret the subject matter.

53. Linda Darling-Hammond. "The Case for Authentic Assessment." *NASSP Bulletin* (November 1993): 18-26. Lorrie A. Shepard. "Psychometrician's Beliefs About Learning." *Educational Researcher* (October 1991): 2-15.

54. Grant Wiggins. "Teaching to the (Authentic) Test." *Educational Leadership* (April 1989): 41-47. Wiggins. "Creating Tests Worth Taking." Grant Wiggins. *Assessing Student Performance* San Francisco, Calif.: Jossey-Bass, 1993.

55. Grant Wiggins and Jay McTighe. *Understanding by Design* Alexandria, Va.: Association for Supervision and Curriculum Development, 1998, p. 74.

56. Judith Arter and Jay McTighe. *Scoring Rubrics in the Classroom*. Thousand Oaks, CA: Corwin Press, 2001.

57. F. Leon Paulson, Pearl R. Paulson, and Carol A. Meyer. "What Makes a Portfolio a Portfolio." *Educational Leadership* (February 1991): 60-63.

58. Kay Burke. *How to Assess Authentic Learning*. Arlington Heights, Ill.: Merrill Prentice Hall, 1999.

59. Ted Sizer. *Horace's School*. Boston: Houghton Mifflin, 1992, p. 25.

60. James Greeno and James G. Hall. "Practicing Representation: Learning with and About Representational Forms." *Phi Delta Kappan* (January 1997): 363.

61. Robert Rothman. *Measuring Up*. San Francisco: Jossey-Bass, 1995, p. 72.

62. Elliot Eisner. "The Uses and Limits of Performance Assessment." *Phi Delta Kappan* (May 1999): 659.

63. Darling-Hammond. "The Implications of Testing Policy for Quality and Equality." Madaus. "The Effects of Important Tests on Students."

64. Henry S. Dyer. "The Effects of Coaching for Scholastic Aptitude." *NASSP Bulletin* (February 1987): 46-53. Samuel Messick. "Issue and Equity in the Coaching Controversy: Implications for Educational Testing and Practice." *Educational Psychologist* (Summer 1982): 67-91.

65. Stephen N. Elliot, Jeffrey P. Braden, Jennifer L. White. *Assessing One and All*. Arlington, Va.: Council for Exceptional Children, 2001, 115.

66. Ibid., p. 115.

67. Patricia Davenport and Gerald Anderson. *Closing the Achievement Gap: No Excuses*. Houston, Tex.: American Productivity and Quality Center, 2002, p. 88.

68. Jane Canner. "Regaining the Public Trust: A Review of School Testing Programs, Practices." *NASSP Bulletin* (September 1992): 6-15. Dale D. Johnson and Bonnie Johnson. *High Stakes: Children, Testing, and Failure in American Schools*. Lanham, Maryland: Rowman and Littlefield, 2002.

69. Susan B. Nolan, Thomas M. Haladyna, and Nancy S. Hass. "Uses and Abuses of Achievement Tests." *Educational Measurement* (Summer 1992): 9-15.

70. Nancy S. Hass. "Standardized Testing in Arizona." Technical Report 89-3. Phoenix: Arizona State University West, 1989.

71. Marshall L. Smith et al. "Put to the Test: The Effects of External Testing on Teachers." *Educational Researcher* (November 1991): 8-11. Nolan. "Uses and Abuses of Achievement Tests."

72. Ray Hembree. "Correlates, Causes, Effects and Treatments of Test Anxiety." *Review of Educational Research* (Spring 1988): 47-77.

73. Ibid.

74. Jeanne Ellis Ormrod. *Educational Psychology*, 4th ed. Upper Saddle River, N.J.: Merrill Prentice Hall 2003.

75. Marc Tucker and Judy B. Codding. *Standards for Our Schools*. San Francisco, CA: Jossey-Bass, 1998.

이번 장에 관련된 Pathwise 성취기준 :

- 학생에게 적합하고 단원 목표와 일치되는 평가 전략의 개발 또는 선택(A5).
- 다양한 수단을 활용한 학생의 내용 이해 점검, 학습을 도와주는 피드백 제공, 상황에 따라 필요한 학습 활동의 조정(C4).

이번 장에 관련된 INTASC 원리 :

- 지속적인 지적, 사회적, 신체적 발달의 평가와 확인을 위한 공식적, 비공식적 평가 전략에 대한 교사의 이해 및 사용(P8).

핵심문제

1. 평가가 의미하는 것은 무엇인가?
2. 학생 평가에 유용한 비공식적, 공식적 방법은 무엇인가?
3. 절대 평가 기준과 상대 평가 기준의 장단점은 무엇인가?
4. 전통적 성적 부여는 성취기준 성적 부여와 어떻게 유사하거나 다른가?
5. 학생들의 학업과 진도에 대해 부모와 의사소통하는 것은 왜 중요한가? 부모와의 의사소통을 어떻게 개선할 수 있는가?
6. 학생의 수행과 교사의 책무성간의 관계성이란 무엇인가?
7. 교사에게 책임이 잠재적인 위협이 되는 것은 언제인가? 그것은 어떻게 기회로 사용될 수 있겠는가?

검사는 계량화시킬 수 있는 자료를 기반으로 하기 때문에 평가보다 더 객관적이다. 평가는 인간의 판단과 관련되어 있기 때문에 보다 주관적이다. 우리는 학교에서뿐만 아니라 직장과 집에서도 사람과 그들의 수행을 평가한다. 이와 마찬가지로 소비재(음식, 옷, 사진기, 텔레비전)와 서비스(자동차 수리, 보험, 의료, 법률조언)에 대해서도 평가한다. 이들 평가에 대한 검사자료와 이밖에 다른 객관적 측정을 포함한 다양한 종류의 정보를 사용한다. 교사로서 우리는 신중한 평가절차의 설계를 통해 학생 평가에 있어 잘못된 판단을 줄이기 위해 노력한다.

학생들은 학문적 노력이 성공으로 연결된다는 것을 느껴야만 한다. 평가 절차는 학생들의 동기를 유발해야 하며, 개인적 성취를 위한 진보적으로 높은 목적을 성취하도록 촉진해야 한다. 학생들은 그들의 성취에 대한 평가가 객관적이고, 준거는 모든 학생들에게 동일하다는 것을 느껴야만 한다. 만약 학생들이 평가 과정이 실패로 이어진다고 느끼거나 또는 그 과정이 불공정하다고 느낀다면 그로 인해 낙담하게 될 것이다.

평가 과정은 또한 현실적이어야 한다. 학생들은 동료와 규범 기준의 관계 속에서 자신의 성취를 평가할 수 있어야 한다. 교실에서 모든 학생들이 다 능숙하게 읽을 수는 없다. 평균 정도의 읽기 능력을 지닌 학생은 자신의 실제 능력보다 과장된 느낌이 들 수 있다. 평가는 학생들이 성공을 구성하는 유효한 규범을 제공받으면 보다 더 효과적이다. 또한 평가는 교사가 준거 또는 규범적 검사만의 사용을 넘어서서 사고할 때 더 효과적이다. 훌륭한 교사는 학생들이 알고 있는 것을 표현하도록 하는 아주 다양한 방법을 제공한다.[1]

모든 학생들은 학교에 다니는 동안 평가의 결과로서 실패의 아픔과 성공의 기쁨을 경험하게 될 것이다. Philip Jackson에 따르면 학생들은 "[학년도를] 지배하게 될 지속적이고 침투성 있는 평가 정신에 적응하는 것"을 학습해야만 한다. 학교가 "학생들이 장점과 단점을 깨닫는" 유일한 장소가 아니라 하더라도, 학교에서의 평가는 가장 일반적인 유형이고 학생들이 자신을 성찰하는 데 가장 지속적으로 영향을 준다.[2]

학교 평가의 영향은 학생들이 학령기에 자신의 주체성을 형성하고, 그 시기에 가장 중요한 발달 단계를 지나며, 극단적이거나 지속적인 부정적 평가에 대한 방어기제가 부족하기 때문에 심층적이다. 평가가 학문적인 일, 사회적 행위, 개인적 자질 중에서 어디에 초점을 맞추든, 학생 동료간의 평판, 능력에 대한 신뢰, 그리고 학업 동기에 영향을 준다. 학생의 평판, 신뢰, 개인적 적응, 경력 목표 그리고 육체적, 정신적 건강 등은 학교생활에서 다른 사람들이 교류하는 판단과 관련되어 있다. 우리가 우리 자신을 보고자 하는 것을 보며,

또한 좋든 싫든 다른 사람들이 인식하고 평가하는 것으로서 우리 자신을 보게 된다. 자아는 우리가 성장하고 다른 사람과 상호작용할 때 나타나는 사회적 산출물이다. 많은 학생들이 학습할 수 있고 교사로부터 배울 수 있다는 것을 믿지 못하기 때문에 심리적 또는 신체적으로 학교에서 탈락하게 된다.

평가의 유형

교실에 적합하고 일반적으로 사용하는 기본 평가 기법으로는 1) 배치평가, 수업을 시작하기 전에 학생들의 배치나 분류를 결정하기 위해 사용, 2) 진단평가, 학습장애를 발견하고 주시하는 수단, 3) 형성평가, 학생들의 진도를 주시, 4) 총괄평가, 수업의 끝에서 수업의 결과를 측정 등 4 가지가 있다.

배치평가

때로 사전평가로도 불리는 **배치평가**는 수업 전에 이루어진다. 교사는 수업의 출발점을 결정하기 위해 학생들이 어떤 지식과 기술을 숙달하고 있는지 발견하기를 원한다. 충분한 숙달은 어떤 수업 단원을 배제하거나 간단하게 다룰 것인지 알려준다. 불충분한 숙달은 어떤 기초지식 또는 기술이 강조되어야 하는지 알려준다. 학생들은 너무 어려운 수준에서 시작하거나 자신의 이해를 넘어서면 실패하게 되거나 대부분 새로운 지식과 기술을 습득하지 못할 것이다. 이미 알고 있는 오래된 교재를 살펴보도록 요구받는 학생들은 수업 시간을 낭비하고 결국에는 따분해질지도 모른다.

최상의 수업 유형(집단 또는 개별, 연역적 또는 귀납적)과 수업 교재를 결정하기 위해 얼마나 많은 학생들이 알고 있고, 학생들의 흥미와 학습 습관은 무엇인지 발견하는 것은 중요하다. 우리는 성취기준 기반 개선을 언급하며 앞 장을 마무리 했었다. 그 개선은 어떻게 가르칠 것인지와 관련되어 있다. 특히, 학생들을 자신의 학습에 적절하게 배치하기 위한 전략을 규명하기

전문적인 관점

평가를 하는 이유

Daniel L. Stufflebeam
Professor and Drector, The Evaluation Center
Western Michigan University

평가를 하는 가장 중요한 이유는 다음과 같다.

1. 개별 학생들의 학습을 돕기 위해 할 수 있는 모든 것을 한다고 확신하기 위해
2. 가능한 한 효율적이고 효과적인 집단 수업 수행 방식의 발견을 위해
3. 학생과 부모가 학습 과정의 지침으로 사용할 수 있는 진도 보고서를 제공하기 위해
4. 성취 수준을 인증하기 위해
5. 개별 학생들과의 다른 전문적 학습을 도와줄 기록과 보고서를 작성하기 위해

5개의 목적 중 4개가 개인화 평가, 지속적 평가, 피드백의 필요성을 재기술하고 있다는 사실에 주목할 필요가 있다. 평가는 또한 집단에 잘 맞는 효과적인 교수 방법의 탐구를 지원하기 위해 필요한 한편 교사가 개인적 진단, 강화, 성장 지침을 이끌어낼 수 있는 평가기술을 연마하는 것도 중요하다. 불행하게도 시판되고 있는 많은 평가도구(특히 표준화 검사), 그리고 문헌에 기술된 수많은 평가 설계(특히 사전/사후 검사)는 교사 자신은 물론 서비스하고 있는 개별 학생과 부모에게 가장 중요한 평가의 유형을 실천에 옮기는 데 유용하지 않다. 그러므로 교사는 표준화 측정이 활용될 수 있는 어떤 평가 유형을 사용함으로써 실패를 초래하는 대신에, 학생들에 관한 유용한 정보를 생산하는 평가의 설계와 적절한 자료 요구에 잘 대응할 수 있는 소박하지만 직접 만든 도구의 고안에 익숙해져야 한다.

위해 학생들의 장단점을 평가할 수 있어야 한다.

배치평가를 하는 세 번째 이유는 학생들을 특정한 학습 집단에 배치하기 위해서이다. 이 과정이 많은 연구자들에 의해 비판받는 수준별 반편성을 초래한다고 하더라도, 교사는 절절하게 집단화 시키는 것이 교수와 학습을 촉진한다는 것을 발견한다. 배치평가는 준비도 검사, 적성검사, 코스 목표에 대한 사전 검사, 교사의 관찰 기법, 어떤 학습 내용 성취 기준의 성취에 대한 학습진도의 평가 등을 기반으로 한다.

진단평가

진단평가는 학생들의 학습 또는 행동 문제의 원인을 발견하고자 한다. 만약 학생들의 특정한 학습 주제에서 지속적으로 실패하거나 초등학교에서 기초 기술을 또는 중학교에서 기초 내용을 학습하지 못했다면, 실패의 원인에 대한 진단은 실패에 대한 교정 방식도 지적하고 있는 것으로 볼 수 있다. Bruce Tuckman에 따르면 "숙달이 시연되지 못했을 경우, 이들 [부족]에 직접적으로 맞춰진 교정 수업이 마련될 수 있다." 평가는 "실패의 극복을 가능하게 할 정보를 제공할 수 있다."[3]

많은 경우에 진단과 형성평가(다음에 논의하게 될)는 중첩된다. 형성평가는 주로 학생의 진도와 관련되어 있다. 그러나 미흡한 진도는 문제를 키울지도 모른다. 그 다음에 더 세부적인 진단평가로 조사하게 될 것이다. Gronlund와 Linn에 따르면 형성평가는 일반적인 매일의 처치를 안내한다. 그러나 진단평가는 상세한 교정처치를 위해 필요하다.[4]

어떤 진단 정보는 표준화 검사(10장 참조) 실시의 결과로 얻어진다. 이러한 검사들은 아동이 보여주는

세부적인 사회적, 학술적, 감정적 성질을 검사하는 것에 맞춰져 있다.[5] 학생들이 잘못하는 것은 무엇이고, 왜 그런 식으로 행동하는지 평가하기 위해 교사가 준비하는 진단도 있다. 표준화 검사는 광범위한 경향이 있고, 필요로 하는 상세한 정보의 유형을 만들지 못할 수도 있다는 문제가 있다. 교사가 만든 진단은 보다 더 초점이 맞춰질 수 있다.

형성평가

형성평가와 총괄평가는 Michael Scriven의 프로그램과 교육과정 평가의 분석에서 나온 용어이다.[6] 형성평가는 학생들이 학습하는 동안의 진도를 주시한다. 반면 총괄평가는 수업 단원 또는 학기말에 최종 결과를 측정한다. Benjamin Bloom과 그의 동료들은 형성평가를 수업의 주요 도구로 기술했다. "과거의 평가는 단원, 장, 코스, 학기 말에 치러지는 본질적으로 거의 총괄평가였다. 평가가 너무 늦어질 때, 적어도 특별한 학생집단을 위해, 교수 또는 학습 과정을 수정한다."[7]

평가가 교사와 학생을 도와주기 위한 것이라면, 수업의 끝에서 뿐만 아니라 조정이 일어날 수 있는 교수-학습 과정 동안의 다양한 장면에서 이루어져야 한다. 수업은 형성평가로 발생하는 피드백에 근거하여 학습 문제를 수정하거나 보다 **빠르게** 진행하기 위해 변경될 수 있다.

형성평가는 작고 비교적 독립적인 수업 단위와 좁은 범위의 목표에 초점을 맞춘다. 형성평가는 교사가 학기 내내 관리하는 교사에 의해 제작 및 인쇄된 검사, 숙제, 학생들의 교실 수행, 교사의 비공식적 학생 관찰, 교사 학생 간 대화, 학부모 교사 간 대화 등을 기반으로 한다.

형성적 사정과 평가는 학생 성공에 중요하다. 연구자 집단에 의한 사정 연구에 대한 체계적 검토는 양질의 형성적 사정이 학생들의 의미있고 중요한 학습 성과를 가져온다는 사실을 발견해 내었다.[8] 그리고 이 학습 성과는 낮은 수준의 성취자에게 보다 더 극적으로 보일 수 있다. 만약 교사들이 사정을 학생들의 성취 증진을 보여주는 방식으로 생각한다면 향상된 학생학습은 실제적이고 중요한 결과로 나타난다. 교사들은 학생들이 보다 실천적인 기술을 사용할 수 있는 특정한 방식의 결정에 의해 또는 학생들의 학습 요구를 기반으로 하는 교수 내용과 교수 방법의 변경에 의해 이것을 할 수 있다.

총괄평가

총괄평가는 수업 단원 또는 코스의 끝에 이루어진다. 총괄평가는 수업목표가 달성된 정도를 결정하기 위해 설계된다. 그리고 학생들을 인증하거나 등급을 매기기 위해 사용한다.[9] 총괄평가는 또한 교사 및 특정 교육과정, 또는 프로그램의 효과성을 판단하는 데 사용될 수 있다. 형성평가가 교수와 학습에 대한 임시 판단을 제공하는 반면에 교수와 학습이 끝났을 때 행해지는 총괄평가는 최종 판단이다.

총괄평가는 목표의 다양한 범위에 초점을 맞춘다. 그리고 학생 학업과 수업의 축적에 의존한다. 교사가 만든 검사가 이 목적을 위해 사용될 수 있다고 하더라도, 총괄평가는 공식적 관찰 척도 또는 등급 그리고 표준화 검사를 기반으로 한다.

표 11.1에는 교사가 수업 과정에 사용할 수 있는 4가지 평가 유형에 대한 요약이 제시되어 있다. 평가의 이러한 구성 문제를 이해하는 것은 평가가 거의 배타적으로 아이들에게 초점을 맞추고 있다는 것이다. 그것은 다음과 같은 맥락을 고려하지 않는다. 즉, 환경적 요인이 어린이들이 직면한 문제에 어떻게 영향을 미치는가? 우리의 접근은 아이들을 다루지만 맥락을 고려하지 않는다. 그러나 그것은 당신이 고려해야 할 또 다른 요인이다. (Martin Haberman의 전문적인 관점 참조)

평가 방법과 접근법

모든 사람은 일상적, 비공식적으로 어느 정도 평가를 받고 있으며 동시에 평가를 하고 있다. 교실 안에서 학

전문적인 관점

학교에서 학생 평가

Martin Haberman
Professor of Curriculum and Instruction
University of Wisconsin-Milwaukee

나는 교사 초기의 뭘 모르던 시기에 2학년 학생들을 가르치면서 두 가지 교훈을 얻었다. 첫 번째는 Arthur로부터 였다. 그는 특수학급에 있어야 했지만 우리들은 서로 좋아했고 그가 학교 심리학자에게 검사받도록 보내지 않았다. Arthur는 어떤 것을 학습하는 데 장애가 있었다. 즉, 학습한 것을 다음 시간에 기억하는 데 어려움이 있었다. 그에게 "용기를 복돋우기" 위해서 (그러나 다른 학생들에게도 역시 공평한) 첫 번째 과제 카드에 C를 주었다. 다음날 눈에 멍이 들고 머리가 약간 짧게 잘린 채로 학교에 왔다. 전체 A를 받지 못해 부모에게 폭행을 당했다고 그의 누이가 이유를 알려주었다. 부모를 만난 후에 그들은 Arthur의 상태를 호전시키기 위해서는 그를 때려야 한다고 신이 계시하고 있다고 믿는 종교적 광신자라는 것을 알았다. 그래서 폭행은 그들의 의무였다. 나는 Arthur가 계속되는 과제 카드에서 모두 A를 받는 것을 보았다. 그리고 Arthur가 다양한 주제에서 성취한 바로 그것을 영구적인 기록표에 구체적인 정보 형태로 포함시켰다.

두 번째 교훈 역시 부모로부터 얻었다. Martha는 매일 하루 종일 인형을 갖고 노는 "달콤한" 2학년 학생이었다. 그녀의 아버지를 만났을 때 그가 1m 95cm의 덴마크인 선원이라는 사실에 놀랐다. Martha의 성취와 관련된 규준지향 검사 점수를 어떻게 해석하는지에 대해 이야기 하는 동안 그는 Martha를 어깨 위해 앉혀 놓고 있었다. 나는 내가 알고 있는 일반적인 전문용어를 사용했다. 그러나 그는 마치 그녀가 인형을 안고 있는 것과 같이 그녀를 안고 있다는 것을 알아차렸다. 그리고 내가 말하려고 생각하는 유일한 것은 그것이 교실에서 Martha의 진정한 즐거움이라는 것이다.

나는 학대부모와 어떻게 솔직하게 의사소통하는지 배우지 못했다. 그러나 그들과 의사소통하면서 그들이 자신의 아이들을 얼마나 사랑하는지 즐겁게 배웠다. 장담컨대, 나는 이것이 "평가"와 관련되어 있다고 생각하지 않을 사람이 있을 것이다.

생과 교사는 비공식적으로 지속적으로 서로를 평가한다. 교사가 학습활동에서 학생을 관찰하거나 학생의 질문에 대답을 하는 그 순간, 그들은 **비공식적 평가**에 참가하고 있는 중이라고 볼 수 있다. 평가가 인상에 근거하거나 사려 깊은 직감에 근거를 한다면, 바로 비공식적인 평가이다. **공식적 평가**는 보다 정확하고 규정적이며, 일반적으로, 교사 편에서 계획이 좀더 많이 이루어진다. 앞으로 여러분도 보게 되겠지만, 자료를 수집하기 위한 여러 상이한 방법들을 살펴보면, 몇몇 평가 형식은 공식적이고 비공식적인 요소를 모두 가지고 있다.

검사를 하지 않는 평가(혹은 비공식적 평가)는 일상적으로 일어나며, Philip Jackson은 검사보다 더 강력하고 영향력이 있는 것으로 간주하였다. 그는 "교사가 학생들에게 말한 것을 통해서 대략 어떤 행위가 옳은지 틀린지, 좋은지 나쁜지를" 학생들은 신속하게 파악한다고 주장한다. 이러한 교사판단을 통해서, 교사는 "학생들의 과제나 행위(그리고 의사소통)에 관해서 질문이나 다른 것들을 통해 지속적으로 판단을 한다."[10]

일상적인 비공식 평가의 두 번째 근거는 동료에 의

표 11.1 평가의 유형

유형	기능	도구 사용의 실례(實例)
배치평가	교수의 적절한 수준과 양식을 결정하기 위해 수업 전에 기술과 숙달의 정도를 판정	준비도 검사, 적성 검사, 사전 검사, 관찰, 면담, 개인 이력, 자아 보고서, 비디오테이프, 이전 교사의 조언 보고서
진단평가	치료 기법을 결정하기 위해 심각한 학습장애의 원인(인지적, 신체적, 감정적, 사회적) 판정	출판된 진단 검사, 교사 제작 진단 검사, 관찰, 면담, 현재 교사의 조언 보고서
형성평가	학습 진도의 판정; 학습의 촉진 및 교수 오류를 수정하기 위한 피드백 제공	교사 제작 검사, 검사 전문 출판사의 검사, 관찰, 점검표
총괄평가	코스의 성취 결과 또는 주 숙달 검사에 근거한 학생 수행의 판정	교사 제작 검사, 비율 척도, 지역 또는 주 전체에 실시되는 표준화 검사

출처: Adapted from Peter Airasian. *Classroom Assessment*. New York: McGraw-Hill, 1991. Norman E. Gronlund and Robert L. Linn. Measurement and Evaluation in Teaching, 6th ed. New York: McGraw-Hill, 1990.

한 판단이다. Jackson은 "때때로 학급 전체적으로 'Billy를 올바로 잡아줄 수 있는 사람은 손들어 보세요?', 'Shirley가 시를 다양한 표현으로 읽었다는 것을 얼마나 많이 믿을까요?' 와 같은 교사 질문을 통해서 학생들의 활동에 대한 평가에 참여한다. 명백한 실수는 '웃음' 이나 부정적인 비판을 자아내며, 반면에 우수한 성과는 '자연스러운 박수갈채' 를 받는다"는 것에 주목한다.[11] 비록 교사가 의식적, 혹은 무의식적으로 학생의 입장에서 격려를 할 수는 있으나, 교사의 입장에서 학생에게 강요하는 것은 필요치 않다.

일상적인 비공식 평가의 세 번째 근거는 학생 자기 판단이다. 학생은 "외부 판단의 개입" 없이 자기 자신의 수행을 평가한다. 이러한 평가 유형을 분별하거나 묘사하는 것이 더 어렵기는 하지만, 학생이 칠판 위에 문제를 풀었을 때 비록 교사가 이 방법, 저 방법으로 지적하려고 성가시게 하지 않아도, 학생은 그것이 옳은지, 틀린지를 알고 있는 것처럼 이것은 교수 전체를 통해서 일어난다.[12]

평가에 대한 다른 유형에는 IQ와 인성검사 점수(분류를 유도할 수도 있음), 또는 학생에 관해 부모나 다른 교사에게 어떤 정보를 얻는 것 등과 같은 사적인 것, 그리고 다른 학생들이 볼 수 있도록 하기 위해서 작품을 전시하거나 학급 전체를 위해서 어떤 학생의 실수를 검토하는 것과 같은 공개적인 것이 있다. 평가는 학급과 학교에서 결코 멈추지 않는다.

비록 몇몇 교육자들이 평가 과정을 비판하지만, 평가는 꼭 필요한 것이다. 비록 검사가 학생을 등급화하고, 분류하고, 또는 판단을 위해서 꼭 필요한 것은 아니라는 논쟁이 일어날 수도 있지만, 평가는 존재한다. 교사는 규정된 학교와 주의 성취기준에 따라 학생들의 수행 정도와 향상 정도를 평가해야 할 필요가 있다. 그렇게 하지 않는 것은, 교사의 중요한 역할을 포기하는 것이다. 반면에, 평가과정에서는 학생감정과 자아개념을 고려해야만 한다; 학생들이 속임수, 당혹감, 그리고 자포자기에 이끌리지 않도록 하기 위해, 수행이 평균에 미치지 못하는 학생들에게 꼬리표를 붙이지 말아야 한다. 공식적인 평가를 위한 자료를 보충하는 데 사용될 수 있는 다양한 비공식적 방법과 접근법은 교사들을 위한 조언 11.1에 요약되어 있다.

구체적인 평가 기법과 도구

교사는 학생의 학문적 성장을 평가하기 위해서 포괄적이고 다양한 평가 전략을 사용한다. 학생의 학습에 대

교사들을 위한 조언 11.1

대안적 평가 기준

Aurora(Colorado) 교육청은 인지적인 것뿐만 아니라 심리적, 사회적, 그리고 사실상 시민적인 복합적인 과제를 수행하는 학생의 능력에 대한 판단을 기초로 성적을 매기는 비전통적인 방법을 실시하고 있다. 여기에는 교육청에서 "대 성과물"이라고 부르는 5개의 범주가 있고, 범주에 속해 있는 19개의 구성요소나 실례는 모든 성적 수준과 목표를 위해서 활용될 수 있다. 이 새로운 방법은 학생 평가에서의 근본적인 변화를 제시하는 것이다. 그 기준은 다음과 같다.

1. 자기 주도적 학습자
   a. 우선순위 설정과 목표 성취
   b. 향상 정도 주시 및 평가
   c. 자신을 위한 선택권 생성
   d. 행동을 위한 책임감 추측
   e. 자신과 미래를 위한 적극적인 시각 생성
2. 협동 학습자
   a. 자신의 행동 주시
   b. 모둠의 기능을 평가, 관리

c. 상호 작용적 의사소통 표현
   d. 개인적 차이를 위한 배려 표현
3. 복합적 사고자
   a. 복잡한 문제를 다루기 위한 광범위하고 다양한 전략 사용
   b. 복합적 문제의 해결을 위한 적절한 전략 선택 및 적용
   c. 주제와 관련된 지식에 대한 접근 및 활용
4. 질적인 생산자
   a. 자신의 목표를 달성한 성과 창조
   b. 계획된 청중에게 적절한 성과 창조
   c. 숙련가를 반영하는 성과 창조
   d. 자원/기술을 적절하게 활용
5. 공동체 공헌자
   a. 자신이 속한 다양한 공동체에 대한 지식 설명
   b. 실천에 옮기기
   c. 공동체 공헌자로서의 역할 숙고

출처: Nora Redding. "훌륭한 성과 평가하기." *Educational Leadership* (May 1992): 50.

한 명확한 자료를 수집하려는 이가 있는가 하면, 비공식적인 유형의 정보를 더 수집하는 이도 있다. 그러나 각각의 자료양식은 여러분이 학생 수행을 평가할 수 있도록, 학습자가 무엇을 얼마나 학습하고 있는지에 대한 분별력을 제공해 줄 수 있어야만 한다. 대부분의 경우, 여러분은 학생학습을 평가하는 방법을 선택하는 데 있어서 상당히 신중을 기해야 할 것이다. 그러나 훌륭한 평가는 명확히 정의된 목표에 바탕을 두고 있다는 것을 기억하기 바란다. 목표 → 수업 → 평가 순으로 정렬하는 것은 좋은 지도를 위해 중요하다.

퀴즈

퀴즈는 학생의 지식에 대한 짤막한 비공식적 평가이다. 이것은 학생의 일상적인 과정에 대한 이해력을 점검하고 평가를 위한 기초를 제공한다. 몇몇 교사는 불규칙적인 간격으로 예고 없이 특별히 구체적인 과제와 관련된 퀴즈(또는 "깜짝" 퀴즈)를 실시한다. 다른 교사는 한 주나 두 주정도의 짧은 기간에 걸쳐 학습한 것을 평가하기 위해서 규칙적이고 예고된 퀴즈를 실시하기도 한다. 퀴즈는 학생들이 과제를 지속적으로 수행하도록 북돋아주고, 학습을 하는 데 있어, 자신의 강점과

교사는 다양한 과제를 가지고 여러 조건하에서 매일 학생을 관찰할 기회를 가진다.

약점이 무엇인지를 알려준다.

짧은 퀴즈를 통해서 학생의 노력과 향상 정도를 자주 체계적으로 관찰하는 것은 교사들에게 교수 활동, 학생에게 학습 활동을 개선하는데 도움을 준다. 학습의 문제점에 대한 초기 경고 신호로서, 학생에게 나타나는 실수는 더 나빠지기 전에 올바로 정정할 수 있다. 연구자들에 의하면, 교사가 평가를 자주 실시하고 퀴즈에 대해서 즉각적인 피드백을 제공해 줄 때, 학생의 노력과 성과는 향상된다고 한다.[13] 퀴즈는 개발, 관리, 그리고 채점하기가 비교적 용이해서, 다양하고 즉각적인 평가를 위한 수단으로 활용될 수 있다.

본질적으로, 비록 검사가 가장 일반적인 정보의 근원이고 전체 평가의 한 부분으로서 포함되어야만 하지만, 학생의 수행과 진보 정도는 이전 장에서 설명한 지필 검사보다는 다른 다양한 방법을 통해서 측정될 수 있다.

학생 활동 관찰

교사는 다양한 상황에서, 거의 매일 학생들이 혼자서 또는 다른 동료와 함께 수행하는 다양한 과제를 관찰할 수 있는 기회를 가져야만 한다. 교사는 교실 안에서 어느 정도 지속적으로 학생을 관찰한다. 그러나 교사는 무엇을 살펴볼지를 알고 있어야 하며 자료를 수집하고 평가하기 위한 몇 개의 관련된 목표 체계를 지니고 있을 필요가 있다.

비록 교사는 모든 학생을 관찰해야만 하지만, 특별히 불규칙적인 행동이나 학습 성과를 보이는 학생은 따로 관찰해야 한다. 좋은 관찰을 위한 열쇠는 객관성과 자료의 증거성이다. 교사가 "Trent는 교실에서 품행이 바르지 않아"와 같이 기억이나 애매한 진술에 의존해서 판단을 해서는 안 된다. 교사는 "Cheli는 소유격 명사에서 부호를 정확하게 사용할 수 없어" 또는 "Han은 오늘 수업 시간에 허가 없이 자기 자리에서 다섯 번 벗어났어"와 같은 학생이 행동한 것에 대한 객관적인 진술을 포함하는 정확하고 상세하게 작성된 기록들을 가지고 있어야만 한다.

만약 관찰 활동이 편견에서 탈피해서 상식적으로 실시된다면, 이러한 비공식적이고, 비 표준화된 평가 방법은 오직 검사 점수만 가지고 하는 것보다 학생에 관한 보다 통찰력 있는 정보를 제시해 줄 수 있을 것이다. 교사에게 있어서 중요한 점은 먼저 학생에 대해서 관찰하는 것이고, 그런 다음에 그러한 관찰에 기초해서 구체적인 학습처방을 하는 것이다.

학생을 평가하는데 사용할 수 있는 다양한 유형의 관찰 도구는 많이 있다. 몇몇 교사들은 장점과 단점을 강조하는 학습 처방을 제작하고, 또한 단점을 개선하기 위한 구체적인 윤곽을 약술하기도 한다(교사들을 위한 조언 11. 2 참조). 가장 간단한 도구 중에 하나는

교사들을 위한 조언 11.2

학습 처방전

이름 __Lionel__

나이 ____5____

날짜 ___1/20___

장점 및 자신 있는 영역

1. 혼자서 조작하는 활동을 잘 함
2. 음악 및 율동 활동을 수행하거나 참여
3. 작은 근육운동을 조화롭게 잘 함

신장시킬 필요가 있는 영역

1. 큰 근육운동 기능을 개발할 필요
2. 다른 학생들과 함께 운동하는 것을 학습할 필요
3. 쓰기, 그리기, 자르기 등과 같은 작은 근육운동 기능을 개발할 필요

도와 주어야 할 활동

1. 왼손잡이용 가위를 가지고서 Lionel에게 다른 급우들 중 한 명과 함께 자동차 발췌본을 만들기 위해 잡지에서 자동차 그림을 오리도록 한다.
2. 망치, 못, 그리고 나무줄기를 가지고서; 율동 악기를 만들기 위해서 다른 급우를 도와 못질 할 것을 Lionel에게 요청한다.
3. Lionel와 다른 급우에게 그들이 만든 율동악기에 색칠을 하도록 한다.

출처: 어린이의 발달과정 관찰. p. 208. 3/e by Beaty, Janice, ⓒ Reprinted by permission of Pearson Education, Inc.,, Upper Saddle River, NJ.

단순히 행동을 한 것과 하지 않은 것을 표시하는 표시 도구이다(표 11.2 참조). 또 다른 간단한 관찰 도구는 교실에서 발생하고 있는 어떤 행동의 정도를 평가하는 등급 도구이다. 표 11.3은 등급도구의 예시이다. 여러분들이 사용할 수 있는 다른 유형의 많은 도구들이 있기는 하지만, 위의 두 가지가 가장 간단하고 쉬운 도구라고 볼 수 있다. 첫 번째 도구는 동시에 많은 학생들에 대한 정보를 수집하는데 적절하며 두 번째 도구는 개별적인 평가를 하는데 적절하다.

관찰 자료는 보다 상세한 방법으로 학생의 일상적인 행동을 이해하는데 유용하다. 어떻게 학생이 행동하고 있는지를 상기하기 위해서 여러분의 기억력을 신뢰하지 않기 바란다. 학생들이 행동하는 방법과 그들이 소유하고 있는 기능과 그렇지 못한 기능이 무엇인지를 보다 잘 파악하기 위해서는 의미 있는 관찰 자료를 수집해야 할 것이다.

모둠 및 동료 평가와 피드백

교사는 교육 목표 성립을 위해 학생의 참여를 허용하는 시간과, 학습에 있어서 학생의 장점 및 한계점과 향상 정도를 평가하기 위한 시간을 따로 분리할 수 있다. 학생은 학습 습관과 숙제, 수업 참여도, 퀴즈, 익힘책 또는 교과서 활동, 그리고 다른 활동에 있어서 자기 자신이나 급우들을 평가할 수 있다. 또한 자신의 과제에 대해 성공적인 것들과 난점들을 기록하는 일화적인 기록이나 일지를 작성할 수 있다. 이와 같은 평가 기법은 교사들에게 학생의 향상 정도를 빠르고 효과적으로 진단하고 측정할 수 있도록 해준다. 이러한 모둠 평가 전략은 교사가 협동학습 전략을 활용할 때 특히 유용하다.

모둠 및 동료 평가는 학생상호작용을 증진시키고 학생들이 다른 학생에게 배우는 것을 가능하게 한다. 이것은 집단정신을 향상시키며, 학생 권한 위임에 기여한다. 어떤 연구에서는, 자신의 교과공부에 대해서

표 11.2 학생 행동 관찰 점검표

협동학습 시간에 관찰할 수 있는 행동을 확인한다. 그러한 행동을 열거하고 나서, 협동학습 시간에 학생들이 나타낸 행동 정도를 평가한다.(여기서는 설명을 위해 몇 개의 공통적으로 잘못하는 행동을 식별하였다)

교사 :_____   학급: _____   일시: _____

목표로 삼은 기능: _____

관찰된 행동은 +, 관찰하지 못한 행동은 − 표시를 한다.

학생 이름	허락 없이 좌석 이탈	수업시간에 늦음	교실 활동 방해	다른 학생들이 활동을 못하게 방해	설명
1					
2					
3					
4					
5					
6					
7					
8					
9					
10					
11					
12					
13					
14					
15					
16					
17					
18					
19					
20					

표 11.3 학생 기능 점검표

목표: 특정한 학습 상황에서 학생들이 표현할 것으로 기대되는 구체적인 기능을 확인하고 학생들이 지니고 있을 것이라고 믿고 있는 정도를 평가한다.

학생: _____

관찰 날짜: _____

관찰 시간: _____

	분명하지 않음	조금 분명함	매우 분명함
1. 문제에 대해서 비판적으로 생각할 수 있는 능력을 나타낸다.	_____	_____	_____
2. 기능 2: _____ _____ _____ _____ _____	_____	_____	_____
3. 기능 3: _____ _____ _____ _____	_____	_____	_____
4. 기능 4: _____ _____ _____ _____ _____	_____	_____	_____

동료들과 피드백을 주고받는 학생이 사회적 책임감과 성적이 향상되었다고 한다.[14] 학생들은 퀴즈에서는 동료 평가자로서, 또한 기술된 수업과제에 있어서는 동료 교정자로서의 역할을 수행할 수 있다.

또한 학생들은 다양한 협동 활동과 과제와 관련된 가치 있는 아이디어와 정보를 서로 제공해 줄 수 있다. 여기에서 학생들 간의 신뢰감과 협동심을 불러일으키고 조성하는 교사의 역할은 매우 중요하다. 교사는 1) 학생들이 공공연하게 도움을 줄 수 있도록 북돋아주기, 2) 교재와 자원을 분배하기, 3) 상호 작용하는 동안 수용과 지지를 표현하기, 4) 동료평가 및 협동을 방해하는 거부적이거나 비지원적인 행위를 지적하기 등을 통해서 이러한 목적들을 증진시킬 수 있다.[15]

수업 참여

많은 교사들이 평가 데이터의 필수 요소로서 수업 중 학생의 참여도를 고려한다. 교사들은 자발적이고, 자신의 생각을 논리적으로 개발하며 관련 사실이나 연관성을 토론하는 학생들에게 감명을 받는다. 교사의 질문에 자주 대답하고 과제물을 꼬박꼬박 제출하는 일은 진보의 증거로서 여겨진다. 질문에 대답하지 못하고 과제물을 제출하지 못한다면 학습 능력에 문제가 있거나 동기 결여의 신호이다. 수업 참여의 핵심은 전체 학생의 참여를 분명히 하는 것이다. 어떤 교사들은 수업 내용을 잘 아는 몇몇 자발적 학생들에게 의지하기도 하며 내용을 따라가지 못하거나 참여할 의지가 없는 대다수 비자발적 학생들은 무시하기도 한다. 모든 학생들은 배우기를 원하며, 그들에게 맞는 학습 과정을 찾도록 돕는 책임은 교사에게 있다.

사실, 학생들이 교사들을 따르지 않으려는 이유들이 많이 있을 것이다. 관찰자들이 몇 가지 가능성을 다음과 같이 요약했다.

교사와 학생 사이의 대화의 특징 가운데 하나는 교사의 질문에 대답하는 형식이라는 점이다. 이것의 한가지 문제는, 교사들이 질문을 연속적으로 하면서 학생들로 하여금 충분히 생각하고 답할 시간을 주지 않는다는데 있다. 교사가 자신이 질문한 뒤 몇 초 만에 자신이 대답하게 되면 학생들이 생각할 가능성도 주지 않는 게 되어버리는 셈이다.

그러면 두 가지 결과가 있다. 하나는, 짧은 시간 안에 답을 끌어내는 것은 사실에 대한 질문들로서 이것이 일반적이다. 다른 하나는, 학생들이 응답할 생각 조차도 하지 않는다는 것이다. 대답을 하자마자 또 다른 질문들이 튀어나온다는 것을 알기 때문에, 이러한 질문에 대답할 필요를 못 느끼는 것이다.

바로 이러한 순환을 깨뜨릴 몇 가지 방법들이 있다. 학생들에게 대답할 시간을 주되, 짝이나 작은 모둠을 만들어 토론하게 하고, 대표자가 모둠을 대신하여 대답하게 하고, 학생들에게 다른 대답들에 대하여 투표를 하게 하고, 대답을 필기하게 하고 선정된 몇 가지 대답을 읽게 하는 것 등이 있다. 필수적인 것은 어떤 대화라도 모든 학습자가 참여의 동기가 유발될 수 있도록 해야 된다는 것이다.[16]

숙제

교사는 학생들의 과제물을 주의 깊게 확인함으로써 그들의 성과나 태도를 알 수 있다. 한 가지 좋은 규칙은 여러분, 다른 학생, 또는 학생들 자신 등 어떤 방식으로든지 확인될 수 없다면 과제물을 부과하지 않는 것이다. 요점은 즉각적인 피드백을 제공하면서, 학생들에게 개선을 위한 한 두 가지 주요 제안점과 함께 과제물의 긍정적인 측면을 부각시키는 것이다. Walberg가 지적한 것처럼, 학생들의 성과는 교사들이 정기적으로 과제를 부과하고, 학생들이 양심적으로 따르며, 과제가 완성되면 교사들이 즉각적으로 피드백을 할 때 증가한다.[17] 하지만, 과제가 목적을 효과적으로 성취하려면, 적절하게 부과되어야만 한다. 표 11.4에는 과제 부과에 대한 일반적인 교사 지침들이 개괄되어 있다.

Good과 Brophy는 만약 교사가 기능 또는 절차에 대한 연습을 제공하거나, 시험이나 총괄적 학습경험을 대비시키거나, 특정 영역에서의 개인별 성취도를 향상하거나, 또는 부모-아동 관계를 조장하는 것(예, 부모와 아동이 아이디어에 대해 함께 얘기하는 방법 찾기) 등과 같이 스스로 정한 목표를 달성하고자 한다면, 과제는 학생들의 학습을 조장하고 교사의 목표를 달성하는데 효과적일 수 있다.[18]

노트와 노트필기

노트북은 초등학교에서 학생들의 필기와 주제에 대한 이해도를 측정하는 도구로서 활용되어야 하고, 중학교와 고등학교 1학년에서는 그 정도를 줄인다.

노트 필기는 중등학교 학생들에게 더욱 중요하며, 특히 고등학교 학생들에겐 말할 필요도 없다. 이 수준

표 11.4 숙제에 관한 할 것과 하지 말아야 할 것

다음의 숙제에 관하여 할 것과 하지 말아야 할 것이라고 명시된 것들은 가장 중요한 고려사항 중 선별된 목록의 일부이다.

교장들에게

1. 교사의 숙제 진행에 관하여 모든 것을 듣는 대로 믿지 않는다.
2. 학교의 숙제와 관련된 정책에 대하여 모든 교사들이 맹신할 것이라고 기대하지 않는다.
3. 학교의 숙제 정책이 모든 부모들을 만족시킬 것이라 기대하지 않는다.
4. 수업 부담이 가장 많은 교사가 가장 적은 교사만큼 많은 숙제를 부과할 것이라 기대하지 않는다.
5. 교사들의 숙제 관행에 관하여 들리는 소문들을 확인한다.
6. 교내 숙제 정책에 가장 만족하지 않을 것으로 기대되는 교사들을 그것을 제정하는 위원회에 포함시킨다.
7. 부모들을 교내 숙제 정책의 개발에 참여시킨다.
8. 학교의 지원도구 및 부모 자원자 등을 활용하여 교사들의 서류작업 부담을 최대한 지원한다.

교사들에게

1. 절대 처벌로서 숙제를 내지 않는다.
2. 충동적으로 숙제를 내지 않는다.
3. 숙제에 대해 질문이 없다고 학생들이 실제로 과제에 대하여 의문이 없다고 추측하지 않는다.
4. 학생들이 (설령 당신의 최고의 학생들이라도) 항상 과제물을 완성해 왔을 것이라고 기대하지 않는다.
5. 모든 종류의 과제물들이 모든 종류의 학생들에게 똑같이 소중하지는 않다는 것을 이해한다.
6. 모든 과제물의 분명한 목적을 설명한다.
7. 학생들이 당신의 과제물을 하는 과정에서의 경험을 얘기할 때 경청한다.
8. 학생들이 과제물을 작성한 노고를 인정하고 감사한다.

부모들에게

1. 당신이 혼동되거나 무엇을 묻는지 정말로 짐작이 안 된다면 과제를 도와주지 않는다.
2. 아이들이 과제를 완성할 수 없다고 하는 합리적인 이유를 들어 설명하도록 하는데 주저하지 않는다.
3. 과제 이슈에 관하여 다른 모든 대안들이 검토되기 전까지는 자신을 아이와 교사 사이에서 적대적인 역할을 하지 않도록 한다.
4. 아이들이 언제나 "어떤 생산적인 일"을 해야 한다고 느끼지 않는다(14살짜리 아이를 닦달하는 것보다 슬픈 일은 없을 것이다).
5. 아이들이 과제에 대한 도움을 정말로 필요로 하는지 살펴본다.
6. 아이들이 숙제의 목적 또는 가치를 알 수 있도록 돕는다.
7. 결석을 했을 때 자녀들이 과제물을 완성하도록 격려한다.
8. 과제가 없는 날에는 TV나 잡지, 게임도 같이 하고, 콘서트나 전시회를 통하여 대체학습을 할 것을 제안한다.

학생들에게

1. 부모님이 모든 과제를 도와줄 것이란 기대를 하지 않는다. (부모들은 배운 것을 잊어버리며, 오늘 배운 것들은 어른들에겐 낯선 것들일 수도 있다.)
2. 혼자서 정말로 완성할 수 있는 과제는 교사에게 도움을 요청하지 않는다.
3. 과제 미완성에 대한 합리적인 이유들을 변명과 혼동하지 않는다.
4. 과제물이 가장 중요하게 여겨지는 수업에 대하여 "시간의 대부분"을 과제하는데 보냈다고 해서 좋은 성적을 받을 것이라고 생각하지 않는다. (75%의 완성 비율로도 충분하지 않은 수업도 있다.)
5. 정말 도움이 필요한 경우에는 부모님에게 물어본다.
6. 과제물이 혼동이 되는 경우 수업의 전/후를 이용하여 교사들에게 질문한다.
7. 과제물을 완성하지 못하는 합리적 이유를 제시하며 설명한다.
8. 과제물이 정말 특정 수업에 중요한 경우 최선을 다하여 완성한다.

출처: D. A. England and J. K. Flatley's "Homework Do's and Don's." *Homework—and Why*. Bloomington, Ind.: Phi Delta Kappa, 1985, pp. 36-38.

의 학생들은 필기된 것 이외에 수업의 토론 중에서 나오는 숨겨진 아이디어들을 담기 시작해야 한다. 훌륭한 노트 필기는 정보를 체계적인 형식으로 배열하고, 토론의 주요 포인트에 집중하며, 오래된 정보를 새것과 통합하는 것 등으로 구성된다.[19] 간추린 노트 필기나 단순한 말 바꾸기 또는 정보의 나열은 효과적이지 않다.[20]

노트 필기에는 다양한 형식이 있다. 한 가지 유용한 형식은 요약이다. 학생들은 필기한 노트를 분석하고 짧은 요약을 작성하면서 학습해 온 자료를 종합한다. 이런 전략은 학생의 읽기 실력을 효과적으로 증대시킬 수 있다.[21] 일단 요약이 되면, 당신은 그 학생이 무엇을 잘 이해하고, 무엇을 잘못 이해하고 있는지를 판단할 수 있고, 또는 학생들을 짝지어서 그들의 과제물을 공유하게 할 수도 있다.

보고서, 주제 그리고 연구 과제 논문

글로 작성하는 과제는 학생들이 생각을 조직화하고, 주제를 찾고 새로운 아이디어를 개발하는 능력을 부여하는 훌륭한 방법이다. 평가할 때, 교사는 학생이 설명, 논리, 아이디어의 유기성의 관점에서 얼마나 잘 그들의 생각을 개발했는지, 아이디어를 분명하게 표현했는지, 사실이 열거되고 의견과는 구별되었는지, 결론이나 제언이 증거를 바탕으로 하고 있는지를 눈여겨봐야 한다. 학생들의 사고 과정, 참고 문헌 그리고 주제에 맞춰서 그것을 논리적으로 전개했는지의 여부가 철자나 문법보다는 중요하다.

학생들의 과제물을 어떻게 등급을 부여하고, 평정하는지는 과제를 작성할 때의 목적에 의해 주로 좌우된다. 학생들의 작업을 평가할 때 사용할 수업의 목표와 채점기준표는 학생들에게 투명해야 한다. 어떤 교사들은 과제물과 성과 기준치에 대한 것을 배부하고, 학생들에게 기대치와 학점의 목표치에 대하여 대화하기도 한다.[22] Zmuda와 Tomaino는 이렇게 평가가 명시적일 때 "성적 부여의 과정이 … 구체적이며, 솔직하고, 정직하게 [된다]"고 말했다.[23]

제10장에서는 채점기준표가 어떻게 학생 성과를 평가하는데 이용될 수 있는지가 강조되었다. 학생의 과제물을 평가할 때 형식적 또는 비형식적인 채점기준표를 사용하는 것이 중요하다. 표 11.5는 설득적인 글쓰기에 대한 평가에서 채점기준표가 사용되는 또 다른 예시이다. 어떤 채점기준표라도 확실한 논제와 그 논제를 위한 질의 단계를 정의해야 한다는 것이 핵심이다. 표 11.5의 채점기준표는 분석적이며 일반적이다. 즉, 이것은 여러 준거에 대한 수행 수준을 평가하며, 어떤 설득적인 에세이를 평가하든지 사용할 수가 있을 것이다.

토의와 토론

구두 과제를 평가하는 것은 글로 작성된 것보다 어려운 일이지만, 이러한 과제는 다른 방식으로는 측정될 수 없는 창조적이고 논리적 사고를 측정할 수도 있다. David Johnson과 Roger Johnson 등은 학생들이 자신들에게 흥미있는 것에 대해 자유롭게 논의할 때 한 시간 동안의 지필검사에서는 찾아볼 수 없는 많은 기능, 통찰력, 그리고 경험에 바탕을 둔 사고를 한다고 지적한다.[24] 토론과 논쟁에서 학생들은 자신의 동료 앞에서 자기도 성공할 수 있다는 것을 발견하게 된다. 자신의 동료 앞에 있기 때문에 모욕, 냉소, 부정론 등이 토론이나 평가 과정에 개입되지 않도록 해야 한다.

토론하는 동안에 학생들의 이해도와 자료 분석 능력뿐만 아니라 사회 인지적 성품도 평가될 수 있다. 이 성품이란 1) 타인의 아이디어 수용, 2) 아이디어 표출, 3) 의견 제시, 4) 다른 사람에 대한 도움제공, 5) 정보 추구, 6) '승리' 보다는 최상의 결정을 내리려는 노력, 7) 타인의 격려, 8) 모둠 구성원들과의 협동정신, 9) 자극적인 질문, 10) 경청, 11) 건설적인 의미에서의 반의, 12) 의견을 뒤집는 것에 대한 의향 표시, 13) 모둠에 긍정적으로 공헌하기 위한 노력 등이다.[25]

성적 부여를 논의하기에 앞서, 지금까지를 요약할 필요가 있다. 첫째, 평가에는 여러 층이 있다. 학교 당국은 대규모의 산정방식(모든 교사의 교실에서 요구되는 일반적인 평가)으로 관리할 것이고, 교사들은 수업 과제물의 다양성을 결정할 것이다. 전자는 학교 또는 교사 집단의 종합적 성과를 결정하는 데 효과적인데

표 11.5 설득력 있는 글쓰기에 대한 교육시 주의사항

| 기준 | 좋은 글의 정도 | | | |
	4	3	2	1
주장	주장을 하고 왜 논쟁의 여지가 있는지를 설명한다.	주장을 하지만 왜 논쟁의 여지가 있는지 설명하지 않는다.	나의 주장은 묻혀 있고, 혼란스러우며 불명확하다.	나의 논지나 주장이 무엇인지 말하지 않는다.
주장을 뒷받침하는 근거	나의 주장을 뒷받침할 수 있는 명료하고 정확한 이유를 말한다.	나의 주장을 뒷받침할 수 있는 이유를 말하지만, 중요한 요점을 간과한다.	나의 주장이 뒷받침되지 않는 한두 개의 설득력이 약하고 관계 없거나 혼란스러운 이유를 말한다.	나의 주장을 뒷받침할 근거를 이야기 하지 않는다.
주장에 반대되는 의견	나의 주장과 반대되는 이유를 검토하고, 어쨌든 그 주장이 왜 타당한지를 설명한다.	나의 주장과 반대되는 이유를 검토하지만, 그 주장이 타당한지를 설명하지 않거나 등한시 한다.	반대의견에 대한 이유가 있지만, 토론이 하지 않는다.	나의 주장에 반대되는 의견을 인정하지 않거나 토론하지 않는다.
구성	나의 작문이 마음을 끄는 도입부와 정보를 줄 수 있는 중반부, 만족할 만한 결론부를 가졌다.	나의 작문은 도입부, 중반부, 결론부가 있다.	글의 구성이 매끄럽지 않지만 작용은 한다. 때때로 주제에서 벗어나기도 한다.	나의 작문은 목적이 없고, 정리되어 있지 않다.
발성과 어조	나의 논의를 신경 쓰고 있는 것처럼 보인다. 나의 생각과 느낌을 말한다.	나의 어조는 괜찮지만 나의 글은 다른 누군가와 비슷하다. 나는 내 생각과 느낌을 말할 필요가 있다.	나의 작문은 뒤섞여있거나, 겉치레가 있다. 글속에 진정한 의견이 있는지 알 수 없거나 날조한 듯하다.	나의 작문은 너무 형식적이거나 혹은 너무 비형식적이다. 글의 주제를 좋아하지 않는 것처럼 보인다.
단어 선택	내가 사용한 단어는 공격적이지만 자연스럽고 다양하며 명확하다.	좋은 단어도 있고, 판에 박은듯한 평범한 단어도 있다.	지루하거나 감흥이 없는 단어를 자주 사용한다. 감동을 주려고 열심히 노력한 것처럼 보인다.	같은 단어를 반복해서 사용한다. 어떤 단어들은 혼란스럽기도 하다.
문장력	나의 문장은 명료하고 완전하며, 문장의 길이가 다양하다.	나는 문장은 잘 짜여져 있다. 나의 글은 정렬되어 있지만, 춤을 추진 않는다.	나의 문장은 종종 행을 바꾸는데 서투르거나 문장의 파편이 있다.	많은 문장이 행을 바꾸지 않았고, 문장의 파편이 나의 글을 읽기 어렵게 만든다.
규칙	나는 바른 문법과 구두법, 철자법을 사용한다.	고쳐야 할 오류가 몇 가지 있지만, 일반적으로 올바른 규칙을 사용한다.	너무 많은 오류가 있어서 독자를 혼란스럽게 한다.	셀 수 없을 만큼의 오류가 나의 글을 읽기 어렵게 만든다.

출처: Heidi Goodrich Andrade, "Using Rubrics to Promote Thinking and Learning," *Educational Leadership*(February, 2000): 17.

비해, 후자는 학생들(그리고 부모들)이 배운 내용에 대해 구체적인 강점과 약점을 파악하고 도울 수 있는 특징이 있다. 여러분의 과제물들은 특정 학생의 학습 성장에 대한 구체적인 정보와 피드백을 제공하므로 중요하다. 이러한 정보를 갖게 되면 여러분은 이제 성적 부여를 고려할 준비가 되었다.

전통적인 성적 부여

성적 부여의 목적은 상이한 학년수준의 교사에게 다소 다르다. 일부 연구는 초등학교 교사가 학력을 위한 척도로서 성적이 그들에게 있어 중요하기 때문이 아니라 학교구가 그것을 요구하기에 성적을 준다고 말하는 경향이 있다고 지적한다. 대조적으로 중학교 교사는 성적이 학생, 다른 교사 및 대학에서의 수행을 알려주기에 필요하다고 느낀다.[26] 동일한 연구들은 초등학교 교사가 수업, 동기부여와 태도에서 학생 참여의 관찰에 많이 의지하고 있음을 보여준다. 중학교 교사는 주로 시험 결과와 특정한 숙제를 기초로 해 성적을 부여한다.

교사는 어린 학생 (2학년 또는 그 이하) 이 성적의 의미에 제한된 이해를 가지고 있으며, 성적 개념에 대한 이해가 나이와 더불어 증가한다는 것을 알 필요가 있다. 초등 수준에 성적은 보통 부모를 위한 것이다. 부모는 학생이 어떤 위치인지를 기대하는데, 슬프게도 이것은 학급의 다른 학생과의 상대적인 위치를 보통 의미한다. 상위 학년이 되기 전에는 대부분의 학생이 성적 부여 곡선, 학년 점수 평균, 가중치 부여에 의한 성적 부여 같은 복잡한 도식을 이해하지 못한다. 고학년 학생은 성적 부여 실제에 좀더 비판적이고, 저학년 학생보다 낮은 성적을 덜 받는다.[27] 이러한 연구결과는 학교 정책이 허락한다면 교사가 공식적인 성적 부여를 5학년 또는 6학년까지 연기하는 것을 고려할 수도 있으며, 특히 그들의 미래에 있어서 성적이 중요하다고 여기기 때문에, 교사는 "발급된" 성적에 관해서 고학년 사이에 염려와 심지어 비판까지도 예상해야 한다는 것을 의미한다.

검사와 성적 부여에는 여러 가지 일반적인 목적이 있다. 1) 증명서, 또는 학생이 특수한 내용을 숙달하거나, 성취의 어떤 수준을 달성했다는 보증, 2) 선택, 또는 어떤 교육적인 방향 또는 프로그램을 위해 학생의 집단 편성 또는 식별, 3) 동기부여, 또는 학습을 위한 특수한 자료나 기능을 강조하고 학생의 이해를 돕고 수행을 향상시킴.[28]

흥미롭게도, 전통적인 성적 부여는 많은 학교와 학교구에서 이루어지고 있는 표준화 검사에 대한 중요성의 견지에서 보면, 종종 보잘 것 없는 위치를 차지하고 있다. 고부담 시험은 중요성에서 교사가 측정한 일련의 저부담 평가로부터 얻어진 전통적인 성적을 너무 자주 대신하고 있다. 새로운 교사로서, 여러분은 표준화 검사의 수요와 요구사항을 다루는데 있어서 압력을 받게 될 것이다. 그러나 이러한 현실이 각 학생의 학습 욕구에 관한 매일의 수업의사 결정을 가볍게 해서는 안 된다. 여러분이 학생을 가장 잘 알고 있으며, 어떤 표준화 검사도 당신이 여러 주에 걸쳐서 평가한 것을 하루 만에 더 잘 평가할 수 없다.

성적은 여러 학년 걸쳐서 "승자" 또는 "패자" 학생 집단을 만들게 된다. 실제로, 교사가 성적을 결정하는 한 방법은 학생의 수행을 비교하는 것에 의한 것인데, 규준 지향 성적 부여로 지칭된다. Robert Slavin은 다음과 같이 달리 표현하였다. 일반적으로 경쟁적인 보상 구조에서 한 학생이 보상 또는 좋은 성적을 받을 확률은 다른 학생이 보상을 받을 확률과 부정적인 관계가 있다.[29] 또한, 전 학년에 걸쳐 공식적인 수업과 학생 수행 사이에 명백한 관계가 있지만, 교실 과제와 의도하는 학습을 정확하게 반영한 검사를 구성하고, 성적을 부여하는 것은 대부분의 교사에게 어려운 일이다. 교사가 시험 결과를 해석할 수 있고, 검사 점수를 성적이나 학년 수준으로 바꿀 수 있을 것 같다고 보고할지라도 교사의 이런 능력을 검사해 보면, 대다수가 어떤 유형의 오역을 하고 있다.[30]

학생의 학업에 성적을 부여하는 것은 주관적이다. 교사는 판단해야 하며, 비록 있다고 해도 아주 소수의 교사만이 평가할 때 순수하게 객관적이다. 어떤 검사 항목이 포함되어야 하고, 그 항목에 대한 비중을 어떻게 부여해야 하는지는 판단의 문제이다. 부분적으로 잘못 응답한 것에 대해 감점해야 하는가? A나 B나 F를 얼마나 많이 주어야 하는가? 성적 부여는 곡선 또는 절대평균을 기초로 해야 하는가? 그리고, 모든 특별한 경우("나는 내 필기장을 잃어버렸다")와 문제("나는 지난 주에 아팠다")에 대해선 어떻게 해야 하는가? 결과가 과거의 수행과 비교해 볼 때 크게 차이가 나기 때문에 학생은 시험을 다시 보도록 허용되는가? 추가 숙제가 성적을 수정하기 위해 사용되어야 하는가, 그리고 어느 정도의 범위이어야 하는가? 만일 검사 수정, 추가 검사 또는 추가 숙제가 허용되면 교사는 더 주관적인 역할을 할 수 밖에 없다. 그러나 만일 교사가 어쩌면 점수 결과를 수정해야 하는 외부 상황을 고려하는 데 실패하게 되면, 성적이 정말로 냉정한 학습의 상징인 무기로 사용되고 있다고 주장될 수도 있다. 학생이 추가 연습과 지도를 받을 자격이 있다는 것은 주장될 수 있으나 추가 시험을 다시 치르거나 추가 점수는 모든 학생이 아니라 일부의 성적을 끌어 올릴 수도 있기 때문에 불공평하다.

숙제는 또 하나의 고려사항이다. 숙제 채점자가 학생인가 교사인가? 학생에 의한 즉각적인 채점은 교사가 차후 분석에서 어떤 자료가 필요한지를 즉시 결정할 수 있게 한다. 교사가 숙제에 대한 성적을 매길 때, 서류작업 부담은 증가되고 학생에 대한 피드백은 지연된다. 그러나 숙제 성적을 매기는 바로 그 행위에서, 교사는 학생의 문제와 특수한 사고 기능에 관한 정보를 추가하게 된다. 더욱이 교사가 숙제(또는 다른 학생 서류)에 대해 격려하고 건설적인 평을 쓰는 시간으로 이용할 때, 그것은 성취에 대한 측정 가능한 긍정적 영향을 가진다고 지적한다.[31]

숙제는 학습과정에 중요하지만, 그것을 성적 시스템에 포함시킬 수 있을지 없을지는 의문이다. 일부 교육자는 반대한다. 사소한 훈육문제(예를 들면 껌을 씹는 것), 서류를 타이핑하지 않고, 숙제를 제시간에 하지 않고, 수업에 늦게 오는 것 등과 같은 것으로 성적을

낮추는 것에 관해서도 유사한 의문이 있다. 용인할 수 없는 행동을 하는 학생은 책임을 져야 하지만, 일부 교육자는 억제하는 수단으로 성적을 낮추는 것에 대해서 반대한다.[32] 그러나 많은 교사는 특히 교실 규율이 위험에 처해 있을 때는 상이한 견해를 취한다.

또한 성적 시스템의 일부로서 일과 수업 활동, 수업 참가, 암송, 구두 읽기, 칠판 작업, 구두 발표와 심지어 보고서 사용의 가치에 관해 상당한 이견이 있다. 그러한 실제가 학생 수행에 관한 정보의 토대를 넓히고, 학생에게 시험과는 다른 근거로 평가될 수 있는 기회를 줄지라도, 그들이 제공하는 정보의 질에 대해 심각한 의문이 있다. 예를 들면, 자료를 알지만 내성적 또는 수줍은 학생이 있는 반면 일부의 학생은 거의 알지 못하면서 "말은 번드르게 한다". 다른 교육자들은 성적이 수행의 1차적 측정(단원 시험, 학기말 보고서)과 2차적 측정(숙제, 퀴즈)으로 나눠져야 한다고 주장한다. 그들의 목적이 1차적 학습 성과를 성취하기 위해 학생을 준비시키는 것이므로, 2차적 측정은 덜 중요하게 고려되고 덜 부담되게 주어진다.[33]

여러분이 성적 부여에 대해 생각하는 것과 무관하게, 특히, 성적 부여 과정이 공정하고 객관적인 방법으로 실시될 때, 학생 학습 증진에 효과가 있다는 것을 지지하는 증거가 많이 있다. E. D. Hirsch는 다음과 같이 기술하였다.

시험과 성적이 효과적인 교수에 강력하게 공헌한다는 것은 설득력 있어 보인다. 이 상식적인 추측은 1960년대와 1970년대에 등급 부여에 반대하여 합격-불합격 방식이 단과 대학과 대학교에서 인기를 끈 이후에 실시된 연구에 의해 확증되었다. 상당히 명확한 분석에서 스스로 내재적인 흥미를 바탕으로 과정을 이수한 학생보다 성적을 위해 과정을 이수한 학생이 더 열심히 공부하고 학습한다는 것이 드러났다.[34]

앞에서 보았듯이 전통적인 성적 부여는 그 안에 주관성이 내재되어 있다. 학생의 수행을 다른 학생의 수

행과 비교하고, 학생의 개별 능력을 평가하고(개인적인 잠재성에 비교해서 이 학생은 어떻게 하고 있는가?), 그리고 여러 시간에 걸쳐 학생의 개별적 발달을 측정할 때 이러한 주관성의 대부분이 발생한다. 여러분이 모은 모든 자료에 기반하여 성적에 대한 판단이 이루어진다.

분명히, 전통적인 성적 부여는 대부분의 예비 교사가 경험해야 하는 것이다. 그러나 학생 평가에는 다른 방법이 있다. 그 중의 하나가 준거-지향인데, 학생 수행이 정의된 성취기준에 비교하여 측정된다.

성취기준 기반 성적 부여

제10장에서 그리고 이번 장의 많은 부분에서 교육자는 지금 성취기준에 기반하며 학생 수행을 평가에서 성취기준 사용의 중요성이 증가되고 있음을 검토했다. 심지어 일부 교사는 설정된 성취기준에 기반하여 준거지향 성적 부여 체계를 지금 만들고 있다. Colby는 교사가 수업을 지도하기 위해 성취기준과 미리 정의된 수행 수준을 사용하고, 그 다음 평가 절차를 이에 맞추는 방법을 찾을 때, 다루게 되는 복잡하지만, 필수적인 관계에 대해 기술하고 있다.[35] Colby는 4단계 성적 부여를 강조한다.

- *1단계*: 정보를 문서화하기 위해 실행 가능한 서식을 생성한다- 각 학생마다 한 쪽씩 배정하고, 각각 쪽에 모든 학생이 알아야 하는 교육과정 성취기준을 나열한다.
- *2단계*: 학생 수행의 유형을 문서화하고 평가를 위한 부호를 생성한다. Colby은 다음과 같이 제안한다, "수행 평가에 대해 P, 숙제에 대해 A, 직접관찰에 대해 O, 그리고 [테스트 또는 퀴즈에 대해] 정답의 백분율에 대해 %"[36] 부호의 다른 형태는 수행의 수준을 정의한다. "학습자 성과의 숙달을 보여주면 +, 학습자 성과가 진행 중이면 ✔, 그리고 그 때에 학습자 성과의 숙달을 보이지 않으면 —"[37] 세 번째

의 부호는 평가가 일어났던 때를 정의한다. (예를 들면, 15분은 빨간색으로, 30분은 녹색으로)
- *3단계*: 평가정보 기록의 접근이 용이한 성적부(예를 들면, 3공 묶음철)를 만든다. 표 11.6은 성취기준에 기반한 성적부의 예를 제시한다.
- *4단계*: 평가과정을 살펴보고 모든 자료가 능률적이고 효과적으로 모여지고 있는지 확인한다.

성취기준에 기반한 성적 부여 체계 안에 성취기준, 평가, 수업 들이 분명하게 서로 맞춰져 있음을 주목한다. 이러한 배열은 전통적인 성적 부여 형태에서 반드시 이루어져야 하지만, 대개 이루어지지 않는다. 즉, 상당히 많은 교사가 특별한 숙제를 더 폭넓은 성취기준과 학습자 기대에 실제로 관련시키지 않고 개별 숙제를 부여하고 성적을 매긴다.

Colby는 성취기준에 기초한 성적 부여에서 몇 가지 실제적인 이점이 있다고 보고한다. 첫째, 학습자의 강점과 약점을 신속하게 평가하는데 더욱 더 용이하다. 둘째, 학습 진행에 대해 구체적으로 부모와 학생에게 전달하기 더 쉽다. 셋째, 부모와 교사 사이의 대화를 더 집중하게 하고, 덜 주관적이게 한다.[38]

한 가지 더 이점이 있을 수 있는데, 그것은 동료가 어떻게 수행하느냐에 대한 관계가 아니라 특수한 성취기준에 대한 관계에서 학생의 수행이 평가된다는 사실이다. 우리가 이전에 주시했던 것처럼, 대부분의 성적 부여 체계는 비교에 기반하고 있으며, 개별 학생 수행의 성취기준과 관련되어 있지는 않다. 여러분이 학교에 다녔을 때의 평가에서 사용되는 성적 부여 체계를 고려해 본다. 다른 학생이 어떻게 수행하는가를 기반으로 또는 성취기준을 기반으로 평가되었는가?

성적의 유형

성적이 제시되는 가장 인기 있는 유형은 문자 성적이다. 문자 성적은 시험점수, 성적 등의 조합에서 생기는 수 기반을 변환한 것을 의미한다.

좋은 교사는 확립된 절대적인 준거 수준- 교사가 학

표 11.6 성취기준에 기반한 성적부 – 2학년

이름 _____

\+ : 학습자 성과의 숙달을 보임　　　　　　　　P: 수행평가

* : 학습자 성과가 진행 중임　　　　　　　　　A: 숙제

－: 그 때에 학습자 성과의 숙달을 보이지 않음　O: 관찰

　　　　　　　　　　　　　　　　　　　　　%: 백분율 정(正)/시험

과학						
학습자는 유사한 방법으로 번식과 관계된 생물을 비교하고 대조할 것이다.						
• 식물번식의 예를 식별한다.(배종, 종자, 꺾꽂이 순, 눈, 새싹)	+O	+O	*O			
• 유사한 방법으로 번식과 관계된 생물의 예를 식별한다.	*O	+A	+O			
학습자는 식물 성장(또는 성장의 부족)에서 관찰되는 변화의 이유를 분석할 것이다.						
• 식물 성장(또는 성장의 부족)에서 변화를 관찰한다.	*O	*O	53%			
• 식물 성장을 기록한다.	+A	+A				
학습자는 식물 기관을 식별할 것이다.						
• 식물 기관을 안다.(예를 들면, 뿌리, 줄기, 잎, 꽃)	+O	*O	77%			
• 뿌리와 줄기에 중력의 영향을 안다.	+O	*O	88%			

출처: Susan A. Colby. "Grading in a Standards-Based System." *Educational Leadership* (March 1999): 55.

생이 학습하도록 의도한 것-에 비춰서 학생이 얼마나 자료를 잘 학습했는지를 보여주기 위해 성적을 사용한다. 이것이 성적 부여의 적절한 유형이다. 훨씬 더 취약한(그러나 자주 사용되는) 유형은 학생의 수행을 비교하고 상대적인 수행에 기반 해서 성적을 주는 것이다.

수에서 문자(A, B, C)로의 변환은 어느 정도 까지는 의미를 왜곡하고, 개별 학생의 차이를 숨긴다. 문자가 수의 범위를 표현하기 때문에, 서로 다른 학생이 수행의 수준이 상이하여도 같은 교사로부터 같은 문자 성적을 받을 수 있다. 수 체계가 더 정확할지라도, 종종 최종 성적의 2~3점 차이는 그렇게 중요하진 않다.

대부분의 학교는 평가에서 대부분의 일반적인 진술을 다음과 같이 문자로 전환한다.

A = 우수한, 뛰어난, 굉장한, 그리고 내용의 숙달과 확실한 구사 능력

B = 좋은, 평균 이상, 그리고 모든 영역은 아니지만 대부분 면에서 숙달이 분명하다.

C = 적정한, 요구를 충족하는, 평균, 선행수준은 아니지만 기본에서 숙달이 분명하다.

D = 최소한의 합격, 약점 또는 문제들, 그리고 내용의 제한된 이해

F = 낙제, 심각한 약점 또는 문제들, 그리고 내용의 숙달이 거의 없다.

한 학교에서 C를 받은 학생이 다른 학교에서는 A를 받는 학생이 될 수 있듯이, 성적에 기반한 성취기준은 학군 간에 상당히 다르다. 학교와 학군은 성취기준이

결국 얼마나 낮거나 높은가 또는 그들의 프로그램이 얼마나 엄격하냐에 의해 평판을 얻게 된다.

학군 간의 이러한 "불균등"을 다루기 위해 주에서 시작한 한 가지 방법은 "졸업 시험"이나 "과정 종합시험"을 주 전체적으로 새로 만들고 관리하는 것이다. 예를 들면, Algebra I을 선택한 학생은 졸업 시험을 보아야 하며 그들의 수행은 내용 숙달의 특정 준거 수준에 비춰 평가될 수 있다. 이런 방법으로 성적은 단일 학급에서 소규모 학생 집단의 평가를 의미하는 것에서 더 폭넓은 수행 기대에 비교하여 정말로 학생이 아는 것을 의미하는 것이 된다. 학생 성적을 볼 때, 학생 수행 수준의 판단에 절대적 성취기준이 사용되는지 또는 상대적 성취기준이 사용되는지를 아는 것은 도움이 된다.

졸업 시험은 과학과 사회과 등과 같은 영역에서 전체 주의 3분의 1 이상이 사용하고 있고, 2008년까지는 주의 절반 이상이 그런 시험을 사용할 것이다. 주 졸업 시험에는 전통적이고, 개방적인 질문 유형이 포함되어 있다. 예를 들면, 15개의 주는 지금 졸업 시험에 일부 논술형 쓰기 방식을 사용하며, 앞으로 6년 안에 적어도 15개의 주가 그들의 졸업시험에서 단답형 질문을 사용할 것이다. 이런 모든 노력은 고등학교 졸업장이 학생과 고용주에게 의미하는 바를 보증하게 될 것이다. 주의회 의원들은 학생이 양질의 교육을 받고 있음을 대중에게 보여주려고 노력하고 있고, 그들이 이것을 할 수 있는 한 가지 방법으로 그런 시험을 요구한다.

다수의 비평가들은 매우 가난한 지역에 사는 학생들에게 있어서 시험이 문제를 악화시킬 것이라고 주장한다. 특히, 시험은 아마도 더 높은 탈락률을 초래하고, 높은 욕구의 학생이 학습자로서 성공하기 위해 필요한 교육적인 경험을 받는 것을 거의 보증하지 못할 것이다. 현 시점에서, 비평가들은 이 싸움에서 밀리고 있으며, No Child Left Behind 법률제정은 결과적으로 학생에게 더 많은 시험을 요구하고 있다.[39] 신임 교사로서, 여러분은 학생이 배운 모든 것을 확인해야 하는 현실에 직면할 것이다. 그 학습을 평가할 수 있는 방법 중에 하나는 졸업 시험과 같은 기법을 통해서이다. 2002년에, 졸업 시험을 시행한 주는 Alabama, Florida, Georgia, Indiana, South Carolina, Tennessee, Virginia 등이었다. 다른 주는 졸업 시험을 단계적으로 도입하는 과정에 있지만, 아직 졸업 증명서를 보류하지는 않는다. 이러한 주에는 Arizona, California, Massachusetts, Utah, Washington 등이 있다.

졸업 시험의 힘을 지지하거나 논박하는 연구는 여전히 상당한 정도로 뒤섞여져 있다. Center for Education Policy (Washington, D.C.)는 고등학교 후 기회와 탈락률, 학생성취의 영향을 문서화하고 있다. 시험과 높은 탈락률 사이에 관계가 있는 것처럼 보임에도 불구하고, 이런 변수들에 대해 확실하고 간단명료한 증거는 없다.[40]

절대 등급 기준

등급은 표 11.7에서 설명된 것과 같이 **절대 기준**이나 고정된 기준에 따라 주어지게 된다. 이러한 접근의 한 가지 단점은 기준이 관대함의 오류에 의해서 좌우될 수 있다는 것이다. 즉, 학생들이 너무 쉽게 학점을 받게 된다면 많은 A학점과 B학점이 주어지게 된다. 혹은 그들이 너무 엄정하게 학점을 받는다면 많은 C학점과 D학점이 주어지게 된다. 학생들의 점수는 시험의 난이도에 의해 결정된다. 어떤 시험에서는 75점이 평균 이상이 될지도 모르지만 표에서 제시한 절대, 고정 기준에 의해서는 D학점을 받게 된다. 절대 등급 접근 방식에서 최소 통과 등급을 받은 많은 학생들은 상대 기준을 적용했을 경우에는 더 이로울지도 모른다.

이러한 제약에도 불구하고 대부분의 교사는 이 등급 방식을 사용한다. 이는 교사가 학생들이 무엇인가를 반드시 할 수 있어야 하며, 기준이 현실적이고 공정하다고 확신하고 있다면 상당한 의미를 갖게 된다. 신규 교사에게 가장 어려운 점들 중에 하나가 문항 개발에 있어서 난이도를 이해하는 것이다. 경험이 축적되어 가면서 학생들이 어떻게 학습에 적절하게 접근하는지 이해하는 것은 쉬워진다.

절대 등급 기준은 보다 전통적 맥락에서 교육 위원회나 교사, 행정관에 의해서 대체로 부과된다. 이 절차

표 11.7 상대, 절대 등급 기준의 실례

절대 기준	학생의 상대적 비율 기준*
A = 95% 혹은 그 이상	A = 7%
B = 86-94 %	B = 24%
C = 78-85 %	C = 38%
D = 70-77 %	D = 24%
F = 70% 이하	F = 7%

* 정규분포곡선을 이룸

출처: Adapted from Robert E. Slavin. *Educational Psychology: Theory into Practice*, 4th ed, Needham Heights Mass: Allyn and Bacon, 1994.

에서는 교사가 시험의 난이도를 예언할 수 있으며, 점수분포가 미리 결정되며, 그래서 일정한 수의 학생만이 A, B, C, 기타 학점을 얻게 된다는 점이 가정된다. 이러한 과제는 거의 불가능할 뿐만 아니라, 교사가 학기말에 만회하는 것이 필요하며, 보다 공평한 등급 분포를 얻기 위해, 또는 점수가 너무 높거나 낮은 불균형과 같은 불공평한 등급 분포를 무시하면서 어려운 또는 쉬운 시험을 고의적으로 실시하게 된다.[41]

상대 등급 기준

등급이 학생의 수행 정도가 다른 학생과 비교하여 부여 받는다. 한 학생이 시험에서 80점을 얻었지만 다른 학생이 평균 90 이상 이라면 그 학생은 평균에 못 미치는 학업 성취를 한 것이다. 상대나 규준 지향 등급 방식 하에서는 B학점을 받는 대신 이 학생은 C학점을 받게 될 것이다. 65점을 받았지만 다른 학생들이 60점 이하의 점수라면 이 학생은 좋은 성적을 거둔 것이며 D나 F학점 대신 B학점을 받게 될 수도 있다.

상대적인 성적 부여는 보통의 종 모양 곡선이나 단순 석차 매기는 방식에 의해 도출된 곡선에 기초할 수가 있다. 보통 곡선에서 거의 소수의 학생만이 A나 F학점을 받고, 대부분은 C학점(곡선의 중앙 부분)을 받으며, 다수의 학생들이 B나 D학점을 받는다. 표 11.7을 보면 7-24-38-24-7 비율의 등급 분포를 사용하는 것을

알 수 있다. 이러한 등급 유형은 가장 일반적이며 교사는 미리 공정한 비율로 각 단계를 문서화할 수 있다. 예를 들어 상위 25%는 A학점을 받게 될 것이고 다음 30%는 B학점을 받으며 다음 25%는 C학점, 다음 20%는D, F학점을 받게 된다. 이러한 곡선에서의 등급 부여는 항상 정규분포 곡선만큼 정확하지 않으며, 학생이 보다 높은 등급 받는 것이 더 쉬운 경향이 있다.

이 곡선상의 등급과 다른 상대 등급의 실제는 시험의 난이도를 고려하지 않고 다른 학생과의 상대적 점수에 기초해서 등급이 정해지게 된다. 학생의 다양한 능력 수준과 다양한 시험 난이도를 생각해 보아야 하기 때문에 점수나 등급의 분포는 예언될 수 없다. 그러나 연구가들은 이러한 과정이 학생 사이에 경쟁을 유발할 수 있으며 학급에서 서로 돕는 것을 방해한다고 논쟁한다.[42] 이는 학생들의 학습 욕구에 부정적인 영향을 미칠 수 있다—과도하게 경쟁적인 분위기는 낮은 성취의 학생들이 아마도 학급에서의 학습 과제에 흥미를 잃게 만든다. 사실 어떤 교육자는 불필요한 비교가 물리적으로 심리학적으로 많은 학생들이 학교를 그만두게 하는 이유가 될 수 있다고 주장한다.

자료의 조합과 비중

비록 연구가들은 등급 부여가 교수 프로그램과 직접적으로 연관된 몇몇 지표에 기초해야 한다고 대체로 주

장하지만, 지표가 무엇을 포함하고 있어야 하며 어떻게 비중 있게 다루어져야 하고, 교수와 직접적으로 연관되어 있지 않은 참여, 노력, 청결, 행실과 같은 지표가 정말로 적절한지에 대한 합의는 거의 이루어져 있지 않다.[43]

한두 번의 시험과 같이 적은 정보를 바탕으로 한 등급은 아마도 효력도 없으며 학생들에게 정당하지도 않다. 기말 보고서 또는 숙제에 너무 많은 중요성을 부여하는 것은 이러한 지표가 교재에서 학생들이 무엇을 배웠는지에 대해서 거의 반영해주지 않고 있기 때문에 거의 효과가 없으며 현명하지도 않다. 특히 여러 번의 퀴즈나 검사가 있고, 검사들이 적절하게 비중이 부여된다면, 중학교 수준에서 시험 결과에 보다 더 의존하는 것이 선호된다. 다양한 유형의 측정(다양한 유형의 평정)을 사용해야 하는 이유 중 하나가 학생이 알고 있는 것을 분명하게 보여주며 어느 누구도 안전하지 않은 다양한 유형의 편향들로부터 교사를 보호해준다. 교사는 이러한 편향을 덜기 위해서 측정들을 할 수 있다. (예를 들어 학생의 신원을 가리거나, 서술로 진술하거나, 한 번에 모든 첫 번째 질문에 응답을 등급화한다.)

시험점수가 다른 중요도를 갖고 있다는 사실과 더불어 여러 개의 시험점수를 조합해서 각각의 학생에 대한 단독 측정치(혹은 등급화)로 하는 것과 관련해서 많은 문제점이 있다. 예를 들어 두 개의 분리된 시험에서 점수를 조합하려고 하는 교사는 점수를 매기기 위해서 각각 50%로 반영도를 결정해야 할지도 모른다. 그러나 이는 특히 한 시험이 다른 시험 보다 더 어려울 경우에는 드문 경우이다. 이 경우 등급 부여는 평균뿐만 아니라 표준편차의 함수가 된다.

다른 학습 결과물과 난이도 수준을 말해주는 여러 가지 자원에서 얻어진 점수들이 하나의 점수로 조합될 수 있는지에 관한 문제가 제기된다. 이러한 절차에 대해서 반대 또는 지지하는 입장이 있지만, 조합된 점수가 서로 독립적인 여러 개의 자료에 기초하고 있는 한 수용할 만하다—교사들을 위한 조언 11.3 참고.

등급 협상

극소수의 학교는 교사와 학생이 등급을 설정하는데 상당히 융통성을 발휘하도록 허용하고 있다. 교사와 학생은 사전에 다양한 과제의 성취도와 특정 수준의 수행 능력을 등급화할 때 고려할 점들을 상의한다. 최상, 평균, 최소 성취 기준이나 수행 수준이 대체로 설정된다. 교사는 특정 수행에 대한 특정한 등급을 부여하겠다고 약속한다. 사실상 교사와 학생은 계약을 맺게 된다. 이러한 **등급 협상** 방식을 통해 학생은 어떤 등급을 받기 위해 해야 할 것이 정확하게 무엇인지를 잘 알게 된다.

이 계획은 준거지향 학습이나 일련의 목표들을 바탕으로 하는 교수-학습에 적합한 것 같다. 이 접근법은 초등학교 학생에게 적절하지 않은데, 성숙도가 부족하고, 일정하게 정해진 시간 동안 독립적으로 공부할 수 있는 능력이 부족하고, 개별 활동을 통해 따라올 수 있는 능력이 없기 때문이다. 수행 요구, 성숙도가 능력에 부합되는지를 신중하게 고려한다면 협상을 고학년 수준(5학년이나 그 이상 학년)에서 사용할 수도 있다. 각기 다른 학생들에게 다른 기준이 필요할 것이다.

학업 성적이 만족스럽지 못하거나, 받은 점수 보다 더 높은 등급을 기대하고 있던 학생을 위해 재협상도 설계될 수 있다. 이러한 등급 체계는 교사가 불만족스러운 성적에 대응하는데 더 많은 허용 범위를 제공하거나 학생에게 그들의 성적이나 등급을 개선할 수 있는 기회를 제공한다. 좋은 등급 협상은 학생의 학업 성취의 양과 질 모두에 있어서 중요하다.

교사는 이러한 협상 접근법이 학생들이 이러한 결과물을 산출한다면 그에 해당하는 등급을 받게 되며 학생을 위한 특정 수행 측정 도구들이 있어서 그들이 만들어야 하는 결과물이 무엇인지 알 수 있는 교실에서 상당히 빈번하게 사용되고 있음을 발견하게 될 것이다.

완전학습과 지속적 진척 등급 부여

많은 초등학교와 소수의 중학교와 고등학교 1학년에서 최근에 완전 학습 접근법의 결과로 **완전학습 등급**과 **지**

교사들을 위한 조언 11.3

등급 부여 체제의 장점과 단점

대부분의 교사는 특히 중간 수준에서 다양한 시험과 교실 활동을 위해 할당 점수나 퍼센트 비율로 등급을 정하는 점수 등급화 체제에 의존한다. 어떤 교사는 정기적 간격으로 요약을 해주어 학생이 한 학기 진행 과정을 통해 자신의 총점을 알 수 있게 한다. 점수체제는 장점과 단점 모두 갖고 있다. 이를 사용하기 위해서는 각별한 주의가 요구된다.

장점

1. 공평하며 객관적이다. 교사는 주관적인 요소에 의해 흔들리지 않을 것으로 보이며, 해석의 필요가 최소화된다.
2. 양적이며 명백하며 정밀하다. 학생과 교사는 정확하게 몇 점인지 알고 있으며 그것이 의미하는 것을 알고 있다.
3. 시험의 비중과 학급 활동을 용이하게 한다. (예컨대 각 퀴즈에서 10점, 특별 연구 과제에서 25점, 중간 기말 고사에서 각각 25점)
4. 누가적이다. 최종 등급은 학기말에 하나의 합산으로 결정될 수 있다.
5. 분명한 차이를 둠으로써 등급화를 용이하게 한다. 일단 범주의 비중이 결정되고 점수가 합산되면 학생들의 등급을 할당하는 것은 일사천리로 이루어지는 과제이다.

단점

1. 학습이 아니라 점수화하는 것이 목적임을 강조한다. 이는 학습이 기술과 지식의 습득이 아니라 점수를 합산하는 것과 같다는 인식만을 전달해 준다.
2. 목적을 오해하게 한다. 모든 시험과 숙제는 교사의 (어느 영역이 시험범위가 되고, 특정 응답 또는 수행 관점에 대한 비중을 어떻게 둘 것인가에 관한) 주관적인 결정에 의해 이루어진다.
3. 교사의 판단력을 감소시킨다. 점수 체제는 융통적이지 못하며 교사의 전문적인 처치를 최소화한다.
4. 반복적인 실수를 초래한다. 특정 점수나 활동은 학생의 진정한 능력과 학습력을 반영해주지 못한다. 최종적인 합산은 모든 실수의 총합을 의미한다.
5. 오해를 낳는다. 규준이 없다면, 어떤 범위 (90에서 100)나 점수(93)가 수행의 유용한 지표 (예, A학점)를 의미하거나, 범주(구분점)가 미리 정해질 수 있다고 가정하는 것은 잘못이다.

출처: Adapted from Robert F. Madgic. "The point System of Grading: A Critical Appraisal." *NASSP Bulletin* (April 1988): 29-34.

속적 진척 등급을 강조하고 있다. 이 두 접근 방법은 교사가 각 각의 학생에 대해 특별한 기록을 보관해야 하며 학생의 과정을 보고하는 것이 필요하다. 이러한 접근법을 활용하는 학교는 대체로 등급을 사용하지 않고 기대되고 완성된 기술이나 행동 방식에 의해 학생을 평가한다.[44] 학생과 학부모를 위한 보고서에서 학생이 다른 학생과 관계 속에서 어떻게 처신해야 할지 알려주지 않고, 어떻게 학업을 수행하고 진행하는지 설명해주고 있다. 비록 학생에 대한 평가가 이루어지지만 비교를 위한 기준은 없으며, 이는 등급과 관련된 압박감을 덜어준다. 완전 학습의 상황과 지속적 진척 보고에서 등급은 준거 평가 방식에 대체로 기초한다. Richard Arends는 이 방식이 철자법 지도에서 어떻게 사용되는지를 보여 주고 있다.

> 예를 들어 철자법에서 교사는 100개의 정해진 단어의 정확한 철자법이 완전학습이라고 결정할지도 모른다. 그러면 정확하게 쓸 수 있는 100 단어의 점수 비율에 따라 학생의 등급이 결정되며, 수행 정도가 기록된다. 이러한 접근법을 사용하는 교사는 다음과 같은 등급 범위를 정할지도 모른다: A=93에서 100 단어를 정확하게 썼다. B = 85에서 92 단어를 정확하게 썼다. C = 75에서 84 단어를 정확하게 썼다. D=65에서 74 단어를 정확하게 썼다. 그리고 F= 64 단어 이하를 정확하게 썼다.[45]

노력과 향상을 위한 등급

교사는 등급을 결정하는데 노력과 향상을 어느 정도 고려해야만 할까? 이 문제는 교사가 학생들의 학업 성취를 등급화할 때 직면하게 된다. 노력을 고려해야 하는 문제점은 머리가 좋은 학생들이 최소한의 향상과 노력을 보이고, 노력이 반영될 수 있도록 낮은 성취 학생의 평균 또는 등급을 올리게 되면, 높은 성취 학생에게 부여했던 등급의 가치를 다소 낮추게 된다는 점이다.[46] 또한 낮은 성취의 학생은 중간수준으로 단지 회귀하는 것에 의해 향상할 수 있는 기회를 더 많이 갖게 된다. 즉 통계적으로 그들은 이미 평균 이상의 점수를 얻은 학생들보다 점수를 향상시킬 기회를 더 많이 갖게 된다.

대부분의 교사는, 특히 초등학교와 중학교에서, 등급을 정할 때 약간의 여유를 두게 된다. 최종 등급을 결정할 때 노력과 향상이 더 많이 고려되면, 등급은 더 주관적이고, 편향적으로 될 것이다. 교사는 반드시 정확성을 위해 자신이 인지한 것을 점검해야 한다. 만약 교사가 자신의 판단에 대해 강한 확신을 갖는다면 B에

B+로, A−에서 A로 등급의 변동은 수용 가능할 것이다. 그러나 C에서 A와 같은 엄청난 등급의 변동은 특정 학생에 대한 교사의 지지와 학생의 노력을 기초로 한다고 해도 정당화될 수 없다.

노력이 중요하게 고려되어야 할 분야는 학생들이 학습 과제에 접근하는 방법에 대해서 학생, 학부모와 의견교환이 이루어 질 수 있도록 교사가 하는 노력이다. 학생들이 공부를 열심히 했는가? 좋은 방향으로 노력을 기울이고 있는가? 고되게 공부하려고 노력하는가? 이러한 정보는 학생들이 개인으로서 어떠한지, 아이들을 특징 짓는 관심사와 근본적인 동기가 무엇인지를 알려준다. 이러한 정보는 학부모가 알고 있는 것이 중요하며 교사가 학생들을 지도할 때 사용하는 것이 중요하다.

교사가 학생의 등급을 조정함으로써 노력에 대한 보상을 결정하는 것에 상관없이 교사는 학생들과 상호 접촉하면서 노력하는 것 자체가 중요함을 강조해야 한다. 왜? 학생은 노력의 정도를 변경할 수 있다. 그에 비해 그들의 타고난 능력은 바꿀 수 없다. 이러한 점에서 교육자는 노력의 중요성을 강조하는 일본인들로부터 이러한 점들을 배울 필요가 있다.

> 아시아에서 노력하는 것을 강조하거나 타고난 능력에 대해 상대적으로 경시하는 것은 유교주의 철학으로부터 유래되었다. 유교주의는 인간의 도덕적 완성과 같은 이상적인 것에 관심을 둔다. 인간이 선과 악과 같이 양분된 존재로 범주화되는 것을 배격하며, 선호할 만한 환경적 조건을 조성함으로써 도덕적 실천을 향상시키기 위한 잠재성을 강조한다. 그들의 관점은 점차로 인간 행동의 모든 면들로 확대된다. 인간을 매일 매일의 삶의 사건에 의해 주조되며 빚어지게 되는 가변적인 존재로 여긴다. 모든 사람은 똑 같은 자질을 갖고 태어난다고 어느 누구로 확신할 수 없기 때문에 타고난 능력에서 개인간의 차이는 자연스러운 것으로 인식한다. 그러나 더 중요한 것은 정진을 통해 이러한 능력을 최대화하려는 노력의 정도이다.

유교적 입장의 전형적인 사례는 중국의 철학자 Hsun Tzu의 글에서 발견할 수 있다. 그는 진정한 성취는 절대 포기하지 않음에서 이루어지며… 만약 어둡고 버려질 의지가 없으면 빛나는 성취 또한 존재하지 않는다. 만약 무덤덤하고, 확고한 노력이 없다면 영광스러운 업적도 없을 것이다라고 적어 놓았다. 따라서 성취의 부족은 능력의 부족과 환경적 개인적인 장애물 보다 불충분한 노력에 기인한다고 생각한다.[47]

성적표와 수행보고서

대개 학생 수행이 기록되거나 보고되는 방법에 있어서 중학교와 초등학교 간에는 차이가 있다. 초등학교 교사들은 보통 학생들의 감정, 태도, 노력에 대해서 민감하고, 이러한 요인들을 수행 보고에서 고려하려 한다. 초등학교 성적표는 종종 학생의 이야기, 성적 향상에 대한 이야기와 점수의 결합 등이 포함되어 있다. 부모들이 단지 성적표에 사인하는 대신에 의견을 적거나 일년에 두세 번 정도 그들 자녀의 담임교사와 아동의 생활에 대해 논할 수 있는 상담에 참석하도록 요구된다.

보다 소수의 중학년과 중학교(7,8,9학년)에서 이와 같은 평가보고체제가 갖추어져 있으나, 고등학교 수준에서는 이러한 인간적인 측면과 사회적인 측면의 보고가 거의 대부분 존재하지 않는다. 그 이유는 교사들이 더 많은 학생들을 담당하고, 그에 따라 쉽게 이야기를 적을 수 없고, 각 학생들의 부모와 일일이 상담 할 수 없기 때문이다.

성적표

시험에 관한 교사의 판단과 점수는 성적표의 평균을 통해 학생·학부모에게 전달된다. 성적표는 학생들에게 느닷없이 주어지는 것이 아니다. 학생과 학부모는 어떤 성적 또는 점수를 받았는지와 시험, 교실 참여, 과제, 다른 활동들이 전체적인 점수에 대해서 얼마나 기여했는지에 대하여도 알아야 한다. 만약 그들이 성적표에 있는 성적 또는 점수에 관한 기초를 모른다면, 그들이 불안하게 되는 것은 당연한 것이다.

초등학교 저학년 수준(4학년 아래), 고학년과 중학교 수준보다는 낮은 범위에서 학교는 **완전학습** 또는 **향상 성적표**를 사용한다. 교사가 '매우 우수(VG)' '우수(G)' '노력요망(NI)' 또는 '매우 만족(O)' '만족(S)' '불만족(U)' 라 표기하기 위해 분류 또는 범주화 된 목록을 제시한다. 아래는 보통 읽기 평가 분류와 수반되는 향상 기능 목록이다.

	O	S	U
1. 구두로 적절한 수준으로 읽기	__	__	__
2. 이해하며 읽기	__	__	__
3. 이야기의 중심생각 정의하기	__	__	__
4. 이야기 속의 중심 인물 회상하기	__	__	__
5. 이야기 속의 세부내용 찾기	__	__	__
6. 읽은 이야기의 결론 내리기	__	__	__
7. 적합한 단어로 표현하기	__	__	__
8. 적절한 속도로 읽기	__	__	__
9. 정해진 시간에 읽기 수행 마치기	__	__	__
10. 읽는 동안 즉시 이해가 되지 않더라도 진행하기	__	__	__

교사는 어떤 기본적인 기술 또는 과목에 대해서 그들 자신의 목록을 구성할 수 있다. 완전학습 보고서에는 또한 표준화 된 향상도 또는 문제에 대한 설명보다 개인적인 것을 포함시킬 수 있다. 특정수준, 특정 유형의 과정에 대해서 지표 또는 범주 목록은 엄밀할 수 있으며, 특정의 정해진 학습성취기준과 관련하여 성취 또는 완전학습한 날짜를 함께 제시할 수 있다─표 11.6 참조.

이 접근은 평가의 준거지향 체제에 적합하고, 점수를 기입하지 않기를 원하거나 향상 또는 완전학습을 더욱 강조하는 학교에서 유용하다. 이와 같은 접근 방식은 다양한 과목과 학년 수준에서 사용될 수 있다. 예를 들면, 8학년 수학은 1)분수와 소수, 2)방정식 풀기, 3)도형 계산, 4)비율과 확률, 5)거듭제곱과 소수, 6)범위와 부피, 7)도표와 해석 등과 같은 완전학습 항목으로 구성될 수 있다. 학생의 장점과 개선되어야 하는 영역에 관한 깊이 있는 분석과 같은 교사의 비평을 위한 영역이 제공될 수 있다. 완전학습 성적표와 다른 보고 도구에 관한 여러 가지 방안들이 포함된 교사들을 위한 조언 11.4를 참조한다.

전통적인 성적표는 문사 또는 숫사로 나타낸 등급을 사용한다. 초등학교 수준에서는 읽기와 언어 기술을 강조한다. 그러나 성실성 또는 품행, 학습 습관 또는 사회적인 습관, 그리고 결석과 지각에 대한 등급을 매기기도 한다. 중학교 수준에서는 학문적인 과목(영어, 수학, 과학)을 강조한다. 그러나 부수적이거나 음악, 미술, 체육과 같은 선택과목에 대한 평가도 수행한다. 대부분 학교에서는 등급 수준을 고려하지 않는 성적표에 부모의 서명, 교사의견, 그리고 부모 또는 교사의 상담이 필요한 의견란을 두기도 한다.

전자적 기록 보관

철저한 기록 보관은 교사의 학생 평가 부분에서 중요하며, 학교와 재정적이고 법률적으로 관련이 있다. 연구에서 평균적인 교사는 전통적인 기록 양식에 30명의 학생에 대해 평균과 등급을 기록하는데 계산기를 사용하여 87분이 걸렸다. 전산화된 기록 보관 체제를 이용하여 같은 교사가 같은 작업을 하는 데는 15분이 걸렸다. 한 학급에 대한 단순 채점에서 62분이 단축되었다.[48]

전자 기록 보관장치는 여러 가지 항목으로 이루어진 학생들의 점수에 관련하여 개별적인 편지나 출력 목록뿐만 아니라 학교 및 학부모용 보고서를 10~20초 만에 만들어 낼 수 있다. 이에 비해 기존의 방법으로는 보고서 하나 당 평균 20여분의 시간이 걸린다. 최소한 한 주에 하나의 학교보고서를 작성해야 하고 그것을 40주 동안 계속 해야 한다는 사실, 그리고 일 년에 최소 두 가지 요구사항 가정통신문과 학습 향상 보고서를 작성하여 30명의 학부모들에게 발송해야 한다는 사실을 감안하면, 서른 세 시간은 더 절약될 수 있다는 것을

알 수 있다.

두 명의 연구자들이 기존의 기록 보관방법(책에 기록)에 비해 전산화 된 기록 보관 방법이 더 효과적인 이유를 22가지 열거 하였다. 그 중의 몇 가지는 다음과 같다.

1. 기록된 점수 수정, 오기(誤記)의 정정, 재시험 점수 또는 새로운 시험 점수에 대한 조정 등의 용이함과 신속함
2. 학년 평균 계산, 다양한 범위에서 학년 학생들에 대한 가중된 법칙의 적용(시험40%, 퀴즈 30%, 숙제 15%, 수업참여 15%)
3. 숫자로 나타낸 등급을 특별한 기준에 따른 문자 등급으로 변환
4. 세부 집단 또는 전체 학급에 대한 순위, %, 빈도 분포 등등으로 학생의 수행 기록 제시
5. 배치, 진단, 형성 또는 부가 평가의 목적을 위하여 특정 기록 항목에 있어서의 한 명 또는 세부 집단의 비교
6. 수업 목적으로 실시된 세부적인 시험 또는 하위 시험에 있어서의 학생 수행에 대한 출력물 제공
7. 특정 시험에서 특정 수준의 수행에 따라 학생을 명명 또는 표시(실패한 학생 또는 80% 이상 높은 점수를 받은 학생)
8. 한 학생 또는 학생 집단에 대한 표준화된 비평이 포함된 기록 보고
9. 성적에 대한 세부적인 설명이 포함된 학생 개인별 보고서 작성
10. 출석, 지각, 수상경력, 전화번호, 주소 등 다른 보고서, 표지, 출력물 또는 채점에 대한 명칭들의 재사용[49]

우리가 살고 있는 공학시대는 연필과 펜으로 자료를 기록한 방법에서 점차 빠르게 전산 자료화 되고 있다. 교사는 정보를 효율적으로 관리하기 위해 다양한 자료원과 점수를 기록하고, 평가하고, 학생들의 수행을 보고하기 위해 스프레드시트를 사용할 필요가 있

교사들을 위한 조언 11.4

학생 수행 보고를 위한 혁신적인 실제

전통적인 성적표 대신에 교사는 학생의 수행과 향상을 보고하기 위해 새로운 절차를 실험해 볼 수도 있다. 여러 가지 혁신적인 방안들이 여기에 나열되었다. 일부는 소수의 학교에서 실행되고 있다. 얼마나 혁신적일까는 대부분 채점에 관한 학교 정책과 철학에 달려 있다.

1. 하나 이상의 점수 또는 성적을 고려한다. 각각의 활동을 특별한 수업 과제와 학생 수행으로 세분화 한 향상 보고서를 개발한다.

2. 인지 발달과 세부 과목 이상으로 기록한다. 과학적, 기술적인 능력뿐만 아니라 사회적, 심동적, 창조적, 심미적, 예술적인 학습을 포함한다.

3. 전교생에게 하나의 형식을 사용하는 것 보다 개개의 학년 수준에 맞는 특별한 성적표 형식을 개발한다. 절대적인 기준은 명확히 정의되어 학생들이 알아야 하는 것을 이해하도록 해야 한다.

4. 절대적인 기준과 상대적인 기준(특히 낮은 학년에게)에 기초하여 학생을 평가한다.

5. 각 학생의 향상을 보고한다. 학생에 대한 피드백은 그들의 학문적인 발달에 있어서 중요하다.

6. 표준화된 문자 등급 또는 범주("매우 우수" "우수" "보통"과 같은 범주)를 새로운 범주로 바꾸거나 개정하여 사용하거나 학생이 알고 배우고자 하는 것을 명확히 정의한 개별 문장을 기록한다.

7. 학생의 장점을 강조한다. 학급에서 다른 학생들과 최고의 수행을 공유하는 방법을 포함한다.

8. 오직 두 세 가지의 단점 또는 문제점만 지적하고, 개선할 수 있는 방법을 상술한다.

9. 학군의 성취 기준 성적표를 개선하기 위해 학생, 교사, 부모로 구성된 위원회가 정기적(매 3, 4년마다)으로 만나는 것을 계획한다.

10. 부모, 부모-교사 상담, 학생-교사상담에서 자주 생기는 정보 자료를 성적표에 보충한다.

출처: Adapted from Allan C. Ornstein. "The Nature of Grading." *ClearingHouse* (April 1989): 65-69; David A. Payne. *Measuring and Evaluating Educational Outcomes.* New York: Macmillan, 1992.

다. 이러한 방법들은 21세기의 바쁜 교사들을 위해 많은 선택을 제공한다. 공학이 실제로 차이를 만들어 가는 것이든 아니든, 교사의 공학적 기술과 교실에서 컴퓨터의 유용성과 같은 중요한 요소들의 결합에 의존할 수 있다. 그것은 또한 체제를 사용하는 방법을 아는 동료 "전문가"교사의 유용성에 의존할 수 있다.

누적기록

각각의 학생들은 자신의 전체 학교 수학기간 동안에 중요한 자료로 채원진 영구적인 기록을 각게 된다. 여기에는 과목점수, 표준화 된 시험점수, 가족환경, 개인사, 건강, 학교 교육경험, 부모와 학생 면담, 특별한 태도, 특별한 문제(학습, 행동, 건강), 결석과 지각의 횟수에 대한 정보가 담겨 있다.

누적된 기록은 보통 교무실 또는 학생부실에 보관된다. 교사들은 그들 학급에 있는 학생의 정보를 얻기 위해 보관된 정보를 이용할 수가 있다. 그들은 또한 학기말에 정보를 추가로 기입하여 이것을 완전하고 최신의 것이 되도록 해야 한다.

비록 누적된 기록에서 알게 된 정보가 매우 유용하다 할지라도, 이러한 기록의 주요 문제점은 그러한 기록이 교사가 교실에서 학생들을 접해보기도 전에 학생에 대한 편견을 갖도록 부추긴다는 것이다. 이러한 이유로, 몇몇의 교육자들은 교사가 한달 또는 학기가 시작된 후에 누적된 기록을 보지 말 것을 주장한다. 사례 연구 11.2를 읽어보고, 교사가 학생들에 대한 사전 정보를 미리 아는 것이 가지는 잠재적 위험이 누적 기록을 읽지 않는 것을 정당화 시킬 만큼 큰지에 관한 여부를 생각해 보도록 한다.

연방 법률에서 아동에 대한 기록을 아동의 부모가 열람하도록 공개가 허용된 이후로, 대부분의 교사들은 물의를 일으킬 만하거나 부정적인 것, 특별한 정보로 인정되지 않을만한 내용 또는 보고를 기록하는 것을 마음 내키지 않아 한다. 때때로 중요한 정보를 생략하기도 한다. 부모들이 누적 기록에 있는 정보를 확인할 때는(그들은 그 정보에 대해 이의를 제기할 권리를 가지고 있다) 자격이 있는 학교 관계자들(교장의 비서나 지도 상담자)이 필요한 도움을 주기 위해 함께 있어야 한다.

Salvia와 Ysseldyke는 누적 자료집에 들어 있는 것을 관리할 때 적용해야 하는 3가지 원리를 다음과 같이 주장했다.

- *원리1*: 자료집에는 절대적으로 요구된 시간의 길이에 대한 정보를 포함한다.
- *원리2*: 부모는 자료집에 있는 정보들을 열람하고, 점검하고, 이의를 제기하고, 심지어 정보를 추가할 권리를 가진다.
- *원리3*: 학생의 누적 기록의 정보들은 기밀이며, 오직 "알 필요가 있는" 학교 관계자들에게만 접근 가능해야 한다.[50]

학생 포트폴리오

학생 포트폴리오(10장 참조)는 학생의 작품을 나타내기 위해-수행의 범위 또는 가장 훌륭한 작품을 보여주기 위해 활용될 수 있다. 대부분의 포트폴리오를 통해

서, 학생들은 수행을 개선하기 위해 다양한 기술과 능력을 보여줄 것이 기대된다. 특히 그 학년도 전반 동안 지속되었고, 영역 또는 과목을 넘나들었다면, 포트폴리오는 심층적인 이야기를 말해준다. 그것들은 자서전 쓰기; 작품에 관한 진술(이력서 포함); 특정 주제에 관한 에세이 또는 연속적인 에세이들; 특정 연구 과제, 보고서, 실험; 사진, 그림, 계획 등의 연속물; 비디오, 컴퓨터 인쇄물, 학생에 의해 개발된 소프트웨어 등으로 구성될 것이다.[51] 사례 연구 11.1에 수학 교사가 포트폴리오를 활용하는 방법의 예가 제시되어 있다. 그 교사는 포트폴리오의 활용 방법을 실험하고 있는데 언제, 어떻게 그것들을 정확하고 효과적으로 활용하는지를 살펴봄으로써 그 교사의 사고를 이해할 수 있다.

포트폴리오는 교사가 학생들을 알아가는 탁월한 방법으로 간주되어 점점 인기가 높아지고 있다. 그것들은 특히 학생들이 광범위한 요구와 능력을 표출하는 통합 교실에서 특히 유용하다. 그것들은 학생 자신의 학습에 대한 지각을 높여주면서, 학생들(그리고 교사와 학부모)이 "큰" 그림을 보도록 도와준다. 또한 학생들이 포트폴리오의 내용을 선택하도록 허용하면, 그들이 자신의 수업과 평가에서 적극적인 역할을 하는 것이 가능해진다. 포트폴리오는 시간에 걸쳐 교수와 학습을 문서화하는 것을 가능하게 하고, 학교 전반의 수행과 진전에 대해 토의할 때 교사, 학부모, 학생을 위한 훌륭한 자원이 된다. 포트폴리오는 학생들이 알거나 알 수 있는 것을 폭넓고 풍부한 배열로 그려낸다. 사실 그것들은 단순한 정답이나 인지적 차원이 아닌, 학습의 다중적 차원을 포착한다. 그것들은 학생들이 문제를 풀고, 작품을 만들고, 실생활 맥락에서 수행하는 과정-몇몇 교육자들이 "참" 평가로 부르는 것을 명백히 한다. 포트폴리오는 또한 학생들이 수업을 통합하고 개인적 노력으로 반영하는 것을 도와준다.[52] 반영의 발전적 습관을 위한 도구로서, 학생 자신의 학습에서 특히 그들이 학습을 관리하는 것을 돕는 방식으로 학습에 관한 정보를 획득할 때 자신감을 확대하도록 이끌 수 있다.[53]

포트폴리오를 활용하는 이유가 자명함에도 불구하

사례 연구 11.1   수학에서 포트폴리오 활용 방법

교사들은 모든 과목 영역에서 평가를 위해 포트폴리오를 활용할 것이다. 다음 내용은 대수학 수업 시간에 포트폴리오를 개입시키는 방법에 관한 수학 교사의 이야기이다.

…우리 군의 교육부는 매월 아이디어를 공유하는 수학 교사들을 위한 포트폴리오 네트워크를 수립했다. 첫 모임은 놀라웠다! 사람들이 60명이나 그곳에 있었다. 세 번째 모임까지 숫자는 점차 감소하여 20명이 되었다; 마지막 모임은 한 테이블에 편하게 둘러 앉기에 충분한 사람들만이 있었다.

나는 동료들이 포트폴리오에 속하는 것에 대해 제안하고 있는 범위가 너무 좁아서 괴로웠다. 그들은 문제 풀이에 있어 학생 노력만을 포함하기를 원했다. 문제 풀이는 내가 가르치는 수학의 한 부분인 반면에, 그 주의 문제 보다 더욱 많은 대수학이 존재한다. 학기가 끝나감에 따라, 나는 내 학생들이 행한 학업의 절대적인 양에 놀랐다. 학업의 예에는 장기간의 연구 과제, 매일 필기 내용, 골치 아픈 시험 문제에 관한 정기적인 기록 등이 포함된다.

어느 날 나는 학생들에게 자료집을 건네 주고 칠판으로 가서 단어 포트폴리오에 대해 적었다. 나는 포트폴리오 안에 무엇이 포함되어야 하는지 그 학급에 물었다. 대수학에서 노력과 학습을 어떻게 보여야 하는가? 가장 의미 있는 활동이 무엇인가? 나는 그들의 제안점을 적었다: 매일 필기 내용, 장기간 연구 과제에 대한 개인 기록물, 제비뽑기 연구 과제, 측정자 그리기, 가장 잘 본 시험, 가장 못 본 시험, 그 주의 문제, 매일 수업 필기 내용, 숙제. 다음으로, 나는 자료집에서 찾아, 그들의 수학적 지식과 노력을 대표한다고 생각하는 다섯 가지 항목을 수집하도록 했다. 이번에 학생들이 내가 하지 못했던 과제에 중요한 가치를 부여했기 때문에 학기 내내 하도록 했던 모든 학업에 진정

뿌듯했다.

그 학급은 그리고 나서 훌륭한 포트폴리오의 형태에 관해 토의했다. 우리는 그것이 단정하고, 타자로 혹은 잉크로 작성되어야 하며, 덮개를 갖추고, 내용에 표를 포함하는 것으로 결정했다. 뿐만 아니라, 각 기입 내용은 왜 이것이 학습자에게 중요한지에 따른 개인적 진술을 포함해야만 했다. 나는 그 학급에 포트폴리오 조직하는데 1주일을 주었다.

포트폴리오를 수집한 이후에, 나는 즉시 학급의 다른 학생에게 다시 그것들을 건네주었다. 나는 내 학생들이 그들의 급우들 작품을 보기를 원했다. 거의 즉시 이 연구 과제에 거의 시간 투입을 못했던 사람들은 다른 사람의 결과물을 보았을 때 불안해했다. 나는 학생들에게 그들의 포트폴리오를 다시 수정할 수 있는 나흘을 더 원하는지 물었다. 확연한 안도가 보였다.

나는 결국 포트폴리오 동료가 성적 산정을 하도록 결정했다. 학생들은 실제 포트폴리오가 아니라 성적 산정 용지에 개선을 위한 의견 진술과 제안점을 기입해야 했다. 나는 성적 산정표를 작성하고, 포트폴리오 성적을 시험 성적의 약 5분의 1에 해당하도록 비중을 정했다. 학생들이 의견 진술을 작성한 후에, 나는 내 것을 덧붙였다.

학생들이 서로의 포트폴리오를 성적 산정하도록 하는 것은 두 가지 목적을 수행한다. 첫째, 그들은 동료로부터 즉각적이고, 건설적인 피드백을 받았다. 둘째, 성적 산정자는 다른 학생의 작품을 주의 깊게 읽어 볼 기회를 가졌다. 몇몇 학생 성적 산정자들은 그들이 읽었던 개요가 매우 통찰력 있는 것이어서 전체 학급에 큰 소리로 의견 진술을 읽도록 요구할 만 하다고 생각했다. 다음은 8번째 성적 산정자의 포트폴리오에서 발췌한 것이다.

"나는 나의 가장 훌륭한 작품과 가장 형편없는

작품을 보여주는 포트폴리오로서 이 보고서를 선택했다. 이 두 가지는 이번 학기 수학 과목에서 나의 학문적인 수행의 양면을 보여준다."

학생들은 현재 다음 시도로서 작품을 수집하고 있고, 그것들은 "아들 포트폴리오"로 불린다.

포트폴리오 평가를 실행하기 위한 노력의 결과로, 우리 학급은 분명히 변화되었다. 학생들이 포트폴리오에서 다양성을 원했다는 점을 사전에 명백히 했던 것처럼, 나는 평가를 다양하게 해야 했다. 나는 문제 풀이 기회와 그에 대한 설명을 글로 써서 제공하는 것을 더 많이 포함하는 교육 과정으로 변경했다. 또한 학생들이 두 개의 장기간 상황적 문제를 수행하도록 했다. 과거에 내가 대수학 수업이 재미있는 연구 과제를 발견하도록 한다는 것을 알았더라도, 지속되는 가치에 의문을 품었다. 현재 나는 이러한 문제들이 어린이가 가장 잘 기억하는 것들임을 알고 있다.

❖ 성 찰 문 제

1. 포트폴리오가 가능하려면 몇몇 재료를 구매해야 한다는 것을 주지한다. 소액이지만, 몇몇 교사에게는 큰 문제이다. 교사들은 학생들을 지원하기 위해 개인적 자원을 많이 활용한다. 그래야만 하는가?

2. 포트폴리오 네트워크의 개념은 흥미롭다. 하나의 장점은 교사들이 학생 평가를 다루는 다른 방식을 볼 수 있도록 도와준다는 점이다. 그러한 네트워크가 많은 학교에 수립되는 것이 어려운 요인은 무엇인가?

3. 포트폴리오는 학생 학습을 평가하는 유일한 방식이어야 하는가? 그렇다면, 혹은 그렇지 않다면 이유는 무엇인가?

출처: Excerpted from Pam Knight. "How I Use Portfolios in Mathematics" Education Leadership (May 1992): 71.72.

고, 이를 활용하는데 있어 어떤 잠재적인 문제들이 도사리고 있다. 포트폴리오 체계를 주의 깊게 설계하지 않는다면, 성취된 학습 결과에 대한 정확한 결론을 얻을 수 없다. 포트폴리오에서의 작품은 학생이 알거나 알 수 있는 것에 대해 대표적이지 않을 수 있고, 산출물 평가에 활용된 기준이 과정 내용 또는 기능의 관련 차원을 반영하지 않을 수도 있으며, 학생이 포트폴리오에 수록한 작품이 진정 "참된" 것이 아니거나, 교육과정을 반영하지 못한 것일 수도 있다.[54]

선정과 평가 기준을 정의하는 것이 매우 중요하다. 포트폴리오를 통해 학생에게 부여된 작품은 교사가 평가하고자 하는 행동과 내용에 부합해야 한다. 예컨대, 학생이 단지 자신의 "가장 훌륭한" 사례를 선택했다면, 교사들이 포트폴리오에서 쓰기 사례 또는 조사 연구 과제가 학생들의 "전형적인" 작품인지를 판단할 수 없다. 포트폴리오 산출물의 중요성과 가치는 또한 교사의 분석과 함께 변화한다. 성적을 매기는 데 있어 교사의 편견과 주관성은 단답형 문항 시험, 혹은 성적 매기는 것이 정답이나 규정된 해답에 기초하고 있을 때 통제하는 것보다 이러한 평가 체계에서 통제하는 것을 훨씬 더 어렵게 한다.

포트폴리오는 다양한 학습 결과에 관해 많은 것을 드러낼 수 있는 평가와 성적 산정 전략을 대표한다. 그러나, 대부분의 교육자들이 이것의 활용에 우호적으로 보이지만, 포트폴리오 체계를 설계하는 데 있어서 동의된 단일 방식은 존재하지 않는다. 효과적인 활용은 실제로 "훌륭한" 포트폴리오의 정의뿐만 아니라 의도된 목적과 대상자에 달려있다. 교사로서, 포트폴리오가 어떻게 개발될 수 있는지, 그리고 종국에 어떤 내용과 기술이 평가되어야 하는지, 어떤 준거와 성취 기준이 활용되어야 하는지를 완전히 이해할 수 없다면, 평가 계획의 한 부분으로 실행할 때 혼동을 겪을 것이다.

많은 학교가 한두 개 형태를 활용하고 있기 때문에, 숙련된 교사들에게 도움을 청하면 조언을 얻을 수 있을 것이다. 다음의 예는 포트폴리오를 활용하는 두 명의 숙련된 교사들의 조언이다.

성적표로 학생들의 진척 정도를 누적적으로 측정하던 때에는 학생 포트폴리오는 관찰에 따른 평가를 위한 주된 도구였다. 우리는 모든 어린이들이 다양한 재능을 가지고 다른 수준으로 학교에 입학함을 알고 있었다. 포트폴리오에는 6월을 지나 10월까지의 성장을 문서화하고 교사 제안점, 학생 선발 작품 등이 포함되었다. 학생들은 일찍이 포트폴리오의 소유권을 갖고 있었다. 이러한 포트폴리오는 성적 쓰기 작품에 강조점을 두고, 교육과정을 넘나들며 어린이들의 작품으로 구성되었다. 월별로 쓰기 사례를 살펴보면서, 사고 과정 발전에 따라 문법, 철자법, 문장 구조에 있어 성장을 명백히 평가할 수 있다.

우리는 학생들이 자기 반성적 학습자가 되기를 원했다. 각각의 기입 기간의 끝 무렵에, 우리는 학생들이 이루었던 성장을 조사하기 위해 그들 자신의 작품을 검토하도록 요구했다. 각각은 그들이 만들었던 자취와 다음 달에 개선하기 원하는 방법을 검토하면서 상이한 교육 과정 영역에 대한 성

찰을 기술했다. 이러한 것들은 그 학년도를 통해 작성해 온 성찰과 함께 그들의 포트폴리오에 포함되었다; 학생들은 자기 평가에 참여하면서, 스스로의 학습에 관여하게 되었다.[55]

학생 성적 산정과 학생 진전 보고를 위한 지침

성적 산출을 위한 제안점:

1. *학교의 성적 산정 정책과 동료 교사의 성취 기준에 친숙해지기*: 각각의 학교는 고유한 성적 산정을 위한 성취 기준과 성적 보고를 위한 절차를 지니고 있다. 본인의 성취 기준과 실제가 학교의 것과 대립되어서는 안 되고, 동료 교사의 것과 크게 상이해서는 안 된다.

2. *학생들에게 본인의 성적 산정 체계를 설명해주기*: 어린 학생들에게는 구두 상으로 구체적인 예를 들어서 본인의 성적 산정 체계를 설명해 주어야 한다. 보다 성숙한 학생들에게는 과제, 시험, 시험 일정, 성적 산정 기준을 구두 상으로 설명할 수도 있지만, 이러한 정보를 설명하는 유인물을 읽도록 할 수 있다.

3. *가능하다면, 성취 기준의 사전 결정된 형태에 따라 기본 성적 부여하기*: 예컨대, 다른 학생 보다 매우

■ 성 찰 문 제

성적 산정은 교수 학습 과정의 가장 어려운 부분 중의 하나이다. 학생들을 알고자 할 때, 교실에서 그들의 책임감, 수업 중 그들의 행동에 기초한 자연적인 편견들을 전개할 것이다. 몇몇 학생들은 열심히 공부하지만, 자료를 잘 학습하지는 못할 것이다. 다른 학생들은 열심히 공부하지 않음에도 수행이 뛰어날 것이다. 이렇게 다른 학생들을 관찰할 때, 노력하지만 학습하지 못하는 학생들에게 보상하기를 원하는 것은 매우 인간적이다. 성적이 부여될 때 노력이 어느 정도나 고려되어야 한다고 생각하는가? 학생이 진정 열심히 공부했기 때문에 학생에게 더 높은 성적을 주어야 하는가? 만약 그렇지 않다면, 노력하지만 성공하지는 못하여 "용기를 잃기" 시작하는 이러한 유형의 학생들을 어떻게 다룰 것인가?

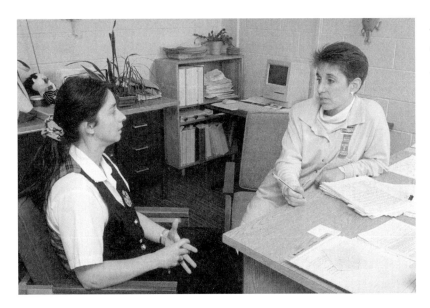

교사-학부모 모임에 학생을 포함시키는 것은 *개방된 의사소통*에 도움이 된다.

더 높은 수행 성취 기준으로 수행할 수 있는 학생은 더 높은 등급을 받아야 한다. 학생 비교가 성적을 결정하는데 활용되는 정도를 제한해야 한다.

4. *성적을 계산할 때 모든 것을 셈하지 말 것*: 교사들은 각 학생의 가장 취약한 과제 혹은 성적을 제외해야 할 것이다. 이것은 새롭고 복합적인 자료를 학습하는 여러 경우에 특히 작용된다.

5. *다양한 자료원에 기초하여 성적 부여하기*: 적절히 활용되고 비중을 차지하는 정보원이 많을수록, 성적은 더욱 타당해진다. 대부분의 성적이 객관적인 자원에 기초해야 함에도 불구하고 몇몇 주관적 자원들이 또한 고려되어야 한다. 예컨대, 수업 과정에 빈번하게 참여하는 학생은 시험 평균 보다 좀 더 높은 성적을 받을 수 있다.

6. *규칙적으로 성적 변경하지 말기*: 성적은 진지한 고려 이후에 결정되어야 하고, 특정 상황에서 변경되어서는 안 된다. 물론, 명백한 실수나 오류는 수정되어야 하지만, 학생들이 교사가 성적을 변경할 것이라고 생각한다면, 그들은 변경을 위해 교사와 협상을 하거나 교사에게 간청하려고 할 것이다.

7. *학생이 낙제시, 학교 절차에 충실히 따를 것*: 각 학교는 학생 낙제에 따른 고유의 절차를 가지고 있다. 교사는 징계 위원회를 소집하고, 학부모에게 계류 중인 낙제 통보를 발송하는 등을 요구 받을 것이다.

8. *성적표에 성적 기록하고 누적 기록하기*: 성적표는 대개 매 6~8주에 학부모에게 우편 발송되거나 학부모에게 전달되도록 학생에게 주어진다. 누적 기록은 대개 그 학년도 끝 무렵에 완성된다.[56]

교수와 학습 장치로써 평가 과정을 활용하고 학생 평가시 공정할 것과 평가 자료를 적절히 판단하고, 학생이 의혹을 제기할 때 학생에게 이득이 되도록 하는 것을 기억해라.

부모와의 의사소통

부모 참여의 중요성에 대해서는 문서화가 잘 되어 있다. 어떻게 교사가 학생의 학업적 활동과 행동을 개선시키는데 부모에게 도움을 줄 수 있는 가에 대한 것은 대개 부모와 교사 모두에게 큰 관심거리이다. Joyce Epstein에 의하면, 85%이상의 부모가 교사의 요청에 의해 15분의 시간을 할애하거나 가정에서 그들의 자녀를 좀 더 도와주고 있다고 한다. 부모들은 만약 구체적으로 돕는 방법에 대해 듣게 된다면, 평균 40분 이상을

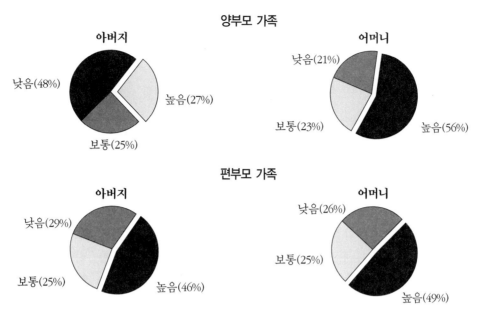

┃ 그림 11.1 ┃ 가족 구성 형태에 따른 아버지, 어머니의 학교 참여도; K-12 학생, 1996

참여도 낮음은 활동에 전혀 또는 한 번 참여한 것을 의미하고, 보통은 두 번 참여를 의미하고, 높음은 세 번 이상 참여를 의미한다.

출처: U.S. Department of Education, National Center for Education Statistics.

더 할애할 수 있다고 주장한다. 그러나 교사로부터 구체적인 기능이나 과목에 대해 그들의 자녀를 도와주기 위한 체계적인 요구나 지시를 받은 부모는 25% 미만이다.[57] Epstein은 더 나아가 저학년일 때는 대부분 읽기 활동에 관여하고 있음에 주목했다. 즉 가정에서 자녀에게 읽어주기, 읽는 것을 들어주기, 도서관에 데려다주기, 그리고 학교에서 가져온 교수 자료를 가지고 연습할 때 도와주기와 같은 활동들이다.[58] 4학년 이상의 부모들은 구체적인 숙제와 과제와 연관된 활동에 좀 더 관여하게 된다.

학교문제와 자녀의 학습과 관련한 부모의 관여는 학년 수준에 따라 감소한다. 초등학교에서는 부모의 관심과 관여가 현저하지만 중학교 혹은 고등학교과정에서 덜 해지다가 고등학교 때에는 최저가 된다. 조사에 의하면 부모가 지원하고 참가하며 정기적으로 학교 관계자들과 의견 교류를 할 때 자녀들이 학교에서 이점을 가진다.[59] 그림 11.1은 가족유형에 따른 부모 관여의 수준을 보여준다. 학교는 부모와 전형적으로 이미 논의된 성적 통지표, 면담, 서신 등 세 가지 방법으로

의사교류를 한다. 부모는 교사와 학교로부터 조언을 기대하고 있고, 대부분은 교사와 만나는 기회를 가지는 것과 전화와 서신을 통해 연락을 유지하는 것을 반긴다.

부모와의 면담

점점 많은 수의 자녀들이 집에서 생활하는 부모가 한 명이거나 두 명 모두 일을 하고 있거나 하나 이상의 직업을 가진 부모를 가지고 있기 때문에 부모 교사간 면담 일정을 조정하는 것이 점차적으로 어려워지고 있다. 정상적인 학교 운영 시간에 학교 활동 혹은 면담에 참가 할 수 있는 부모는 거의 없고, 많은 경우 만남일정을 잡는 것에 어려움을 가지고 있다. 오늘날 교사는 부모와의 만남과 부모의 요구를 조정할 수 있는 융통성을 갖추기 위해 서신과 전화를 통해 부단한 노력으로 이러한 상황에 적응해야 한다.

대개 면담 전에는 교사와 부모 모두 다소 긴장하고 서로를 호의적으로 표현하길 원하며 무엇을 원하는지

정확히 모르는 상황이다. 교사는 면담을 준비하면서 걱정스러운 면을 줄일 수 있다. 이를테면, 학생에게 적절한 모든 정보와 부모와 논의할 주제에 대해 사전에 종합하는 일과 같은 것이다. 이와 같은 일에는 학생의 학업적 성취와 다른 시험 결과, 전반적 건강상태, 출석과 지각 현황, 사회적 감정적 관계, 활동 습관, 특기할 만한 태도, 혹은 수복할 만한 특징이나 활동 같은 것들이 포함 될 수 있다. 만약 면담이 학생의 과목 성적에 관한 것이라면, 교사는 학생의 평가와, 보고서, 그리고 숙제 할당한 것을 종합해야 한다. 만약 그 내용이 훈육에 관한 것이라면, 교사는 학생 행동에 관해 손수 작성한 것과 세부적 설명을 준비해야 한다.

면담은 부모를 나무라는 시간이 되어서는 안 된다. 교사가 면담을 요청 받았다면, 논의할 목록을 정해야 하겠지만 부모의 요구사항에 대해서 민감한 자세를 견지해야 한다. 면담분위기는 무모하지 않고 조용하게 유지되어야 한다. 제시된 정보는 가능한 다양한 자료에 바탕을 두어야 하고 내용상에 있어서는 객관성을 유지해야 한다. 교사들을 위한 조언 11.5에서 학급관리 문제에 있어서 객관적인 의사소통을 위한 제안을 확인할 수 있다. 문제상황을 논의해야 하는 경우에도 시작과 끝은 긍정적인 어조로 하는 것이 바람직하다. 그와 같은 사고는 부모에게 힘이 된다. 교사는 논의를 독점하지 말아야 하며 진실하면서도 재치 있어야 하고 건설적이며 차분한 상태를 유지해야 한다. 교사는 특별히 학생의 가정생활에 대해서는 너무 많은 조언을 하는 것에 있어 주의해야 한다. 시간이 중요한 문제가 아니라면 면담시간은 20분에서 30분 사이가 적절하다.

부모와 교사간 면담은 양쪽 모두에게 유익하다. 면담이 교사에게 도움을 주는 사항은 다음과 같다. 1) 학교 프로그램과 특별 수업에 대한 부모의 인상과 기대를 이해하고 명확하게 해 준다. 2) 학생에 대한 추가 정보를 획득한다. 3) 학생의 발달 과정에 관한 보고를 하고 부모가 아이의 발달을 촉진시킬 수 있는 방안에 대해 제안한다. 4) 부모와 활동적 관계를 발전시킨다. 5) 학교의 부모 지원을 독려한다. 교육자들에 의하면 면담이 부모에게 도움을 주는 사항은 다음과 같다. 1) 아

이의 학교 프로그램에 대해 더 많은 이해를 하게 된다. 2) 아이의 성장과 발달을 향상시키는 활동에 대해 알게 된다. 3) 아이의 수행능력과 진도에 관해 알게 된다. 4) 학교의 교직원과 지원 인력에 대해 알게 된다. 5) 아이에 대한 걱정을 공유하고 질문을 한다. 6) 학교와 집에서 아이의 발달을 향상시키는 정보를 제공하고 받게 된다.[60] Clark, Starr, 그리고 다른 학자들은 면담에서 점검 해야 할 사항에 대해 다음과 같이 지적했다. 1) 학생이 수업 혹은 학교에서 어떻게 행동하는지에 관한 사항, 2) 학생이 동급생과 어떻게 잘 지내고 있는가에 관한 사항, 3) 학생이 잠재능력만큼 활동하고 있는지 여부, 4) 학생의 영향력, 5) 학생의 특별한 능력 혹은 흥미, 6) 학생이 발달할 수 있는 방법, 7) 부모가 어떻게 학생을 도울 수 있는가에 관한 사항, 8) 부모가 어떻게 교사를 도울 수 있는가에 관한 사항 등.[61]

부모에게 편지 보내기

부모에게 편지를 보내는 것은 세 가지 종류로 나뉜다. 첫째, 수업이나 학교 활동 혹은 행사 참여에 대한 통보나 초대를 하는 경우이다. 둘째는, 매주 혹은 2달 간격으로 학업 활동이나 행동에 대한 최신의 내용을 알려주는 경우이다. 부모는 이러한 형태의 의사소통의 권리가 있으며 실제로 고맙게 느끼게 된다. 부모에게 정보를 알려주고 그들의 노력과 지원을 확보하려는 행위는 사소한 문제가 심각해지기 전에 중단시키는데 도움을 줄 것이다. 셋째로, 편지를 통해 구체적인 문제에 대해 언급할 수 있다. 그와 같은 편지는 문제를 설명하고 하나 이상의 방법으로 부모의 협력을 요구하고 면담을 요청하게 된다.

부모와 의사소통시 지침

수년에 걸쳐서 교사와 부모간 의사소통을 위한 많은 제안들이 제공되었다. 아래의 강조사항은 1) 친밀한 분위기 형성, 2) 객관적 방법으로 학생의 잠재성과 한계성을 논의하기, 3) 논쟁을 피하고 침착성의 유지 4) 전

교사들을 위한 조언 11.5

부모와의 면담을 이끌어 가는 방법

1. 정확한 이름으로 부모를 호칭한다. : 만약 불확실하다면, 확실히 묻는다:"Latoya의 어머니이십니까?"

2. 자신을 소개하고 연락 하게 된 중립적 입장의 사유를 제시한다: "저는 Dawson입니다. 수학수업에서 John의 행동을 말씀 드리려고 전화를 드렸습니다."

3. 연락하게 된 목적을 설명한다: 학생의 행동에 대해 주관적이 아닌 객관적인 용어로 설명한다. 실제로 발생한 사항에 대해 객관적으로 말하는 경우는 다음과 같다. "오늘 Rana가 급우의 책을 가로채서 숨긴 일이 발생했습니다." 발생한 사항에 대해 교사의 해석이 가미되어 주관적으로 말하는 경우는 다음과 같다. "Rana는 매우 미숙한 학생입니다."

4. 해당 학생의 바람직한 행동을 설명하면서 부모의 도움을 요청한다: "저는 부모님께서 Clark 가 급우의 소유물을 그대로 두고 수학에 집중하는 것을 원하시고 있음을 확신합니다."

5. 부모의 책임을 확인한다: "제가 생각하기에는 부모님이 Mohammad에게 급우의 소유물을 건드리지 말고 수학에 집중하도록 얘기해 주시는 것이 좋을 것 같습니다."

6. 부모에게 추가적인 의견이 있는지 물어본다: "제가 Paquita와 지내면서 도움이 될 만한 점을 말씀해 주세요."

7. 부모와 교사 책임을 강화한다: "부모님께서 Angel이 몸가짐을 똑바로 하고 수학수업에 집중할 것을 얘기해 주시리라 믿습니다. Angel에게는 만약 그와 같이 행동하지 않을 경우에 방과후 학교에 남아야만 할 것이라고 상기시켜 주시기 바랍니다. 저도 Angel이 더 많은 집단활동에 관여하도록 노력하겠습니다."

8. 차후 연락에 대한 사항을 언급한다: "Emma가 어떻게 하고 있는지 알려드리기 위해 다음 주에 연락을 드리도록 하겠습니다. 부모님의 도움으로 Emma가 자신의 행동을 바로잡을 수 있을 것입니다."

9. 긍정적인 어조로 마무리 한다: "시간을 내 주셔서 감사합니다. 질문사항이나 염려되시는 사항이 있으면 언제든지 연락 주십시오."

출처 : Adapted from a form developed by Charlene Sinclair. The form appeared in Thomas J. Lasley. "Teachers Technicians: A 'New' Methphor for New Teachers." *Action in Teacher Education*, 16(no.1): 11-19.

문적 윤리 이해 등에 대한 필요를 강조하고 있다.

부모 면담의 기술

1. 사전에 면담 약속을 한다.
2. 부모의 방문시기에 대해 두 가지 이상의 선택권을 제공한다.
3. 정확한 부모이름을 사용하여 예의 바르게 맞이한다. 부모를 맞이할 때는 일어선 상태에서 한다.
4. 부모의 코트를 받아주고 편안한 자리로 안내한다.
5. 만약 부모가 흥분했거나 감정적인 상태일 경우에는 방해하지 말고 그들의 감정을 표현하게끔 한다. 방어적인 자세를 취하지 말고 침착한 태도를 유지한다.
6. 학생의 발달 단계를 분석시에는 객관적인 태도를 견지한다. 동시에 학생의 발달과 성장 그리고 복지

에 대해 관심을 보여준다.

7. 다른 교사 혹은 교장을 비난하는 함정에 빠지지 않는다.

8. 교사와 학부모가 학생을 돕기 위해 어떻게 같이 활동할 수 있는지 설명한다.

9. 필요하다면 후속 면담 일정을 정한다.

10. 출입문까지 안내한다. 가능하다면 긍정적 어조로 마무리한다.

학생에 대한 논의

1. 긍정적 어조로 시작한다.

2. 진실하고 정직한 자세로 임한다.

3. 부모의 감정을 받아들인다.

4. 학생의 잠재력을 강조한다.

5. 학생의 학습 어려움에 대해 구체적으로 제시한다. 주관적이 아닌 객관적인 표현을 사용한다.(예를 들면, "Trent는 책임감이 없습니다" 라는 표현보다는 "Trent는 5일내내 숙제를 제출하지 않았습니다." 을 사용한다.)

6. 학생 평가 점수와 출석등과 같은 자료뿐만 아니라 해당 학생의 수업 활동과 과제의 실례를 준비한다.

7. 부모의 제안을 받아들인다.

8. 부모가 자신의 고민사항을 말할 수 있는 기회를 가질 수 있도록 배려한다.

9. 논의를 피한다; 아는 체 하는 표현을 피한다.

10. 건설적인 제안을 제시한다.

11. 학생의 요구를 달성시키는 학교 교육과정의 활동과 변화를 설명한다.

12. 구체적 행동계획과 함께 긍정적인 어조로 마무리한다.[62]

지금까지 학생 평가에 대한 모든 것을 고려해 보았으므로 사례 연구 11.2를 신중하게 연구해 보도록 한다. 이 사례 연구에서 Jones는 학생을 낙제시키는 문제에 직면한다. 사례 연구를 읽게 되면 그녀가 어떻게 문제를 해결했는지 알게 될 것이다. 그녀의 접근법이 가장 납득이 가는 것이라 생각하는가? 만약 당신이 그와

같은 상황에 직면했다면, 다른 접근법을 사용할 수 있었을 것인가? 그녀는 어떻게 그와 같은 상황을 예방할 수 있었을 것인가? 덧붙여 말하자면 적절한 Pathwise 기준이 다시한번 강조됨을 알게 될 것이다. Pathwise 개념을 사용하는 것이 교수의 성공을 보증하지는 않지만 교사가 왜 어떤 수업은 성공하고 어떤 수업은 실패하는지 이해를 돕는다.

책무성

10장과 이장을 통해, 우리는 학생의 학습에 대한 기준을 어떻게 정하고, 학생이 배운 교재를 학습한 정도를 평가 하는 데에 관심을 두고 있다. 우리는 또한 고부담(대규모) 시험(다른 등급 수준으로 이동하거나 다음 단계로 나아가기 위해서 학생들이 통과해야 하는 시험의 종류)을 논의해왔다. 1990년대 후반까지, 그러한 정보는 평가 과정의 "상태"를 파악하기에 충분했었다. 좋든 나쁘든 간에, 이 문제는 아주 논쟁거리이기는 하지만, 학생들의 수행이 학생에게 책임을 지도록 하는데 사용되는 것처럼 지금 교사와 전문직의 동료에게 책임을 지도록 하는데 사용되고 있다. 그 책무성은 많은 다른 수준에서 증명이 되었고, 2002년의 No Child Left Behind(NCLB)법률에 의해 그 중요성이 강조되었다.

여기에 요약된 것은 다음 10년 내에 책무성을 경험할 2가지 방식이다. 첫 번째는 높고 낮은 수행을 하는 학교를 보상하는 수단이다. 두 번째는 학생들을 이롭게 하는 방식으로서이다.

모든 주는 지금 적절한 연간 진보(Adequate yearly progress, AYP)에 대해 분명한 지침을 수립해야 한다. 이전에 결코 존재 하지 않았던 그러한 지침은 교사가 스스로 전문가로서 기능하고 있다는 것을 알게 되는 분위기에 영향을 미칠 것이다. 특별히, 여기에 몇몇의 AYP 요소가 있다.

- 모든 학생이 2013-2014까지 숙달에 분명히 도달하도록 하는 일정

사례 연구 11.2　학생들의 진보를 평가하기: 동료로부터 도움을 구하기

Jones양은 1,500명의 학생이 있는 도시 고등학교의 초년 수학 교사이다. 그녀는 멘토로서 훈련을 받았고, 12명으로 구성된 수학과의 부장인 Bass씨에게 할당되었다. 그 고등학교는 각 수학 수업이 한 학기 동안 하루에 80분을 만나도록 되어 있는 구역시간 체제를 사용하고 있다. Jones는 신입생들에게 수학 I의 두 부분과 신입생 60%와 2학년생 40%를 포함해서 대수 I의 한 부분을 가르친다. 그녀는 보고서 카드에 대한 그녀의 첫 번째 여섯 주의 등급을 계산했고, 각각의 수업에서 학생들의 10%에서 15%가 실패했고, 나머지는 D등급을 받았다는 것을 알고 실망했다. 그녀는 처음 6주에서 다뤄진 내용의 절반 이상을 차지했던 검토 기능을 바탕으로 그 해의 나머지가 전개 될 것이기 때문에 이것이 신경쓰였다(A). 수학 I은 고등학교에서 제공하는 모든 수학의 가장 기본적인 것이고, 가장 낮은 수준에 있는 1학년들에게 유일한 수학 선택과목이다. 그녀는 왜 그렇게 많은 학생들이 성공하지 못했는지 그리고 그녀가 무엇을 다르게 할 수 있는지를 결정해야 한다는 것을 깨달았다(D).

그녀의 6주 점수가 컴퓨터에 들어가자마자, 그녀는 Bass씨에게 이메일을 보내고, 방과후에 만날 것을 요청했다(D). 그녀는 6주간의 점수가 분포된 출력물과 학생들이 D나 F를 받은 목록인 그녀의 성적부과 그녀의 수업계획이 적힌 책을 그 만남에 가져갔다. 그녀가 Bass씨에게 처음 시작한 말은 "저는 실패자 같아요. 내 수업 각각에서 20%~30% 학생들이 성공하지 못했어요. 내가 무엇을 잘못한 거죠?(D)"

Bass씨는 "실패자 같이" 느껴지는 것이 얼마나 어려운지를 인정하고 나서, 그녀에게 그녀의 반에서 성공했던 70%-80%의 학생들을 성공하게 만들었던 방법들을 생각해 보도록 격려했다. 어떤 접근이 효과적이었는지에 대한 약간의 토론 후에, 그는

그녀의 학생 모두가 성공하기를 원하는 그녀의 바람에 대해 그가 얼마나 감사해 하는지를 그녀에게 말했다(B). 그리고 나서 그들은 그녀의 학생들의 수행에 대한 그녀의 관심에 초점을 맞추고, 무슨 일이 일어났었는지를 분석하기 시작했다(D).

그들은 그녀가 시작했던 때에서부터 학년을 위한 계획에까지 그녀의 단계를 거슬러 올라가 조사했다. Bass씨는 Jones양이 누가 성공할 것 같고, 누가 그렇지 않을 것 같은지에 대한 선입관을 가진 생각을 발전시키는 것이 두려웠기 때문에 그녀가 학생들의 누적된 기록을 확인하지 않기로 결정했다는 것을 알게 되었다(B). 그래서 그녀는 학생들의 표준화된 수학 성취 점수와 그들의 누적된 수학 수행 표시 점검표를 분석하지 않았다. 그것들 둘 다는 학생들의 누적된 기록이었다. 그녀는 그녀의 수업을 수학의 학문적 내용 기준에 근거하기로 결정했고, 수행 표시의 절차와 일치하는 순서로 수학 I 과 대수 교재에 있는 화제의 범위를 배열했다(A). 같은 이유로, 그녀는 8학년 수학교사와 누가 잘하고, 그렇지 않은지를 결정하기 위해 연락하지 않기로 했다.

Bass씨는 그녀에게 어떤 예비검사를 시행하거나 그녀가 학생들의 현재 수행 수준을 결정하기 위해 수업의 첫 주에 사용했던 비공식적 진단형의 평가를 측정했는지에 대해 질문했다. Jones양은 예비검사를 실시하고, 그 결과를 분석하는 동안 과정 내용을 시작하는 것이 여러 날 동안 지체되기 때문에 어떤 것도 사용하지 않았다고 지적했다. 그러나 그들이 대화를 하면서, 그녀는 학생들의 현재 기능 수준에 대한 정보 수집의 가치를 깨달았고, 그녀가 어떤 학생이 특정한 수학 기능에 결손을 가졌는지를 결정 할 수 있도록 교사가 만든 진단 수학 평가와 함께 새로운 6주를 시작하기로 결심했다(A). 그녀는 또한 그녀의 학생들의 수학에서의 과거 수행

에 대한 추가적인 정보를 얻기 위해 누적된 자료집을 검토하기로 결심했다(A). 그녀가 예비 검사로부터 발견한 것과 자료집 검토는 대략적으로 50%가 기본적인 수학 계산, 수학적 추론 혹은 둘 다에서 적어도 두 가지 중요한 기능 결손을 가졌다는 것이다. 그녀는 또한 한 반에서 심지어 더 큰 수학적 기능 결손을 가졌던 특정한 학습 곤란(SLD)를 가진 4명의 학생이 있다는 것을 알았다(A).

그녀는 그리고 나서 다음 단계를 결정하기 위해 Bass씨(D)와 다시 만났다. 그들은 그녀가 학생들이 그들의 수학적인 기능 결손을 검토하기 위해 가르치고, 분류화 할 수 있는 방식들을 토론했다(A). 그들은 또한 체계적으로 학생들의 진보를 주시하기 위해 그녀가 어떻게 다양한 형태의 형성평가를 계속되는 수업에 통합할 수 있는지를 토론했다(A). 그녀는 또한 그러한 중요한 수학 결손을 가진 학생들이 왜 그녀의 수학 교실에 배치되었는지를 알기 위해 9학년 중재 전문가인 Ricardo양과 만났다(D). Ricardo양은 9학년 특별 교육용 수학 교실을 위한 공간이 더 이상 없었다고 그녀에게 말했다. Jones에게 배정된 SLD를 가진 4명의 학생들은 일반 교육 학급 밖에서 특별한 교육 서비스를 받는 전체 학생 중에서 수학 성취도가 가장 높았다.

Jones양은 그리고 나서 대수1의 학생들과 만났다. 그들의 예비검사는 그들의 기능수준이 수학1에서 다룬 내용과 더 잘 맞았다는 것을 보여줬다. 그녀는 또한 그들의 부모님들과 그들이 아이들의 진보를 토론하기 위해 올 수 있는지를 알아보기 위해 연락을 취했다(D). 한 명을 제외한 모든 학생들은 수학1로 바꾸는데 동의했다. 그리고 나서 Jones양은 두 세트의 학습목표를 포함한 그녀의 수학1 수업 계획을 다시 설계했다: 1) 학년 수준의 학문적인 내용 기준에 기초한 것들, 2) 처음 6주에 성공하지 못했던 학생 집단의 기능 결손을 검토하기 위해 만들어진 것들(A). 그리고 나서 그녀는 과제의 완성, 과제의 정확성, 수업의 참여, 검사와 퀴즈를 통한 향상 그리고 검사와 퀴즈에서의 수행을 위한 포인트의 축적을 포함하는 6주 점수 획득을 위한 "점수 체제"를 확장했다(A). 개별적인 학습계약은 그들이 구체적인 기능 수업의 어떤 요소만 책임지는 수학적인 결손이 매우 심각하다고 확인된 학습 곤란을 가진 학생들을 위해 만들어졌다(A).

Jones양은 모든 학생들이 같은 목적을 성취하도록, 그리고 같은 작업을 하도록 기대되지 않기 때문에 그녀의 새로운 체제를 설명하는 것이 하나의 도전이라는 것을 안다. 그녀는 학생들이 왜 그녀가 수업에서 다르게 하는지를 이해하지 못한다면(C), 그들은 그 체제를 "불공정"한 체제로 여길 것이다(B). 그녀는 그녀가 모의실험을 통해 새로운 체제를 소개할 수 있는 수업을 개발한다(A). 그 수업의 목적은 그녀의 학생들이 수학의 순차적인 본질과 좀더 복잡한 수학적 개념과 기능을 성공적으로 학습하기 위해서 선수지식을 가질 필요를 인식할 수 있도록 하는 것이다. 그녀는 조각그림 맞추기 퍼즐을 사용한 소집단 활동을 개발하고(A), 이 소집단 조각 그림 맞추기 퍼즐에서 맞추는 것을 "성공"한 것에 기반을 두고 학생들의 일일 "점수"를 매기는 것에 대한 계획을 짠다(A).

그날 아침 수업 전에, Jones양은 책상-의자를 4개씩 집단으로 재배열하고, 의자들에 색깔이 칠해진 인덱스 카드를 사용하여 각 집단에 색깔을 지정한다(B). 그녀는 각 집단별로 비닐 가방에 퍼즐조각을 둔다. 오직 한 집단만 그 퍼즐을 성공적으로 완성하는데 필요한 모든 조각을 받을 것이다. 다른 모든 집단들은 하나나 그 이상이 빠진 퍼즐 조각이든 가방을 가질 것이다. 게다가, 그 퍼즐은 난이도가 다양하다.

학생들이 들어오자, Jones양은 문 앞에서 다정하게 웃으며 그들을 맞고(B), 학생들이 어떤 집단에 무작위로 할당되는지를 알려주는 각 색깔이 있는 카드(B)를 건넸다. 그녀는 웃으며 전날 예비검사를 모두 완성한 것에 대한 "보상"이 게임으로 수업을 시작하는 것이라고 학생들에게 말했다(B).

일단 모든 학생이 앉자, Jones양은 오늘 그들은 집단으로 작업하면서 기능을 형성하도록 설계된 활동으로 수업을 시작할 것이라고 설명했다(C). 그녀는 그녀의 학생들에게 수업의 처음 반에 그들의 점수는 그들이 받게 될 퍼즐의 성공적인 완성과 그들이 목표를 완성하기 위해 함께 얼마나 잘 작업하는지에 기초할 것이라고 말했다(C). 그녀는 또한 그들이 처음 6주 동안 사용했던 소집단 규칙을 상기시키고, 규칙에 대한 어떤 위반도 그 집단에게 30초 동안의 벌칙이 주어지며, 이 시간 동안에는 집단이 퍼즐 조각을 조작할 수 없다는 것을 지적했다(B).

Jones양은 그리고 나서 무작위로 퍼즐 조각이 든 가방을 나누어 주고(B), 그들이 20분 이내에 과제를 완성해야 한다고 말했다. 그녀는 타이머를 맞추고, 그녀가 5분과 1분이 남았을 때 그들에게 경고한다고 말했다(C). 그녀는 이런 것들이 도전적인 퍼즐이지만, 그녀는 그들이 그 과제를 완성하기 위해 협동하는 것을 안다고 말했다(B).

학생들이 다 함께 작업할 때, Jones양은 집단들의 진도를 주시했다(C). 몇몇 집단들은 그렇게 쉬운 퍼즐을 가지고도 왜 그렇게 어려워하느냐는 소리를 들은(B) 반면, 다른 집단은 긍정적인 피드백을 받았다(C). Jones양은 5분 경고를 주기 시작했고, 한 집단이 너무 시끄러워서 다른 집단은 그 경고를 듣지 못했다. 그들의 활동을 제출하기 전에 큰 소리를 낸 집단은 30초 이내에 퍼즐 작업을 끝내야 했다(B). 종료할 시간이 다가오자, 두 집단은 그녀에게 주저하며 그들이 퍼즐을 완성하는데 필요한 퍼즐을 모두 가지고 있지 않다고 말했다. 그녀는 어깨를 으쓱하며 "내가 그것에 대해 할 수 있는 것은 없구나. 좀더 열심히 해보렴"이라고 말했다(C). 다른 집단은 옆 집단은 좀더 쉬워 보인다고 불평했다(B). 저절로 시끄러워졌다. 이때, 그녀는 소음을 멈추려 하지 않았다(B).

타이머가 울릴 때, 모든 활동은 멈추고, 그녀는 재빨리 각 퍼즐이 얼마나 많이 완성되었는지의 증거로서 그들의 퍼즐을 둘러싼 각 집단의 그림을 꺼냈다. 그리고 나서 그녀는 OHP에 세 가지 질문을 놓고, 다음 5분 동안 아래의 질문에 기입하도록 요청했다: 1) 퍼즐을 맞추는데 어떤 어려움이 있었습니까? 2) 이것이 공정한 활동이라고 생각합니까? 3) 이 퍼즐 활동을 수학 수업과 함께 해야 하는 것은 무엇입니까(C)? 소집단은 이러한 질문을 토론한다. 마침내 Jones양은 전체 집단 형식으로 학생들이 이러한 질문에 대한 반응을 토론하도록 촉진시켰다.

이러한 토론에 따라서, Jones양은 퍼즐활동의 목적을 다시 진술하고, 활동의 목적에 대해서 몇몇 집단이 퍼즐 조각을 모두 갖지 못하여 불리함을 겪었기 때문에 모든 집단에게 "최고점"을 줄 것이라고 말했다(B). 그리고 나서 그녀는 모든 학생들에게 "공정"하려면 그들이 수학을 배우기 위해 필요했던 모든 "수학" 퍼즐 조각을 분명히 갖도록 할 필요가 있다라고 말한다. Jones양은 그녀가 교실을 어떻게 집단들로 분리할 것이며, 각각의 집단들은 그들이 성공하기 위해 필요한 수학 기능에 대해 공부할 것이라고 설명한다(A). 그녀는 그 학급에서의 전체적인 점수 체제와 빠진 "퍼즐 조각"에 대해 그녀의 예비검사에서 알게 된 것에 따라 다른 학습목적, 다른 과제, 그리고 교과점수를 얻기 위한 다른 기준을 가질 것이라는 사실 두 가지 모두를 공유한다.

Jones양은 학생들의 질문에 대답하고, 그 체제가 어떻게 작동될지를 좀더 자세히 설명하면서 나머지 시간을 보낸다(C). "집단"에 대한 초기 과제는 임시적이 될 것이고, 학생들의 진보와 수행에 따라 미래의 집단이 결정될 것이다. 벨이 울리기 전에, 그녀는 그 체제를 설명하고, 질문이 있으면 그녀에게 연락하도록 요청하는 부모님께 보내는 편지를 나누어 주었다(D). 그녀는 이 모의 실험에 대한 학생들의 참여에 감사했고(B), 내일부터 새로운 체제가 시작될 것이라고 말했다.

◾◾ 성 찰 문 제

1. 모든 학생들이 교실에서 성공하도록 하는 목적은 훌륭하다. 그것이 현실적인가? 그것은 성취가능한가?

2. 예비검사를 참고해서 대부분의 교사가 그러한 예비검사를 한다고 생각하는가?를 주목해보자. 왜 그런가 아니면 왜 그렇지 않은가?

3. Jones양은 학생들에게 "새로운" 체제를 가르치기 위해 모의 실험을 사용한다. 그 모의실험이 실제로 필요하다고 생각하는가? 설명해보라.

출처: This Case Study was developed by Linda Morrow, Muskingum College

---

- 적절한 연간 진보가 측정될 수 있도록 검사된 각 교과에서 그 주의 숙달 지침을 학생들이 충족하거나 뛰어 넘는 기준 백분율
- 학생들이 숙달 지침을 충족하거나 정도를 넘는 백분율에서 정기적인 증가를 설정하는 중간 목표
- 연간 측정가능한 평가 목표

학교 수행에의 초점

학부모가 그들의 아이들이 다니고 있는 학교가 얼마나 효과적인지 이해하도록 돕는 것이 NCLB법의 중요한 부분이다. 비록 각 주에 그런 식으로 평가를 해왔던 시험 양식이 남아 있더라도, 그 법은 모든 주가 3학년에서부터 8학년까지 학생의 읽기와 수학 기능을 평가할 것을 요구한다.

학교가 (성공하기 위해서는) 각 인종, 인구통계학적 집단 출신의 학생들이 성공하고 있고 연간 향상하고 있다는 것을 보여주어야 하기 때문에, NCLB법이 많은 주의 경우 매우 문제가 있음을 나타내고 있다. 걱정되는 것은, 그러한 기대수준에서 보면 이 나라의 너무 많은 학교가 실패한 것으로 분류될 것이라는 점이다.

책무성 운동과 NCLB법을 주장하는 사람들의 본래 희망은 학생과 부모가 보다 좋은 학교 선택권을 갖는 것인데, 말하자면 이들 시험 결과의 분석을 통해서 학생이 무엇을 알고 있는지 그리고 얼마나 많은 것을 배웠는지를 더 잘 이해하게 될 것이다. 부모는 학교의 전

반적인 효과성에 대해 또한 전면적으로 알게 될 것이다. 그리고 형편없이 수행하고 있는 학교는 교정적인 조치를 위해 선정되거나 다른 종류의 벌칙을 받게 될 것이다.

1단계에서 책무성 운동은 성공하지 못할 수 있거나 "저조한 수행"을 하는 학교를 확인하는 것에 초점을 맞추고 있다. 다른 단계에서 그 운동이 특정한 주에서 설정 준거에 비춰서 그들의 전반적인 수행에 따라 학군을 분류하고 있다. 예컨대, Ohio에서는 연간 기록 카드가 각 학군에서 발행된다. 표 11.8이 Ohio Smithville의 주 기록 카드인데, 2003년에 우편으로 보내졌다. 여러분은 Ohio주에는 준거가 22개이며, 각각의 학생 수행 최소 수준을 확인하고 있다는 것을 알게 될 것이다. 충족되는 준거의 번호에 근거하여, 학군이 "학문적 비상사태"에서부터 "학문적으로 뛰어남" 중에서 하나로 분류된다. 학군 "등급"은 부모가 학교와 학군 내의 자산 가치까지도 지각하는 방법에 영향을 준다. 이것은 교사와 학교가 필수 학문 자료를 학습할 수 있도록 학생을 얼마나 잘 돕는지의 문제며, 교사가 잘 갖춰져 있고, 또 학교가 개방되어 있는지에 영향을 주는 방법에 있어서의 문제이다.

학생 수행에의 초점

비록 주 전체의 표준화된 평가를 사용하여 학군과 개별 학교를 분류하는데 많은 주의를 기울여야 하지만,

표 11.8 (2003년 2월에 학부모에게 전송된 2003 학군 기록 카드에 보고된) Smithville의 2001-2002 사전 숙달 평가 결과

수행 성취기준	학생 평가 통과율		
	2001-2002 최소 주 수행	2001-2002 Smithville 결과	여러분의 2001-2002의 수행이 성취기준을 충족시켰는가?
4학년 수행 성취기준			
1. 시민의식	75%	85.9%	예
2. 수학	75%	79.0%	예
3. 읽기	75%	83.8%	예
4. 쓰기	75%	92.1%	예
5. 과학	75%	82.2%	예
6학년 **2002 봄-2008의 수업**			
6. 시민의식	75%	89.7%	예
7. 수학	75%	83.1%	예
8. 읽기	75%	78.1%	예
9. 쓰기	75%	95.6%	예
10. 과학	75%	77.2%	예
9학년 **2002 봄-2005의 수업**			
11. 시민의식	75%	95.6%	예
12. 수학	75%	92.9%	예
13. 읽기	75%	97.7%	예
14. 쓰기	75%	97.9%	예
15. 과학	75%	94.5%	예
9학년(10학년 학생)			
16. 시민의식	85%	98.5%	예
17. 수학	85%	96.7%	예
18. 읽기	85%	99.5%	예
19. 쓰기	85%	99.8%	예
20. 과학	85%	98.0%	예
21. 학생 출석률	93%	95.6%	예
22. 졸업률	90%	95.9%	예

출처: Ohio Department of Education. Columbus, Ohio. Smithville is a pseudonym for one of Ohio's 612 school districts.

다른 교육전문가들은 같은 자료가 학생 성장을 강화시키기 위해 어떻게 사용될 수 있는지를 지켜보기 시작했다. Massachusetts 주는 Massachusetts Comprehensive Assessment (MCAS)를 사용하여 학습 성취기준과 평가 체계에 관하여 최근 많은 관심을 받아온 주이다. 몇몇 교육 전문가는 수업 초점의 영역을 제안하는 학생 학습 양식을 찾으려고 노력하기 위해 주의깊게 표준화된 자료를 조사하고 있다. 예컨대, 세 명의 연구자

는 MCAS 자료가 학생에게 보다 더 나은 학습 기회를 제공하고자 시도하는 자료 기반 학교 문화의 일부분이 되는지를 기술한다.[63] 그들은 수학, 과학, 언어학에서 MCAS 자료를 분석한 Sound Public School 학군을 기술한다. 그들은 쓰기 유창성이 전반적인 숙달과 연관되어 있다는 것을 알았다. 이 학군은 Terra Nova(10장의 진단 평가 부분 참조)에서 나온 다른 진단 자료를 조사하였고, 학생 읽기 점수와 전반적인 MCAS 수행 간에 밀접한 연관이 있다는 것을 알았다.

Sound Public School은 이들의 밀접한 관계의 결과로서 읽기와 쓰기의 수행 평가를 만들었고, 교사를 위해 학생이 문제를 경험하거나 학문적 취약점이 있는 기능 영역에서 학생에게 도움을 제공할 부가적인 기회를 개발했다.

Sound Public School 상황에서, 책무성 요건은 교사와 행정가가 더 나은 수업 반응을 생성하기 위해 자료를 분석하는 방법을 알아내는 기회로서 여겨지고 있다. 그들의 접근은 여러분이 교사로서 행하는 것에 의미를 던지고 있다. 여러분은 교수 실행을 향상시키기 위해 자료를 사용할 수 있어야만 한다. 표 11.9는 교사가 향상된 수업 효과를 강화시킬 질문과 자료에 초점을 두도록 교사를 도와주는 모형이다.

분명히 책무성은 위협과 기회를 만든다. 과도한 평가가 학생의 내재 동기를 약화시킨다고 주장하는 Alfie Kohn과 같은 사람은 위협을 강조하고 있다.[64] 비평가들은 어떤 학군에서 학년도의 1/6을 평가 받는 데 전념할 정도로 학생들이 평가만을 받다 죽을 지경이라고 주장한다. 반면에 평가 지지자는 평가가 학생의 진행 과정을 감시하는 것을 돕는 데 필수적이라고 주장한다. 시험은 학생의 취약점을 확인하는 것을 돕고, 그러면 교사는 학생이 확실히 성공하게 하는 방법을 중재하고, 개선하고, 만들 수 있다.

표 11.9 교사가 자료 전문가가 되는 방법

---

1. 학생 수행과 관련된 질문 확인하기: 여러분은 여러분의 교실과 관련된 정보에 가장 관심이 있을지도 모르지만, 범학교적, 범 학군적, 범 주적인 양식 또한 유익할 수 있다.

2. 자료를 확인하고 필수정보를 수집하기: 성, 인종, 무료 또는 축소된 급식 자격, 집에서 사용하는 언어와 같은 인구 통계학적인 정보를 고려한다. 개별 시험 질문에 대한 학생 응답은 여러분이 단순한 시험 점수를 통해 배울 수 없는 것들을 알려 준다.

3. 자료를 조사하고 사용하기: 지원하려는 특정 집단을 목표로 하기 위해 관심 영역에서 학생 수행을 살펴본다. 전년도 자료를 조사한다. 양식이 확실하게 보여지더라도 결론으로 도약하지 않는다. 표면 이하를 보고 보다 많은 질문을 한다.

4. 유용한 질문들:
   - 개인과 집단의 수행이 어떻게 주 성취기준과 연관되어 있는가?
   - 내용 영역을 망라한 변화가 있는가?
   - 수행을 학생, 학교, 학군, 주 내의 그리고 국가를 망라한 다른 집단 등의 수행과 어떻게 비교하는가?
   - 시대에 뒤떨어진 자료가 있는가?
   - 현재 학교, 학군이나 교실에 학생 수행을 향상시키도록 도울 수 있는 주도권이 있는가? 어떤 증거에 기반을 두는가?
   - 여러분의 수업 실행 또는 교육과정에 어떤 영향을 주는가?
   - 여러분의 발견이 전문성 개발을 더 필요로 하다는 것을 제안하고 있는가?
   - 다른 제 삼자는 이 정보에서 어떻게 이익을 얻는가?

출처: Penny Noyce, David Preda, and Rob Traver. "Creating Data-Driven Schools." *Educational Leadership* (Rebruary 2000): 55.

여러분이 알아야 할 것은 책무성이 예측 가능한 미래를 위해 여기에 있다는 것이다. 그것은 여러분이 무엇을, 어떻게 가르치는지에 영향을 줄 것이다. 여러분은 어떤 사람이 위협으로 보는 것으로부터 기회를 만드는 방법을 찾기 위해 노력해야 한다. 평가와 교수를 연관하는 방법을 찾도록 한다. 실천하는 가장 좋은 방법은 여러분의 교수 영역에서 (여러분의 상태를 위한) 학문적 성취기준을 알고 나서 이들 성취기준에서 수업과 평가를 구성하고, 학생이 학습자로서 성장하게 돕는 방법으로 행하는 것이다. 이 처방이 쉬운 것처럼 들리지만, 여러분에게 교육학적으로 중요한 기능을 필요로 할 것이다.

이론의 실제 적용

우리는 집단 속에서 살고 있어서, 다른 사람들과 경쟁하지 않기를 원하지만, 늘 사람들과 평가되고 비교된다. 이에 따라 교사에게 학생을 평가하고 성적을 줄 것을 기대한다. 교사는 각자의 판단에 균형과 인간성을 조화시킬 필요가 있다. 확실하지 않은 것은 학생에게 유리하게 해석해 주고, 종종 시험과 평가 과정에 수반되는 걱정과 스트레스을 감소하도록 노력한다.

다음은 각자의 평가 시스템을 개선하기 위해 고려해야 할 문제이다.

1. 평가 시스템은 수업 목표에 부합하는가? 이러한 목표들은 학군의 교육과정 지침과 주의 학업 성취 기준에 확실히 연결되어 있는가?
2. 수업의 출발점을 결정하기 위해 이전의 평가 정보를 이용하는가?
3. 학생이 평가 체제를 이해하는가?
4. 평가 체제는 학생들이 얻기를 기대하는 내용과 기술을 적절히 나타내고 있는가?
5. 평가는 다양한 출처(시험, 퀴즈, 숙제, 보고서, 프로젝트, 수업 참여 등)로부터 얻어진 것인가? 이러한 출처는 중요성에 따라 우선순위를 가지는가?
6. 학생들은 성적이 결정되는 방법을 미리 아는가?
7. 평가 체제는 공정하고 객관적인가? 평가 체제는 학생의 능력, 이전의 성취, 성숙 수준을 고려하는가?
8. 평가 체제는 학생들이 각자의 진척 정도와 능력을 시연하도록 하는가?
9. 형성평가와 총괄평가와 기술을 모두 사용하는가? 평가 결과에 기초해 기꺼이 내용을 수정하고 반복하여 가르칠 수 있는가?
10. 평가 체제는 학교 정책과 학교 지침에 부합하는가?

◢◼ 성 찰 문 제

책무성을 강조하는 것은 교사와 학교 행정가들에게 실질적인 압박을 준다. 지난 10년의 대규모의 평가와 책무성에의 열광이, 교사는 시험 점수만을 올리기 위해 수업을 연동시켜 왔는가? 또는 그들이 진정으로 학생 학습을 향상시켰는가? 즉, 교사는 단순히 그들 자신을 좋게 보이기 위해 시험을 가르치고 있는가? 이 질문은 고려할 만한 토론을 표현하고 있는가? 무엇을 생각하고 있는가? 시험을 가르치는 것이 그른가? 그러한 강조가 학생의 학습을 제한하는지 혹은 진전시키는지? 와 같은 평가의 효능에 대한 열띤 토론을 가져왔다.

시험이 몇몇 학생을 학교로부터 모두 탈락시키는지에 대해 또한 토론되고 있다. 고부담을 잘 대응할 수 없는 많은 학생들은 단지 탈락하는 것으로 대처하게 될 것이다. 이러한 환경은 피할 수 있는가? 어떻게?

공학적 관점

수업 교사로부터의 공학적 관점

Jackie Marshall Arnold
K-12 Media Specialist

학생 평가는 도전적이고 시간이 걸리는 과정이 될 수 있다. 공학적 적용은 학생에게 과정을 보다 의미 있게 하고 교사에게는 덜 시간 소모적이게 한다. 평가 과정을 지원하는 두 개의 공학적 도구가 전자 평가 책과 전자적으로 만들어진 채점기준표이다.

상당히 유동적이고 굳건한 평가 프로그램이 교사가 평가 과정에 사용할 수 있도록 제공되고 있다. Grade Machine (http://www.mistycity.com/), ThinkWave Educator (http://www.thinkwave. com/), Gradebook (http://www.gradebook. com/)과 같은 소프트웨어 프로그램은 교사가 평가와 성적 부여에 사용하기 위해 구입할 수 있는 양질의 프로그램이다. 사용할 프로그램을 선택할 때, 효과적인 교사는 소프트웨어 프로그램에서 몇 가지 특별한 특징을 살피기를 원할 것이다. 첫째, 여러분이 사용하게 될 컴퓨터를 알고 소프트웨어 꾸러미의 요구사항을 충족시킬 수 있는지 확실히 한다. 둘째, 여러분이 현재 행하고, 하고 싶은 평가 실행에 대해 생각한다. 여러분이 선택한 꾸러미가 여러분의 요구를 충족시키는지 확실히 한다. 셋째, 여러분이 원하는 특징을 갖고 있고 사용하기에 쉬운지를 검증하기 위해 꾸러미의 개요를 살핀다. 요즘의 많은 꾸러미는 이메일을 통해 받는 과정 보고서와 같은 사례가 있는 인터넷 사용의 선택사항을 제공하고 있다. 넷째, 여러분이 어떤 시점에서라도 지원을 요구할 수 있는 고객 지원이 있는 꾸러미임을 확인한다. 마지막으로, 여러분의 학교나 학군 내의 기술 조정자와 함께 소프트웨어가 학군의 정책에 적합하고 수용 가능한 것인지를 점검한다.

효과적인 교사는 학생 과업을 평가하기 위해 채점기준표를 종종 사용한다. 질적인 채점기준표를 만드는 것은 시간이 많이 걸리는 일일 수 있다. 여러분이 채점기준표를 쉽게 만들거나 이미 만들어진 채점기준표를 어떤 과목이라도 사용할 수 있게 하는 공학적 도구가 있다. Rubistar(http://rubistar.4teachers.org)는 교사가 그들이 자신의 개별화된 채점기준표를 만들거나 이미 설계된 것들을 사용하도록 쉬운 단계별 과정을 제공한다. 만들어진 채점기준표의 범주는 구두적 연구과제, 멀티미디어 연구과제, 과학, 수학 등에 쉽게 적용할 수 있다. 교사는 특정 과제 분야를 클릭하여, 이미 만들어져 있는 채점기준표를 미리 볼 수 있다. 이들 중 어떤 것이 요구에 맞춰 만들어지고 나면, 저장하여 지속적으로 접근될 수 있다. 교사는 사이트에서 제공된 단계별 지시사항을 따르는 그들 자신의 채점기준표를 또한 선택할 수 있다. 만들어진 채점기준표의 어떤 것이 그 사이트에 저장되고 나면, 채점기준표의 확인 번호와 비밀번호로 접근할 수 있다.

효과적인 교사는 교수와 학습 과정에서 평가의 중요성에 대한 가치를 안다. 평가 과정을 지원하기 위해 공학적 응용을 사용함으로써, 효과적인 교사는 그들 자신과 무엇보다도 중요하게는 그들 학생들에게 이익을 주는 질적 평가 실행을 수립할 수 있다.

요약

1. 학생을 평가를 해야 하는 이유는 동기화, 학생과 교사에게 피드백 제공, 부모에게 정보 제공, 선택의 결정을 포함한다.

2. 평가는 배치평가, 진단평가, 형성평가, 총괄평가의 네 가지 형태가 있다.

3. 시험과 퀴즈 이외에 평가를 위한 정보의 출처는 교실 토론과 활동, 숙제, 노트, 보고서, 연구 보고서, 동료 평가를 포함한다.

4. 평가는 절대적 또는 상대적인 척도에 기초한다. 대안적인 평가 실제는 계약, 전문적인 평가, 노력과 과정에 대한 평가를 포함한다.

5. 포트폴리오는 학생이 무엇을 배웠고 얼마나 발전되어 왔는지를 보여주는 또 다른 수단이다.

6. 대화 보고서는 기본 교과 영역을 강조하고 있으며, 성적을 알리기 위해서는 편지를 사용한다. 더욱이 최근의 보고 방법은 진척 정도에 관한 진술, 수행 평가를 포함한다.

7. 누적된 기록은 학생의 학교에서의 수행과 행동에 관한 중요한 자료를 포함하는 공식적인 문서이다. 이것은 학생들의 생활 기록부를 통하여 학생들을 따라다닌다.

8. 부모와의 의사소통은 보고서, 회의, 편지의 형태로 이루어진다.

9. 책무성 시스템은 교사에게 적절하다.

고려할 문제

1. 학생의 수행을 평가할 때 교사는 객관적일 수 있는가? 설명하시오.

2. 배치, 진단, 형성, 총괄 평가를 어떻게 구별하는가?

3. 학창 시절에 여러분의 선생님이 하셨던 평가와 비교해서 각자의 평가를 어떻게 개선할 것인가?

4. 평가에 있어서 절대 기준과 상대 기준은 어떻게 다른가? 여러분은 어떤 것을 선호하는가? 그 이유는?

5. 학생을 평가할 때 왜 여러 가지 자료 출처를 사용하는 것이 바람직한가?

6. 성취 기준, 평가, 책무성 사이의 조율이 가능하지 않을 때에 관한 사례가 있는가?

7. 여러분이 가르치고 있는 주에서 어떤 평가 체제를 요구하는가? 어떤 책무성 체제가 적절한가?

해야 할 일

1. 학교 경험으로부터, 부적절한 평가 기술의 몇 가지 예를 열거한다.

2. 교사로서 따라야 하는 평가 절차를 간단히 설명한다.

3. 학교를 방문하고, 보고서 표본을 얻어서 학교에서의 주요한 특질을 토론한다. 어떻게 보고서가 다른지 분석한다.

4. 처음으로 부모와 일반적인 회의를 하려고 한다고 가장한다. 회의에서 포함해야 하는 중요한 주제가 무엇인지 급우들과 토론한다.

5. 여러분 가까이에 있는 학군의 시험 점수를 조사한다. 고성취를 보인 학군은? 낮은 성취를 보인 학군은? 그 중 기대와 다른 학교구가 있는가?

추천 문헌

Airasian, Peter. *Classroom Assessment: Concepts and Applications*, 4th ed. New York: McGraw-Hill, 2000. This practical text examines how assessment and grading procedures can be used to enhance instruction and learning.

Barr, John R. *Parents Assuring Student Success*. Bloomington, Ind.: National Evaluation Service, 2000. This is a wonderful resource that teachers can use to help parents understand how they can support a student's academic learning within the classroom.

Bloom, Benjamin S., J. Thomas Hastings, and George F. Madaus. *Handbook of Formative and Summative Evaluation of Student Learning*. New York:

McGraw-Hill, 1971. This mammoth-size text can serve as an excellent source for technical questions about evaluation.

Gronlund, Norman E., and Robert L. Linn. *Measurement and Assessment in Teaching*, 8th ed. Upper Saddle River, N.J.: Prentice-Hall, 1999. This text offers an appreciation of the advantages and disadvantages of various tests and evaluation procedures.

Johnson, Dale D, and Bonnie Johnson. *High Stakes: Children, Testing, and Failure in American Schools*, Lanham, Maryland: Rowman and Littlefield, 2002. This is a thoughtful analysis of accountability and its impact on students in American schools.

Popham, W. James. *Educational Evaluation*, 3d ed. Needham Heights, Mass.: Allyn and Bacon, 1992. This work presents various models and strategies for evaluating student outcomes. Popham is one of the most prolific writers in the area of assessment and evaluation. His most recent book, The Truth About Testing (2001), which is published by the Association for Supervision and Curriculum Development, is also an excellent resource.

Tucker, Marc and Judy B. Codding. *Standards for Our Schools*. San Francisco: Jossey-Bass, 1998. A thoughtful analysis of standards, assessment and accountability that describes both the political and practical implications of standards-based reform.

핵심 용어

후주

1. Kay Burke. *Authentic Learning*, 3d ed. Arlington Heights, Ill.: Merrill Prentice Hall, 1999.

2. Philip W. Jackson. *Life in Classrooms*, 2d ed. New York: Teachers College Press, Columbia University, 1990, p. 19.

3. Bruce W. Tuckman. *Measuring Educational Outcomes*, 2d ed. San Diego: Harcourt Brace Jovanovich, 1985, p. 300. Also see Bruce W. Tuckman, "The Essay Test: A Look at the Advantages and Disadvantages." *NASSP Bulletin* (October 1993): 20-27.

4. Norman E. Gronlund and Robert L. Linn. *Measurement and Evaluation in Teaching*. 6th ed. New York: Macmillan, 1990.

5. Jeanne Ellis Ormrod. *Educational Psychology*, 4th ed., Upper Saddle River, N.J.: Prentice Hall, 2003.

6. Michael Scriven. "The Methodology of Evaluation." In R. W. Tyler, R. Gagné, and M. Scriven (eds.), *Perspectives on Curriculum Evaluation*. Chicago: Rand McNally, 1967, pp. 39-83.

7. Benjamin S. Bloom, J. Thomas Hastings, and George F. Madaus. *Handbook on Formative and Summative Evaluation of Student Learning*. New York: McGraw-Hill, 1971, p. 20.

8. Paul Black and Dylan Wiliam. "Inside the Black Box: Raising Standards Through Classroom Assessment." *Phi Delta Kappan* (October 1998): 140.

9. Norman E. Gronlund. *How to Make Achievements Tests and Assessments*, 5th ed. Needham Heights, Mass.: Allyn and Bacon, 1993. Robert M. Thorndike et al. *Measurement and Evaluation in Psychology and Education*, 5th ed. New York: Macmillan, 1991.

10. Jackson. *Life in Classrooms*, p. 19.

11. Ibid., p. 20.

12. Nancy S. Cole. "Conceptions of Educational Achievement." *Educational Researcher* (April 1990): 2-7. Penelope L. Peterson. "Toward an Understanding of What We Know About School Learning," *Review of Educational Research* (Fall 1993): 319-326. W. James Popham. "Why Standardized Tests Don't Measure Educational Quality." *Educational Leadership* (March 1999): 8-15.

13. Benjamin S. Bloom, George F. Madaus, and J. Thomas Hastings. *Evaluation to Improve Learning*. New York: McGraw-Hill, 1981. Tom Kubiszyn and Gary Borich. *Educational Testing and Measurement*, 4th ed. New York: HarperCollins, 1993. Merlin C. Wittrock and Eva L. Baker. *Testing and Cognition*. Needham Heights, Mass.: Allyn and Bacon, 1991.

14. Jan La Bonty and Kathy Everts-Danielson. "Alternative Assessment and Feedback in Methods Courses." *Clearing House* (January-February 1992): 186-190. Allan C. Ornstein, "Assessing Without Testing," *Elementary Principal* (January 1994): 16-18.

15. David Johnson and Frank P. Johnson. *Joining Together: Group Theory and Group Skills*, 5th ed. Needham Heights, Mass.: Allyn and Bacon, 1994.

16. Black and Wiliam. "Inside the Black Box," pp. 143-144.

17. Herbert J. Walberg. "Homework's Powerful Effects on Learning." *Educational Leadership* (April 1985): 75-79. Melanie F. Sikorski, Richard P. Niemiec, and Herbert J. Walberg. "Best Teaching Practices," *NASSP Bulletin* (April 1994): 50-54.

18. Thomas L. Good and Jere E. Brophy. *Looking in Classrooms*, 8th ed., Reading, Mass: Addison Wesley, 2000.

19. M. R. Moran, B. S. Myles, and M. S. Shank. "Variables in Eliciting Writing Samples." *Educational Measurement* (Fall 1991): 23-26. Carol Ann Tomlinson. "Invitations to Learn." *Educational Leadership* (September 2002): 6-11.

20. Kenneth A. Kiewra. "Providing the Instructor's Notes: An Effective Addition to Student Note-Taking." *Educational Psychologist* (Winter 1985): 33-39. Kenneth A. Kiewra. "Aids to Lecture Learning." *Educational Psychologist* (Winter 1991): 37-53.

21. Maureen McLaughlin and Mary Beth Allen. *Guided Comprehension: A Teaching Model for Grades 3-8*. Newark, Del.: International Reading Association, 2002.

22. Kieran Egan. "Start With What the Student Knows or With What the Student Can Imagine" *Phi Delta Kappan* (February 2003): 443-445. Allison Zmuda and Mary Tomaino. "A Contract for the High School Classroom." *Educational Leadership* (March 1999): 59-61.

23. Ibid., p. 60.

24. David W. Johnson and Roger J. Johnson, *Learning Together and Alone*, 5th ed. Boston, Mass.: Allyn and Bacon, 1998.

25. Elizabeth G. Cohen. *Designing Groupwork*. New York: Teachers College Press, Columbia University, 1994. Peter M. Martorella, *Elementary Social Studies*. Boston: Little Brown, 1985. Also see Alfie Kohn. *What to Look for in a Classroom*. San Francisco: Jossey Bass, 2000.

26. Robert L. Ebel and David A. Frisbie. *Essentials of Educational Measurement*, 5th ed. Needham Heights, Mass.: Allyn and Bacon, 1991. Gary Natriello and James McPartland. *Adjustments in High School Teachers' Grading Criteria*. Baltimore: Johns Hopkins University Press, 1988.

27. Ellis D. Evans and Ruth A. Engleberg. "Student Perceptions of School Grading," *Journal of Research and Development in Education* (Winter 1988): 45-54. Mary A. Lundeberg and Paul W. Fox. "Do Laboratory Findings on Test Expectancy Generalize to Classroom Outcomes?" *Review of Educational Research* (Spring 1991): 94-106.

28. William W. Cooley. "State-Wide Student Assessment," *Educational Measurement* (Winter 1991): 3-6. Deborah Meier. "Standardization Versus Standards." *Phi Delta Kappan* (November 2002): 190-198.

29. Robert E. Slavin. "Classroom Reward Structure: An Analytical and Practical Review." *Review of Educational Research* (Fall 1977): 633-650. Robert E. Slavin. "Synthesis of Research on Cooperative Learning." *Educational Leadership* (February 1991): 71-82.

30. Neville Bennett and Charles Desforges. "Matching Classroom Tasks to Students' Attainments." *Elementary School Journal* (January 1988): 221-234. W. James Popham. "Appropriateness of Teachers' Test-Preparation." *Educational Measurement* (Winter 1991): 12-15. Robert E. Stake. "The Teacher, Standardized Testing, and Prospects of Revolution." *Phi Delta Kappan* (November 1991): 243-247.

31. Robert L. Bangert-Drowns. "The Instructional Effect of Feedback in Test-Like Events." *Review of Educational Research* (Summer 1991): 213-238. Gary Natriello and Edward L. McDill. "Performance Standards, Student Effort on Homework and

Academic Achievement." *Sociology of Education* (January 1986): 18-31. Alvin C. Rose. "Homework Preferences." *NASSP Bulletin* (March 1994): 65-75. Marge Scherer. "Do Students Care about Learning?" *Educational Leadership* (September 2002): 12-17.

32. Natriello. "The Impact of Evaluation Processes on Students." Marv Nottingham. "Grading Practices — Watching out for Land Mines." *NASSP Bulletin* (April 1988): 24-28.

33. Robert F. Madgic. "The Point System of Grading: A Critical Appraisal." *NASSP Bulletin* (April 1988): 29-34. Margot A. Olson. "The Distortion of the Grading System." *Clearing House* (November-December 1990): 77-79.

34. E. D. Hirsch. *The Schools We Need*. New York: Doubleday, 1996, pp. 181-182.

35. Susan A. Colby. "Grading in a Standards-Based System." *Educational Leadership* (March 1999): 52-55.

36. Ibid., p. 53.

37. Ibid.

38. Ibid.

39. Paul S. George. "A+ Accountability in Florida?" *Educational Leadership* (September 2001): 28-32.

40. *State High School Exams: A Baseline Report.* Washington, D.C.: Center on Education Policy, 2002.

41. William A. Mehrens and Irvin J. Lehmann. *Measurement and Evaluation in Education and Psychology*, 4th ed. Fort Worth, Tex.: Holt, Rinehart, and Winston, 1991. Payne, *Measuring and Evaluating Educational Outcomes.*

42. Carole Ames. "Motivation: What Teachers Need to Know." *Teachers College Record* (Spring 1991): 409-421. Pamela A. Moss. "Shifting Consequences of Validity in Educational Measurement," *Review of Educational Research* (Fall 1992): 229-258. Lynda A. Baloche. *The Cooperative Classroom*. Columbus, Ohio: Prentice Hall, 1998.

43. David A. Payne. *Measuring and Evaluating Educational Outcomes*. New York: Macmillan, 1992.

44. Benjamin S. Bloom. "The 2 Sigma Problem: The Search for Methods of Instruction as Effective as One-to-One Tutoring." *Educational Researcher* (June-July 1984): 4-16. Robert E. Slavin. "Grouping for Instruction in the Elementary School." *Educational Psychologist* (Spring 1987): 109-128.

Robert E. Slavin. "On Mastery Learning and Mastery Teaching." *Educational Leadership* (April 1989): 77-79.

45. Richard Arends. *Learning to Teach*, 4th ed. Boston: McGraw-Hill, 1998, p. 228.

46. S. Alan Cohen and Joan S. Hyman. "Can Fantasies Become Facts?" *NASSP Bulletin* (Spring 1991): 20-23. George F. Madaus. "The Effect of Important Tests on Students." *Phi Delta Kappan* (November 1991): 226-231.

47. Harold Stevenson and James W. Stigler. *The Learning Gap*. New York: Summit Books, 1992: pp. 97-98.

48. Edward L. Vockell and Donald Kopenec. "Record Keeping Without Tears." *Clearing House* (April 1989): 355-359.

49. Ibid.

50. John Salvia and James Ysseldyke. *Assessment*, 8th ed. Boston: Houghton Mifflin, 2001.

51. F. Leon Paulson, Pearl R. Paulson, and Carol A. Meyer. "What Makes a Portfolio a Portfolio?" *Educational Leadership* (February 1991): 60-64. Richard J. Shavelson and Gail P. Baxter. "What We've Learned About Assessing Hands-On Science." *Educational Leadership* (May 1992): 20-25.

52. Judith A. Arter and Vicki Spandel. "Using Portfolios of Student Work in Instruction and Assessment." *Educational Measurement* (Spring 1992): 36-44. Doris Sperling. "What's Worth an 'A'?: Setting Standards Together." *Educational Leadership* (February 1993): 73-75. Baloche. The Cooperative Classroom.

53. Stephen Chappuis and Richard J. Stiggins. "Classroom Assessment for Learning." *Educational Leadership* (September 2002): 40-44. Darlene M. Frazier and F. Leon Paulson, "How Portfolios Motivate Reluctant Workers," *Educational Leadership* (May 1992): 62-65.

54. Arter and Spandel. "Using Portfolios of Student Work in Instruction and Assessment." Richard J. Stiggins. "Relevant Classroom Assessment Trainers for Teachers." *Educational Measurement* (Spring 1991): 7-12.

55. Julie Heiman Savitch and Leslie Ann Serling. "I Wouldn't Know I Was Smart If I Didn't Come to Class." In A. Lin Goodwin (ed.) Assessment for

Equity and Inclusion. New York: Routledge, 1997, pp. 157-158.

56. Allan C. Ornstein. "The Nature of Grading." *Clearing House* (April 1989): 365-369.

57. Joyce L. Epstein. "Parents' Reactions to Teacher Practices of Parent Involvement." *Elementary School Journal* (January 1986): 277-294. Joyce L. Epstein. "School/Family/Community Partnerships: Caring for the Children We Share." *Phi Delta Kappan* (May 1995). 701-712.

58. Joyce L. Epstein. "How Do We Improve Programs for Parent Involvement?" *Educational Horizons* (Winter 1988): 58-59. Joyce L. Epstein. "Parent Involvement: What Research Says to Administrators." *Education and Urban Society* (February 1987): 119-36.

59. James P. Comer and Norris M. Haynes. "Parent Involvement in Schools." *Elementary School Journal* (January 1991): 271-277. Anne T. Henderson. "An Ecologically Balanced Approach to Academic Improvement." *Educational Horizons* (Winter 1988):

60-62. Judith A. Vandegrift and Andrea L. Greene. "Rethinking Parent Involvement." *Educational Leadership* (September 1992): 57-59.

60. Jeffrey L. Gelfer and Peggy B. Perkins. "Effective Communication with Parents." *Childhood Education* (October 1987): 19-22.

61. Leonard H. Clark and Irving S. Starr. *Secondary and Middle School Teaching Methods*, 5th ed. New York: Macmillan, 1986. Richard Kindsvatter, William Wilen, and Margaret Ishler. *Dynamics of Effective Teaching*, 2d ed. New York: Longman, 1992.

62. Allan C. Ornstein. "Parent Conferencing: Recommendations and Guidelines." *Kappa Delta Pi Record* (Winter 1990): 55-57.

63. Penny Noyce, David Perda, Rob Traver. "Creating Data Driven Schools." *Educational Leadership* (February 2000): 52-55.

64. Alfie Kohn. "Offering Challenges, Creating Cognitive Dissonance." In J. Cynthia McDermott (ed.), *Beyond the Silence*. Portsmouth, N.H.: Heinemann, 1999.

전문성 신장

제 3 부

이 책의 첫 번째와 두 번째 부분에서, 교수의 기예와 과학의 관계(제1부)와 학생을 위해 좋은 수업을 하려고 노력하는 교사의 기술(제II부)에 대한 간단히 설명했다. 이번 장(12장)에서는 예비교사와 교직에 관한 전망을 다루고 있다. 좋은 교사는 교수가 복잡하다는 것을 반드시 이해해야 한다. 그리고 이러한 복잡성을 다루기 위해, 교사는 학생들을 학문적으로 그리고 교육적으로 지원하는 방법을 찾아야만 한다.

전문적인 성장은 교사 양성 교육과정에서 어떤 전문적인 교육 경험을 하고 또는 하지 않아야 하는지 이해할 것을 요구한다. 그때 여러분은 어떻게 성장할 수 있었는지 평가해야 하고, 그럼으로써 각자의 능력을 제한하는 것이 아니라 확장할 수 있다. 초임 교사가 직면한 문제, 그리고 활용 가능한 지원에 관한 토론으로 12장을 시작한다. 그리고 나서 현재 사용하고 있는 다양한 평가를 설명한다. 마지막으로, 교직관련 협회에 대해 기술하는 것으로 끝맺는다. 대부분의 교사는 AFT와 NEA와 같은 협회를 생각하지만, 특히 가르치고 있는 교과, 학년(또는 특별한 학생을 위한 사례)과 관계있는 다른 협회도 중요하다.

전문적인 준비 프로그램은 많은 아이디어를 제공하지만, 이러한 아이디어가 힘을 가지려면 사용될 필요가 있다. 유사하게, 이 책은 교수에 관해 알려진 많은 것을 기록하고 있다. 그리고 심지어 이 책이 저술되는 중에도 새로운 자료가 등장하고 있다. 예컨대, 1969년대, James Coleman은 가족 사회 경제적 지위는 학생의 학업 성취에 가장 강력한 영향을 준다고 주장하였다. 1990년대 그리고 2000년대 초기에, 연구자들은 이 개념에 의문을 제기하기 시작했다. William Sanders(Tennessee 대학)는 교사가 학생의 학업 성취에 영향을 주는 중요한 요인이라고 단언했다. 여러분의 교실에서 활동이 학생들의 차이를 만든다. 그리고 전문적인 성장을 계속하기 위해 하는 활동은 궁극적으로 학생들이 학습을 어떻게 보는가에 영향을 준다.

이번 장에 관련된 Pathwise 성취기준 :

- 학습 목표가 성취되었는지 성찰하기(D1).
- 동료 교사들과 교수에 관한 통찰력을 공유하고 직업적인 관계를 형성하고, 학생을 위한 학습 활동들을 조정하기(D3).

이번 장에 관련된 INTASC 원리 :

- 교사는 학습 공동체내의 학생, 부모, 동료 교사들에 대해 자신의 선택과 행동의 효과에 관해 지속적으로 평가하고, 직업적으로 성장하기 위해 적극적으로 기회를 찾는 반성적 실천가여야 한다(P9).
- 교사는 학생들의 학습과 안녕을 지지하기 위해, 동료 교사와 학부모들, 그리고 더 큰 공동체의 기관들과의 관계를 돈독히 해야 한다(P10).

핵 심 문 제

1. 교사 교육은 교사의 전문적 지위에 필수적인가?
2. 초임 교사를 위한 지원과 학습 기회를 증진하는 방법에는 어떤 것이 있을까?
3. 어떻게 자기 평가로 교사로서의 개인 능력을 향상시킬 수 있는가? 교사가 이용할 수 있는 자기 평가 방법에는 어떤 것이 있는가?
4. 동료 평가와 장학 평가는 교사 평가에 어떻게 기여하는가?
5. 어떤 자원과 제품이 교사 평가와 전문성 신장을 위한 정보를 제공할 수 있는가?
6. 전문 조직은 교사 발전을 어떻게 지원하는가?

교사는 수업을 향상시킬 수 있다. 개선 정도란 학생의 학습 요구를 맞추기에 교사가 얼마나 향상되어야 하는지 그리고 교사가 얼마나 노력하는가와 관련된다. 특히 초임 교사는 문제와 좌절에 직면하겠지만 그런 경험을 통해서 배우고 교육학적 기술을 향상시킨다.

일을 즐기는 효과적인 교사가 되고자 한다면 그날 그날의 수업을 준비하는 것뿐만 아니라 학생, 동료교사, 장학사와 학부모들과 일하는 여러 기술도 습득할 필요가 있다. 교사는 교양 교육과 자신의 교과 지식을 잘 알아야 하며, 다양한 유형의 학생들을 학년 수준에 맞추어 가르치는 훈련도 필요하다. 효과적인 교사 특성이 무엇인가에 대한 논쟁이 많음에도 불구하고 교사는 학생이 높은 언어 능력을 성취하도록 장려하고, 훈육에 기반해야 하며, 교과 내용을 훌륭한 학습기회로 변환시켜 학생에게 제공한다는 데에 일치한다. 이 책의 이전 장에서 교수 방법과 그러한 여러 가지 방법을 언제 사용해야 하는지를 결정하는 실제의 원리를 다루었다. 이 마지막 장에서는 교사로서 성장한다는 것의 의미를 숙고하고, 전문적 교직생활을 시작하면서 받을 수 있는 지원은 어떤 것이 있는지 다룬다.

교사 교육 개혁

전문직은 특정 지식을 독점하고 있어 일반 대중과 구별되고, 이 특정 지식은 전문가를 통제할 수 있다. 실제로 몇 해 전, 한 사회비평가는 전문직이 하나도 나을 것이 없다는 비전문가들의 음모에 반하는 사항들을 관찰했다. 전문직 종사자들은 전문성을 확립하고 돌팔이, 훈련이 덜 된 비전문가와 이익집단으로부터 전문직을 보호해 주는 이론적 지식을 통달하고 있다. 게다가 전문직 종사자들은 그 추상적 지식을 특정 문제나 사례를 다루는데 사용할 수 있다.[1]

그러나 좋은 교육이나 좋은 수업이 어떤 것인지 확실히 설명하는 합의된 이론적 지식은 없다. 행동 과학, 물리학, 법률가나 의사와 같은 전문직은 광범위한 절차 규칙과 수립된 방법론에 의해 안내되는데 반하여 교육학에는 교사가 학생의 학습 문제를 진단하고 무엇을 해야 하는지 그리고 어떻게 진행해야 하는지 의사결정하도록 안내하는 어떠한 합의된 절차도 없다.

결과적으로, 다른 전문가처럼 교육에 대한 많은 이야기로 교사와 수업 방법에 대한 부정적인 대화와 갈등을 다루어야 한다. 이와 같이 제대로 구조화되지 않은 지식의 결과로 교사 교육과정 내용이 주 정부마다 다르고 같은 주에서도 교사 준비기관마다, 심지어 사범대학의 학과 내에서도 달리 나타난다. 따라서 Kenneth Sirotnik은 "[같은 대학] 같은 프로그램의 두 학생이 각기 다른 경험을 하고 졸업한다"고 보았다.[2] 이렇게 차이가 나는데, 수업을 위해 전문적으로 준비한다는 것은 무엇을 의미하는가? 교사 교육 학생들은 (혹은 교사인 여러분은) 학습 문제를 어떻게 진단하고 정보에 근거하여 어떻게 의사결정을 내리는지 아는가?

요컨대, 교사 교육에는 주요 철학이나 정의된 이론적 지식이 없고, 예비교사 모두가 배워야 할 합의된 교육학도 없으며, 교실에서의 전문적 의사결정을 내리기 위한 준거 체계도 없다. 이런 상황이 변화하기 시작했지만, 교사가 활용하고 응용해야 하는 이론에 대한 합의된 사항보다 여러 관점이 아직까지는 보편적이다. 거의 모든 사람은 자신만의 가치, 철학 그리고 교육학적 관점을 가지고 있다. 너무 많은 기관에서 의학 사례나 전문적 절차, 법률 사례처럼 과학에 기초한 절차 대신 일부에서 "수업 예술"이라 부르는 통찰과 직관이 지배하는 추세이다.

대부분의 교직과와 사범대학은 항상 위원회를 구성하여 교사 교육을 개선하고 수정하고 과목 내용에 대해 토론하지만 너무 많은 사항들이 사적 이데올로기와 기관의 정책에 의해 결정된다. 결과적으로 뒤죽박죽이 된 전문가 교육과정이 프로그램으로 포장되어, 교수들이 흥미를 갖는 주정부의 지침에 의해 주도됨으로써 교사 훈련 기관마다 다른 양상을 보이게 된다. 일부에서 이것이 교사 교육에 대한 불공평한 비판이라고 주장할지 모르지만, 교사 교육을 보다 좋게 조정하라는 의무에 따른 노력은 전반적으로 무시되고 있는 한편으로 변화의 징조가 있다. 2003년 초 *Education Week*에 실린 *Improving Teacher Quality*에서 문제의 증거를 찾아 볼 수 있다. 이 기사에 따르면 전반적 교사의 질이 A 등급인 주는 한 곳도 없고, 반 이상의 주가 C나 D 등급을 받았다.[3] 이렇게 낮은 등급을 받게 된 여러 원인 중 교육자들이 전문 프로그램 내용에 근거하여 사용할 수 있는 공통된 이론적 지식 부재가 주요 원인이다.

교사 준비에 대한 논쟁은 James Conant가 전문직의 예술성과 과학성 그리고 교육의 전문성을 지적한

전문적인 관점

교사 되기

Julian C. Stanley
심리학과 교수, Study of the Mathematically
Precocious Youth(SMPY) 책임자
Johns Hopkins University

나는 주립 사범대학을 졸업하였기 때문에 다른 이유 없이 대공항 시기에 교편을 잡기 시작했다. 1937년에 나는 19살에 불과했다. 고등학교 화학교사 자리는 귀하지 않았지만, 어떤 곳은 급여가 적었다: Georgia 마을에서는 한 달에 75$를 7개월 동안 받았고, Atlanta 주변의 시골 마을에서는 10달 동안 한 달에 120$씩 많이 받기도 했다. 물론 지금도 상황은 별로 나아지지 않았다. 나는 사회경제적 지위가 아주 낮은 Atlanta 지역의 백인만 다니는 고등학교에서 교직을 시작했다.

내가 처음 부임했을 때 9학년에게 상업부기를 가르치고, 8학년의 일반 상업을 담당하게 된다는 교감선생님의 말을 들은 내가 얼마나 놀랐는지 상상할 수 있겠는가. (Fulton County 체계와 같은 "고전적" 교육과정을 따르는 다른 고등학교를 졸업한) 나는 생전 들어보지도 못한 과목이었다. 다른 교사가 물리와 화학을 "담당"하고 있다는 것이었다. 내가 담당하는 학생의 2/3가 작년에 부기에서 낙제한 학생이라는 것을 알고는 더 당황했다.

나는 (5개 반을 담당하고, 큰 자습실을 관리하고, 다른 업무들을 처리하면서) 9달을 겨우 버텼다. 2차 세계대전에 참전하기 전까지의 4년 반의 고등학교 경력 동안, 나는 철자, 보충 수학과 영어 등 서로 다른 10개의 과목을 담당하였다.

다른 면들도 이상했다. 교사들은 급여의 50%만 받는 병가를 1년에 6일만 쓸 수 있었는데 나는 810일 동안 독감으로 딱 한번 3일의 병가를 썼다. 여성은 고등학교에서 가정이나 도서관학이 아니면 가르칠 수 없었기 때문에 전공이 무엇이건 간에 초등학교에서 교직생활을 시작해야 했다. 초임 근무지였던 학교로 돌아가 수학을 가르치기 전에 6년간 근무한 한 초등학교에서는 고등학교 교사보다 훨씬 적은 급여를 받았다.

여성은 결혼을 하면 계속해서 교직에 남아 있을 수도 없었다. 다행히, 성차별적인 규칙은 2차 대전 이후에 바뀌었다.

"그리운 시절"의 훈육이 지금보다 상당히 쉬웠을지 모르지만, 교직의 여러 측면에서 지금이 훨씬 나아졌다. 또한 교사가 되고자 대학에 진학했던 진학 유형도 사라졌다. 이제는 보다 많은 기회를 갖게 되었다. 잘 생각보길 바란다!

1960년대로 거슬러 가는데, 이 시기에 적절한 과목의 혼합, 각 과목을 누가 가르칠 것인가(과목 영역의 교수 혹은 교육 전문가), 그리고 과연 교육학 과목들이 가치로운가 하는 여러 질문에 대한 논쟁이 치열했다.[4] James Koerner는 *The Miseducation of American Teachers*에서 이 문제들을 설명하고 강도 높게 비판했다. Koerner는 어떤 사범대학에서는 60학점까지 요구하는 등 너무 많은 교육학 과목을 요구하고, 그리고 이러한 교과목들을 너무 "연하게" 만들어서, 사범대학이 학술적인 내용을 희생하면서 교육학에만 조예가 있는 교사를 양산했다고 주장했다.[5] 두 비평가는 교사의 학술적 질을 한 차원 더 높여야 한다고 주장했다.

교사 교육의 질은 1970년, 1980년대까지도 문제로 나타났고, 예비 교사의 상당 정도가 기본적 기술과 작문 시험에 근거한 최소한의 역량을 보여주지 못했다. 비평가들은 예비 교사가 또래 전문가들보다 학문적으로 취약하다고 주장했다. 이 "역량 문제"는 현재까지도 계속하여 논쟁의 거리가 되고 있지만 교사가 다른 대학생만큼 학문적인 능력을 갖추었다는 증거가 있다. 예컨대, 1990년대 보고서들에 따르면 예비 교사의 SAT 평균 점수는 미국 대학생 SAT 평균보다 약간 높고 일반 교육학 이수과목에서의 교육학과 학생의 수행과 비교육학과 학생의 수행은 상당히 유사하였다.[6]

비평가들은 우수한 인력이 교직을 기피하는 요인으로 다른 "기술을 가진" 전문 직업에 비교되는 급여, 많은 요구사항으로 융통성 없는 교사 교육 프로그램, 채용하고 싶은 사람을 채용하는데 있어서의 융통성 부족, 학생 학습 향상 측면에서의 실질적 교사 수행에 근거하지 않고 근무 연수와 상급 학위 등에 근거한 봉급 체계를 들었다.

John Goodlad와 이 책의 저자와 같은 교사 교육 옹호자들조차 교사 교육의 여러 결점 즉 교육학과와 사범대학은 불안정하며, 기관 차원의 정체성이 결여되어 있으며, 기초 연구가 제한적이고, 응집성 있는 교육과정이 부족하고, 교육학 교수들은 좋은 수업을 구성하는 것이 무엇인지 결정하는데 있어서 너무 개인적인 이데올로기를(과학적 연구에 근거하기보다는) 따른다고 지적했다.[7] 요컨대, 교사 교육 프로그램은 그 자체의 임무나 정책의 통제 하에 충분하게 놓여 있지 않다. E.D. Hirsch는 다음과 같이 썼다.

> Horace Mann이 요구한 교사−훈련 학교가 할 일과 미국 대중이 이런 학교에서 하길 원하는 바로 그것−효과적인 교육학 가르침−이 찬성론자와 반대론자 모두가 지적하듯이 우리 학교 교육에서 재빨리 해치워지는 훈련 영역이다. 실제로, 이는 대부분 이론이며 사범대-학교 교육과정에서 보다 주목을 받는 질문의 여지가 많은 이론이다. 우리의 교사-훈련 학교는 기본적인 교실 효과성에 중요시하려고 하지 않을 뿐만 아니라 교사 효과성에 관한 일치된 연구와는 정반대의 아이디어를 장려하기도 한다는 점은 보다 강조되어야 한다.[8]

Goodlad는 1980년대와 1990년대에 교사 교육을 증진시키기 위해 19개의 추천 사항(또는 "근본 원리"라고 불리는)을 제안하였다. 이 추천 사항들은 도덕 및 윤리적 품위, 프로그램의 잘 정의된 절차와 측정 가능한 결과, 연구와 반성적 실천의 강화, 대학과 공립학교 전체가 포함되도록 교육 관계자의 확장, 외부 권위에 의한 교육과정 통제에 저항, 교수 안내에 대한 책임감 등에 기초하여 교사 후보자를 가려내는 것이 중심을 이룬다.[9] 과감하고, 새로운 제안? 강조하는 것에 차이가 있기는 하지만, Goodlad가 언급한 많은 것들은 이전에, 즉, Conant와 Koerner가 최근까지의 개혁 운동에 관한 Carnegie Task Force on Teacher, the Holmes Group, National Network for Education Renewal 등을 발간할 때부터 논의된 것들이다.[10]

교사 교육의 문제는 교사 준비를 위한 국가 기준의 제정까지 언급할 필요성이 있는 현재 진행형의 국가적 관심사이다. The National Council for Accreditation of Teacher Education(NCATE)은 NCATE 교사 교육과정에서 교수 요원의 질을 개략화한 전문적 내용 기준을 세웠다. 그러나 2000년대 초까지 교사 준비와 관련된 1,200개의 학교 중 단지 절반만이 NCATE로부터 인증을 받았다.

다수의 주가 NCATE와 협정을 맺고 있음에도 불구하고, 교사 교육 기관은 아직까지는 NCATE로부터 인증을 받지 않더라도 주 당국의 승인을 받을 수 있다. 게다가 NCATE 인증을 받지 않은 교육 기관의 졸업자도 인증받은 기관의 졸업자와 마찬가지로 쉽게 직업을 찾을 수 있다. NCATE의 현재 회장인 Arthur Wise는 모든 교사 교육 기관이 단일 인증 기관(그리고 American Federation of Teacher와 National Education Association 모두가 지원하는)에 의한 보다 엄격한 국가 기준에 부합되도록 함으로써 이런 혼란스러운 상황이 치유되기를 희망하고 있다.[11] 그럼에도 불구하고 교사로서 성공할 것으로 보이는 후보자 (교사의 성공을 예측하는 변수의 조합은 무엇인가?), 교사가 배워야 할 전문 지식의 기초 내용(교수를 위해 요구되는 기초 및 교육적 코스는 무엇인가?), 그리고 스스로 교실로 들어

가기 위한 준비에 필요한 교정 및 현장 경험 등에 관한 보다 큰 합의에 이를 때까지 혼란은 지속될 것이다.

여러분은 자신이 다니고 있는 기관이 NCATE의 인증을 받았는지 살펴보아야 한다. 만약 그렇지 않다면 Teacher Education Accreditation Council(TEAC)의 인증을 받았을 수도 있다. TEAC 기관의 수는 매우 적기는 하지만, NCATE와 마찬가지로 여전히 교사의 성공을 위한 핵심 기술을 지닌 기관에 의해 교사가 준비된다는 확신을 추구하는 중요한 대안을 제시하고 있다. 만약 당신의 기관이 비인증 기관이라면 왜 그런지 의문을 가져보아야 한다. 비용 때문인가? 기관 인증의 장단점에 대해서 기관 관계자와 토론해 본다.

교사 준비는 매우 이념적이 되어가는 경향이 있다. 모든 사람들이 교사를 어떻게 준비시킬 것인지와 광범위한 교사 준비가 필요한가 등에 대한 의견을 지니고 있다. 1990년대 말에서 2000년 초기에 교사 준비 프로그램에 대한 다소 새로운 비판이 제기되었다. 이 목소리들 중에서 The Thomas B. Fordham Foundation의 회장인 Chester E. Finn Jr.의 말이 가장 두드러진다.[12] Finn은 교육 영역의 진입에 대한 광범위한 요구를 완화하기(제거는 아니더라도) 위한 정책입안자가 되고자 했다. Finn이 보기에 교수는 지식 기반이 미약했다. 그리고 교사에게는 내용적인 것이 더 많이 필요하고, 교육학적, 특히, 진보주의적인 교육학이 더 적게 필요했다. 본질적으로, 교수를 원하는 모든 사람들에게 영역을 개방함으로써 현재 모든 요구사항들 때문에 교수와 등지기를 결심한 지적으로 능력있는 많은 사람들에게 교실은 접근 가능한 곳이 될 것이다. 더 나아가 일부 사람들은 진보주의 사상을 "억지로 먹게" 되지 않을 것이다.

진보주의 교육은 교사 교육 프로그램에서 강조되고 있는 구성주의와 탐구 학습(학생 중심 학습 접근)과 같은 아이디어를 포함하고 있다. Finn과 Jeanne Chall 등은 교사 중심 수업(이 책에서는 직접교수법으로 상세화됨)이 학생들의 증진된 학문적 결과를 강화시키는 최선의 방법이라고 주장한다. 그들은 이와 같은 직접 교수 전략은 가난한 가정에 속한 또는 "모든 사회적 경제적 수준에서 학습 장애가 있는 이들"에게 특히 효과적이라고 주장한다.[13]

이 책을 비판했던 사람들은 그들이 교실에서 강조하고 있는 것이 그것이기 때문에 구성주의(학생 중심 전략)을 보다 더 주장하였다. Finn과 같은 비판가들은 어린이들이 진보주의적인 아이디어(이것들이 성공의 실례를 보여주지 못하기 때문에)를 보다 더 많이 필요로 하지 않으며, 그 대신에 교사 중심 접근과 내용을 더 많이 필요로 한다는 것을 주장하고 있다. 우리는 진보주의와 전통적 아이디어 사이의 균형을 맞추고자 했지만 그렇게 하기는 어려웠다. 가르치는 장소, 대상, 내용이 그에 적합한 접근이 무엇인지 알려 주게 될 것이다. 훌륭한 교사는 어떻게, 언제 구성주의를 사용할 것인지 그리고 어떻게 언제 직접 교수법을 사용할 것인지 안다. 그들은 전통적인 것과 진보주의가 어떻게 되어야 하는지 안다. 가르치는 방법은 수업 목적에 달려 있다. 하나의 크기는 모든 상황의 모든 학생들에게 들어맞지 않는다.

이 부분은 현 교사 교육 프로그램의 가장 충실하고 분명한 옹호자인 Linda Darling-Hammond의 분석으로 결론을 맺고자 한다. 그녀의 주장은 Koerner, Finn 등과 같은 보수적인 개혁가로 불리는 사람들의 비판적 주장과 완전히 반대의 입장에 서 있다.

다른 연구는 자신의 교과영역을 파악하고, 학생 학습과 발달을 이해하고, 교수 방법에 대해 광범위하게 알고, 교정 환경에서 전문가 안내자를 통해 자신의 능력을 개발한 경험이 있는 교사의 효과성을 지지하고 있다. 200개 이상의 연구가 "교사는 태어나는 것이지 만들어지는 것이 아니라"라는 오래된 신화에 반하는 교사 교육의 긍정적 효과를 기술하고 있다. 이 연구 또한 교사들은 그들이 가르칠 교과 내용보다 더 많은 것을 알아야 할 필요가 있다는 것을 분명하게 하고 있다. 교수-학습의 과정에 대해 더 많은 연구 기회를 가졌던 교사들은 보다 높게 평가되고 어린이와 초등학교 교육에서부터 수학, 과학, 직업 교육에 이르기까지의 영역에서 학생들과 더불어 성공하게 된다.[14]

Linda Darling-Hammond의 말은 훌륭한 교사는 *태어나며, 그리고 만들어진다*라는 것을 제안하고 있다. 더 효과적인 교사가 될수록, 더 많은 학생들이 그 교실에서 학습하게 될 것이다. 여러분은 차이를 만들 수 있다. 그것은 과학적으로 근거가 있는 사실이다. 그리고 여러분은 잘 읽고, 교과 영역을 잘 알고, 자신이 가르치는 것에서 성취의 증진을 강화시키기 위해 학생들이 어떻게 학습해야 하는지에 관해 알고 있는 것을 사용함으로써 그와 같은 차이를 만들 수 있다.

초임 교사 돕기

초임 교사의 일반적 요구는 무엇인가? 모든 학교에서 교사 오리엔테이션을 실시하지만, 교사의 성공을 돕기 위한 노력에도 불구하고 많은 교사들이 아직도 적응 문제에 직면해 있다. 초임 교사의 문제에 관한 연구를 살펴보면 고립감, 그들의 기대가 무엇인지에 대한 이해 부족, 과중한 업무 및 다룰 준비가 되어 있지 않은 과외 업무의 할당, 지원, 교구, 장비 등의 부족, 열악한 편의시설, 실망과 실패감을 해소해줄 수 있는 경험 있는 교사 또는 관리자의 지원 또는 도움의 부족 등을 찾아볼 수 있다.[15] 결과적으로 잠재적으로 능력 있고 창의적인 많은 교사들이 교수를 보람없고 어려운 것으로 생각하게 한다. 특히 도시 학교의 약 11%의 교사들이 1년 만에 그만두고, 새로 고용된 교사의 거의 40%가 5년 내에 그만 둔다.[16] 예를 들어, 교사 감소는 북쪽의 주들보다 남쪽에 위치한 주에서 약간 높게 나타나는 경향이 있다. 그러나 교사가 줄어들고 있다는 사실은 적절한 지원과 긍정적인 근로 조건 없이는 모든 지역에서 많은 교사들이 교직을 떠날 것이라는 것을 보여준다.[17]

사범대 학생과 초임 교사 문제

몇 년 전 Frances Fuller는 교사들이 교수에 관해 지니고 있는 관심 유형의 진화를 제시했다. 사범대 학생들(예비교사 수준)은 "걱정없음"이 지배적이고, 실습 교사들은 "늘어난 걱정"으로 특징지워지고, 초임 교사들은 "생존 걱정"에 마음을 빼앗긴다. 그리고 경험있는 교사는 교사(과거의 초기 생존 걱정에서 벗어난)의 과제와 문제에 초점을 맞추고 "자아"의 다양성 걱정에 더 관련되어 있다.[18]

대부분의 사람들이 새로운 직업을 시작했을 때(특히 첫 번째 직업일 때) 알려지지 않은 것에 대해 걱정한다는 사실은 차치하더라도, 많은 요인들이 학생과 초임 교사들이 교수의 어려움에 대해 갖고 있는 걱정과 근심을 증가시키는 원인이 될 것이다. 이 중 명백한 요인 중 하나는 입문 교사 교육과정의 내용 및 이와 관련된 경험이다. 이것은 교육과정에 대한 경험이 긍정적이라고 하더라도, 실제적인 직업을 위해 교사를 준비시키지 못하는 것처럼 보인다. 또 다른 요인으로 연령과 낙관론이 역으로 관련되어 있다는 점이다. 현실을 직면하는 데는 몇 년 걸리며, 예비 교사 과정의 대학생들은 자신의 능력에 자신감을 갖고 있고 자신들이 다른 사람들(연장자)보다 교사로서 더 잘 준비되어 있다고 믿는 경향이 있다. 젊은 학생들이 결국에는 "내가 더 잘 할 수 있을까?"라고 생각하면서, 많은 선배 교사들을 합리적으로 비판할 수 없는 것. 그러나 같은 사람들은 어떤 학교 또는 교실의 현실 상황에서 맞닥뜨리면 그들의 낙관론은 사라지고 종종 비관론으로 발전한다. 그리고 교직을 떠날 결심을 하게 된다.

최근의 연구에서 사범대 학생과 초임 교사들은 교실에서 예상되는 문제들을 순서대로 나열해 보라는 요구를 받았다. 사범대 학생과 초임 교사 집단은 중요 문제의 순위에 대해서 어느 정도 일치점이 있었지만, 문제의 어려움을 인식하는 데 있어 중요한 차이가 있었다. 1년차 교사들은 사대 교육 학생들보다 그들이 인식한 문제들을 더욱 더 어렵다고 일관성 있게 순위에 올려놓았다.[19] 경험이 교실에서 매일매일 일어나는 일들로 야기되는 도전을 극복하고 "노련함"을 가져온다고 추론할 수 있다. 그들이 인지하는 가장 중요한 문제는 업무 부담, 낮은 성취 수준 학생들의 성적 향상, 나쁜 행동의 처리와 통제의 유지, 학생들의 요구와 능력에 맞는 교재의 적용 등에 집중되어 있다.

지난 몇 년간의 많은 연구에서 학교와 교실의 현실에 뛰어든 초임 교사들의 충격을 보고하고 있다. 초임 교사를 위한 체계화된 프로그램과 내부 지원 체제가 나타나고 있지만 질이 고르지 않다.[20] 경험자와 초임 교사간의 멘터 관계 및 계속 학습과 전문성 개발을 위한 동료로부터의 지원은 다수의 주와 학군에서 유지되고 있다고는 하지만 아직도 예외적이고, 규정이 아니다. 보다 강력하게 공표된 새로운 교사 지원과 사정 체제 중에 Connecticut주의 경우가 있다(사례 연구 12.1 참조). Connecticut주의 체제는 다소 독특하기는 하지만 예외가 아니다. 사례를 읽으면서 교사의 교수에 관한 그리고 교수의 증진에 대한 사고를 도와주기 위한 자료가 수집되는 다른 방식에 주목해 보자. 이 프로그램은 적절하게 실천된다면 교사에게 자기 발전을 위한 자료를 제공할 뿐만 아니라 교사의 만족도와 잔류 정도도 향상시킬 수 있다.

질문의 여지없이, 초기 2-3년간의 수습 기간에는 교사로서의 능력을 개발하는 것이 중요하다. 초임 교사가 혼자 헤엄치거나 가라앉도록 남겨두어서는 안 된다. 최근에 30개 이상의 주가 초임 교사를 위한 수습 프로그램을 개발했다. 반면에 다른 주에서는 지원 인력에 대한 개발 활동이 증가했고, 15개 주는 이와 같은 프로그램에 일부만 투자를 했다.[21] 초임 교사의 전문성 개발을 위해 가장 중요한 것은 일간 지원 활동 및 지속적 학습 기회같이 많은 학교에서 채택하고 있는 내부 지원 체제와 전략이다.

초임 교사 실패의 일반적 원인은 규명되고 다뤄질 필요가 있다. 한 학교 관리자가 학교가 바로잡아야 할 실패의 일반적 원인 6개를 규명하였다.

1. *문제 학급에 배정* : "훌륭한" 코스와 "훌륭한" 학생은 경력에 기반하여 교사에게 배정된다; 초임 교사는 "찌꺼기"나 "나머지"를 배정받는다. 초임 교사가 살아남고 교실에서의 실수로부터 배울 수 있도록 하기 위해서는 보다 나은 균형이 요구된다.

2. *동료나 관리자로부터 고립된 교실* : 중앙 교무실로부터 가장 멀리 떨어져 있는 교실이 늘상 초임 교사에게 주어진다. 경험있는 교사로부터 초임 교사를 고립시키는 것은 실패를 야기한다. 초임 교사는 잦은 의사소통을 통해 용기를 얻을 수 있도록 주 교무실과 경험있는 교사 근처에 있는 교실을 배정할 필요가 있다.

3. *조악한 물리적 시설* : 교실, 교실 설비, 장비 등은 늘 경력에 기반하여 배정받는다. 초임 교사에게 다른 교사에게 주고 남은 것을 제공하는 것은 사기를 꺾는 일이다. 보다 공평한 시설 배정이 필요하다.

4. *과외로 할당된 학급 업무의 부담* : 과외의 학급 의무는 다른 어떤 항목보다 더 고통스런 느낌의 원인으로 인용된다. 초임 교사는 종종 교내 순찰, 강당 순찰, 식당 순찰, 학습실 당번과 같이 교사로서 준비하지도 않고 생각지도 않은 과중하고 또는 거친 일을 배정받는다. 초임 교사에게 배정되는 것은 교수의 질에 영향을 주는 그런 과중한 것이어서는 안 된다.

5. *학교의 기대에 대한 이해 부족* : 학교 관리자는 학기 초에 학교목적과 우선시 해야 될 사항, 그리고 교사책무에 대해서 명확하게 제시해야만 한다. 일반적으로 안내 기간과 지침서가 제공된다; 역할 습득의 다양한 단계를 통해 교사가 발전해 나가는 것에 따른 지속적인 대화와 강화의 부족이 문제점이라 할 수 있다.

6. *불충분한 장학* : 초임 교사에 대한 대부분의 문제점들은 적절한 장학을 통해서 예방되거나 감소될 수 있다. 장학은 보통 일 년에 2회나 3회 정도의 공식적인 교실수업 참관과 간혹 약간의 비공식적인 접촉 및 한두 번 정도의 만남으로 이루어진다. 공식적, 비공식적으로 장학적 접촉을 늘리는 것이 필요하며, 교사경력 초기 단계에 규칙적으로 제공되는 것이 도움이 된다.[22]

1999년에 The Sallie Mae Foundation Institute에 의해서 수행된 또 다른 연구에서 연구자들은 고능력 교사가 교직을 떠나려고 결심하게 된 여러 가지 이유에 대해서 조사를 하였다.[23] 정선된 교사 집단을 통해서

[Connecticut주]에서는 다양한 유형의 학생 수가 증가함(소수 민족, 극빈자, 그리고 다양한 언어를 사용하는 학습자 수의 증가)에도 불구하고, 1990년대 내내 학생들의 학업성취가 지속적이며 규격하게 신장하게 되었다. Connecticut주의 학생들은 NAEP에 의해 실시된 초등읽기 및 수학 그리고 과학 및 쓰기영역 평가에서 정상을 차지하였다. 주에서는 교사 봉급을 매우 많이 올려주었으며, 빈곤한 교육구에서도 자질 있는 교사를 초빙할 수 있도록 보증을 서 주고 있다, 또한 주 지도자들은 교사수준을 단계적으로 높일 수 있는 체계를 강화하고 교사연수제도를 선도적으로 개선해 나가고 있었다. 그 결과, Connecticut주는 미국 내에서 최고로 준비된 교수핵심지도자 모임들 중의 하나를 보유하게 되었다.

Connecticut주는 Beginning Educator Support and Training(BEST)조직에 대해서 1980년대 중반부터 보증을 서 주기 시작하였고 지속적으로 초보교사를 위한 조언자링 및 평가프로그램을 개선해 나가고 있다. Connecticut주의 읽기성취도 향상에 대한 National Educational Goals Panel 보고서를 살펴보면, 성공의 결정적인 요인으로 특별히 초보교사 평가 및 지원체계와 관련된 주의 교사 정책을 언급하고 있다.

Connecticut주는 전통적인 초임 교사의 "수업참관과정을 교수 및 학습에 관한 보다 정교화된 접근에 기초한 야심적인 주제-명세적 포트폴리오 체계로 대체하였다. 각 교육구에서는 지속적인 지원과 함께, 영어, 수학, 생물, 화학, 물리, 지구과학, 일반과학, 특수교육, 초등교육, 중등학교(4-8) 교육, 역사/사회연구, 예술, 음악, 그리고 체육교육 등에 대한 포트폴리오 평가를 제공하고 있다. 최근, Connecticut주에서는 초임 교사들의 세계 언어 및 2개 국어 구사능력에 대한 평가를 추진하고 있다.

고도로 조직화된 교사 포트폴리오가 2년 이상에 걸쳐서 제작된다. 여기에는 수업 일지, 영상녹화자료, 교사 해설, 그리고 학생 과제 등이 있다. 초임 교사는 중요한 개념에 대한 교수 단원, 일련의 주제-명세적 소단원 제시, 학생의 학습 평가, 그리고 학생 학업성취에 대한 자신의 교수 영향에 관한 고찰 등을 상세히 기록해야 한다. 이 체계는 정교하고 세심한 지원조직에 의해 짜여져 있고, 초임교사의 3년 정도 기간에 걸쳐져 있다. 임시교사 자격증은 성공적인 포트폴리오 완성에 달려 있고, 초보교사는 이 프로그램을 진지하게 이수해야 한다는 것을 알게 된다.

Connecticut주의 조언교사는 교수 계획을 세우기 위해서 일 년차 교사와 정기적으로 만나고 그들의 수행을 평가한다(비록 조언교사가 시간을 낼 수 있는 시간은 교육구에 따라 다르지만). 조언교사는 일 년차 교사의 교실수업을 참관하거나 비디오 녹화를 통해서 그들의 교수활동과 그에 따른 학생들의 학습상태를 분석한다. 주에서는 최근에 조언교사에게 표준화된 BEST 지원-교사 훈련프로그램에 3일 정도 참가할 것을 요구하고 있다. 훈련기간 동안, 조언교사는 초보교사의 활동을 평가하고, 질문을 조장하기 위한 구체적인 기능을 활용하며, 수업 실습을 교수기준과 연계시키고 포트폴리오와 관련된 지원을 제공한다.

1990년대 중반 이후로, 주에서는 초보교사를 위한 내용에 국한된 연구집회를 개최해 오고 있다. 이러한 연구집회는 주 교육부 산하 거주 교사들에 의해서 계획되고, 교사, 행정가, 그리고 초임 교사 포트폴리오에 점수를 매기기 위해서 훈련된 교사 교육자에 의해서 활성화되고 있다. 일 년 동안 지속되는 연구집회는(평균 25시간에서 30시간) 단원 및 소단원 목표, 교수전략, 그리고 평가 등을 초임 교사가 제대로 활용할 수 있도록 지원을 해 준다.

그들은 학생과 교사 수행간의 중요한 관계를 강조하고 그 관계에 따른 결과를 분석하는 방법을 초보 교사에게 알려준다. 2002년부터 2003년 사이에, 주에서는 프로그램의 일부분을 원격교육을 통해서 연구집회를 실시하려고 하고 있다. 처음과 마지막 연구집회는 지역 및 현장회의가 될 것이며 그 사이는 온라인상으로 접근이 가능하게 될 것이다.

Connecticut주의 포트폴리오 과정은 National Board Certification을 위해서 계발된 체계라고 볼 수 있다. 초임 교사는 자신의 지도 상황, 일련의 소단원 계획, 단원에서 가르치는 것에 관한 2개의 영상녹음자료, 학생 활동의 실례, 그리고 자신의 교수 계획에 대한 서면 숙고 및 학생 향상 정도 평가 등에 대해서 서술하고 있어야만 한다. 포트폴리오의 필수조건은 고도로 조직화 되어야 하고 내용이 구체적이어야 하며, 초임 교사가 어떻게 사고하고 학생들을 위하여 어떤 행동을 했는지를 잘 보여주어야 한다. 포트폴리오 성적평가담당자는 그들의 교육과정 논리 및 일관성, 교수 결정에 대한 적합성, 효과적으로 사용한 교수전략 영역, 평가에 대한 질, 학생 학습을 평가하는 기능, 그리고 학생 학습에 대한 증거에 기초해서 새로운 교실 경험을 형성하기 위한 능력 등에 관해서 초임 교사들을 평가한다.

각 포트폴리오는 평가를 담당하고 있는 지원자, 즉 동일한 내용 영역을 지도하고 있는 두 명의 훈련된 성적평가담당자에 의해서 채점이 된다. 그들은 초임 교사를 평가하기 위해서 내용-명세적 도구를 사용한다. 보통, 하나의 포트폴리오 채점시간은 5시간 정도 소요된다. 프로그램 관리자로부터 얻은 최신자료를 기초해서 살펴보면, 처음 시도하는 지원자 중 약 85%에서 92% 사이 정도가(내용 영역에 의거해서) Connecticut주의 초임 교사 평가를 통과한다. 합격 비율은 초임 교사가 다녔던 대학에 따라 다르며, 이것을 통해서 어떤 대학 프로그램이 초보자가 임용고사와 가르치는 것을 준비하는 데에 보다 효과적인지를 알 수 있다. 주에서 재시험을 보는 3년차 지원자의 합격 비율은 98% 정도 된다.

Connecticut주의 평가 과정의 목적은 단순히 임용고사를 통해서 자질 없는 지원자들을 탈락시키려는 것이 아니라 새로운 교사를 올바로 길러내기 위한 것이다. 아직까지는 부분적으로 임용고사의 최초 합격자 비율이 높기 때문에, 프로그램 과정을 통해서 자질 없는 지원자가 포트폴리오 평가 종료 전에 교직에서 떠날 수밖에 없다는 것을 스스로 인정할 수 있을 만큼, 매우 엄격하게 진행되고 있다고 프로그램 관리자들은 보고하고 있다.

출처 : Adapted from Barnett Berry et al. 초임 교사에 대한 평가와 지원: *Lessons from The Southeast.* Raleigh, N.C.: The Southeast Center for Teaching Quality, 2002, p. 8. see: www.teachingquality.org/ResearchMatters/current_issue.htm.

확인된 내용을 순서대로 나열하면, 가족-어머니 영향, 급여, 승진, 직업에 대한 정신적 중압감 및 요구, 부족한 지원, 학습자 행동, 그리고 존경의 결핍 등의 이유가 있다. 초임 교사의 실패원인과 보다 경력이 있는 교사가 교직을 떠나게 되는 이유를 분석해 본 결과, 교직을 떠나게 되는 교사 대부분의 유일한 이유가 학습자 및 학습자 행동 때문만은 아니라는 것이 분명하다(아마 중요한 이유는 될 수 있을 것이다). 삶의 질 문제가 학습자의 존경 및 행정상 지원 부족으로 인해서 "떠나가는" 교사들을 괴롭힌다.

흥미 있는 것은, 교사가 교실에서 직면하는 문제들의 본질은 세월에 따른 변화가 거의 없다는 것이다. 비록 문제의 유형에 있어서 약간의 변화가 생겼는지는 몰라도, 구체적인 문제의 빈도나 중요도는 비교적 고정되어 있다. 몇 년에 걸친 *Phi Delta Kappan* 여론조사에서는 학습자 훈육과 관련된 영역을 의미 있게 강조했다. 흥미 있는 것은, 2002년 여론조사에서는 부모들이 훈육과 관련된 문제보다 학교 기금모금 및 학습자 수 초과 등에 더 많은 관심을 가지고 있는 것으로 나타났다.[24] 그러나 이러한 사실은 오히려 교사가 직면하게 될 문제유형이 상황적으로 구체화 된 것이며, 과거 교실 안에서 일어났던 것과 별다른 차이가 없다는 것을 강조한다.

해결하기 하기 힘든 학습자의 나쁜 행동이나 존경과 같은 문제들에 대해 여러분이 느끼는 정도는 가르치고 있는 장소 요인에 의해서 크게 영향을 받는다. 빈민가에 위치한 학교에서, 학습자의 나쁜 행동은 근무 상황에 대한 교사의 인식에 충격을 주는 문제이다. 빈곤은 학교생활의 여러 상이한 측면에서 영향을 미치는데, 그 중의 하나가 학습자 자신의 충동에 따른 행동 방법과 학습자가 학습 환경에 얼마나 반응적인지에 대한 것이다. 빈민가 학교에서 학생들을 가르치는 것에는 커다란 보상이 따른다; 아주 솔직하게 말하면, 그것은 진정한 도전감이라고 볼 수 있다. 그러한 도전에 대한 인식은, 아주 궁핍한 학습자들을 성공시키기 위한 첫 번째 단계로 여러분에게 필요한 이론적이고 실제적인 지식을 확인하는 것이다.

빈민층 및 문화적으로 다양한 학습자 지도

빈민가에 있는 학교에 발령을 받은 교사들은 아주 큰 불안감을 느끼는 경향이 있고, 심지어는 탈진, 전쟁 중후군과 같은 증상들이 나타나기도 한다. 그들은 학급경영 및 훈육 문제, 실력이 떨어지는 많은 학습자들에게 기본 공식을 이해시키는 활동, 특별히 읽기와 쓰기, 학부모의 무관심과 무능력, 그리고 장학사와 행정가로부터 의미 있는 지원 부족 등의 문제를 다루어야 한다.

여러 해 전에, Ornstein과 Levine은 저성취 및 빈민층 학습자들을 가르치는 것에 대한 문제점을 이해하고 극복하기 위한 40년에 걸친 연구를 요약하였다. 문제점들은 10개의 학급 사실들로 범주화되었으며, 표 12. 1과 같다. 처음 다섯 개는 교사와 관련된 것이고 나머지 다섯 개는 학습자 혹은 학교와 관련된 것이다.

책임이 어느 한 집단이나 한 사람에게 있지 않다는 것이 연구의 결론이다. 연구자들은 교사-관련된 문제점들을 위한 여섯 가지 교사-교육 해결책들을 제시하고 있다: 1) 교사-교육에 있어서 소수 민족 지원자 수를 늘여야 한다. 2) 저성취자들을 위한 교수전략을 개선해야 한다. 3) 교생들에게 학생들과 효과적으로 협동하는 교사와 함께 일을 할 수 있는 기회를 더 많이 허용해야 한다. 4) 가르치기 시작한 최초 3년 동안(실습기간) 교사들에게 아주 큰 도움을 주도록 장려해야 한다. 5) 근무 이전과 실습기간 동안 학급경영기법(9장 참조)에 대해서 아주 크게 강조해야 한다. 그리고 6) 근무전과 실습기간 교육단계에서 여러 가지 다양한 교사 효과성에 대해서 고찰해보도록 한다.[25] 이러한 "해결책"은 2000년대 초반 교사 자질 문제에 관한 연구를 수행한 위원회와 연구자들의 보고서에서 지속적으로 증명되고 있다.

미국 교실의 다양성이 증가하면서 교사 교육에 대한 새로운 도전이 만들어지고 있다. 많은 초임 교사들은 자신들이 백인이고 중산계급출신이므로 백인 중산층을 가르치고 싶어한다. 하지만, 현실은 그런 교사들 대부분이 비록 교외 지역의 교수 환경에 놓여 있더라도, 매우 다양한 학생들을 가르치게 될 것이라는 것이다. 그들이 30~40세 전이었을 때보다 훨씬 많은 교외 공동체들이 다양해졌다. 만약 예비교사가 교실 내에서 이러한 다양성을 다룰 준비가 되어 있지 않다면, 그들은 성공할 수 없을 것이다. California에서는 거의 140개의 독특한 문화 집단이 교실에 공존한다. 전국적으로, 미국의 5천3백만 명의 초·중학생 중 35%는 인종적·민족적 소수 집단이고, 25%는 빈민이다. 너무나 많은 기관에서의 현재의 접근법은 태도, 행동, 교수전략 측면에서 이러한 다양한 학생들을 다루기에 적절하도록 교사들을 준비시키지 못하고 있음이 입증되어 있다.[26]

합법적 이민은 이제 미국 인구의 매년 증가분의 절반을 차지하고 있다. 1930년부터 1950년까지 미국으로 이민 온 사람들의 80%는 서유럽과 캐나다 출신이었다. 그러나 1970년부터 1990년까지 이민자의 90%는 주로

표 12.1 빈민층, 저성취 학습자 지도의 실제

1. *교사-학생 간의 배경 차이*: 중산층 정도의 배경을 가진 교사는 빈민층 학생들을 이해하고 동기화 시키는데 어려움을 느낄 수 있다; 이것은 특별히 소수민족 학생들을 지도하는 백인 교사에게서 더욱 현저하게 나타날 수 있다.

2. *학생들의 불충분한 점에 대한 교사 인식*: 빈민층 학생들을 가르치는 많은 교사들은 성취도 검사 점수를 통해서 많은 학생들이 학습에 무능력하다고 단정한다; 따라서 교사들은 학생들의 수행을 향상시키고자 노력을 열심히 하지 않을 수도 있다.

3. *수행에 대한 낮은 성취기준*: 많은 빈민층 학생들이 중학교, 고등학교에 진학을 할 때쯤이면, 낮은 성취는 학생과 교사 모두에 의해 기대되고 수용되어지는 규범이 된다.

4. *비효과적인 교육 집단화*: 낮은 성취자들은 종종 수업진도가 천천히 진행되는 더딘 부류로 분류된다(또는 일반 등급보다 하위 등급에 위치).

5. *바람직하지 못한 교수 상황*: 빈민층 학생들은 학문적으로 더 크게 떨어지고, 이에 학생들과 그들의 교사들은 좌절감과 실망감을 경험하고, 교실행동에서 문제점이 늘어나며 교사는 더욱 어려운 근무 상황을 경험한다; "전쟁 증후군" "전쟁 보상" 그리고 "학교 폭력" 등과 같은 용어는 빈민층 학교에서의 교수 상황을 기술하기 위한 문헌에서 사용되고 있다.

6. *학부모와 학교 규범간의 차이*: 체벌하기, 수치심 느끼게 하기, 또는 어린 학생들을 다루는 방식 등에 있어서 빈민층 가정(신체적인 체벌)과 학교(규범의 내면화) 방식 간의 차이점은 많은 학생들을 학교 규칙에 따르도록 하거나 교사가 학생들에게 수행하도록 만드는 것을 어렵게 한다.

7. *학교 내에서 사전 성공 결핍*: 이전 학년에서의 학문적 성취감의 결핍은 보다 어려운 교재 내용에 대한 학습을 방해하고 자신의 학습 능력에 대한 인식에 피해를 준다.

8. *부정적인 동료의 압력*: 중산층 학교 규범을 받아들이고자 하는 고성취 빈민층 학생은 동료들에게 자주 놀림을 받거나 좌절감을 맛보게 된다.

9. *부적절한 교육*: 빈민층 학생들은 학교 교육, 학문적 과제를 통해서 발전하며 개념을 보다 추상적으로 형성해 나간다. 그러나 많은 학생들은 자신의 학습 수준이 너무 기초적이기 때문에 보다 높은 수준의 학습을 하지 못하고 더 뒤로 떨어진다.

10. *교육 혜택의 전달*: 효과적인 교육과 학생들과 연관된 혜택을 전달하는 일이 중산층 학급이나 저성취 또는 빈민층 학생의 구성 비율이 적은 학교에서보다, 대부분이 저성취, 빈민층 학생들로 구성된 학급이나 학교에서는 점점 더 어려워지고 있다.

출처: Adapted from Allan C. Ornstein and Daniel U. Levine. "Social Class, Race, and School Achievement: Problems and Prospects." *Journal of Teacher Education* (September-October 1989): 17-23.

멕시코, 필리핀, 대한민국, 타이완, 베트남, 자메이카, 인도, 도미니카 공화국, 과테말라 순으로, 비서구권이거나 제3세계 국가 출신이다. 게다가, 주로 중남미와 카리브해 출신인 불법 인구까지 추정해 보면, 전체적으로 한 해(대략적으로 영속적으로 거주할 것임이 반쯤 확실시 되는)에 100만 명 정도가 된다.[27] 이러한 이민 경향과 백인, 흑인, 중남미인, 아시아계 미국인의 현재 출산율 경향의 결과로, 2000년에 미국 인구의 거의 3분의 1과 학생인구(Arizona, California, Colorado, Texas, New Mexico, New York,에서 50% 이상)의 40%가 소수민족이다.[28]

이렇게 문화적으로 다양하고 이민 온 가족들은 불안정하거나 비조직적이기 때문에 "구조적으로 가난"하고 그들의 아이들은 가난을 벗어날 기회가 거의 없다. 소수 민족의 아이들의 대다수는 학교에서도 위험에 처해 있고, 가난과 강한 가족간의 유대감의 부족 때문에 학습에 필수적인 인지 기능이 부족하다. 그런 아이들은 학습 유형과 사고 방식의 문화적 차이 때문에 너무 자주 "학습 장애" 또는 "더딘" 학습자로 낙인 찍힌다. 이러한 형편은 안타까운 일이다.

흥미롭게도, 이민 온 학생들의 학교 수행은 거의 모든 과목에서 비슷한 경제 배경을 가진 본국의 아이들의 수행을 능가한다.[29] 반어적으로, 미국에서 이민 생활을 오래하면 할수록, 그들의 학교에서의 학업 수행은 더욱 나빠진다. Laurence Steinberg는 이러한 현상을 꽤 날카롭게 묘사한다.

우리는 그렇기 때문에 미국 밖에서 태어난 학생들은 미국 학생들보다 학교 생활을 잘못하고, 가족이 수 세대 동안 이 나라에서 살았던 본래의 미국인들은 좀더 최근에 미국에 도착한 사람들보다 훨씬 낫다고 가정하게 된다.

놀랍게도, 위 내용의 반대가 사실이다. 학생의 가족이 이 나라에서 오래 살수록, 아이들의 학교 생활과 정신 건강은 나빠진다. 미국에서 태어난 아이들보다 훨씬 많은 차별을 받고 있으며 영어를 사용하는데 심각한 어려움을 안고 있는 외국에서 태어난 아이들은, 이런 모든 악조건에도 불구하고 미국에서 태어난 아이들보다 학교에서 더 높은 성적을 보인다.

이것은 단순히 이민자들이 학교 성취라는 점에서 비이민자들을 능가한다는 것만을 의미하지 않는다. 실제로 우리가 학교생활의 성공과 관련 있다고 여기는 모든 요인들에 있어서, 이민 온 학생

📑 성 찰 문 제

Steinberg의 인용은 미국 교육에 대한 슬픈 논평이다. 그것은 또한 미국 문화의 본질에 대한 뭔가를 제시한다. Steinberg의 주장이 옳다고 가정한다면, 교사로서 여러분은 그가 기술한 이러한 "위신이 떨어지는 보고"에 대응하기 위해 무엇을 할 것인가? 한 명의 교사로서 여러분은 비주류 문화 학생들의 뒤떨어지는 학업수행의 향상을 누그러뜨리는 데 있어서 정말로 차이를 둘 수 있는가? 여러분이 무엇을 해야 비주류 학생이 성공하도록 정말로 돕는 일이 될까?

초임 교사들은 그들의 교육학적 노력이나 학과목에서 문화적으로 다양한 학습자를 조화시키기 위해 조절을 해야 한다는 것을 종종 배우지 않는다. 만약 여러분이 (초보거나 경험이 있는) 교사에게 문화적으로 다양한 학습자에 대해 물어 본다면, 교사가 무시나 편견을 인정하고 싶지 않기 때문에, 보통 사회적으로 허용되는 대답만을 들을 수 있을 것이다. 그러나 시범 수업이나 직업 인터뷰에서 시나리오나 질문에 대한 대답은 교수와는 명백히 다르다. 교사 교육 프로그램과 교수의 처음 3년간의 연수 프로그램에서 교사는 문화적으로 다양한 학생들, 관련된 학습과 교육학적 쟁점에 대한 그들의 태도, 교사의 역할, 교사의 기대 효과, 소수 학생의 학업 수행에 대해 가져야 할 태도를 탐구할 필요가 있다.[31]

동시에, 인종, 민족, 사회경제적 연관성과 관계 없이 위험에 처한 학생 집단의 문제 행동을 탐구하는 것이 필수적이다. 초기 성적(性的) 활동, 무단결석, 청소년 비행, 초기 마약 사용과 같은 요인들에 대한 학교 교육의 효과를 무시하는 것은 관용이라는 가면 또는 정치적 정확성 하에 교육적 하층을 만들어내는 결과를 초래한다. 여러분은 "문제"학생을 학습자로서 인정하기 위해 그들을 어떻게 다룰 것인지 알 필요가 있다. 도시 학교의 성공적인 교사들은 단지 살아 남아 있는 것이 아니라, 자신의 학생들을 학문적으로 번성하게 한 사람이다. 교실 수업에서 사람을 관찰하라. 무엇이 그 사람을 독특하게 만드는가? 성공적인가?

들이 그렇지 않은 학생들보다 점수가 높다.[30]

초임 교사(초보자)가 가르치는 방법

일반적으로 풋내기라고 불리는 초임 교사의 개인적인 유형과 이미지는 그들의 예비교사 훈련 동안 확고한 것으로 남아있는 경향이 있다. 후보자들은 교수에 대한 자신의 관점을 개조하기 위해서라기보다는 따르기 위해서 교육과정에서 제공하는 정보를 사용하는 경향이 있다. 교사 후보자들은 종종 교육과정과 학생 교수를 하는 동안에 교수와 학습에 대한 모순되고 일관되지 않은 관점과 한 가지 접근법을 강조하는 교사 교육, 타인을 격려하는 교실 교사에 대한 관점을 제공 받는데, 이것이 미래의 교실 생활에 맞추는 문제를 더욱더 악화시킨다. 결과적으로, 초임 교사들은 교실의 실제에 대한 부적절하거나 모순된 개념을 갖고 자신의 첫 직업을 시작하게 되고, 수업의 다양한 문제와 학급 경영, 학생 학습에 대응하는 자신의 접근법을 조절할 준비가 되어 있지 않다. 초임 교사는 직업에 대한 지식을 습득할 때, 자신의 관점과 교수 방법을 수정하고, 적응하고, 재건하기 위해 그것을 사용하기 시작해야만 한다. 결국, 성공적인 교사는 자기 자신만의 행동에 초점을 맞추는 데서 그들의 학생들의 수행에 초점을 맞추는 것으로 이동을 한 사람이다. 그들은 학급 경영을 강조하는 데서 수업 기술, 학생들이 어떻게 배우며, 학생들이 배우는지 안 배우는지에 대한 문제로 옮겨간 사람들이다.

많은 교사 교육자들은 학생 교수의 현실성을 지나치게 단순화시키고 교사의 학급 결정에 영향을 주는 많은 복잡한 교수 학습 변수를 무시한다. 결과적으로, 학생 교사와 초임 교사 모두 그들의 능력을 뛰어넘는 수준에서 기능하도록 기대된다. 사실, 많은 사람들이 단지 최소한의 생존 기능만을 소유하고 있다. 문제는 교사 교육자들이 특별한 요구와 함께 학생들의 독특한 요구를 다루기 위해 충분한 절차적 지식을 학생 교사에게 제공하는 데 있어서의 실패에 있다. 초임 교사로서 교실에 떠밀렸을 때, 충분한 지식이 부족하기 때문

에, 초임 교사들은 더 어린 학생들에게 부적절하거나 불충분한 접근법인, 학생으로서의 자신의 최근 경험에 의존하는 경향이 있다.[32] 경험은 미래의 성공을 보장하지 못한다. 필요한 것은 안내와, 의미 있는 경험과 어떤 연습이 강화된 학생 성공을 육성할 것인지, 또한 그러한 연습을 사용하여 성공을 보장하는 조언자가 갖추어야 할 사항은 무엇인지에 대한 가장 유용한 지식을 건설하는 것이다. 배운 것과 조언자나 협력적인 교사 모형 간의 일관성 부족은 역사적으로 문제시되어 왔다. 그것은 또한 부분적으로, PRAXIS와 INTASC의 인기가 증가하기 때문이기도 하다. 이것들은 교사 교육과 교실에서 일어나는 일에 대한 공통된 접근법을 조성한다.

비록 절차적 관례나 일반적 교수 방법이 중요하다는 것을 완전히 습득했더라도, 다른 부류의 교사 교육자들은 초임 교사나 초보자는 어떻게 내용을 가르칠 것이며 학생들이 내용을 배우도록 어떻게 도울 것인지를 배우는 것에 관심을 가져야 한다고 주장한다.[33] 이러한 입장은 교과목과 교과목 교육학의 중요성을 강조한다. 만약 어떤 것이 학습방법이라면, 그것은 교과목을 전달하는 것과 연관된 방법이다. 이러한 사고 학파는 교육학 지식에 대비하여 학과 지식에 중심을 두는 Sputnik 이후 시대와 인문 교과 및 과학 교수와 교육학 교수간의 오랜 분열에 뿌리를 두고 있다. 오늘날 인문 교과 및 과학 교수는 과거처럼, 교과목의 필요성을 지속적으로 옹호하고 있고, 교육학에 대해 회의적인 경향이 있다.

좀더 최근에, Lee Shulman은 "교육학 내용 지식"이라는 어구를 소개하고 교과목에 대한 교사의 지식과 성공적인 교수를 위한 이러한 지식의 중요성에 대한 학술적인 논문에 새로운 자극을 주었다.[34] 대부분의 경우에, 내용 지식은 일반적 교수법과 효과적인 교수 원리가 강조되었던 1970년대와 1980년대 교수에 관한 연구자들에 의해 무시되어 왔다. 1990년대와 2000년대에 관심은 전문화되거나 내용에 기반을 둔 교수법으로 이동하게 되었고 선택된 과학적 기반을 둔 실제와 관련된 교사 성찰을 강화하는 방향으로 이동하게 되었다.

즉, 학생 학습을 돕는데 효과적이라고 연구가 뒷받침하는 기술을 강조하게 되었다.[35] 연구자들은 수학, 과학, 읽기를 가르치는 구체적인 전략을 알아내고, 뭔가를 효과적으로 가르치는 방법을 아는 것은 필수적이고, 기본적인 교과 지식을 갖기 위한 중요한 보완물이라는 증거를 찾기 시작했다.

Shulman의 이본적 틀에서, 교사는 두 가지 유형의 지식을 숙달할 필요가 있다. 1) 내용, 또는 교과목 자체에 대한 "깊이 있는" 지식, 2) 교육과정 발달에 대한 지식이 그것이다. 내용 지식은 Jerome Bruner가 특정 교과의 이론, 원리, 개념이 되는 "지식의 구조"라고 부른 것을 포함한다. 내용을 제기하고 소통하는 가장 유용한 형태와 학생이 구체적 개념과 교과의 주제를 가장 잘 배우는 방법을 포함하여, 교수 과정을 다루는 내용 지식이 특히 중요하다.

교사의 교과목에 대한 성향은 계획, 내용 선택, 교재 사용, 교사가 사용할 보충 교재, 교육학적 전략, 학생의 수업 필요에 대한 교사의 인식에 대한 그들의 방법에 영향을 준다. 마찬가지로, 그것은 교사가 교과목을 조직화하고, 제시하고, 설명하여 학습자가 이해하도록 하는 방법을 결정한다. 이 모든 것은 초임 교사들이 교과목 내용과 교육학을 통합할 필요가 있음을 제안한다.[36] 교사는 과정과 내용을 알아야 한다. Pam Grossman과 다른 사람들은 교사 교육 교과과정이 그 다음의 전문적 실제에 대한 영향을 판단하기 위한 연구를 했다. Grossman은 교사 교육 경험이 있는 교사와 그렇지 않은 교사는 서로 다르게 가르친다고 결론지었다.[37] 더 구체적으로 살펴보면, 그들은 학습자로서의 학생에 대한 서로 다른 가정을 세우고 있다. Grossman은 6명의 교사 (공식적 교사 준비과정을 겪은 3명과 그렇지 않은 3명)에 대해 기술하고 있다.

이 연구에서 제시된 6명의 교사는 여러 가지 측면에서 최고이며 가장 촉망받는 교사들이다. 모든 교사들이 자신의 교과목에서 준비가 잘 되어 있고, 6명 중 4명은 일류대학에서 문학 학사학위를 받았으며, 1명은 문학 박사학위를 받았다. … 비록 그들 중 3명이 교수 연수나 조수 경험이 있긴 하지만, 교사 6명 모두 기술적으로 일 년차 교사들이다. 6명 중 3명은 교외지역의 공립학교에서 가르쳤고, 3명은 사립학교에서 가르쳤다. 교사 교육을 받은 1명과 받지 않은 1명이 교수 환경이 통제되며 최소한 한 번의 교차 사례 분석 기회가 주어지는 동일한 독립적인 학교에서 가르쳤다.

이 연구의 결과는, 이 경우에 영어 교과에서의 내용 중심 교육과정이 이 초임 교사들의 교육학적 지식에 차이를 만들어 냈음을 제시한다. 두 집단의 교사들은 영어를 가르치는 목적에 대한 개념과 중학교 영어에서 무엇을 가르쳐야 하는지에 대한 생각, 그리고 학생 이해에 대한 지식에서 차이를 보였다.[38]

만일 교사가 성공적으로 시작하려면, 일반 교육학 (또는 일반적 교수 원리)의 논점뿐만 아니라 교과 교육학의 논점에도 동시에 몰두해야 한다. 이 책의 저자는 본문에서 일반 교수 원리를 강조하지만 교과 교육 방법과 일반 교수 원리는 상호간에 배타적이지는 않다. 여러분은 읽기를 가르치는 것을 배우기 위해 일부 일반 원리를 사용할 것이다. 또한 음성학 수업에 관해서는 더 고도의 정의하는 기능을 필요로 할 것이다. 교육학의 두 가지 형식을 통합함으로써 교사는 개인적으로 교수의 목적을 정의하고, 이해할 수 있으며, 학습을 이해할 수 있고, 수업전략과 실제적 교육과정을 개발할 수 있다.

이상적으로는 알려진 지식이 어떤 것이며, 알려진 지식이 어떻게 적용될 수 있는지의 관계를 보는 것을 돕는 방법으로 이론과 실제(그리고 일반적 방법과 특정 영역의 방법)를 결합하는 프로그램을 통해 입문하게 될 것이다. 여러분은 실제를 개선하는 방법으로 종종 초보 교사를 괴롭히는 일부 공통의 문제를 완화하기 위해서 학생을 위한 향상된 기회를 조장하고, 수업의 문제를 교섭할 수 있어야 한다. 본질적으로, 여러분은 잘 알려진 교수 과학 위에 기예적인 비결을 개발해야 할 것이다. 여러분이 자신의 장기적인 전문적 발달과 성장을 통해 교사 교육 내용에 장기적으로 노출되었다면 성공에 대한 이런 전망은 가능하다. 본질적으로 여러분은 언제나 전문적 여정에 있고, 성과를 발견할 수도 있지만, 최종목표에 도착한 것처럼 느끼지 못할 수도 있다. 교사는 "단기적인 과정"이어서도, 일 수도 없다. 훌륭한 의도가 필수적이지만, 성공을 위한 충분조건이 아님을 보여주는 증거들이 일부 드러나고 있다. 이러한 일화적인 증거는 교실 안에 "단기적인 과정"이었던 교사에 대한 분석으로부터 나오고 있다.

교수에 관해 열정을 가지고 있으면서, 심지어 매우 총명한 사람도 특히 능숙한 교수를 필요로 하는 아이들과 공부하도록 배정된다면, 준비 없이 쉽게 성공할 수 없다는 것을 알게 된다. 아마 교수에 대하여 "총명한 사람" 신화의 한계에 관한 최고의 예는 Teach for America(TFA)인데, 이 프로그램은 법학, 약학 및 다른 전문직업 종사하는 중에 불리한 조건을 가진 도시와 시골의 교실에 2년간 우수한 대학 졸업생을 유치하기 위해 만들어졌다. 만일 누군가가 교사는 태어나지 만들어지지 않는다고 증명할 수 있다면, 총명하고 열심인 학생, 대부분 최고의 학교를 졸업한 이들이 바로 그것을 할 수 있는 사람일 것이다. 그러나 4번의 별개의 평가에서 TFA의 3~8주 훈련 프로그램이 학생과 더불어 성공하도록 후보자들을 준비시키지 못한 것으로 나타났다.

이 프로그램에 의해 모집된 다수의 교사들은 그들의 성공과 학생의 성공이 교수를 위해 필요한 지식에 대한 접근성 부족으로 어려움을 겪었다는 것을 알고 있다. Yale University를 졸업한 Jonathan Schorr는 이 우려를 제기한 사람 중의 하나였다. 그는 다음과 같이 썼다.

대부분의 TFA 프로그램 이수자들과 같이 아마도 나는 학생들을 공립학교의 평범함으로부터 학생들을 자유롭게 하고, 그들에게 내가 받았던 것과 같은 정도로 좋은 교육을 제공하는 꿈을 품었다. 그러나 나는 준비되지 않았다. 그것이 나에

게 있어서 좋지 않은 만큼 학생에게도 더욱 더 좋지 않았다. 내 학생 대부분은 퇴학을 향한 여정으로의 긴 발걸음을 내디뎠다. 나는 성공적인 교사가 아니었고, 학생에게 있어서 상실은 사실 컸다.[39]

초임 교사를 위한 동료의 지원

일반적으로, 지원과 장학 없이 시행착오에 의해 배워야 하는 것은 초임 교사가 직면하는 가장 흔한 문제이다. 교사가 지원 없이 그들의 역할을 하리라고 기대하는 것은 다음과 같은 잘못된 가정에 기반한다. 1) 교사는 초임 때 교실과 학교 경험에 잘 준비되어 있다. 2) 교사는 스스로 전문적 지식을 개발할 수 있다. 3) 교수는 비교적 짧은 시간에 숙달할 수 있다. 연구자들은 초임 교사의 직무를 더 쉽게 하기 위해 수업의 부담을 가볍게 하고, 추가적인 학급 업무를 제한하려는 시도가 거의 없음을 밝혀냈다. 이 활동을 제한한 몇몇 학교에서, 교사는 그들이 "가르치는 것을 배우는" 기회를 가졌다고 보고 했다.[40]

틀림없이, 초임 교사는 경험이 많고, 전문적인 동료가 제공할 수 있는 격려와 피드백을 필요로 한다. 아이디어의 교환은 지역 회의에 참가하러 같이 타고 가는 도중과 같이 학교의 밖과 안에서 일어날 수 있다. 노련한 교사는 그들의 교실을 초임 교사에게 기꺼이 개방해야 한다. 교실에서의 자치에 대한 욕구 때문에, 교실 간에 충분한 의사소통이나 방문이 거의 없다. 아무리 개인이 교생으로서 성공적이었고, 그들의 예비 훈련이 얼마나 좋았든지 그들은 노련한 동료의 충고와 조력에서 도움을 받을 수 있다. 다른 교사와 이야기하는 것은 초임 교사가 아이디어를 타진하고, 정보를 동화할 기회가 된다. 동료 지도와 조언은 초임 교사가 수업과 학생 학습에 관한 아이디어를 동료와 공유하는 의도적인 교직원 협력일 뿐이다.

학교가 교사에게 다음과 같은 기회를 줄 때 교사는 서로에게 배울 것을 기대한다. 1) 일상적으로 가르치는 것에 대해서 서로 말한다. 2) 규칙적으로 교실에서

동료 상호 작용과 피드백은 교사의 전문 성장에 있어 필수적이다.

관찰한다, 그리고 3) 계획과 수업 준비에서 공동으로 참가한다. 교사들은 1) 교육 과정 아이디어를 개발하고 실행하고, 2) 교실 실제를 실행하는 것에 대한 연구 집단에 참여하고, 또 3) 새로운 기능과 훈련을 실험하는 기회가 주어지면, 그들의 연구를 수행하는 그들의 개별적 능력과 집단적 능력에 더 자신감을 느끼게 된다.[41]

동료 지도 또는 조언을 받는 동안에, 교실 교사는 서로를 관찰하고, 그들의 교수에 관한 피드백을 제공하고, 함께 교수 계획을 개발한다(또는 성찰한다). 신임 교사는 친숙하지 않지만, 그들의 교수양식과 일치하고, 그들이 하고 있는 것보다 개선된 소단원계획과 교수의 기술을 찾아야 한다. 조언자 프로그램은 California와 같은 여러 주에서 하고 있다. 이 프로그램은 신임 교사가 성공하는 것을 돕고, 높은 교사 자연감 소율을 줄이기 위해 개발되었다. California에서 이 프로그램의 최종목표는 다음과 같다:

- 신임 교사에게 교수로의 쉬운 전환을 제공한다.
- 전문적 성공과 교사 보유를 촉진한다.
- 신임 교사에게 강력하면서도 개별적으로 지원한다.
- 문화적, 언어학적, 학문적으로 다양한 학생 대상자에게 교사가 좀더 효과적으로 활동하도록 해 준다.[42]

Joyce와 Showers에 따르면, 미숙한 교사를 위해서 동료 지도자 또는 조언자 교사로서 활동하는 노련한 교사는 다음의 5가지 기능을 수행한다: 1) 교제, 또는 아이디어, 문제, 성공의 논의, 2) 특히 수업 계획과 교실 관찰에 관계된 기술적인 피드백, 3) 응용분석, 또는 초임 교사의 목록에 일어난 것과 효력이 있는 것의 통합, 4) 적응, 또는 초임 교사가 특수한 상황에 적응하도록 돕기, 5) 인격적인 촉진, 새로운 전략을 시도한 후에 교사 자신에 대해 좋게 느끼도록 돕는다.[43]

Neubert와 Bratton은 이와 유사한 자료를 보고하였다. 그들은 교실 교사를 관찰하기보다는 오히려 그들의 곁에서 가르치는 Maryland 학군의 방문 조언자 교사를 연구했다. 이 연구로부터 그들은 효과적인 지도자 관계를 촉진하는 자원 교사의 5가지 특징을 식별하였다: 1) 지식-교실 교사보다 교수방법에 관한 지식이 더 많다. 2) 신뢰성-교실에서의 성공을 보여줬다. 3) 지원-솔직한 칭찬과 건설적 비판을 섞는다. 4) 촉진-교실을 지배하는 것보다 보조하며, 지시하는 것보다 격려하고 권한다. 5) 유효성-계획, 팀티칭과 회의를 위한 교실 교사의 접근 가능성.[44]

Pennsylvania의 한 학군에서는 부가적인 조력을 필요로 하는 노련한 교사와 초임 교사를 위해 "동료 시스템"이 개발되었다. 같은 과목 또는 같은 학년 수준에서 한 팀으로 구성된 교사로부터 지속적인 동료 지원이 제공된다. 이 선발된 교사 "지도자"들은 전담(그리고 종종 방과 후에)으로 그들의 미숙한 동료가 더 훌륭한 교사가 되는 것을 도왔다. 이 프로그램은 다음의 네 가지 특징으로 정의된다: 1) 동료간의 협력관계와 팀워크, 지도자가 수업을 대신하고, 동료들이 다른 교사를 관찰하고, 아이디어를 모아서, 그들 자신의 교수 양식에 응용하도록 하는 경우, 또는 지도자가 직접 동료 지도를 하는 경우 등, 2) 수업 지원, 지도자가 학생의 학습을 향상시키는 새로운 수업 전략을 소개하는 경우, 3) 전문적 성장, 지도자가 직무 중 연수를 적극적으로 제시하여 신임 교사로 하여금 학교 철학과 정책을 더 잘 이해하도록 돕는 경우, 그리고 4) 학교에 있는 모든 교사가 사용할 수 있는 지도자(방문 작가-초빙작가, 주재하고 있는 예술가, 환경의 연구과제, 컴퓨터 보조 등)에 의해서 제공되는 특별한 서비스와 프로그램이 있다.[45]

그러나 자료에 의하면, 초임 교사는 도움을 요청하는 사람에 있어서 선택적이다. 초임 교사는 공식적으로? "조언자" 또는 "지도자"로 인정된 교사가 아닌, 그들이 "박식하고" "친절하고" 그리고 "지원적"이라고 지각하는 노련한 교사에게 도움을 구한다. 상이한 90개 학교에서 근무하는 128명의 교사에 대한 연구에서, 그들 중의 75%는 그들에게 배치된 조언자가 아닌 다른 교사에게 도움을 구했고, 일반적으로 단지 53%만이 그들에게 배치된 조언자에게 만족하였다.[46]

조언자들은 대개 미숙한 동료를 돕는 데 있어서 마음 편하게 느끼지만, 조언 프로그램의 성공은 미숙한 교사가 그들의 노련한 상대 교사에게 도움을 구하는 데 있어서 편하게 느끼느냐에 달려 있다. 노련한 교사에게 도움을 구하고, 그리고 그것을 받아들이기로 하는 결정은 다양한 변수에 의해 영향을 받는다. 도움을 구하는 결정 과정에 영향을 주는 긴장은 도움이 없었을 때의 지속된 실패의 난처함과 문제를 해결하기 위해 도움을 구하는 난처함 사이의 긴장이다. 사실, 근무한 지 단지 몇 년 후에 직업을 그만두는 교사의 놀랄만한 수치는 초임 교사의 염려에 민감할 필요성과 조언 시스템을 개선할 필요성을 시사하며, 그렇게 많은 주

들이 2000년대 초반에 신임 교사를 위한 좀더 공식화된 조언 시스템을 개발한 이유이다. 이에 대해서는 사례 연구 12.1을 참조한다.

아마도 조언자, 자원 교사 또는 조언자 교사를 위한 가장 중요한 전략은 신임 교사가 반발하거나, 방어하지 말고, 성찰하도록 하는 것이다. 초임 교사를 돕는 어떤 좋은 프로그램이든지 핵심적인 부분은 노련한 교사의 정기적인 관찰과 노련한 교사에 의한 초보 교사의 관찰이다. 관찰의 형태를 가지고, 어떤 것이 교수-학습 과정을 촉진 또는 방해하느냐에 관해 논의하고, 수업 개선을 위한 단계 또는 충고를 식별할 필요가 있다. "지도자" 또는 "조언자"는 친구와 절친한 벗으로 봉사하고, 비평가적 역할을 수행할 필요가 있다. "걱정을 함께 나누는 동료"라는 용어는 여기에서 지지받고 있는 동료의 개방성과 학습에 대한 새로운 정신을 가장 잘 설명한다.

James Stigler와 James Hiebert 같은 일부 교육자들은 전문성 개발을 위해 일본에서 사용된 모형에 의존해 교사를 돕기 위해 교사를 위한 새로운 방법을 개설하고 있다. jugyoukenkynu(또는 일본의 연구수업)는 상이한 형식을 취하지만, 종종 수업 계획을 개발하기 위해 협력 교사 집단이 포함되어 있다-그들은 본질적으로 함께 계획한다.[47] 그런 다음에 한 사람의 "지명된" 교사가 수업을 하고, 계획 집단의 직장 동료들은 다양한 교실 역학, 특히 수업에 대한 학생의 반응을 주시하고, 기록한다. 수업 후에 어떤 일이 일어났는가와 학생들이 (배운 것을) 어떻게 답했는가에 대해 전체적으로 논의를 진행한다. 이 모형은 상당히 독특하지만 미국의 일부 학교는 교수 수행을 향상시키기 위해 교사가 덜 고립되도록 하고, 다른 사람들과 함께 작업하는 것에 더욱 집중하도록 하는 목표를 위해 이것을 시도하고 있다. 결국 여러분이 가르치는 학교에 그런 프로그램이 없어도(그리고 아마 그것을 하지 않을 것이나), 테이프나 사람이거나 간에 당신이 가르치는 것을 주시하는 방법을 찾고, 당신의 교수에 관해 이야기할 누군가를 찾아본다.

다른 초임 교사의 지원

초임 기간—교사가 된 지 이 년이나 삼 년이 되는 기간—은 교사의 가능성을 발달시키기 위해 매우 중요한 시기이다. 신임 교사들이 침몰하거나 발버둥치도록 그냥 내버려 두어서는 안 된다. 학교가 채택하고 있는 내부적 지원 체계(일상적인 지원 활동과 발전을 위한 연속적 활동 모두)는 신임 교사의 전문성 발달에 필수적이다.

불행하게도 일부 학교(그리고 학군)는 신임 교사들이 필요로 하는 것에 적절하게 대응해 주지 못하고 있으면서, 그들이 할 수 있는 것 이상의 높은 전문성을 기대한다. 그런 학교에서는 다른 지원 활동이 그 공백을 채워 줄 수 있으며, 또한 강력한 지원 프로그램과 함께 학교에서의 보충적 지원 수단의 역할을 할 수 있다. 보충 활동 중 하나는 초임 교사들이 대학 교과목 구조 안에서 또는 학군 차원의 교원 발달 프로그램의 일부분으로서 교실에서의 활동을 공유하고, 이야기를 나누게 하거나, 문제들을 처리하는 방법을 숙고하게 하는 것이다. 여러 학교에서 온 신임 교사들은 자기 협력 과정의 일환으로 교육에 대해 그들이 알고 있는 것을 공유하고, 조직하고, 적용하게 된다.[48] 예비 교사들, 특히 교생들은 수년간 위와 같은 일을 반복하는데, 현장 경험을 하고 돌아와 장학관과 함께 집단으로 만난다. 이렇게 동료의 피드백과 해석과 더불어 개인적 이야기와 경험을 공유하는 것은 서로에게 자양분을 공급하는 효과와 전문성 발달의 많은 단계에서 교사들의 삶을 변화시키고 향상시킬 수 있도록 도와준다.

그 외에 신임 교사들을 지원하는 또 다른 방법은 컴퓨터 네트워크의 사용이다. 전국에 있는 많은 학교와 대학에서 교사, 행정관, 교수, 심지어 학생들까지도 종종 전자 메일을 사용하여 서로 의견을 나눈다. 그 네트워크 중 한 예로 일 년차 교사로 활동하는 졸업생들이 서로 연락하는 것을 돕기 위해 Harvard 대학에서 만든, 지금은 전국의 학교에서 사용되고 있는 Beginning Teacher Computer Network(BTCN)가 있다.[49] Bitnet이나 Prodigy와 같은 큰 컴퓨터 회의시스템과 다르게

BTCN 네트워크는 소규모이며 개인 컴퓨터와 모뎀으로 이루어지고 있다. 그것은 교사들이 작은 문제를 해결하고, 전문가나 장학관의 분석보다는 동료로부터 해결책을 얻고, 비판을 곁들이지 않은 반응을 얻기 위한 저렴한 수단이다. 이 네트워크는 지지, 동료와의 협력 관계, 전문성 발달을 위한 기회를 제공한다. 네트워크를 사용하는 사람들은 자신의 얘기를 들어주고 충고나 아이디어를 주는 친구나 이전의 동급생들이 가까이에 있다는 것을 알고 있다. 교사 교육 프로그램을 이수한 초임 교사들은 교수나 교장의 협조로 혹은 협조 없이도 그들 자신의 네트워크를 구축할 수 있다.

신임 교사를 위한 지원 향상 지침

신임 교사들의 초임 기간에 대한 기존의 정책이 무엇이든지 간에 지속적인 전문성 발달을 위한 지원을 개선하고, 일을 보다 쉽게 만들며, 신임 교사들이 교실과 학교에서 더 큰 자신감을 느끼고, 일하면서 느끼는 격리감을 줄이고, 동료들과 상호 작용을 높일 필요가 있다. 이런 목표를 성취하기 위한 몇 가지 권고 사항으로 다음과 같은 것들이 있다. 이것은 도움을 주고자 하는 견지에서 만들어졌지만 신임 교사로서 기대할 수 있는 것들에 대한 제시이기도 하다. 현장에 있는 교사와 이야기를 나누어보면서, 그 교사가 일하고 있는 학교에서는 이 전략 중 어떤 것이 사용되고 있는지 알아보자.

1. 신임 교사가 자신의 교실을 준비하는 것을 도와 줄 누군가를 지정한다. 신임 교사는 적극적으로 좋은 지도 교사를 구해야 한다.
2. 일반적 문제들이 심각해지기 전에 정기적으로 만날 수 있도록 신임 교사를 노련한 교사와 짝을 짓는다. 신임 교사들은 교육 내용과 교육 과정을 논의할 수 있는 교사들이 누군지 찾아야 한다.
3. 학교에 나오는 모든 신임 교사들을 위해 코치 집단, 개인 교사 집단 또는 협력적 문제해결 집단을 제공한다. 신임 교사는 그들이 노련한 교사들에게서 배우는 것과 마찬가지로 서로에게서도 배울 수 있다.

4. 신임 교사와 경험 있는 교사들과의 합동 계획, 팀 티칭, 위원회 결성, 그리고 또 다른 협동적인 제도들을 제공한다. 신임 교사는 그들을 지원해 줄 전문적인 동료를 찾아야 한다.

6. 신임 교사들의 필요와 흥미에 직접적으로 관련이 있는 주제를 통해 특별하고 지속적인 직무 중 지원 활동을 계획한다. 마지막으로 정규 교원 발달 활동과 신임 교원 발달 활동을 통합한다. 신임 교사들은 교원 발달을 담당하고 있는 이들에게 공통적인 문제 영역들을 알려야 한다.

7. 신임 교사들에 대한 장점과 단점의 평가, 새로운 정보 제시, 새로운 기능의 시연, 연습과 피드백에 대한 기회를 제공하는 정기 평가를 시행한다. 신임 교사들은 행정가의 평가를 예상해야 하며, 스스로 자기-평가를 시행해야 한다.

자기-평가

가르치는 일은 자기-평가에 대한 충분한 기회를 제공한다. 훌륭하게 직무를 수행하고 그것을 아는 교사는 학생들이 성장하는 것을 지켜보고 그들의 존경과 애정을 느끼며, 동료, 학부모, 위원회로부터 인정받는 데서 만족을 얻는다.

교사에 의한 자기-평가는 전문성 발달에 기여할 수 있다. 이 아이디어는 교사-장학관의 협동이라는 가치에 대한 현대적 신념의 논리적 소산이다. 교사 평가가 전문성 발달을 위한 효율적인 관리의 통합적 일부로 받아들여진다면, 교사는 그들의 목표와 효율성을 명확히 하고, 지속적으로 평가하는데 관여하여야 한다.

이러한 명확화 과정의 한 부분으로 교사가 자신의 교수 기능 중 부족한 부분을 명확히 하거나, 지도 교사 또는 행정가에 의해 수집된 자료에 정보를 추가시킬 수 있는 능력이 차지한다. 자기-평가는 문제를 은폐시키기도 하지만(자기-평가 중 일부는 특히 정확하지 않다) 전문성 발달에 중요하다.[50]

Good과 Brophy는 보다 나은 교수 방법의 첫째 단계 중의 하나로 현재 직업적 능력의 장점과 단점의 평가를 들었다. 교수 방법을 향상시키기 위해 여러분은 자신이 하고 싶어 하는 것과 자신의 계획이 제대로 진행되고 있는지 알아보기 위한 방법을 결정할 필요가 있다. 달리 말하자면, "[교수 방법을 향상시키기 위한] 해결책은 [교사들이] '나는 소집단과 25%에 의해 이뤄지는 연구과제에 많은 시간을 보내고 싶다' 와 같이 원하는 변화를 규정할 때 … 보다 더 충족되는 경향이 있다."[51]

진지한 자기-평가와 지도 교사를 필요로 하는 바람직하고 실용적인 이유가 있다. 예를 들어, 수년 전에 미국 정부가 만 명의 보조 교사와 400개의 학교를 대상으로 한 조사에서 응답자의 1/4(26%)이 교장이나 전년도 장학관에 의해 "결코" 평가를 받은 적이 없다고 대답했다. 그리고 또 다른 27%는 단지 한 번의 방문을 받은 적이 있다고 대답했다. 교사들에게 교수 기법을 관찰하고 논의하기 위해 몇 번이나 다른 교사들을 방문했는지 질문했을 때 그들 중 70%가 "결코 방문한 적이 없다"라고 말했다.[52] 어떤 주들은 그런 상황을 변화시키고자 노력하고 있다. 예를 들어, Ohio는 주에 있는 모든 일 년차 교사들을 관찰하기 위해(이 책에서 쓰이고 있는 Pathwise 기준을 반영한) PRAXIS III 평가 과정을 설정하고 있다. 훈련받은 평가자들은 신임 교사가 수업 전달에 있어 다양한 기능을 얼마나 잘 사용하고 있는지 평가하기 위해 이 기준을 사용하고 있다.

많은 학군에서는 또한 연수 교사나 신임 교사들을 평가하기 위한 절차를 확립하고 있다.[53] 그 시스템 중에서 Toledo 공립학교 시스템보다 더 전국적인 명성을 얻은 것은 거의 없다. Toledo에서 새로 고용된 모든 교사들은 2학기 동안 프로그램을 이수한다. 그들이 학군의 교사 발달 수행 기준을 충족시키기 위해 얼마나 진보했고, 얼마나 성공적으로 수행했는지 결정하기 위해 그들과 같이 일할 상담(지도) 교사가 배정된다.

지도 교사는 상호 합의하에 규정된 교사 목표를 근거로 둔 각 학기 평가에 최종적 책임을 진다. 마지막 평가 날짜에서 지도 교사는 신출내기 교사의 장래 고용 가능성을 Intern Board Review에 추천한다.[54] Toledo

시스템은 일부 교사들에게는 해고를, 또 다른 교사들에게는 재임 불가와 권고 사직을 요구할 수 있다. 표 12.2는 1991년부터 2001년에 이르는 Toledo 시스템에 대한 자료를 보여주고 있다.

확실히 Toledo와 같은 평가 시스템은 잠재적으로 성장하고 있는 교사의 능력에 차이를 줄 수 있다. 그러나 여전히 규칙보나는 예외적인 경우가 많다. 따라서 여러분은 자신의 교수 방법에 대해 자기-평가를 할 수 있어야 하며 직업을 가지는 한 계속 자기-평가 절차를 가질 필요가 있다. 극히 소수의 학군만이 지속적인 전문성 발달에 필요한 평가와 장학 시스템 유형을 가지고 있다.

너무 많은 교사들이 사실상 단독으로 수업을 이끌어 가고 있으며, 장학관이나 동료로부터 받는 도움은 최소한이다. 그래서 한두 번 방문하여 몇 개의 학교 정책을 충족하고, 급히 돌아가는 행정가의 외부 평가보다는 진지한 자기-평가가 보다 유용하고 덜 편향된 것이라 할 수 있다.

진지한 자기-평가란 무엇인가? 자기-평가 중 일부는 교수 활동을 하면서 성찰하는 것이다. 교사는 수업을 하면서 그 교수 활동에 대해 생각한다. 신임 교사들은 여전히, 너무 자주, 순간순간을 넘기는데 급급하기 때문에 그들에게는 이것이 어려울 수 있다. 그 결과 그들은 교수 활동이 끝난 후에 숙고하는 교수 활동 후 성찰을 하는 경우가 더 많다. 교수 활동 후 성찰에는 기본적으로 두 가지 유형이 있다.

첫째, 교사는 여러 유형의 자기-평가 양식을 이용하여 교실 차원에서 자신의 교수 방법에 있어서의 자기 자신에 대한 평가를 할 수 있다. 이런 유형의 평가 양식은 교사, 교사 집단, 학군 또는 연구가들에 의해 개발될 수 있다. 교사들은 (과정이 용이하게 받아들여질 수 있도록) 도구를 고안하기 위한 자료를 가지고 있거나, 이미 개발되어 다른 학교 지구에서 사용중 일 수 있는 도구를 선택하여 자신의 목적에 맞게 변형시켜야 한다. 요점은 교사들이 평가 도구에 편안함을 느끼고 (이해할 수 있어야) 한다는 것이다. 두 가지 유형의 도구는 수업실행에서의 자기-평가를 위해 사용될 수 있다. 첫째 유형은 (표 12.3에서 보여지는) 일반적인 특징을 가지고 있으며 일반적 교육의 유효성에 초점을 두고 교수 행동이 잘 이뤄지고 있는지 알아본다; 두 번째 유형

표 12.2 인턴 교사들의 상황 보고

학 년	수습 프로그램을 받은 교사 수	재임 불가	해임	권고 사직	실패율
1991-1992	109	9		4	11.9
1992-1993	249	5	3	17	9.6
1993-1994	170	7	1	10	10.6
1994-1995	160	6	2	8	10.0
1995-1996	프로그램 없음				
1996-1997	175	7	2	8	9.7
1997-1998	196	1	5	15	11.0
1998-1999	400	3	9	20	8.0
1999-2000	285	13	2	16	10.9
2000-2001	140	3	1	8	8.6
합 계	3,025	88	31	139	8.5

출처: "Intern Intervention Evaluation: The Toledo Plan." Toledo, Ohio: Toledo Public Schools, 2001.

은 구체적인 특징을 가지고 있으며 직접적인 교육(표 12.4를 보라)과 관련된 특정 수업 기술에 초점을 둔 채 명시된 특정 교수 행동이 실제로 이뤄지고 있으며 어느 정도 이뤄지고 있는지 확인한다.

두 번째, 교사는 학교와 위원회 차원에서 자신의 전문적 책임감에 대한 스스로의 등급을 매길 수 있다. 행정가에 따르면, 이 양식에는 1) 교실 분위기, 2) 학생들의 학습, 3) 계약에 대한 책임감, 4) 학교를 위한 노력, 5) 전문성 발달 등이 포함되어 있다.[55] 이 목록에는 6)

학생과의 관계, 7) 동료와의 관계, 8) 학부모와의 관계, 9) 위원회를 위한 노력 등이 추가될 수 있을 것이다.

California는 이러한 유형의 "환경" 요건들을 공식적인 평가 체제에 포함시키고 있다. (누가적 시스템이 향상을 위한 피드백을 위한 것이며, 효율성이나 비효율성을 총괄적으로 찾기 위한 것이 아님을 상기한다.) 예를 들어 교사들을 위한 정형화된 California Formative Assessment and Support System for Teachers(CFASST)의 '요소' 중 하나는 "모든 학생들

표 12.3 일반적 수업 효과성

이 평가 양식은 교사가 학생들에게 명확하고 논리적인 방식으로 수업 내용을 전달하고 있는지 평가하기 위해 사용된다. 이것은 교사가 돌출된 특정 수업 행위를 하고 있는지도 평가할 수 있다.

수업 목표 수립	Yes	No
1. 교사는 수업의 목표를 설명한다.	_____	_____
2. 교사는 칠판에 목적을 나열한다.	_____	_____
3. 교사는 규정된 수업 내용 기준을 목적과 결합시킨다.	_____	_____
4. 교사는 학생들에게 진보된 조직자 형태로 수업을 제공한다.	_____	_____

수업 전개		
1. 교사는 수업을 즉시 시작한다.	_____	_____
2. 교사는 학생들이 사용할 수 있는 자료를 준비하고 있다.	_____	_____
3. 교사는 분명하고 유창하게 말한다.	_____	_____
4. 교사는 수업 내용 제시에 집중한다.	_____	_____
5. 교사는 추상적 용어의 뜻을 밝히고 명확한 설명을 한다.	_____	_____
6. 교사는 단계적 방식으로 자료를 제시한다.	_____	_____
7. 교사는 학생들이 질문할 수 있는 시간을 준다.	_____	_____
8. 교사는 학생들에게 그들이 이해한 내용을 증명하게 한다.	_____	_____
9. 교사는 수업중에 학생들이 자신의 지식을 입증해 보일 때 피드백을 준다.	_____	_____
10. 교사는 학생의 학습요구에 맞게 수업을 조절한다.	_____	_____

수업 마치기		
1. 교사는 학습 내용을 요약한다.	_____	_____
2. 교사는 학생에게 스스로 요약할 수 있도록 기회를 제공한다.	_____	_____
3. 교사는 학생에게 질문할 기회를 허용한다.	_____	_____
4. 교사는 의미있는 개별적 과제를 준다.	_____	_____

표 12.4 직접 교수 평가

	하지 않음	다소 함	명확하게 함
1단계: 복습			
1. 교사는 전날의 수업으로부터 배운 것들을 복습한다.	_____	_____	_____
2. 교사는 학생들이 이해하기 어려운 내용을 다시 가르친다.	_____	_____	_____
2단계: 새로운 자료의 제시			
1. 교사는 수업의 목표를 명확하게 진술한다.	_____	_____	_____
2. 교사는 단계 단계의 절차에 맞게 활동이나 기술을 가르친다.	_____	_____	_____
3. 교사는 학생이 목표와 연관된 기준을 보도록 허용한다.	_____	_____	_____
3단계: 안내에 의한 연습			
1. 교사는 학생의 이해를 확인하기 위해 자주 질문한다.	_____	_____	_____
2. 교사는 자율적 참여자와 비참여자 모두에게 관심을 둔다.	_____	_____	_____
3. 모든 학생은 교사의 질문에 반응할 수 있는 기회를 갖는다.	_____	_____	_____
4. 학생은 성공적으로 교사의 질문에 답한다(약 80%의 성공률).	_____	_____	_____
5. 교사는 학생들이 확실히 이해할 때까지 기술을 계속 연습한다.	_____	_____	_____
4단계: 피드백과 수정			
1. 교사는 학생들이 주저할 때, 구체적인 피드백을 제공한다.	_____	_____	_____
2. 교사는 학생의 반응이 잘못됐을 때 교재를 다시 가르친다.	_____	_____	_____
5단계: 자습			
1. 교사는 자습을 위해 적당한 수의 문제들을 제공한다.	_____	_____	_____
2. 학생은 의미 있고 적절한 숙제를 부여 받는다.	_____	_____	_____
3. 학생은 어떻게 성공적으로 숙제를 할 수 있는지 알고 있다.	_____	_____	_____

출처: Adapted from Thomas J. Lasley II, Thomas J. Matczynski, and James Rowley. *Instructional Methods: Strategies for Teaching in a Diverse Society.* Belmont, Calif.: Wadsworth, 2002. pp. 288-289.

이 관여할 수 있는 물리적 환경을 조성하는 것이다."[56] 초임 교사는 학생이 무엇을 배워야 하고, 그러한 학습이 이루어지는 환경 모두에 대해 이해할 필요가 있다.

교사의 자기 평가 방법은 자신의 가르치는 방법과 내용에 의해 아주 분명하게 좌우될 것이다. 분수를 가르치는 수업에서 단계형(교사 중심) 직접 교수법(표 12.4 참조)을 사용하는 교사는 같은 개념을 탐구하도록 하는 구성주의 교사들과는 아주 다른 방식으로 이 수업을 보게 될 것이다. 복잡한 문제이지만 구성주의 교사들은 합리적 구성주의자(Piaget 식)이거나, 변증법적 구성주의자(Vygotski 식)일 것이다. 만약 전자의 경우라면 교사는 개념에 대해 완전한 이해에 도달하도록 학생들을 더 잘 안내할 것이다. 그리고 만약 후자의 경우라면 교사와 학생은 지식을 협력적으로 구성해 나갈 것이다 - 즉, 학생은 각각 다른 개념에 대한 개인적인 표현 능력을 개발하게 될 것이지만 교사에 의해 정의된 이러한 개념도 똑 같은 효력을 갖게 될 것이다.[57] 모든 교사는 '학생들의 분수에 대한 이해' 라는 일반적인 목표를 갖는다. 자기 평가 문제는 이 목표가 성취될 수 있는지 혹은 그렇지 않은지와 관련되어 있다.

성찰

성찰과 **성찰 연습**은 Carl Rogers와 Donald Schon의 연구에 어느 정도 기초하고 있다. 그들은 개인의 향상과 매일매일의 연습을 위해서 성찰이 필요한 다양한 분야에서 학습자의 생각과 행동을 연구했다. 이들에 따르면 모든 학생은 향상을 목표로 그들 자신의 전문적인 수행 능력과 관련해서 그 답을 분석하고 질문하는 능력이 있다. 열린 마음과 성숙을 통해 그리고 동료간의 도움을 활용한다면, 모든 학생은 새로운 아이디어를 발견할 수 있으며, 학생이 이미 이해하고 있는 것을 설명해 주고 어떻게 하는지도 알 수 있다.[58]

성찰은 California FASST 프로그램과 같이 권한이 위임된 평가 체제의 한 부분으로 점차 자리잡고 있다. Carline Lucas는 이 접근법을 다음과 같이 설명하고 있다:

성찰은 전문적인 발전을 위해 중요한 부분이다. 교사는 그들이 의도하는 목표와 효과를 결정할 필요가 있다. 초임 교사는 결과물을 관찰하는 법과 성공이나 실패의 원인을 결정짓는 요인이 무엇인지 배워야 한다. 조언자의 역할은 강의 전달 방식과 학생의 결과물 점검과 같은 성찰적 경험을 통해 초보자들 안내해 주는 것이다. BTAS/CFASST [Beginning Teacher Support and Assessment/ California Formative Assessment and Support System for Teacher]와 같은 조언 제공자는 초보 교사의 관찰 목표를 기록하고 세울 수 있도록 연수를 제공한다. California의 초임 교사들은 전문적인 교수를 위해서 만들어진 캘리포니아 기준에 익숙하다. …… 따라서 관찰 후에 객관적 피드백이 제공될 때, 교사는 무엇을 어떻게 충족시켜야 하며, 기준 이하로 맞출 수 있는지에 대해서 성찰적 대화의 초점을 맞춘다.[59]

성찰은 초보 교사와 경험이 있는 교사 모두에게 도움이 될 수 있으며, 예비교사나 수습과정, 그리고 봉사나 봉사요원 개발 프로그램에서 구체화 될 수 있다. 대부분의 참가자는 처음부터 거부감을 느끼고 무엇을 요구하는지 특히 교사의 수업에 대해 정해지지 않은 질문들로 평가받을 때, 대체로 혼란스러워 하거나 이중적인 감정을 표현한다. 그러나 교사에게 있어서 생각지 않게 성찰은 더 많은 질문을 만들어 내고, 더 분명하게 개념을 이해하도록 하고, 학생의 문제 해결을 위해 더 좋은 계획을 세우도록 한다.[60]

Dorene Ross가 예비 단계에서 교사의 반성적 사고를 분석하기 위해 더 철학적인 도구 하나를 개발했다. 그는 자신의 관점을 표현하는데 대한 안전함의 성숙과 인식이 더욱 더 커지면서 성찰이 보다 더 복잡하게 된다고 주장했다. Ross는 성찰의 과정을 세 단계의 복잡한 과정으로 정의하고 있다: 1) 교사의 실습을 더 세부적으로 분석하고 교사와 학생 행동을 사소한 내적 이유로 설명한다; 2) 다양한 요소들을 고려하지 않고 하나의 시점에서 실습에 대한 설득력 있는 비평문을 제공한다; 3) 교수와 학습을 다양한 입장에서 분석하고 수업의 순간 이상으로 교사의 행동이 파장 효과를 갖는지 생각해 본다.[61]

그 후 단계에서 학생 개개인은 행동과 느낌이 상황에 근거하고 있다는 것을 깨닫게 된다. 절대적인 수준에서 다루는 것보다 학생들은 상대적인 교육학적 진실과 견해로 대하기 시작한다. 세 번째 단계에서 교사는 더 변화에 열린 마음을 가지며 항상 정답을 알고 있지 못하다는 것을 인정하게 된다. 세 번째 단계는 고려할 만한 전문적인 경험과 성숙의 출현을 제안하고 있다. 이는 초임 교사가 낮은 수준의 성찰을 함으로써 그들의 접근에 더 두드러지며, 교수 방식에 대해서 다른 견해를 받아들이지 않는 것 같다. 이는 단지 교육적인 추측이다. 단지 다섯 명의 봉사적인 교사들 중 한 명만이 2 수준 이상의 기능을 담당하고 있으며 단지 특정 주제에서만 역할을 한다고 하는 자료를 조사해 보는 것은 의미 있는 작업이다.[62]

성찰을 통해 교사는 주의 관심사에 초점을 맞추고 그들 자신의 행동을 더 잘 이해하고 교사로서 자신과 동료가 서로 발전하도록 돕는다. 교사들의 교육 활동에 통찰력을 제공하도록 돕는 집단 형식이나 포럼 형식의 성찰 연습을 통해, 교사는 서로에게 점점 더 깊게 주의를 기울이는 것을 배우게 된다. 다음으로, 연구자들은 교실에서의 교사 실제나 이러한 행동의 저변에 반영된 것들에 귀를 기울일 때, 그들은 교사의 실제적 지식과 특정 견해를 이론적 지식으로 전환하고, 다른 견해들을 통합하는 위치에 서게 된다.

교사는 실습에 대해 성찰할 때 안내에 의한 성찰 과정을 위하여 예외적인 사례를 선택해서는 안 된다―평범한 것과 독특한 것 모두 가르침에 대해 보다 더 깊게 생각해 볼 수 있는 유용한 기회가 된다. Hole과 McEntree는 비판적으로 성찰질문을 할 수 있도록 4 단계 과정으로 나누어 구성하고 있다.[63] 학급에서 발생한 사건을 선택하고(예, 학생은 흥미롭게 연구 과제를 공부하지만 교사의 주의 집중 요구를 무시하거나 "around the world"와 같은 게임을 하며 놀며, 계속 학생들이 게임에 너무 열중하게 되면 교사는 화를 낸다), 발생한 일에 대해 개인적인 성찰을 하도록 다음의 질문에 초점을 맞춘다:

- *1 단계*: 무슨 일이 발생했는가? "주요 사건"을 기술하는데 있어서 구체적이고 세밀히 한다.
- *2 단계*: 왜 이것이 발생했는가? 주요 사건을 설명하는 표면적 그리고 숨겨진 상황적 실마리 모두를 찾는다.
- *3 단계*: 이는 무엇을 의미하는가? 잠재적이거나 실제적인 사건의 의미는 무엇인가?
- *4 단계*: 나의 실제에는 어떤 함의가 있는가? 이러한 안내에 의한 성찰은 실제를 다시 생각하거나 수정하는 방법을 제시해야만 한다.[64]

Hole와 McEntree 의 안내에 의한 성찰 절차는 교사가 겪은 교실에서의 사건들을 통해 생각할 수 있도록 돕는 하나의 방법이다. 때때로 학급에서 벌어진 사건들에 대해서 상의할 동료가 없을 수도 있다. 이 절차의 핵심은 어떻게 이러한 사건이 벌어졌는지 생각해 볼 때 학급 교수로부터 교사를 분리시키는 것이다.

교사가 특정한 지도 상황을 보다 심도 있게 조사하고 규명할 때 교사가 지도 과정의 복잡성을 어떻게 다루고 대처하는지 이해하도록 하는 실제의 언어가 나타난다. 이와 같은 자기 성찰의 목적은 교실에서 무엇이 발생했는지 인식하게 하고, 특정한 자료나 상황을 정교하게 하고 명쾌하게 하고, 그리고 이러한 성찰이 교사나 학생에게 주는 의미를 설명하기 위함이다.

자기 평가와 성찰 지침

자기 평가는 지도와 교수 절차를 향상시키기 위해 지속적인 시도에서 가장 첫 번째 단계에서 제공될 수 있다. 문서화된 자기 평가 도구는 교사들이 가르침의 특정한 점들에 주의를 기울이게 하고 중요한 것을 간과하지 않도록 보증해준다. 교사가 자신의 수업에 더 많은 것을 발견할 때 성찰은 측정하는 것이 아니기 때문에 점점 더 깊이 있게 내면으로 들어갈 수 있게 문을 열어줄 것이다. 교사는 자신의 수업을 평가하고 성찰할 때 다음의 지침들을 따른다:

1. 자신의 강점과 약점에 접근하는 교사의 능력은 스스로의 개선을 위해 중요하다. 이 능력은 교사와 장학관 간의 의사소통과 좋은 관계 형성을 통해 향상될 수 있다.
2. 만약 학교에서 전문성 성장 계약이 사용된다면, 자기 평가는 계약 또는 공식적인 평가 과정의 한 부분으로 포함될지도 모른다.
3. 만약 교사와 학생의 평가가 동일한 형식에 같은 항목들로 되어 있다면, 자기 평점은 학생의 평점과 비교되어야 한다. 평점간의 차이가 분석되고, 해석되어야 한다.
4. 자기 평가는 교사에 대한 공식적인 장학관 평가의 출발 지점으로 사용될 수 있다.
5. 특정 행동이나 교수적 활동에 초점을 맞추고 싶어하는 교사들은 수업에 대한 자기 평가와 관련해서 특정 수업을 녹화해야 한다. 성찰의 목적을 위해서도 같은 비디오 테이프가 사용될 수 있다. 교사는 녹화된 수업을 분석하는데 중점을 두기 위해 12.3

이나 12.4와 같은 형식으로 기록할 수 있다.

6. 교사들이 공동의 교육학적 관심사에 대해 동료와 자발적으로 생각을 나누고 공동 연구를 할 때 성찰이 이루어지게 된다.

7. 성찰을 통해 교사는 스스로의 강점과 약점에 대해서 더 잘 이해할 수 있게 된다.

8. 성찰의 핵심은 자신과 동료, 짝에게 솔직해 질 수 있는 능력이며, 교사 자신의 수업을 분석할 때 동료들과 대화를 나누고 경청할 수 있는 능력이다.

장학과 평가

초임 교사들은 전문적으로 발전하기 위한 수단으로서 평가를 환영해야 한다. 일반적으로 초임 교사 평가에는 두 가지 형태가 있다. 몇몇 평가는 훌륭한 학생 평가가 그러하듯이 형식적이고 누적적이다. 이는 초임 교사들에게 성공할 수 있고, 학생 성장을 조성할 수 있음을 확신시키려는 의도로 실시된다. 교사들에게 학군의 평가 체계의 구체적 기준에 관한 수행 방법을 알려 주려는 의도로 실시되는 평가도 있다.[65] 교사가 어떻게 평가될 것인지, 누가 교사를 평가할 것인지에 관해 상급자(교장)에게 알아볼 필요가 있다. 그렇지 않으면, 현재 현직 교사로 있는 경우, 동료 교사에게 보통 교실에서 교사의 수행을 평가하기 위해 따르는 과정을 함께 검토하자고 요구하는 것이 좋다. 그러한 과정은 숙련된 교사들을 위한 것과 초임 교사들을 위한 것이 상이한가?

평가 체계에는 많은 다른 형태가 있다. 여러 학군에서 사용된 평가 절차를 검토해 보면, 몇몇 모형들이 나타날 것이다. 그 모형들 중 몇몇은 전문적으로 성장하는 것을 돕는데 있어, 혹은 전문적 성장을 위해 필요한 구체적 분야를 확인하는데 있어 비교적 비효과적일 것이다. Peterson은 비효과적인 몇몇 평가 모형을 설명한다:

• 증명서, 혹은 교사의 능력과 전문성에 관한 제3자의 주장을 활용

• 학생 평가, 특정 교사와 공부해 온 학생들이 교사의 능력을 평가

• 역량 기반 접근법, 교사가 가르친 것 안에서 맥락을 고려하지 않는 교사 행동의 매우 구체적인 기술을 활용[66]

Peterson은 성취기준 기반 체계(Pathwise와 IN-TASC에 있는 것처럼)가 학생 성취에 대하여 명백한 관계를 아직 나타내지 못하고 있기 때문에 문제가 있을 수 있다고 주장한다. 이 말이 사실일지라도, 그러한 체계는 교사 행동과 학생 성취 간에 관계가 있다는 연구 내용에 기초하고 있다. 이러한 이유로, 이 교재를 위한 틀로서 Pathwise와 INTASC를 활용했다.

이러한 모형들은 교사 평가의 광범위한 체계의 부분들보다는 오히려 교사 수행 평가를 위한 선별적인 방법이 될 때에만 문제가 된다. 한 가지 유형의 장학이 모든 학군에서 활용되지는 않는다. 선택사항이 너무 많아서 토의할 수 없지만, 비교적 일반적인 선택사항 두 가지를 고려해 보도록 하겠다.

비교적 적은 수의 학군(그리고 교사 교육 기관에서도)들은 보다 더 협력적인 임상 장학으로 알려진 형태의 장학을 활용한다. **임상 장학**에서, 장학관과 행정 직원들은 수업 과정의 요구 사항에 초점을 맞추어 초임 교사와의 협조 관계를 조성한다. 학년도가 진행됨에 따라, 학년 수준 혹은 과목 관련 장학관은 수업 계획을 세우기 위해, 적절한 자료와 매체에 대해 토의하기 위해, 교육 과정 제안점에 관한 대화를 나누기 위해 초심자와 함께 작업한다. 장학관이 비공식으로 초임 교사의 스타일, 능력, 요구 사항에 대해 알기 위해 단기간 동안 교실을 방문하는 것이 이상적이다. 그 후 교사가 초대할 때 혹은 상호 동의에 의해, 장학관은 전체 수업을 관찰한다. 그러한 방문은 항상 수업을 위한 계획에 대해 토의하는 관찰 전 회의, 수업의 관찰과 평가에 대해 토의하는 관찰 후 회의를 포함하여 공식적으로 계획된다. 임상 장학은 장학관과 초임 교사에게 시간을 요하는 과정이고 그것은 지시적일 수도 있고 비지시적

일 수도 있다.

이러한 세 단계 임상 과정(관찰 전 회의, 관찰, 관찰 후 회의)은 교사 장학 분야의 중요한 이론가인 Morris Cogan에 의해 1) 교사-장학관 관계 수립하기, 2) 교사와 함께 수업 계획하기, 3) 관찰 전략 계획하기, 4) 수업 관찰하기, 5) 교수-학습 과정 분석하기, 6) 회의 전략 계획하기, 7) 회의 지속하기, 8) 계획 갱신하기 등 8단계로 확장되었다.[67]

Cogan의 제자인 Robert Goldhammer는 5단계로 구성된 유사한 모형을 개발했다: 1) 관찰 전 회의, 2) 관찰, 3) 분석과 전략, 4) 장학관 회의, 5) 회의 후 분석. 이러한 두 가지 모형 모두에서 교사 행동과 기법이 관찰, 분석, 설명되고, 교사의 효과성을 개선하기 위한 결정이 내려진다.[68]

Ben Harris에 의하면, 교사는 이 과정의 각 단계를 위해 점점 더 큰 책임을 지는 것을 배울 수 있다. 교사가 관찰 자료를 분석하고 설명하는 것을 배우고, 교사 자신의 관심사와 요구에 직면함으로써, 장학관에게 덜 의존하게 되고, 성찰과 자기 분석을 보다 더 많이 할 수 있게 된다.[69]

분명, 몇몇 관찰과 회의는 교사 수행에 관해 어떤 공식적인 판단이 내려지기 전에 요구된다. 하지만, 숙련된 장학관에 의한 한두 번의 관찰 조차도 교사, 특히 교실에서 실제 경험이 부족한 초임 교사를 도울 수 있다. 또한 초임(그리고 숙련된) 교사들이 교수전략과 기술을 분석, 처방, 권고할 때 장학 피드백을 가치있게 여기고, 장학관과 교장의 의견을 존중한다는 증거가 있다. 그러한 의견은 교사들이 교수하는 방법과 학군의 기대 사항을 이해하는 방법을 배우도록 돕는다.[70] 이러한 유형의 지원은 초임 교사들(3년 경력 이하)의 이직률이 40-50 퍼센트 정도가 된다는 사실에서 보듯이 중요하게 고려되고 있다.

장학의 또 다른 형태로 보다 더 구조화되고 지시적인 **기술적 지도**가 있다. 즉 지도자와 조언자는 초심자가 활용할 필요가 있는 교수 행위를 보다 더 구체적으로 보여준다. 기술적 장학은 장기간에 걸쳐 새로운 교수 전략과 기술을 개발할 때 교사를 돕는다. 그러나 기술적 장학은 탐구에 의해 분수를 가르치는 방법 혹은 지시적 수업을 활용하여 같은 개념을 가르치는 방법과 같이 교사가 특정 교수 기술을 획득하는 데 초점을 두고 있으므로 전문적 대화와 동료 의견 교환을 억제하는 경향이 있다. 토의가 있다 해도 종종 특정 행동의 현존 혹은 부재나 개발되지 않고 있는 교수 기술에 초점을 두고 있다.

기술적 지도는 특히 초임 교사가 활용되는 특정 접근 방법의 배경 이론을 이해하고, 전문가에 의한 그러한 기술의 활용을 보고, 그 후에 스스로 교수 기술을 실습해 보는 기회를 갖는다면, 비위협적이고 건설적인 분위기로 주어지는 객관적인 피드백이 교수를 개선할 수 있다고 가정한다.

임상 혹은 기술적 지도 방법 중 어느 것이 가장 좋은가는 교수에 대한 사고 방식에 달려 있을 것이다. Carl Glickman은 구체적인 용어로 생각하는 교사들과 추상적인 용어로 사고하는 교사들을 구별한다. 두 가지 교사 유형 모두 피드백과 평가를 우호적으로 받아들인다. 하지만, 구체적인 유형(Glickman은 저 개념적 전문 사고 양식으로 여기는 사람들)은 그들의 수업적 문제, 해야 할 것에 관해 부족한 생각, 그러한 문제를 명확히 하는 데 있어 필요한 지원 등에 관해 혼란스러워하고, 그들은 구체적이고 고도로 구조화된 권고에 의해 도움을 받는다. 그들은 해답을 원하고, 기술적인 접근 방법들이 시작하기에 좋은 방식이 될 수 있다. 고도로 개념적이고 추상적인 장학관 혹은 조언자의 권고는 그들을 단지 혼란케 할 것이다. 두 번째 교사 유형(고개념 수준에서 기능을 수행하는 사람)은 수업 문제를 확인할 수 있고, 무엇이 행해질 수 있는지에 대한 생각의 다양한 원천을 추구하고 생성할 수 있다; 그들은 다양한 선택 혹은 행동의 결과를 시각화하고 언어화하며, 쉽게 그들의 교수를 수정할 수 있다. 미묘하고, 보다 일반적인 임상 장학이 이들에게 좀더 성공적일 것이다. 실제로, 많은 훌륭한 교사들은 적당히 추상적이며, 두 집단 사이에 속한다.[71]

교사들은 부분적으로 경험과 나이 때문에, 또 다른 부분으로는 다른 출발점 혹은 변화를 위한 권고를 받아들일 의지의 수준 때문에, 발달의 다른 단계에 속해 있다. 상이한 장학 접근 방법-지시적(기술적)인 것부터 협력적 혹은 비지시적(임상적)인 것까지-은 교수에서 긍정적인 변화를 강화하기 위한 교사의 발달 단계와 사고 양식의 맥락에서 고려되어야 한다. 분명히, 숙련된 (그리고/또는) 나이든 교사에게는 비숙련되고, (그리고/또는) 젊은 교사와는 다른 유형의 장학이 필요하다. 여러분이 초임 교사라면 보다 지시적인 유형을 선호할 것이지만, 여러분의 전문적 목표는 자신의 개인 발달을 위해 조언자와 동료들에게 협조적이어야 하고, 그것은 좀더 비지시적인 접근 방법에서 편하게 느끼게 된다는 것을 의미할 것이다.

새로운 평가 형태

몇몇 학군과 주는 새로운 평가 형태를 실험하고 있다. 이것들은 1990년대 초기까지 활용이 제한되었으나, 그 이후 많은 학교와 기관들은 그것들을 효과적으로 활용하는 방법을 탐구해왔다.

참평가

참평가는 교수 과정의 상이한 결과물의 다양성에 의존한다. 교수의 결과물은 교사의 성찰과 성장을 위한 자료의 원천이다. 이러한 산물은 교사에게 그들의 교수 수행과 학생 학습의 기본적인 예를 제공한다.

1. *수업 계획과 단원 계획:* 수업 계획과 단원 계획의 점검은 교과 혹은 과정의 수업 계획이 학습되고 있는지, 교사의 속도와 초점이 적절한지, 어떻게 개개의 학생 차이가 전달되는지, 수업 목표가 분명한지, 활동들이 적절한지, 학업과 과제 활동이 적절한지를 드러내야 한다(또한, 학문적 성취 기준과 학생들이 학습하는데 요구되는 자료 간의 관계를 판단하는 것이 가능해야 한다).

2. *평가:* 퀴즈와 시험이 중요한 목표와 학습 결과를 반영하는가? 시험 문제는 적절하게 작성되었는가? 평가의 상이한 유형들이 활용되고 있는가?

3. *실험과 특별한 연구 과제:* 이러한 연구 과제를 위한 유인물은 명료성, 철자, 구두법, 적절성이 조사되어야 한다. 그것들은 중요한 목표와 교과 내용에 일치해야 하고 학생들을 동기 유발해야 하며 그들의 학습 경험을 풍부하게 해야 한다.

4. *자료와 매체:* 자료와 매체의 질과 적절성 및 그것들이 수업 과정에 협조되는 방식은 교사의 지식, 기술, 학생 학습을 용이하게 하는 노력을 드러내야 한다.

5. *읽기 목록과 관계 서적 목록:* 이러한 현재 목록은 다양한 학생 능력, 요구, 흥미를 수용해야 한다.

6. *학생 결과물:* 학생의 학업과 시험의 예는 학생들의 기능과 교과목의 완전학습을 나타낸다. 그것들은 교사에게 피드백을 제공하고 교사가 학교에 의해 정해진 성취 기준뿐만 아니라 자신의 목표를 달성했는지 여부를 판단하는 기초를 제공한다.[72]

7. *교사 포트폴리오:* 포트폴리오는 구성하기 어렵고 잘못 표현될 위험이 있을지라도 교사 수행의 풍부한 묘사를 제공한다. 비디오테이프, 수업 계획, 교사 어록 혹은 개인 기록, 학생 작품(작문 예, 실험 예 등), 교사 관찰 기록과 같은 자료는 문서화, 평가, 그리고/또는 반성적 분석의 목적으로 활용될 수 있다. 이상적으로, 교사 포트폴리오는 현존하는 교사 성취 기준과 정의된 학교 목표에 기초할 필요가 있다. 그리고 그것은 학생과 교사의 작품 예 모두를 보유하고 있어야 한다.[73]

여러분은 운이 좋아서 학군에서 일하거나, 평가에 대해 보다 더 포괄적인 시각을 갖고 있고, 참평가를 활용하는 교사 교육 프로그램에 속해 있을 수도 있다. 특정의 실제에 대한 원리들이 그러한 참된 체계에서 찾아볼 수 있을 것이다.

• *원리 1:* 참된 교사 평가는 교사들이 학생 학습의 실제 결과물을 수집하고 보이도록 한다. 여기서 초점

은 학생들(모든 학생들)이 필수적인 내용을 학습하고 있는지에 맞춰져 있다. 상이한 학생들이 학습하는 것을 구체적으로 제시하고, 그들의 학습 정도를 문서화하는 예를 제공할 수 있는가? 그리고, 이 학습을 주에서 규정한 또는 국가의 성취 기준에 연결시킬 수 있는가?

- *원리 2*: 학생 학습의 참된 표현은 학생 작품을 가지고 교사가 구성한 포트폴리오를 통해 나타낼 수 있다. 이러한 포트폴리오에는 학생 작품(예컨대, 과제, 시험, 숙제, 연구 과제 등)과 교사 작품(예컨대, 수업 계획, 수업 녹화 비디오 테이프 등)의 예가 포함되어야 한다.

분명히 이러한 참된 표현은 완벽하지 않다. 그것들은 교사들이 포트폴리오에 무엇을 포함해야 할지 좋은 결정을 내리고, 장학관들이 그것에 대해 논평하고 토의한다면 효과가 있다.

가르치는 것을 시작할 때쯤이면, 교사는 여러 가지 방식으로 평가될 것이다. 교사가 특정 교수 기술 혹은 성향(예컨대, Pathwise 기준 혹은 INTASC 성취 기준)을 갖추고 있는지 보기 위해 관찰될 수 있고, 학생들이 무엇을 학습했는지와 교사가 내용을 어떻게 가르쳤는지를 보여주기 위해 활용하는 다양한 범위의 결과물을 수집하도록 기대될 수 있다. 교사가 교수에 대해 성찰하는데 도움이 되도록 모든 정보를 활용해야 하고, 개인적 및 전문적 성장을 조장하기 위한 수단으로 그것을 활용해야 한다.

특별히 초임 교사를 위한 가장 최신의 교사 평가 형태 중의 하나는 PRAXIS 시리즈이다. The Education Testing Service는 1987년에 이 시리즈를 시작했다. 처음 두 개의 PRAXIS 단계는 기본 수행 영역(PRAXIS I)과 내용과 전문 영역(PRAXIS II)에 초점을 맞추었다. 세 번째 단계(예비 교사들을 위한 Pathwise로 불림), PRAXIS III 교실 수행 평가에서 초임 교사들은 1) 계획과 준비, 2) 교실 환경, 3) 수업, 4) 전문적 책임 등의 4개 영역에서 특정 수행 수준을 나타내야 한다.

여러분이 PRAXIS를 사용하는 주에 있지 않으면,

Interstate New Teacher Assessment and Support Consortium(INTASC)를 적용하는 주에 있을 것이다. 그러한 성취 기준은 PRAXIS III 영역과 상호 관련되는데, 그 이유는 양자가 본질적으로 같은 내용의 연구에 기초하고 있기 때문이다-그것들은 단지 "효과적인 교수" 개념을 조직하는 상이한 방식을 대표한다.

몇몇 학군은—복잡하고 비교적 포괄적인 평가 시스템에 기초하여—성취 기준을 만들고 있다. 특히 국가적 관심을 받아 온 곳은 Ohio의 Cincinnati에 있는 Cincinnati 공립 학군이다. The National Board for Professional Teaching Standard에서 나온 성취 기준, PRAXIS III의 틀, INTASC, 특별히 Charlotte Danielson의 *Enhancing Professional Practice: A Framework for Teaching*은 모두 이 체계의 토대로 활용되었다.

Cincinnati 체계는 네 가지 영역에 기초하고 있다:

- 학생 학습을 계획하고 준비하기
- 학습 환경 준비하기
- 학습을 위한 교수
- 전문가정신

여러분은 위의 것들은 PRAXIS 영역과 비슷한 것임을 알 수 있다. PRAXIS III는 초임 평가에서 활용되고 PATHWISE는 예비 교사단계에서 활용된다. 각 영역 내에는 수행 기준이 있다. 이 학군은 누가 평가를 받고, 언제 평가가 이뤄지는지에 대한 명확한 설명을 만들었다. 신임 교사는 평가과정에 관여한다. 각 교사는 고수준의 학생 활동에 관한 저작물을 포함하는 포트폴리오를 만든다. 그 포트폴리오는 네 개의 영역내의 표준에 의해 조직화된다. 여기에 포함되는 저작물에는 다음과 같은 것들이 있다.

- 학습자로서 학생이 지식 획득을 한 증거
- 장기 계획
- 두 학생의 두 가지 활동 사례
- 학생 발전 정도의 추적 내용
- 가족과의 상담 내용의 증거

- 학군/학교/팀 참여 기록
- 완료된 전문적 발달 활동의 기록[74]

Connecticut주에서는 INTASC 체제가 수행기반 평가 체계를 발달시키기 위해 사용되어 왔다(사례 연구 12.1참조). The Connecticut Beginning Educator Support and Training Program은 신임 교사에 대한 지원과 조언을 제공한다.[75] 처음 3년간의 교수활동기간에 걸쳐, 신임 교사는 다양한 종류의 지원 자료를 제공받는다. 2년째 되는 해 동안에 신임 교사는 교과기반 교수 포트폴리오를 수집하고 제출해야 한다. 포트폴리오에는 7일에서 10일 간의 수업 단위를 기준으로 학생 학습 계획, 교수, 평가와 자기 성찰에 관한 내용을 문서로 만들어 포함한다.[76] 이것들은 친숙하게 들려야 한다. PRAXIS III, INTASC와 같은 많은 모형들은 같은 목적을 가지고 있기는 하지만 효과적인 교수에 대해 근소한 차이를 보이는 연구를 통해 도출된 것이다. Connecticut 모형은 내용과 교수법 모두에 중점을 두고 있다.

전국의 장학과 평가의 실례를 살펴보았으므로 넓은 범위의 다양한 실제적인 실례를 이해할 수 있을 것이다. 어떤 학교는 신임 교사가 목표를 선정하고, 그러한 목표와 비교하여 자신을 평가하기-임상적 접근법-를 원할 것이다. 어떤 학교는 직접 교수법이나 Success for All과 같이 교사들이 활용하기를 원하는 구체적 방법을 가지고 있을 것이다. 그리고 학교는 교사를 훈련시키고, 그에 따라 평가하고 기술적 조언의 형태를 제공할 것이다. 결국 어떤 학교는 Cincinnati주에서 활용하고 있는 모형의 변형을 활용할 것이다. 그 학교들은 훌륭한 교수를 구성하는 제정된 기준을 활용할 것이고 그러한 기준과 비교하여 교사를 평가할 것이다.

모든 변형과 대안적 구성들에서 이러한 새로운 평가 목표 중에 몇 가지 공통의 특징이 확인되었다. 구체적으로 교사로서 다음과 같은 사항을 반드시 알아야 한다.

- 자신의 교수 내용을 알아야 한다.

- 그 내용을 가르치는 방법을 알아야 한다.
- 학생에게 적절한 피드백을 제공하는 방법을 알아야 한다.
- 다양한 방법으로 학생의 학습을 평가하는 방법을 알아야 한다.
- 학습에 대한 내용을 문서화 하는 방법을 알아야 한다.
- 특별한 요구를 가진 학생들에 맞도록 수업을 수정하기 위해 학생들이 학습하고 있는 것을 성찰하는 방법을 알아야 한다.

만약 이러한 것들을 하는 방법을 안다면 거의 확실히 성공할 수 있을 것이다. 그러나 그러한 지식을 가지고 있다고 해도 성장의 여지는 있다. 연속적인 전문가 성장을 위해 가장 잘 알려져 있는 접근법 중의 하나가 National Board Certification이다.

국가 위원회 자격증 (National Board Certification)

1987년에 설립된, 교사 자격 국가위원회(National Board for Professional Teaching Standards, NBPTS)는 교사 자격증과 교사 평가를 발전시키기 위한 거대한 규모의 조사와 개발 프로그램을 시작하였다. NBPTS의 임무는 계획적이면서도 수준 높은 자격증 체계를 개발하는 것이다. 이는 교사가 무엇을 알아야만 하는지 그리고 무엇을 할 수 있어야 하는지와 이러한 기준을 강화시킬 교사 위주로 구성된 관리 위원회를 식별하기 위한 것이다. NBPTS의 구체적인 임무는 공식 웹사이트(www.nbpts.org)에 잘 정리되어 있다. NBPTS의 목표는 다음과 같다.

- 성취한 교사가 알아야 하는 것과 할 수 있는 것에 대한 높고 강력한 기준의 유지
- 그러한 기준에 도달한 교사를 위한 계획적인 자격증 체계의 제공

- 국가위원회 자격증을 미국 교육에 통합하기 위한 관련 교육 개혁 주장

국가위원회 자격증 절차는 APPLE기준을 강조한다. 그 기준이란 평가가 관리적인 측면에서 실행 가능해야 하고(Administratively feasible), 전문적으로는 받아들일 수 있어야 하며(Professionally acceptable), 공공적으로는 신뢰할 수 있어야 하며(Publicly credible), 법적으로는 방어할 수 있어야 하며(Legally defensible), 경제적으로는 알맞아야 한다(Economically affordable)는 것이다.

NBPTS는 값싸지 않다. 10년 동안 자격증 유효를 보증하기 위해 2,300달러가 소요된다. 학사학위를 소지하고 있거나 공립 혹은 사립학교에서 3년 동안의 교수 경험을 가지고 있는 사람은 누구든지 지원 가능하다.

이 과정에 대한 논쟁이 또한 빠지지 않는다. NBPTS를 추구하는 매우 높은 비율의 교사는 성공적이지 않으며, 비판가들은 간단히 말해서 NBPTS 자격증서를 소지하고 있는 교사가 본인이 가르치는 학생에게서 더 큰 학습 성과를 생성하는 바를 제시하는 증거가 없음을 주장한다. NBPTS 자격증이 학생을 대상으로 부가 가치적인 학습 차이를 만들어내는지에 대한 최근의 연구가 수행되었다. 하지만 그 조사는 논쟁사항을 완전히 해결할 수 있을 것 같지는 않다. NBPTS는 NBPTS 자격증서를 소지한 교사가 다양한 수행 지표에 근거하여 더 잘 수행한다는 것을 제안하는 연구를 수행하였다. 하지만 비판가들은 주요 변수는 학생 학습이라고 주장한다. NBPTS 자격증 교사는 향상된 학생 학습을 생성해 내는가? 그에 대한 답은 알려져 있지 않다. 단지 알려진 바는 NBPTS 자격증 교사가 NBPTS의 과정이 최대의 도움을 주고 있으며, 학생에게도 향상된 교수 기술의 이익을 주고 있다고 믿고 있다는 정도이다. 비록 NBPTS 자격증 교사가 대부분의 주에서 급여 장려금을 받고 있지만, 심화 수준의 자격증 획득을 위한 동기로써는 언급되고 있지 않다. 그들은 향상된 전문적인 발달과 합쳐진 개인적 도전이 NBPTS 자격증을 추구하는 자극을 제공한다고 주장한다.[77]

새로운 심화 NBPTS 자격증 체계는 1) 발달 수준(학생이 어떻게 가르침을 받아왔는가)과 2) 교과목(무엇을 배웠는가) 등 두 가지 측면을 고려한 30개 이상의 (개발된 또는 개발이 저조한)상이한 교수 자격 항목으로 구성되어 있다. 발달 수준 측면은 네 개의 항목으로 나뉜다. 세부내용은 초기 아동기(3살~8살), 중간 아동기(7살~12살), 초기 사춘기(11살~15살), 그리고 사춘기/청년기(14살~18살 이상)이다. 이러한 구조는 학년수준에 따른 전통적인 각 주의 자격부여 관례에 따라 다르다. 교과목 측면은 교수 자격에 관한 것으로 초기 그리고 중간 아동기 일반교사와 초기 사춘기 영어/언어 예술 혹은 사춘기와 청년 수학에 대한 과목 전문 교사가 있다. 국가위원회는 예외적인 필요를 위해 자격증을 개발하였는데, 이를테면 새로운 언어로서의 영어, 그리고 영어 이외의 다른 세계 언어에 대한 것들이다.

국가위원회는 교사 평가를 위한 지침을 만든다. 이러한 지침은 평가 과제가 다음과 같아야 한다는 것을 강조하고 있다.

- 입증되어야 하고 그에 따라 복잡해야 한다.
- 교사 자신의 기술을 보여줄 수 있도록 개방형이어야 한다.
- 교사에게 분석과 성찰을 위한 기회를 제공할 수 있도록 구조화되어야 한다.
- 좋은 실례를 예시할 수 있도록 기회를 제공하는 것이어야 한다.

국가위원회 인증 교사의 수는 아직 여전히 많지가 않다. 2003년 초에 North Carolina와 Florida는 한 나라 안에 가장 많은 수의 위원회 인증 교사를 가지고 있었다. 각각 5,111명과 3,489명이었다. 근접하게 뒤를 잇는 주는 South Carolina(2,358), California(1,960) 그리고 Ohio(1,771)이다. 비록 몇 개의 주가 교사의 수가 사실상 적다고 공표했지만, 모든 주가 소수의 위원회 인증 교사를 가지고 있다. 예를 들면 North Dakota(13), Pennsylvania(225) 와 같은 주이다.

전문가 협회와 활동

전문가 협회에서의 회원자격과 모임, 연구, 그리고 심화학습은 전문가적 성장에 기여하고 교사에 대한 환경 개선에 도움을 줄 수 있다.

교사 협회

주요 교사 협회에는 American Federation of Teachers (AFT)와 National Education Association (NEA) 등 두 가지가 있다. 대부분의 학군에서는 교사들이 2개 중에 모든 교사가 가입할 쪽을 투표로 정한다. AFT의 지역 지부나 NEA의 주 지부에 참여하거나 참여하지 않는 선택이 개인에게 주어지는 학군도 있다. 만약 선택권을 가지고 있다면, 급하게 결정하려 해서는 안 된다. 그러나 명심할 것은 두 기구 모두가 교사를 위한 급여와 이익, 그리고 작업 환경을 개선하기 위해 지원해 왔다는 것과 그들 중 하나에 참여하게 될 것이란 점이다. 현재는 모든 공립학교의 3/4 이상의 교사가 AFT 혹은 NEA에 속해 있다.[78]

AFT는 대략은 2003년 기준으로 일백 만 명의 회원을 가지고 있으며, 주로 도시 지역에 조직화 되어 있다. AFT는 다음과 같은 넓은 범위의 다양한 개혁사항을 포함하고 있다.

- 높은 수준의 학문적 기준과 강력한 교육과정
- 확고한 학교 훈육 정책
- 교사 인증을 위한 더 수준 높은 기준 제시
- 높은 수준의 교사 협동 보증을 위한 동료 검토 제도
- (교육위원회의 통제를 받지 않는)독립 공립 초중등 학교
- 자발적인 심화 교사 인증체계

AFT는 AFL-CIO와 관계를 맺고 있으며 스스로를 "무상 공립 교육"의 가장 오래된 주장단체임을 광고하고 있다. (www.AFT.org 참조)

도시주변과 시골 사이에 차이는 있지만, NEA의 회원은 모든 주, 그리고 Puerto Rico와 워싱턴 D.C. 학군 등에 걸쳐 거대한 지부망을 형성하고 있다. AFT의 경우 지역 지부가 강력한 영향력을 가지고 있는 반면 13,000개의 지역지부가 있는 NEA의 힘은 주 지부에서 나온다. 실질적인 숫자로 말하자면, NEA는 전 미국 트럭 운전자 조합을 바로 뒤따르면서 국가 내 두 번째의 의안 통과력을 가진 단체이다. 1857년에 설립되어, 현재 270만 명의 회원을 보유하고 있으며, 공교육 발전에 기여하고 있다.

비록 두 단체가 교육문제에 대해 다른 입장을 취하고 회원 수에 대해 다툼이 일어나더라도 주 차원에서 회원을 빼돌리는 시도에 대한 논의는 없었다. 가장 중요한 것은 양 단체가 교수직업의 지위를 향상시키려는 노력을 하고, 교사와 학교에 관한 많은 논의에 동의하며, 때로는 정치적인 문제에 있어서는 힘을 합친다는 점이다.

양 단체의 웹사이트를 방문하면 각 단체가 중요한 교육 논의점에 대해 어떠한 입장에 서 있는지를 알 수 있을 것이다. 이 장이 쓰여질 때에 NEA 공식 사이트에서는 책임감과 평가, 독립 공립 초중등학교, 학교 안전, 교사의 질과 같은 중요 논제에 대해 입장을 제공하였다. NEA의 입장을 예로 들면 웹사이트에 등록된 것처럼 책임감과 평가에 대해서 "학교와 교사 그리고 학생은 높은 기준을 유지해야 한다. 그리고 NEA는 책임감이라는 것은 모든 학생이 성공하는 것을 돕는다는 궁극적 목표와 함께 학교, 교육 종사자, 그리고 부모와 공유되어야 한다고 생각한다"와 같이 제시되었다.

전문가 단체

학급 활동 수준에서는 교사와 예비교사 포함하여 이들에게 가장 최대의 학문적 이익을 주는 전문가 단체는 대개 교사 자신의 주요 분야에 집중한 것들이다. 각 전문가 협회는 유사한 흥미를 가진 교사를 위한 만남의 토대를 제공한다. 이러한 전문가 협회는 통상 지역과 국가범위의 회의와 승인된 교육과정과 교수 실례를 설

명한 월간단위 혹은 분기단위의 학술지의 출판과 같은 활동으로 이루어진다.

단체 중에는 사회교과위원회(the National Council for the Social Studies)나 영어교사위원회(the National Council of Teachers of English), 현대언어협회(the Modern Language Association), 과학교사협회(the National Science Teachers Association), 수학교사위원회(the National Council of Teachers of Mathematics)와 같이 과목 중심의 단체가 있고, 특정 학생을 위한 단체로는 특수아동관리위원회(the Council for Exceptional Children), 2개국어아동관리협회(the National Association for Bilingual Children), 유아교육협회(the National Association for the Education of Young Children), 흑인학생을 위한 장학제도 및 기금(the National Scholarship Service and Fund for Negro Students) 등이 있다. 이와 같은 협회들은 특정 학생과 청소년이 준비된 학교 직원의 지원을 받고 특수화된 교수 기술을 향상시키기 위한 목적을 가지고 있다.

과목과 학생 유형에 걸쳐 있는 전문가 단체들도 있다. 이러한 단체들은 일반적으로 혁신적인 교수와 수업 실례를 강조하는 경향이 있다. 그러한 단체들은 자신의 학술지를 통해 교육전반의 영역에 영향을 미치는 새로운 경향과 정책을 설명한다. 교사와 관리자 그리고 교수를 포함한 넓은 범위의 회원을 확보하는 것과 일반적인 교수 직업의 발전을 위해 활동하는 사항과 같은 내용을 언급하고 있다.

아마도 이러한 유형 중 가장 잘 알려진 조직은 미국, 캐나다 그리고 해외에 649개의 지부를 가지고 있는 Phi Delta Kappa(www.pdkintl.org)이다. 이 단체의 회원자격은 대학원생, 관리자 그리고 초중등학교와 대학 수준의 교사 등이다. 심지어 대학생들도 그들이 교사 자격증을 취득한다면 참여할 수 있다. 2003년에 회원들은 약 120,000명 정도였다. 원래는 남성에게만 열려 있었고, 1974년에 여성들에게도 회원자격을 개방했다. 이 조직의 목적은 특별히 공교육에서 교육에 있어서의 질과 평등을 증진시키는 것이다. 회원들은 1년에 10번 출판되는 매우 권위있는 학술지와 공제 조합 뉴스레터인 Phi Delta Kappan을 받는다. 관심사에 대한 종이 표지의 책들이 회원들에게 낮춰진 가격으로 판매되고 있으며, *Portfolio Development for Preservice Teachers and Student Literacy: Myths and Realities* 를 포함해서 다양한 주제에 대해 출판되고 있다.

전문적인 활동

만약 계속해서 잘 가르치고 싶다면, 주제와 최근 교수 학습 동향을 잘 알고 있어야 한다. 계속된 개정이 없다면, 수업은 도태되고 무미건조할 것이다. 연구분야의 개발에 뒤떨어지지 않기 위해서 1) 전문도서와 학술지 읽기, 2) 적어도 1년에 한두 번은 전문적인 학회 참석하기, 3) 대학이 후원하는 프로그램이나 학군의 현직 연수 프로그램과 관련하여 고급 과정에 등록하기 등 세 가지를 할 필요가 있다.

참고 서적

교사가 참석하는 거의 대부분의 전문 기관은 월간 혹은 분기별 학술지를 가지고 있다. 교사를 위해 가장 즉각적인 가치가 있는 학술지는 교과와 학년수준에 초점

전문서적에 열중하거나 전문과정을 수강하는 것은 교사 효율성 증진 및 유지를 위해 중요하다.

을 둔 것이다. 예를 들어, *Journal of Reading, Reading Teacher*, 또는 *Reading Today*와 같은 학술지를 구독해도 좋다. 수학교사는 *Teaching Children Mathematics* 또는 *Mathematics*를 구독하는 것이 좋고, 사회교사는 *Social Education*과 *Social Studies*를 읽으면 좋다. 그들의 학년 수준에 좀더 맞추는 초등교사는 *Childhood Education* 또는 *Young Education*을 구독하는 것이 좋고, 고등학교 교사는 *Middle Ground* 또는 *High School Journal*을 원할지도 모른다.

교육에는 많은 전문학술지가 있다. 시간과 구독 비용 때문에 현명하게 선택하는 것이 좋다. 다음 두 가지 질문에 대한 답은 독서와 구독을 결정하는데 도움이 될 것이다. "나는 실제적인 조언과 읽기 쉬운 기사를 원하는지 아니면 이론적이고 심오한 독서를 원하는가?" "주제 또는 학년수준의 관심사에 초점을 두기를 원하는지 아니면 전반적인 교육의 관심사의 토론을 원하는가?" *Instructor* 같은 현장 실무자 학술지는 읽기 쉽고, 실천적인 기사를 담고 있을 것이고, 반면에 *Educational Researcher* 같은 학술지는 좀더 복잡하고, 연구 기반의 기사를 담고 있을 것이다.

책과 학술지를 읽는 것 외에, 교실 활동과 관련 있는 중요한 관심사에 대해 매일 업데이트를 제공하는 가상의 서비스를 구독하는 것도 좋다. 가장 좋은 것 중 하나가 1.6200.Fa-TAmb_TNFYqsR.1@smbl.cc.을 통해 연락할 수 있는 ASCDBrief이다. ASCDBrief는 관심사에 대한 구체적인 이야기와 연결해서 광범위하고, 다양한 주제에 관해 매일의 정보를 제공한다. 어떤 특정한 날에 대해, 특별한 교육에서부터 고부담 시험에 걸쳐 주제에 관한 정보를 찾을 수 있다.

회의

주요한 두 가지 교사 조직-the American Federation of Teacher과 the National Education Association-은 해마다 다른 도시에서 만난다. 만약 이러한 조직 중 하나의 구성원이라면, 적극적인 참가자가 되고, 연간 미팅에 참여하면 도움이 될 것이다. 다양한 교과 관련 협회와 특수한 학생 연합 또한 지역적인 회의를 가질 것이다.

지역 대학을 주시한다. 교육학과나 사범대학은 종종 지역에서 다른 전문가와의 미팅과 교수에 대한 지식을 갱신하기 위한 뛰어난 전문적인 모임과 짧은 세미나를 후원한다. 교육학과와 지역 학군에서는 자주 시기 적절한 교육 주제와 교수기법에 관한 하루 이틀 동안의 회의와 현직을 위한 강습회를 조직한다.

전문적인 필요와 흥미에 가장 잘 맞는 모임과 회의를 현명하게 선택하고, 일정에 맞게 조직하면 그것에 참석 할 수 있다. 그 예정표와 학군의 출장 정책을 잘 알고 있는 것이 좋다. 학기중에 모임이 생긴다면, 참석하기 위해 특별한 허혜가 필요할 것이다. 단과대학이나 대학, 국무부, 지역 교육 사무소 혹은 지역구의 후원을 받는 지역 모임은 주로 방과 후나 주말에 이루어진다. 이러한 모임은 일정, 시간, 비용에 있어서 참석하기가 더 쉽다.

교과 과정

학문영역에서 학위와 주의 인증이 따르는 대학교 교과 과정과 프로그램의 이점을 이용해야 한다. 또는 교사는 여름 세션, 강습회, 특별한 기관 그리고 지역 대학이나 지역구에 의해 행해지는 현직 교육과정에 참여하는 것이 좋다.

가르치고 있는 주나 교육구에서 이용할 수 있는 특별한 수당, 장학금 또는 (정부의) 보조금이 있는지를 확인해 보는 것이 좋다. 몇몇의 주는 특별한 학문영역 특히 과학 교육, 수학 교육, 특수 교육의 프로그램에 가입할 때 금전적인 장려금을 준다. 많은 교육구는 대학원 교육을 위한 학비를 전액 또는 부분적으로 비용을 대준다.

비록 교육에 있어서의 수월성에 관한 많은 최근의 보고서가 전문적인 교육 과정의 수를 제한함으로써 교사의 준비와 인증에 있어서 교사 훈련 기관의 역할을 줄일 것을 추천하고 있지만 Carnegie Report *A Nation Prepared* and the National Commission on Excellence in Education 같은 다른 한편에서는 전문적인 교육과 현장 경험의 증가를 요구하고 있다.

교사의 미래의 전문적인 성장을 고려해볼 때, 미래

의 전문적인 성장 경험을 어떻게 초점을 두기를 원하는지를 고려하는 것이 유용하다는 것을 발견하게 될 것이다. *Teaching Quality Research Matters*에서 보고된 연구를 논리적으로 확장한 몇 가지 처방이 여기에 제시되어 있다. 이러한 아이디어들은 장래가 촉망되는 교사로서 참여하는 교육적인 경험이 무엇이든지 간에 실제적으로 관련이 있다.

1. 특정한 교육적 실제의 습득에 초점을 둔 전문적인 발달 경험은 교사의 이러한 실제 활용의 전조가 된다. 모든 것에 대해 많이 학습하는 것은 정확하게 활용하는 것을 제한할 것이다. 직접교수법이나 구성주의 교수에서의 기능을 개발하기 위해서는 집중과 연습을 요구한다. 하나의 접근을 사용하는 다른 교사들을 관찰하고, 그 연습에 참여한 후 자신의 연습에서 피드백을 받도록 애쓰는 게 좋다.
2. 유사한 배경과 교수 흥미(심지어 학년 초점)를 가진 교사가 관여된 전문적인 발달 관련 공학은 수업적으로 더 좋은 결과를 낳는다.
3. 전문적인 기능을 개발할 때 함께 공부할 조언자나 연구회를 찾는 것이 좋다. 좋은 교사는 스스로 고립되지 않는다; 그들은 협력한다.[79]

연구자-교사 협력

종종 협력 연구 모형이라고 불리는 것에서, 대학의 연구자들은 점점 교육의 문제에 대한 해결책에 교사를 관련시킴으로써 교육적인 문제의 범위를 다루기 위한 노력의 일환으로 학교와 연합하고 있다. 이 모형은 협동적인 문제 해결을 통해 연구자들이 실천가의 문제점을 더 잘 파악할 수 있고, 교수를 개선할 전략을 개발할 수 있고, 교사와 학교에 이득이 된다는 신념 때문에 널리 퍼졌다. 사실상, 교사 효과성에 관한 새로운 연구의 많은 부분은 그러한 협동적인 노력에서 도출되었다. 새로운 협력 센터들(때때로 R&D 교육센터 혹은 실험연구 센터로 불리는)은 이론과 연구자가 연구하기를 원하는 것에 관심을 덜 두고, 실제적이고, 영속적인 교사의 문제에 좀더 초점을 두고 있다.

연구 질문, 자료 수집, 보고와 관련된 결정은 대학과 학교가 함께 결론을 내린다. 교사와 연구자간의 협력은 두 집단 모두 교육에 있어서 이론과 실제를 개선하기 위해 함께 일한다는 것을 강조한다. 연구자들은 교사들을 존경하고, 그리고 실제적인 가치의 연구를 수행하는 것을 학습하고, 교사들은 연구자들의 노고를 감사하고, 그리고 연구를 하는 것을 학습한다.[80]

협력관계에 있어서 가장 흥미로운 발전은 많은 교사들이 연구자들과 수행된 연구에서 더 이상 익명성을 원하지 않는다는 것이다. 예전 관계에서의 요구사항은 "정보제공자" 혹은 "응답자"의 익명성과 권리를 보호하는 것이었다. 이제 교사들은 종종 연구에서 완전한 제휴를 찾는다. 그래서 그들은 연구물이 출판될 때 함께 인정을 받는다. 이러한 결과는 교사-연구자 관계뿐만 아니라 교사의 소유권과 권한을 포함한다. 미래에 이론과 실제를 더 잘 혼합하기 위해서 이러한 관계는 개선될 필요가 있다.[81]

이 장을 완결하면서, 교수는 어렵고 보람이 있다는 것을 지적하는 것이 중요하다. 사실, 문제들이 있지만 가르치는 일보다 좀더 흥미롭고 중요한 역할은 거의 없다. 유능한 교사가 어린 아이들과 함께 공부할 때, 지루한 순간은 드물다. 그들의 학생을 통해서, 교사는 지역사회와 국가의 성장과 형성에 이바지 할 수 있다. 교사의 영향은 오랜 기간 지속된다. 그리고 우리는 언제 그 영향이 멈출지를 결정할 수 없다. 가르치는 일은 자부심이 있는 직업이고, 전문적인 성장과 발전은 교사의 삶에 중요한 부분이다. 불행하게도, 성공에 필요한 모든 전문적인 발전을 받아들이지 않을 것 같다. 대부분의 미국교사들은 하지 않는다. 흥미롭게도 일본의 교사들은 그들이 가르치게 된 첫해 동안 거의 20일 동안 현직 교육 훈련을 받는다. 여러분이 이틀 이상을 받는다면 운이 좋은 것이다. 그리고 이 점이 이 장의 마지막 부분에서 언급된다.

전문적인 일을 시작할 때, 대부분 여러분의 잘못이 아니라 오히려 미국교육 구조의 부산물인 두 가지 부정적인 현실을 아는 것이 좋다. 하나는 탈진이고, 다

공학적 관점

학급 교사로부터의 공학적 관점

Jackie Marshall Arnold
K-12 Media Specialist

전문성 개발은 효과적인 교사가 효과성을 지속하게 하는 데에 있어 결정적이다. 교사가 모든 내용 관련 영역과 수업 방법에서 그들의 전문성 성장을 지속하는 것은 중요하다. 이 마지막 관점은 어떻게 공학이 효과적인 교사가 요구하고 원하는 전문성 개발을 제공하는 도구가 될 수 있는지 상세히 설명할 것이다.

인터넷은 전문성 성장을 지원하기 위해 다수의 온라인 자원을 제공한다. 교사는 내용을 연구하고, 최근의 학회지 논문을 읽고, National Council of Teachers of English와 같은 전문 조직활동을 유지하기 위해 인터넷을 사용할 수 있다. 웹사이트는 특정한 영역에서의 성장을 또한 지원할 수 있을 것이다. 예컨대, Teacher Tap(http://eduscapes.com/tap/)은 공학 관련 질문으로 교사를 지원하는 무료의 자원이다. 이것은 온라인 자원과 활동, 기술 통합을 지원하는 도구를 제공한다.

교사는 토론실과 서로의 사고와 생각, 도전을 공유하기 위한 답글을 발견할 수 있다. 이들 동시적, 비동시적 협력 방법은 교사가 다른 교사와 "대화"하고, 서로의 성장을 분주히 지원하게 한다. 예를 들어, Tapped In(http://www.tappedin.sri.com/)은 교사가 전세계의 다른 교육학자와 협력하게 한다. 그것은 대부분의 훈련에서 방과 후 토론 모임을 주최하고 많은 자원을 제공한다. 교사는 사람의 질문이나 사고에 응답함으로써 다양한 토론에 참여하고 그리고 나서 다른 응답을 읽기 위해 나중에 되돌아올 수 있다.

온라인 과정은 교사가 어떤 곳에 갈 필요가 없이 그들의 과정과 전문적 실천을 지속하게 하는 것이 현재 이미 가능하다. 교사는 온라인에서 수강함으로써 대학 이수 증명을 받을 수 있고 그들의 흥미와 요구 분야를 개발할 수 있다. 온라인 과정은 교사의 상당히 바쁜 삶을 존중하여 교사가 과정을 수료하는 시간과 장소를 유동적이게 한다.

마지막으로, 효과적인 교사는 기술 통합을 지원하기 위해 그들의 공학적 기술과 생각을 향상시키는 것에 항상 주의를 기울일 것이다. 그들은 이 영역에서 성장을 지속하기 위해 생각과 자원을 제공하는 매체 전문가 또는 공학 조정자를 찾는다. 공학회의 참여, 공학 학회지 읽기와 공학 조직 분야에의 소속은 효과적인 교사가 그들의 공학 이해 흐름을 또한 유지시키게 해 줄 것이다.

공학은 효과적인 교사의 전문성 개발을 다양한 방법으로 지원할 수 있는 도구이다. 그것은 교사에게 그들이 필요하고, 바쁜 교사가 원하는 유동성을 허용하는 자원과 정보를 제공할 수 있다.

른 하나는 개인적이고 전문적인 자아존중감의 부족이다. 두 가지는 개인적이고 전문적인 성장의 부족에 의해 직접적으로나 간접적으로 원인이 된다. 즉, 교사가 교실에 배치되고, 너무 적게 가지고 너무 많이, 너무 빨리 하도록 기대될 것이다. 잠재적인 부정적 현실을 대응하는 가장 좋은 방법은 계속해서 자신만의 기능(컴퓨터 네트워크를 통해)을 확장하고, 가르치는 일의 복잡성을 이해하기 위한 방법들을 규명하는 것이다. 경험이 많은 교사인 Jennifer Bradford는 또한 다시 시작할 필요가 있을 때 고려할 "재미있는" 교훈을 제공한다.

- 안마를 받고, 편안할 수 있는 방법을 찾기
- 운동하기
- 애완견 또는 적어도 그런 희망을 갖기
- "이방인"을 이해할 수 있다고 기대하지 말기
- 학교는 제각각의 이유를 가진 많은 구성원들이 있다는 것을 인식하기
- 휴가는 해방을 의미하므로, 재충전할 방법을 찾기[82]

이와 같은 서적은 필수적으로 교수 실제를 검토한다. 전문적으로 성장한 교사로서 여러분은 교수-학습 과정 고유의 복잡함을 처리하기 위해 다른 실제가 어떻게 합쳐질 수 있는지를 살필 수 있어야만 한다. 그러나 지금 또는 아주 가까운 시일에, 여러분은 면접을 준비하기 위해 모든 교수 "분야"를 어떻게 이해해야 하는지 고려할 필요가 있을 것이다. 우리는 다음과 같은 질문을 받게 될 것이다.

- 전문적 실제의 과학과 기예를 합치는 여러분의 교수 철학
- 여러분의 주와 학군에서 학문적 내용 성취기준과 관련된 의미 있는 수업을 만드는 능력
- 학생의 다양한 학습 요구를 처리하기 위한 적합한 수업에 대한 여러분의 접근
- 학급 운영과 훈련에 대한 여러분의 접근
- 여러분 자신의 전문적인 장, 단기적인 목표

이 교재에서의 우리의 목표는 이들 관심 영역에 대해 여러분에게 답을 주는 것이 아니라, 여러분이 대답하기 위해 사용하는 정보를 준다.

우리는 여러분의 향후 20년에서 30년 동안의 전문성 추구가 보상받기를 원한다. 효과적인 교사가 되는 것은 아이들의 삶을 다르게 만드는 것이다. 이것은 여러분이 여러분 자신을 전문적인 교육학자로서 느끼는 방법 또한 다르게 만드는 것이다.

이론의 실제 적용

우리는 이번 장에서 교사가 어떻게 준비하고 그리고 그 결과로 전문가로서 어떻게 개발하는지에 대해 많이 토론해 왔다. 우리는 2000년대 초 가장 문제가 되었던 논쟁들 중 하나인 어떻게 학교가 좋은 교사를 유지시키는가로 결론지을 것이다. 교사를 준비하는 방법에 대한 이론이 있지만, 실제로는 이들 "준비된" 교사 대부분은 전문직을 떠나려고 한다.

교사가 교직을 떠나는 이유에 관한 연구는 복잡하다. 단순히 지지되지 못하고 충족되지 못하다고 느끼기 때문에 관두는 사람이 있는 반면, 어떤 사람은 매우 일반적인 이유에서 분명히 관두게 된다. William Sanders는 교사가 경력 중 7년과 25년 사이에서 그들의 최고 효과성에 도달한다고 믿는다.[83] 교사는 기능을 개발하고(1년~7년), 숙달되고(7년~25년), 그리고 나서 효율성에서 감소되기 시작한다. 이런 양상이 항상 규준이 되는 것은 아니다. 어떤 사람에게 이 감소가 결코 발생하지 않고, 다른 사람은 수행에서의 "감소"가 경력에서 일찍 발생할 수 있거나 특정 해에만 분명히 나타날 수도 있다. 이런 감소를 막기 위해, 교사에게 도전과 실질적인 프로그램이 필요하다. 각 학교는 가장 심각한 문제 중 일부에 집중해야 하고 그리고나서 이들 문제를 충족시키는 현직 연수 프로그램을 개발해야 한다. 현직 연수 프로그램은 교사 교육 수업의 운영진과 학군이 함께 심각한 문제를 확인하고 초점을 맞추기 위해 일한다면, 대단히 향상될 수 있다.

여러분이 효과적인 교사가 되기를 기대한다면, 업무에서 일어나는 좌절과 문제에 대해 대처할 수 있을 필요가 있을 것이다. 여러분이 교수에서 얻는 만족의 양에도 불구하고, 업무에서 만족하지 못하는 측면이 있을 것이다. 다음은 정신 건강 전략의 목록으로, 자기 이해를 위한 상식과 심리학의 혼합된 질문의 형태로 된 전문성 참살이에 대한 핵심이다. 업무상 일어날지도 모를 문제 또는 불만을 다루도록 여러분을 돕게 되어 있다.

핵심 1. *여러분은 여러분의 강점과 약점을 알고 있는가?* 여러분의 학생과 동료가 여러분의 행동, 태도, 능력을 고찰하고 판단하게 될 것이라는 사실이 주어졌을 때, 자기 평가를 현실적이게 하는 능력은 중요하다. 다른 사람이 여러분을 보듯이 여러분 자신을 보는 것을 배우고, 향상될 필요가 있는 영역을 보충하거나 수정하는 것을 배운다.

핵심 2. *여러분은 여러분의 사회적, 개인적 기능을 알고 있는가?* 여러분은 여러분의 학생, 동료, 관리자의 태도와 감정을 이해할 필요가 있을 것이다. 즉 다른 사람들에게 적응하고 상호 작용하는 방법, 그들로부터 배우는 방법, 그들과 함께 협동적으로 일하는 방법이다.

핵심 3. *관료적인 환경에서 여러분은 활동할 수 있는가?* 학교는 관료적이고 여러분은 학교의 기준과 행동뿐만 아니라 규칙과 법규를 배워야만 한다. 교사로서 여러분은 여러분과 피고용인에 대한 특정한 기대를 갖고 있는 조직의 피고용인이다.

핵심 4. *학교 양식과 성적표를 처리할 수 있는가?* 학교는 교사가 주요한 양식, 보고서와 성적표를 정확하고 제 시각에 완성할 수 있다고 기대한다. 이런 업무에 빨리 친숙해질수록, 여러분은 더욱 순조로워질 것이다. 처음에 다양한 양식과, 보고서, 성적표가 부담이 될지도 모르나, 여러분과 여러분의 관리자뿐만 아니라 학교도 이들 없이 완성할 수 없다.

핵심 5. *여러분은 유사한 문제를 가진 다른 사람으로부터 연구하고 배울 수 있는가?* 같은 실수를 저지르지 않게 하고 그들이 그르게 행동하는 것을 보여주는 유사한 문제를 가진 사람을 평가하도록 돕는다.

핵심 6. *여러분은 특정한 질문에 대해 도움을 원하는가?* 교사의 불만족은 훈련을 지속하지 못하는 것과 같은 구체적인 문제와 종종 관련된다. 경험 있는 동료나 관리자와 상의하는 것이 때때로 도움이 된다.

핵심 7. *여러분은 학급에서 여러분의 좌절을 드러내는가?* 여러분의 학생에게 여러분의 불만족을 발산하지 않도록 한다. 그것은 아무것도 해결할 수 없고 여러분의 교수에 문제를 더한다.

핵심 8. *여러분은 여러분의 교사로서의 역할을 이해하는가?* 교사의 역할은 학급에서 일군의 학생을 가르치는 것을 훨씬 뛰어넘는다. 교수는 특별한 사회적 맥락 속에서 발생하고, 여러분이 행하고 또 행하기로 예상되는 대부분의 것이 이 맥락에 의해 영향을 받는다. 다양한 학생과 관리자, 행정관, 학부모와 공동체 구성원은 여러분으로부터 다른 것을 기대한다. 여러분은 학교 문화의 현실, 요구와 기대에 의지하고 있는 다양한 역할을 수행할 것이 기대되어야 한다.

핵심 9. *여러분은 여러분의 시간을 구성할 수 있는가?* 하루에는 너무나 많은 시간이 있고, 많은 요구와 기대가 사람과 전문가로서 여러분에게 강요하고 있다. 여러분은 시간을 잘 사용하고, 우선순위를 두고, 계획하고, 여러분의 일이 완성되게 할 필요가 있을 것이다.

핵심 10. *여러분은 여러분의 개인적인 삶으로부터 업무를 분리할 수 있는가?* 가르치는 업무(또는 어떤 업무)는 여러분의 개인적인 삶을 방해하는 경우까지 여러분을 결코 제압하지 않는다. 여러분이 학생을 돕거나 동료와 함께 일하면서 학교에서 약간의 잔여 시간을 소비해야 할 시간이 있고 여러분이 보고서와 시험을 채점하고, 수업을 준비하고 사무적 과제를 수행하면서 방과 후 남은 시간을 소비해야 할 시간이 있지만, 여러분 자신의 정신 건강을 위해서 여러분은 여러분의 사적인, 가족의, 사회적인 삶을 위한 시간을 남겨 두는 것을 확실히 해야 한다.

많은 교사들의 전문적인 정신 건강은 the No Child Left Behind 법률과 같은 것에 의해서 영향을 받고 있다. Tye와 O' Brien은 지난 몇 년 동안 교사가 전문직이 되지 못하고 있는 많은 이유에 대해 논의했다. 그들이 열거한 이유에는 책무성, 증가하는 문서업무, 학생의 태도, 부모의 무 지원, 민감하게 반응하지 못하는 행정, 낮은 직업 지위, 보수 등이 포함된다.[84] 특히 중요한 것은 책무성과 증가하는 문서업무와 관계 있는 교사의 염려이다. 현재 교사는 많은 평가와 그 평가와 관련된 많은 교육과정 개발 업무를 하도록 요구받고 있다(10장과 11장 참조). 특별히 문제로 나타나는 것은 직면하고 있는 많은 교육과정 수업 쟁점에 대해 생각할 시간이 교사에게 주어지지 않는다는 것이다. 미국의 교사는 계획할 시간이 부족하고 많은 다른 나라의 교사들보다 더 많이 학생들과 보낸다. 적절한 계획 시간 없는 교사는 총체적 효율성이라는 점에서 보면 불리하다. 비록 증가하는 책무성 초점이 긍정적인 면이 있다 하더라도, 만일 교사에게 계획할 전문적인 시간과 교수에 대해 생각할 시간을 주지 않는다면, 책무성은 그 효율성에 있어서 한정된다.

요약

1. 전국적으로 보면 예비 교사 양성 과정의 수와 재편성은 일치하지 않는다.
2. 초임 교사는 지위를 올리고 수업 기술을 개선하기 위해 지원과 도움이 필요하다.
3. 숙련된 교사가 되기 위해서는 계속해서 교수 능력을 개선하고 전문적인 개발에 초점을 맞추는 것이 필요할 것이다. 동료와 장학관을 비롯한, 교수와 수업에 관련된 사람들은 피드백과 평가를 할 수 있다.
4. 몇 가지 다른 형태의 형성평가와 총괄평가는 교사로서의 발전 정도를 평가할 수 있다.
5. 다양한 교사를 위한 협회가 있다. 가장 큰 두 협회가 있는데, 교사의 봉급과 근무 조건을 향상시키기 위해 많은 일을 한 협회는 AFT(the American Federation of Teachers)와 NEA(the National Education Association)이다.
6. 교사가 전문가로 성장할 수 있도록 도와주는 기회가 여러 가지 있다. 예를 들어 학술지 구독, 회의 참석, 연수과정 이수, 연구자와의 협력이 있다.

고려할 문제

1. 정규 교사로서의 수업 기술 개선을 위한 방법에 대한 고려를 왜 예비교사일 때부터 시작해야 하는가?
2. 가르치는 일과 관련된 문제와 염려를 해결하기 위한 방법을 무엇인가?
3. 예비교사로서의 어떤 경험이 초임 교사가 되었을 때 도움이 된다고 생각하는가? 이들 중 중요한 교수 기술과 자질에 초점을 둔 교사 교육 프로그램은 무엇인가?
4. 학생 평가, 동료 평가, 자기 평가, 장학과 같은 대안적인 평가 중 초임 교사로서 여러분이 선호하는 것은 무엇인가? 그 이유는? 경력교사라면? 그 이유는?
5. 교사로서 가입하고 싶은 전문적인 협회를 두세 개 말한다. 그 협회의 웹사이트를 방문하고 회원자격을 살펴본다. 예비교사의 가입을 허락하는가? 회원이 되면 어떤 혜택이 있는가? 각 협회의 임무는 무엇인가?

해야 할 일

1. 초임 교사에게 예상되는 문제에 대해 (여러분이 선택한 과정의) 구성원들과 조사한다. 그것들의 우선순위를 매긴다. 예비 경험을 통해서 언급될 수 있는 중요한 (상위 5개) 문제들을 어떻게 고려해야 하는지에 대해 토의한다. 예를 들면, 만약 학습 경영이 예상되는 문제라면, 그 문제를 다루기 위해 취할 수 있는 구체적인 단계는 무엇인가?
2. 특정 학년의 학생에게 맞는 과목의 모의 수업의 교수를 평가한다. 교수 방법, 매체 사용, 교과목 조직에 의해 수업을 평가한다.
3. 각 협회의 목적과 임무를 토론하기 위해 AFT와 NEA의 대표를 강의에 초대한다. 학급 규모와 고부담 시험과 같은 특별한 주제에 대한 그들의 관점은 무엇인가? 그들의 관점이 학생의 최대의 관심과 일

치하는가?

4. 이 교재는 전문적인 협회와 학술잡지를 몇 개 열거하고 있다. 전문적인 성장을 위한 잠재력을 제공하는 하나를 결정한다. 수업에서 그 이유를 설명한다.

5. 교수 경험을 위한 평가 도구를 획득한다. 그것을 어떤 기준에 기초한 것인가?

추천 문헌

Beerens, Daniel. Evaluating *Teachers for Professional Growth*. Thousand Oaks, Calif.: Corwin Press, 2000. This is a thoughtful analysis of all the different ways to evaluate teaching practice.

Darling-Hammond, Linda. *Professional Development Schools*. New York: Teachers College Press, Columbia University, 1994. This is a discussion concerning how to improve teacher education and schools of education.

Ladson-Billings, Gloria. *Crossing Over to Canaan*. San Francisco: Jossey Bass, 2001. This wonderful book outlines the experiences of eight novice teachers learning how to teach for diversity.

Marzano, Robert J. *What Works in Check Schools: Translating Research into Action*. Alexandria, Va.: Association for Supervision and Curriculum Development, 2003. A description of packages that teachers and schools can use to enhance student success.

Meeting the Highly Qualified Teachers Challenge. Washington D.C.: U.S. Department of Education, 2002. This short monograph released by the government highlights information about how states need to address the issue of having highly qualified teachers in every classroom, which is a requirement of the No Child Left Behind legislation of 2002.

No Dream Denied: A Pledge to America's Children. Washington, D.C.: National Commission on Teaching and America's Future, 2003. An analysis of the state of the teaching profession and a description of promising practices to ensure a highly qualified teacher in each classroom.

Testing Teacher Candidates. Washington, D.C.: National Academy Press, 2001. A thorough analysis of practices and policies related to teacher licensure in the United States.

핵심 용어

후주

1. Robert J. Yinder and Amanda L. Nolen. "Surviving the Legitimacy Challenge." *Phi Delta Kappan* (January 2003): 386-390.

2. Kenneth A. Sirotnik. "On the Eroding Foundations of Teacher Education." *Phi Delta Kappan* (May 1990): 714. 3. "Improving Teacher Quality: The State of the States." *Education Week* (January 9, 2003): 90.

4. James B. Conant. *The Education of American Teachers*. New York: McGraw-Hill, 1964.

5. James D. Koerner. *The Mideducation of American Teachers*. Boston: Houghton Mifflin, 1963.

6. Susan Chira. "In the Drive to Revive Schools: Better Teachers but Too Few." *The New York Times*. (2 August 1990): A1, A12. "School Administrators Report New Teachers Are Better Prepared Than Predecessors." *AACTE Briefs*. (13 May 1991): 1, 8.

7. John I. Goodlad, Roger Soder, and Kenneth Sirotnik. *Places Where Teachers Are Taught*. San Francisco: Jossey-Bass, 1990.

8. E. D. Hirsch Jr. *The Schools We Need and Why We Don't Have Them*. New York: Doubleday, 1995.

9. John I. Goodlad. *Teachers for Our Nation's Schools*. San Francisco, Jossey-Bass, 1990. John I. Goodlad. *Educational Renewal*. San Francisco: Jossey-Bass, 1998.

10. James W. Fraser. "Preparing Teachers for Democratic Schools: The Holmes and Carnegie Reports Five Years Later." *Teachers' College Record* (Fall 1992): 7-39.

11. "Meeting Teaching's Toughest Critic." *NEA Today* (April 1991): 8-9. Telephone conversation with Arthur E. Wise, Director of NCATE, March 1, 1993.

12. Thomas J. Laslcy II, William L. Bainbridge, and Barnett Berry. "Improving Teacher Quality: Ideological Perspectives and Policy Prescriptions." *Educational Forum* (Fall 2002): 14-25.

13. Jeanne S. Chall. *The Academic Achievement Challenge*. New York: The Guilford Press, 2000: p. 182.

14. Linda Darling-Hammond. "Educating Teachers." *Academe*. (January-February 1999): 29.

15. Hilda Borko. "Research on Learning to Teach." In A. Woolfolk (ed.), *Research Perspectives on the Graduate Preparation of Teachers*, 3. Englewood Cliffs, N.J.: Allyn and Bacon, 1989, pp. 69-87. Simon Veenman. "Perceived Problems of Beginning Teachers." *Review of Educational Research* (Summer 1984): 143-178. Sylvia M. Yee. *Careers in the Classroom: When Teaching Is More Than a Job*. New York: Teachers College Press, Columbia University, 1990.

16. The research of Richard M. Ingersoll effectively documents the teacher attrition problem. See, for example, Richard M. Ingersoll. "Teacher Turnover and Teacher Shortages." *American Educational Research Journal* (Fall 2001): 449-534.

17. Bridget Curran and Liam Goldrich. *Mentoring and Supporting New Teachers*. Education Policy Studies Division, National Governor's Association Center for Best Practices, 2002.

18. Frances F. Fuller. "Concerns for Teachers." *American Educational Research Journal* (March 1969): 207-226.

19. Carol S. Weinstein. "Preservice Teachers' Expectations About the First Year of Teaching." *Teaching and Teacher Education* no. 1 (1988): 31-40. Weinstein. "Prospective Elementary Teachers' Beliefs About Teaching." *Teaching and Teacher Education* no. 6 (1990): 279-290.

20. Marilyn Cochran-Smith and Susan Lytle. "Research on Teaching and Teacher Research." *Educational Researcher* (March 1990): 2-11.

21. Scott Joftus. *New Teacher Excellence: Retaining Our Best*. Washington D.C.: Alliance for Excellent Education, 2002.

22. William H. Kurtz. "How the Principal Can Help Beginning Teachers." *NASSP Bulletin* (January 1983): 42-45. Also see Thomas J. Sergiovanni. *Building Communities in Schools*. San Francisco: Jossey-Bass, 1994.

23. Diane Davis and Marjorie Leppo. *A First Class Look at Teaching*. Washington D.C.: Sallie Mae Education Institute, 1999.

24. Lowell C. Rice and Alec M. Gallup. "The 34th Annual Phi Delta Kappa/Gallup Poll of the Public's Attitudes toward the Public Schools." *Phi Delta Kappan* (September 2002): 41-56.

25. Allan C. Ornstein and Daniel U. Levine. "Social Class, Race, and School Achievement Problems and Prospects." *Journal of Teacher Education* (September-October 1989): 27-33.

26. Mary H. Futrell, Joel Gomez, and Dana Belden. "Teaching the Children of a New America: The Challenge of Diversity." *Phi Delta Kappan* (January 2003): 381-385. Maria Enchautequi. Immigration and County Employment Growth. Washington, D.C.: Urban Institute, 1992. Jason Juffus, The Impact of the *Immigration Reform and Control Act of Immigration* Washington, D.C.: Urban Institute, 1992.

27. Michael Fix and Wendy Zimmermann. *Educating Immigrant Children*. Washington, D.C.: Urban Institute, 1993.

28. Allan C. Ornstein. "Enrollment Trends in Big City Schools." *Peabody Journal of Education* (Summer 1988): 64-71. Roger Passel and Edward Edmonston. *Immigration and Race in the United States: The 20th and 21st Centuries* (Washington, D.C.: Urban Institute, 1992).

29. Laurence Steinberg. *Beyond the Classroom*. New York: Simon and Schuster, 1996.

30. Ibid., p. 97.

31. James A. Banks. "Multicultural Education: For Freedom's Sake." *Educational Leadership*.

(December-January 1992): 32-36. Carl A. Grant. "Desegregation, Racial Attitudes, and Intergroup Contact: A Discussion of Change," *Phi Delta Kappan*. (September 1990): 125-132.

32. F. Michael Connelly and Jean Clandinin. *Shaping a Professional Identity*. New York: Teachers College Press, 1999. Margaret Eisenhart, Linda Behm, and Linda Romagnano. "Learning to Teach: Developing Expertise or Rite of Passage?" *Journal of Education for Teaching* (January 1991): 51-71. Anne Reynolds. "What Is Competent Beginning Teaching?" *Review of Educational Research* (Springs 1992): 1-36.

33. Pamela Grossman. "Why Models Matter: An Alternative View on Professional Growth in Teaching." *Review of Educational Research* (Summer 1992): 171-179.

34. Lee Shulman. "Those Who Understand: Knowledge Growth in Teaching." *Educational Researcher* (March-April, 1986): 4-14. Lee Shulman. "Knowledge and Teaching: Foundations of the New Reform." *Harvard Educational Review* (February 1987): 1-22. Lee Shulman. "Ways of Seeing, Ways of Knowing, Ways of Teaching, Ways of Learning About Teaching." *Journal of Curriculum Studies* (September-October 1992): 393-96.

35. Susan E. Wade. *Preparing Teachers for Inclusive Education*. Mahwah, N.J.: Erlbaum, 1999.

36. Sigrun Gudmundsdottir. "Values in Pedagogical Content Knowledge." *Journal of Teacher Education* (May-June 1991): 44-52. Rick Marks. "Pedagogical Content Knowledge: From a Mathematical Case to a Modified Conception." *Journal of Teacher Education* (May-June 1990): 3-11. Barbara Scott Nelson. "Teachers' Special Knowledge." *Educational Researcher* (December 1992): 32-33.

37. Pamela L. Grossman. "A Study in Contrast: Sources of Pedagogical Content Knowledge in Secondary English." *Journal of Teacher Education* (September-October 1989): 24-32.

38. Ibid., pp. 25-26.

39. Linda Darling-Hammond. "Educating Teachers": 30.

40. Karen Carter. "Teachers' Knowledge and Learning to Teach." In W.R. Houston (ed.), *Handbook of Research on Teacher Education*. New York:

Macmillan, 1990, pp. 291-310. Daniel L. Duke. "How a Staff Development Program Can Rescue At-Risk Students." *Educational Leadership* (December-January 1993): 28-30.

41. Thomas D. Bird. "Early Implementation of the California Mentor Teacher Program." Paper presented at the annual meeting of the American Educational Research Association, San Francisco, April 1986. Auroro Chase and Pat Wolfe. "Off to a Good Start in Peer Coaching." *Educational Leadership* (May 1989): 37-38. Donna Gordon and Margaret Moles. "Mentoring Becomes Staff Development." *NASSP Bulletin* (February 1994): 62-65.

42. Bridget Curran and Liam Goldrich. *Mentoring and Supporting New Teachers*. Education Policy Studies Division, National Governor's Association Center for Best Practices, 2002. For copies of the report contact bcurran@nga.org.

43. Bruce Joyce and Beverly Showers. *Power in Staff Development Through Research in Training*. Alexandria, Va.: Association for Supervision and Curriculum Development, 1983. Bruce Joyce and Beverly Showers. *Student Achievement Through Staff Development*, 3d ed. Alexandria, Va.: Association for Supervision and Curriculum Development, 2002.

44. Gloria A. Neubert and Elizabeth C. Bratton. "Team Coaching: Staff Development Side by Side." *Educational Leadership* (February 1987): 29-32.

45. Judith T. Witmer. "Mentoring One District's Success Story." *NASSP Bulletin* (February 1993): 71-78.

46. Kip Tellez. "Mentors by Choice, Not Design." *Journal of Teacher Education* (May-June 1992): 214-21.

47. Tad Watanabe. "Learning from Japanese Lesson Study." *Educational Leadership* (March 2002): 36-39.

48. Mary R. Jalongo. "Teachers' Stories: Our Ways of Knowing." *Educational Leadership* (April 1992): 68-73.

49. Katherine K. Merseth. "First Aid for First-Year Teachers." *Phi Delta Kappan* (May 1992): 678-83.

50. Kenneth D. Peterson. *Teacher Education*, 2d ed.

(Thousand Oaks, Calif.: Corwin Press, 2000).

51. Thomas L. Good and Jere E. Brophy. *Looking in Classrooms*, 6th ed. New York: Harper & Collins, 1994, p. 463.

52. *High School and Beyond: Teacher and Administrator Survey*. Washington, D.C.: National Institute for Education, 1985.

53. Many school districts around the country are using variations of INTASC or PATHWISE-PRAXIS criteria to develop district evaluation systems for new teachers.

54. "Intern Intervention Evaluation: The Toledo Plan." Toledo, Ohio: Toledo Public Schools, 2001.

55. Carol A. Dwyer. "Teaching and Diversity: Meeting the Challenges for Innovative Teacher Assessment." *Journal of Teacher Education* (March-April 1993): 119-129. Carolyn J. Wood. "Toward More Effective Teacher Evaluation." *NASSP Bulletin* (March 1992): 52-59.

56. Margaret Olebe, Amy Jackson, and Charlotte Danielson. "Investing in Beginning Teachers—The California Model." *Educational Leadership* (May 1999): 41-44.

57. Wayne K. Hoy and Cecil G. Miskel. *Educational Administration*, 6th ed. Boston, Mass.: McGraw Hill, 2001.

58. Carl Rogers. *A Way of Being*. Boston: Houghton Mifflin, 1980. Donald A. Schon. *The Reflective Practitioner: How Professionals Think in Action.* New York: Basic Books, 1983. Donald A. Schon, ed. *The Reflective Turn.* New York: Teachers College Press, Columbia University, 1991.

59. Caroline Allyson Lucas. "Developing Competent Practitioners." *Educational Leadership* (May 1999): 46-47.

60. Linda Darling-Hammond and Gary Sykes (eds.). *Teaching as the Learning Profession.* San Francisco: Jossey-Bass, 1999.

61. Dorene D. Ross. "First Steps in Developing a Reflective Approach." *Journal of Teacher Education* (March-April 1989): 22-30.

62. Ibid.

63. Simon Hole and Grace Hall McEntree. "Reflections in the Heat of Practice." *Educational Leadership* (May 1999): 34-37.

64. Ibid.

65. Kenneth D. Peterson. *Teacher Education*, 2d ed. Thousand Oaks, Calif.: Corwin Press, 2000.

66. Ibid.

67. Morris Cogan. *Clinical Supervision.* Boston: Houghton Mifflin, 1973.

68. Robert Goldhammer et al. *Clinical Supervision: Special Methods for the Supervision of Teachers*, 2d ed. New York: Holt, Rinehart, 1980.

69. Ben M. Harris. *In-Service Education for Staff Development.* Needham Heights, Mass.: Allyn and Bacon, 1989. Ben M. Harris. *Personnel Administration in Education.* Needham Heights, Mass.: Allyn and Bacon, 1992.

70. Allan A. Glatthorn. *Supervisory Leadership.* New York: Harper Collins, 1990. Arthur E. Wise et al. *Effective Teacher Selection: From Recruitment to Retention.* Santa Monica, Calif.: Rand Corporation, 1987.

71. Carl D. Glickman. *Supervision of Instruction: A Developmental Approach*, 2d ed. Needham Heights, Mass.: Allyn and Bacon, 1990. Mary D. Phillips and Carl D. Glickman. "Peer Coaching: Developmental Approach to Enhance Teacher Thinking." *Journal of Staff Development* (Spring 1991): 20-25.

72. John G. Savage. "Teacher Evaluation Without Classroom Evaluation." *NASSP Bulletin* (December 1982): 41-45. Lee Shulman. "A Union of Insufficiencies: Strategies for Teacher Assessment in a Period of Educational Reform." *Educational Leadership* (November 1988): 36-41.

73. Elizabeth A. Hebert. "Portfolios Invite Reflection." *Educational Leadership.* (May 1992): 58-61. Thomas J. Sergiovanni and Thomas J. Starratt. *Supervision: A Redefinition.* Boston, Mass.: McGraw-Hill, 2002.

74. *Teacher Evaluation System.* Cincinnati, OH: Cincinnati Public Schools, 2001.

75. *Testing Teacher Candidates.* Washington, D.C.: National Academy Press, 2001.

76. Ibid., p. 153.

77. *Teaching Quality Research Matters.* Chapel Hill, N.C.: The Southwest Center for Teaching Quality,

Issue 2 (November 2002).

78. Allan Ornstein and Daniel Levine. *Introduction to the Foundations of Education*, 7th ed. Boston: Houghton Mifflin, 2000.

79. *Teaching Quality Research Matters.*

80. Christopher Clark. "Teacher Preparation: Contributions of Research on Teacher Thinking." *Educational Researcher* (March 1988): 5-12. Michael O'Loughlin. "Engaging Teachers in Emancipatory Knowledge Construction." *Journal of Teacher Education* (November-December 1992): 42-48.

81. Judith H. Shulman. "Now You See Them, Now You Don't." *Educational Researcher* (August-September 1990): 11-15.

82. Jennifer J. Bradford. "How to Stay in Teaching (When You Really Feel Like Crying)." *Educational Leadership* (May 1999): 67-68.

83. William Sanders. *Presentation to the Governor's Commission on Teaching Success*. Columbus, Ohio, July 2002.

84. Barbara Benham Tye and Lisa O'Brien. "Why Are Experienced Teachers Leaving the Profession?" *Phi Delta Kappan* (September 2002): 24-32.

찾아보기

기타

역자 소개   **박인우**

미국 Florida State University 대학원 Ph. D(교육공학 전공)

계명대학교 교수

고려대학교 교수(현)

교수전략
Strategies for Effective Teaching, 4/e

초판 인쇄	2006년 8월 25일
초판 발행	2006년 9월 1일
저　　자	Allan C. Ornstein, Thomas J. Lasley II
역　　자	박인우
발 행 인	홍진기
발 행 처	아카데미프레스
주　　소	158-840 서울시 양천구 신월4동 547-1
전　　화	(02)2694-2563
팩　　스	(02)2694-2564
웹사이트	www.academypress.co.kr
등 록 일	2003. 6. 18
등록번호	제20-331호
I S B N	89-91517-15-3

정가 20,000원

* 역자와의 합의하에 인지첨부는 생략합니다.
* 잘못된 책은 바꾸어 드립니다.